ISBN 978-0-266-13557-9
PIBN 11015789

BULLETIN

de la

SOCIÉTÉ IMPÉRIALE

DES NATURALISTES

DE MOSCOU.

Publié

sous la Rédaction du Prof. Dr. Ch. Lindeman (№ 1)

et

Prof. Dr. M. Menzbier (№ 2, 3 et 4).

ANNÉE 1888.

Nouvelle série. Tome II.

(Avec XX planches).

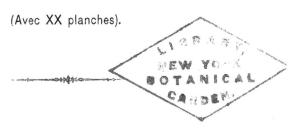

MOSCOU.
Imprimerie de l'Université Impériale.
1889.

TABLE PAR ORDRE DE MATIÈRES.

TABLE DES MATIÈRES PAR ORDRE ALPHABÉTIQUE D'AUTEURS.

EINIGE BEOBACHTUNGEN
ÜBER DIE FOLGEN DES ERDBEBENS
VOM 23 FEBRUAR 1887
AUF DER RIVIERA DI PONENTE.

Von

H. Trautschold.

Der schöne Theil der Erdoberflache, welcher am 23 Februar 1887 von einem Erdbeben heimgesucht wurde, ist schon in früheren Zeiten nicht selten der Schauplatz von Verwüstungen durch Erdbeben gewesen. Der Schrecken, den dasselbe in diesem Jahre unter den Einwohnern des ligurischen Kustenstrichs verbreitet hat, ist also nur ein Beweis, wie leicht sich ganze Bevölkerungen durch scheinbare Ruhe in Sorglosigkeit versenken lassen. Schon im Jahre 1135 wird von einem starken Erdbeben gemeldet. In den Jahren 1182, 1276, 1530 fanden verheerende Erdbeben in Genua statt, dessgleichen in Nizza in den Jahren 1564 und 1620. Verzeichnet sind aus diesem Jahrhundert Erdbeben 1818 (den 23 Februar wie im Jahre 1887) im San Remo und in Alassio, 1819. in Genua, Porto Maurigio und San Remo, 1828 in Genua und 1831 auf der ganzen Riviera di Ponente. Dass aus den früheren Zeiten nur Erdbeben in den grössteren Orten wie Genua, wie Nizza gemeldet werden, und nichts von den dazwischen gelegenen Orten geredet wird, liegt unzweifelhaft nur daran, dass der verursachte Schaden in jenen Orten am grössten war, und man das geringere Leiden der kleineren Städte und Dorfer nicht der Erwahnung werth hielt.

Bei dem diesjährigen Erdbeben waren grossere Beschädigungen an Gebäuden auf dem Küstenstrich zwischen Nizza und Savona verursacht. Genua wurde durch dasselbe nicht erreicht. Eine Spalte öffnete sich auf der Strasse von Savona nach dem oberen Piemont in der Richtung von Süd nach Nord, welche 25 Centimeter breit war mit ebensolchen Niveau-Unterschied *), aber sich bald nachher wieder schloss. Ebenso wurde der Berg Barbonnet, auf welchem sich französische Befestigungen (an der italienischen Gränze) befinden, seiner ganzen Länge nach gespalten **). Das Fort selbst war in der Richtung von Nord nach Süd gespalten und die Spalte war 15 Centimeter breit. Verfolgt man diese Richtung weiter, so bemerkt man, dass die Verlängerung auf Castillon, der so bedeutend gelitten hat, und Mentone trifft. Die Zisternen, welche auf dem Wege der Spalte lagen, verloren zum Theil ihr Wasser. Der Boden, auf welchem das Fort gebaut ist, besteht aus Steinblocken, deren Zwischenraum von lockerer Erde ausgefüllt ist. Die Forts von Nizza, die auf festem, gleichartigem Boden stehen, haben durch das Erdbeben nicht gelitten. Das sind Erscheinungen, die bei allen Erdbeben constatirt sind. Die Beobachtung, dass auf dem Gipfel von Höhen liegende Ortschaften und die oberen Stockwerke hoher Hauser grösserer Zerstörung ausgesetzt sind, als die Ortschaften der Thaler und die unteren Stockwerke der Häuser, bestätigte sich als nothwendige Folge der Schwingungen des Erdbodens auch hier. Castillon oberhalb Mentone an dem Wege nach Tende liegend, wurde mit Ausnahme der Kirche und zweier Hauser ganz zerstört, und in Mentone stürzten die Dächer, die Decken und Wände der oberen Stockwerke der Häuser ein. Das Meer, das ruhig vor dem Erdbeben war, hob und senkte sich nach demselben um einen Meter in Zwischenräumen von 5 Minuten.

Die in Turin beobachtete Richtung des Hauptstosses war Nordost Südwest. In der Schweiz war sie Nord-Süd. Dass die Uhren zur Zeit des ersten Stosses d. h. um 6 Uhr 24 Minuten 3 Sekunden (Zeit von Rom) auf den Eisenbahnstationen stehen blieben, machte es möglich für die verschiedenen Orte die Zeit genau festzustellen, die naturlich in der Schweiz, Nizza u. anderen Orten verschieden angegeben wurde. Die erste Erschutterung dauerte 33 Sekunden, der zweite schwachere Stoss folgte nach 10 Minuten, und der dritte ebenso starke wie der erste folgte noch um 9 Uhr Vormittags. Am 11 März ereignete sich noch eine vierte Erschütterung um 3 Uhr Nachmittags.

*) Uzielli. Il terremoto del 24 Febbrajo 1887.
**) L'avenir de Menton. 1 Mai 1887.

Obgleich die Ausserungen des Erdbebens von Mentone bis Savona am heftigsten waren, 'so zeigten sich schwächere Wirkungen und Bewegungen viel weiter auf allen Seiten des Festlandes: in den Thalern der Seealpen, der Grajischen, Penninischen und Lepontinischen Alpen bis zur Höhe der Pässe und im ganzen Piemont und in Ligurien, nach Osten in der Riviera di Levante bis nach Spezzia, nach Westen in Marseille und Südfrankreich uberhaupt, ebenso in der Schweiz. Ja sogar in London auf dem Obsorvatorium in Kew wurden zur Zeit der Erdbebens Störungen *) an den magnetischen Apparaten beobachtet. Die Bewegung war hauptsächlich wellenförmig, doch stellenweise auch senkrecht und sogar rotatorisch.

Ich besuchte die Riviera di Ponente zwei Monate nach dem Erdbeben, in den letzten Tagen des April und in den ersten Tagen des Mai. Da für die Wiederherstellung des Beschädigten und Zerstörten noch fast nichts gethan, selbst der Schutt aus den weniger zerrütteten Hausern noch nicht weggeraumt war, so fand ich ziemlich noch alles in derselben Verfassung, wie unmittelbar nach dem 23 Februar. Die erste Stadt, in der ich eingehendene Beobachtungen machen konnte, war Mentone. Bei dem Verlassen des Bahnhofes fielen sogleich in den gegenuberliegenden Hausern die Wirkungen des Erdbebens in die Augen. Eingestürzte Schornsteine, abgefallener Putz, von Rissen durchzogene Wande; im Inneren Treppen und Gänge mit Schutt bedeckt, die Wände kreuz und quer von Rissen durchzogen, die Decken der oberen Stockwerke zum Theil eingestürzt. Der Theil der Stadt, welcher am meisten gelitten hat, liegt zwischen den beiden kleinen Flussen Carei und Borrigo und östlich von dem ersteren.

Der östlichste ältere Theil der Stadt hat am wenigsten gelitten. Aber in dem neuen Theil am Ufer des Borrigo, wo die Gebaude zum Fundament Geröll haben, ist die Zerstörung grösser gewesen. Mehrfach sind hier bis fünfstöckige Häuser von senkrechten Spalten durchzogen, was auf seitlichen Stoss deutet. Doch die hoheren Theile der östlichen Stadt haben ebenfalls Zerstörungen erfahren; dort befindet sich die Kathedrale, deren Gewölbe uber dem Hochaltare eingestürzt ist. Die Kathedrale ist noch uberragt von einem Felsen, welcher durch das Campo Santo eingenommen ist. Letzterer hat vielfältige Beschadigungen aufzuweisen. Thürmchen sind von den Ecken der Familiengrüfte nach Westen herabgewor-

---

*) Padre Denza. Gazzetta Piemontese 2. Marzo 1887.

fen. Ein Leichenstein ist vom Postament nach W. mit einer Abweichung von 3 Zoll nach S. W. herabgefallen. Eine Wendung nach S. W. hat auch ein marmornes Kreuz beim Fallen gemacht. Eine aufrecht stehen gebliebene Wase hat eine Wendung von N. zu W. gemacht. Der vier Fuss hohe kubische Marmorblock, auf welchem die Wase steht, und der auf Löwenfussen ruht, hat sich auf diesen ebenfalls um 3 Zoll nach W. verschoben und zwar so, dass die linke Seite des an der Nordwand stehenden Monuments sich nach vorn bewegt hat, die rechte nach hinten, wahrend die marmornen Löwenfüsse auf ihrem Platze blieben *). Wie der Photograph Anfossi erzählte, hat sich eine Büste auf dem Sims seines Kamins um sich selbst gedreht, so dass nicht mehr das Gesicht, sondern der Rucken dem Beschauer zugewendet war.

Eine eigenartige Erscheinung boten die beiden Säulen der Eingangspforte zur Villa Emery in der Strasse Partounneaux. Beide Saulen bestehen aus zwei gleich hohen Stücken, und sind mit Kapitalen versehen, die einen knopfartigen Aufsatz tragen. Der obere Theil der linken Saule ist nach West verrückt, die obere Hälfte der rechten dagegen nach Ost. Diese Verruckung ist indessen geringfügig gegenuber der des Kapitals und des Aufsatzes, die wegen des geringeren Gewichts leichter zu bewegen oder leichter von ihrer Unterlage loszureissen waren. An der linken Saule namlich ist das gange Kapital zusammen mit dem Aufsatze um mehrere Zoll nach West gerückt, an der rechten Säule dagegen ist die mit dem Knopf versehene Deckplatte des Kapitäls nach Ost bewegt, wahrend das Kapitäl selbst auf der Sanle haften geblieben ist. Diese selbe entgegengesetzte Verrückung war auch an den steinernen Pfosten (auch aus zwei Hälften bestehend) des Hauses Capponi vor sich gegangen, nicht weit entfernt von der Villa Emery. Auch das Haus des eben erwähnten Photographen Anfossi befindet sich in unmittelbarer Nahe jener Villa.

Es scheint auf der Hand zu liegen, dass im Falle der Säulen und Pfosten ein Stoss nach West und ein Rückstoss die entgegengesetzten Wirkungen an den gegenüberstehenden Saulen hervorgebracht haben. Es liegt aber die Vermuthung nahe, dass auch die Drehung der Buste auf dem Kaminsims des Photographen durch dieselben jedoch combinirten Stosse verursacht ist. Mallet **) hat

*) Das Monument ist das des Polen Dobiecki aus dem Jahre 1862.

**) Naumann Lehrbuch der Geognosie. 1858 p. 189.

schon längst nachgewiesen, dass eine drehende Bewegung durch geradlinig verlaufende Stösse erzeugt werden kann, wenn der Schwerpunkt und der Mittelpunkt der Adhärenz nicht in die Richtung der Bewegungs-Ebene fallen. Die Drehung der Buste macht es daher wahrscheinlich, dass auch die oberen Theile der erwahnten Saulen und Pfosten nur durch successorische Bewegung verrückt worden sind, und dass nur die Folge verschiedener Stösse des Erdbebens und die verschiedene Adhärenz zu der Bewegung nach entgegengesetzten Seiten geführt haben.

San Remo hat ungefahr ebenso gelitten wie Mentone, es sind dort nur 100 Häuser unversehrt geblieben. Der höhere hier altere Theil der Stadt hat grössere Beschädigungen erfahren als in Mentone. Auch hier waren die vertikalen Risse häufig, aber auch hier Sprünge in den Wänden nach den verschiedensten Richtungen, je nach der Beschaffenheit des Materials, und die in der Richtung N.S. und N.W. zu S.O. stehenden Mauern haben am meisten gelitten.

In Oneglia, dem Centrum des Erdbebens näher als San Remo, hat die Erschütterung vom 23 Februar grössere Verwüstungen verursacht, als in den westlich davon gelegenen Ortschaften. Grosse Hanser waren vollständig eingestürzt. Mehr noch war das Innere der Hauser verwustet als die Aussenwände. In der via Doria waren in der Villa des cavaliere Berio alle gewölbten Decken der drei Stockwerke niedergebrochen. In anderen Häusern waren die Treppen zusammengestürzt, so dass zu vermuthen ist, der Hauptstoss sei ein vertikaler gewesen. Indessen fehlt es auch nicht an Beweisen, dass die Erschütterung in anderer Richtung vor sich gegangen ist, wie denn an dem Eckhause der via Giovanni und der Piazza Andrea Doria diese Ecke von oben bis unten abgestossen ist, so dass hier ein Erdstoss schräg auf das Haus gerichtet war; dessgleichen ist in der via ospedale die Ecke eines Hauses abgeschlagen. Das sind dieselben Erscheinungen, wie Milne eine aus dem Erdbeben von Neapel 1857 beschrieben und abgebildet hat *).

Der Mittelpunkt des Erdbebens befand sich augenscheinlich unterhalb Diano marino, da dieses am meisten gelitten und fast in einen Trümmerhaufen verwandelt ist. Die Richtung des stärksten Stosses war hier auch eine annahernd nordsüdliche, da die Vor-

*) John Milne. Earthquakes and other earth movements 1886, p. 106.

derwande einer ganzen Reihe von Hausern der Strasse, die sich am Meere hinzieht, nach Süden hin gestürzt sind. Steinschutt bezeichnet die Stelle, wo ganze Häusercomplexe gestanden. Trotz der bis ins dritte Stockwerk gewölbten Zimmer haben fünf Stock hohe Häuser keinen Widerstand geleistet. In manchen Häusern mit stärkeren Aussenmauern ist das Innere zusammengestürzt, wie im Jesuiten Collegium am Platze Umberto. Wie Castillon bei Mentone, so ist auch das einige Kilometer von Diano marina entfernte auf einer Anhöhe stehende Diano castello mit in das Verderben gozogen, welches die bewohnten Orte des Meeresufers betroffen. Sämmtliche sieben Kirchen des kleinen Ortes sind von Spalten zerrissen und unnahbar geworden, ebenso sind die hohen fünfstöckigen Hauser zerrüttet und unbewohnbar geworden. Während das Schweigen des Todes innerhalb dieser verlassenen burgo herrscht giebt wenigstens das belebte Barackenlager, das sich um Diano marina herumzieht, Hoffnung zum Wiederauferstehen der zerstörten Orter. Auch der Raum zwischen Diano marina und Diano castello ist nicht verschont geblieben, auch hier zeigen die Häuser und die Gartenmauern Spalten; auf der allerdings weiteren Strecke zwischen Mentone und dem viel höher als Diano castello gelegenen Castillon sind dagegen Spuren des Erdbebens nicht zu entdecken. Es mag das an der Verschiedenheit des Gesteins in beiden Oertlichkeiten liegen. Oestlich von Diano marina haben noch mehr oder minder grosse Beschädigungen erlitten Alassio und Noli, und die Wirkungen des Erdbebens gehen erst zu Ende in Savona.

Dass das Erdbeben vom 23 Febr. 1887 so grosse Verwüstungen an dem Gestade des Ligurischen Meerbusens angerichtet hat, liegt weniger an der Stärke der Erdstösse und an der Ausdehnung der Erschütterung, als an dem Baumaterial und der Bauart der Bewohner der riviera di ponente. Ganz allgemein verwendet man dort statt der Ziegel Rollsteine der von den Höhen herabströmenden Bäche und Flusse. Diese, durch das fliessende und stürzende Wasser abgerundet und geglättet, werden, wie sie ungefähr an einander passen, mit Mörtel verkittet, aufeinander gelegt, und zu Mauern und Wanden aufgebaut. Dass diese Masse kein dauerhaftes Gemauer liefert, liegt auf der Hand, denn die Adhärenz zwischen dem glatten Kiesel und dem oft sehr sandreichen Mörtel ist äusserst gering, und nicht zu vergleichen mit der Verbindung, die der Mörtel mit dem porösen Ziegelstein eingeht. Wie locker der Zusammenhang der Kiesel mit dem Mörtel in den beim Erdbeben zusammengestürzten Häusern war, ersieht man daraus, dass die Wände beim Herabfallen sich in einen grusigen Steinhaufen, in welchem kein einziges ganzes Stück Wand oder Bruchstück einer Wand mehr zu sehen war, verwandelt hatten. Solcher Grus füllte das Innere der Häuser und die schmalen Gassen Stokwerke hoch

Eine andere Gefahr bilden die hohen Häuser. Wie schon eben bemerkt, werden die oberen Theile starker durch die wellenförmigen Schwingungen des Erdbebens aus dem Gleichgewicht gebracht, als die unteren, und überall haben die obersten Stockwerke am meisten gelitten. Man ist daher erstaunt zu sehen, dass überall, selbst in den kleinsten Städten, vier-bis fünfstöckige Häuser vorherrschen in einem Lande, das durch die periodische Wiederkehr heftiger Erderschütterungen gewarnt sein sollte. Die himmelhohen Häuser in Neapel erregen weniger Besorgniss, da die Lavaergüsse des Vesuv und die ununterbrochene Dampfausströmung aus der bocca grande der Solfatara als ein Schutz vor Erdbeben angesehen werden darf, der an der riviera und in anderen Theilen Italiens nicht vorhanden ist.

Das Erdbeben vom 23 Febr. 1887 ist ein entschiedenes Küstenerdbeben, wie sie deren das Ligurische Küstenland schon öfter gehabt, wie sie im südlichen Italien, in Portugal, an der Westküste von Südamerika so häufig sind. Dass das Wasser der die Küste bespülenden Meere in ursächlichem Zusammenhange mit dieser Art Erdbeben steht, ist niemals in Zweifel gezogen worden, und angesichts der Rolle, welche das Wasser überhaupt bei vulkanischen Erscheinungen spielt, auch nicht zu bezweifeln. Dies um so weniger, da selbst bei Erdbeben nicht vulkanischen Ursprungs das Wasser der Hauptmotor zu sein scheint. Abgesehen von Einflüssen, wie die allmähliche Contraction der Erdrinde durch Erkaltung, Temperaturveränderung, Anziehung von Sonne und Mond, deren Wirkungen schwach oder nicht sattsam constatirt sind, ist das Wasser der Urheber der Bewegungen innerhalb der Erdrinde, die man als Erdbeben bezeichnet. Einfach die auflösende Wirkung des Wassers ist hinreichend um lokale Erdbeben zu erzeugen. Das Erweichen von Flachen geneigter Schichtensysteme, die Bildung von Hydraten aus wasserfreien Mineralsubstanzen, aufsteigende Quellen, können schon ohne Zuthun der inneren Erdwärme Erdbeben erzeugen. Wie viel mehr, wenn Wasser in grössere Tiefe eindringt, und, durch noch heisse Gesteine erloschener Vulkane erwärmt, sich wieder über die Erdoberfläche erhebt. Die Masse der durch das heisse Wasser gelösten und nach oben beförderten Mineralstoffe ist so gross, dass nothwendig Höhlungen in der Tiefe entstehen mussen, in welche die daruber befindlichen Felsmassen nach laugereu oder kürzereu Fristen hineinstürzen. Ein reines Beispiel der Wirkung unterminirender heisser Wasser liefert das Erdbeben von Casamicciola auf Ischia 1881 und 1883, das leider den Untergang der unmittelbar über den heissen Quellen gebauten Stadt zur Folge halte. Wasser ist ferner im Spiel, wenn Wasserdampfe durch plotzliche Abkühlung zur Verdichtung gelangen, wenn unter sehr hohem Druck befindliches Wasser plötzlich von diesem Druck befreit wird. Explosionen werden dadurch herbeigefuhrt, welche unfehlbar einen Theil der Erdrinde in Erschütterung versetzen müssen. Wie sollte das nicht der Fall sein, da schon das Platzen der durch die flüssige Lava der Krater aufsteigenden Wasserdampfblasen eine sehr fuhlbare Erschütterung des ganzen Berges hervorbringt. Wasser trägt die Schuld an Erderschütterungen, wenn durch atmosphärische Niederschläge die im Inneren der Erdrinde angesammelten Wasserdämpfe verhindert werden frei durch die poröse Decke auszudunsten: diese Poren, besser Kanale, werden durch Regenwasser verstopft und ist das die unmittelbare Veranlassung zu Bewegungen in der Tiefe. Auf ähnliche Weise wirken vielleicht die Gezeiten, da man beobachtet haben will, dass in Japan zuweilen Fluth und Erdbeben zusammenfallen. In umschlossenen Meeren ohne Ebbe und Fluth, wie im mittellandischen Meere, würde naturlich diese Ursache der Erdbeben wegfallen. Milne spricht die Ansicht aus dass die meisten Erdbeben wahrscheinlich auf dem Boden der Meere stattfinden, da hier der grössere Druck den Wassermassen das Eindringen in die Erde erleichtere *). Dass das Wasser bis zum hypothetischen flussigen Erdkerne vordringe ist höchst unwahrscheinlich, da eine so hohe Temperatur, wie nöthig ist um Gesteine zu schmelzen, unter Mitwirkung chemischer Prozesse und hohen Drucks innerhalb der festen Erdrinde, namentlich in der Nahe erloschener Vulkane, sehr wohl denkbar ist. Ein Einfluss der vermeintlichen Bewegung des flüssigen Erdinnern, bewirkt durch die Attraction von Sonne und Mond, auf Erdbeben und Vulkanismus, ist nach gründlichen Berechnungen überhaupt ganz oder fast ganz ausgeschlossen. Ueberdiess ist eine regelmassige Periodicität dieser Erscheinungen nicht beobachtet, und doch müsste sie ebenso gut in diesem Falle stattfinden, wie sie stattfindet in Bezug auf den Ocean.

---

*) John Milne. Earthquakes etc. pag. 295.

Aber, wie schon gesagt, zu dem Vorhandensein eines flüssigen Erdkerns braucht man gar nicht seine Zuflucht zu nehmen, um das Phänomen des Erdbeben zu erklären. Wasser in seinen verschiedenen Zuständen innerhalb der Erdrinde in nicht bedeutender Tiefe, hohe Temperatur der Gesteine, hoher Druck genügen fast allein, um die zerstörenden Wirkungen hervorzubringen, denen manche Landstrecken unterworfen sind, deren Untergrund durchlassiger Boden ist, und die über vulkanischen Gesteinen von höherer Temperatur gelegen sind. Abgesehen von möglicher Weise mitwirkenden complexen Verhältnissen ist die Katastrophe vom 23 Februar auf der riviera di ponente solchen Processeu zuzuschreiben.

Petrovskische Akademie,
d. 5 December 1887.

DIE SCHÄDLICHSTEN INSEKTEN DES TABAK

IN BESSARABIEN.

Von

Prof. K. Lindeman.

I. Einleitung und Geschichtliches.

Bisjetzt waren die Beschädiger des Tabak in Russland noch niemals speciell untersucht worden. In dem hier folgendem werden zum ersten Male die Grundzüge einer speciellen Kentniss dieser Insecten entworfen. Auch die westeuropäische Literatur enthält nur weniges über die sechsfüssigen Feinde des Tabak. Es ist darum leicht begreiflich, dass meine Untersuchung des Gegenstandes im Laufe eines Sommer denselben nicht definitiv erschöpfen konnte. Doch ist es mir gelungen die hauptsächlichsten Krankheiten des Tabak in Bassarabien genau zu untersuchen und die Ursachen derselben aufzudecken. Von den hier niedergelegten Resultaten meiner Forschungen ausgehend wird es jetzt leicht sein durch weitere Untersuchungen die gefahrlichen Feinde der so wichtigen Handelspflanze bis in die kleinsten Züge zu erkennen und Massregeln gegen dieselben zu ergreifen.

—

Im Jahre 1878 wurde im Kreise Orgejew des Gouvernements Bessarabien das Auftreten einer ganz neuen, bis dahin noch unbekannten Krankheit auf den Tabaksfeldern beobachtet, welche seit dem eine grosse Verbreitung erhalten hat und von grösster Bedeutung geworden ist für die Landwirthschaft des genannten Gouvernements. Diese neue Krankheit offenbarte sich folgendermassen.

Die auf die Felder gebrachten jungen Pflanzen verfielen sofort einem stark ausgeprägtem Siechthum, blieben in ihrem Wachsthum sehr zurük und starben entweder sehr bald ganz ab, oder blieben am Leben bis zur Erntezeit, hatten aber kleine, dünne, fleckenreiche Blätter von sehr geringem Werthe. Allmählich gewann diese neue Krankheit eine grössere Verbreitung im Lande und wird jetzt beobachtet in den Kreisen: Chotin, Ssoroki, Orgejew, Bjelzy und im nordwestlichen Theile des Kreises Kischinew. Ueberall hat sie hier eine Stärke erreicht, welche die Kultur des Tabak sehr zweifelhaft macht. So z. B. hatte ein dortiger Landwirth im Jahre 1886 mehr als fünf Dessjatinen Land mit Tabak bepflanzt, aber im Ganzen blos ca zehn Pud Tabak geerntet, der dabei von so niedrigem Werthe war, dass er bis auf heute noch nicht verkauft werden konnte. Ein anderer Landwirth hatte im Jahre 1886 von zwei mit Tabak bepflanzten Dessjatinen eine nicht mehr als sechs Rubel werthe Ernte erhalten. Ein so stark ausgeprägter Einfluss dieser neuen Tabakskrankheit ist Ursache geworden eines anffallenden Rückganges der vom Tabak hier vormals eingenommenen Fläche. Viele durch die Kultur des Tabaks reich gewordene Ortschaften sind durch das Auftreten der neuen Krankheit und die durch sie beeinflussten Missernten verarmt und verödet, denn die Tabaksbauer sind nach anderen Gegenden gegangen, wo die Krankheit noch nicht aufgetreten ist. Ich kenne Ortschaften, welche durch einige Missernten während einiger einander folgender Jahre in grösste Verschuldung und Verarmung verfallen sind, wo beinahe jeder vormalige Tabaksbauer eine Schuld von 50 bis 800 Rubel durch Misserfolge seiner Tabakskultur auf sich geladen hat. Solches hat den schliesslichen Erfolg gehabt, dass die mit Tabak bepflanzte Flache in den oben genannten Kreisen sehr zurückgegangen ist. So erreichte z. B. in einem Bezirke (Gertop), wo noch im Jahre 1879 die Tabaksfelder eine Fläche von 600 Dessjatinen einnahmen, dieselbe im Jahre 1886 blos 6 Dessjatinen. Aehnliches finden wir auch in anderen Bezirken und auch bei Gutsbesitzern.

Bei näherem Betrachten der kranken Tabakspflanzen wurden auf deren Blättern zahlreiche kleine Insekten gefunden, welche sich als Blasenfüsse (Thrips) erwiesen und als primäre Ursache der Krankheit angesehen wurden. Zum näheren Studium dieser Insekten wurde schon im Jahre 1882 vom Ministerium der Reichsdomänen ein Beamter (H. Portschinsky) nach Bessarabien gesendet. Derselbe kam zu dem Schlusse, dass die Krankheit des Tabak die Folge einer schlechten Kultur desselben sei, und das der Thrips gar keinen Einfluss auf die von ihm besetzten Pflanzen ausübe, dabei bloss die untersten Blätter kranker Pflanzen zu seinem Aufenthalte wahlend. Dieses unerwartete Resultat der offiziellen Untersuchung wurde von den Tabakspflanzern Bessarabiens mit grossem Misstrauen aufgenommen. Denn es schien a priori unmoglich anzunehmen, dass in einer Gegend, wo der Tabaksbau schon lange Jahre mit grossem Erfolge betrieben wurde, die Tabaksbauer plotzlich ihre fruhere Kenntniss dieser Kultur verloren hätten, und zwar so gründlich, dass schon beinahe zehn Jahre verflossen sind, ohne dass die frühere Kenntniss wieder in Erinnerung gebracht worden ware. Das Absurde einer solchen Erklarung der ‚Tabakskrankheit stand allen klar vor Augen. Ausserdem aber wurden schon viele Thatsachen bekannt, welche positiv erwiesen, dass die Ursache der Krankheit nicht in einer schlechten Kultur des Tabak liegt, sondern dass diese Krankheit durch kleine braune Wurmer hervorgebracht wird, welche, in der Erde lebend, die unterirdischen Theile der Pflanze benagen. (Nerutschew).

In Folge der wenig befriedigenden Resultate der erwahnten Untersuchung beschloss der Entomologen Congress, welcher im Jahre 1885 in Charkow tagte, das Ministerium zu ersuchen, eine neue Untersuchung der Tabakskrankheit anzuordnen und dieselbe mir aufzutragen. Derselbe Beschluss wurde im Frühjahre 1887 von der landwirthschaftlichen Gesellschaft Bessarabiens gefasst. In Folge dessen wurde mir im Sommer des Jahres 1887 vom Ministerium der Auftrag gegeben, eine Reise nach Bessarabien zu machen und die den Tabak schädigenden Insekten zu studiren.

Ende Juni (1887) nach Bessarabien gekommen, liess ich mich in einem, für den Tabaksbau wichtigstem Orte, nämlich im Dorfe Gertop nieder, wo ich bis zu den ersten Tagen des September verblieb, von da aus meine Excursionen nach verschiedenen Gegenden unternehmend.

Die Krankheit der Tabakpflanzen beginnt bald nach dem Uebertragen derselben auf das Feld und offenbart sich dadurch, dass das Wachsthum der befallenen Pflänzchen aufgehalten wird; Zahl und Grosse der Blatter bleiben unverandert; die Wurzel bleibt klein. Im Weiteren bleiben solche kranke Pflanzen weit zurück hinter den gesunden desselben Feldes, welche zu gleicher Zeit mit den ersteren eingepflanzt sind. Bald sterben die unteren Blätter ab und werden trocken; auf den oberen Blättern aber erscheinen weisse oder gelbliche Flecken, welche in Gestalt sägerandiger Bänder den Hauptadern der Blätter folgen; später erscheinen auch ringförmige

Flecken in den Zwischenraumen der Adern, welche allmählich zusammenfliessend das Absterben des Blättes verursachen. Ein Absterben der ganzen Pflanze erfolgt nicht immer zu derselben Zeit. Einige Planzen sterben bald ab in demselben Zustande in dem sie auf das Feld gebracht wurden; andere bilden einige Bluthen aus und sterben bald nach dem Abblühen derselben, indem sie plötzlich alle ihre Blatter welk darniederhangen lassen; noch andere Pflanzen bleiben klein, siech und wenigblatterig bis zum Ende der Erntezeit. Diese Krankheit verursacht einen doppelten Schaden: indem sie ein Absterben vieler noch ganz kleiner Pflanzen verursacht, führt sie zu einer Verminderung des Erntequantum, meistens um ein Drittheil oder sogar bis auf ein Viertheil der Durchschnitts Ernte. Gleichzeitig fuhrt sie zu einer Verschlechterung in der Qualitat des geernteten Produktes, was eine sehr starke Preiserniedrigung des Tabak nach sich zieht welcher von den kranken Pflanzen erhalten wurde. Dabei wachst der Procentsatz dieses schlechteren, weniger werthen Tabaks in auffallender Weise. Wahrend fruher, vor dem Auftreten der Krankheit in Bessarabien. der von dort kommende Tabak blos ca 20% schlechte Waare enthielt, haben sich jetzt die Verhaltnisse umgekehrt, und. sind jetzt ca. 80% des bessarabischen Tabak von geringem Werthe. Dabei erweisen sich ca 40% desselben als von Insekten verdorben (Thrips).

Bei oberflachlichem Betrachten der hier erwähnten Krankheitserscheinungen kann man leicht den Schluss ziehen, dass alle diese Symptome einem und demselben krankhaften Processe angehoren, blos verschiedene Stufen seiner Entwickelung darstellend. Doch entspricht dieses nicht dem wahren Sachverhalt. Dank dem Umstande, dass im Sommer des Jahres 1887 die Krankheit des Tabak uberhaupt eine geringe Entwickelung hatte, konnte ich die Ueberzeugung gewinnen, dass wir es hier mit drei ganz verschiedenen Krankheiten zu thun haben, welche durch verschiedene und selbstständig wirkende Ursachen bedingt werden. Nur in dem Falle einer besonderen Verstarkung dieser drei Krankheiten befallen sie gleichzeitig dieselben Pflanzen und wird es dann leicht möglich den irrthümlichen Schluss uber ihren kausalen Zusammenhang zu machen. Diese drei verschiedenen Krankheiten des Tabak in Bessarabien sind folgende: 1) Siechthum oder Schwindsucht; 2) Thripskrankheit und 3) Mosaikkrankheit.

Die wichtigste und am meisten gefährliche Krankheit ist die *Schwindsucht* der Tabakpflanzen. Sie ist es, welche die erwahnte Hemmung verursacht in der Entwickelung der jungen, eben ausgepflanzten Pflanzen, und auf diese Weise als Hauptursache der Missernten des Tabaks in Bessarabien auftritt. Diese Krankheit wird verursacht durch besondere Kaferlarven, welche die Oberfläche des Stengels und der Wurzel benagen, und zwar sogleich nach dem Auspflanzen der jungen Pflänzchen. Eine solche Beschädigung der unterirdischen Theile der Tabakspflanzen hat nicht immer dasselbe Krankheitsbild zur Folge, sondern äussert sich in verschiedener Weise, je nach Stärke der verursachten Beschädigungen.

a) Im Falle starker und schnell ablaufender Schwindsucht wird das Wachsthum der Pflanzen gleich von vorne herein sistirt und verbleiben dieselben 6 bis 7 Wochen in demselben Zustande wie sie ausgepflanzt wurden, mit blos 4 bis 5 kleinen Blättern und wenig oder gar nicht verästelten Wurzeln. Gegen Ende der hier angegebenen Zeit beginnt das Absterben der kranken Pflanzen, und zwar immer von unten nach oben fortschreitend, so dass zuerst die unteren Blätter und darauf auch die oberen welk werden und absterben. In den ersten Tagen des Juli konnte ich solche schwindsüchtige Pflanzen finden auf Feldern, welche am 20 Mai bepflanzt waren, und obwohl schon 6 bis 7 Wochen alt, waren diese Pflanzen noch in demselben Zustande in dem sie hier gepflanzt wurden.

b) Bei weniger schnell fortschreitender Entwickelung der Schwindsucht offenbart sich dieselbe in etwas abweichender Form. Die kranken Pflanzen obwohl auffallend siech und sehr von den gesunden desselben Feldes verschieden, fahren doch fort zu wachsen, bilden 7, 8 oder 9, wenn auch kleine Blätter aus, und entwickeln einige wenige Blüthen, nachdem sie die Grösse von ungefahr $1\frac{1}{2}$ Fuss erreicht haben. Bald nach ihrem Abblühen sterben solche Pflanzen gewöhnlich ab, indem sie plötzlich verwelken. Es geschieht solches gewöhnlich in den letzten Tagen des Juli.

c) Im günstigsten Falle entwickelt sich die Schwindsucht sehr langsam, obwohl sie auch hier gleich nach dem Auspflanzen der Pflänzchen beginnt. Die kranken Pflanzen wachsen sehr langsam, entwickeln 8 (selten mehr) Blätter, behalten eine gesunde grüne Farbe, doch bleiben sie sehr weit hinter den gesunden Pflanzen zurück. So waren am 9 August die schwindsüchtigen Pflanzen eines am 20 Mai bepflanzten Feldes blos 12—16 Ctm. hoch, hatten nur 8—9 Blätter, deren grösstes nicht länger als 6 Ctm. war. Die gesunden Pflanzen desselben Feldes waren bis 6 Fuss hoch und hatten ca. 21 Blätter, deren grösste beinahe $1\frac{1}{2}$ Fuss lang waren.

Diese drei hier unterschiedenen Formen der Schwindsucht, nähmlich: die schnellablaufende, mittlere und die langwierige, sind drei verschiedene Entwickelungsformen derselben Krankheit und ist es in jedem Falle möglich an den unterirdischen Theilen der kranken Pflanzen die oben erwähnten Beschädigungen zu konstatiren, welche von den unten näher zu besprechenden Käferlarven verursacht werden.

Die zweite, die sogenannte *Thripskrankheit* des Tabaks, wird durch Beschädigung der Blätter seitens besonderer Insekten, nahmlich des Thrips tabaci verursacht. Indem diese kleinen Insekten Löcher in die Blattflache bohren längs dem Mittelnerv und den Seitenadern, und den Saft aussaugen, verursachen sie ein Absterben der von ihnen angegriffenen Gewebe, welches durch Auftreten sehr charakteristisch geformter weisser Flecken sofort bemerkbar wird. Diese Thripsflecken haben immer die Gestalt schmaler, sägerandiger Säume oder Bànder, welche die genannten Blattadern beiderseits umranden. Ihre grösste Ausgeprägtheit erlangen diese Thripsflecken zuerst im Juni, und zwar an den fünf untersten Blättern, und dann wieder gegen Mitte des August, dieses Mal auf den mittleren Blättern auftretend. Alle Hauptadern des Blattes angreifend, verursachen diese Insekten ein baldiges Absterben der Blätter. Letztere können nicht diejenigen Eigenschaften erhalten welche von ihnen gewünscht werden, und haben darum einen blos sehr untergeordneten Werth, werden auch nicht selten ganz unbrauchbar. Diese Thripskrankheit hatte im Sommer 1887 eine geringe Ausbreitung.

Die dritte von mir entdeckte Krankheit ist die in Holland schon längst unter dem Namen *Mosaik krankheit* bekannte, wurde aber in Russland bis jetzt noch von Niemand identificirt und gewöhnlich mit der Thripskrankheit zusammengeworfen. Sie erscheint ebenfalls an den Blattern des Tabak und äussert sich durch Auftreten weisser oder gelber Flecken, welche an Zahl und Grösse wachsend, untereinander verschmelzen und ein Absterben des Blattes verursachen. Diese Krankheit tritt gewöhnlich erst in der zweiten Halfte des Juli auf und ist immer leicht von der Thripskrankheit dadurch zu unterscheiden, dass die Flecken gewöhnlich unabhängig von den Hauptnerven, in ihren Zwischenräumen auftreten und meistens die Gestalt regelmässiger, rundlicher, weisser Ringe haben. Diese ringformigen Flecken lösen sich zuweilen in concentrische Kreise auf, oder enthalten in ihrer Mitte einen kleinen weissen Augenfleck. Doch nehmen die Flecken der Mosaikkrankheit zuweilen auch die Gestalt weisser sagekantiger Bänder an, welche den Seitennerven anliegen. Die beschriebenen Flecken tödten allmälich das ganze Blatt durch gegenseitiges Verschmelzen, wobei dasselbe braun, zuweilen glasig durchscheinend wird, aber auch nach dem Tode die charakteristische mosaikartige Zeichnung behält. Die von dieser Krankheit befallenen Blätter haben gar keinen Werth als Waare und werden gewöhnlich gar nicht eingesammelt. Mit dieser beschriebenen Mosaikkrankheit tritt zuweilen gleichzeitig auf eine Fäulniss des Stengels, welche vielleicht eine Folge ist der starken und gleichzeitigen krankhaften Veränderung der meisten Blatter einer Pflanze.

Die Mosaikkrankheit des Tabak ist nicht durch Insektenthätigkeit verursacht; doch ist bis jetzt die Ursache derselben noch immer sehr räthselhaft. Es scheint mir, dass sie nicht durch Parasiten verursacht wird, sondern eine Folge besonderer Bodeneinflüsse ist. Auch diese Krankheit hatte im Sommer 1887 in Bessarabien eine sehr geringe Ausbreitung.

Die drei hier beschriebenen, verschiedenen Krankheiten können zuweilen auch gleichzeitig dieselben Pflanzen befallen, in welchem Falle es dann schwer hält ein Urtheil über jede derselben zu fällen; doch hatte ich im Laufe des verflossenen Sommers vielfach Gelegenheit, jede derselben besonders zu beobachten und mich davon zu überzeugen, dass sie ganz unabhängig von einander und durch ganz verschiedene primare Ursachen hervorgebracht sind.

Aus dem oben Mitgetheilten folgt, dass die Hauptkrankheit des Tabaks in Bessarabien (und wie es scheint auch im Taurischen Gouvernement) die Schwindsucht ist, welche unausbleiblich eine Verminderung der Ernte nach sich zieht. Weniger gefährlich sind die zwei anderen Krankheiten; doch alle drei zusammengenommen haben eine grosse Bedeutung für den Tabaksbau Bessarabiens, und sind energische Massregeln nothwendig um eine weitere Verbreitung dieser Krankheit zu hemmen.

Meine Untersuchungen haben mich also zum Schluss gebracht, dass namentlich *Insekten* eine grosse Rolle spielen als Hauptursache der obenbesprochenen kritischen Lage des bessarabischen Tabakbaues. Es ist natürlich nicht abzusprechen, dass auch andere, durch Pilze und Bakterien verursachte Krankheiten auftreten mögen; doch unterliegt es keinem Zweifel, dass solche Krankheiten in den von mir besuchten Gegenden eine ganz untergeordnete Rolle spielen und nur sporadisch auftreten, während Schwindsucht und Thripskrankheit epidemisch und Jahre lang anhaltend auftreten.

Als Hauptschädiger des Tabak erscheinen, wie schon bemerkt, einige Kaferlarven, welche den unterirdischen Theil des Stengels und die Wurzeln desselben benagen, und dadurch die Schwindsucht der Tabakspflanzen verursachen. Ich habe vier verschiedene Käferarten gefunden, deren Larven diese Pflanzen angreifen. Von diesen vier Species haben die grösste Bedeutung die Larven, welche ich *Tabakswürmer* nenne und welche einem speciel südrussischen Käfer, nämlich *Opatrum intermedium Fisch.* angehören. Darauf folgen die Larven, welche ich *Maiswürmer* nenne, und die an verschiedenen Orten ebenfalls sehr verheerend auf Tabaksfeldern auftreten; sie gehören einem, weit in Europa verbreiteten, Käfer, nämlich dem *Pedinus femoralis* F. an. Zusammen mit diesen zwei Species werden die Wurzeln des Tabak in Bessarabien von Larven benagt, welche anderen zwei Arten angehören nämlich *Platyscelis gages Fisch.* und *Opatrum pusillum F.* Alle vier Arten gehören derselben Familie (Melasomen) und sind daher ihre Larven unter einander sehr ähnlich sowohl in ihrem Aeusseren, als auch in den Hauptzügen ihrer Lebensweise. Eine geringe Schädlichkeit der beiden letztgenannten Arten hat ihren Grund darin, dass diese zwei Käfer verhältnissmässig selten sind.

Die grosse landwirthschaftliche Bedeutung des Opatrum intermedium Fisch. und des Pedinus femoralis F., wie sie aus Obigem erhellt, war bis auf heute nicht bekannt. Weder die Lebensweise derselben, noch die Larven und ihre Verwandlungen waren bis jetzt untersucht worden. Ich habe das grosse Vergnügen und Glück gehabt zuerst die höchst wichtige Thatsache feststellen zu können, dass diese zwei Käfer zu den wichtigsten schädlichen Insekten Russlands gezählt werden müssen *), und ist es mir gelungen während meiner dreimonatlichen Forschungsreise die Lebensweise derselben in ihren Grundzugen zu erforschen und die Mittel zu entdecken, durch welche einer weiteren Vermehrung dieser Schädlinge Einhalt gethan werden kann. Meine Vorgänger haben es ganz unbemerkt gelassen, dass der Boden der Tabaksfelder in Bessarabien mit zahllosen Melasomen-Larven besetzt ist.

Ausser diesen hier genannten vier Käferarten tritt schadenbringend am Tabak der schon oben genannte kleine *Thrips tabaci* auf, welcher die Blätter desselben bewohnt. Obwohl dieses Insekt nicht den Tod der befallenen Pflanzen verursachen kann, ist es doch nicht möglich der Ansicht beizustimmen, wonach diese Thrips

---

*) S. meine Vorläufige Mittheilung in den „Entomologischen Nachrichten“ 1887 und meinen Aufsatz: Ueber Insektenkrankheiten des Tabaks in Bessarabien. (Landwirthschaftliche Beilage zur St. Petersburger Zeitung, 1887, № 42).

tabaci blos an den unteren Blättern kranker Pflanzen wohnen, und darum keine landwirthschaftliche Bedeutung haben sollen. Meine ganz entgegengesetzte Ansicht ist schon oben dargelegt worden.

Ausser den bisher genannten Feinden des Tabaks müssen noch einige andere Insekten genannt werden, welche ebenfalls diese Pflanze heimsuchen, doch haben diese eine weit geringere Bedeutung; denn obwohl sie die befallene Pflanze tödten konnen wird der von ihnen verursachte Schaden nicht besonders gross, weil diese Insekten verhältnissmässig selten sind und nur sporadisch auftretende Beschädigungen hervorrufen. Zu diesen weniger wichtigen Feinden des Tabak in Bessarabien gehören folgende.

Die Raupen der Ackereule (*Agrotis segetum*). Dieselben benagen den Stengel der Pflanzen hart unter der Bodenoberfläche und fressen denselben zuweilen so ganz durch, dass die Pflanze umfallt. Ich habe nicht selten auch grosse Pflanzen von dieser Raupe überfallen gesehen.

Der Engerling (*Melolontha vulgaris*). Er benagt die Wurzeln der Tabakspflanzen und bringt dieselben dadurch zum Absterben.

Fünf verschiedene Arten *Drathwürmer*, d. h. Elateriden-Larven. Dieselben fressen sich in das Herz der jungen Stengel und höhlen dieselben aus, was ein Absterben der Pflanzen nach sich zieht. Diese Drathwürmer gehören folgenden Arten an:

Agriotes lineatus, Melanotus rufipes, Athons niger, Athons scrutator und Agriotes pilosus.

Im Frühjahre wenn die Blätter des Tabak noch zart sind, werden sie platzweise ausgefressen von einem Blattfloh (*Haltica sinuata*).

In den Blüthen des Tabak erscheinen im Juli zahlreiche schwarze *Thripse*, welche nur den Honig lecken und darum keinen Schaden verursachen.

Im Juni werden die Blätter des Tabak von Raupen der *Botys sticticalis* abgefressen.

Beim Durchsehen dieses Verzeichnisses unserer Tabaksfeinde müssen wir die interessante Thatsache besonders hervorheben, dass hier keine einzige Insektenart auftritt, welche nur dem Tabak angehörend, als mit demselben aus dessen Heimath bei uns eingewandert angesehen werden müsste. Alle oben genannten Insekten sind Mitglieder unserer Fauna, südrussische Autochtonen, welche in Russland eine viel weitere Verbreitung haben als der von ihnen jetzt so heimgesuchte Tabak. Für gewöhnlich auf wildwachsende Pflanzen angewiesen und fur die Landwirthschaft bedeutungslos, haben sie dem Tabak einen Geschmack abgewonnen und, vielleicht gerade dank dieser neuen Nahrpflanze, sich im Gebiete ihrer Kultur so stark vermehrt, dass sie hier zur Landplage angewachsen sind.

In dem hier folgenden will ich die wichtigsten und von mir neu entlarvten Schadiger des Tabak genauer beschreiben.

2. Opatrum intermedium Fisch.

Der hier genannte Kafer ist ein dem Tabak im höchsten Grade schädliches Insekt, denn seine Larven verursachen die Krankheit dieser Pflanze, welche ich soeben unter dem Namen Schwindsucht kurz charakterisirt habe. Die schädliche Thätigkeit des Käfers sowohl als seiner Larven offenbart sich schon in den Saatbeeten, hauptsächlich aber auf den Feldern, gleich nachdem der Tabak ausgepflanzt wird. Ich hatte nicht Gelegenheit gehabt die Larven in den Saatbeeten zu beobachten; doch wurde mir von vielen Tabaksbauern mitgetheilt, dass in diesen Beeten schon im Mai kleine weissliche Würmer (Larven) auftreten, welche grossen Schaden verursachen indem sie den Stengel der jungen Pflänzchen unter der Erde durchfressen. Alljährlich geschieht es in Bessarabien, dass an vielen Orten die Saat des Tabak auf diese Weise ganz zerstort wird, und die Pflanzer genöthigt sind zwei und dreimal die Aussat zu widerholen. Ich zweifle nicht, dass diese mir zugekommenen Mittheilungen auf Larven von Opatrum intermedium zu beziehen sind, denn als ich die betreffenden Saatbeete im Juli untersuchte, konnte ich in denselben zahlreiche ausgewachsene Larven dieses Käfers finden, welche unzweifelhaft schon im Mai hier lebten und also die jungen Pflänzchen ebenso beschädigen mussten, wie sie es später auf den Feldern thuen. Die in Gefangenschaft bei mir gehaltenen Larven durchbissen die dünnen Stengel ganz junger Tabakspflanzen ganz so wie es auf den Saatbeeten beschrieben wird, was ebenfalls dafür spricht, dass es wirklich die jungen Larven des Opatrum intermedium sind, welche die junge Saat in den Beeten vernichtet.

Die auf die Felder versetzten Pflanzen werden von den Larven des Opatrum intermedium etwas anders beschädigt. Die ausgepflanzten Pflanzen sind stärker entwickelt, ihr Stengel hat holzige Gefässbündel, die Larven können denselben nicht ganz durchbeissen, sondern begnügen sich damit dass sie ihn oberflächlich benagen und sowohl am unterirdischen Theile des Stengels als auch an den Wurzeln unregelmässige und verschieden grosse oberflächlich ausgefressene Wunden verursachen.

Eine derartige Beschadigung des Stengels verursacht wohl nur in seltensten Fällen ein baldiges Absterben der betroffenen Pflanze, sondern zeeht eine langwierige Krankheit nach sich, welche ich als *Schwindsucht* bezeichne. Es hängt das wohl zum Theil auch davon ab, dass der Tabak, wie es scheint, eine sehr lebenszähe Pflanze ist, und im Jugendalter recht bedeutende Beschädigungen vertragen kann.

Das Erkranken der Pflanzen in Folge einer Bechädigung ihrer unterirdischen Organe durch die Larven wird schon in den ersten Tagen nach dem Versetzen derselben auf die Felder bemerkbar. Es findet dieses darin seine Erklärung, dass die Felder von Larven des Opatrum intermedium besetzt sind lange bevor die Tabakspflanzen hierher versetzt werden, und dass also zu dieser Zeit die Larven schon beinahe vollwüchsig sind. Die erwähnte Krankheit, Schwindsucht, beginnt damit, dass die erkrankte Pflanze ihr Wachsthum sistirt und mehrere Wochen lang an Grösse nicht zunimmt. So konnte ich auf Feldern, welche am 20 Mai bepflanzt waren, noch Mitte Juli solche, gleich nach dem Versetzen erkrankte Pflanzen sohon, welche bis dahin gar nicht gewachsen waren, nur ca. 12—16 Centimeter hoch waren, und bloss die fünf Blätter besassen mit welchen sie hierher im Mai, also vor zwei Monaten, verpflanzt wurden. Dabei erschien die Grösse der Blätter ebenfalls unverändert, und die Wurzeln erwiesen sich klein, beinahe unverzweigt. Solche schwindsüchtige Pflanzen sterben gewöhnlich in der ersten Halfte des Juli ab, nachdem sie ungefähr 6 bis 8 Wochen dahingesiecht haben. Das Absterben derselben beginnt von unten, so dass die untersten Blätter zuerst verwelken, während das oberste am längsten grün bleibt. Ein so verlaufendes Krankheitsbild zeigen die am stärksten verwundeten Pflanzen, und bezeichne ich diese Form der Schwindsucht mit dem Namen der schnellverlaufenden. Wie es scheint tritt der Tod in dieser Form nicht früher ein als wie eben angezeigt wurde, denn ich habe Gelegenheit gehabt hunderte von Feldern taglich zu untersuchen, welche im Laufe des Juni bepflanzt wurden, und auf welchen das Absterben der schwindsüchtigen Pflanzen erst ungefähr nach siebenwöchentliehem Verlaufe ihrer Krankheit eintrat. Während dieses langen Zeitraums ist die ganze Lebensenergie der kranken Pflanze nur dazu verbraucht um mit der tödlichen Verwundung zu kämpfen.

Doch, wie schon in der Einleitung erwahnt, verläuft die Schwindsucht nicht immer in dieser eben beschriebenen Form. Gar nicht selten findet man solche Pflanzen deren Entwickelung auffallend beschleunigt erscheint. Während die meisten Pflanzen eines Foldes noch im Wachsthum begriffen sind erscheinen die kranken schon bluhend nachdem sie ca. 1 Fuss hoch gewachsen und 7—8 kleine Blätter tragen. Solche Pflanzen haben gewöhnlich nur eine oder zwei Bluthen, selten mehrere, und sterben bald nach dem Aufblühen ab, indem sie plotzlich welk werden und ihre Blätter hängen lassen. Dieses tritt gewöhnlich ein bald nach dem Abbluhen der Blühten. Es ist leicht sich davon zu überzeugen, dass die hier beschriebene Krankheit blos eine abweichende Form derselben Schwindsucht ist, welche aber einen etwas abweichenden Verlauf angenommen hat. Diese Gewissheit erhalt man sofort durch eine Untersuchung der unterirdischen Theile solcher Pflanzen, wobei das Vorhandensein der obenerwanten oberflächlich ausgenagten Wunden am Stengel constatirt und also unzweifelhaft wird, dass die Ursache der beschriebenen Erkrankung auch in diesen Fällen die Larven des Opatrum intermedium sind.

Der Unterschied im Verlaufe dieser zwei Formen der Schwindsucht wird wohl abhängen davon, dass im letzten Falle die Pflanzen in einer spateren Periode von den Larven angegriffen werden, und also Zeit gehabt haben sich etwas mehr zu entwickeln ehe sie die tödliche Verwundung durch die Larven erlitten; es kann aber auch eine zufallig weniger ausgebreitete Verwundung ebenfalls Ursache werden eines weniger stark ausgeprägten Siechthums der befallenen Pflanze.

Wenn die Verwundung noch geringer ist oder wenn es der Pflanze gelingt oberhalb der Wunde neue Wurzeln auszubilden, dann nimmt die Schwindsucht einen noch langsameren Verlauf. Wie es scheint, nimmt die in solchem Falle entstehende schleichende Form der Schwindsucht nie einen tödlichen Verlauf, sondern verlangsamt blos die Entwickelung der betroffenen Pflanzen, lasst sie zu Zwergen auswachsen, welche übrigens gar keinen Werth für den Tabaksbauer haben. So konnte ich auf einem am 20 Mai bepflanzten Feld, drei Monate spater, nämlich am 20 August viele Pflanzen einsammeln, welche blos 16 Centimeter hoch waren und nur 8 bis 9 Blätter trugen, deren grösstes nicht mehr als 6 Centimeter lang war. Die gesunden Pflanzen desselben Feldes waren über $1^1/_2$ Meter hoch, hatten ca. 21 Blätter, deren grösste ca. 36 Centim. lang waren. Dabei sahen die erwähnten

Zwergpflanzen äusserlich ganz gesund aus, hatten gut geformte Blätter und Stengel und eine frische saftiggrüne Farbe. Hier hatte der Organismus der Pflanze drei Monate lang mit dem Krankheitskeime gekämpft und war die Folge davon eine stark ausgesprochene Verlangsamung in der Entwickelung der kranken Pflanze, wodurch sich diese schleichende Form sehr von der oben beschriebenen mittleren Form der Schwindsucht unterscheidet, welche ein rasches Ablaufen der verschiedenen Entwickelungsphasen (Blüthenentwickelung) verursacht.

Die schwindsüchtigen Pflanzen zeigen gewönlich auch einige innere Veränderungen. Im unteren Theile der beschädigten Stengel erscheint der Bast und die Gefässchicht trocken, weiss, während sie bei gesunden Pflanzen hier ebenso saftig und grünlich sind wie im oberen Theile des Stengel. Diese Veränderungen sind leicht zu constatiren wenn man einen kranken Stengel seiner ganzen Länge nach spaltet. Besonders auffallend sind sie bei Pflanzen welche an der mittleren Schwindsuchtform leiden, und erreichen ihre grösste Ausgeprägtheit während der Blüthezeit.

Nur hochst selten findet man die shwindsüchtigen Tabakspflanzen regelmässig über das ganze Feld zerstreut. Gewöhnlich kränkeln einige neben einander stehende Pflanzen derselben Reihe, oder bilden sie geschlossene Gruppen, welehe scharf unterschieden sind von den mit gesunden Pflanzen bestandenen Partien desselben Feldes. Solche Flecken erstrecken sich über drei, vier oder mehrere Reihen und sind schon in grosser Entfernung sehr bemerklich, besonders im Inli, wenn die gesunden Pflanzen schon sehr gewachsen sind und der Contrast zwischen ihnen und den schwindsüchtigen Pflanzen darum sehr augenfällig wird. Eine solche Verbreitung der schwindsüchtigen Pflanzen über die Oberfläche des Feldes, in Gestalt unregelmässig umschriebener Gruppen, erlaubt schon von vorneherein den Schluss zu ziehen, dass wir es hier mit Einwirkungen gewisser schädlicher Insekten zu thuen haben, und ist dieser Schluss um so mehr berechtigt, dass gewöhnlich mitten zwischen diesen kranken Pflanzen, hie und da ganz gesunde, schön entwickelte Exemplare hervorstehen, welche ganz zufällig der schädlichen Einwirkung der Insekten entgangen sind.

Die Ursache der oben beschriebenen Schwindsucht der Tabakspflanzen wurde von den Tabaksbauern sehr verschieden aufgefasst. Die einen meinten, es sei dieselbe eine Folge des Thrips; andere glaubten die nicht selten hier lange anhaltende Dürre beschuldigen zu können; wieder andere waren der Ueberzeugung, dass schlechte Kultur, und namentlich ein ungeschicktes Verpflanzen der Saat, die Schuld an dieser Krankheit tragen. Doch keine von diesen Ansichten widersteht einer wissenschaftlichen Kritik.

Im Sommer 1887 war der Thrips tabaci sowohl in Gertop als auch in anderen Gegenden Bessarabiens nur in geringer Zahl aufgetreten, schwindsüchtige Tabakspflanzen waren aber uberall zahlreich, und dabei war die Mehrzahl derselben ganz frei von Thripsen und die Blätter der kranken Pflanzen zeigten nicht die geringste Spur der so charakteristischen Thripsflecken. Dadurch wird festgestellt, dass der Thrips tabaci nicht als Ursache der Schwindsucht betrachtet werden kann.

Oben besprochene Thatsachen beweisen auch, dass anhaltende Dürre ebenfalls nicht die Schwindsucht der Tabakspflanzen veranlassen kann. Es wird das hauptsächlich durch die erwähnte Verbreitung der kranken Pflanzen auf dem Felde bewiesen. Denn es ist einleuchtend, dass wenn Dürre die Ursache der Schwindsucht wäre, die kranken Pflanzen nicht so zwischen gesund bleibenden zerstreut auftreten könnten, sondern alle Pflanzen desselben Feldes müssten mehr weniger gleichmässig in ihrem Wachsthum zurückbleiben. Anderseits konnte ich sehr oft schwindsüchtige Pflanzen auf niedrig liegenden Feldern sehen, wo genug Feuchtigkeit vorhanden war. Endlich muss auch die Thatsache vor Augen behalten werden, dass an den unterirdischen Theilen des Stengels schwindsüchtiger Pflanzen immer die characteristischen benagten Stellen zu finden sind, welche hier von den Larven des Opatrum intermedium ausgefressen wurden.

Oft findet man besonders grosse Gruppen schwindsüchtiger Pflanzen am Rande des Feldes, welcher einem Walde anliegt, oder in der nächsten Umgebung gewisser einzeln stehender Bäume. In solchen Fällen suchen die Tabaksbauer das Siechthum der Pflanzen durch mangelhafte Beleuchtung zu erklären. Doch konnte ich durch eingehende Betrachtung ahnlicher Fälle zur Ueberzeugung gelangen, dass diese Erklärung nicht stichhaltig ist. Bald stiess der Wald an den Nordrand des kranken Feldes; bald waren am Waldrande des Feldes nur kleine Partien mit schwindsüchtigen Pflanzen bestanden, während die Mehrzahl der hier wachsenden Pflanzen eine vollkommen normale Entwickelung hatten.

Was endlich die Meinung anbetrifft die Schwindsucht der Tabakspflanzen sei eine Folge der schlechten Kultur, so scheint dieselbe ganz unbegründet und paradoxal. Indem ich gegen eine solche Ansicht energisch protestire fordere ich ihre Verfechter auf dieselbe besser zu begründen, damit mehr Veranlassung vorliege dieselbe einer eingehenden Kritik zu unterwerfen.

Die Frage nach den Ursachen der Schwindsucht der Tabakspflanzen wird aber definitiv dadurch gelost, dass, wie gesagt, die kranken Pflanzen immer beschädigte Stengel haben, wovon ich hundertfach Gelegenheit hatte mich zu überzeugen. Es kann kein Zweifel darüber herrschen dass gewisse Insektenlarven als solche Ursache betrachtet werden mussen. Es musste nun der Beweis gefuhrt werden dass namentlich die Larven des Opatrum intermedium durch ihre Thätigkeit die beschriebene Krankheit verursachen. Mehrere verschiedene Untersuchungsmethoden erlaubten mir den Beweis für diese Ansicht zu fuhren. Dafür spricht schon a priori das Vorhandensein einer grosser Anzahl der genannten Larven in der Erde dieser stark schwindsuchtigen Felder und das Fehlen anderer phytophagen Insekten in gehöriger Zahl, welche als Ursache der Beschädigungen angesehen werden könnten. Zweitens konnte ich von der Richtigkeit dieser Ansicht durch Zuchtversuche mich überzeugen denn die gefangen gehaltenen Larven des Opatrum intermedium befrassen die ihnen dargereichten Tabakstengel ganz so wie solche in den Feldern an schwindsuchtigen Pflanzen beschadigt sind, d. h. sie benagten an ihnen bloss die oberflachliche grüne und weiche Zellenschicht. Den endlichen Beweis meiner Ansicht sollte aber folgende Methode liefern. Die auf den Feldern gesammelten Larven wurden sofort in Alkohol gelegt, damit sie sogleich getödtet und also ihr Darminhalt unverändert erhalten bleibe. Darauf wurde dieser Darminhalt einer genauen mikroskopischen Untersuchung unterworfen, wobei ich zur Uberzeugung kommen konnte, dass die Larven des Opatrum intermedium wirklich an Tabakstengeln gefressen haben. Denn der grüne Darminhalt derselben enthielt zahlreiche, sehr charakteristische Pflanzenhaare wie solche am Stengel des Tabak vorkommen. Diese Haare sind zusammengesetzt aus vier langlichen dickwandigen, gegen die Haarspitze allmählich verkürzten Zellen, und tragen an ihrer Spitze eine runde, grune Drüse. Neben diesen Haaren fanden sich Gewebestücke welche Tüpfelgefasse enthielten, wie solche im Blatte der Tabakspflanzen, zahlreich vorhanden sind; und ferner Oberhauptstucke der Tabaksblatter mit langlichen Stigmen.

Nach dem hier ausgeführten ist es also zweifellos, das die Larven des Opatrum intermedium wirklich die Ursache der Tabakschwindsucht sind. Dabei will ich nicht in Abrede stellen dass verschiedene allgemeine Faktoren, wie z. B. anhaltende Durre etc., eine Verstarkung der Krankheit beeinflussen, indem sie die Resistenzkraft der beschädigten Pflanzen schwächen und dadurch den Verlauf der Krankheit beschleunigen können.

Sowohl als Käfer, wie als Larve ist Opatrnm intermedium ein sehr polyphages Insekt, denn abgesehen vom Tabak ernährt er sich von mehreren anderen Pflanzen. Darunter sind besonders zwei, nämlich die *Melde* (Atriplex) und *Glockenblume* (Convolvulus arvensis), welche als Hauptnährpflanzen des Opatrum intermedium angesehen werden müssen. Diese Pflanzen liefern die primäre Nahrung unseres Käfer und nur zeitweise oder zufällig vertauscht er sie gegen Tabak und andere. Diese Bedeutung beider genannten Pflanzen für den Opatrum intermedium wird schon daraus ersichtlich, dass in den ersten Tagen des Juli erwachsene Larven und Puppen desselben gefunden werden in Beeten, wo die Tabakssaat schon seit Ende Mai ausgehoben war und die nur mit Melde dicht bewachsen erschienen. Es konnten hier die Larven also nur von dieser Pflanze ihre Nahrung erhalten. Ebenso konnte ich im Laufe des Juli unzählige Larven unseres Käfers in Maisfeldern finden, wo aber an den Maispflanzen nicht die geringsten Beschädigungen zu sehen waren. Es findet dieses seine Erklärung darin, dass die hier lebenden Larven sich ernähren von den in Menge zwischen dem Mais wuchernden Glockenblumchen (Convolvulus arvensis). Diese Pflanze ist eines der gemeinsten und verbreitetesten Unkräuter in Bessarabien. Es gelang mir aber auch durch mikroskopische Untersuchung des Darminhaltes frisch eingesammelter Larven und Käfer den Beweis zu führen, dass dieselben wirklich ihre hauptsächliche Nahrung an den beiden hier genannten Unkräutern finden. Bei zahlreichen auf Tabaksfeldern eingesammelten Larven des Opatrum intermedium konnte ich im Darminhalte neben zahlreichen Bruchstücken verschiedener pflanzlicher Gewebe, besondere, sehr eigenthümliche Körper finden, welche alle von gleicher Grösse, ziemlich regelmässig abgerundet, mit gekörnter Oberfläche versehen und dunkelbraun gefärbt waren. Diese Körper fehlten nie und waren zuweilen in sehr grosser Anzahl vorhanden. Es gelang mir nach einer langen Reihe von Untersuchungen die Ueberzeugung zu gewinnen, dass diese eigenthümlichen Körper aus Stengeln der Melde herkommen, wo sie sehr zahlreich im Rindengewebe, gleich unter der Epidermis abgelagert sind, also gerade in der Schichte welche von den Larven und Käfern benagt wird. Da nun diese characteristischen Körper niemals im Darme dieser Insekten fehlen, so darf ich wohl daraus schliessen dass die Melde eine Hauptnahrungsquelle des Opatrum intermedium vorstellt, selbst dann wenn derselbe in Tabaksfeldern lebt. Dieses kann uns den weiteren Schluss erlauben, das unser Käfer die Tabakspflanzen wirklich nur zufällig angreift, wenn dieselben als junge Pflänzchen in das von ihm bewohnte Feld übertragen werden.

Dort wo die Melde fehlt oder ungenügend vorhanden ist, machen sich Larven und Käfer an die Stengel des Convolvulus arvensis. Im Darminhalt derselben fand ich regelmässig Gewebstücke von eigenthümlicher Struktur. Dieselben bestanden aus zwei Zellenschichten, von denen die eine aus grossen, langsstehenden Zellen mit gegitterter Wand zusammengesetzt war; die andere aus querausgezogenen, langen Zellen, mit einfacher Wand. Neben solchen Gewebebruchstücken fanden sich im Darminhalte eigenthümliche, kurze und dicke, einzellige, farblose und stark glänzende hakenförmig gebogene Pflanzenhaare. Eine vergleichende Untersuchung zahlreicher Unkräuter brachte mich zur Ueberzeugung dass sowohl die beschriebenen Gewebe, als auch die erwähnten Haare aus dem Stengel des Convolvulus arvensis stammen. Die Haare sitzen dort in regelmässigen Längsreihen; die gegitterten Zellen liegen in einfacher Schicht unter der Oberhaupt des Stengel. Da nun solche Bildungen gewöhnlich im Darminhalte jeder Larvo und jedes erwachsenen Käfers zu finden sind, so darf daraus wohl der Schluss gezogen werden, dass Convolvulus arvensis, neben der Melde, eine primäre Nährpflanze des Opatrum intermedium ist. Damit stimmt denn auch, dass die in Gefangenschaft (in Erde) gehaltenen Larven und Käfer mit grosser Gier die ihnen dargereichten Stengel dieser beiden Pflanzen benagten. Die erwachsenen Käfer fressen übrigens nicht bloss den Stengel sondern auch die Blätter dieser beiden Unkräuter.

Die in Gefangenschaft gehaltenen Käfer benagten auch Stengel vom Kürbis, Lepidium und Barbarea vulgaris. Ob diese Pflanzen auch im Freien von Opatrum intermedium zu leiden haben, konnte ich nicht beobachten. Wiederholte Untersuchung des Darminhaltes dieser Käfer brachte mich zur Ueberzeugung, dass sie niemals die Wurzeln der Leguminosen und Graser benagen, denn niemals fand ich hier die sehr charakteristischen Wurzelhaare dieser Pflanzen, oder die eigenthümlichen Oberhautzellen der Gräser. Damit stimmt denn auch, dass Leguminosen und Gräser verhältnissmässig sehr selten als Unkrauter im Tabak oder Mais in Bessarabien auftreten. Doch gewissen Gramineen gegenüber beträgt sich Opatrum intermedium höchst eigenthümlich, und tritt dadurch wieder sehr nahe den Interessen des Landwirthes. Niemals die Wurzeln, Halme, Blätter oder Blüthen des Mais, Roggen und Weizen angreifend, machen sich die Larven sowohl als die Käfer mit grosser Gier an die *Körner* dieser Gramineen und befressen dieselben auf eine höchst eigenthümliche Weise. Die Feststellung dieser interessanten Thatsache verdanke ich folgenden Beobachtungen.

Ich hatte Veranlassung gehabt mehrere Maisfelder zu untersuchen, auf welchen viele leere Stellen entstanden waren, weil der ausgesäete Samen nicht aufgegangen war. Bei näherer Untersuchung solcher leerer Stellen in den ersten Tagen des Juli konnte ich noch viele ausgesaete Körner finden, deren Embryo ausgefressen, das mehlige Eiweis aber grösstentheils erhalten war. Ein Blick auf diese Maiskörner belehrte mich sogleich davon, dass dieselben von Insekten befressen waren, und das also solche die Entstehung so vieler leerer Stellen in den Maisfeldern verursacht hatten. Bei den Landwirthen circulirte die Ansicht, als sei die anhaltende Dürre des Frühsommer Schuld daran gewesen, dass viele ausgesäete Körner gar nicht gekeimt haben. Schon die Thatsache, dass im Bereiche der erwähnten leeren Stellen in den Maisfeldern zahlreiche Larven und Käfer von Opatrum intermedium, zusammen mit Pedinus femoralis, vorhanden waren, brachte mich auf den Gedanken, dass namentlich diese Insekten Schuld waren an den grossen Verwüstungen im Mais. Um nun diese Frage definitiv zu lösen brachte ich eingeweichte Maiskörner in die mit Erde gefüllten Gefässe, in denen Opatrum intermedium und seine Larven in Gefangenschaft gehalten wurden. Schon am nächsten Tage erwiesen sich alle diese Körner ausgefressen, und zwar auf dieselbe Art wie die im Freien, im Maisfelde gefundenen. An allen Körnern war nur der Embryo weggefressen und das mehlige Eiweis mehr oder weniger benagt. Ich gewann die Ueberzeugung, dass namentlich der Embryo hier die Käfer anlockte, denn an vielen Körnern war nur dieser Theil ausgefressen, während alles andere ganz unberührt gelassen blieb. Darum können die in den Maisfeldern gefundenen so beschädigten Körner den Landwirthen bei flüchtiger Untersuchung als einfach vertrocknet erscheinen, wie es denn auch thatsächlich geschah, dass die vielen durch Opatrum intermedium auf diese Weise verursachten leeren Stellen in den Maisfeldern als dadurch verursacht aufgefasst wurden, dass die Körner in Folge der anhaltenden Dürre einfach nicht gekeimt waren.

Der erwachsene Käfer von Opatrum intermedium unterscheidet sich in dieser Hinsicht nur dadurch etwas von seiner Larve, dass er (wenigstens in Gefangenschaft) die dargereichten Maiskörner starker benagt, und immer vom Embryo beginnend, zuweilen nur einen kleinen Rest des Eiweisses liegen lässt. Darum ist es in den meissten Fàllen recht gut möglich die vom Kafer benagten Maiskörner von denjenigen, welche von Larven ausgefressen wurden, zu unterscheiden.

Durch genaue Untersuchung vieler Maisfelder im Kreise Orgejew konnte ich mich davon überzeugen, dass durch die eben beschriebene Thätigkeit Opatrum intermedium zu den schadlichsten Insekten des Mais gezählet werden muss.

Meine Untersuchungen fortsetzend über das Verhalten des Opatrum intermedium gegenüber den Körnern des Mais, konnte ich noch weitere Beobachtungen machen, welche ein grosses praktisches Interesse bieten. Es gelang mir festzustellen, dass wahrend der ruhende Embryo im Maiskorne eine leckere Speise für Opatrum intermedium vorstellt, lezterer diesen Embryo ganz unberührt lasst wenn seine Thatigkeit geweckt und er zu keimen beginnt. In die mit Käfern besetzten Gefässe brachte ich Maiskörner, welche so stark eingeweicht waren, dass sie sofort zu keimen begannen. Dabei erwies es sich, dass an solchen keimenden Körnern die Kafer niemals weder die Knospe, noch die Wurzel des Keimlings benagten, sondern nur das Eiweiss der betreffenden Körner gewöhnlich von der Seite ausfrassen. Ich besitze in meiner Sammlung zahlreiche keimende Maiskörner, deren Keimling kaum 10 Mm. lang ist, und dennoch von den Käfer unberuhrt blieb, während das Eiweiss mehr oder weniger ausgefressen wurde. Keimende Körner verblieben mehrere Tage lang in meinen Gefassen, wo zahlreiche Opatrum intermedium gefangen gehalten wurden, und doch wurde ihr Keimling niemals von letzteren beschädigt gefunden. Es ist unzweifelhaft dass der keimende Embryo Stoffe entwickelt, welche blos durch ihren Geruch denselben vor Insektenangriffen beschützen. Die hier mitgetheilten Thatsachen haben einen sehr grossen Werth, denn sie zeigen uns, wie kurz die Periode im Leben der Maispflanze ist, während welcher Opatrum intermedium ihr schädlich sein kann, namlich nur so lange der in die Erde gebrachte Samen noch nich zu keimen begonnen hat.

Ganz ahnlich verhält sich Opatrum intermedium anderen Octreidearten gegenüber, namlich Roggen und Weizen. Die Körner dieser Pflanzen werden vom Kafer noch gieriger gefressen als diejenigen des Mais, wobei sie ganz so ans Werk gehen wie oben beschrieben wurde, das Korn immer vom unteren Ende, wo der Embryo liegt, benagend. Zuweilen begnügt sich der Käfer nur mit diesen Embryo; zuweilen frisst er auch einen grossen Theil des Eiweisses weg. Dabei scheint er die Weizenkörner denjeniegen des Roggen vorzuziehen. Den 18 August fand ich, ein abgemähetes Feld untersuchend, in der Erde desselben zahlreiche ausgefallene Weizenkörner, deren unteres Ende weggefressen war, und daneben auch den Thater, Käfer von Opatrum intermedium. Dadurch wurde denn erwiesen, dass nicht bloss in Gefangenschaft diese Käfer die Getreidekörner benagen, sondern dieselben auch im Freien aufzusuchen verstehen.

Ganz ebenso wie es oben vom keimenden Mais erzählt wurde, werden auch die Keimlinge des Weizen und des Roggen von unserem Käfer ganz unberührt. Am Roggenkorne verschmaht der Käfer schon den Embryo wenn letzterer kaum die Oberhaut des Kornes aufgerissen hat und noch nicht länger als 3 Mm. geworden ist. Schon jetzt lassen die Käfer den Embryo unberührt und stillen ihren Hunger an dem Eiweiss, welches sie nicht selten ganz wegfressen.

Durch solche Beschädigung der Roggen und Weizenkörner könnte Opatrum intermedium grossen Schaden anrichten, wenn ihm öfter die Gelegenheit dazu geboten wäre. Zum Glücke folgt in Bessarabien höchst selten der Winterweizen oder Roggen auf Mais oder Tabak, und werden also nur sehr selten die Körner dieses Getreides in die von Opatrum intermedium stark besetzten Felder gebracht. Der Sommerweizen, der dort nur wenig kultivirt, wird ausgesäet im März und in den ersten Tagen des April, wenn die Käfer noch nicht aus ihrem Winterschlafe erwacht sind. Darum wird meistens Opatrum intermedium in den Getreidefeldern Bessarabiens nicht merklich schädlich. Dagegen ist er dort dem Mais höchst schädlich. Indem er in der Mitte des April die Maisfelder überfällt und mit seiner Brut besetzt, erscheint er hier gleichzeitig mit dem ausgesäeten Samen des Mais, dessen Körner eine leichte Beute der Kafers werden. Tritt nun anhaltende Dürre ein, so wird der Keimungsprozess des Samen aufgehalten und also die Periode verlängert, wahrend welcher unser Käfer den Samen beschädigen und keimungsunfähig machen kann, und dadurch wird also der Schaden noch vergrössert. Die grosse Verbreitung des Mais in Bessarabien und die Bedeutung dieser Pflanze machen es begreiflich, dass die beschriebene Thätigkeit des Opatrum intermedium in den Maisfeldern sowie im Tabak denselben zu einem der wichtigsten schädlichen Insekten dieses Landes erheben. Auch kann man vorhersehen, dass wenn in Bessarabien die amerikanische Sitte das Wintergetreide in den Mais auszusäen wird Verbreitung finden, die schadenbringende Thätigkeit des Opatrum intermedium noch wachsen wird, denn es wird ihm dann die Möglichkeit gegeben die ins Maisfeld ausgesaeten Weizenkorner massenhaft zu zerstören.

Es ist beinahe unglaublich wie gross die Zahl der Larven und Käfer von Opatrum intermedium ist, welche den Boden der Mais- und Tabaks-Felder in Bessarabien besetzten. Es genügt zu sagen, dass in den unendlichen Maisfeldern es schwer hält einen solchen Fleck zu finden wo dieses Insekt nicht vorhanden wäre. In einigen Tabaksfeldern konnte ich im Laufe einer halben Stunde mehr als hundert Larven ausgraben. Es unterliegt darum keinem Zweifel, dass schon seit langer Zeit die eine solche Vermehrung des Insektes begünstigenden Einflüsse hier gewirkt haben müssen und es jetzt so weit gebracht haben, dass der Opatrum intermedium in Bessarabien eins der gewöhnlichsten und zahlreichsten Insekten geworden ist.

Die erwachsenen Käfer von Opatrum intermedium führen eine nächtliche Lebensweise, und sind darum am Tage wenig zu sehen, selbst in solchen Gegenden, welche stark von ihnen inficirt sind. Halt man zahlreiche Käfer in Gefangenschaft, so kann man sehr leicht mit dieser ihrer Lebensweise bekannt werden, namentlich wenn man sie in Gefässen aufbewahrt, welche bis zur Hälfte mit Erde gefüllt sind. Im Laufe des Tages sieht man dann alle Kafer unter der Erde sitzen, von wo sie erst nach Sonnenuntergang hervorkommen, um das ihnen dargereichte Futter zu fressen. Dabei benagen sie nicht bloss diejenigen Stengel und Blätter welche auf der Erde liegen, sondern sie klettern an den Pflanzen hinauf und fressen auch die ziemlich hoch stehenden Blätter derselben. Wie in Gefangenschaft, so findet man auch im Freien die Käfer den Tag hindurch nur unter der Oberfläche der Erde, oder bedeckt von den Blattern des Convolvulus arvensis. Im Laufe des August findet man sie gewöhnlich zu zwei bis sechs, in kleinen Gesellschaften zusammen sitzend, so dass man sicher darauf rechnen darf mehrere Käfer an der Stelle zu finden wo so eben ein Exemplar getroffen wurde. Im Juli waren sie aber gewöhnlich einzeln zu finden.

Die erwachsenen Kafer ziehen es vor an solchen Stellen zu leben, wo der Boden nicht dicht mit Pflanzen bestanden ist und wo darum die Erde von der Sonne beschienen und stark erwarmt wird. Beinahe ganz kahle Stellen bilden ihren Lieblingsaufenthalt, denn hier kühlt sich die Erde nicht so stark wahrend der Nacht ab, wird weniger vom Thau benetzt, und bildet beim Austrocknen keine grosse undurchdringliche Schollen oder Krusten wie an stark verwachsenen Stellen. Auch hält sich das Wasser in solchen kahlen Stellen weniger lange als an dicht mit Pflanzen bestandenen. In solchen kahlen Feldern siedeln sich die wärmeliebenden Opatrum intermedium besonders zahlreich an und setzen hier hauptsächlich ihre Brut ab.

Eine besonders grosse Bedeutung hat die Frage darüber, *wann* die Kafer ihre Eier absetzen, und *wohin* sie dieselben legen. Zur Beantwortung dieser Fragen habe ich viele verschiedene Untersuchungen angestellt.

Was zuerst die Frage anbetrifft *wann* die Kafer ihre Eier ablegen, so bin ich zur Ueberzeugung gelangt, dass dieses im Frühjahre geschieht. Obwohl die Käfer schon im Laufe des Juli aus ihren Puppen entstehen, beginnen sie das Eierlegen doch nicht eher als im nächsten Frühjahre, wodurch Opatrum intermedium sehr verschieden ist von vielen anderen schädlichen Insekten, wie z. B. von Anisoplia austriaca. Opatrum intermedium braucht sehr viel Zeit dazu um seine Geschlechtsdrüsen auszubilden und Eier und Samenfäden zur Reife zu bringen. Die anatomische Untersuchung eben erst ihre Verwandlung überstandener Opatrum intermedium zeigte mir, dass die Samendrüsen solcher junger Männchen noch gar keine Samenfäden, sowie auch die Eierstöcke der jungen Weibchen nur Eikeime aber keine ausgebildeten Eier enthalten.

Jede Samendrüse besteht aus sechs runden Blasen, welche beim eben entstandenen Käfer mit runden Zellen angefullt sind, welche mehrere runde Kerne enthalten.

Jeder Eierstock besteht aus 12 Eiröhren, welche beim jungen Weibchen die Gestalt elliptischer Säcke haben, welche noch nicht in besondere Eikammern eingetheilt sind und überall gleimässig mit zusammenfliessenden Keimzellen angefüllt sind, deren runde Kerne die Anwesenheit solcher Zellen andeuten.

Gleichzeitig sind auch andere Organe solcher junger Käfer noch nicht vollständig ausgebildet. So fand ich bei den im Juli untersuchten, also noch ganz jungen Kafern, deren Gechlechtsdrusen noch ganz unentwickelt waren, den Fettkörper ebenfalls sehr wenig entwickelt und aus einigen wenigen farblosen Lappen bestehend, welche noch gar keine Fettkörner enthielten. Erst Anfang August (am

8 d. M.) fand ich die ersten Exemplare, deren Fettkörper schon stark entwickelt erschien, aus vielen abgerundeten Lappen bestand und alle inneren Organe dicht umwachsen hatte; bei solchen Exemplaren enthielten die Fettkörperlappen zahlreiche gelbliche Fettkörner, welche dem ganzen Fettkörper einen gelblichen Ton verliehen. Gleichzeitig erhielten die Käfer gegen die Mitte des August einen scharfen charakteristischen (Melasomen) Geruch, von dem keine Spur zu merken war im Laufe des Juli und welcher in einem gewissen Zusammenhange steht mit einer beginnenden Entwickelung des Geschlechtsapparates.

Die im Juli in einem so unvollkommenen Zustande aus der Puppe enstandenen Käfer, brauchen viel Zeit dazu, um ihre Geschlechtsorgane zu vervollkommen. Im Laufe des Juli, August, und in den ersten Tagen des September unterwarf ich diese Organe vielmals einer mikroskopischen Untersuchung, indem ich die betreffenden Käfer an den Untersuchungstagen immer in denselben Tabaks-oder Mais-feldern einsammelte. Diese Untersuchungen brachten mich zum oben angedeuten Schluss, dass die Geschlechtsorgane erst im nächsten Frühjahre ihre vollkommene Reife erlangen können. So waren die Eiröhren einfache elliptische Säcke am 23, 24 und 28 Juli; am 1, 2, 8, 10, 14 und 18 August. Vom 9 August an erschienen in den Zellen der Eiröhren einige starklichtbrechende Fettkörner. Erst am 21 August, und dann wieder am 1, 3 und 4 September, konnte ich bei einigen Weibchen eine Theilung der Eiröhren in zwei Fächer bemerken, die aber noch immer keine fertigen Eier enthielten.

Bei den zahlreichen Weibchen, welche an den bezeichneten Tagen von mir mikroskopisch untersucht waren, erwies sich das Receptaculum seminis immer ganz frei von Samenfäden, wodurch also erwiesen war, dass bis in die ersten Tage des September keine Begattung der Weibchen stattgefunden hatte, obwohl dieselben schon seit der ersten Hälfte des Juli ihre Verwandlung beendigt hatten. Dabei muss ich noch besonders erwähnen, dass an jedem der obengenannten Tage ich immer zu 20, 25 oder 30 Exemplaren untersuchte, und dass mich also nicht der Vorwurf treffen kann, die erhaltenen Resultate seien blos ganz zufällige.

An denselben Tagen untersuchte ich auch die Samendrüsen der Männchen, wobei den oben vorgetragenen ähnliche Resultate erhalten wurden. Während des Juli enthielten die Testikeln nur grosse runde Zellen mit zahlreichen *runden* oder elliptischen Kernen. Im Laufe des August erschienen im Inneren der Testikel eigenthümliche langgestreckte Zellen, welche prall angefüllt waren mit unbeweglichen Samenfäden; doch waren noch nirgends freiliegende und bewegliche Samenfaden zu sehon. Die cylindrischen accessorischon Drüsen (Prostata) waren noch ganz leer, und erhielten erst in den ersten Tagen des September einen feinkörnigen, weissen Inhalt.

Um die hier durch Untersuchung eben erst im Freien eingesammelter Kafer erhaltenen Resultate zu controliren, wurde folgendermassen verfahren. Am 19 August untersuchte ich die Eierstöcke bei 10 Weibchen, welche zwischen dem 12 und 26 Juli eingesammelt waren und seit der Zeit, also ca. einen Monat in Gefangenschaft bei mir verbracht hatten, wahrend welcher sie reichlich mit Tabaksblattern, Mais-und Roggenkörnern gefüttert wurden. Bei allen diesen Weibchen erwiesen sich die Eiröhren ganz unentwickelt und die Samenblase enthielt keine Samenfäden, d. h. die mehr als einen Monat alten Weibchen erwiesen sich ganz ebenso weit entwickelt wie die im Freien eingesammelten. Ebenso waren auch die in Gefangenschaft gehaltenen Männchen derselben Käferpartie ganz ähnlich denjenigen entwickelt, welche zur selben Zeit in den verschiedenen Feldern gefunden wurden.

Alle hier vorgetragenen Thatsachen erlauben mir den Schluss zu ziehen, dass die Kafer schwerlich noch während des Herbstes ihre volle geschlechtliche Entwickelung erlangen können, denn wenn die beiden wärmsten Monate nicht im Stande waren die Ausbildung der Geschlechtsorgane wesentlich zu fördern, so kann man wohl annehmen, dass die Herbstmonate schwerlich einen grösseren Einfluss in dieser Richtung auszuüben fähig sein werden. Es wird dieses besonders einleuchten wenn wir bedenken dass Opatrum intermedium ein speciell südlicher Käfer ist, welcher im mittleren Bessarabien schon nahe seiner nördlichen Verbreitungsgrenze auftritt. Es wird also wohl richtig sein anzunehmen, dass die Weibchen das Eierlegen erst im nächsten Frühjahre beginnen, wofür noch die Thatsache spricht, dass während meiner zahlreichen Untersuchungen der Tabaks-und Maisfelder im August und anfangs September, niemals junge Larven des Opatrum intermedium von mir gefunden wurden, während die jungen (blos 5 Mm. langen) Larven des Pedinus femoralis und Platyscelis gages zu derselben Zeit in diesen Feldern ziemlich oft aufgefunden wurden. Wenn die Weibchen des Opatrum intermedium ihre Eier schon im Juli, bald nach ihrem Erscheinen, ablegen würden, müssten doch die neuentstehenden Larven schon in der zweiten Hälfte des Sommers auftreten, was aber, wie wir erfahren, niemals der Fall ist.

Durch weitere Forschungen muss noch genauer festgestellt werden die Zeit, wann die Weibchen im Frühjahre das Eierlegen beginnen. Obwohl ich jetzt darüber keine direkten Beobachtungen anzustellen in der Lage war, so besitze ich doch einige Thatsachen welche mir erlauben einige diesbezügliche Schlüsse zu machen.

Die Maisfelder in der Umgegend von Gertop, welche in der zweiten Hälfte des April (1887) besäet waren, erwiesen sich sehr stark durch Opatrum intermedium verdorben. Dieselben im Juli untersuchend fand ich hier viele Maiskörner, welche von den Larven ausgefressen waren, was darum unzweifelhaft erschien weil nur der Embryo dieser Körner weggebissen, ihr Eiweiss aber, so wie auch der grösste Theil der den Embryo bedeckenden Häute unberührt gelassen war. In derselben Gegend waren die anfangs April besäeten Maisfelder in ausgezeichnetem Zustande und waren nirgends leere Stellen in ihnen zu bemerken. Diese Zusammenstellung erlaubt zu schliessen, dass bald nach Mitte April im Boden der Maisfelder die Larven des Opatrum intermedium aufgetreten sind, welche die jetzt ausgesäeten Maiskörner sofort angriffen und keimungsunfähig machten. Das Eierlegen musste also gegen die Mitte des April stattfinden, nachdem der früher gesäete Mais schon aufgegangen war und also weder von den Käfern, noch von den jungen Larven beschädigt werden konnte. Dafür spricht denn auch die Thatsache, dass im mittleren Bessarabien auch andere Insekten, wie z. B. der Maikäfer, in der ersten Hälfte des April auszufliegen beginnen.

Wie es scheint dauert die Zeit der Eierablage ungefähr einen Monat worauf ich daraus schliesse, dass die Puppen von Anfang Juli bis Mitte August zu finden sind. Doch unterliegt es keinem Zweifel, dass die grösste Masse der Eier ziemlich rasch abgesetzt wird, im Laufe eines dreiwöchentlichen Zeitraumes, was dadurch bewiesen wird, dass die Mehrzahl der Puppen in der zweiten Halfte des Juli ihre Verwandlungen bestehen. Es folgt dieses aus der hier folgenden Tabelle, welche die Zahl der Larven, Puppen oder Käfer von O. intermedium anzeigt, welche von mir an den bezeichneten Tagen eingesammelt wurden. Das Verhältniss dieser Zahlen erlaubt uns Schlüsse zu ziehen über den Eintritt der Verwandlung der Mehrzahl der Larven und Puppen.

Wurden eingesammelt am:	17 Juli.	23 Juli.	24 Juli.	25 Juli.	28 Juli.	10 Aug.	14 Aug.	17 Aug.	18 Aug.	25 Aug.	28 Aug.	3 Sept.	4 Sept.
Larven.......	84	7	7	7	18	5	0	0	5	0	0	0	0
Puppen......	6	14	6	6	2	0	0	0	1	0	0	0	0
Käfer........	1	51	29	125	103	84	26	14	3	50	40	80	54

Aus dieser Tabelle ist ersichtlich, dass in der ersten Hälfte des August die Zahl der Larven und Puppen verhältnissmässig sehr gering ist.

Alle hier besprochenen Thatsachen erlauben uns den Schluss zu ziehen, dass die Weibchen von **Opatrum intermedium** ihre Eier absetzen von Mitte April bis Mitte Mai, und dass die Hauptmasse der Weibchen dieses Geschäft schon in der ersten Hälfte dieser Periode beendigen. Denn Anfang Juli werden Larven gefunden welche von ziemlich gleicher Grösse sind (16 — 18 Mm), was schwerlich möglich wäre, wenn die Eierablage sehr lange dauern würde.

Die in den Tabaksfeldern lebenden Larven verpuppen sich gleichzeitig mit denen die Maisfelder bewohnenden. Dadurch wird also zweifellos festgestellt, dass hier die Eier gleichzeitig abgelegt werden, und dass also dieselben *in die Tabaksfelder eingebracht werden noch lange bevor der Tabak hierher verpflanzt wird.* Bei spätem Verpflanzen des Tabak, (Z. B. nach Mitte Juni), werden die Eier hier ganze zwei Monate früher abgesetzt, und sind dann in solchen Fällen die Larven genöthigt auf Kosten obengenannter Unkräuter, namentlich der Melde und Convolvulus, zu leben. Dass dem wirklich so ist wird dadurch aufs klarste erwiesen, dass schon am 4 Juli ich fertige Puppen ausgraben konnte in Tabaksfeldern, welche erst nach Mitte Juni bepflanzt wurden; in diesem Falle konnten die Larven nur während der letzten 14 Tage an den Tabakspflanzen naschen, und mussten den grössten Theil ihres Lebens ganz unabhängig von denselben sich ernähren. — Es ist also festgestellt, dass der eierlegende Käfer nicht gezwungen ist das Erscheinen der Tabakspflanzen auf den Feldern zu erwarten.

Zur Beantwortung der Frage *wohin* die Käfer ihre Eier absetzen wurden viele specielle Untersuchungen vorgenommen. Dieselben bestanden darin, dass während des Juli und August die Verbreitung der Larven und jungen Käfer in den verschiedenen Feldern beobachtet wurde. Da aber die Larven ihr ganzes Leben dort verbringen wo sie aus den Eiern entstanden sind, so konnte aus der Verbreitung der Larven geschlossen werden darauf, wohin die Weibchen vorzugsweise ihre Eier abgesetzt hatten. Solche Untersuchungen haben mich zu folgenden Schlüssen gebracht.

Da die Hauptnährpflanzen der Larven, nämlich Atriplex und Convolvulus arvensis, so ziemlich überall vorkommen und auch beim Fehlen des Tabak und des Mais den Larven vollkommen genügen, so braucht das Eierlegende Weibchen beim Aufsuchen der für seine Brut nöthigen Stellen nicht darum zu sorgen seiner Nachkommenschaft eine gehörige Nahrung zu sichern. Die überall vorhandene nöthige Nahrung erlaubt den Weibchen mehr egoistisch zu verfahren und solche Aufenthaltstellen zu wählen, welche auch anderen Anforderungen des Käfers entsprechen. Mitte April von ihrer Winterruhe erwacht, suchen die Käfer solche Stellen oder Felder, welche um diese Zeit ganz ohne alle Pflanzendecke sind, und wo der Boden stark von der Sonne beschienen und erwärmt wird, dabei so locker ist, dass es den Kafern leicht wird sich in denselben zu vergraben. Hier werden die Eier abgesetzt. In die stark mit Gras bewachsenen Felder und Wiesen, wo keine von den hier erwähnten Bedingungen realisirt ist, legt der Käfer seine Eier nie ab. Es ist selbstverständlich dass solche lockere, stark durchwärmte Felder, wie sie den Käfern nöthig sind, nach Mitte April und in der ersten Hälfte des Mai, im Lande des Tabak und des Mais, überall in grosser Anzahl vorhanden sind. Der Mais wird hier von den meisten Landwirthen erst in der zweiten Hälfte des April ausgesäet; im Laufe des April wird die für den Tabak bestimmte Fläche zum zweiten Male gepflügt. Darum sind diese Felder ganz kahl während der Zeit, wo die Weibchen damit beschäftigt sind zweckentsprechende Stellen zum Eierlegen aufzusuchen.

Die Larven des Opatrum intermedium wurden von mir an folgenden Stellen gefunden:

a) *In grosser Anzahl:*

1. In Tabaksfeldern.
2. In Maisfeldern.
3. In Tabaks-Saatbeeten.
4. In Mogarfeldern.

b) *Weniger zahlreich:*

5. Im Boden der Weingärten.

c) *Die Larven fehlen ganz oder sind nur selten:*

6. In Haferfeldern.
7. In Gerstenfeldern.
8. Im Wintergetreide.

Um das hier vorgetragene mit genauen Thatsachen zu belegen füge ich hier eine Tabelle bei, welche eine klare Übersicht giebt über die Verbreitung des Opatrum intermedium über die verschiedenen Felder. In dieser Tabelle finden wir angezeigt: 1) das Datum der Untersuchung; 2) die Zeitdauer während welcher die Insekten gesammelt wurden (in Stunden); 3) die Zahl der eingesammelten Insekten; 4) die Benennung des untersuchten Feldes.

	I in Maisfeldern.									II im		
№№	1	2	3	4	5	6	7	8	9	10	11	12
n einge- elt wäh- er ange- en Zeit Datum.	17/VII in 1½ St.	18/VII in 2 St.	18/VII in 1¾ St.	23/VII in 1 St.	23/VII in 1 St.	25/VII in 1 St.	28/VII in 1 St.	10/VIII in 2 St.	3/IX in 2 St.	23/VII in 1 St.	24/VII in 1½ St.	10/VIII in 1 St.
	84	8	20	1	1	0	9	5	0	3	5	0
	6	5	2	5	2	0	1	0	0	0	4	0
	1	15	39	4	18	26	49	84	80	73	79	120
anzen.	91	28	61	10	21	26	59	89	80	76	88	120
Stunde hnet..	60	14	37	10	21	26	59	44	40	76	59	120

Anmerkung: Zu dieser Tabelle muss bemerkt werden dass alle die erwähnten Felder in derselben Gegend gelegen sind, nicht selten fast ander stiessen. So war der Hafer № 17 nicht mehr als 100 Fuss nt vom Mais № 1, und nur 50 Schritt weit vom Winterweizen № 23. afer № 18 war nur eine halbe Werst entfernt vom Mais №№ 1 und e Gerste № 20 war in Gestalt eines schmalen Streifens eingeschlossen

	a b a k.		III in Weingärten.	IV im Hafer.			V in d. Gerste.			VI im Winterweizen.			VII im Roggen.
;	14	15	16	17	18	19	20	21	22	23	24	25	26
III	28|VIII	4|IX	24|VII	17|VII	20|VII	17|VIII	28|VII	14|VIII	27|VIII	17|VII	17|VIII	17|VIII	18|VIII
	in	in	in	in	in	in	in	in	in	in	in	in	in
t.	1 St.	1 St.	3 St.	1½ St.	1 St.	1 St.	1½ St.	1 St.	¾ St.	1½ St.	1 St.	1½ St.	1½ St.
)	0	0	2	0	0	0	0	0	0	2	0	0	5
)	0	0	2	1	0	0	0	0	0	7	0	0	1
)	40	54	20	0	0	7	1	18	0	1	8	7	3
)	40	54	24	1	0	7	1	18	0	10	8	7	9
)	40	54	8	0,3	0	7	2	18	0	6	8	4	6

ıitten zwischen Maisfeldern, zu denen № 7 gehörte. Die Gerste № 21 nd der Winterweizen № 24 lagen zusammen mit vielen gleichnamigen eldern in Gestalt schmaler Streifen zwischen unendlichen Maisfeldern.

Ausserdem muss ich noch erwähnen, dass bei allen hier citirten Ar-ɔiten ich von einem Arbeiter begleitet wurde, welcher sehr bald die nöthige ewandheit erlangt hatte.

Aus dieser Tabelle ist ersichtlich, dass die Eier besonders gern abgelegt werden in die Mais-und Tabaksfelder. Diese Regel fand ich immer wieder, bei vielen anderen Untersuchungen, die nicht in die vorgelegte Tabelle eingetragen sind. Diese Felder werden nicht der hier wachsenden Pflanzen wegen bevorzugt, sondern namentlich darum, dass sie während des Eierablegens die oben erwähnten nothigen Eigenschaften besitzen.

In die mit Hafer und Gerste-besetzten Felder werden die Eier darum nicht abgesetzt, weil diese Felder schon Ende März besäet werden und darum in der zweiten Hälfte des April dicht bewachsen sind mit üppiger Pflanzendecke welche den Boden unzugänglich fur unsere Käfer macht. Es wird dieses besonders klar durch folgende Zusammenstellung. Der Hafer №№ 17, 18 und 19 war beinahe ganz frei von Insekten, weil er früh gesäet war. Die Gerste № 20, als frühgesäete, war ebenfalls beinahe insektenfrei. Die Gerste № 21 aber enthielt dagegen sehr viele Opatrum, denn sie war in der zweiten Halfte des April gesäet, und war das Feld also kahl zur Zeit wo die Weibchen an das Eierlegen gingen.

Der Boden der Wintergetreidefelder wird gewöhnlich stärker von Opatrum intermedium besetzt als das Sommergetreide, obwohl viel weniger stark als der Tabak und Mais. Es hängt ersteres davon ab, dass mehr oder weniger grosse Stellen auswintern, so dass im Frühjahre kahle Flächen im Wintergetreide entstehen, wohin die Weibchen ihre Eier ablegen können.

Wir können also folgende zwei Sätze als vollständig erwiesen betrachten:

1. Opatrum intermedium legt seine Eier ab an solchen Stellen, welche von Mitte April bis Mitte Mai frei von einer geschlossenen Pflanzendecke und gehörig locker sind.

2. An Stellen, welche durch eine geschlossene Pflanzendecke geschutzt sind, legt der Käfer niemals seine Eier.

Dabei muss man nicht vergessen dass eine solche Pflanzendecke den Boden nur schutzen kann vor dem Eindringen der Käfer, nicht aber die schon eingedrungenen Käfer oder Larven vernichten kann in den Fallen, wo dichter Pflanzenwuchs das Feld bedeckt nachdem die Käfer dasselbe schon inficirt haben. Darum z. B. finden wir im Juli in grosser Anzahl die Larven und erwachsenen Kafer in dichtbewachsenen Mogarfeldern, wo die Pflanzen erst in den letzten Tagen des April ausgesäet wurden.

Die chemische Zusammensetzung des Bodens scheint ohne Einfluss zu sein beim Ablegen der Eier. Darum werden die Larven gefunden sowohl in sandigem und Lehmboden, wie auch im kalkreichen oder humösen (Schwarzerde) Boden; in gedungten Feldern sowohl wie in ungedungten.

Es wurde schon oben bemerkt dass die Larven und Käfer öfters in grosserer Anzahl sich ansammeln dort wo das Feld an einen Wald stosst, oder wo einzeln stehende Baume vorhanden sind. Es findet dieses darin seine Erklarung, dass an den von Baumen beschatteten Stellen der Boden weniger rasch seine Wärme am Abende ausstrahlt und darum die namentlich Abends ihre Eier ablegenden Kafer solche Stellen bevorzugen.

Die bald nach Mitte April aus den Eiern entstehenden Larven des Opatrum intermedium leben in der oberflachlichsten Bodenschicht, nicht tiefer als 3 Centim. unter der Oberflache. Nach einem Regen kommen sie so nahe an die Oberfläche, dass sie nur durch eine dünne Erdschichte bedeckt werden. Zuweilen findet man die Larven auch ganz frei auf der Oberflache, nur von Blattern des Convolvulus arvensis bedeckt.

Wie die erwachsenen Käfer, so sind auch die Larven nächtliche Thiere, was leicht an gefangen gehaltenen Larven zu constatiren ist. Die Larven leben den Mai und Juni und beginnen ihre Verpuppung zu Ende dieses Monates. Die Verpuppung geschieht in den von den Larven bewohnten oberflächlichsten Bodenschichten, ohne alle besondere Vorbereitungen.

Folgende Thatsachen erlauben mir zu schliessen, dass die Verpuppung in den letzten Tagen des Juni beginnt. Den 11 Juli fand ich im Boden eines Maisfeldes die ersten eben entstandenen, noch weissen Kafer von Opatrum intermedium. Da aber die Entwickelung der Puppe 14 Tage dauert (wie unten ausgeführt wird), so mussten die ersten Puppen schon am 28 Juni entstanden sein. In den ersten Tagen des Juli konnte ich schon sehr viele Puppen finden, sowohl in Mais, als auch in Tabaksfeldern. Die meisten Larven verpuppen sich wahrend der drei ersten Juliwochen und erscheinen zahlreiche junge Kafer schon von Mitte Juli. Schon in der zweiten Hälfte des Juli findet man viel mehr Kafer als Larven. Im August findet man verhältnissmassig nur sehr wenige Larven, wie aus den oben mitgetheilten Tabellen zu sehen ist. Diese Thatsachen erlauben mir hier nochmals darauf hinzuweisen, dass also auch die Eierablage im Frühjahre ca. drei Wochen dauert, und dass nur einige wenige Weibchen sich dabei etwas verspäten.

Die Puppenruhe des Opatrum intermedium dauert 14—15 Tage, wovon ich mich beim Aufziehen in Gefangenschaft überzeugen konnte. Am 5 Juli um 9 Uhr früh verpuppte sich eine meiner gefangenen Larven, und verwandelte sich diese Puppe zum Käfer am 18 Juli morgens, also nach 14 Tagen. Eine andere Larve verpuppte sich ebenfalls in Gefangenschaft am 6 Juli morgens, und erschien der Käfer aus dieser Puppe am 19 Juli mittags, also am 15-ten Tage. Die im Freien gesammelten Puppen verlangten beinahe ebensoviel Zeit zu ihren Verwandlungen.

Das Larvenleben dauert ungefähr zwei und ein halb Monate, wie aus folgendem zu ersehen ist. Die ersten Puppen erscheinen in den letzten Tagen des Juli. Das Eierlegen beginnt Mitte April. Ziehen wir von diesem Zeitraum ab die wenigen Tage welche auf die Entwickelung des Eies fallen, so erhalten wir zwei und ein halb Monate, während welcher die Entwickelung der Larve dauert. Die im Juli entstandenen Käfer leben bis zum nächsten Frühjahre an denselben Stellen wo sie als Larven gelebt haben. Am 3 und 4 September sammelte ich zahlreiche Käfer in denselben Tabaksfeldern wo ich sie auch im Laufe des Juli und August sammelte. Während der zweiten Hälfte des Sommer vervollkommnen diese jungen Käfer ihre Geschlechtsorgane, erreichen aber ihre vollkommene Entwickelung erst nach überstandener Winterruhe.

Die ganze Entwickelung des Individuum dauert also ein ganzes Jahr, und beanspruchen die verschiedenen Entwickelungszustände folgende Zeiträume:

die Eientwickelung dauert einige Tage.	
das Larvenleben dauert........................	$2^1/_2$ Monate.
die Puppenruhe...............................	14 Tage.
der Käfer lebt ca............................	9 Monate.
in allem....	12 Monate.

Es entsteht also alljährlich nur eine Generation von Opatrum intermedium.

Nach überstandener Winterruhe verlassen die Käfer die bis dahin von ihnen bewohnten Felder und fliegen dahin wo sie von den warmen Ausdünstungen der aufgelockerten und pflanzenleeren Bodenoberfläche angelockt werden. Diese Wanderungen werden warscheinlich während der Nacht vorgenommen.

Von Feinden des Opatrum intermedium sind mir bis jetst nur wenige bekannt geworden. In der Bauchhöhle vieler Käfer habe ich eine *Mermis*-Art gesehen, welche anfangs August die bewohnten Käfer verlässt um in die Erde zu gehen. In den Eileitern und im receptaculum seminis habe ich öfters grosse Massen spindelförmiger Bakterien gesehen.

In einer Opatrumlarve fand ich eine parasitische Tachinenlarve, deren Zucht mir aber misglückte. Die Larven werden verfolgt vom *Pelor blaptoides*, welcher wie es scheint speciell verschiedenen Melasomen nachstellt.

Die *Larve* des *Opatrum intermedium* wird 15 bis 16 Mm. gross. Sie ist bräunlich, glänzend, bei starker Beleuchtung bläulich schimmernd. Das Vorderende ist gewöhnlich etwas dunkler. Die Unterseite hellgelb. Das letzte (Anal) Segment ist hellgelblich und nur an der Spitze dunkel. Der Körper ist regelmässig walzenförmig; die Unterseite etwas abgeflacht; sehr zerstreute gelbliche Häärchen finden sich hie und da auf der Oberfläche des Körpers, und werden etwas zahlreicher am Kopf, sowie am ersten und letzten Körperringe. Ganz junge Larven, sowie die soeben gehäuteten älteren, haben eine ganz blasgelbe Färbung. Bei ausgefärbten Larven sind die Hinterränder der Körperringe etwas dunkler gefärbt.

Der Körper besteht aus 12 Ringen. Der erste ist zweimal so lang als der zweite; alle Bauchringe sind gleichlang, kurzcylindrisch; die vordere Hälfte ihrer Oberseite fein quer geritzt; die hintere Hälfte glatt. Längs der Oberseite zieht eine feine Mittellinie. Das Analsegment ist nicht länger als das verhergehende, blasfärbig und kegelförmig. Seine Spitze ist abgerundet, dunkelgefärbt; die Unterseite vorgewölbt und mit dichtstehenden langen Haaren bedeckt. Die Spitze des Segmentes ist bewaffnet mit *acht kurzen und dicken Dornen*, welche dicht aneinander stehend einen Halbkreis bilden. Etwas unter diesem Halbkreise stehen an den Seiten des Segmentes jederseits drei oder vier ähnliche Dornen. Die Oberseite des Analsegmentes ist mit groben Querrunzeln bedeckt.

Neben der Analöffnung stehen jederseits ein kegelförmiger fleischiger Nachschieber.

Die kleinen runden braunen Athemlöcher fehlen nur am ersten und letzten Körperringe. Von den drei Beinpaaren ist das erste am stärksten entwickelt. Jeder Fuss ist mit einer grossen braunen

Kralle bewaffnet. Coxa, Femur und Tibia der Vorderbeine tragen an ihrem Innenrande dicke schwarzliche Dornen, und zwar die Coxa zwei, das femur drei, und die tibia wieder zwei solcher Dornen. Die beiden hinteren Beinpaare haben keine Dornen, sondern Borsten.

Der Kopf ist rundlich, frei, dunkel gefarbt. Am Scheitel mit einer hellen Gabellinie. Epistom trapezformig, mit zwei grossen symmetrischen, runden Gruben, aus denen je ein dicker Dorn vorsteht. Die Oberlippe herzformig, rothbraun, mit tiefem Ausschnitt in der Mitte des Vorderrandes und mit vielen Borsten auf demselben. Die Oberflache der Lippe mit zwei dicken Hornern bewaffnet, welche denjenigen des Epistoms ähnlich sind. Diese vier Horner sind sehr charakteristisch für Opatrum intermedium.

Fühler dreigliederig; die sie tragende Stelle weichhautig und zuweilen in Gestalt eines vierten basalen Gliedes vorgestulpt. Das erste und zweite Fühlerglied rothbraum, walzenförmig, gleich lang; Glied 3 sehr schmal, viermal kürzer als das vorhergehende, und in Gestalt eines kleinen Griffel, dessen Spitze eine lange Borste tragt.

Mandibeln stark, mit einem stumpfen Zahne in der Mitte ihres Kaurandes. Maxillon mit grosser dreieckiger Lade, deren Spitze beinahe bis ans Ende des zweiten Palpengliedes reicht, ihr Kaurand mit dicken messerförmigen zweizeilig angeordneten Borsten bewaffnet. Taster *dreigliederig*; das erste Glied kurz, walzenformig; das zweite merklich länger; das dritte kürzer und schmaler als das zweite. Die Unterlippe besteht aus drei verschiedenen Abtheilungen: das Submentum hat die Gestalt einer viereckigen, nach vorne verschmalerten Platte; ihm folgt das abgerundete Mentum, welches die eigentliche breitviereckige Lippe tragt. Die am Vorderrande der Lippe stehenden Taster sind von einander getrennt und zwischen ihnen bemerkt man die abgerundete behaarte Zunge. Die Lippentaster sind zweigliederig; das erste Glied dick, walzenförmig; das zweite viel dunner, aber nur wenig kürzer als das erste.

An der Basis der Lippe befindet sich der Hypopharynx in Gestalt einer hohen braunen, glockenformigen Platte, welche nach vorne in einen dicken Stiel vorgezogen und an der Spitze dreizahnig ist; der Mittelzahn ist dick und gross; die beiden Seitenzahne stumpf und kaum vorstehend.

Von allen hier beschriebenen Merkmalen sind besonders wichtig: die vier Horner am Kopfe; die Bewaffnung des Analsegmentes, und die dreigliederigen Kiefertaster.

Die Larven sind sehr beweglich, und schnellen beim Laufen ihren Hinterleib nach Art einiger Tenthredinidenlarven. Bei ruhiger Fortbewegung ist aber der ganze Hinterleib bewegungslos und wird wie paralysirt nachgezogen. Beim Graben wird aber der Hinterleib bogenförmig und wurmartig gebogen und hilft energisch den Körper der Larve in die Erde zu bohren.

Das die hier beschriebenen Larven wirklich zu Opatrum intermedium gehören, davon konnte ich mich auf das Genaueste überzeugen, denn die von mir in Gefangenschaft gehaltenen Larven verwandelten sich zu Puppen, welche dann zu Opatrum intermedium wurden.

Die *Puppen* dieses Käfers sind 10 Mm. gross, weiss. Der Bauch ist immer etwas nach unten eingebogen. Die Beine sind verhältnissmässig klein, so dass beim Betrachten der Puppen von oben die Hinterschenkel kaum zu sehen sind.

Das Halsschild gross, den Kopf von oben ganz bedeckend. Sein Vorderrand abgerundet ausgeschnitten; die Hinterecken nach hinten zahnartig vorgezogen. Der Bauch besteht aus neun Segmenten, von denen die acht ersten an ihrem Seitenrande einen viereckigen Zahn tragen, welcher übrigens am 8 Segment eine dreieckige Gestalt annimt. Der Vorder-und Hinterrand dieser Zähne (Bauchlappen) sind braunlich gefärbt; die Spitzen derselben sind grade abgeschnitten, ungezähnt, oder nur selten etwas ausgerandet. Das Analsegment ist kegelförmig und trägt an seiner Spitze zwei auseinanderstehende farblose oder blassbräunliche Hörner.

Dass diese Puppen wirklich zu Opatrum intermedium gehören, davon konnte ich mich dadurch überzeugen, dass dieselben in Gefangenschaft gehalten zu dem genannten Käfer wurden.

Während der ersten 9 oder 10 Tage ist die Puppe ganz farblos. Dann werden zuerst die Augen bräunlich gefärbt, und bald darauf die Mandibelspitzen und die zwei Klauen an den Füssen, sowie auch der Hinterrand des fünften Bauchsegmentes. Bald darauf häutet sich die Puppe und es entsteht der Käfer, welcher anfänglich weiss ist und nur den Vorderrand des Kopfes, die Fühler und Augen, die Schienen und Füsse, sowie zwei Flecke auf dem Halsschilde braun oder schwarz hat. In solchem Zustande kann der Käfer schon herumgehen. Solche junge Käfer in Gefangenschaft gehalten brauchen zuweilen viel Zeit um sich ganz auszufärben, und habe ich schon Fälle gehabt, wo dieser Process ganze drei Tage beansprucht hatte. Doch bei gewöhnlichen Verhältnissen scheint der junge Käfer schon nach zwei Stunden ganz ausgefärbt zu sein. Dieser verhältnissmässig schnelle Verlauf ist wohl die Ursache davon, dass solche weisse Kafer nur selten im Freien gefunden werden.

Der erwachsene *Käfer* von Opatrum intermedium ist 9 Mm. gross. Schwarz, mattglänzend, unbehart, gewöhnlich mit einer Lehmkruste bedeckt. Kopf bis zu den Augen in das Halsschild eingezogen. Die Oberseite des Körpers mit kleinen runden Kornern dicht besetzt. Jede Flügeldecke mit drei feinen, durchgehenden Längsrippen, und einer nur bis zur Mitte reichenden und weniger ausgeprägten längs dem Seitenrande. Auf der Nath und auf diesen Längsrippen stehen grosse rundliche Warzen in unregelmassigen Reihen. Die Unterseite des Käfers ist punktirt und langsrunzelig. Der Kopfschild ist rechteckig, quer; sein Vorderrand in der Mitte tief ausgeschnitten, und in diesem Ausschnitt die Oberlippe befestigt. Jedes Auge durch den Seitenrand des Kopfes in zwei Theile getheilt.

Das Halsschild vorne tief ausgerandet, seine Vorderecken abgerundet; die Hinterecken nach hinten in Gestalt dreieckiger Zahnfortsätze vorgezogen. *Flügel sind immer vorhanden.*

Alles übrige wie bei Opatrum sabulosum. Das ♂ unterscheidet sich vom ♀ dadurch, dass die Mitte des ersten und zweiten Bauchringes in Gestalt einer breiten Längsfurche eingedrückt ist, während sie beim ♀ regelmässig gewölbt sind.

Opatrum intermedium ist, soviel bekannt, ein speciell südrussischer Käfer, welcher zuerst im Jahre 1844 von *Fischer von Waldheim* kurz diagnosticirt wurde *). Seitdem ist er von Niemandem weder beschrieben noch überhaupt erwähnt worden. In meiner kurzen vorlaufigen Mittheilung über die Tabaksfeinde in Bessarabien **) habe ich ihn zuerst als Opatrum verrucosum bestimmt.

Aus dem Vorhergehenden ist uns bekannt, dass die schädliche Einwirkung des Opatrum intermedium darin besteht, dass er den Ernteertrag des Tabak bedeutend vermindern kann, und zwar ent-

---

*) *Fischer von Waldheim:* Specilegium Entomographiae Rossicae. V. Bulletin de la Société Impériale des Naturalistes de Moscou. 1844, № 1, p. 127. (*O. intermedium*: „Thorace quadrato marginato, punctulato scabro; elytris prope suturam granulatis, latere quadricostatis. Long. 3 lin. lat. 2 lin.").

**) *K. Lindeman.* Opatrum verrucosum und Pedinus femoralis als Schädiger des Tabak in Bessarabien. Entomologische Nachrichten. Berlin. Jahrg. XIII (1887), № 16, p. 241.

weder dadurch dass er die betroffenen Pflanzen tödtet, oder ihre Entwickelung aufhaltend dieselben nicht den nöthigen Reifegrad erreichen lässt, welcher die Pflanzen technisch werth macht. Ausserdem verursacht der Käfer grosse Verheerungen in den Maisfeldern, die ausgesäeten Maiskörner ausfressend. Es unterliegt wohl keinem Zweifel, dass unser Käfer schon seit uralten Zeiten Bessarabien bewohnt, aber den Landwirthen unbekannt geblieben ist, weil die Aeusserung seiner schädlichen Thätigkeit anderen Faktoren zugeschrieben wurde. Ich finde diesen Käfer in Bessarabien sehr verbreitet und sehr stark schadenbringend, was seinen Grund darin hat, dass hier überall die seiner Vermehrung günstigen Verhältnisse realisirt sind. In den zahlreichen Tabaksfeldern und den unendlichen Maisfeldern dieser Gegenden ist die Oberfläche des Bodens bis in die ersten Tage des Juli nur mit spärlichen, weit von einander abstehenden Pflanzen bestanden, so dass die Sonnenstrahlen überall freien Zutritt zum Boden haben, denselben stark erwärmend und dadurch die Entwickelung der ihn bewohnenden zahlreichen Larven fördernd. Dort wo die Cultur der Getreidearten vorwiegend ist, kann dieser Käfer nicht sich so stark vermehren, weil dort die meisten Felder mit einer dichten geschlossenen Pflanzendecke bestanden sind zu der Zeit wo die Weibchen das Eierlegen beginnen. Darum sehen wir denn die Vermehrung dieses Tabak-und Mais-Feindes begünstigt gerade durch solche Momente, welche eine nothwendige Folge sind der sehr verbreiteten Cultur dieser Pflanzen. Das hier Gesagte erlaubt uns den Gedanken auszusprechen, wie wenig begründet die Hoffnung erscheinen muss, wonach mit dem Fortschritte der Cultur dieser Pflanzen die Vermehrung des Käfer wird Einhalt finden. Denn es ist einleuchtend, dass dieser Fortschritt niemals eine Verminderung der Fläche nach sich ziehen wird, welche im April und Mai frei von einer schützeuden Pflanzendecke sein und deshalb der Vermehrung des Insektes nützlich sein werden. Darum können wir nicht hoffen dass in Zukunft der Käfer von selbst weniger schädlich sein wird, sondern müssen uns die Aufgabe stellen mittelst specieller Massnahmen seiner Vermehrung entgegenzuarbeiten.

Obwohl die im Obigen mitgetheilten Thatsachen unsere Kenntniss der Biologie dieses Käfers bei weitem nicht erschöpfen, so geben sie uns doch schon einige Anhaltspunkte um darauf solche Massregeln zu begründen, welche der schädlichen Thätigkeit des Insektes Schranken ziehen dürften. Die eine solche praktische Bedeutung besitzenden Thatsachen sind folgende:

1) Die Kafer legen ihre Eier von Mitte April bis Mitte Mai; und
2) Sie legen ihre Eier *ausschliesslich* in solche Stellen, deren Oberfläche zu der genannten Zeit nicht von Pflanzen bedeckt ist.

Aus diesen, unzweifelhaft festgestellten Thatsachen folgt, dass um ein gewisses Feld von Infection durch diese Käfer zu beschützen, dasselbe mit einer dichten und geschlossenen Pflanzendecke bedeckt werden muss während des Zeitraumes von Mitte April bis Mitte Mai. Opatrum intermedium wird in diesem Falle seine Eier in ein solches Feld nich absetzen können, und wird also dasselbe nicht von Larven desselben inficirt sein. Da nun die erwachsenen Käfer gegen Ende Mai aussterben, so kann nach Verlauf der hier angegebenen Zeit die schützende Pflanzendecke wieder entfernt werden, ohne dass dadurch die Gefahr erwächst das Feld könne nachdem doch mit Eiern belegt werden. Das hier Vorgetragene muss unsere Massregeln gegen Opatrum intermedium begründen, um der Schwindsucht der Tabakspflanzen vorzubeugen.

Das Auspflanzen des Tabak in die Felder beginnt im mitleren Bessarabien erst nach dem 20 Mai, in der Mehrzahl der Falle noch spater, und dauert dann den ganzen Juni.

Dort wo die Cultur des Tabak schon höher entwickelt ist, wird das künftige Tabaksfeld schon im Herbst gepflügt, und dann zum zweiten Male im April. Die Bauern pflügen ihre kleinen Tabaksfelder gewöhnlich Mitte April und dann wieder zu Ende dieses Monates. In beiden Fällen bleibt das Feld bis Ende Mai oder Anfang Juni als Brache und wird dann kurz vor dem Auspflanzen des Tabak noch einmal umgepflügt. Dieser Hinweis erlaubt uns den Schluss zn ziehen, dass es gar nicht schwer sei diese Felder vor dem Eindringen des Opatrum intermedium zu beschützen, und zwar durch folgende Massnahmen.

Das kunftige Tabaksfeld muss in der zweiten Halfte des März umgepflugt, und mit Senf oder Raps besäet werden. Schon zu Anfang April werden diese Pflanzen das Feld mit einer üppigen Pflanzendecke bedecken und so dasselbe vollkommen vor dem Opatrum intermedium beschützen. In der Mitte des Mai konnen diese Pflanzen abgemaht und eingepflügt werden, worauf der Acker noch in den folgenden drei Wochen genug Zeit haben wird um die nöthige Gare zu erlangen bevor das Auspflanzen der Tabakspflanzen beginnen wird. Diese Massregel wird auch noch dadurch von Nutzen sein, dass sie zur Düngung des Bodens beitragen wird, was in vielen Fällen bei weitem nicht überflüssig ist. Ich habe hier Raps und Senf als Schutzpflanzen genannt weil erstens dieselben den Boden gut beschatten und zweitens weil der Senf eine schädliche Wirkung auf gewisse Larven auszuüben scheint, weshalb er zu ähnlichen Zwecken von den Landwirthen Englands gegen die Drathwürmer empfohlen wird. Möglich ist es, dass diese Pflanze auch auf unsere Tabakswürmer einen ahnlichen schädlichen Einfluss haben kann. Wir haben oben erfahren, wie radikal Hafer und Gerste den Boden vor Eindringen des Opatrum beschützen. Darum wäre es vielleicht möglich in gewissen Fällen auch diese Getreidearten als Schutzpflanzen zu benutzen, obwohl ihr Werth als Gründüngung demjenigen des Senf oder Raps nachstehet.

Vor dem Verpflanzen des Tabaks muss das Feld stark gewalzt werden, um die Bewegung der Larven zu behindern und den möglichen Schaden zu localisiren. Ein solches Walzen wird auch noch darum von Nutzen sein, weil gar zu oft der Boden in den bessarabischen Tabaksfeldern gar zu locker und der Bewurzelung des Tabaks ungünstig ist, anderorts aber auch grosse Schollen bildet, welche in grosser Anzahl die Oberfläche des Feldes bedecken und ein Austrocknen des Bodens begünstigen.

Die Ausgaben, welche durch diese Massregeln gegen den Käfer verursacht werden, sind so gering, dass davon gar keine Rücksicht zu nehmen ist.

Auf sehr kleinen Feldern, wie sie häufig bei den Bauern gesehen werden und nicht selten nur 50 bis 200 Quadratfaden gross sind, können auch noch andere Mittel ergriffen werden um den Boden von den in demselben angesiedelten Käfern und Larven zu reinigen. Solche kleine Parcellen können in den letzten Tagen des Mai mit heissem Wasser oder mit Petroleum (Kerosin) begossen werden und zwar so, dass die oberflächliche Schicht bis in eine Tiefe von 3 Centim. durchnässt wird. Speciell von mir angestellte Experimente haben mir bewiesen dass die Larven in ein bis 45° R. erwärmtes Wasser geworfen momentan absterben. Ebenso momentan tödtend wirkt auch Petroleum auf die Larven.

Die gegen Opatrum intermedium auf den Maisfeldern zu ergreifenden Massregeln beschränken sich zur Zeit nur darauf die Aussaat des Mais so früh als möglich zu beginnen, und alles zu thuen, was den Keimungsprocess beschleunigen könnte.

Das hier entwickelte Vertheidigungssystem der Tabaksfelder gegen Opatrum intermedium gewinnt noch darum an Bedeutung, dass solches auch gegen einige andere Feinde des Tabak wirksam sein, und zwar denselben auch vor dem Maikäfer beschützen wird, dessen Larven in Bessarabien die Wurzeln des Tabak stark beschädigen.

3. Pedinus femoralis F.

Ein zweiter, den Tabak in Bessarabien sehr beschädigender Käfer, als solcher sowohl als auch im Larvenzustande, ist der längst bekannte und weit verbreitete Pedinus femoralis, welcher ebenso wie Opatrum intermedium neben dem Tabak auch den Mais stark beschädigt. Zum Unterschied von dem ebengenannten schadet Pedinus femoralis in Bessarabien mehr dem Mais als dem Tabak. Es findet dieses seine Erklärung darin, dass Pedinus femoralis, als ungeflügelt, weniger rasch in der Gegend sich verbreiten kann und darum gezwungen ist sich in denjenigen Feldern aufzuhalten, welche er schon früher besetzt hat. Da nun der Mais in Bessarabien sehr oft mehrere Jahre nach einander auf denselben Feldern gesäet wird und andrerseits die unendlich grossen und zahlreichen Maisfelder immer und überall hart aneinanderstossen, so wird es dem Pedinus femoralis leicht in diesen Feldern festen Fuss zu fassen und sich in denselben allmählich zu verbreiten. Die Tabaksfelder dagegen sind weniger zahlreich, liegen mehr zerstreut und wird der Tabak nur selten mehrere Jahre nacheinander auf dasselbe Feld gepflanzt. Darum kann Pedinus femoralis die Tabaksfelder nur dort massenhaft inficiren, wo solche zufällig an die von ihm bewohnten Maisfelder stossen. In solchen Fällen aber wird die Schädlichkeit des Pedinus femoralis ganz gleich derjenigen des Opatrum intermedium.

Von dem hier Gesagten abgesehen ist die Lebensweise beider genannten Arten in den Hauptzügen sehr ähnlich.

Die Hauptnahrung des Käfers und seiner Larve liefern die Melde und Convolvulus arvensis, was mir auch hier festzustellen gelang durch mikroskopische Untersuchung des Darminhaltes zahlreicher Exemplare, welche sowohl in Mais als auch in Tabaksfeldern eingesammelt wurden. Doch neben dieser primären Nahrung frisst der Käfer und seine Larve: Stengel und Blätter des Tabak; Körner des Mais, des Roggen, und weniger gerne auch des Weizen.

Der Tabak wird von den Larven des Pedinus femoralis ganz ebenso beschädigt wie es diejenigen des Opatrum intermedium thnen. Durch Benagen der unterirdischen Theile des Stengel verursacht die Larve eine Schwindsucht der Tabakspflanzen, welche ganz den oben beschriebenen Verlauf annimmt. Darin sind sich Pedinus femoralis und Opatrum intermedium ganz ähnlich.

Auch die Körner des Mais, Roggen und des Weizen werden von diesem Käfer und seiner Larve ganz ebenso ausgefressen wie durch Opatrum intermedium, indem zuerst der Embryo dieser Körner gefressen wird und schon nachdem ein mehr oder weniger grosser Theil ihres Eiweisses. Ganz so wie oben beschrieben wurde lässt auch Pedinus femoralis den Embryo ganz unberührt wenn derselbe zu keimen beginnt, und solches sogar in Gefangenschaft, wenn die Käfer oder Larven lange gehungert haben. Die Wurzeln, Blatter und Halme der genannten Gramineen werden auch von diesem Käfer immer unberührt gelassen.

Wie Opatrum intermedium, so ist auch Pedinus femoralis ein nächtliches Insekt, und sieht man den Käfer höchst selten am Tage frei umherlaufen, selbst in solchen Gegenden, wo der Boden stark von ihm besetzt ist. Am Tage findet man die Käfer gewöhnlich paarweise, oder zu mehreren (im August) unter Erdschollen. Nachts laufen sie rasch umher, dank den stark entwickelten Beinen.

Das Weibchen legt seine Eier ab in die Erde, an Stellen welche nicht von Pflänzen bedeckt sind und darum stark von der Sonne erwärmt werden. Um diese Frage zu lösen habe ich Untersuchungen angestellt über die Verbreitung der Larven in den verschiedenen Feldern einer Ortschaft, und die erhaltenen Thatsachen in der umstehend folgenden Tabelle nidergelegt. Diese Tabelle ist ähnlich der oben bei Opatrum intermedium angeführten verfasst.

Die in dieser Tabelle vorgefuhrten Thatsachen beweisen, dass Pedinus femoralis seine Eier hauptsächlich in die Maisfelder ablegt, weniger in die Tabaksfelder. Sehr häufig fand ich den Kafer auch im Mogar, welcher nach Mais folgte. Weniger häufig werden die Eier abgelegt ins Wintergetreide, dieselben dann stärker inficirend wenn durch starke Auswinterung des Getreides viele leere Stellen im Felde entstehen. In den Hafer werden die Eier gar nicht abgelegt, nud in die Gerste nur dann, wenn dieselbe spät ausgesäet wird. So stimmt alles hier mitgetheilte ganz mit dem, was oben über Opatrum intermedium gesagt wurde.

Das Eierlegen dauert bei Pedinus femoralis länger als beim verwandten Käfer. Es wird dieses schon dadurch bewiesen, dass während des Sommer Larven von sehr verschiedener Grosse nebeneinander gefunden werden. So waren am 19 Juli die meisten Larven schon 18 bis 20 Mm. gross; doch neben solchen fanden sich einzelne die kaum 10 Mm. lang waren. So fand ich am 18 August neben ganz ausgewachsenen Larven auch solche, welche nur 7 Mm. gross waren. Diese Differenz kann nur dadurch

Wurden eingesammelt während der vermerkten Zeit am angezeigten Tage:	17/VII in 1 St.	18/VII in 3³/₄ St.	23/VII in 1 St.	23/VII in 1 St.	28/VII in 1 St.	10/VIII in 2 St.	18/VIII in ³/₄ St.	21/VIII in 1¹/₂ St	/ 2
Larven...........	20	87	2	8	12	50	3	8	
Puppen..........	1	0	0	0	0	0	0	0	
Käfer............	1	11	16	6	34	10	40	32	
Im Ganzen........	22	98	18	14	46	60	43	40	
Auf 1 Stunde berechnet........	22	26	18	14	46	30	57	27	

erklärt werden, wenn wir annehmen, dass die Eier während einiger Monate abgelegt werden. Doch scheint die grösste Mehrzahl der Weibchen ihre Eier ziemlich gleichzeitig im Frühjahre abzusetzen, was daraus zu ersehen ist, dass im August die meisten Larven vollwüchsig sind und die noch kleinen (7—10 Mm. grossen) nur sehr selten vorkommen.

Ausserdem muss noch eine andere Eigenthümlichkeit im Geschlechtsleben des Pedinus femoralis notirt werden, welche ihn recht scharf von Opatrum intermedium unterscheidet. Während bei diesem die Begattung erst im nächsten Frühjahre stattfindet, begatten sich die Pedinus femoralis bald nach bestandener Verwandlung. Bei Weibchen welche ich am 28 und 30 Juli und am 2 August untersuchte fand ich die Eierstöcke noch unentwickelt und das Receptaculum seminis leer. Doch schon am 8 August sammelte ich im Mais Weibchen, deren Receptaculum prall angefüllt war mit beweglichen Samenfäden. Die am 9, 10, 14, 18, 21 August und am 2 und 3 September gesammelten und untersuchten

		III in Weingärten. 13	IV im Winterweizen. 14	15	16	V in Roggen. 17	VI im Hafer. 18	19	20	VII in der Gerste. 21	22
24/VII in 1½ St.	25/VIII in 1 St.	24/VII in 3 St.	17/VII in 1½ St.	14/VIII in 1 St.	17/VIII in 1½ St.	18/VIII in 1½ St.	17/VII in ½ St.	20/VII in 1 St.	17/VIII in 1 St.	28/VII in ½ St.	14/VIII in 1 St.
1	3	3	0	2	0	24	0	0	0	1	0
0	0	0	0	0	0	0	1	0	0	0	0
0	0	0	1	19	1	3	0	0	0	2	24
1	3	3	1	21	1	27	1	0	0	3	24
0,6	3	1	0,6	21	0,6	18	2	0	0	6	24

Weibchen waren meistens befruchtet und enthielten ihre Eiröhren 6 bis 12 elliptische, 1 Mm. lange Eier. Doch fanden sich an den genannten Tagen auch solche Weibchen, die noch nicht begattet waren und noch gar nicht ausgebildete Eierstöcke besassen.

Obwohl die Befruchtung der jungen Weibchen schon im Laufe des August stattfindet, so scheint das Eierlegen doch erst im nächsten Frühjahre zu beginnen. Ich glaube das darum annehmen zu durfen, dass in denselben Feldern, wo die Weibchen schon seit dem 8 August befruchtet gefunden wurden, ich weder im August noch in den ersten Tagen des September weder die abgelegten Eier noch die eben ausgeschlüpften Larven auffinden konnte, obwohl solche von Pedinus femoralis stark besetzte Felder sehr sorgfaltig gerade darauf untersucht wurden am 14, 17, 18, 21 und 25 August, sowie am 3 und 4 September. Andrerseits sind uns schon mehrere andere Kaferarten bekannt, welche im Herbste befruchtet werden und erst im nächsten Frühjahre das Eierlegen beginnen. So z. B. *Dendroctonus micans* *) bei welchem ähnliches schon längst von mir constatirt wurde. Pedinus femoralis betreffend muss dieses frühzeitige Befruchten der Weibchen der Art von grossem Nutzen sein, denn die Flügellosigkeit dieser Käfer könnte im Frühjahre das Zusammentreffen der Geschlechter während der Wanderungen der Käfer sehr oft in Frage stellen.

Pedinus femoralis ist ein sehr schädliches Insekt und verursacht er in den Maisfeldern Bessarabiens sehr grosse Verheerungen, welche dadurch sich äussern, dass auf den Feldern grosse kahle Stellen entstehen, welche von den Landwirthen gewöhnlich als durch Dürre verursacht betrachtet werden. Auf den Tabaksfeldern verstärkt dieser Käfer den durch Opatrum intermedium verursachten Schaden.

Doch nicht blos in Bessarabien tritt Pedinus femoralis als schädliches Insekt auf. Seine Larven gehören zu den Hauptfeinden des Tabak im Taurischen Gouvernement und in der Krim, von wo ich schon mehrmals dieselben zugesandt bekam, aber im trocknen Zustande, so dass ich nur ihre Zugehörigkeit zur Familie der Melasomen bestimmen konnte, die Species aber mir unbekannt blieb, da die Larve des Pedinus femoralis bisjetzt noch von Niemandem beschrieben war. Jetzt diese taurischen Larven mit denjenigen des Pedinus femoralis aus Bessarabien vergleichend finde ich dieselben identisch.

Im Frühjahre 1887 wurden mir diese Larven auch aus anderen Gegenden Russland als schädlich zugeschickt. So haben sie im Gouvern. Woronesch (in den Kreisen Bogutshar und Nowochopersk) grossen Schaden angerichtet an den Sonnenblumen (Helianthus annuus), an Gurken und Wassermelonen, die unterirdischen Stengeltheile dieser Pflanzen benagend. Im Gouvern. Poltawa (im Kreise Piriatin) haben sie im Jahre 1887 dem Tabak und dem Mais sehr geschadet. Eine genaue Untersuchung mir zugesendeter Larven hat mich davon überzeugt, dass sie zu Pedinus femoralis gehörten. So erscheint denn dieser, in Südrussland weit verbreiteter, und nach Norden bis ins Gouv. Moskau gehender Käfer mehreren Culturpflanzen schädlich, was seine landwirthschafliche Bedeutung noch vergrössert. In Bessarabien ist dieser Käfer sehr gemein. Es hält schwer dort ein solches Maisfeld zu finden, wo der Kafer fehlen würde.

Die *Larve* des Pedinus femoralis wird 22 Mm. gross. Ihr Kör-

*) S. Bulletin de la Société Impériale des Naturalistes de Moscou. 1879.

per ist walzenförmig, unten abgeflacht; hellbraun, unten weisslich; der Kopf und die Brustringe, so wie die zwei letzten Körperringe gewöhnlich dunkler gefärbt. Die mittleren Ringe zuweilen mit dunklerem Hinterrande. Die Oberflache des Körpers glänzend; die Ringe am Vorder-und Hinterrande fein längs geritzt, mit sehr zerstreut sitzenden Haaren.

Kopf rund, mit heller Gabellinie; der Mund hellgefärbt. An den Seiten desselben befinden sich in einem hellen Flecke gelegene kleine schwarze Augen, die jederseits zu zwei stehen.

Halsschild verlängert, beinahe zweimal so lang als der zweite Brustring. Bauchringe kurz; der 8 und 9 etwas länger als die vorhergehenden. Der 8 nach hinten etwas verschmalert; das 9 oder Analsegment etwas kürzer als der 8, kegelförmig, mit abgerundeter Spitze. Letztere trägt vier dicke Borsten welche in regelmassigen Abständen von einander stehen. Bei vollkommen ausgewachsenen Larven findet man statt dieser Borsten ebenso gelagerte stumpfe Höcker. Die Oberfläche des Analgliedes ist mit langen gelben Haaren besetzt, welche an seiner Unterseite dichter stehen. Neben dem After steht jederseits ein dicker, fleischiger Nachschieber.

Die Fühler wie bei der Opatrum-Larve; auf der Oberfläche des zweiten Gliedes befindet sich eine schlingenförmige cuticulare Verdickung. Das Epistom, wie auch die Oberlippe, tragen *keine Hörner*, aber feine Borsten und Haare. Mandibeln mit gespaltener Spitze und einem grossen Zahn vor derselben.

Unterkiefer mit *viergliederigem Taster*. Das erste Glied kurz und sehr unvollkommen chitinisirt; Glied 2 länger als 1, walzenförmig; Glied 3 beinahe doppelt so lang als 2; Glied 4 kürzer, kegelförmig. Das Submentum trägt ein fassförmiges Mentum, welchem die kurze viereckige Lippe aufsitzt. Zwischen den nicht zusammenstehenden Palpen ragt die abgerundete Zunge vor. Lippentaster zweigliederig; Glied 1 gross, walzenförmig; Glied 2 schmaler und etwas kürzer als 1.

Der Hypopharynx hat die Gestalt einer dunkelbraunen, glockenförmigeu Platte, deren nach vorne gerichteter Stiel an der Spitze mit drei Zähnen bewaffnet, von welchen der mittlere am stärksten ist. Paraglossen keulenförmig, farblos, kurz bedornt.

Die Vorderbeine sind starker als die beiden anderen Paare. Ihre Hüfte, Schenkel und Schiene sind am Innenrande mit starken braunen Dornen bewaffnet. Die zwei hinteren Beinpaare tragen an diesen Gliedern einfache Borsten.

Erschrocken, stellen sich diese Larven tod, bleiben aber nicht lange bewegungslos, sondern suchen bald zu entlaufen, wobei sie in ihren Bewegungen sehr den Larven des Opatrum intermedium gleichen.

Die *Puppe* des Pedinus femoralis ist 10—12 Mm. lang (5 Mm. breit). Sie unterscheidet sich von der Puppe des Opatrum intermedium durch anders geformte Seitenfortsatze der Abdominalsegmente. Dieselben sind an ihrer Spitze dreizahnig, und ist der mittlere dieser Zahne kürzer als die beiden anderen. Ausserdem sind die Hinterschenkel sehr stark entwickelt, gross, und reichen mit ihrer Spitze bis an den Hinterrand des vierten Bauchringes. Beim Besehen der Puppe von oben sind die Hinterschenkel sehr sichtbar.

Am 10 Juli sammelte ich einige dieser Puppen in einem Maisfelde. Am 22 Juli verwandelten sie sich zu Kafern. Dadurch wurde die Species derselben genau festgestellt, und dabei erwiesen, dass die Puppenruhe bei Pedinus femoralis wenigstens 12 Tage dauert.

4. Platyscelis gages Fisch.

Ausser den beiden im vorhergehenden beschriebenen Hauptschädigern des Tabak und des Mais, finden sich im Boden dieser Felder in Bessarabien noch zwei verschiedene Melasomen-Larven, namlich *Platyscelis gages Fisch.* und *Opatrum pusillum* F. Dieselben sind den obenbeschriebenen sehr ähnlich, sowohl in ihrem Ausseren, als auch in den Hauptzügen ihrer Lebensweise. Sie begleiten überall die Larven von Opatrum intermedium und Pedinus femoralis und werden angetroffen in Tabaks-und Maisfeldern, in Weingärten, im Mogar, seltener im Wintergetreide; beinahe ganz fehlen sie im Hafer und der Gerste. Doch immer sind sie viel seltener als die Larven von Opatrum intermedium und Pedinus femoralis, wovon zur Zeit ihre geringere landwirthschaftliche Bedeutung abhängt.

Die *Larve* von Platyscelis gages ist 22—24 Mm. gross. Die jungen, oder eben gehäuteten Larven sind blassgelb; die erwachsenen sind dunkelbraun glänzend; das Analsegment an der Wurzel zuweilen hellgefärbt. Die Oberfläche der Segmente fein quergeritzt, neben dem Vorder-und Hinterrande langsrissig.

Das Halsschild viel langer als das folgende Segment; die Bauchringe nach hinten allmahlich an Länge zunehmend; der siebente und achte Ring länger als breit. Analsegment kegelförmig, kurzer als das vorhergehende. An seiner Spitze und Seitenrändern sitzen in regelmässigen Abstanden gewöhnlich 12 (selten nur 10—8) lange dicke Borsten. Ausser diesen Borsten sind nur noch dünne Haare auf dem Analsegmente zu sehen.

Die Vorderbeine sind starker als die beiden hinteren Paare; die Bewaffnung ihres Innenrandes wie bei Opatrum intermedium, blos mit dem Unterschiede, dass die Dornen hier von besonderen Vorsprüngen der Glieder getragen werden.

Der Kopf ist abgerundet, frei. Das Epistom und die Oberlippe tragen keine Hörner. Oberkiefer mit stumpfem Zahn in der Mitte ihres Kaurandes. Antennen, Kiefertaster, Unterlippe und Hypopharynx wie bei der Larve des Pedinus femoralis.

Die *Puppe* des Platyscelis gages ist 9 Mm. gross. In Gestalt und Ausbildung der Hinterschenkel ist sie derjenigen des Pedinus femoralis ahnlich, unterscheidet sich aber von letzterer dadurch, dass die Seitenfortsatze der Bauchringe sehr klein und leicht zu übersehen sind und ihre Spitze einfach abgestutzt, ungezähnt ist; ausserdem sind ihre Ränder farblos. Die Hinterleibspitze tragt zwei kurze bräunliche weit auseinanderstehende Hörner.

Von der Zusammengehörigkeit der hier beschriebenen Larven und Puppen habe ich mich folgendermassen uberzeugt. Am 23 Juli fand ich in einem Maisfelde eine solche Puppe in einer kleinen elliptischen Erdhohle liegend und an ihrer Hinterleibspitze die eingetrocknete, bei der Verpuppung abgeworfene Larvenhaut. Nachdem ich diese Haut aufgeweicht hatte, konnte ich leicht die charakteristische Bewaffnung des Analsegmentes sehen, wie sie eben beschrieben wurde. Spater verwandelten sich auch die in Gefangenschaft gehaltenen Larven zu ähnlichen Puppen.

Aus den am 23 Juli gesammelten Puppen erhielt ich am 31 d. M. die Käfer von Platyscelis gages Fisch. Damit war denn die Species der Larven und Puppen genau bestimmt. Gleichzeitig wurde damit festgestellt, dass die Puppenruhe bei dieser Species nicht weniger als 9 Tage dauert.

Ganz wie Opatrum intermedium und Pedinus femoralis, so ist auch der junge Käfer von Platyscelis gages anfänglich weiss, mit schwarzen Augen und Mundtheilen, ebensolchen Antennen und Fussen und mit bräunlichem Halsschilde. In Gefangenschaft geschieht die definitive Ausfärbung dieser jungen Käfer erst sehr langsam.

Die jungen Kafer von Platyscelis gages erscheinen schon von Mitte Juli. Schon im Laufe des August geschieht die Begattung, wie mir die mikroskopische Untersuchung des receptaculum seminis zahlreicher Weibchen ergab, und gleichzeitig beginnt auch die Ausbildung der Eier, deren ich schon im August bis 12 in den Eirohren zählen konnte.

5. Opatrum pusillum F.

Die kleine Larve dieses Käfers wird vollwüchsig nur 12 Mm. gross. Ihr Körper ist blassgelb; die Hinterränder der Körperringe dunkelgefärbt. Der Kopf, Halsschild und Analsegment sind ziemlich dicht mit langen gelben Haaren bedeckt.

Kopf rund, jederseit mit einem deutlichen schwarzen Augenfleck. Epistom und Oberlippe mit feinen symmetrisch angeordneten Borsten. Antennen und Mundtheile wie bei Opatrum intermedium, nur hat der Hypopharynx eine breite viereckige Gestalt mit einem nach vorne gerichteten Stiel dessen Spitze dreizähnig ist.

Das Halsschild breiter als lang; der zweite und dritte Brustring kürzer als dieses. Bauchringe kurz, walzenförmig; der 8 Bauchring nach hinten verschmalert, breiter als lang. Analsegment nur wenig kürzer als das 8, kegelförmig. Seine abgerundete Spitze trägt eine Reihe (meistens 8) dicht aneinanderstehender dunkler Borsten. Ausserdem ist jeder Seitenrand desselben mit zwei kleinen Körnchen bewaffnet. (Die bei Opatrum intermedium hier vorhandenen unregelmässig sitzenden Borsten fehlen bei O. pusillum).

Am 26 Juli verwandelte sich eine von diesen Larven zu einer *Puppe.*

Letztere ist 6 Mm. gross, durch Gestalt und Ausbildung der Hinterschenkel der Puppe von O. intermedium ähnlich, doch von letzterer sowohl durch geringere Grösse unterschieden, als auch besonders dadurch, dass die Seitenfortsätze der Abdominalringe dreizähnige Spitzen haben; die beiden äusseren Zähne sind breit und stumpf; der mittlere Zahn sehr klein, zugespitzt und trägt an seiner Spitze eine Borste. Der Seitenfortsatz des siebenten Bauchringes ist dreieckig. Schwanzborsten wie bei O. intermedium.

Eine am 26 Juli in Gefangenschaft entstandene Puppe verwandelte sich zum Käfer (Opatrum pusillum) am 11 August, also nach Verlauf von 16 Tagen.

O. pusillum gehört zu den selteneren Käfern Bessarabiens. Eine von den Ursachen dieser Seltenheit wurde mir klar nachdem es mir glückte eine höchst originelle Eigenthümlichkeit in seiner Lebensweise zu beobachten. Es besteht diese darin, dass die Larven vor der Verpuppung auf die Oberfläche der Erde kommen, so dass die Puppe ganz frei am Boden liegend erscheint. Mehrmals fand ich die Puppen in den Maisfeldern so ganz frei zu Tage liegend, und beobachtete solches auch an den in Gefangenschaft gehaltenen Larven. Es ist begreiflich das die so exponirten Puppen eine leichte Beute verschiedener insektenfressender Thiere werden können, was denn auch die Seltenheit dieses Käfers zur Genüge erklärt.

6. Die Drathwürmer der Tabaksfelder.

Die den Tabak in Bessarabien beschädigenden Drathwürmer waren bis jetzt noch nicht genauer untersucht und ihre Species nicht bestimmt gewesen. Es ist mir gelungen diese Lücke auszufüllen, wobei es sich erwiesen hat, dass die folgenden vier Elateriden-Species als Feinde des Tabak auftreten, nähmlich:

Melanotus rufipes. — *Athous scrutator.*
Athous nigĕr. — *Agriotes pilosus.*

Zum Unterschied von den im Vorhergehenden beschriebenen Melasomenlarven, fressen sich diese Drathwürmer einzeln ins Innere des Tabakstengel und höhlen denselben zu einer weiten einige Centimeter langen Röhre aus. Die so beschädigten Pflanzen werden welk und sterben endlich ganz ab. Diesen Angriffen der Drathwürmer unterliegen sowohl junge als auch weiter entwickelte Pflanzen, wobei die ersteren gewöhnlich sehr rasch verwelken, während die stärker gewachsenen Pflanzen langsamer absterben.

Die Larven des Melanotus rufipes *), sowie diejenigen des Athous niger **) sind mir als arge Beschädiger des Tabak auch von anderwärts bekannt, nämlich aus den Gouvern. Taurien und Poltawa. Ich glaube die Beschreibung dieser gut bekannten Larven umgehen zu konnen.

Was den Athous scrutator anbetrifft, so wird er gewöhnlich als Varietät des A. niger betrachtet, doch unterscheiden sich seine Larven durch constante Merkmale von Letzterem, so dass ich es für geboten ansehe dieselben hier etwas näher zu besprechen.

---

*) Sehr genau beschrieben sind diese Drathwürmer bei *Beling*: Beitrag zur Metamorphose der Käferfamilie der Elateriden. In Deutsche Entomologische Zeitschr. XXVII. 1883. Heft. I. p. 132.

**) Ibidem. Heft. II. p. 298.

Die Larven des A. scrutator sind 18 Mm. gross, also etwas kleiner als die Larven des A. niger (20 Mm). Das Analsegment ist hinten mit zwei kurzen und dicken Hörnern bewaffnet, deren Spitzen *sich beinahe berühren* (wahrend sie bei A. niger weit auseinander stehen). Jedes Horn ist *dreispitzig*, und sind die zwei äusseren Spitzen stumpf, wahrend die innere zugespitzt erscheint. (Bei den Larven des A. niger trägt jedes Horn nur *zwei* Aeste von denen der innere an seiner Basis gekörnt ist). Die Seitenränder des Analsegmentes sind gekantet und jeder mit drei stumpfen Höckern bewaffnet, deren letzterer an der Wurzel des Hornes steht. Die Oberfläche des Analsegmentes ist runzelig, mit vier Längsfurchen, von denen die beiden mittleren nach hinten allmahlich convergiren und bis zur Mitte des Segmentes reichen.

A. scrutator ist in den Tabaksfeldern ebenso häufig wie A. niger. Die erwachsenen Käfer erschienen gleichzeitig, am 10 Juli (1887), an den Bluthen von Carduus, Chamomilla, Antemis und Sambucus nigra, welche als Unkräuter im Hafer wuchsen. Schon den 16 Juli verschwanden diese Käfer vollständig in den Feldern, wo sie tags zuvor auffallend häufig waren, und konnte ich sie von da an in der Erde finden, wohin sie sich vergruben um ihre Eier abzusetzen.

Die Larve des *Agriotes pilosus* ist 25 Mm. lang und 2 Mm. dick. Rothgelb; Mandibeln und Vorderrand des Kopfes schwarz; Bauchstigmen schwärzlich.

Am Mundrande ist der Kopf in der Mitte mit einem breiten Zahnfortsatze bewaffnet, dessen Spitze dreizähnig ist. Oberkiefer mit einem scharfen Zahne in der Mitte des Kaurandes. Stirn mit vier kurzen aber deutlichen Furchen.

Analsegment lang-elliptisch, länger als das vorhergehende, in eine stumpfe Spitze ausgezogen. Seine Oberfläche deutlich quergefurcht. An jeder Seite befindet sich ein runder schwarzlicher Fleck (wie bei der Larve des Agriotes lineatus); auf der Rückenfläche des Segmentes vier laugslaufende braunliche Linien.

Ich glaube dass diese Larve zu Agriotes pilosus gehört, denn dieser Kafer war der einzige Agriotes, welchen ich in den Tabaks-und Maisfeldern Bessarabiens in entsprechender Anzahl auffinden konnte. Am 18 Juli fand ich diese Käfer in der Erde noch ganz unausgefarbt, eben erst aus der Larve entstanden.

7. Der Tabaksblasenfuss (Thrips tabaci Lindem).

Weit weniger gefährlich als die Larven von Opatrum intermedium und Pedinus femoralis, sind die hier genannten Blasenfüsse doch von bedeutendem Einfluss auf die Cultur des Tabak in Bessarabien. Doch war dieser Einfluss bis jetzt noch nicht gehörig klar gestellt, obwohl den Landwirthen Bessarabiens die Blasenfüsse und die von ihnen hervorgebrachten Krankheits-Erscheinungen sehr gut bekannt sind. Einige haben die Bedeutung der Blasenfüsse sehr herabgesetzt, indem sie annahmen, dass dieselben nur an den unteren Blättern kranker Tabakspflanzen leben. Umgekehrt glaubten Andere diese Blasenfüsse als die Hauptursache der an Tabaksblättern auftretenden Flecken, sowohl als auch der oben ausführlich beschriebenen Schwindsucht der Pflanzen betrachten zu dürfen. Wir haben im Vorhergehenden erfahren, dass diese Schwindsucht durch Einwirkung von Opatrum intermedium und Pedinus femoralis hervorgerufen wird, und dass die Flecken an den Blättern des Tabak nicht bloss durch Blasenfüsse, sondern auch durch andere Ursachen (so die „Mosaikkrankheit") verursacht werden. Durch das hier Gesagte wird also die Bedeutung des Thrips tabaci nicht unbedeutend vermindert, da auf Rechnung derselben nur ein Theil der am Tabak beobachteten Krankheiten gebracht werden muss. Doch bleibt der Blasenfuss dennoch ein dieser Pflanze sehr schädliches Insekt, welches einen grossen Einfluss hat auf den Tabaksbau Bessarabiens. Eine genaue Untersuchung seiner Lebensweise erlaubte mir zu folgender Ansicht zu gelangen betreffend die Einwirkung des Insektes auf die von ihm bewohnte Pflanze.

Indem der Thrips tabaci zuerst an den unteren, darauf an mittleren und oberen Blättern des Tabak sich niederlässt und das Gewebe derselben ansticht, kann er zwar nicht den Tod der bewohnten Pflanzen verursachen, aber die Entwickelung der befallenen Blätter hemmen und ein baldiges Absterben derselben hervorrufen, wobei die kranken Blätter nicht diejenigen Eigenschaften erlangen können welche ihren Werth als Waare bestimmen. Als äusseres Merkmal dieser inneren technisch wichtigen Veränderungen erscheinen die oben in der Einleitung beschriebenen, sehr charakteristischen Thripsflecken der Tabaksblatter.

Die technisch wichtigen Veränderungen welche die bewohnten Blätter durch den Blasenfuss erleiden, bestehen in folgendem. Die, auch nach dem Austrocknen ihre charakteristische Flecken bewahrenden thrips-kranken Blätter erreichen nie die Grösse der gesunden und bleiben immer viel dünner als letztere. Deshalb sind sie viel leichter als die gesunden Blätter. Während hundert Schnüre (швары) aus gesunden Blättern sechs oder sieben (zuweilen auch 8) Pud schwer sind, wiegt das hundert Schnüre mit thripskranken Blättern bloss 4 oder sogar nur 3 Pud. Gleichzeitig haben die kranken Blätter auch einen sehr geringen Werth, so dass ein Pud solcher Blätter nicht höher als mit 3 Rubeln bezahlt wird, während früher der Tabak aus derselben Gegend zu 15 Rubel das Pud bezahlt wurde, und selbst zu diesem so niedrigen Preise konnten viele Tabaksbauer ihre Waare in den letzten Jahren nicht absetzen.

Die hier vorgetragenen Mittheilungen konnten sowohl den Blasenfuss, als auch z. T. die Mosaikkrankheit betreffend angesehen werden, denn in beiden Fällen offenbart sich die Krankheit durch Flecken an den kranken Blättern. Es musste also noch die Frage gelöst werden, in wie weit speciell der Blasenfuss an den oben beschriebenen Erscheinungen die Schuld trägt. Zur definitiven Lösung dieser Frage besichtigte ich im Dorfe Gertop mehrere Tabaksniederlagen, wo ich Tabaksblätter der vorhergehenden Jahre in grosser Anzahl untersuchen konnte. Dabei kam ich zum Schlusse, dass alles oben ausgeführte wirklich die Thripskrankheit anbetrifft, denn an den Blättern des so verdorbenen Tabak konnte ich immer ganz deutlich ausgeprägte Thripsflecken sehen. Nur seltene Blätter trugen die Spuren der Mosaikkrankheit an sich, was seine Erklärung darin findet, dass die mosaikkranken Blätter nicht geerntet werden, denn zur Erntezeit sind dieselben schon ganz verdorben und untauglich. Dagegen werden die thripskranken Blatter zusammen mit den gesunden geerntet und später aussortirt. Es unterliegt also keinem Zweifel, dass alles oben über den Werth des kranken Tabak als Waare vorgetragene, wirklich nur auf die Thripskrankheit und nicht auf die Mosaikkrankheit bezogen werden muss und also die Bedeutung der Blasenfüsse klar stellt.

Der Thrips tabaci kann ein jedes Tabaksblatt bewohnen, wo vom Weibchen seine Eier abgesetzt werden. Doch kann letzteres nur da geschehen, wo das Blatt einen gewissen Entwickelungsgrad erlangt hat und infolge dessen namentlich an der Unterseite weniger haarig und klebrig geworden ist. Die noch ganz jungen und kleinen, noch nicht ausgebreiteten Blätter sind so klebrig, dass selbst der kleine Thrips keine Stelle an ihrer Oberfläche finden kann wo er leicht bis an dieselbe dringen könnte. Ueberall starren ihm die Drüsenhaare entgegen, an denen der Blasenfuss kleben bleibt und sterben muss. Zahlreich findet man solche mit ihren feinen Flügeln an den Drüsen klebende Blasenfüsse tod an den jungen Blättern. Darum gelingt es den Weibchen nie ihre Eier an solchen Blättern abzusetzen, und findet man auch niemals Larven des Blasenfusses an denselben. Nur wenn das Blatt ca 10 Centm. lang geworden ist können die Blasenfüsse frei auf seiner Oberfläche herumgehen.

Dem hier Gesagten zufolge, und abhängig von der Flugzeit der Generationen, erscheinen die Blasenfüsse an den verschiedenen Blättern der Tabakspflanze in einer gewissen regelmässigen Reihenfolge. Im Mai und Juni sind sie nur am 1 bis zum 5 (selten auch am 6-ten) Blatte zu sehen. Im Juli und in den ersten Tagen des August finden sich die Hauptmassen der Blasenfüsse auf den mittleren Blattern, nähmlich vom 6 bis zum 10-ten (selten auch auf dem 11-ten); im Laufe des August findet man die Blasenfusse zahlreich auf den oberen Blattern und an den Seitenzweigen.

Obwohl also die Blasenfüsse im Laufe des Sommer von unten nach oben über die ganze Pflanze sich allmählich verbreiten, verbringen doch die einzelnen Individuen ihr ganzes Leben auf demselben Blatte, welches vom Weibchen mit Eiern belegt wurde. Hier leben die Larven, hart an die Hauptnerven und Seitenadern geschmiegt, unter deren Schutze sie die Gewebe des Blattes anstechen und aussaugen. Die Folgen dieser Stiche werden aber nicht sofort sichtbar, sondern brauchen eine ziemlich lange Zeit zu ihrer Entwickelung. So wurden Z. B. an den Blattern, an welchen die Larven schon am 10 Juli (1887) aus Eiern entstanden, die Folgen ihrer zahlreichen Stiche, d. i. die von ihnen hervorgebrachten Thripsflecken, erst am 8 August deutlich. Bis dahin waren keine Veränderungen an den bewohnten Blättern zu bemerken. Es ist aber denkbar, dass eine grössere Gesellschaft von Larven diese Veränderungen am bewohnten Blatte in einer kürzeren Zeit hervorrufen könnte.

Die hier erwähnten Veränderungen des bewohnten Blattes, die von mir sogenannten Thripsflecken, manifestiren sich stets sehr gleichförmig, was davon abhängt, dass alle Larven gleichmässig eine hinter der anderen an der Unterseite des Blattes, neben den Mittelnerven und den grossen Seitenadern sitzen, und also immer ganz gleichartig die Blätter anstechen. Die von ihnen hervorgerufenen Thripsflecken haben die Gestalt weisser oder gelblicher zackiger Bänder, welche selten über ein Millimeter breit sind und beiderseits den genannten Blattadern folgend zuweilen auch längs ihrer ersten Abzweigungen mehr oder weit vorragende Fortsätze aussenden. Diese Thripsflecken sind niemals durch eine scharfe schwarze oder braune Linie vom grünen Blattparenchyme getrennt. Diese Gestalt der Thripsflecken ist so constant, dass anders geformte Flecken am Tabaksblatte sicher eine andere Entstehungsursache haben. Namentlich sind die Flecken der mosaikkranken Blättern stark unterschieden, entweder in Gestalt ringförmiger Linien erscheinend, oder, wenn sie ebenfalls die Form zackiger Bänder annehmen, erscheinen sie durch eine feine dunkle Linie vom Blattparenchyme abgegrenzt.

Es wurde die Ansicht ausgesprochen, als ob der Blasenfuss nur auf kranken Tabakspflanzen sich vermehre. Dieses hat sich bei meinen Untersuchungen als falsch erwiesen. Namentlich in der Mitte des Sommers wird es leicht sich vom Gegentheil zu überzeugen. Ueberall findet man dann üppig gewachsene Pflanzen, mit grossen Thrips-Gesellschaften am siebenten bis neunten Blatte, was augenfällig beweist, dass diese Insekten bei weitem nicht an kranke Pflanzen gebunden sind.

Obwohl die Thrips-Larven zu mehreren Hunderten an den Pflanzen leben, verursachen sie doch nicht ein Absterben der bewohnten Pflanze, sondern üben blos eine locale Wirkung auf letztere aus. Darum habe ich niemals Gelegenheit gehabt durch Blasenfüsse getödtete Tabakspflanzen zu sehen. Dieses ist wohl dadurch zu erklären, dass diese Insekten niemals die Stengel oder die Wurzeln der Pflanze überfallen und auch dem Blattgewebe keine giftigen Auscheidungen einimpfen, welche ein constitutionelles Leiden der betroffenen Pflanzen würden hervorrufen können. Doch leiden die einzelnen, direkt angegriffenen Blätter mehr oder weniger stark, je nach ihrem Entwickelungszustande und der Anzahl der sie bewohnenden Blasenfüsse. So leiden im Mai die unteren Blätter (3 bis 5) am stärksten, weil sie noch in sehr jungem Zustande überfallen werden. Die mittleren Blätter dagegen, welche nicht vor Mitte Juli angegriffen werden, haben Zeit sich bis dahin gehörig zu entwickeln und leiden darum viel weniger stark. Damit die Blasenfüsse überhaupt einen merklichen Einfluss auf die Entwickelung der Blatter ausüben könnten ist es nothwendig, dass sie in sehr grosser Anzahl dieselben angreifen. So z. B. habe ich auf anscheinend ganz gesunden Pflanzen folgende Zahl der Larven gezahlt:

am 3 August, an einer Pflanze........ 201 Larve;
am 4 Aug. an einer anderen....... 343 „
am 6 Aug. an einer dritten........ 696 Larven.

Diese zahlreichen Larven haben die betreffenden Pflanzen wenigstens einen Monat lang bewohnt, ohne ihnen merklich geschadet zu haben. Daraus können wir denn schliessen wie gross die Zahl der Larven gewesen sein muss in den vorhergegangenen Jahren, als der Blasenfuss so grossen Schaden angerichtet hat in den Tabaksfeldern Bessarabiens. Damit stimmt denn auch die Aussage der Tabaksbauer, wonach damals die Blasenfüsse zu vielen hunderten und tausenden an den einzelnen Blättern sassen.

In allen Entwickelungsphasen ernährt sich Thrips tabaci von Säften der bewohnten Pflanze. Darum sieht man schon durch die Lupe ihren Darm als feinen grünen Faden durchscheinen. Eine mikroskopische Untersuchung des Darminhaltes überzeugt ebenfalls sofort davon, dass der Blasenfuss niemals Stücke der Gewebe abbeisst, sondern nur Chlorophyllkörner führende Flüssigkeit in seinem Darme enthält.

Die grösste Mehrzahl der Larven sowohl als auch der erwachsenen Blasenfüsse bewohnt die Unterseite der Tabaksblätter, nur zufallig auch an der Oberseite erscheinend. Doch nach dem 20 August ändert sich dieses dahin, dass sowohl Erwachsene, als auch Larven vorzugsweise auf der Oberseite der Blätter sich aufzuhalten beginnen, wahrend unten nur einige wenige Larven bleiben. Diese sehr augenfallige Veränderung des Aufenthaltsortes am Schlusse des Sommers muss warscheinlich ihre Erklärung darin finden, dass um diese Zeit die kalten Nachte beginnen, was die Insekten treibt sich mehr der direkten Einwirkung der Sonnenwarme den Tag über bloszustellen.

Thrips tabaci bewohnt nicht nur den Tabak, sondern auch andere Solaneen. So habe ich seine Larven, wenn auch selten, auf Blattern der *Kartoffel*, *Solanum lycopersicum* und *Datura Stramonium* gefunden, und mich durch mikroskopiche Untersuchung davon überzeugt, dass sie wirklich mit den am Tabak lebenden identisch seien. In den Jahren, wo der Tabak in Bessarabien stark vom Blasenfusse heimgesucht wurde, hatte er auch gleichzeitig beinahe überall die *Solanum lycopersium* stark angegriffen und beschadigt. Dabei ist es auffallend und von allen Landwirthen der Gegend bemerkt, dass die uberall gepflanzte *Solanum melanocarpum* gar nicht angegriffen wurde, selbst dort, wo Sol. lycopersicum in nächster Nahe stark verdorben wurde. An den hier genannten Pflanzen leben die Larven ebenfalls an der unteren Blattseite. Niemals konnte ich aber hier das Auftreten der charakteristischen Thripsflecken bemerken.

Die Eier werden an der Unterseite des Blattes abgesetzt (Ende Sommer an der Oberseite derselben), und an die Nerven einzeln angeklebt. Ungefähr 10 Tage darauf schlüpfen die jungen Larven aus, was ich nicht blos nach dem für Getreideblasenfüsse bekannten schliesse, sondern auf Grund direkter Beobachtungen. So fing die dritte Generation am 17 August zu erscheinen an (1887), und zwar erschien die Mehrzahl der Individuen am 20 d. M. Aus den sofort abgesetzten Eiern schlüpften die jungen Larven erst am 27 resp. 30 August, wie mich eine tägliche Untersuchung gewisser Felder überzeugen konnte.

Die Eier sind elliptisch, röthlich, nicht mehr als $^1/_4$ Mm. lang. Das erste, am 5 Juli gefundene Ei enthielt einen schon fertig entwickelten Embryo, mit rothbraunen Augen, dickem und kurzem Bauche, dessen acht ersten Ringe mit kurzen Dornen dicht besetzt waren; die Fühler waren knieförmig über dem zweiten Gliede gebogen.

Es ist mir gelungen die Entwickelungsdauer der Thrips-Larven genau festzustellen, indem ich das Leben der Blasenfüsse auf einem gewissen, so zu sagen Versuchsfelde, im Laufe einer langen Zeitdauer beobachtete. Dabei hat es sich erwiesen, dass die Larven-Entwickelung *30 Tage dauert.* Am 10 Juli erschienen ganz plötzlich zahlreiche junge, nur $^1/_4$ Millim. grosse Larven am 7 bis 10 Blatte, an denen bis dahin die Larven überhaupt ganz fehlten. Es waren dieselben ausgeschlüpft aus den hier seit Ende Juni abgesetzten Eiern. Im Laufe des ganzen Juli und in den ersten Tagen des August bewohnten diese, allmählich wachsenden Larven, die bezeichneten mittleren Blätter der Tabakspflanzen, und riefen anfangs August an denselben die beschriebenen Thripsflecken hervor. Am 10 August waren diese, bis dahin sehr zahlreichen Larven ganz plötzlich verschwunden, resp. selten geworden. Es erwies sich, dass sie auf den Stengel sowohl als auf die Oberseite der Blätter gegangen und dort zu Nymphen geworden sind. Dadurch war also der direkte Beweis geliefert dass die Mehrzahl der Larven der betreffenden Generation vom 10 Juli bis zum 10 August leben. Natürlich konnten auch noch später Larven dieser Generation gefunden werden, weil das Eierlegen eine ziemlich lange Zeit beansprucht, doch war die Zahl solcher Spätlinge immer verschwindend klein im Vergleiche zur Hauptmasse der Individuen dieser Generation, so dass ein Verschwinden dieser Masse am 10 August sofort bemerkt werden musste.

Dadurch ist also bewiesen, dass die Larveu des Tabakblasenfusses ebenso viel Zeit zu ihrer Entwickelung beanspruchen wie auch verschiedene andere Arten. So dauert die Entwickelung der Larven von *Thrips secalina Lindmn.* nach meinen Untersuchungen 28 bis 30 Tage; die Entwickelung der Larven von *Phloeothrips frumentaria Bel.* 35 bis 40 Tage *).

Uber die Entwickelungsdauer der Nymphe habe ich keine direkten Beobachtungen, obwohl ich aus folgenden Thatsachen darauf schliessen kann. Am 10 August erschienen die Nymphen in grosser Anzahl, wie oben bemerkt wurde. Darauf begannen am 27 August zahlreiche, eben aus dem Eie geschlüpfte junge Larven zu erscheinen. In diesem Zeitraume vom 10 bis zum 27 August mussten also die Nymphen ihre Verwandlung bestehen und auch die neu abgelegten Eier ihre Entwickelung vollenden. Da nun letztere 10 bis 12 Tage dazu brauchen, so bleiben also für das Nymphenstadium blos 5 bis 7 Tage. Damit stimmt denn auch, dass die Erwachsenen vom 17 August an zu erscheinen begannen.

Auf Grund der hier besprochenen Thatsachen ergiebt sich die ganze Entwickelungsdauer des Individuum wie folgt:

die Entwickelung des Eies dauert........	10	Tage.
die Entwickelung der Larve............	30	„
der Nymphenzustand.................	7	„
im Ganzen.......	47	Tage.

Die Erwachsenen scheinen einige Tage zu leben.

Diese Zusammenstellung erlaubt uns weiter den Schluss zu ziehen, das während der sechsmonatlichen Vegetationsperiode im Süden Russlands alljahrlich *drei* Generationen des Thrips tabaci entstehen können. Diese Voraussetzung wird durch direkte Beobachtungen bestätigt.

Obwohl die erwachsenen Blasenfusse den ganzen Sommer hindurch angetroffen werden, ist es doch leicht möglich drei Flugperioden zu unterscheiden, während welcher die Anzahl der Individuen ganz plötzlich und sehr stark anwächst. Es ist diese Erscheinung leicht dadurch zu erklären, dass im Frühjahre die Blasenfüsse gleichzeitig aus ihrem Winterschlafe erweckt ans Eierlegen

*) Cfr. Meine Arbeit: Die am Getreide lebenden Thrips-Arten Mittelrusslands. Im Bulletin de la Société Impériale des Naturalistes de Moscou 1886, № 4.

gehen und dieses Geschäft ebenfalls beinahe gleichzeitig beschliessen müssen. Die erwähnten drei Generationen fliegen:

die erste — in der Mitte des Mai;
die zweite — in den letzten Tagen des Juni;
die dritte — in der zweiten Hälfte des August.

In der Zwischenzeit findet man beständig einige erwachsene Blasenfüsse, doch sind sie sehr wenig zahlreich im Vergleiche mit der zu diesen Zeiten vorhandenen Larvenzahl. Umgekehrt werden diese letzteren sehr wenig zahlreich zur Zeit, wo die Mehrzahl der Erwachsenen ausfliegt. Es wird darum immer möglich eine jede von diesen drei besonderen Generationen zu unterscheiden und deren Flugzeiten festzustellen.

Was nun die *erste* dieser drei hier festgestellten Generationen anbetrifft, deren Flugzeit in die Mitte des Mai fällt, so habe ich dieses zwar nicht selbst direkt beobachtet, glaube aber darauf schliessen zu dürfen auf Grund folgender Beobachtungen und Conjekturen. Es wurde mir von vielen Tabaksbauern versichert, dass die Blasenfüsse schon im Mai auf den Saatbeeten in grosser Zahl anzutreffen sind. Zweitens ist von mir beobachtet worden, dass die zweite Generation in den letzten Tagen des Juni ausfliegt. Da nun aber die Entwickelung des Jndividuum 47 Tage beansprucht, so mussten die Eier schon ebensoviele Tage vor Ende Juni abgelegt sein, also am 12 Mai ungefähr *). Diese erste Generation findet den Tabak noch sehr jung an, denn bei den meisten Tabaksbauern wird er in die Beete erst nach dem 1 April ausgesäet. Auf den Saatbeeten concentrirt sich dann diese ganze Masse der Blasenfüsse und setzt hier auch ihre Eier ab. Die aus letzteren entstehenden Larven verbringen die erste Zeit auf den Saatbeeten, und werden von Ende Mai an von hier, zusammen mit den zu versetzenden Pflanzen, auf die Felder gebracht. Diese Uebertragung der Blasenfusslarven zusammen mit den von ihnen bewohnten Pflanzen aus den Saatbeeten auf die, zuweilen sehr weit abstehenden Tabaksfelder, ist eine Thatsache von hoher Bedeutung, welche ich darum hier besonders der Aufmerksamkeit meiner Leser hervorstreiche. Die im Momente der Verpflanzung an der Saat sitzen-

*) Ich muss bei dieser Gelegenheit darauf hinweisen, dass *Thrips secalina Lindm.* und *Phloeothrips frumentaria Beling* bei Moskau ebenfalls nicht vor dem 10 Mai ausfliegen (l. c.). In Oesterreich erscheinen *Thrips vulgatissima*, *Phloeothrips ulmi* u. a. ebenfalls nur gegen Mitte Mai, wenn die Lufttemperatur +10 oder +12° erreicht hat. (S. die oben citirte Arbeit uber die am Getreide lebenden Thrips-Arten).

den erwachsenen Blasenfüsse werden dabei aufgestört und verscheucht, die wenig beweglichen Larven aber lassen sich ruhig zusammen mit ihrer Nährpflanze übertragen. Diese Ansicht wird durch folgende Thatsachen bewiesen.

Als ich in den ersten Tagen des Juli die schon Ende Mai bepflanzten Tabaksfelder untersuchte, konnte ich mich davon überzeugen, dass die Blasenfüsslarven nur auf den untersten fünf Blattern (selten auch am sechsten) vorhanden waren, wahrend das 7 bis 10 Blatt ganz frei von ihnen waren, obwohl diese Blatter schon gehorig gross und den Blasenfüssen ganz zugänglich waren. *Die Larven lebten* hier *also nur auf den fünf Blättern, mit welchen die jungen Pflanzen aus den Saatbeeten auf die Felder verpflanzt wurden.* Ich konnte mich also durch diese Beobachtung davon überzeugen, dass infolge des erwahnten Uebertragen der jungen Pflanzen dieselben nicht mehr mit Eiern besetzt wurden, weil auf den Tabaksfeldern die erwachsenen Blasenfusse fehlten.

Im Laufe der ersten Juliwoche untersuchte ich täglich die Tabaksfelder und konnte mich an hunderten von Pflanzen von der Richtigkeit der angeführten Beobachtung überzeugen, sowie auch davon, dass dieselbe für die verschiedensten Felder der Gegend gültig war. Ueberall hatten die Pflanzen anfangs Juli schon 10 Blätter, von denen das 6-te bis 10-te bedeutende Grösse hatten, aber ganz frei von Blasenfüssen waren (Nur am 6-ten Blatt konnten hie und da einzelne Larven gefunden werden). Die unteren fünf Blätter trugen scharf ausgepragte Thripsflecken und hatten eine gelbliche Farbe angenommen. Das hier besprochene beständige Fehlen der Larven in den ersten Tagen des Juli auf den Blättern welche erst nach dem Verpflanzen des Tabak ausgebildet wurden, und das Vorhandensein dieser Larven nur auf denjenigen Blattern welche die Pflanzen schon im Momente ihrer Uebertragung aus den Saatbeeten besassen, beweist zur Genuge, dass die *Eierablage nur auf den Saatbeeten stattgefunden hat und plötzlich abgeschlossen wurde als die Pflanzen auf das Feld übertragen wurden*, denn auf den Feldern fehlen um diese Zeit (Ende Mai und Juni) die erwachsenen Blasenfüsse.

Die zweite Generation. Die aus im Mai abgelegten Eiern entstandenen Larven werden gegen die Mitte des Juni vollwüchsig, verwandeln sich zu Nymphen und fliegen als neue Generation in den letzten Tagen des Juni. Folgende Thatsachen überzeugten mich von der Existenz dieser zweiten oder Sommergeneration. Nach dem 7-ten Juli begannen ganz kleine, nur $^1/_4$ Mm. grosse Larven zuerst am 6-ten, dann auch an den 7, 8, 9 und 10 Blatte zu erscheinen. Bis zum 10 Juli war aber die Zahl dieser jungen Larven noch ausserst gering. Solche eben erst ausgeschlüpfte Larven haben ein sehr charakteristisches Aussehen: ihr Bauch ist kurz, nicht länger als die Brust; die Körperfarbe ist nicht gelb, sondern ganz farblos und glasartig durchscheinend. Sie können nur mit der Lupe gefunden werden, und selbst nachdem kann man sie mit blossem Auge nur dann verfolgen wenn sie sich bewegen. Nach dem 10 Juli wurden sie plötzlich zahlreicher und am 11 Juli wurde ihre Zahl so gross, dass beinahe jede Pflanze dieselben an dem 6 bis 10-ten Blatte beherbergte. Gleichzeitig wurde die Zahl der vollwüchsigen Larven verschwindend klein. Es war augenscheinlich, dass diese, am 10 Juli so plötzlich massenhaft aufgetretenen neugeborenen Larven aus Eiern entstanden waren, welche 10 Tage vordem abgelegt sein mussten, d. h. in den letzten Tagen des Juni. Es mussten also die damals eierlegenden Blasenfüsse eine zweite oder Sommergeneration vorstellen, welche demnach, in den letzten Tagen des Juni fliegend, ihre Eier an dem 6-ten bis 10-ten Blatte absetzt. Die niedriger stehenden Blätter sind zu dieser Zeit meistens welk; die höher stehenden noch zu klein, und darum den Thripsen unzugänglich.

Die vom 10 Juli an neu entstandene Larvenbrut lebte am 6-ten bis 10-ten Blatte im Laufe des Juli und in der ersten Halfte des August, und vom 10 August an begannen an diesen Blättern die charakteristischen Thripsflecken aufzutreten.

30 Tage später, nämlich am 10 August, verschwand plötzlich die Mehrzahl der am 6—bis 10-ten Blatte lebenden Larven, welche ihre Verwandlung zu Nymphen begannen. Doch gleichzeitig blieben an den oberen Blättern, noch nicht vollwüchsige Larven die aus später abgesetzten Eiern entstanden waren. Die zweite Generation der Blasenfüsse unterscheidet sich dadurch scharf von der ersten, dass ihre Flugzeit anscheinlich recht lange dauert, wobei aber die Zahl der Spätlinge weit geringer ist im Vergleiche mit der gleichzeitig ausfliegeden Hauptmasse dieser Generation. Die spater, im Laufe des ganzen Juli, fliegenden Mitglieder der zweiten Generation können ihre Eier auch an die über dem 10-ten stehenden Blätter absetzten je nachdem dieselben allmählich wachsen und den Blasenfüssen zuganglich werden. Ich gebe hier eine Tabelle, welche sehr deutlich darstellt, wie bis Anfang August die Larven der zweiten Brut ausschliesslich bis auf das 10-te Blatt angewiesen sind, aber nach diesem Termin auch auf den höher

stehenden Blättern, obwohl in weit geringerer Anzahl, erscheinen Ich besitze sehr zahlreiche Beobachtungen in dieser Richtung, führe aber in dieser Tabelle nur diejenigen an, welche nach dem 20 Juli, gemacht wurden und nur auf ein bestimmtes Feld sich beziehen.

Am Blatte:	5	6	7	8	9	10	11	12	13	14	15	16	17	18
	Wurde eingesammelt folgende Larven-Zahl:													
am 20 Juli:														
Pflanze a ...	0	15	*25*	8	6	4	0	0	0	0	—	—	—	—
b....	4	10	17	*21*	2	1	0	0	0	0	—	—	—	—
c. ..	3	*59*	47	35	21	9	0	0	0	0	0	—	—	—
d....	31	34	*59*	20	18	0	0	0	0	0	0	—	—	—
23 Juli:														
Pflanze a....	4	*11*	3	5	3	3	0	0	0	0	0	—	—	—
b....	4	1	*15*	14	4	1	0	0	0	0	0	—	—	—
c....	1	5	4	8	5	*9*	0	0	0	0	0	—	—	—
3 August:														
Pflanze a....	0	15	17	*36*	8	8	3	1	2	0	0	—	—	—
b.. ..	0	25	*32*	15	2	2	2	1	0	0	—	—	—	—
c....	0	5	*26*	20	5	0	0	0	0	0	0	—	—	—
d....	0	17	30	41	*74*	23	9	2	0	0	0	—	—	—
e....	0	10	14	4	*19*	2	0	0	0	—	—	—	—	—
4 August:														
Pflanze a....	—	1	34	51	*80*	73	16	6	8	0	0	—	—	—
b. ...	—	*61*	35	49	39	9	10	8	7	1	0	—	—	—
c....	—	56	36	*60*	37	42	6	26	20	15	11	32	0	1
5 August:														
Pflanze a....	0	9	*13*	8	0	0	0	0	—	—	—	—	—	—
b. ...	0	0	6	0	1	*11*	1	1	0	—	—	—	—	—
c....	0	—	*3*	2	1	0	0	0	0	—	—	—	—	—
6 August:														
Pflanze a....	—	26	128	102	*161*	105	42	76	42	24	0	0	0	0
b....	4	53	*98*	58	31	47	51	19	21	10	0	0	—	—
9 August....	—	6	11	*20*	1	5	2	0	0	0	0	0	0	—
10 August:														
Pflanze a....	—	3	*42*	12	18	0	0	0	0	—	—	—	—	—
b....	—	1	—	44	*51*	29	21	12	11	0	0	0	0	—
c....	—	1	*34*	2	0	0	0	0	0	—	—	—	—	—
d....	—	6	*40*	11	12	10	0	0	0	0	—	—	—	—
e....	—	7	16	26	*36*	14	4	0	0	0	6	—	—	—

Die dritte Generation. Am 17 August begann die Anzahl der erwachsenen Blasenfüsse sich merklich zu vergrössern und am 20 August erschienen dieselben plötzlich in zahlloser Menge. Es war dieses die neu ausgeflogene dritte Generation. Die Weibchen enthielten zu zwei und drei reifen Eiern, welche vornehmlich an die Oberseite der Blätter von ihnen abgesetzt wurden. Täglich die Talaksfelder nach dem 20 August untersuchend, konnte ich mich davon überzeugen, dass aus diesen Eiern die jungen Larven erst am 27 August auszuschlüpfen begannen, und am 28, 29 und 30-ten die Zahl derselben schon auffallend gross wurde. Die dritte Larvenbrut beendigt ihre Verwandlungen erst von den ersten Tagen des Oktober an, d. h. 37 Tage nach dem 27 August. Die so spät erscheinenden Blasenfüsse werden wohl gewiss keine Eier mehr legen, sondern in ihre Winterverstecke kriechen, von wo sie dann im nächsten Jahre als erste oder Frühjahrgeneration in der Mitte des Mai erscheinen.

So folgen einander die drei jährlichen Generationen des Thrips tabaci. Die hier geschilderte Lebensgeschichte dieses Blasenfusses enthält einige Thatsachen von hoher Bedeutung für die Bekämpfung desselben.

Beschreibung des Thrips tabaci. Die Larve ist 1 Mm. gross. Gelblich, opalisirend. Kopf und Halsschild schwärzlich. Darm grün durchschimmernd. Augen schwarz. Beine grau, bei jungeren Larven farblos.

Körper beinahe kahl, nur seltene kurze Häärchen tragend. Die ganze Körperoberfläche, mit Ausnahme des Kopfes, der vorderen Hälfte des Halsschildes und der zwei hinteren Bauchringe, dicht bedeckt mit kleinen Dornen, welche in regelmässige Querreihen angeordnet sind. Bauch dick und merklich länger als die Brust; zehnringelig; die beiden letzten Ringe schmäler und eine Art Schwanzanhang vorstellend, welcher in das vorhergehende (8-te) Segment eingezogen werden kann und als Nachschieber dient.

Fühler sechsgliederig. Glied 1 kurz, walzenformig. Glied 2 tonnenförmig, etwas länger als 1; 3 länger und dicker als 2, geringelt; 4 beinahe zweimal so lang als 3, eiförmig, deutlich geringelt; 5 sehr kurz, nicht länger als eins von den Ringeln des vierten Gliedes; 6 schmal griffelförmig.

Beine einfach, ungedornt. Füsse eingliederig, ohne Blasen.

Vollwüchsige und zur Verwandlung reife Larven haben den Bauch deutlich vom Thorax durch eine Einschnürung abgetheilt; Fühler und Schienen schwärzlich.

Die *Nymphen* sind den Erwachsenen sehr ahnlich, beweglich, haben befranzte Flügelscheiden und unterscheiden sich von den erwachsenen Blasenfüssen blos durch das Fehlen eines receptaculum seminis und nicht vorstehende Legeröhre beim Weibchen. Die Nymphen der Männchen haben ein kegelförmiges letztes Bauchsegment und besitzten kein Copulationsorgan. Es wollte mir lange nicht gelingen die Nymphen des Tabaksblasenfusses aufzufinden, weil ich erwartete dieselben ähnlich den Nymphen anderer Blasenfüsse zu finden.

Der erwachsene *Thrips tabaci* ist 1 Mm. gross oder etwas grösser. Blassgelb. Augen und Rüsselspitze schwarz. Die Hinterränder der Bauchringe in der Mitte schwarz (♀). Körper mit seltenen, kurzen Haaren, welche nur an den beiden letzten Bauchringen etwas länger erscheinen. Körperoberfläche ungedornt. Am Scheitel stehen 3 kleine Ocellen. Stirne zwischen den hart aneinanderstehenden Fühlern ohne Zahnfortsatz. Fühler 7-gliederig. Glied 1 dick, walzenformig; 2 tonnenformig, etwas länger als 1, undeutlich geringelt. Glieder 3, 4, 5 und 6 länglich-elliptisch, beinahe gleichlang und nur 6 etwas langer; alle undeutlich geringelt. Glied 7 schmal, kegelförmig, mehr als um die Hälfte kürzer als das vorhergehende.

Beine einfach; Schenkel nicht aufgeblasen; Flügel farblos; den Hinterrand des sechsten Bauchringes erreichend. Ihre Oberflache sehr fein gedornt. Der Vorderflugel mit zwei Adern; die hinteren nur mit einer. Der Hinterrand der Flügel tragt lange, dunkle, geweilte Haare deren Reihe blos bis an die Mitte des Randes reicht. Der Vorderrand trägt kurze Borsten.

Der Bauch des ♀ besteht aus 10 Ringen. Die beiden letzten nach hinten allmählich zugespitzt, ohne einen röhrenförmigen Ansatz zu bilden. Der frei vorstehende Ovipositor besteht aus vier sabelförmigeu gelben Platten mit gesägtem Rande. Das Receptaculum seminis liegt im sechsten Bauchringe als birnformiges braunes Bläschen.

Die Männchen sind kleiner und schmäler als die Weibchen. Ihr Bauch ist nur neungliederig. Im sechsten und siebenten Bauchringe liegt ein Paar brauner löffelformiger Chitinplatten von unbekannter Bedeutung. An der Spitze des Bauches befindet sich das warzenförmige Copulationsorgan, dessen Spitze zwei farblose Haken trägt und welches von unten durch eine hablrunde Platte (das 9 Segment) zugedeckt wird.

Die Larven sind langsam in ihren Bewegungen und können nicht springen. Die Erwachsenen dagegen sind sehr hurtig, springen weit, scheinen aber nur selten zu fliegen. Letzteres schliesse ich, weil ich in der zweiten Hälfte des August und anfangs September vielfach die in Tabaksfeldern zehr zahlreichen Spinngewebe untersuchte (Epeira diadema und andere) und niemals in denselben gefangene Thrips tabaci finden konnte, während doch andere kleine Insekten (wie z. B. Blattläuse) sehr häufig in denselben zu sehen waren. Es kann dieses nicht anders erklärt werden, als dass die Blasenfüsse sich ihrer Flügel nur wenig bedienen und überhaupt keine Wanderungen vornehmen. Denn grade zu der Zeit wo diese meine Untersuchungen vorgenommen wurden, war die dritte Generation ausgeflogen und also die Blasenfüsse massenhaft in den Tabaksfeldern vorhanden.

Für die Bekämpfung des Tabakblasenfusses sind von besonderer Bedeutung die folgenden Thatsachen.

1. Die Blasenfüsse werden in die Felder aus den Saatbeeten, zusammen mit den versetzten Pflanzen übertragen, wahrend die Erwachsenen nur dann selbstständig die Felder aufsuchen, wenn solche hart an die Saatbeete stossen.

2. Anfang August leben die Larven der zweiten Brut nur am 6 bis 10-ten Blatte, sehr selten auch an den höher stehenden.

Dieses sind Grundsätze auf welchen ein Vertilgungsystem des schädlichen insektes aufgebaut werden kann.

Da meistens die Tabaksfelder von diesem Insekte nicht anders inficirt werden als durch eine Uebertragung desselben durch die Pflanzen selbst, so ist es selbstverständlich, dass eine Desinfektion der zu verpflanzenden Setzlinge die Felder gründlich wird vor Blasenfüssen beschützen müssen.

Zu solchem Zwecke können verschiedene Mittel angewendet werden, und glaube ich als besonders dazu geeignet *Persisches Insektenpulver* und *Petroleum* vorschlagen zu können welche folgendermassen angewendet sein können.

Wenn die umzusetzenden Pflanzen aus den Saatbeeten herausgenommen sind, müssen sie in einen Kasten (oder dem ähnliches) gelegt und reichlich mit dem genannten Insektenpulver oder einer dasselbe enthaltenden Mischung bestreut werden. Nach 2—3 Stunden werden alle die hier vorhandenen Blasenfüsse getödtet sein, und können die so desinficirten Setzlinge aufs Feld gebracht werden. Ebenso wirksam sein wird auch das Eintauchen der Setzlinge auf kurze Zeit in eine Petroleum-Emulsion *).

Gleichzeitig muss die in den Saatbeeten zurückgebliebene Saat Ende Juni vertilgt werden.

Als weiteres Mittel gegen die Tabaksblasenfüsse kann noch folgendes vorgeschlagen werden.

Es ist uns bekannt, dass bis Anfang Juli die meisten Larven auf dem 6 bis 10 Blatte leben. Wenn man also bis zu diesem Termine an stark befallenen Pflanzen die genannten Blätter abpflückt und dieselben sammt ihren Bewohnern zerstört, so kann man dadurch eine weitere Vermehrung des Insektes hemmen und die höher stehenden Blätter vor seiner Invasion schützen.

8. Die Mosaikkrankheit des Tabak.

Obwohl die hier genannte Krankheit durch kein Insekt hervorgerufen wird, will ich doch einige Worte über dieselbe sagen, weil dieselbe leicht mit der Thripskrankheit verwechselt werden kann, wie es denn auch bis jetzt immer bei uns geschehen ist.

Die Mosaikkrankheit beginnt damit, dass auf dem Blatte rundliche blassgrüne Flecken erscheinen, welche 2—3 Mm. im Durchmesser und einen dunkelgrünen Fleck im Centrum haben. Diese Flecke liegen zwischen den Seitennerven, gewöhnlich zu mehreren in Gruppen gesammelt.

Sie verwandeln sich sehr bald in weissliche, grün gekernte Ringe, welche nicht selten noch einen weissen Augenfleck im Centrum enthalten. Die weissen Ringe sind ganz chlorophyllfrei und erscheinen bei mikroskopischer Untersuchung aus gestorbenen Zellen zusammengesetzt, welche mit Gas angefüllt sind. Bald stirbt auch das umgebende Gewebe ab und wird gelbbraun und es entstehen im Blatte mehr oder weniger grosse abgestorbene braune Partien, in welchen man sehr deutlich (mit der Lupe) die einzelnen erwähnten Ringe sehen kann, besonders bei durchfallendem Lichte. Dabei erscheinen diese Ringe immer durch eine feine dunkle Linie von dem umgebenden Gewebe geschieden. Es entsteht eine sehr charakteristische mosaikartige Zeichnung. Nicht selten werden die so

---

*) Reports of Experiments chiefly with Kerosene etc. U. S. Department of Agriculture. Division of Entomology. Bulletin № 1. Washington, 1885, und Reports of Experiments with various insecticide substances etc. Bulletin № 11. Washington, 1886.

abgestorbenen Blattheile glasartig durchscheinend. Oft bleiben mitten in diesen absterbenden Theilen kleine grüne Inseln aus lebendem Gewebe, welche dann immer durch ein, ebenfalls grünes, Gefässbündel mit dem Mittelnerven in Verbindung sind. Die feinsten Gefassverzweigungen erscheinen immer abgestorben im Bereiche der braun gewordenen Stelle des Blattes.

Nicht selten nehmen die absterbenden Stellen des Blattgewebes eine ganz andere Form an, und erscheinen dann in Gestalt breiter weisser zackiger, die Seitenadern begleitender Binden, welche den Thripsflecken ähnlich sind, aber dadurch sehr charakteristisch erscheinen, dass sie durch eine scharfe braune Linie von dem umgebenden grünen Gewebe getrennt sind.

Die verschiedenen Flecken liegen immer der oberen Blattseite naher, so dass beim Betrachten des Blattes von unten dieselben oft gar nicht zu sehen sind, wodurch die Krankheit auch gut unterschieden ist, denn die Thripsflecken liegen immer an der unteren Seite des Blattes.

Die hier beschriebenen krankhaften Veränderungen erscheinen hauptsächlich an den mittleren Blättern und zwar zu Anfang der Bluthezeit.

Bei Pflanzen, bei denen die meisten Blätter fleckenkrank sind, treten auch einige Veranderungen im Stengel auf. Im Marke desselben erscheinen Höhlungen, deren Wände faul und bräunlich werden. Ähuliche Höhlungen und Risse entstehen auch im Baste und sind schon an der Oberfläche des Stengels sichtbar indem sie hier in Form bräunlicher Flecken auftreten. Diese Veränderungen im Stengel erscheinen aber als sekundäre Erscheinung und bei beginnender Krankheit sind dieselben nicht zu bemerken.

Beim Besuchen zahlreicher Felder konnte ich zur Ueberzeugung gelangen, dass die Bodenbeschaffenheit von Einfluss auf die Entstehung der Mosaikkrankheit ist. Die Krankheit erscheint besonders häufig und stark ausgeprägt auf lockerem, humusreichem Boden, wo die Pflanzen dicht stehen und uppig gewachsen sind. Auf Lehmboden ist die Krankheit nur sehr selten.

Die primären Ursachen der Mosaikkrankheit sind bisjetzt noch nich bekannt. Weder v. *Thümen* noch *Mayer* *) haben pflanzli-

---

*) *F. v. Thümen.* Die Mosaikkrankheit des Tabak. Wiener landwirthschaft. Zeitung. 1886. p. 480

Dr. A. Mayer: Ueber die Mosaikkrankheit des Tabak. Landwirthschaftliche Versuchstationen. 1885. XXXII. p. 451. Taf.

che Parasiten als Ursache derselben auffinden können. Auch sprechen die Thatsachen dafür, dass diese Krankheit keine constitutionelle, sondern nur örtliche ist. Diese Thatsachen sind folgende.

Mosaikkranke Blätter findet man auf ganz gesunden, hochgewachsenen Pflanzen.

Häufig sind blos 2—3 Blätter mosaikkrank, während die meisten derselben Pflanze (15—20) ganz gesund bleiben.

Sehr oft werden nicht die Nachbarblätter einer Pflanze befallen, sondern die kranken durch einige gesund bleibende getrennt.

Die Flecken befinden sich sehr haüfig nur auf einer Hälfte des Blattes, und hindern sie dann nicht das Wachsthum der anderen, gesund bleibenden Hälfte desselben Blattes, was eine Verbiegung des Mittelnerven zur Folge hat.

Solche Thatsachen erlauben den Schluss zu ziehen das die Mosaikkrankheit keine parasitare ist.

Sie scheint in Russland eine grosse Verbreitung zu haben und verursacht grossen Schaden, indem sie die Ernteertrage sehr herabsetzen kann.

LE COMTE ALEXIS RAZOUMOVSKY, PREMIER PRÉSIDENT

DE LA SOCIÉTÉ IMPÉRIALE DES NATURALISTES DE MOSCOU.

ESQUISSE BIOGRAPHIQUE,

d'après l'oeuvre de M. Wassiltchikof: La famille des Razoumovsky.

DISCOURS PRONONCÉ PAR LE

D-r B. Benzengre

à la séance annuelle de la Société le 3 octobre 1887

Mesdames et Messieurs!

Pareille á un vif et éclatant météore, la famille des Razoumovsky a brillé pendant près d'un siècle á l'horizon de la Russie. non point d'un éclat fugitif et trompeur, mais bien d'un glorieux et durable rayonnement.

En 1730 personne n'avait encore entendu prononcer le nom de Razoumovsky; en 1830 il n'existait plus un membre de cette famille en Russie. Ce court espace de temps avait donné à son pays: un illustre favori, devenu plus tard le mari morganatique de l'Impératrice Elisabeth; son frère, Hetman des cosaques petits-russiens, et président de l'Académie des sciences; un ambassadeur accrédité à la cour d'Autriche, gratifié du titre d'altessesérénissime pour services importants, rendus pendant le congrès de Vienne; plusieurs gentilshommes de la cour et généraux distingués et enfin un savant très remarqué de son temps. Ce furent tous des hommes de grand talent, tranchant vivement sur leurs contemporains par l'originalité de leur caractère, la hardiesse de leurs idées, et une certaine trempe d'âme propre à cette race méridionale de Petit-Russiens. Chacun d'eux présente une étude psychologique d'un haut intérêt; la famille entière n'en offre pas un moins grand au poit de vue de l'antropologie. Quelle est la force qui a produit cette fière race de géants, à jamais disparue? D'où sont-ils sortis ces hommes forts et puissants, dans lesquels l'intelligence de leur race semble s'être concentrée, et qui se sont éteints sans postérité, pareils à ces arbres vigoureux, qui, transplantés dans un sol trop riche, trop fertile, y périssent lentement.

Pour évoquer devant vous l'image de notre premier président, le comte Alexis Kirillovitch Razoumovsky dans toute son originalité, il nous est indispensable d'étudier d'abord ses ascendants, père, grand père etc. Leur généalogie ne sera pas longue malheureusement. A côté du père, simple cosaque enrégistré Grégoire Razoume, se dessine vivement la figure de son fils aîné, le grand favori et plus tard le mari de l'Impératrice Elisabeth, le comte Alexis Grigoriévitch Razoumovsky, fils du cosaque Razoum du gouvernement de Tchernigow, district de Kozeletz, hameau de Léméchi.

Ce cosaque et sa femme, Nathalie Démianovna, plus connue sous le nom de la Rozoumikha, étaient des natures entières et originales. Le père du jenne Alexis, ayant appris que son fils allait étudier en cachette chez le diacre du village de Tchémér, entra dans une telle colère qu'il jeta une lourde hache à la tête de l'enfant. Heureusement l'instrument manqua son but et alla s'enfoncer dans le mur, mais Alexis quitta la maison paternelle pour n'y plus revenir et élut domicile chez le diacre. Il va sans dire que ceci fut fait du consentement de sa mère Nathalie Démianovna, femme de beaucoup d'esprit et fort respectée de ses voisins et amis.

Quelques années plus tard, le colonel Wichnevsky à son retour de Hongrie, où il avait été envoyé pour l'achat annuel des vins pour la cour de Russie, s'arrêta au village de Tchémer pour y passer la nuit. Le lendemain matin il assista à la messe et fut frappé par la beauté de la voix d'un des chantres, bel adolescent d'une vingtaine d'années, et qui n'était autre que notre jeune Alexis. Il lui proposa immédiatement de l'emmener à Pétersbourg en qualité de chantre, proposition que le jenne homme s'empressa d'accepter sans même demander le consentement de ses parents, qu'il quitta sans trop de chagrin. Alexis avait donc 21 ans à cette époque, né a Léméchi le 17 Mars 1709 et ayant quitté son pays en Janvier 1731. Nous n'avons pas pu passer sous silence ces deux traits du caractère d'Alexis Razoumovsky. Se taire et agir à sa guise, fut toujours sa règle de conduite.

A son arrivée à Pétersbourg Wichnevsky remit son protégé entre les mains du comte Reinhold Loewenvold, qui le placa parmi les chantres de la chapelle impériale. Il ne tarda pas à attirer l'attention de la grande duchesse Elisabeth, qui en fit son favori.

Fille de l'Impératrice Catherine I, qui ne connaissait même pas ses parents, élevée au milieu des favoris, que son auguste père savait distinguer parmi les plus basses classes de la société, Elisabeth Pétrovna se souciant fort peu de questions généalogiques vivait d'une manière fort retirée au milieu de sa petite cour. Son premier favori fut le jenne Shoubine, qu'on exila sous un pretexte politique au Kamtschatka; Razoumovsky lui succéda immédiatement. Il avait déjà reçu à cette époque (1731) la charge d'intendant de la cour.

Nons n'avons pas pour but dans cette étude de nous occuper de la vie d'Alexis Razoumovsky, d'autant plus qu'elle a été décrite plus d'une fois d'une manière fort intéressante, surtout par M. Wassiltchikoff dans son grand ouvrage «La famille des Razoumovsky»; nous avons tenu à indiquer les principaux traits psychologiques du caractère de cet homme remarquable, qui, doucement, calmement, à travers mille difficultés sut se frayer un chemin jusqu'au trône d'une des plus puissantes souveraines et qui, après avoir goûté de toutes les jouissances de l'amour et de l'orgueil satisfaits, sut descendre de sa haute position avec autant de dignité que de modestie, comme en fait foi le récit suivant.

Bientôt après la mort de l'Impératrice Elisabeth, le comte Vorontzoff fut chargé par l'Impératrice Catherine qui venait de monter au trône, d'obtenir du comte Razoumovsky tous les papiers relatifs à son mariage avec la défunte Impératrice, dans l'intention d'honorer autant que possible la mémoire de sa tante, de légaliser cette union et d'accorder au comte le titre de Majesté Impériale. Vorontzoff se hâta d'obéir à cet ordre et se rendit immédiatement chez le comte Razoumovsky, qui occupait alors sa grande maison de la Pokrofka, près l'église de l'Egide de la Vierge. Le comte était assis dans la chambre à concher de l'Impératrice Elisabeth, au coin d'une grande cheminée. Il lisait la Bible. Après les compliments d'usage, Vorontzoff exposa au comte l'objet de sa visite. Alexis Grigoriévitch lui demanda le décret de l'Impératrice, le parcourut des yeux, se leva de son fauteuil dans un profond silence et s'approcha d'un petit meuble en ébène, incrusté d'argent et de nacre. L'ayant onvert, il tira d'un tiroir sécret un rouleau de papier, entouré de satin rose. C'étaient là les documents relatifs à son mariage avec feu l'Impératrice. Ensuite, s'approchant des saintes images, il fit un grand signe de croix et lut d'une voix ferme et respectueuse divers documents. La lecture achevée, il jeta au feu le précieux rouleau. «Je n'ai jamais été que le plus humble des sujets de sa majesté, dit-il les larmes aux yeux,—l'Impératrice m'a comblé de faveurs dépassant le prix du peu de services que j'ai pu rendre à mon pays. Je n'ai pas oublié l'obscurité d'où les bontés de sa majesté m'ont tiré. L'adorant comme souveraine et comme chrétienne exemplaire, je n'ai jamais osé me rapprocher de sa majesté autrement qu'en pensée. Je suis confondu des bontés de ma gracieuse souveraine, l'Impératrice Catherine sous le règne bienfaisant de laquelle je compte finir mes jours. Mais si même ce à quoi vous voulez faire allussion eût eu lieu, croyez-vous que j'aurais eu la faiblesse et la vanité de livrer aux commérages de la foule le nom révéré de ma bienfaitrice? Vous voyez que je n'ai aucun document. Annoncez-le à l'Impératrice en la priant de vouloir bien continuer de regarder d'un oeil favorable le plus dévoué et le plus humble de ses sujets, qui ne brigue plus aucun honneur terrestre. Au revoir, cher comte, que tout ceci reste entre nous. On pourra juger ma conduite de différents points de vue, mais je ne serai jamais volontairement la cause de la rumeur publique».

Ceci n'est-il pas de la vraie humilité, unie à une profonde sagesse? Tel fut le comte Razoumorsky pendant tout le cours de sa glorieuse existence. Doux, calme et modeste, mais marchant fermement au but qu'il s'était proposé d'atteindre.

Il est difficile de ne pas décrire l'épilogue de cette scène, épilogue qui jette une vive lumière sur le caractère de la nouvelle Impératrice.

Vorontzoff, après avoir quitté le comte Razoumofsky, réclama de l'Impératrice la faveur d'une audience, ce qui lui fut immédiatement accordé. Le comte Vorontzoff raconta son entrevue avec Razoumovsky dans tous ses détails. L'Impératrice, après quelques moments de silence, lui tendit la main en disant:—„Comprenons-nous bien. Le mariage n'a jamais existé, *même pour apaiser les inquiétudes d'une conscience timorée*. La rumeur m'en a toujours été fort pénible. Le comte m'a prévenu, mais je n'attendais pas à moins de l'abnégation propre aux personnes de sa race". Ayant prononcé ces paroles, Catherine retomba dans une profonde méditation. L'arrivée du comte Grégoire Orloff interrompit sa rêverie; de quoi ont-ils causé — personne ne le sut, mais il n'y a pas eu de mariage.

Nous avons déjà dit que Razoumovsky unissait à sa modestie une grande fermeté de caractère.

Le fait suivant en fait foi. A la suite d'un grand dîner donné à la cour, le comte Grégoire Orloff, échauffé par de nombreuses libations, se mit à parler du coup d'état qui avait détroné l'Empercur Pierre pour proclamer à sa place l'Impératrice régnante. Il va sans dire qu'il s'en attribuait tout le mérite; et enfin, emporté par sa jactance habituelle, il se prit à assurer les convives qu'il se faisait fort d'en opérer un second dans l'espace d'un mois: „C'est fort possible, lui répondit Razoumofsky en riant, mais n'oublie pas qu'avant deux semaines nous t'aurions pendu".

Le comte Alexis Razoumovsky étant mort sans laisser de postérité, il ne peut être envisagé que comme chef spirituel de la maison Razoumovsky.

Moins d'un an après son mariage, célébré en automne du 1742, le comte Alexis envoya son frère Cyrille Razoumovsky à l'étranger sous la surveillance de Grégoire Téploff, en observant le plus strict incognito. Cyrille avait à cette époque 15 aus, étant né le 18 Mars 1728; il avait reçu quelque éducation en Russie mais le but de son frére en l'envoyant à l'étranger était *de regagner autant que possible le temps perdu, et de profiter des connaissances acquises, afin de pouvoir se montrer un digne et zélé serviteur de sa majesté, et d'illustrer le nom qu'il portait par son savoir et ses talents.* Cyrille Razoumovsky séjourna deux ans en France et en Allemagne; au printemps de 1745 nous le voyons déjà figurer à la cour de Russie comme un de ses plus brillants cavaliers. Il avait reçu à cette époque le titre de gentilhomme de la chambre et la croix de S-t Anne de 1-e classe.

Nous avons dit plus haut que la meilleure biographie des Razoumovsky était due à M. Vassiltchikoff.

Fait étrange! L'anteur de cette biographie nous parait rempli d'animosité pour les personnes qu'il dépeint si bien. En effet, quelle mechante ironie resonne dans les paroles suivantes: „Le comte Cyrille Razoumovsky, venant de quitter sa chaumière pour les bancs de l'école et ayant à peine fermé son alphabet, se lança dans le tourbillon du monde, avec la fougue propre à son caractère". L'opinion de l'Impératrice Catherine sur cette famille était tout antre.

C'est M. Vassiltchikof qui nous le rapporte:

„Je n'ai jamais vu, disait-elle, qu'une famille si fort en faveur à la cour, fût autant aimée de tous ceux qui l'approchent".

Moins d'un an après son rétour de l'étranger, le comte Cyrille Razoumovsky „vu ses aptitudes remarquables pour les sciences" fut nommé président de l'Académie Impériale des sciences.

C'est surtout depuis cette époque que le jeune comte nous devient cher, étant, pour ainsi dire, intimement lié à l'histoire de la science de notre pays.—Que nous importent sa carrière politique, sa charge d'hetman des cosaques, sa vie et ses succès à la cour; nous nous attacherons seulement à ce qu'il fit, ou du moins à ce qu'il tâcha de faire pour la science et les savants. Avant tout, nous allons étudier ses rapportes avec le célèbre Lomonossoff.

Le 12 Juin Razoumovsky se présenta pour la première fois à l'Académie et adressa à ses confréres une courte allocution, dans laquelle il leur dit que d'après les conseils de leur auguste fondateur, Pierre le Geand, il fallait travailler d'un commun accord à la grandeur et à la prospérité de leur patrie. L'académicien Schoumacher fut le premier à répondre à ce discours.

Il temoigna l'espoir que l'Académie, restée pendant cinq ans sans chef, trouverait dans le comte Razoumovsky un puissant soutien et serait établie sur de fermes et solides bases. Le poete Trédiakowsky, professeur d'éloquence, se leva à son tour et prononça les paroles suivantes: „L'Académie, grâce au patronage de votre altesse, vient de se lever, pleine de force et de vigueur, de sa couche mortuaire. Nous ne doutons pas que votre altesse, *notre premier président russe* ne réalise pleinement les voeux de notre auguste fondateur: répandre le culte des sciences dans notre patrie et nous accroitre en nombre, force et grandeur par nos propres forces nationales".

Les discours suivants furent prononcés par Miller et Demmé. Celui de Trédiakovsky respire un vrai patriotisme; en effet l'Académie était presque entièrement composée d'Allemands, qui ne pouvaient avoir ni sympathie, ni affection pour leur patrie adoptive, qu'ils connaissaient fort peu. On conçoit sans peine qu'ils aient encouru la haine de l'ardent Trédiakovsky et à plus forte raison celle du fameux Lomonossoff.

Nous ne pouvons ne pas faire observer à nos auditeurs que le comte Razoumovsky, en dépit de son éducation étrangère et de la gallomanie générale, était Russe, dans la véritable acception du mot. Pendant les vingt cinq ans qu'il fut à la tête de l'Académie, Lomonossoff n'eut pas de protecteur plus dévoué. On sait que le célèbre poète avait encouru les mauvaises grâces de presque tous les membres de l'Académie.

Elaguine, Teploff, Soumarokoff avaient eû, tour à tour, à se plaindre de lui, mais le comte Razoumovsky prit toujours chaleureusement sa défense; „bien inconsciemment", nous dit son biographe (que M. Vassiltchikoff me pardonne, mais j'incline à croire tout le contraire)—Lomonossoff sous une enveloppe rude et grossière, cachait une âme pleine des plus nobles élans, et son caractère fier et indomptable ne pouvait manquer de plaire à un homme comme le comte Razoumovsky. Bien plus, en sa qualité de Russe, il avait une secrète sympathie pour cette nature large et indomptée, que n'arrê taient ni les convenances du monde, ni la solennité des séances académiques. Razoumovsky fut toujours le protecteur zélé de Lomonossoff. Ainsi, nous voyons qu'en 1744 (?) il présente à l'Impératrice une ode composée par le poête en l'honneur de son avénement au trône. Une gratification de 2000 roubles lui fut accordée à cette occasion. Le comte Razoumovsky fit ensuite adapter le laboratoire de l'Académie, de manière que Lomonossoff pût y continuer ses occupations favorites de chimie. Enfin, il lui alloua un logement aux frais du gouvernement, et à la veille de son départ pour l'Ukraine ce fut Razoumovsky qui le présenta comme candidat au titre de conseiller de collège. Lomonossoff sut apprécier ces diverses faveurs.

Il n'avait pas encore obtenu à cette époque le puissant patronage d'Jvan Ivanovitch Shouvaloff, auquel il écrivait: „Notre président est bon, mais il se laisse mener par Teploff".

Mais poursuivons la carrière scientifique de Razoumovsky. Ce fut pendant sa présidence qu'on appela à l'Académie les savants Johann Wolfgang Kraft, Bernulli et son frère Johann, et enfin le fameux Straubé de Pyrmont. En même temps il fit venir les meilleurs élèves des séminaires de Pskov, Novgorod et Moscou. C'est de leurs rangs que sortirent Roumovsky, qui devint plus tard curateur de l'Université de Kazan, Barsoff et Popoff. Il est à remarquer que Razoumovsky employa tous ses efforts à dissuader Voltaire de faire un voyage à Pétersbourg.

Le 24 Juin 1747 le comte Razoumovsky présente à l'approbation de l'Académie un nouveau statut, dont les auteurs étaient Teploff et Shoumacher.

Malgré tout son attachement pour l'Académie, Razoumovsky eut plusieurs fois maille à partir avec elle; en effet, nous voyons qu'il avait de frequentes disputes avec Miller; une autre fois il est obligé d'adresser une verte semonce à Lomonossoff pour avoir eu recours au Sénat sans l'autorisation de ses supérieurs. Le 17 Avril 1763 le comte Razoumovsky adresse une circulaire à l'Académie, dans laquelle il prie M-rs les académiens de bien vouloir abandonner toutes leurs querelles et disputes et de ne songer qu'à l'accroissement et à la prospérité de cette noble institution.

Le 2 Juillet 1763 l'Impératrice, accompagnée du grand-duc héritier et d'une suite nombreuse, assista à une séance solennelle de l'Académie. Enfin, pour conclure, il fant faire remarquer que durant la présidence du comte Razoumovsky nous voyons au nombre des académiciens des hommes comme Kracheninnikoff, Nikita Popoff, Roumovsky, Safonoff, Kositsky, tous Russes de coeur et d'âme et qui apportèrent à l'Académie le concours de leur zéle infatigable. Mais nous ne sommes pas encore au bout de tous les services rendus par Razoumovsky à la Russie. Il chérissait l'idéc de fonder une université à Batourine, idée qui lui avait été inspirée non seulement par l'exemple du généreux patriotisme d'Ivan Schouvaloff, mais aussi par l'amour ardent qu'il avait pour la Russie. Il est aussi à supposer que son long séjour à l'Académie ne fut pas de mince importance dans l'élaboration de ce projet. Appelé à un constant commerce avec les étudiants et les professeurs qu'ou faisait venir de l'étranger, le comte Razoumovsky s'était dépuis longtemps aperçu des lacunes importantes que l'instruction d'alors ne parvenait pas à combler.

En octobre 1761 le comte Razoumovsky dut se rendre à Pétersbourg pour assister aux derniers jours de sa bienfaitrice, l'Impératrice Elisabeth. Il s'arrêta quelques jours à Moscou avec l'intention de visiter et d'étudier l'Université de cette ville. Le 12 Novembre, Razoumovsky accompagné d'une société nombreuse se rendit à l'Université avec Teploff et le curateur Vessélovsky. Après avoir écouté plusieurs discours en russe et en latin, il se rendit dans la salle des conférences, où il assista aux cours qui s'y faisaint; il visita ensuite le laboratoire chimique, le cabinet physique, le corps de logis où se trouvaint les étudiants, là typographie etc. On voit que, non-content d'en avoir parlé avec Miller et antres savants, le comte Razoumovsky voulait se faire une idée nette de ce que c'était qu'une Université.

Comment la grande Catherine, cette femme d'une intelligence si supérieure, ne comprit-elle pas toute l'utilité du projet qu'avait Razoumovsky de fonder une université à Batourine? Nulle part elle n'aurait pu être mieux située pour contrebalancer l'influence toute-puissante des jésuites au sud de la Russie. Nous ne pouvons expliquer cette indifférence que par le refroidissement de son amitié pour Razoumovsky, refroidissement motivé, à notre avis, par le peu de tact de son projet relativement à l'hérédité de la charge de hétman dans la famille Razoumovsky. L'anguste souveraine n'aimait pas les projets de cette espèce et le lui montra.

Nous avons, il me semble, jeté une lumière suffisante sur le comte Razoumovsky comme homme de science. Occupons-nous à présent de lui comme homme privé et père de famille. Cyrille Grigoriévitch était marié à Catherine Ivanovna Narischkine (nouveau lien de parenté avec la famille impériale). Sa femme lui apporta en dot 44,000 paysans. Le 12 Septembre 1748 il lui naissait un fils, le comte Alexis Kyrillovitch Razoumovsky. Sa naissance fut suivie de celle de dix frères et soeurs dont nous donnons ici les noms. Les comtes: Alexis, André, Léon, Grégoire et Jean et les comtesses Nathalie, Elisabeth, Daria (née en 1752, † en 1753), Anna et Prascovie.

Nathalie mariée à M. Zagriagesky.

Elisabeth au comte Pierre Apraxine,

Anna à M. Vassiltchikof et Prascovia au comte Gondovritch.

Pendant tout le règne de l'Impératrice Catherine, le comte Razoumovsky fut fort bien en cour. Toujours, de toutes les parties, partenaire constant de l'Impératrice et considéré plutôt comme membre de la famille impériale, que comme un vulgaire courtisan. On l'aimait beaucoup dans la société à cause de son affabilité et de son exquise politesse. Le comte Razoumovsky passait aussi pour un agréable causeur; nous en voyons la preuve dans les mémoires de l'Impératrice (Mémoires de Catherine II, p. 112—113). Durant le pélérinage que fit l'Impératrice Elisabeth à Troïtza, pélérinage qui dura une partie de l'été, le grand-duc et la grande-duchesse habitaient Raëvo, sur la route de Troïtza, belle propriété, appartenant à Tchoglokoff. Quand l'Impératrice eut atteint Taïninskoé où se trouvait la cour, le comte Razoumovsky en profita pour faire de fréquentes visites à Raévo. Il habitait alors le bien de sa femme, Pétrovskoe, sur la route de Pétersbourg.

„Il était d'un caractère vif et enjoué et de notre âge (écrit Catherine dans ses mémoires) nous l'aimions beaucoup et les Tchoglokoff étaient fort honorés des visites du frère du puissant favori. Il continua à venir tout l'été et nous le rencontrions avec un plaisir toujours nouveau. Il dinait et soupait ordinairement avec nous et puis repartait pour Pétrofskoé, faisant ainsi 40 ou

50 verstes. Une vingtaine d'années plus tard, la fantaisie me vint un jour de lui demander la raison de ses fréquentes visites à Raévo où l'on s'ennuyait beaucoup, tandis que Pétrofskoë était le point de réunion de toute la société de Moscou. Le comte Razoumovsky me répondit sans la moindre hésitation: „C'est que j'étais amoureux.“ „Est-ce possible? m'écriai-je avec étonnement. Amoureux? mais de qui donc? Il n'y avait personne:“ „De vous, votre majesté, me répondit-il alors. Cela me fit beaucoup rire, car je n'avais jamais soupçonné pareil sentiment; le comte était marié depuis plusieurs années et était fort assidu auprès de sa femme.

Terminons cette esquisse par un trait qui nous rend Cyrille Grigorievitch bien sympathique.

Après sa mort on trouva dans une armoire en bois de rose une houlette de berger et un simple manteau de pâtre (кобенякъ).

Passons à Alexis Kirillovitch: Le jenne comte reçut une éducation brillante dans le vrai sens du mot. Ayant remarqué que la trop grande tendresse de la comtesse Razoumovsky nuisait à l'éducation de ses fils, Cyrille Grigoriévitch les installa dans une maison qu'il avait au Wassili-Ostrow à la 10-me ligne. Les jennes comtcs Alexis âgé de 13 ans, Pierre de 10 et André de 8 ans s'y trouvaient sous la surveillance de Taubert, et de divers professeurs, au nombre desquels se trouvaient le fameux Schloëtzer et le mathematicien Roumovsky. Pour exciter l'émulation des jennes garçons on avait admis au nombre des élèves le fils de Teploff, qui était un petit génie, Olsoufieff et Kozloff. Les études qu'on y faisait étaient vraiment excellentes et la maison Razoumovsky avait reçu le surnom d'Académie de la 10-me ligne. Schloetzer ne faisait pas encore partie du personnel des professeurs quand le plan des études fut formé, il fit observer à Taubert que la géographie n'y était pas mentionnée, ainsi qu'nne autre nouvelle science d'une grande importance pour les élèves: *la connaisance de leur pays.* «Je comprenais sous ce nom la statistique, dit Schloetzer dans ses mémoires, mais je n'osais même pas prononcer ce mot barbare qui aurait sonné étrangement aux oreilles russes, peu accoutumées à l'entendre». Taubert approuva l'idée de son collegue et le thème de la première leçon fut: de l'étendue de la Russie comparée à l'Allemagne et à la Hollande». Pour la seconde: Quels sont les produits importés et exportés par la Russie? et pour la troizième: «D'où proviennent l'or et l'argent de notre pays». Taubert était dans l'enchantement. La statistique fut mise à la mode; tous les amis de Schloetzer se dépechaient de lui fournir les renseignements nécessaires «pour être admis, comme on disait alors en plaisantant, à l'Académie de la 10-me ligne". Les précepteurs français des jennes Razoumovsky étaient M. M. Bourbier, Delille, Marignac et autres.

A ce sujet le célèbre historiographe des Razoumovsky fait observer l'ineptie qu'il y avait à confier l'éducation des jennes nobles d'alors à de pareils précepteurs, qui quelquefois n'étaient pas autre chose que des valets. Leur élève, et notre président, le comte Alexis Kyrillovitch, ministre de l'instruction publique, était plus tard du même avis. Tout cela est fort juste, mais il faut aussi prendre en considération qu'il n'y avait pas de pédagogues en Russie à cette époque. D'ailleurs on trouvait parmi les précepteurs français des personnages tout-à-fait distingués.

Au printemps de 1765 l'Académie de la 10-me ligne fut dissoute. Le comte Razoumovsky envoyait ses fils à l'étranger pour y terminer leur éducation. L'université de Strassbourg fut choisie comme une des plus célèbres de l'époque: c'était aussi là que le comte avait fait ses études. La réputation de cette grande université n'était pas usurpée.

Jacob Reinhold et Spilmann y enseignaient la chimie, Iohann Fridrich Erlen—le droit commun. Le célèbre poête Louis-Henri Nicolai y faisait un cours de logique; Joseph-A. Lorenz enseignait l'histoire; Treitmayer le droit germain; le professeur le plus éminent de l'université était sans contredit Iohann-Daniel Schoepflin aussi connu par ses travaux sur l'histoire, que par ses principes élevés. C'est à lui que furent confiés les comtes Razoumovsky.

Au bout d'un an le comte Cyrille Razoumovsky attache à la personne de son fils aîné le poête Nicolai et un certain Cronier, précepteur français. Ils partirent tous ensemble pour l'Italie où ils firent la rencontre du comte Jean Schouvaloff, aux bons soins duquel le jenne hommte fut confié. Les antres frères restèrent à Strassbourg.

Schouvaloff fit un tel éloge des occupations de Nicolai que Kirille Grigoriévitch lui recommanda tout particulièrement de bien rémunerer ce „bonhomme" мужичекъ.

Au printemps de 1769 Alexis Kyrillovitch rejoignit ses frères à Londres. Leur voyage en Angleterre ne réussit pas au gré de leurs espérances et ils se dépechèrent de retourner en Russie et d'y prendre du service.

Le comte Alexis avait été inscrit à sa naissance dans un régiment de la garde. A l'avénement de Pierre III il avait reçu le titre de capitaine; son service à l'armée se borna là. A son retour de l'étranger, il fut nommé gentilhomme de la chambre et occupa une position brillante à la cour. Du reste, il ne se montra pas content de ses nouvelles fonctions et se plaignit même à son père de ce qu'elles lui laissaient trop de loisir. Le 23 Février 1774 Alexis Razoumovsky épousa la comtesse Barbe Shéreméteff, un des premiers partis de la Russie à cette époque. A en juger par le portrait qui se trouve à Kouskovo, la jeune comtesse était plutôt jolie que laide, mais elle était extrêmement timide, modeste et ne se distinguait pas par l'esprit.

Ceci explique le peu d'empressement que mit le jenne comte à son mariage, ainsi que les relations froides qu'il eut avec sa femme. Les deux fils du comte Alexis, Pierre et Cirille, êtres éminemment dégénéres, moururent jennes sans laisser de postérité. Quant à ses filles, l'une d'elles épousa le prince Repnine; la seconde, Catherine, le comte Serge Ouvaroff et fut par conséquent la mère de notre archéologue distingué, le comte Alexis Ouvaroff, dont nous avons tous éprouvé la perte.

En 1775, à l'occasion de la paix de Koutschouk-Kaïnardji, le comte Alexis fut promu aux rang de chambellan. Nous avons déjà dit plus haut que le service de la cour ne plaisait pas au comte Razoumovsky. Sa nature ardente ne pouvait s'astreindre à aucune espèce de discipline. L'Impératrice ne fut pas longtemps à le remarquer et lui fit froide mine. Le jenne Razoumovsky aurait désiré rester à Moscou et occuper les fonctions de président du Collège de la Cour ou celles de président des Manufactures. Ne voit-on pas dans ce désir l'influence éloignée des leçons de Schloetzer. Ni l'un, ni l'autre de ces emplois ne lui fut accordé; en 1778 il donna sa démission. Vers la fin de l'année 1784 le comte Alexis Razoumovsky se sépara de sa femme, se retira du monde et ne fréquenta plus personne. Il voyait assez rarement ses enfants et sa misanthropie était telle qu'il n'avait que des rapports par ecrit avec la gouvernante de ses filles M-lle Calame *). Pendant toute la durée du règne de l'Empereur Paul I le comte Razoumovsky ne quitta pas Moscou. Il avait vendu sa maison de la Znamenka et s'en fit bâtir une au Gorochovo-Polé, qui lui coûta plus d'un million et demi. Le jardin de ce petit palais avait plus de 43 arpents, et la bibliothèque était une des plus belles de la Russie. Le professeur Heine en fit deux catalogues, l'un, officiel, et un

*) Tante du fameux peintre suisse.

autre, dont parle A. de Maistre: Notice des monuments typographiques, qui se trouvent dans la bibliothèque du comte Razoumovsky. Moscou 1810 in 8°. Ce catalogne se trouve probablement à Porétsbié. La résidence favorite du comte Razoumovsky était son bien aux environs de Moscou Gorenki. Il avait fait venir de l'étranger le fameux professeur de botanique, Stéphani, qui se chargea de l'arrangement des serres-chaudes et du jardin. Son successeur, le docteur Redovsky, après avoir passé quelques années chez le comte Razoumovsky, accompagna le comte Golovkine dans son voyage en Chine et mourut en chemin. Son aide, Théodore Bogdanovitch Fischer le remplaça. Le jardin de Gorenki passait pour une des merveilles de Moscou; on y comptait prés de 2000 espèces de plantes; la flore de la Sibérie y était surtout richement représentée. Les célèbres botanistes Lansdorff, Taucher, Helm et Condès avaient parcouru toute la Sibérie, l'Oural et le Caucase pour trouver des échantillons rares de la flore de ces différents pays. Plusieurs plantes furent baptisées en l'honneur du comte Razoumovskia et Razoumovia. C'est alors (1804) que Fischer fonda une société de botanique dont le siége était à Gorenki portant le nom de Societas Phytographica Gorenkensis *).

Cette société s'unit plus tard (en 1806) avec celle des naturalistes de Moscou, fondée par G. S. Fischer von Waldheim et dont le comte Alexis Razoumovsky était le premier président.

Au milieu de toutes ces splendeurs, entouré d'un luxe vraiment princier, le comte Razoumovsky s'ennuyait. L'avénement d'Alexandre I le trouve dans une humeur noire et mélancolique; il est vrai qu'à cette époque il avait déjà 56 ans. Comment ne se serait-il pas camuyé d'ailleurs, ce brillant gentilhomme.

Malgré sa richesse et le prestige de son grand nom, il avait été déçu dans son ambition. Peu lui importaient ses titres de chambellan et de sénateur, il n'avait aucun pouvoir et ne jouait qu'nn rôle bien eflacé. Il n'avait jamais connu le bonheur domestique, ainsi nous voyons qu'il ne lui restait qu'une consolation, celle de travailler pour la science. En effet, Alexis Kyrillovitch s'y adonna corps et âme, surtout à la botanique. C'est à lui que revient l'honneur d'avoir été le président de la première société savante russe (la Société d'histoire et d'antiquités), mais c'est surtout avec ses amis les botanistes et au milieu de ses belles collections de

*) La catalogue du jardin de Gorenki, classé par Rédovsky en 1804, a été présenté par moi à la bibliothèque de la Société.

plantes qu'il se trouvait à l'aise. Petit à petit les antres sociétés savantes de Moscou se groupèrent antour de lui; il les reçut toutes avec empressement. Il est curieux de consulter la liste des membres de la société des naturalistes à cette époque. Nous y voyons les noms des plus grands seigneurs de Moscou à côté des naturalistes distingués. On sent là dedans l'influence toute-puissante du comte Razoumovsky. Du reste ce mélange de riches propriétaires, comme l'étaient alors tous les nobles et de savants, fut bienfaisant à notre société dont les racines entrèrent si profondément dans le sol fécond de la Russie.

On sait quel souffle de vie et de jeunesse passa sur la Russie à l'avénement d'Alexandre I. Le jenne monarque, arrivé à Moscou pour les fêtes du couronnement, reçut le comte Razoumovsky d'une manière fort amicale et lui proposa de reprendre du service à Pétersbourg. Alexis Kyrillovitch n'y consentit pas. L'Empereur accorda alors à sa fille aînée, M-lle Barbe le titre de demoiselle d'honneur. En 1807 le comte céda aux instances de ses amis; promu au rang de conseiller intime, il accepta la charge de curateur de l'Université de Moscou, à la place de Mouravieff, décédé avant peu. Un des premiers actes du comte Razoumovsky fut de solliciter pour la Société des naturalistes de Moscou, dont il était président depuis de longues années, le titre de Société Impériale des Naturalistes de Moscou. L'Empereur témoigna par un rescrit le plaisir qu'il éprouvait à recevoir le 1-er volume des Travaux scientifiques de la Société. Nous donnons ici une copie de cet rescrit.

„Comte Alexis Kyrillovitch! Le ministre de l'instruction publique vient de me présenter le premier tome publié par la Société des Naturalistes dont vous êtes président. Connaissant toute l'utilité de vos travaux scientifiques, il m'est particulièrement agréable de vous témoigner mon approbation à ce sujet. Je vous prie donc d'en faire part à tous vos collègues et de recevoir l'assurance que je recevrai toujours les travaux de la Société avec le plus grand plaisir".

Signé: „Alexandre".

St. Pétersbourg,
23 Septembre 1807.

Contrasigné: „C. Pierre Zavadovsky".

Un des premiers soins de la Société fut de faire un plan systématique de la description des environs de Moscou. Un subside de 5000 roubles lui fut accordé à cet effet. Les observations astronomiques et les mesures trigonométriques furent confiés au professeur d'astronomie Goldbach. Le dépôt impérial des cartes lui adjoignit Panneker, muni de tous les instrument nécessaires. A la fin de l'été de 1808 les deux savants visitèrent Zvénigorod, Rouza, Mojaisk, Woskréssénsk, Volokalamsk et Véréia. L'année suivante Goldbach fit les mêmes excursions en compagnie d'un jenne Courlandais du plus grand mérite, M. Wildmann. Il fant ajouter que ces observations ne furent jamais publiées. Ce fut à cette époque que l'on confia au professeur Strachow le soin des observations météorologiques.

Ce fut en Décembre 1807 que l'Empereur Alexandre I vint à Moscou pour la première fois après son couronnement. L'Empereur arrivait de Tver avec sa soeur, la grande-duchesse Catherine. Le 11 Décembre l'Empereur et la grande duchesse visitèrent l'Université; c'était la première fois que cet honneur échouait à notre Alma Mater. Le comte Razoumovsky fut enchanté de cette visite. En sortant de l'Université il passa chez le professeur Strachow, qu'il tenait en particulière estime, fait sans précédent chez le hautain grand seigneur. Après avoir admiré la bibliothèque et les manuscrits du professeur, le comte Razoumovsky prit congé de la façon la plus amicale.

D'un autre côté, le ministre de l'instruction, comte Pierre Zavadovsky écrivait à Razoumovsky: «C'est de tout mon coeur que je vons félicite à l'occasion de tous les éloges que sa majesté a décernés à l'Université de Moscou. L'Empereur m'a parlé de la manière la plus flatteuse des tous les professeurs qui lui ont été présentés, de l'ordre parfait qui régnait à l'Université, mais surtout de vos éminentes qualités comme curateur de cette grande institution. Sa majesté a l'intention de lui abandonner le palais de l'Impératrice Catherine, à Lefortovo—mais il faut entrer auparavant en pourparlers avec le ministre de la gnerre à ce sujet".

Le comte Razoumovsky tâcha d'obtenir ce palais pour l'Université, mais n'y parvint jamais.

Le 11 Avril 1810 Razoumovsky fut nommé ministre de l'instruction publique à la place du comte Zavadovsky dont on disait qu'il ne faisait rien pendant six jours et qu'il se reposait le septième. En réalité il y eut peu de ministres qui eussent plus fait pour l'avancement de la science que Zavadovsky. Sous sa direction un nouvau statut de l'Université fut promulgué, les Universités de

Kazan et de Kharkow furent organisées, ainsi que l'Institut pédagogique, qui devint plus tard l'Université de Pétersbourg. Sauf cela, il réforma complètement les Universités de Moscou, de Wilna et de Dorpat, donna un nouveau statut à l'Académie des sciences, aux séminaires et aux hautes écoles. Enfin, il fonda plusieurs musées et écoles en commençant par les écoles primaires jusqu'à l'université. Voilà ce que fit le comte Zavadovsky, malade et faible vieillard, mais doué d'un esprit remarquable ainsi que de la faculté de pouvoir connaitre les hommes à première vue. Il ne faut pas oublier que l'aide de Zavadovsky et du comte Razoumovsky dans tous leurs travaux fut un certain Martinof dont nous aurons à nous occuper plus tard.

Il n'eutre ni dans mon but, ni dans ma compétence de juger le comte Razoumovsky comme ministre de l'instruction publique. Je crois que même après l'éminent travail de M. Vassiltchikof, il y aurait encore beaucoup à dire sur cet homme remarquable; je ne puis cependant m'empêcher de signaler deux institutions auxquelles il apporta tonte sa sollicitude; ce furent le lycée de Tzarskoé-Sélo, et tous les efforts qu'il fit pour fonder une Université dans les régions occidentales de la Russie.

Le comte Razoumovsky venait d'être appelé au ministère, quand l'Empereur entreprit une réforme complète dans l'instruction publique. La Russie manquait d'hommes; l'Université de Moscou fournissait encore bien peu d'élèves, et les quelques professeurs distingués qui en étaient sortis, n'avaient pas encore eu le temps de former les jennes intelligences qui leur avaient été confiées. La fondation d'une nouvelle école supérieure se faisait indispensable.

L'impératrice Marie Fédorovna, cette femme d'un esprit si distingué, avait toujours eu l'intention de donner une éducation classique à ses fils, les grands-ducs Nicolas et Michel. La création du lycée de Tsarkoé-Sélo fut alors décidée; de cette façon les jennes grands-ducs ne seraient pas obligés de quitter leur auguste mère et pourraient poursuivre leurs études à côté d'elle. La gnerre de 1812 coupa court à tous ces projets et le lycée de Tsarskoé-Sélo ne répondait plus à sa destination première; tout de même la composition des statuts fut d'abord confiée à Laharpe, puis à Spéransky, ensuite on en chargea les comtes de Maistre et Razoumovsky; finalement ce fut Razoumovsky qu'on mit à la tête de cette institution, en qualité de curateur extraordinaire du lycée de Tsarskoé-Sélo. Alexis Kyrillovitch employa toute l'enérgie de son âme ardente à ses nouvelles fonctions ayant pour aide constant M. Martinof—chef de sa chancellerie.

Le 19 Octobre 1811, l'Empereur et toute la familie Impériale assistèrent à l'inauguration solennelle du Lycée. Le choix du directeur et des professeurs fut particulièrement heureux. Le nouvel établissement prit bientôt place au nombre des meilleures institutions de l'Europe, grâce à l'incessante sollicitude du comte Razoumovsky. C'est lui qui fut le vrai fondateur de cette pépinière d'hommes célèbres tels que Pouchkine, Delvig, le prince A. M. Gortchakoff, le baron, plus tard comte Korff et autres. Ce fut à un des examens publics du lycée que notre grand poëte, alors tout jenne homme, lut d'une voix tremblante d'émotion ses premiers vers et reçut la bénédiction de Derjavine.

Après l'examen Razoumovsky donna un grand diner. Au nombre des convives se trouvait le père de Pouchkine auquel le comte Razoumovsky adressa les paroles suivantes: „Je regrette de n'avoir développé au même degré l'éducation prosaique de votre fils au niveau de son talent poétique". „Laissez-le devenir grand poëte", objecta Derjavin. La fondation du lycée fut l'oeuvre principale du comte Razoumovsky. „Il s'y dévoua corps et âme, oubliant sa paresse et son apathie", nous dit son biographe.

Nous ne savons pas au juste quel était l'endroit où Razoumovsky désirait fonder une nouvelle université. Tantôt c'est en Volhynie, tantôt à Polotsk, pour contrebalancer l'influence des Jésuites. Malheureusement, ce projet n'ent pas de suites car le besoin d'une université au sud de la Russie se faisait vivement sentir. C'est aussi le comte Razoumovsky qui eut le premier l'idée de soumettre les précepteurs étrangers à un examen à l'université.

Les opinions du comte Razoumovsky avaient bien changé à cette époque. D'un cosmopolitisme outré il avait passé à des idées presque slavophiles C'est lui aussi qui fonda la première chaire de litérature russe à l'Université de Moscou. Nous avons dit plus haut que le comte Razoumovsky ne connut jamais le bonheur domestique. Après avoir donné sa démission it se retira en Petite-Russie; il habitait l'hiver la ville de Potshop, l'été son magnifique bien de Jagotine, où il s'occupait de nouveau de botanique et d'horticulture. Dans le jardin du comte Razoumovsky on pouvait voir les plus beaux arbres de tous les pays. Les cèdres, les peupliers, les oliviers même y atteignaient de proportions remarquables.

C'est là qu'il recevait ses filles mariées avec leurs enfants. Ses fils, Pierre et Cyrille, étant morts tout jennes. C'est là que s'écoulait sa vie calme et paisible.

Pour conclure notons encore un trait charmant de cette famille. Le comte Alexis Kyrillovitch tomba sérieusement malade au mois de Mars 1822. Sa fille, la princesse Repnine, accourut près de son père, malgré le mauvais état des routes, presque impraticables à cette époque de l'année. Elle trouva au chevet du comte une personne attachée depuis des longues années au comte, mais qu'elle n'a jamais voulu ni connaitre, ni voir, la croyant avoir causé la désunion de la famille. Devant la mort toute son inimitié fut oubliée; elle la prit par la main et lui demanda la permission de l'aider à soigner son père mourant. Ce fut entre les bras de ces deux coeurs dévoués que le comte Razoumovsky rendit l'âme. Sa fin fut calme et paisible comme l'avaient été ses derniers jours.

Voilà Mesdames et Messieurs, ce que fut notre premier président le comte Alexis Razoumovsky.

СПИСОКЪ РАСТЕНІЙ ДИКОРАСТУЩИХЪ ВЪ ТАМБОВСКОЙ ГУБЕРНІИ *).

Д. И. Литвинова.

534. **Scorzonera hispanica**. L. var α и β glastifolia. Wellr. По черноземнымъ ковыльнымъ мѣстамъ на склонахъ балокъ. *Кирс. у.* с. Иноково! с. Ржаксы! с. Иваново! Для губерніи показывается кромѣ того Вейнманомъ (obs. № 121) и Семеновытъ (пр. ф. № 652) [23].

535. **S. parviflora. Jacq.** *Борис. у.* На мокромъ солончаковомъ лугу бл. с. Бурнакъ! [12].

536. S. **Marschalliana C. A. M.** По степнымъ ковыльнымъ мѣстамъ въ *Кирс. у.* бл. с. Инокова! и с. Иванова! [32].

537. S. **ensifolia. M. B.** По песчанымъ дюннымъ буграмъ лѣвыхъ береговъ р. Вороны: *Кирс. у.* с. Алатырка! *Борис. у.* бл. города! [23].

538. **Picris hieracioides**. L. var. α и β canescens. Ling. (Сборн. с. 271). Распространено во всей губ. по сухимъ кустарникамъ, лѣснымъ полянамъ. Var. α встрѣчается почти исключительно въ сѣверныхъ лѣсныхъ уѣздахъ, а var. β только въ южныхъ и растетъ преимущественно на каменистой или песчаной почвѣ. [43].

539. **Lactuca sagittata. W. K.** Въ тѣнистомъ лѣсу по склонамъ къ долинѣ Хопра въ *Борис. у.* бл. города! [13].

540. L. **Scariola.** L. По полямъ, садамъ, дорогамъ, вообще на сорныхъ мѣстахъ во всей губ. очень обыкновенно [54].

541. **Chondrilla juncea**. L. Песчаные дюнные бугры по р. Воронѣ въ *Кирс. у.* с. Алатырка! и *Борис. у.* с. Явленское! и бл.

*) Продолженіе V. Bulletin 1887. № 3 р. 789.

города!; по р. Воронежу въ *Лип. у.* въ Романовской казенной дачѣ! п бл. с. Гориды (Кожсвп.). [33].

542. Taraxacum serotinum. Sadl.? Одинъ плохой экзепмляръ растенія, повидимому относящагося къ этому виду, найденъ на пескахъ въ *Кирс. у.* бл. с. Алатырки!

543. T. officinale. Wigg. Leontodon Taraxacum. L. По лугамъ, выгонамъ и сорнымъ мѣстамъ вездѣ очень распространенное растеніе. [54].

544. Crepis rigida. W. K. var. α. communis. Kar et Kir. На степи между степными кустарниками. *Кирс. у.* с. Иваново. *Борис. у.* с. Братки! [23].

545. C. tectorum. L. var. α. typica. Rupr. и β. microcephala. Rupr. По паровымъ полямъ, сухимъ безплоднымъ обрывамъ и на пескахъ во всей губ. обыкновенно. [53].

546. C. biennis. L. Указывается П. Семеновымъ. (Пр. ф. № 658).

547. C. praemorsa. Tausch. По кустарнымъ склонамъ, лѣснымъ полянамъ въ густой травѣ. *Козл. у.* (Kosch. Fl. № 323! Озноб., Петунн.). *Лип. у.* Романовское лѣсничество! *Тамб. у.* с. Татарщпна (Палеол.). Показывается еще Вейнманомъ (Obs. № 152) и Семеновымъ (Пр. ф. № 684). Вѣроятно найдется во всей губ. [33].

548. C. sibirica. L. По сухимъ кустарникамъ п опушкамъ лѣсовъ вездѣ обыкновенно [43].

549. Sonchus oleraceus. L. var. α п β. lacerus. Willd. По огородамъ, садамъ и сорнымъ мѣстамъ, рѣже по кустарникамъ на влажной почвѣ, вездѣ въ губ. обыкновенно. [53].

550. S. asper. Vill. Вмѣстѣ съ преъид. впдомъ. [43].

551. S. arvensis. L. var. α и β. glaber. Schult (S. uliginosus. M. B.). По огородамъ, садамъ п сырымъ сорнымъ мѣстамъ на лугахъ вездѣ нерѣдко. [53].

552. S. paluster. L. *Кирс. у.* въ болотистомъ лѣсу по берегу р. Папды бл. с. Каравайня! [13].

553. Hieracium Pilosella. L. По сухимъ возвышеннымъ мѣстамъ, главнымъ образомъ на песчаной почвѣ. На черноземѣ не попадается, а потому въ сѣверныхъ уѣздахъ встрѣчается чаще чѣмъ въ южныхъ. [43] и [23].

554. H. angustifolium. Hoppe. Растеніе, совершенно сходное съ описаніемъ этого вида у Коха (Syn. ed. 3, p. 381) и съ рисункомъ Рейхенбаха (Ic. Fl. Germ. XIX. t. 112, 1), найдено Д. А.

Кожевниковымъ въ *Козл. у.* бл. с. Андреевки (Kosch. Fl. № 327 и герб.!).

Кн. Вяземскимъ (Verz. № 222 и 224) упоминаются для Елат. у. H. furcatum Hoppe и H. bifurcum. M. B., но въ гербаріѣ его подъ этимъ именемъ лежатъ: H. praealtum. Koch. и H. Nestleri. Vill.

555. **H. praealtum. Koch.** incl. H. piloseloides. Vill. H. Besserianum? (Weinm. Obs. № 125. sec. Led. II, p. 849). По сухимъ возвышеннымъ мѣстамъ лѣснымъ полянамъ на песчанистой почвѣ; во всей губ. нерѣдко. [34].

556. **H. echioides. W. K.** H. albo-cinereum. Rupr. *Темн. у.* Саровская пустынь на пескахъ! *Елат. у.* на пескахъ бл. города! бл. с. Починокъ! и на известнякахъ въ с. Темгеневѣ! *Спасск. у.* на пескахъ бл. с. Зубова поляна! *Кирс. у.* с. Лоскъ (Кож.) бл. города! и мн. др. м. *Тамб. у.* с. Разсказово (Булгак.), *Козл. у.* с. Жидиловка (Kosch. Fl. № 329) и вездѣ *южнѣе*, гдѣ становится очень обыкновеннымъ растеніемъ на песчаныхъ и, кромѣ того, на черноземныхъ ковыльныхъ мѣстахъ. [23] и [43].

557. **H. Nestleri. Vill.** H. cymosum. L. По лугамъ, лѣснымъ полянамъ во всей губ. нерѣдко. [43].

558. **H. pratense. Tausch.** Съ предъидущимъ вездѣ нерѣдко. [43].

559. **H. umbellatum. L.** По сыроватымъ лугамъ и кустарникамъ вездѣ очень обыкновенно. [44].

560. **H. virosum. Pall.** H. foliosum. Kit. Var. α. latifolium и β. lanceolatum. Trautv. (Pl. Schrenk. Bull. Mosc. 1866. II). На степи между кустарниками. *Кирс. у.* с. Иваново! *Борис. у.* с. Никитское (кн. Вяземск. герб.!) с. Сукманка! с. Братка! *Тамб. у.* с. Лаврово (Сорок.). Указывается кромѣ того Вейнманомъ (Obs. № 126) и Семеновымъ (Пр. ф. № 666). [33].

XLVII. Campanulaceae. Dc.

561. **Iasione montana.** L. На пескахъ въ сѣверн. и западн. части губ. *Елат. у.* (Wiaz. Verz. № 226!); въ бору бл. города! *Тамб. у.* с. Разсказово (Булг.). *Козл. у.* с. Жидиловка (Kosch. Fl. № 334!) *Лебед. у.* (Варгинъ). *Лип. у.* Романовская каз. лѣсная дача! Указывается также Семеновымъ (Пр. ф. № 770). [35].

562. **Campanula sibirica.** L. *Елат. у.* на песчаныхъ дюнахъ въ городскомъ бору! и на известнякахъ бл. Темгенева! *Южнѣе* начиная съ Козл! Тамб! и Кирс! уу. становится очень распростра-

неннымъ растеніемъ по сухимъ возвышеннымъ мѣстамъ, особенно на черноземныхъ залежахъ и степяхъ. [13] и [43].

563. C. glomerata. L. По сухимъ кустарникамъ и лугамъ вездѣ очень обыкновенно. [43].

564. C. cervicaria. L. По кустарникамъ и лѣснымъ полянамъ довольно нерѣдкое растеніе въ *сѣверныхъ* не черноземныхъ частяхъ губ. Не встрѣчается на черноземной степи и потому въ южной части губ. становится рѣдкимъ и найдено преимущественно въ лѣсныхъ округахъ: *Козл. у.* с. Хоботово (Kosch. Fl. № 340!) *Лебед. у.* с. Попово (Кож.), *Лип. у.* Романовская каз. лѣсп. дача! *Усм. у.* въ лѣсу бл. города! *Борис. у.* с. Вязовое (Pallas. Reise. III, p. 687). [43] и [22] C. desertorum. Weinm. (Obs. № 38) по мнѣнію г. Траутфеттера (см. Труды Спб. Бот. сада. VI, p. 72, g. б. отнесена къ этому же виду.

565. C. latifolia. L. По гористымъ лѣсамъ и кустарникамъ: *Елат. у.* (Wiaz. Verz. № 229 (нерѣдко) и герб!) *Морш. у.* казенные лѣса (отъ лѣснич.). *Лебед. у.* с. Попово (Кож.). *Кирс. у.* с. Пущино! Вѣроятно встрѣчается вездѣ въ губ. [33].

566. C. Trachelium. L. var α и β dasycarpa. Koch. По тѣнистымъ лѣсамъ и сырымъ кустарникамъ во всей губ. нерѣдко. Var α. calyce glabro, найдено А. Котсомъ въ лѣсу бл. г. Борисоглѣбска. [43].

567. C. rapunculoides. L. var. α. glabrata. Trautv. По опушкамъ лѣсовъ во всей губ., но рѣже предыд. вида. [33].

568. C. bononiensis. L. По сухимъ кустарникамъ и на травянистыхъ степныхъ мѣстахъ вездѣ обыкновенно, но на югѣ чаще чѣмъ на сѣверѣ губ. [53] и [33].

569. C. persicifolia. L. По сухимъ кустарникамъ и лѣсамъ во всей губ. нерѣдко. [43].

570. C. patula. L. По лугамъ, травянистымъ склонамъ и рѣже на степи, вездѣ обыкновенно. [53].

571. C. rotundifolia. L. По сухимъ кустарникамъ, свѣтлымъ лѣсамъ и на степныхъ мѣстахъ вездѣ обыкновенно. [43].

572. Adenophora communis. Fisch. A. polymorpha. Led. Var. α. denudata. Trautv. По тѣнистымъ гористымъ лѣсамъ, по влажнымъ кустарникамъ, на лугахъ и рѣже между кустарниками на степи. (С. Иваново Кирс. у!). До сихъ поръ не найдено въ Темник и Спасск. уу.; въ остальныхъ—вездѣ довольно нерѣдко. [34].

XLVIII. Vaccinieae. Dc.

573. **Vaccinium Vitis Idaea.** L. Въ густыхъ сосновыхъ или еловыхъ лѣсахъ преимущественно по окраинамъ торфяныхъ болотъ въ *сѣверныхъ* нечерноземныхъ лѣсныхъ частяхъ уѣздовъ Елат! Темн! Спасск! Шацк! Морш! и Тамб! вездѣ нерѣдко. [45]. Южнѣе найдено только въ борахъ по р. Воронежу: *Козл. у.* с. Хоботово Kosch. Fl. № 345!). *Лип. у.* Романовская каз. лѣсн. дача! и с. Покровское (Кож.). [24].

574. **V. Myrtillus.** L. Въ хвойныхъ лѣсахъ, на болѣе сухихъ мѣстахъ чѣмъ предыд. видъ. Распростр. совершенно также какъ и предыд. видъ. [45] и [24].

575. **V. uliginosum.** L. По торфянымъ болотамъ (мшарамъ) въ *сѣверной* части края: *Елат. у.* (Viaz. Verz. № 257!). Боры по р. Окѣ противъ города и между городомъ и ст. Толстиковской! *Темник. у.* ст. Озерская! *Спасск. у.* бл. с. Зубова поляна! Семеновымъ (Пр. ф. с. 23. № 788) показывается еще южнѣе подъ 53° (широта г. Лебедяна и Козлова). [34].

576. **Oxycoccos palustris. Pers.** Vaccinium Oxycoccos. L. По мшистымъ торфянымъ болотамъ преимущ. на сѣверѣ губ. *Елат. у.* городской боръ (Орл.). *Темник. у.* Саровская пустынь! ст. Озерская, и др. м! *Спасск. у.* Зубова поляна! *Шацк. у.* бл. с. Черняева! *Тамб. у.* с. Разсказово (Кожеви), с. Ивановко (Сорок.). *Лип. у.* Романовскан каз. лѣсн. дача (Двурѣченское болото)! бл. с. Горицы (Кожевп). Упоминается также въ спискѣ Семенова (№ 789 и стр. 23) [35] и [23].

XLIX. Ericaceae. Lindl.

577. **Arctostaphylos Uva ursi. Spreng.** По Н. Семенову (Нр. ф., с. 23) встрѣчается въ сѣверной части губ. не южнѣе 54° (широта г. Шацка и Спасска). Ѳ. А. Игнатьевъ (Спис. р. № 235) указываетъ его въ лѣсахъ бл. г. Тамбова, но въ его гербаріѣ этого растенія нѣтъ.

578. **Andromeda polifolia.** L. По торфянымъ болотамъ: *Елат. у.* с. Степановка! *Темник. у.* Саровская пустынь и др. м! *Спасск. у.* с. Зубова поляна, нерѣдко. *Тамб. у.* с. Разсказово (Кож.).

Лебед. у. с. Хомутецъ (Семеновъ. Пр. ф. с. 23 № 791 и герб. Спб. Унив.) *). [33] и [12].

579. Cassandra calyculata. Don. Andromeda calyculata. L. Растетъ также какъ и предъид. видъ. *Елат. у.* въ городскомъ бору (Орл.) и бл. с. Степановки! *Темник.* и *Спасск. у.* по торф. болотамъ нерѣдко! *Тамб. у.* с. Разсказово (Кож.). *Леб. у.* с. Хомутецъ (Сем. Пр. ф. с. 23. № 792 и герб. Спб. Унив.). [43] и [12].

580. Calluna vulgaris. Salisb. По сосновымъ лѣсамъ на песчаной почвѣ, въ *сѣверныхъ* уѣздахъ (Елат., Темн., Спасск., Шацк. и Морш.) часто! [44]; южнѣе рѣже. *Тамб. у.* лѣса бл. города! и бл. с. Разсказова (Кож.). *Козл. у.* с. Жидиловка, Хоботово (Kosch. Fl. № 346!). *Лип. у.* с. Покровское (Коренево), (Кожевн.) и Романовская каз. лѣсная дача (бл. Казинки)! *Усм. у.* **) лѣса бл. города! [33].

581. Ledum palustre. L. По торфянымъ болотамъ въ *сѣверной* части губ. (Елат., Темн. и Спасск. у.) не рѣдко! [33]. *Морш. у.* (Mey. Fl. Tamb. № 111). Показывается Н. Семеновымъ (Пр. ф. с. 23, № 794) для 53° (широта г. Лебедяни).

L. Pyrolaceae. Lindl.

582. Pyrola rotundifolia. L. По тѣнистымъ хвойнымъ, рѣже лиственнымъ лѣсамъ. *Елат. у.* (Wiaz. Verz. № 240 «по лѣсамъ не рѣдко!»); Городской боръ! Въ лѣсныхъ площадяхъ *Темник.! Спасскаго!* и *Шацк. у.!* вездѣ нерѣдко. *Тамб. у.* бл. города! и с. Разсказова (Булг.), с. Татарщины (Надежд.). *Козл. у.* с. Жидиловка и др. (Kosch. Fl. № 347!). *Лип. у.* Романовская казенная лѣсная дача! *Усм. у.* лѣса бл. города! [43] и [22].

583. P. chlorantha. Swarz. Въ сосновыхъ лѣсахъ. *Елат. у.* городской боръ! *Темник. у.* Саровская пустынь! *Спасск. у.* Тепловъ Уметъ! *Козл. у.* с. Жидиловка (Kosch. Fl. № 348!). [22].

584. P. minor. L. По хвойнымъ, рѣже лиственнымъ лѣсамъ, Елат. у. Балушевы починки! и Городской боръ! *Темник. у.* Саровская пустынь! бл. г. Кадома! и др. м. *Спасск. у.* вездѣ, въ лѣсахъ нерѣдко! *Шацк. у.* с. Черняево! *Тамб. у.* лѣса бл. горо-

---

*) Нѣкоторыя изъ растеній, собранныхъ П. Семеновымъ хранятся въ герб. Спб. Университета, гдѣ ихъ видѣлъ покойный Д. А. Кожевниковъ, въ бумагахъ котораго нашелся небольшой списокъ этихъ растеній съ замѣтками.

**) Нерѣдко встрѣчается и южнѣе въ лѣсахъ до самаго г. Воронежа.

да! и с. Разсказова (Кож.) **). *Козл. у.* с. Жидиловка (Kosch. Fl. № 349!). [33] и [12].

585. **P. secunda.** L. Вмѣстѣ съ предъид. видомъ: въ *сѣверной* части губ. нерѣдко. [33]. Южнѣе найдено въ *Тамб. у.* лѣса бл. города! *Лебед. у.* (Варгинъ). *Козл. у.* (Kosch. Fl. № 350!) и *Лип. у.* Романовская лѣсн. дача! [22].

586. P. **umbellata.** L. Chimaphila umbellata. Nutt. Въ густыхъ сосновыхъ лѣсахъ на прѣлыхъ иглахъ, разсѣянно. *Елат. у.* городской боръ! *Темник.* и *Спасск. у.* нерѣдко! *Шацк. у.* с. Черняево! *Морш. у.* с. Гагарино (Кожевн.). *Лебед. у.* с. Пристань (Варг.). *Лип. у.* Романовская каз. дача! [32].

LI. Monotropeae. Nutt.

587. **Hypopitys multiflora.** Scop. Найдено Н. Варгинымъ въ *Лебед. у.* бл. с. Преображенскаго.

LII. Lentibularieae. Rich.

588. **Utricularia vulgaris.** L. По стоячимъ и медленно текущимъ водамъ во всей губ. обыкновенно. [54].

589. **U. intermedia. Hayn.** По торфянымъ болотамъ. *Козл. у.* с. Екатериновка («Бѣльскій мостъ»), (Petunn. Verz. № 127 et herb.! s. n. Utr. minor. L.). *Лип. у.* Двурѣченское болото въ Романовской казен. лѣсн. дачѣ! [12].

590. **U. minor.** L. По торфянымъ болотамъ, въ водѣ. *Темн. у.* бл. ст. Озерской! *Спасск. у.* с. Зубова поляна! нерѣдко. П. Семеновымъ (Нр. ф. № 801) указывается для средней и южной части губ. [24].

LIII. Primulaceae. Vent.

591. **Hottonia palustris.** L. *Козл. у.* по болоту въ поемной части долины р. Воронежа бл. с. Устья (Kosch. Fl. № 453!). [14].

592. **Primula officinalis. Jacq.** По лѣсамъ во всей губ. обыкновенное растеніе. [54].

**) Собранные Д. А. Кожевниковымъ бл. с. Разсказова экземпляры нѣсколько отличаются отъ типической формы P. minor. L., и отнесены были имъ и мною къ P. media. SW; (сравн. Цингеръ. Сборн. с. 290), но по сравненіи съ настоящею P. media изъ окрестностей Москвы (с. Пушкино), отличаются отъ этого вида совершенно прямымъ и болѣе короткимъ столбикомъ плодника.

593. **Androsace septentrionalis.** L. По паровымъ полямъ, обрывамъ, песчанистымъ лугамъ вездѣ очень обыкновенно. [44].

594. **A. filiformis. Retz.** *Темн. у.* бл. г. Кадома, по сырой дорогѣ въ долинѣ р. Мокши бл. городскаго лѣса! Кромѣ того это растеніе собрано было въ нашей губ. кн. В. А. Вяземскимъ въ 1869 году и находится въ его гербаріѣ (s. n. A. elongata. L.) безъ указанія мѣстонахожденія. [24].

595. **A. elongata.** L. По паровымъ полямъ, выгонамъ и степнымъ ковыльнымъ мѣстамъ. Растетъ повидимому преимущественно въ черноземныхъ частяхъ губ. и на югѣ чаще чѣмъ на сѣверѣ. *Елат. у.* (Wiaz. Verz. № 243 и герб. «нерѣдко»). *Тамб. у.* с. Полковое (Сорок.); с. Волконщины (Выш.). *Козл. у.* с. Никольское (Kosch. Fl. № 451!). *Кирс. у.* с. Пущино! *Борис.!*, *Усм.!* и *Лип. уу.!* вездѣ нерѣдко. [35].

596. **Trientalis europaea.** L. По тѣнистымъ хвойнымъ лѣсамъ въ *сѣверной* части губ. нерѣдко. Самыя южныя изъ извѣстныхъ мнѣ мѣстонахожденій: *Тамб. у.* с. Разсказово (Кож., Булг.) и лѣса бл. города! *Козл. у.* с. Хоботово (Kosch. Fl. № 446!). *Лип. у.* Романовская каз. дача (Казинка!) [44] и [23].

597. **Naumburgia thyrsiflora. Rchb.** Въ водѣ по берегамъ озеръ и болотъ между камышами, а также на торфяникахъ во всей губ. нерѣдко. [44].

598. **Lysimachia vulgaris.** L. По сырымъ кустарникамъ, берегамъ рѣкъ, болотъ и проч. вездѣ обыкн. [53].

599. **L. Nummularia.** L. var. α и β. longepedunculata Weinm. (Obs. № 24). По сырымъ поемнымъ лѣсамъ, въ долинахъ рѣкъ и по болотамъ во всей губ. нерѣдко. Var. β. въ послѣднее время найдено въ *Тамб. у.* бл. с. Липовицы. (Сорок.). [44].

LIV. Oleaceae. Lindl.

600. **Fraxinus excelsior.** L. По лиственнымъ лѣсамъ во всей губ. довольно разсѣянно. [43].

LV. Asclepiadeae. R. Br.

601. **Vincetoxicum nigrum. Mönch.** По опушкамъ нагорныхъ лѣсовъ, въ поемной части долины р. Вороны. *Кирс. у.* с. Пущино! *Борис. у.* бл. города! [23].

602. V. medium. Decaisne. Variat. fl. albo. v. roseo. Кустарники по склонамъ къ Хопру бл. г. Борисоглѣбска! [13].

603. V. officinale. Mönch. По сухимъ кустарникамъ во всей губ. нерѣдкое растенiе, но въ южной части встрѣчается чаще чѣмъ въ сѣверной. [23] и [44].

LVI. Gentianaceae. Lindl.

604. Erythraea Centaurium. Pers. *Елат. у.* (Wiaz. Vers. № 250 и герб!). *Тамб. у.* с. Татарщины (Надежд.) Показывается г. Семеновымъ (Нр. ф. № 821). [23].

605. E. pulchella. Fr. Найдено въ лѣсу бл. с. Ольшанки *Борис. у.* (Mey. 2 Nachtr. № 27 и герб!).

606. Gentiana Amarella. L. *Елат. у.* по лугамъ нерѣдко. (Wiaz. Verz. № 151, var. pratensis! Frael!). *Козл. у.* с. Екатеринино (Petunn. Verz. № 133. var. axillaris. Koch!). Показывается также г. Семеновымъ (Нр. ф. № 826, стр. 24) повидимому для всей губ.

607. G. campestris. L. По Семенову (l. c. № 825, с. 23) встрѣчается въ сѣверной части губ. до 54° (широта г. Шацка).

608. G. Pneumonanthe. L. Растетъ вездѣ въ губ. преимущественно по сырымъ кустарникамъ на лугахъ съ торфянистою почвой и рѣже по сухимъ кустарнымъ склонамъ; мѣстами часто. [32] и [34].

609. G. cruciata. L. По сухимъ травянистымъ мѣстамъ между кустарниками вездѣ въ губ., но довольно разсѣянно. [42].

610. Menyanthes trifoliata. L. По болотистымъ берегамъ озеръ, рѣкъ и на торфяныхъ болотахъ во всей губ. обыкновенно, только въ Борис. у. становится болѣе рѣдкимъ. [34] и [23].

LVII. Polemoniaceae. Vent.

611. Polemonium coeruleum. L. По лугамъ и кустарникамъ на влажной почвѣ вездѣ нерѣдко. [53].

LVIII. Convolvulaceae. Vent.

612. Convolvulus arvensis. L. По дорогамъ, сорнымъ мѣстамъ, бурьянамъ и особенно въ посѣвахъ вездѣ обыкнов. [54].

613. Calystegia sepium. R. Br. На лугахъ по кустарникамъ и особенно въ ивнякахъ по берегамъ рѣкъ вездѣ довольно нерѣдко. [33].

LIX. Cuscuteae. Presl.

614. Cuscuta lupuliformis. Krock. C. monogyna (Литв. Оч. расп. форм. с. 280. Kosch. Fl. № 362! Viaz. Verz. № 258!) Въ ивнякахъ по берегамъ рѣкъ во всей губ. довольно обыкновенно. [34].

615. C. europaea. L. По сорнымъ мѣстамъ, кустарникамъ, на лугахъ преимущественно на крапивѣ. Очень обыкновенно вездѣ въ губ. [44].

616. C. epilinum. Weihe. *Кирс. у.* бл. с. Пущина въ посѣвахъ льна! [14].

LX. Borragineae. Juss.

617. Echium vulgare. L. Встрѣчается нерѣдко во всей губ. на пчельникахъ, выгонахъ, поляхъ, вообще на сорныхъ мѣстахъ иногда въ очень значительныхъ количествахъ. Но мѣстонахожденію имѣетъ характеръ занесеннаго растенія. [33 и 35].

618. E. rubrum. Jacq. Самое сѣверное мѣстонахожденіе указано Мейеромъ (Fl. Tamb. № 108) для *Морш. у.*; *южнѣе* въ черноземной части губ. встрѣчается вездѣ очень нерѣдко на степныхъ ковыльныхъ мѣстахъ и между степными кустарниками. [33].

619. Nonnea pulla. Dc. По черноземнымъ цѣлинамъ, залежамъ и въ поляхъ между хлѣбами. *Шацк. у.* с. Высокое! с. Рыбное! *Козл. у.* (Kosch. Fl. № 366! Озноб. и др.). *Тамб. у.* с. Ексталь (Игнат., Спис. р. № 255!); с. Ломовисъ! и др. м. *Кирс. у.* с. Полековка (Апушк.), с. Краснослободка! и др. м. Вездѣ *южнѣе* становится нерѣдкимъ. [13] и [33].

620. Borrago officinalis. L. Нерѣдко во всей губ. по огородамъ и садамъ на воздѣланной почвѣ, какъ одичалое растеніе. [33].

621. Symphytum officinale. L. var. α et β. lanceolatum. Weinm. (Obs. № 32). По луговымъ болотамъ и влажнымъ заливнымъ лугамъ во всей губ. нерѣдко. [43].

622. Lycopsis arvensis. L. Указывается Н. Семеновымъ (Пр. ф. № 844) и для *Шацк. у.* с. Рождествено—Мейеромъ (Nachtr. № 82).

623. Lithospermum arvense L. По паровымъ полямъ, сорнымъ мѣстамъ и рѣже по сухимъ кустарникамъ, обыкновенно во всей губ. [33].

624. L. **officinale** L. По сухимъ кустарникамъ, преимущественно на степныхъ черноземныхъ мѣстахъ. *Елат. у.* с. Темгенево, на известнякахъ! *Шацк. у.* с. Рождествено (Mey. 1 Nachtr. № 85). *Южнѣе*, въ черноземной полосѣ, становится нерѣдкимъ. [23] и [43].

625. **Pulmonaria obscura. Dumort.** P. officinalis. auct. fl. ross. По лѣсамъ обыкновеннѣйшее весеннее растеніе во всей губ. [54].

626. **P. angustifolia.** L. P. azurea. Bess. По лиственымъ лѣсамъ. На сѣверѣ губ. встрѣчается рѣже предыдущаго вида. *Елат. у.* Любовниковскій лѣсъ (Wiaz. Verz. № 261!) *Шацк. у.* с. Рождествено (Mey. 1 Nachtr. № 84). *Южнѣе* вездѣ обыкновенно. [23] и [44].

627. **Myosotis palustris. Wither.** По болотамъ во всей губ. Въ сѣверныхъ и западныхъ уѣздахъ, какъ кажется, чаще чѣмъ въ юговосточныхъ. [33].

628. **M. caespitosa. Schultz.** По болотнымъ лугамъ, вездѣ въ губ. чаще предыд. вида. [43].

629. **M. sylvatica. Hoffm.** var. alpestris. Koch. (Кауфм., Моск. фл., с. 396). По лугамъ, склонамъ овраговъ и лѣснымъ полянамъ обыкновенно во всей губ. [54].

630. **M. intermedia. Link.** По паровымъ полямъ, выгонамъ, сорнымъ мѣстамъ и на сухихъ лугахъ вездѣ нерѣдко. [54].

631. **M. hispida.** Schlecht. *Шацк. у.* с. Рождествено (Mey. 1 Nachtr. № 88).

632. **M. stricta. Link.** M. arenaria. Schv. По паровымъ полямъ, выгонамъ и сухимъ лугамъ нерѣдко. [54].

633. **M. sparsiflora. Mik.** По тѣнистымъ лѣсамъ на перегнойной почвѣ самое обыкнов. растеніе. [53].

634. **Echinospermum Lappula. Lehm.** По сухимъ кустарникамъ, степямъ, паровымъ полямъ и сорнымъ мѣстамъ; вездѣ обыкнов. [54]. Въ тѣнистомъ лѣсу бл. с. Пущина (Кирс. у.) найдены мною экземпляры съ слабыми лежачими стеблями и съ однорядными щетинками по краямъ сѣмянокъ (var. β. consanguineum. Fisch, et Mey? См. E. Regel in Bull. Mosc. 68. I, p. 89).

635. **Asperugo procumbens.** L. По садамъ, огородамъ и вообще на сорныхъ мѣстахъ въ городахъ и деревняхъ. [35].

636. **Cynoglossum officinale.** L. По сухимъ кустарникамъ, безплоднымъ обрывамъ, на сорныхъ мѣстахъ вездѣ обыкновенно. [43].

LXI. Solanaceae. Bartl.

637. Datura Stramonium. L. На сорныхъ, навозныхъ мѣстахъ вблизи деревень во всей степной части губ. нерѣдко. Самое сѣверное мѣстонахожденіе указывается Мейеромъ въ *Шацк. у.* с. Рождествено (1 Nachtr. № 53). [43].

638. Hyosciamus niger. L. По огородамъ, полямъ, вообще на сорныхъ мѣстахъ вездѣ нерѣдко. [54].

639. Solanum Dulcamara. L. (incl. S. persicum. Willd). По берегамъ рѣкъ и ручьевъ въ кустарникахъ вездѣ нерѣдко. [53].

640. S. nigrum. L. По сорнымъ мѣстамъ около жилья, огородамъ и, иногда, по берегамъ рѣкъ, вездѣ обыкновенно. Въ тѣнистомъ лѣсу бл. с. Пущина Кирс. у. найдена мною низкорослая форма этого, или можетъ-быть одного изъ близкихъ видовъ, по внѣшнему виду напоминающая собой Circaea alpina. L., но за отсутствіемъ плодовъ опредѣлить ее въ точности нѣтъ возможности. [53].

LXII. Scrophulariaceae. Lindl.

641. Verbascum Thapsus. L. По безплоднымъ обрывамъ, по выгонамъ на песчаной почвѣ вездѣ въ губ., но довольно разсѣянно. [33] и [35].

642. V. thapsiforme. Schrad. *Борис. у.* бл. города! песчаные склоны къ Хопру бл. слободы Станичной! [13].

643. V. Lychnitis. L. Обыкновенное растеніе во всей губ. по каменистымъ склонамъ и пескамъ, а въ южной части губ. кромѣ того на черноземной степи. [33] и [53].

644. V. orientale. M. B. V. chaixii. Vill. *Елат. у.* на известнякахъ бл. с. Темгенева! *Шацк. у.* с. Высокое на пескѣ! с. Рождествено (Mey. 1 Nahtr. № 55). *Морш. у.* казенные лѣса (на пескѣ). *Южнѣе* становится очень распространеннымъ растеніемъ на открытыхъ черноземныхъ мѣстахъ. [23] и [53].

645. V. nigrum. L. Встрѣчается въ сѣверныхъ и западныхъ уѣздахъ по кустарникамъ, лѣснымъ полянамъ и опушкамъ лѣсовъ. *Темник. у.* бл. города! *Спасск. у.* с. Зубова поляна! *Шацк. у.* с. Дворики! с. Рождествено (Mey. 1 Nachtr. № 54). *Морш. у.* с. Темяшево (кн. Вяземск. герб.!). *Козл. у.* (Kosch. Fl. № 384!) и мн. др. мѣста (Озноб., Козенъ, Петунн.). *Лебед. у.* с. Павловское (Кожевн.). [33].

646. V. rubiginosum. W. K. *Кирс. у.* на пескахъ бл. города! Указывается кромѣ того Семеновымъ (Пр. ф. с. 18, № 886). [12].

647. V. phoeniceum. L. По песчанымъ и черноземнымъ мѣстамъ. *Кирс. у.* с. Лоскъ (Кожевн.) и мн. др. м.! *Тамб. у.* с. Эксталь (Игнат., Спис. № 269!) и др. м. *Козл. у.* (Kosch. Fl. № 386. Petinn. Verz. № 112) и мн. др. м. Сѣвернѣе указанныхъ мѣстъ до сихъ поръ нигдѣ не найдено; *южнѣе* вездѣ обыкновенно. [43].

648. Linaria vulgaris. Mill. По кустарникамъ, лугамъ и иногда во множествѣ на паровыхъ поляхъ во всей губ. обыкновенно. [53] и [55].

649. L. genistaefolia. Mill. На песчаныхъ степныхъ мѣстахъ въ южной половинѣ губ. *Тамб. у.* с. Разсказово (Кожевн.), *Кирс. у.* с. Алатырка! *Лип. у.* Романово-Таволжанская лѣсная дача! *Борис. у.* с. Бурнакъ! и бл. города! [33].

650. Scrophularia vernalis. L. *Борис. у.* въ лѣсу за р. Вороной бл. города «въ большомъ количествѣ» (Котсъ). [14]. (29 апр. 79 г. цв.).

651. S. nodosa. L. По тѣнистымъ лѣсамъ, сырымъ кустарникамъ вездѣ обыкновенно. Форма этого вида съ крупно-зубчатыми, болѣе вытянутыми листьями, съ чашечными долями, по краямъ мелко-зубчатыми найдено въ Тамб. у. бл. с. Эксталь г. Игнатьевымъ (Спис. р. № 272 и герб.! сравн. также. Цингеръ. Сборн. с. 322). [53].

652. Gratiola officinalis. L. По влажнымъ луговымъ мѣстамъ на песчано-иловатой почвѣ. Встрѣчается во всей губ., не исключая самыхъ сѣверныхъ частей, гдѣ довольно обыкновенно на лугахъ по Окѣ! Цнѣ! и Мокшѣ! но въ южной части губ. чаще чѣмъ на сѣверѣ. [33] и [44].

653. Limosella aquatica. L. По степнымъ болотамъ (баклушамъ), рвамъ и влажнымъ илистымъ берегамъ рѣкъ вездѣ нерѣдко. [45].

654. Veronica spuria. L. V. paniculata. L. *Елат. у.* по берегамъ Оки и Пета (с. Виряево) (Wiaz. Verz. № 280!) и на известнякахъ въ с. Темгеневѣ! *Шатц. у.* известняки бл. с. Конобѣева! *Морш. у.* (герб. кн. Вяземск.!). *Южнѣе* становится очень обыкновеннымъ растеніемъ на открытыхъ степныхъ черноземныхъ мѣстахъ (низкорослая форма) и по кустарникамъ. [23] и [43].

655. V. longifolia. L. var. α glabra. Schrad. По сырымъ кустарникамъ на лугахъ во всей губ. очень обыкновенно. [53].

656. **V. spicata. L.** var. α vulgaris. Koch. и β latifolia. Koch. По сухимъ кустарникамъ, особенно на черноземныхъ степныхъ мѣстахъ во всей губ. обыкновенно. На сѣверѣ губ. встрѣчается преимущественно на пескахъ и известнякахъ. [54] и [43].

657. **V. incana. L.** var. α и β canescens. Schrad. Для *сѣверной* части губ. (Елат. у.) указывается кн. В. А. Вяземскимъ въ рукописномъ спискѣ растеній, собранныхъ въ 69 г., но въ гербаріи его я этого вида не нашелъ. *Южнѣе*, въ черноземной полосѣ оно довольно нерѣдко встрѣчается по песчанымъ и черноземнымъ степямъ и каменистымъ склонамъ овраговъ. [13] и [34].

658. **V. anagallis. L.** var. α и β umbrosa. Kosch. (Fl. № 390!). По берегамъ рѣчекъ и въ болотистыхъ луговыхъ лѣсахъ во всей губ. нерѣдко. Var. β, впервые указанная для Козл. у. (Kosch. l. c.), найдена также въ Кирс. у., въ болотистыхъ ольшанникахъ бл. с. Можарова! [43].

659. **V. Beccabunga. L.** Вмѣстѣ съ предъид. вездѣ очень обыкновенно. [44].

660. **V. prostrata. L.** V. austriaca. L. var. dentata. (Литв., Ог. р. форм., с. 275). V. dentata. (Цинг., Сборн., с. 327). V. austr. L. var. prostrata. (Кауфм., Моск. фл., с. 351). Стебли, приподнимающіеся съ ланцетовидными листьями, заканчиваются нецвѣтоносною верхушечною вѣтвью, густо облиственною, съ удлиненно-ланцетовидными листьями, ко времени плодоношенія разростающеюся и горизонтально пригибающеюся къ землѣ. Этимъ характернымъ признакомъ, особенно замѣтнымъ на отцвѣтшихъ экземплярахъ, наше растеніе совершенно подходитъ подъ діагнозъ V. prostrata. L. и легко отличается отъ слѣдующихъ двухъ видовъ *). Настоящая V. austriaca. L. var. dentata. Koch., (V. dentata. Schmidt) указанная напримѣръ во флорѣ Юго-Западн. Россіи г. Шмальгаузена, у насъ повидимому не встрѣчается. Растетъ по сухимъ травянистымъ склонамъ преимущественно въ южныхъ уѣздахъ. *Елат. у.* на известнякахъ бл. с. Тамгенева! *Спасск. у.* Зубова поляна, на пескѣ! *Шацк. у.* с. Борки (герб. кн. Вяземскаго!). *Тамб. у.* с. Разсказово (Булг.) и бл. города! *Лебед. у.* (Варг., Цинг.). *Лип. у.* (Mey. 1 Nachtr. № 58). *Кирс.* и *Борис. у.* вездѣ нерѣдко! Зацвѣтаетъ на югѣ губ. въ концѣ апрѣля; ростомъ до 0,1 метр. [23] и [43].

---

*) Мы не нашли также различія между нашимъ растеніемъ и садовыми экземплярами V. prostrata. L., выращенными изъ заграничныхъ сѣмянъ, полученныхъ отъ сѣменоторговцевъ.

661. **V. austriaca. L.** var. α. pinnatifida. Koch. и β. bipinnatifida. Koch. (V. multifida. L. α и β tenuifolia. Weinm. (Obs. № 8). По черноземнымъ степнымъ мѣстамъ въ южной части губ. *Морш. у.* (Mey. Fl. Tamb. № 79). *Тамб. у.* с. Разсказово (Булг.); с. Эксталь (Игнат., Сп. № 278!) и др. м. *Козл. у.* Лозовка (Озноб.) и др. м. *Кирс. у.* с. Лоскъ (Лукьян.) и др. м. Южнѣе вездѣ обыкновенно! [44]. Зацвѣт. къ серед. мая; ростомъ до 0,25 м.

662. **V. latifolia. L.** По сухимъ кустарникамъ обыкновенное растеніе во всей губ. [43].

663. **V. officinalis. L.** Растетъ почти исключительно въ хвойныхъ лѣсахъ. Весьма нерѣдко въ лѣсныхъ частяхъ *Елат.! Темн.! Спасск.! Шацк.! Морш.!* и *Тамб. уу.!* Южнѣе найдено въ хвойныхъ лѣсахъ по р. Воронежу. *Козл. у.* с. Жидиловка (Kosch. Fl. № 393!). *Лип. у.* Романово-Таволжанск. лѣсничество! [44] и [13].

664. **V. chamaedris. L.** var. α. legitima. Led. По сухимъ кустарникамъ, лугамъ, лѣсамъ, садамъ и сорнымъ мѣстамъ, рѣже на степи, обыкновеннѣйшее растеніе во всей губ. [55].

665. **V. scutellata. L.** v. α. glabra. На сырыхъ лугахъ между осоками, по берегамъ болотъ во всей губ. довольно нерѣдко. [43].

666. **V. serpyllifolia. L.** По паровымъ полямъ, выгонамъ, сорнымъ мѣстамъ и по кустарникамъ вездѣ обыкновенно. [54].

667. **V. arvensis. L.** *Елат. у.* въ городскомъ бору на песчаной почвѣ (Орл.) и на такихъ же мѣстахъ указано кн. Вяземскимъ (Verz. № 288!). *Шацк. у.* с. Рождествено (Mey. 1 Nachtr. № 60). *Борис. у.* лѣсистые склоны къ Хопру бл. Кожухова, на песчаной почвѣ! Указывается также П. Семеновымъ (Пр. ф. № 905). Вѣроятно, встрѣчается вездѣ въ губ. [34].

668. **V. verna. L.** По паровымъ полямъ, сорнымъ мѣстамъ и на степи преимущественно на песчанистой почвѣ вездѣ очень обыкновенно. [55].

669. **V. triphyllos. L.** Указывается П. Семеновымъ (Пр. ф. с. 21, № 907) для *Лебед. у.*

670. **Odontites lutea. Steven.** Найдено въ *Борис. у.* бл. города А. К. Котсомъ. Ледебуръ (Fl. ross. III, p. 261) неправильно относитъ къ Тамб. губ. мѣстонахожденіе этого растенія у Новохоперска, указанное Гюльденштедтомъ (Reisen. I, p. 49). [13].

671. **O. rubra. Pers.** Euphrasia Odontites. L. По паровымъ полямъ, огородамъ и сорнымъ мѣстамъ во всей губ. обыкновенно. [44].

672. **Euphrasia officinalis. L.** По лугамъ и кустарникамъ обыкновенно во всей губ. [53].

673. **Rhinanthus Crista galli. L.** var. α minor. Ehrh и β major Ehrh. По лугамъ въ густой травѣ и въ поляхъ между хлѣбами (β) вездѣ нерѣдко. [43].

674. **Pedicularis palustris. L.** Встрѣчается нерѣдко *въ сѣверн.* части губ. по болотамъ на торфянистой почвѣ, но на югѣ становится рѣдкимъ. Самыя южныя изъ извѣстныхъ мѣстонахожденій: *Тамб. у.* бл. города (Игн., Сп. р. № 285!). *Козл. у.* с. Екатеринино (Petunn. Verz., № 123 и герб.!). *Лип. у.* Горицы (Кожевн.) и Романово-Таволжанская дача (Двурѣченское болото)! *Усм. у.* болота на степи бл. с. Добринки! *Кирс. у.* с. Алатырка! [43] и [23].

675. **P. laeta. Stev.** По влажнымъ лугамъ и окраинамъ степныхъ болотъ повидимому только въ черноземной части губ. *Шацк. у.* с. Борки (герб. кн. Вяземск.!). *Тамб. у.* с. Полковое (Сорок.), с. Волконщины (Выш.). *Козл. у.* с. Заворонежское (Kosch. Fl. № 407!) *Усм. у.* с. Добринка! *Кирс. у.* с. Пущино! *Борис. у.* с. Грибановка! с. Бурнакъ! Цв. въ нач. мая. [34].

676. **P. comosa. L.** По сухимъ открытымъ травянистымъ склонамъ, сухимъ лугамъ и между степными кустарниками во всей губ. обыкновенно. [34].

677. **P. Sceptrum. L.** По окраинамъ болотъ на торфянистой почвѣ во всей губ. разсѣянно. *Елат. у.* с. Петасъ (Wiaz., Verz. № 294!). *Тамб. у.* с. Разсказово (Кожевн.), *Козл. у.* с. Панское и с. Турмасово (Kosch. Fl. № 408), с. Екатеринино (Petunn., Verz. № 125!). *Лип. у.* (Озноб.). *Кирс. у.* с, Можарово! [32].

678. **Melampyrum cristatum. L.** Въ кустарникахъ по склонамъ овраговъ. *Елат. у.* въ городскомъ бору! и бл. с. Петасъ (Wiaz., Verz. № 296!). Въ у. Темниковскомъ и въ лѣсныхъ частяхъ Спасск. и Шацк: уу. до сихъ поръ не найдено; *южнѣе* начиная съ *Козл., Тамб.* и *Кирс. у.* становится очень нерѣдкимъ. Встрѣчается повидимому преимущественно въ черноземныхъ частяхъ губ. [23] и [43].

679. **M. arvense. L.** var. α. purpurascens. Gil. и β. argyrocomum. Fisch. По сухимъ кустарнымъ склонамъ овраговъ (α) и на травянистыхъ мѣстахъ по степямъ (β). *Елат. у.* на известнякахъ бл. с. Темгенёва! (var. α). *Южнѣе*, начиная съ *Козл., Тамб.!* и *Кирс. уу.*, становится вездѣ обыкновеннымъ растеніемъ. [13] и [54].

680. **M. nemorosum. L.** По сухимъ кустарникамъ, опушкамъ лѣсовъ, особенно на порубяхъ. Встрѣчается во всей губ., но въ южныхъ уѣздахъ замѣтно рѣже чѣмъ въ сѣверныхъ. [55] и [34].

681. **M. pratense. L.** По сосновымъ лѣсамъ, на песчаной почвѣ. Въ лѣсныхъ частяхъ *сѣверныхъ* уѣздовъ очень обыкновенно, на югѣ рѣже: *Тамб. у.* с. Разсказово (Булг.), с. Липовицы (Сорок.). *Козл. у.* (Kosch. Fl. № 405!). *Лип. у.* Романовская каз. лѣсная дача! *Усм. у.* лѣса бл. города! [45] и [25].

682 **M. laciniatum. Kosch. et Zing.** *Морш. у.* лѣса за р. Цной бл. города по влажнымъ лощинамъ на песчаной почвѣ! *Тамб. у.* с. Разсказово (Кожевн.). [24].

683. **M. sylvaticum. L.** Указывается П. Семеновымъ (Пр. ф. № 919).

LXIII. Orobancheae. Juss *).

684. **Orobanche lanuginosa. G. Beck.** Phelipaea lanuginosa. C. A. M. Форма переходная къ O. Peisonis. Beck. *Кирс. у.* по склонамъ оврага бл. с. Ржаксы, на мѣловомъ мергелѣ! Паразитируетъ на Artemisia austriaca. [13].

685. **O. purpurea. Jacq.** Phelipaea coerulea. C. A. M. *Козл. у.* на каменистыхъ мѣстахъ по склонамъ къ р. Иловой бл. с. Жидиловки (Kosch. Fl. № 412!) на корняхъ Artemisia vulgaris. [12].

686. **O. alba. Steph.** По черноземнымъ степямъ на корняхъ Salvia nutans въ ю.-в. уѣздахъ. *Тамб. у.* с. Лаврово (Сор.), с. Разсказово (Булгак.). *Кирс. у.* с. Пущино! *Борис. у.* вездѣ нерѣдко! Кромѣ типической, у насъ найдены еще слѣд. формы, отмѣченныя D-r Beck'омъ: f. maxima (Борис. у. с. Павловка); f. fl. minoribus. (Тамб. у. с. Лаврово) и сомнительная форма: O. Buhsei Reiter? (Кирс. у. с. Ивановка, въ полѣ проса). [33].

687. **O. bracteata. Weinm.** Указывается Вейнманомъ (Obs. № 92) и Семеновымъ (Пр. ф. № 942).

688. **O. Galii. Duby.** O. caryophyllacea. Sm. Указывается П. Семеновымъ (Пр. ф. № 939).

689. **O. Alsatica. Kirschl.** *Тамб. у.* с. Разсказово и с. Лоскъ (Кожевн.) на корняхъ Libanotis montana. Въ с. Разсказовѣ, кромѣ того, найдена форма переходная къ слѣд. виду. [13].

---

*) Опредѣлены D-r Beck'омъ въ Вѣнѣ.

690. O. Libanotidis. Rupr. Елат. у. Известняки бл. с. Темгенева на Libanotis montana. [13].

691. Lathraea squamaria. L. Указывается Семеновымъ (Пр. ф. № 941).

LXIV. Labiatae. Juss.

692. Elscholtzia cristata. Willd. Экземпляры изъ *Тамб. у.* я видѣлъ въ гербаріѣ кн. В. А. Вяземскаго.

693. Mentha sylvestris. L. Указывается П. Семеновымъ (Пр. ф. № 953).

694. M. pratensis. Sole. Семеновъ (ib. № 954).

695. M. aquatica. L. Семеновъ (ib. № 955).

696. M. arvensis. L. var. α vulgaris. Koch. По берегамъ водъ, канавамъ, болотамъ во всей губ. обыкновенно. [53].

697. Lycopus europaeus. L. Вмѣстѣ съ предъид. видомъ вездѣ очень обыкновенно. [53].

698. L. exaltatus. L. fil. Вмѣстѣ съ предъидущимъ видомъ вездѣ нерѣдко. [43].

699. Origanum vulgare. L. var. α и β virens, Benth. и γ prismaticum. Gaud. По сухимъ кустарникамъ и лѣсамъ очень обыкновенное растеніе вездѣ въ губ. Var. γ найдена въ Елат. у. кн. Вяземскимъ. [54].

700. Thymus Serpyllum. L. var. α Chamaedrys. Koch. β vulgaris. Ledeb. γ Marschallianus. Led. По сухимъ кустарникамъ, лугамъ и на степяхъ очень обыкновенно. Наиболѣе распространена разновидность γ. [53].

701. Thymus odoratissimus. M. B. По песчанымъ буграмъ и степямъ вдоль рѣкъ Вороны, Савалы и Воронежа, только на югѣ губерніи: *Кирс. у.* с. Альтырка! *Борис. у.* бл. города!, с. Богоявленскаго!, с. Бурнакъ! *Усм. у.* бл. города! [35].

702. Calamintha Acinos. Clairv. По сухимъ обрывистымъ склонамъ, между кустарниками и на песчаныхъ мѣстахъ во всей губ. нерѣдко. [43].

703. Clinopodium vulgare. L. Calamintha Clinopodium Benth. По сухимъ кустарникамъ и лѣсамъ вездѣ обыкновн. [53].

704. Salvia pratensis. L. var. α typica (grandiflora). По сухимъ лугамъ, травянистымъ склонамъ и опушкамъ лѣсовъ во всей губ.

обыкновенно. мѣстами очень часто, причемъ на сѣверѣ губ. встрѣчается преимущественно на каменистой почвѣ по р. Окѣ и Цнѣ. Сюда же слѣдуетъ отнести и S. ruthenica (Petunn. Verz. № 85 и герб.!), а упоминаемая въ томъ же спискѣ (№ 86) S. pratensis L. относится къ слѣд. разновидности. [45]:

var. β dumetorum. Andrz. (sp.). S. pratensis L. v. floribus duplo minoribus (Kosch. Fl. № 416!). По черноземнымъ степнымъ, ковыльнымъ мѣстамъ во всей *южной* части губ. очень обыкновенно; самыя сѣверныя изъ извѣстныхъ мѣстонахожденій: *Елат. у.* с. Цернёво (герб. кн. Induced Вяземск.!) и на известнякахъ въ с. Темгеневѣ! *Шацк. у.* с. Рождествено (Mey. 1 Nachtr. № 68). [54]. Между обѣими формами встрѣчаются всевозможные переходы, какъ по величинѣ цвѣтковъ, такъ и по формѣ листьевъ и степени ихъ опушенія. Вѣроятно къ одной изъ формъ этого вида относится и:

Salvia ruthenica. Weinm. (Obs. № 10). Съ тѣхъ поръ какъ описанъ былъ этотъ видъ въ 1837 году, онъ нигдѣ не былъ наблюдаемъ. Существенное отличіе его заключается въ количествѣ зубцовъ въ верхней и нижней губѣ чашечки, которое должно быть обратное чѣмъ у S. pratensis L. и другихъ нашихъ видовъ: это есть вѣроятно ошибка автора, принявшаго какое-нибудь случайное отклоненіе за нормальное *). Скручиваніе отцвѣтшихъ цвѣтоножекъ, которымъ объясняетъ г. Петунниковъ (см. Verz. № 85) эту особенность S. ruthenica Weinm, можетъ быть наблюдаема только на отдѣльныхъ цвѣткахъ и скорѣе всего происходитъ вслѣдствіе подвертыванья при сушкѣ.

705. S. sylvestris. L. S. nemorosa. L. По окраинамъ черноземныхъ дорогъ, межамъ и сорнымъ мѣстамъ, рѣже на степи. Въ сѣверной части губ. рѣдко: *Елат. у.* с. Цернёво (Wiaz., Verz. № 302). *Козл. у.* с. Дмитровское! с. Покровское! *Лебед. у.* с. Павловское (Варг.). *Кирс. у.* с. Корай-Пущино (Кожевн.) и др. м.! *Южнѣе* вездѣ обыкновенно. [24] и [45].

706. S. nutans. L. По черноземнымъ ковыльнымъ мѣстамъ и въ зарасляхъ степныхъ кустарниковъ. *Козл. у.* с. Лозовка (Озноб.)

---

*) Дѣйствительно, на нѣкоторыхъ экземплярахъ у S. nutans L. и S. pratensis. L. мы встрѣчали цвѣтки, имѣющіе нижнюю губу чашечки, на первый взглядъ, о 3-хъ зубцахъ, но направленіе нервовъ у одного изъ боковыхъ зубцовъ доказывало, что онъ относится не къ нижней, а къ верхней губѣ. Замѣчу еще, что по Бессеру (Besser. Enum. pl. Volhyn. № 34) верхняя губа у S. dumetorum Andrz. л.-б. о 2 зубцахъ, чего не упоминается въ діагнозахъ Ледебура. На нашихъ экземплярахъ S. pratensis L. съ разновидностями и S. nutantis L. она дѣйствительно представляется иногда 2-хъ зубчатою вслѣдствіе отсутствія средняго зубчика, служащаго продолженіемъ средняго нерва.

Тамб. у. с. Эксталь (Игнат., Спис. р. № 299!) и др. м.! *Кирс. у.* с. Калаисъ! и др. м.! *Южнѣе* вездѣ нерѣдко! [44].

707. S. verticillata. L. На сѣверѣ губ. до сихъ поръ замѣчено только въ *Моршан. у.* бл. с. Козмодемьянскаго! *Южнѣе* становится довольно нерѣдкимъ растеніемъ по окраинамъ степныхъ черноземныхъ дорогъ, межамъ и склонамъ балокъ на каменистой почвѣ, рѣже на степи и въ западныхъ уѣздахъ чаще чѣмъ на ю.-в. губерніи. [13] и [34].

708. Nepeta Cataria. L. По обрывамъ, дорогамъ, паровымъ полямъ и сорнымъ мѣстамъ во всей губ. нерѣдко, но въ южныхъ уѣздахъ чаще чѣмъ въ сѣверныхъ. [33] и [54].

709. N. nuda. L. *Елат. у.* известняки по р. Окѣ бл. с. Щербатовки. (Орл.) и па р. Цнѣ бл. с. Темгенева! и бл. с. Мокраго (герб. кн. Вяземск!). *Южнѣе* въ черноземныхъ степныхъ частяхъ губ. вездѣ очень обыкновенно въ кустарникахъ по склонамъ балокъ, степнымъ опушкамъ лѣсовъ и, рѣже, травянистыхъ мѣстахъ открытой степи. [23] и]53].

710. Glechoma hederacea. L. По лѣсамъ и кустарникамъ вездѣ очень обыкновенно. [54].

711. Dracocephalum thymiflorum. L. По паровымъ полямъ, обрывамъ и сорнымъ мѣстамъ, рѣже по кустарникамъ и черноземнымъ цѣлинамъ. Цвѣтетъ съ начала мая все лѣто; экземпляры, собранные ранней весной, представляютъ обыкновенно var. foliosum. Kosch. et. Zing. [54].

712. D. Ruyschiana. L. По сухимъ лѣсамъ во всей губ., но преимущественно въ сосновыхъ лѣсахъ на песчаной почвѣ. [45].

713. D. Moldavica. L. Доставлено г. лѣсничимъ изъ 1-го Моршанскаго лѣсничества безъ указанія, гдѣ именно собрано: на огородѣ или въ дикомъ мѣстѣ.

714. Brunella grandiflora. Mönch. *Елат. у.* Любовниковскій лѣсъ (Wiaz., Verz. № 321!) и на известнякахъ бл. с. Темгенева! *Шацк. у.* (Mey. 1 Nachtr. № 80). *Морш. у.* (герб. кн. Вяземск.!). *Южнѣе* становится вездѣ очень нерѣдкимъ растеніемъ по лѣснымъ полянамъ, кустарникамъ и на степи между кустарниками. [23] и [43].

715. B. vulgaris. L. По лугамъ, кустарникамъ, рѣже на степи по залежамъ и паровымъ полямъ. [54].

716. Scutellaria altissima. L. До сихъ поръ найдено только въ лѣсахъ нагорныхъ береговъ р. Вороны и Савалы: *Кирс. у.*

с. Инжавинье! с. Пущино! *Борис. у.* бл. города! с. Уварово! и с. Бурнакъ! [44].

717. S. galericulata. L. Луга, берега водъ, болота—вездѣ обыкновенно. [53].

718. S. hastifolia. L. Въ сѣверныхъ уѣздахъ встрѣчается нерѣдко на лугахъ по р. Окѣ (Орл.), Цнѣ! и Мокшт.! въ *Елат.* и *Темн. уу. Южнѣе* становится вездѣ нерѣдкимъ. [23] и [43].

719. Betonica officinalis. L. var. α. stricta. Koch. По сухимъ лѣсамъ и кустарникамъ самое обыкнов. растеніе. [53].

720. Stachys sylvatica. L. По тѣнистымъ лиственнымъ лѣсамъ вездѣ обыкнов. [43].

721. S. palustris. L. По болотистымъ берегамъ водъ, канавамъ, а также на пашняхъ и сорныхъ мѣстахъ во всей губ. очень обыкновенно. [53].

722. S. annua. L. По пашнямъ и паровымъ полямъ во всей губ. нерѣдко. [54].

723. S. recta. L. *Елат. у.* с. Каргашино (Орл.) и на известнякахъ бл. с. Темгенева! *Южнѣе,* начиная съ Козл., Тамб. и Кирс. уу., становится очень обыкновеннымъ растеніемъ и растетъ преимущественно по черноземнымъ цѣлинамъ, особенно между степными кустарниками. [23] и [54].

724. Galeopsis Ladanum. L. Въ поляхъ между посѣвами и по сорнымъ мѣстамъ вездѣ обыкновенно. [54].

725. G. tetrahit. L. По садамъ и лѣсамъ на перегнойной почвѣ и по полямъ и сорнымъ мѣстамъ вездѣ обыкновенно [45].

726 G. versicolor. Curt. По паровымъ полямъ, посѣвамъ и на сорныхъ мѣстахъ вездѣ нерѣдко. [43].

727. Leonurus Cardiaca. L. По бурьянамъ, садамъ, вообще на сорныхъ мѣстахъ вездѣ очень обыкновенно. [54].

728. L. glaucescens. Bnge. *Борис. у.* кустарники по склонамъ къ Хопру бл. города! [13].

729. L. Marrubiastrum. L. Въ ивнякахъ и между кустарниками на заливныхъ лугахъ. *Елат. у.* (Орл.). *Козл. у.* (Kosch. Fl. № 438!) с. Екатеринино (Петунн.). *Лебед. у.* с. Павловское (Кожевн.). *Южнѣе* вездѣ нерѣдко! [23] и [43].

730. Lamium amplexicaule. L. По огородамъ и сорнымъ мѣстамъ, иногда очень обильно [34].

731. **L. purpureum. L.** По огородамъ и садамъ, чаще на сѣверѣ губ. чѣмъ на югѣ. [44] и [33].

732. **L. maculatum. L.** По тѣнистымъ лѣсамъ, оврагамъ и садамъ па перегнойной почвѣ вездѣ въ губ. нерѣдко. [53].

733. **Galeobdolon luteum. Huds.** Найдено до сихъ поръ только въ *Елат. у.* (Wiaz., Verz. № 315 и герб.! „нерѣдко"). *Тамб. у.* с. Эксталь (Игнат., Спис. р. № 316!). Въ южныхъ уѣздахъ если и встрѣчается, то, несомнѣнно, рѣдко. [33?].

734. **Ballota nigra. L.** По безплоднымъ сорнымъ обрывамъ въ деревняхъ, бурьянамъ и вообще на сорныхъ мѣстахъ. Самое сѣверное изъ извѣстныхъ мѣстонахожденій въ *Шацк. у.* (Mey. 1 Nachtr. № 78). *Южнѣе* вездѣ становится нерѣдкимъ. Въ Борис. у. и ю. ч. Кирсановскаго у. встрѣчается иногда по кустарникамъ и опушкамъ лѣсовъ повидимому въ совершенно дикомъ состояніи. [44].

735. **Phlomis pungens. Willd.** По черноземнымъ цѣлинамъ въ южной части губ. *Кирс. у.* заросли степныхъ кустарниковъ бл. с. Иванова! *Тамб. у.* с. Лаврово (Сорок.) и с. Волконщины (Выш.) *Усм. у.* (Н. Семеновъ въ герб. Спб. Унив.). *Борис. у.* па степи между с. Сукманкой и с. Крапоткинымъ! с. Ольшанка (Mey. 2 Nachtr. № 24 и герб.!), с. Никитское (кн. Вяземск.). [33].

736. **Ph. tuberosa. L.** *Елат. у.* с. Паща (Wiaz., Verz. № 316!) и на известнякахъ бл. с. Темгенева! *Шацк. у.* с. Высокое! *Морш. у.* с. Темяшево (кн. Вяземск.) и др. м. *Южнѣе*, въ черноземныхъ частяхъ губ., становится очень распространеннымъ растеніемъ по степямъ, склонамъ балокъ, кустарникамъ и опушкамъ лѣсовъ. [23] и [53].

737. **Ajuga reptans. L.** По лѣсамъ и кустарникамъ въ сѣверной части губ. *Елат. у.* (Wiaz., Verz. № 317 и герб.! „нерѣдко"); въ этомъ же уѣздѣ найд. г. Орловымъ. *Спасск. у.* Зубова поляна! *Тамб. у.* с. Эксталь (Игнат., Спис. № 318! „рѣдко"). Показывается также П. Семеновымъ. (Прид. фл. № 992). Въ южныхъ уѣздахъ становится несомнѣнно рѣдкимъ. [33].

738. **A. pyramidalis. L.** Указывается П. Семеновымъ (Прид. ф. № 993).

739. **A. genevensis. L.** var. α и β serotina (Кожевн. и Цинг. Очеркъ Тульск. фл., стр. 91). По сухимъ кустарникамъ, садамъ,

паровымъ полямъ обыкновенное растеніе въ всей губ. Var. β. найдено въ Кирс. у. во многихъ мѣстахъ! [53].

LXV. Plumbagineae. Juss.

740. Statice Gmelini. Willd. На солончакахъ. *Тамб. у.* бл. с. Липовицы (кн. Вяземск.) с. Волконщина (Выш.). *Усм. у.* с. Добринка! *Борис. у.* вездѣ нерѣдко! [44].

(Продолженіе будетъ).

DES POILS NOMMÉS AUDITIFS CHEZ LES ARAIGNÉES.

Par. W. Wagner.

Pour nous éxpliquer la nature des poils, que Dahl nomme poils auditifs *) il est indispensable de prendre en considération la structure d'autres poils chez les araignées.

Je distingue deux parties dans les poils de ces animaux: le radix et la tige. Sous le premier j'entends la partie du poil, qui entre dans la cuticule et s'insère dans un enfoncement, éxpressement approprié; sous tige du poil j'entends sa partie libre. Les poils des araignées, par la structure de leur radix, peuvent être rapportés à deux principaux types, parfaitement distincts.

Le radix des uns présente toujours la partie du poil à plus grand diamètre que celle, qui se trouve immédiatement au dessus, car un poil pareil—quelle que soit sa grandeur — s'amincit vers la tige, pour s'épaissir de nouveau dans l'enfoncement de la cuticule, c'est à dire dans son radix, par lequel il est inseré. Ce radix, ou plutot—son épaississement en forme de bouton—est situé dans la cavité du tégument, ayant forme de sac, qui peut être nommé *follicule à poils* (follicul. pili) et doit son origine aux tournants (recourbures) assez compliqués de la cuticule.

Le radix des autres poils présente ordinairement leur partie la plus mince, à moins de prendre en considération leur éxtremité libre. La follicule, qui renferme un radix pareil, est bien plus simplement construite.

---

*) Dahl. „Das Gehor-und Geruchsorgan des Spinnen". Zool. Anz. 1883.

**) Jusqu'à présent nous n'avions pas de déscription détaillée de leur structure à ma connaissance. W. Schimkewitch dans son travail sur „Anatomie de l'Epeire". (Ann. des Sc. Nat. Zool. Janvier 1884), n'en parle qu'en passant s'en remettant éssentiellement à mes recherches sur le sujet et aux dessins de mon travail inédit sur „la mue dés araingées". (loc. cit. pages 6, 7 et 15).

Sur la partie inférieure, c'est à dire, la partie de l'épaississement en ferme de bouton, tournée vers le fond de la follicule, on observe une éminence en forme de papille (fig. 1 c). Le bout inférieur de cette papille est béant, de sorte que la cavité interieure du poil reçoit la possibilité de communiquer avec la masse protoplasmique de la matrix. L'épassissement du radix, de même que le poil sont le résultat du tournant de la couche inférieure de la cuticule, située immédiatement au dessus de la matrix. S'élevant en haut en forme de tube, la couche inférieure de la cuticule pérfore toutes les couches situées au dessus d'elle (1 ch., 2, 3, 4 et 5) et s'introduit dans la gaine externe. Ici le tube fait un pli et s'étire plus loin pour former d'abord le radix du poil et puis sa tige. En schème la formation d'un pli pareil présente le tableau suivant: dans la coupe d'un poil formé nous voyons que la couche inférieure de la cuticule présente la forme d'un tube; ce tube monte vers la couche externe de la cuticule, s'introduit dans la gaine éxterne, y fait un pli en formant un épaississement de forme d'un bouton et s'étire d'ici immédiatement pour former la tige du poil.

Fig. 1.

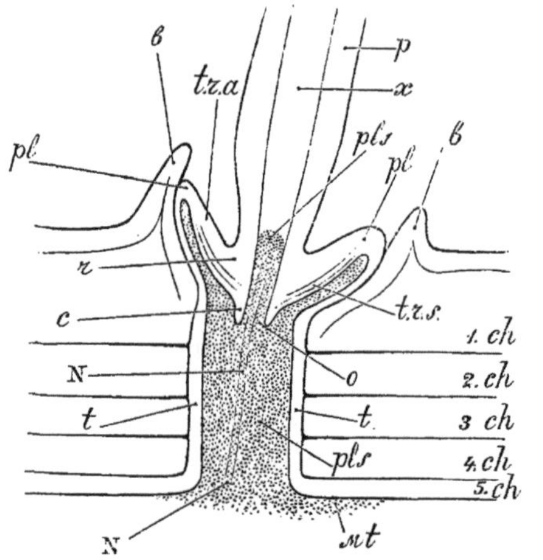

Coupe transversale du *poil tactil*: *ch.* 1, 2, 3, 4 et 5—couches de la chitine (dans la patte de l'araignée); *Mt.*—la matrix; *t.* — tube, formé par la couche inférieure de la cuticule (ch. 5) et rempli de plasme — *pls*, *pl.*—pli, formé par ce tube (t.) au niveau de la première couche de la cuticule; *trs*—partie inférieure de l'épaississement basal du pli; *tra*—sa partie supérieure; *r.* — partie centrale du radix du poil; *c* — papille; *o* — orifice du radix, par lequel le plasme se transporte de la cavité du tube dans la cavité du poil—*X*; *N*—le nerf; *p*—la tige du poil; *b* — épaississement annulaire de la couche supérieure de la cuticule autour du radix du poil.

Ce tube est rempli de plasme granuleux, qui s'élève de la couche de la matrix pour remplir la cavité du pli et, en partie, du poil même, en formant une colonne dans ce dernier. Parfois immédiatement après la mue le plasme de la matrix ne monte pas haut et ne remplit pas tout le tube. Aux endroits, où la matrix est faiblement pigmentée et sa couche protoplasmique est diaphane, on peut—tout le long du tube—voir s'étendre dans son centre une fibrille mince de nerf, qui perce la colonne plasmique de la cavité et se gonfle faiblement à son éxtremité. Dans le cas, où il est rempli de plasme moins diaphane et contenant un plus grand nombre de granules, le nerf n'est pas visible par toute son étendue; mais dans la partie proche de la cavité du poil—là, où le nerf entre dans la colonne plasmique — il est apparent. Des observations biologiques constatent l'éxtrème sensibilité des poils, munis d'éppaississement à leur base. Cette sensibilité est si grande que l'araignée sent le contact d'une soie. Ces derniers faits nous présentent des fondements pour nommer les poils, munis d'épaississement à leur radix—*poils tactils.*

Ce qui concerne les poils d'autres types, leur structure est infiniment plus simple. La partie la plus mince du poil—partie basale—est engainée dans la follicule, s'appliquant étroitement à ses parois. Vers le fond de la follicule le radix du poil passe immédiatement en tube, auquel il doit son origine, de même que les poils tactils; mais ce tube ne forme pas ici de pli, et par conséquent de gaine interne, et les poils n'ont pas d'épaississement. Les parois du tube deviennent directement chitineuses et relativement épaisses vers le fond de la follicule, de sorte que l'orifice, qui s'obtient alors au milieu et qui unit la cavité du tube avec celle du poil, est très petit. Le tube même se remplit de plasme de la matrix, mais on n'y observe jamais de fibrille de nerf. Outre la principale différence que présentent les poils tactils et *les poils protecteurs* par la structure de leur radix, ils se distinguent encore par bien d'autres traits secondaires. Les poils tactils se tiennent pour la plupart verticalement hérissés par rapport au tégument et ne se couchent jamais, tandis que les poils protécteurs se courbent sous des angles plus ou moins tranchants immédiatement aprés être sorti de leur loge et recouvrent le tégument presque en le touchant.

Tant que le poil tactil est encore dans la follicule, on peut le mouvoir à petites distances dans différents sens, sans lui nuire. Si la courbure est considérable, il s'arrache pour la plupart dans sa partie la plus mince, c'est à dire dans la partie qui s'eloigne de l'épaississement basal. Quand à ce dernier, il ne peut pas s'arracher grace à sa structure et son origine; c'est pourquoi on ne peut jamais le voir isolé — hors la loge. Même quand le poil tout à fait formé, mais pas encore libre (c'est à dire quand il se trouve encore sous le vieux tégument) s'arrache de sa loge à la suite de quelques causes pendant la préparation (les coupes par exemple), il ne s'arrache qu'à la partie précitée et l'épaississement reste dans la loge.

La structure de la follicule à poils, l'absence de l'épaississement basal et de la cuticule molle chez les poils protécteurs fait supposer, à priori, moins de liberté de mouvement et plus grande capacité de se casser. En réalité cela se justifie, quoique pas à tel point, qu'on pourrait s'y attendre à en juger d'aprés la strueture du radix. Cette dernière circonstance s'éxplique par le fait, que les parois chitineuses sont relativement plus minces que celles des poils tactils, c'est pourquoi elles sont moins fragiles. Les poils tactils sont toujours d'un jaune intense, ce qui dépend de l'épaisseur de leurs parois chitineuses. Sur la plus grande majorité de vieux téguments (après la mue) ces poils sont remplis d'air et sont diaphanes. Les poils protécteurs sont opaques (quoique leurs parois sont toujours plus minces que celles des poils tactils), à cause des granules de pigment, dont ils sont toujours remplis. Leur couleur dépend de la quantité et de la propriété de ce pigment. Leur rôle est par conséquent double: ils servent de défense mécanique à l'animal et lui donnent la coloration.

Ce ne sont pas toutes les araignées, qui possèdent les deux types de poils; mais toutes sont absolument munies de poils tactils; bien d'araignées n'ont pas de poils protécteurs.

La partie libre des poils des deux types est de formes extremement variées, surtout des poils protécteurs, ce qui n'empeche pas à leur fonction d'être la même.

Cette fonction se détermine par conséquent pas tant par la forme de leur partie libre, qui a une valeur secondaire, mais par la structure du *radix*, qui nous indique si le nerf s'approche du poil donné, ou non; autrement parlant, la structure, qui nous indique la distinction la plus éminente, la plus substantielle entre les poils. Il est indispensable d'avoir cette circonstance en vue pour l'entente nécessaire du sujet de la note présente.

En comparant les poils tactils avec les poils nommés auditifs, que je suis en train de décrire, il est indispensable d'avoir en vue principalement les parties suivantes du radix des premiers:

1) La *partie imférieure* de l'épaississement en forme de *bouton*, entourant la base du poil, ou la *partie du pli la plus proche du radix*, que nous nommerons *épaississement basal*. Dans cette partie la cuticule est bien plus épaissie et notable-

ment lamelleuse. (fig. 1 t. r. s.). `Observer ici pas à pas l'épaississement graduel de la couche inférieure mince de la cuticule pendant la formation de la partie basale dn pli — relativement épais—est dificile à cause de la petitesse de l'objet, quoique sur les sujets, qui subissent la mue, on peut voir différents stades de cette croissance. Mais en éxaminant les conformation qui se formeent aussi aux dépens de la croissance, de l'épaississement et de l'agrandissement des couches inférieures de la cuticule—on peut avec une netteté parfaite se représenter le tableau de sa formation—d'un coté par analogie, d'un autre— par la présence dans la partie basale du pli des couches plus ou moins épaisses de la cuticule.

2) *La partie supérieure* du même épaississement basal du pli (fig. 1 t. r. a.).

3) *Une éminence ayant forme de papille* (fig. 1 — c.) sur la face interne du radix.

4) *Une éminence annulaire* moyenne, formée par la couche supérieure de la cuticule autour du radix du poil tactil (f. 1—b.).

Les modifications, qu'on observe dans les poils auditifs, ont rapport essentiellement à ces parties.

Me mettant maintenant à la déscription des poils, que Dahl nomme poils auditifs, il est facile de decouvrir:

1) que les araignées de l'Europe ont deux types de poils de ce genre. En traits généraux la structure anatomique de tous les deux types a de la similitude avec celle des poils tactils, mais certains détails dans la structure du radix présentent des distinctions assez substantielles entre les poils nommés auditifs et les poils tactils;

2) que les poils auditifs de Dahl différent entre eux, quoique moins substantiellement, par la structure du radix et la forme de leur partie libre. Dahl n'y fait point de distinction et les décrit tous comme poils auditifs.

C'est ainsi qu'il décrit leur structure. „Sur le tarse des pattes „des araignées, munies de ces poils, on observe une éminence en „forme de bocal, au fond duquel se trouve un autre bocal, de „plus petites dimensions—saillant librement du fond du premier. „Le contenu du petit bocal est finement granuleux. Sur l'aire su„périeure de ce bocal est inséré un poil, vers la partie inférieure „duquel s'approche un nerf, et dont le bout libre sort par l'ori„fice du grand bocal". A cette déscription il ajoute ce qui suit: „aus extremités les poils auditifs ne sont pas tout à tait simples: il

„est indubitable qu'ils sont souvent garnis d'une pubescence très „courte et peu distincte; cependant parfois ils sont presque bar-„belés comme chez les Licosides et les Segestries par exemple“. Cette déscription, de même que les figures ne sont pas tout à fait justes et, comme on peut le comprendre, ne conviennent à aucun des types que j'ai mentionné, car il n'y a pas moyen de donner une déscription juste, si elle est *la même* pour *deux* objets différents. Sur la première fig. de sa planche nous voyons deux sphères, dont une est 5—6 fois plus petite que l'autre et se trouve placée en dedans de la grande—au fond; mais de quelle manière les cavités de ces sphères se réunissent avec la matrix, et comment s'approche le nerf vers le poil—la figure ne le montre pas, et il est difficile de se le représenter d'après le texte. En ontre, d'après la déscription et les figures, ces organes apparaissent à tel point isolés de ce que nous présentent les radix des antres poils, sont si peu semblables aux autres, que cette circonstance seule suffit pour faire douter de la justesse de la déscription et des dessins de Dahl; d'autant plus que: 1), n'importe quel rôle on attribue à ces conformations, avant tout elles ne sont à la longue pas autre chose que des poils; 2) qu'ayant représenté le radix du poils auditif si originalement construit, Dahl par rapport à la structure du poil même ne signale autre chose, comme nous l'avons vu, que la circonstance „qu'ils sont parfois couverts de duvet et parfois barbelés“; autrement parlant—ne se distinguent en rien des antres poils, car les poils auditifs pubescents de Dahl sont tels, quand les poils tactils d'une araignée donnée sont pubescents et—barbelés, quand ces derniers sont barbelés, comme nous le verrons plus tard.

Un examen plus détaillée montre cependant 1) que ces poils ne se distinguent pas plus des poils tactils par la structure de leur radix que par la forme de la tige; 2) que d'après la déscription peu detaillée du radix des poils auditifs leur distinction des poils tactils semble plus grande selon l'auteur qu'en réalité et la distinction de la tige même du poil—beaucoup moindre.

Sur la fig. 2 représentant une coupe transversale du radix d'un poil de *premier type*, que pour plus de briéveté je nommerai *poils à châpelets*, (quoique cette dénomination n'est pas tout à fait précise, comme la déscription ultérieure le fera voir), nous voyons que la couche inférieure de la chitine (fig. 2—ch. 5), comme dans les poils tactils (fig. 1—ch. 5), perfore toutes les couches, situées au dessus d'elle, et ayant monté en forme de tube (fig. 2 t.) jusqu'au niveau du point d'insertion du poil, forme, comme là, un pli—quoique à structure plus compliquée. La différence consiste en ce qui suit:

1) La face inférieure du pli dans sa partie basale est ici plus mince et pas lamelleuse. Au lien de plusieurs couches cuticulaires, disposées l'une sur l'autre comme dans les poils tactils, unecertaine partie de ces couches se retracte ici du pli et en forme de lame cuticulaire se recourbe en bas et fait ainsi une espèce de bocal, avec l'ouverture tournée en dedans; le fond du bocal est formé par l'épaississement basal du pli. (*fig. 2*) *p.t. r.*—ses parois; t.r.s.—son fond.

Fig. 2.

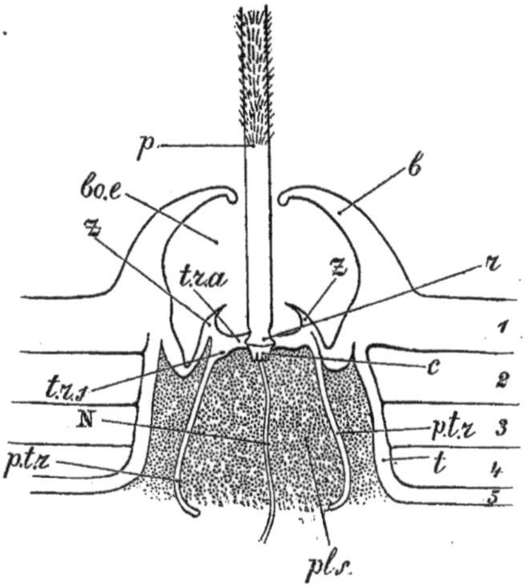

Conpe du *poil à chapelets;* les parties parallèles à celles du poil tactil sont marquées par les mêmes lettres. *Z*—éminence sur la partie supérieure de l'épaississement basal du pli, dont les bords libres se courbent vers la tige du poil et forme un *petit bocal éxterne,* qui est situé au fond du grand bocal éxterne; *bo. é.*—cavité du grand bocal éxterne; *r*—radix du poil avec son épaississement; *pt. r.*—coupe des parois du *bocal interne,* auquel la partie inférieure de l'épaississement basal du pli (*trs*) sert de fond; *b.* — parois du grand bocal éxterne — paralleles à l'éminence annulaire de la première couche de chitine du poil tactil (b. f. 1).

Cette conformation n'est pas décrite par Dahl et son existence même lui est restée évidement inconnue. Je la nommerai desormais *bocal interne* pour le distinguer des deux externes—du grand et du petit, ce dernier situé au fond du premier.

2) Sur la face supérieure de l'épaississement basal du pli fig. 2 t. r. a., qui est unie chez les poils tactils (fig. I t. r. a.), on observe ici une éminence annulaire de la cuticule avec les bords recourbés vers le poil (fig. 2 et z).

Dahl nomme cette éminence *petit bocal* et dit à son sujet: a) qu'il est situé au fond du grand bocal externe, ce qui est en effet juste; b) que ce bocal est rempli d'une fine granulation, ce qui *n'est pas juste,* car il est aussi vide que le grand bocal externe, au fond duquel il est situé. Les coupes n'en laissent aucun doute.

3) Les particularités les plus substantielles consistent en ce qu'ici l'épaississement basal du pli ne passe pas en tige du poil (comme c'est le cas chez les poils tactils), mais sert de lieu, dans lequel cette tige s'insère par son radix, qui ne ferme dans le point de sa jonction qu'un seul épaississement, comme on le voit sur les fig. 2 et r. L'insértion du radix et du pli n'est pas solide, c'est pourquoi le poil s'arrache facilement à ce point, ce qui n'est pas, comme nous le savons, le cas avec les poils tactils. De là il est compréhensible pourquoi il peut si facilement être mis en mouvement.

4) L'éminence en forme de papille, qui se trouve sur la face interne du radix des poils tactils, s'observe également ici, avec la différence qu'elle ne fait pas ici la continuation immediate de la partie inférieure de l'épaississement basal, comme chez les poils tactils, mais se trouve étroitement réunie au radix, qui forme ici une articulation séparée. Dans les deux cas on observe une éminence en ferme de papille, qui s'est considérablement étirée et augmentée ici et se termine par un épaississement fendu en lobes (fig. 2 et c.). Dans les deux cas la cavité du poil se communique avec la masse protoplasmique, dont le bocal est rempli par l'orifice de l'éminence papilliforme.

Ce bocal interne se trouve suspendu au pli de la couche inférieure de la cuticule (fig. 2). Il est ouvert au fond et tout rempli de plasme granuleux, dans l'épaisseur duquel est disposé le nerf qui s'approche du poil (fig. 2 N.). Il est indispensable enfin d'indiquer que la petite éminence annulaire qu'on observe auteur du radix des poils tactils, augmente ici considérablement en large comme en haut formant ainsi une espèce de bocal externe à parois denses, quoique pas épaisses. L'ouverture du becal qui n'est pas grande, est tournée en dehors et donne passage à la tige du poil. qui sort du fend du becal. En somme par conséquent cela présente un appareil bien mobile et sensible. Le poil même par sa forme appartient pour la plupart au type des poils tactils, qu'on observe chez les araignées. Il est barbelé si les poils tactils sent barbelés chez l'animal,—pubescent. si les poils tactils sont pubescents. Il en diffère cependant pour la plupart par sa structure. Les particularités de sa structure consistent en ce qui suit:

1) Il est toujours plus long que les poils tactils (quelquefois très considérablement), parfois sa longueur surpasse près de 40 fois la largeur de la lege.

2) Il est considérablement plus mince que les poils tactils et tout son long le diamètre ne varie que très peu.

3) En examinant sa structure à un grand grossissement, il n'est pas difficile de remarquer sur les deux tiers de sa longueur— au sortir de la loge—une striation longitudinale et une pubescence touffue, quoique pas longue. Le long des stries, sur le dernier tiers du poil on observe des bourgeons régulièrement disposés, déjà munis d'appendices, qui donnent au poil l'aspect pubescent et qui—en somme—lui donne dans cette partie la forme de *chapelets*. J'ai dit que le poil se présente sous cet aspect dans son dernier tiers; mais je dois ajouter que ces conformations n'apparaissent pas tout à coup: elles sont d'abord très petites et basses vers le milieu du poil et ce n'est que vers l'éxtremité (à son dernier tiers) qu'elles atteignent graduellement les dimensions qu'on leur voit sur le dessin. J'ai à ajouter à ce que je viens de dire concernant ce type de poils chez la Mygale, que leur position vis-à-vis du corps est plus proche de perpendiculaire que la position des poils tactils. Ils ne sont pas de longueur égale chez un seul et même sujet, mais le type de la structure est le même pour les poils longs, comme pour les courts. On rencontre ces poils à châpelets chez les Amaurobius, lesClubiona, les Thanatus, les Lycosa et bien d'autres.

A côté des poils décrits, nous trouvons des poils d'autre type, que je nommerai simplement *poils tactils fins*, parce que leur partie libre présente la conformation la plus fine en fait de poils chez l'araignée en général. Leur distinction des poils à châpelets, qui viennent d'être décrits, consiste en ce qui suit (fig. 3.)

1) Ils sont doublement, triplement et parfois quadruplement plus courts que les premiers.

2) Ils sont au moins 10 fois plus fins. Cette finesse relative ne se trouve pas du tout en dépendance de leur longueur relative. J'ai déjà dit que les poils du premier type sont de différente longueur. Si pour comparer nous prenons le plus court d'entre eux et le plus long des poils du second type, nous verrons que leur longueur est à peu près la même; ce qui est de l'épaisseur, le premier est au moins 10 fois plus épais que le second. Il est indispensable d'ajouter ici que la variabilité de longueur dans les poils fins est infiniment moindre que cette variabilité dans les poils du premier type.

3) Ils sont tout à fait diaphanes, ce qui indique entre autre la finesse de leurs parois, tandis que les premiers—surtout à la naissance—sont d'un jaune intense.

Fig. 3.

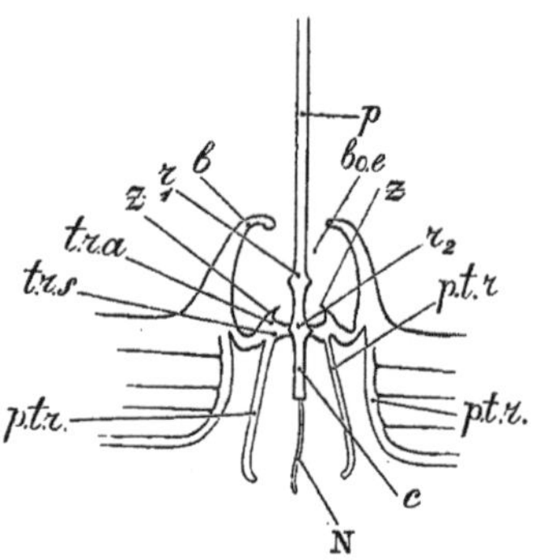

Coupe du poil tactil fin; *p*—la tige du poil; r_1 — épaississement supérieur du radix dans la cavité du grand bocal éxterne; *bo. e.*—cavité du grand bocal éxterne; r_2 — épaississement basal du radix au point de sa jonction avec le pli basal; *z*—éminence sur la partie supérieure de l'épaississement basal du pli, dont les bords libres se courbent vers la tige du poil et forment un *petit* bocal éxterne; *p. t. r.*—coupe des parois du bocal interne, auquel la partie inférieure de l'épaississement basal du pli (trs) sert de fond; *b*—parois du grand bocal éxterne — paralleles à l'éminence annulaire de la première couche de chitine du poil tactil (f. 1. b.); les autres parties paralleles à celles du poil tactil sont marquées par les mêmes lettres.

4) On ne leur observe point de bourgeons en forme de chapelets.

5) Leur pubescence est tout à fait différente; elle est régulière, longue, rare et très fine, tandis que là, elle est irrégulière (jusqu'à l'endroit, où paraissent les bourgeons), courte et notablement plus touffue.

6) Ces poils sont souvent tordus par leur axe.

7) La structure de leur radix diffère de la structure du radix des poils à châpelets: au lieu *d'un seul* épaississement basal du pli, comme chez ces derniers (fig. 2 r), il en a *deux* (fig. 3—$r._1$ $r._2$). Le plus grand des deux—l'épaississement supérieur est situé dans la cavité du grand bocal externe (fig. 3—bo. e.); le plus petit—l'épaississement inférieur (fig. 3 $r._2$)—se trouve au fond du bocal au point de la jonction du poil et du pli basal. En ontre la papille du poil (fig. 3—c.) est plus longue que celle du poil du premier type. Enfin la forme du bocal interne (fig. 3 — p. t. r.) est tant soit peu différente de ce que nous présente le même bocal dans le poil à chapelets (fig. 2 p. t r.): il est déjà plus long que le dernier; ses parois—plus droites.

Dahl, comme il était dit plus haut, ne fait pas de distinction entre les poils de ces différents types et les nomme tous poils auditifs.

Outre les deux types indiqués, il y a encore un troisième, qui par la partie libre du poil se distingue d'une manière très marquante des deux premiers, mais par la structure de sa partie substantielle—du radix—a beaucoup de similitude avec eux. Je vais nommer le poils de ce type — *poil cucurbitiforme* parce que sa partie libre—en face—a la forme d'une cucurbite, comme on peut le voir sur la f. 4 M. Je n'ai eu qu'une fois l'occasion d'observer ces conformations sur les pattes d'une Mygale sp.. ammenée par A. Korotneff de son éxpedition à la Nouvelle Guinée *).

On ne rencontre ces organes que sur le tarse des pattes et des palpes. La fig. 5 cu. représente une rangée assez regulière de ces organes. A coté d'eux on voit en désordre des poils a châpelets (fig. 5 A) et des poils du second type (fig. 5 B). Le dessin nous représente le tableau de la surface supérieure du tarse palpale de la Mygale ♀ en question; tous les antres poils, qu'on observe cet endroit (tactils et protécteurs) e figurent pas sur le dessin. La structure du radix des organes cucurbitiformes (fig. 4) dans ses traits substantiels ne se distingue en rien du radix des poils des deux premiers types: le même tournant de la dernière couche de la cuticule, le même pli, fendu en deux lobes, dont l'inférieure forme une espèce de bocal avec un orifice tourné en dedans le corps, et la supérieure n'est que la répétition de ce qui est au poils nommé auditif (fig. 2). Et l'épaississement basal du pli décrit et la papille, qui s'enfonce dans la cavité, sont construits comme chez les poils à châpelets. Toute la différence consiste dans le moyen d'insersion du

Fig. 4.

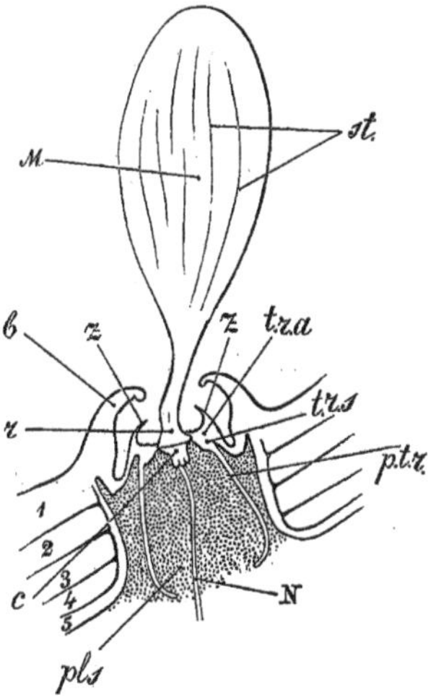

Coupe du radix du poil cucurbitiforme; *M* — lame cucurbitiforme du poil; *st* — striation longitudinale de la lame; *z*—éminence sur la partie supérieure de l'épaississement basal du pli, dont les bords libres se courbent vers la tige du poil et forment un petit bocal externe, qui est situé au fond du grand bocal externe; *r*— radix du poil avec son épaississement; *pt. r.* coupe des parois du bocal interne auquel la partie inférieure de l'épaississement basal du pli (trs) sert de fond; *b*—parois du grand bocal externe—paralleles à l'eminence annulaire de la premiere couche de chitine du poil tactil (f. 1. b); les autres parties paralleles à celles du poil tactil sont marquées par les mêmes lettres.

*) M. Korotneff a offert à la Société des Naturalistes de Pétersbourg toutes les collections qu'il a rassemblé durant cette éxpedition.

radix à l'épaississement basal du pli. Au lieu du simple épaississement des poils à châpelets on voit ici une conformation, qui rap-

Fig. 5.

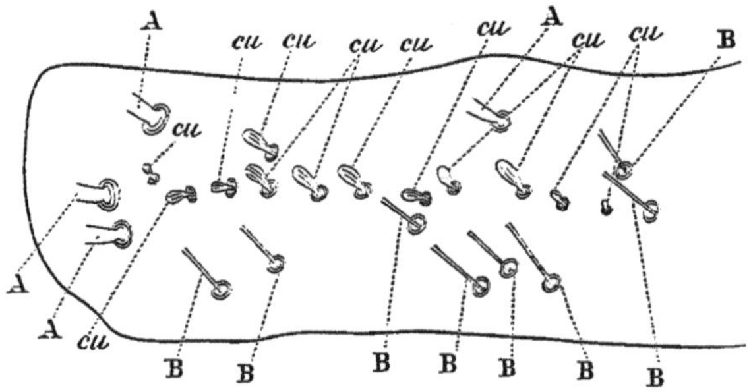

Tégument déplié du tarse de la patte, sur lequel on voit la disposition des poils cucurbitiformes de différente longueur (*cu*), des poils à chapelets (A) et des poils tactils fins (B.); (les poils tactils simples, de même que les poils protécteurs, ne figurent pas ici).

pelle une calotte basse (fig. 6 a) — différence pas plus considérable que celle que présente la comparaison des poils des deux premiers types.

Fig. 6.

Le radix du poil cucurbitiforme; *a*—son épaississement; *c*—papille.

Beaucoup plus substantielle est la différence entre les parties secondaires des poils en question, c'est à dire dans leurs parties libres. A première vue la partie libre de ces poils n'a rien de commun avec le poil: elle a l'aspect d'une lame brune, plate, assez large et dense.

Le radix de cet organe, de même que sa partie libre n'est pas une conformation isolée, et formant quelque chose de séparé. Le radix, presque identique avec celui des poils à chapelets, n'est dene, comme chez ces derniers, qu'une certaine complication du poil tactil simple. La partie libre de l'organe cucurbitiforme ne presente non plus de conformation isolée parceque sur le tarse de quelques araignées (Clubiona et surtout de Thanatus) on rencontre des conformations qui ont quelque similitude avec ces premières.

Ces poils chez les araignées ci-dessus mentionnées ne se trouvent modifiés que dans leur partie libre; par raport au radix—ils ne se distinguent en rien des poils tactils ordinaires. Par conséquent, de même que le poil auditif peut être considéré comme modification du poil tactil ordinaire, l'organe cucurbitiforme peut être vu comme modification du poil tactil, qui par sa forme est déjà tant soit peu distinct. Cette supposition trouve un soutien dans la circonstance que les poils tactils modifiés, de même que les organes cucurbitiformes ne se rencontrent que sur le tarse. Dans tous les cas il n'y a pas de donte que le radix de ces organes, étant presque identique avec celui des poils nommés auditifs—est la métamorphose du radix des poils tactils ordinaires.

Ayant établi des données anatomiques dans la structure des trois types de poils que nous venons d'examiner, et indiqué la similitude et les distinctions dans leur structure, nous passerons à l'examen de leur fonction. Ici se présentent avant tout les questions suivantes: la défférence de leur structure donne-t-elle droit de leur supposer *une fonction identique*, ou non? cette difference est-elle assez substantielle pour éloigner la possibilité de leur supposer une fonction analogique, sinon identique? Considerant que tous les trois types de poils, malgré la similitude qu'ils ont entre eux, ont en même temps des distinctions très substantielles, nous nous croyons en droit de conclure que leur fonction n'est pas identique.

En effet si nous trouvions ces trois types de poils différemment construits *chez différentes espèces d'araignèes*, nous pourrions dans ce cas nous expliquer la différence par les distinctions d'espèces, quoique ce serait sans donte une explication forcée, car la structure des poils tactils est pour la plupart de types caracteristique non seulement pour le genre, mais même pour la famille. Dans le cas donné quand nous voyons, quoique assez rarement, tous les trois types de poils sur un seul et même sujet—les uns à coté des autres,—il est positivement impossible sous pareilles conditions de leur attribuer une seule et même fonction: ce serait admettre trois organes différemment construits pour un seul et même rôle physiologique.

Cette circonstance seule suffirait pour reconnaitre l'admission à tous ces types de poils, ou à deux d'entre eux, du rôle d'organes auditifs—comme supposition érronée.

Cependant si tous les poils de structure décrite ne sont pas déstinés au rôle d'organes auditifs, peut être un de ces types le serait? Dans ce cas l'erreur de Dahl nè se bornerait-elle pas à l'insuffisance d'études sur ces conformations,—insuffisance qui le conduirait à ne pas distinguer les différents types de structure et ne pouvoir par conséquent indiquer celui qui fonctionne comme organe auditif?

J'en donte également, et voilà pourquoi: les fondements, qui ont guidé Dahl pour attribuer à ses poils auditifs cette fonction, ne réposent que sur le fait *„que les ondes du son mettent le poil tactil en mouvement"* qui se transporte sur l'éxtremité du nerf et provoque la sensation du son. Il est indubitable que si le fait du mouvement des poils de quelque type sous l'effet du son était prouvé, il suffirait de ce fondement seul pour assigner à ce type du moins un rôle auxiliaire auprés de l'organe auditif. Je ne parle que de leur role auxiliaire (en cas où leur mouvement sous l'effet du son était prouvé), car il est difficile d'admettre que des organes si grossiers puissent posséder une ouïe aussi fine que celle, dont les araignées sont douées; et la preuve, que ce sens est développé en perfection chez cet animal, c'est le fait connu à tous les biologues, que pour faire sortir une araignée de son gîte il ne fant que faire bourdonner une mouche, à l'ouverture du gîte, et qu'au contraire une *imitation inhabile* du même son ne pourra jamais l'attirer.

Mais le fait est que la faculté de mouvement sous l'effet du son chez les poils nommés auditifs est loin d'être prouvée. Moi du moins, je n'ai pas réussi à découvrir ce mouvement ni au moyen d'observations directes, ni par d'autres moyens. Voici l'experience que j'ai fait: à l'aide de la lanterne éléctrique j'ai obtenu sur l'écran tout à fait distinctement une rangée de poils auditifs. La figure de chacun d'eux y atteignait la grandeur de 3—6 pouces. J'avais préparé d'abord une coupe fine de la partie de la patte avec des poils auditifs et quoique elle a été placée entre les lamelles recouvrantes de façon que ses mouvements pouvaient se produire tout à fait librement, tonte une série d'èssaies pour produire quelque mouvement à l'aide de sons de différentes espèces et timbres n'ont abouti à rien. Alors croyant que cet insuccés dépendait de ce que la préparation a séchée, je l'ai remplacée par une patte, fraichement coupée à une araignée vivante. Les figures des poils auditifs sont sorties nettes sur l'écran; quant aux éfforts de les faire mouvoir à l'aide de scns—ils n'ont pas du tout réussi. Il n'y a pas moyen d'admettre ici le manque de perception: la grandeur des poils sur l'éeran est si considérable que la moindre vibration serait distincte.

Les faits éxposés nous conduisent par conséquent à conclure:

1°) que la fonction des types décrits ne peut être reconnue comme identique;

2°) que pas un de ces types ne peut être reconnu comme organe auditif.

Mais si leur fonction n'est pas identique, la similitude dans les parties fondamentales et les plus éminentes de leur structure anatomique ne donne-elle pas droit de leur supposer à tons au moins une fonction analogique? Il est douteux qn'on puisse y donner une antre réponse qu'en affirmatif.

En quoi donc consiste leur fonction? Etant indubitablement la modification des poils tactils, ces organes doivent évidemment étre déstinés à la meme fonction que ces derniers; mais comme leur structure et surtout celle de leur radix est plus parfaite que la structure des poils tactils, leur fonction, restant analogue, doit être plus parfaite, capable de recevoir des excitations si fines, que les autres poils tactils ordinaires, grâce à leur structure plus grossière, sont incapables de saisir. Quélles sont done ces excitations? Une d'elles est signalée par Dahl, qui a remarqué qu'un souffle leger fait mouvoir les poils nommés auditifs. Il est très aisé de constater ce fait; une observation directe le prouve aussi aisément, que le fait qu'un souffle ne fait pas mouvoir les poils tactils. Mais j'ai indiqué plusieurs types de ces poils; si les uns d'eux servent à transmettre la sensation produite par le vent, à quoi servent les autres? Pour décider cette question il faut certainement être en possesion d'un plus grand nombre d'observations biologiques que celles dont je dispose. Il est reconnu qu'un grand nombre d'araignées—sinon toutes—peuvent prévoir la pluie et le beau temps. Ces poils ne leur seraient-ils pas utiles dans cette direction? Dans tous les cas, je suis convaincu que le rôle des poils décrits n'est autre que celui des poils tactils perfectionnés et appropriés à recevoir des sensations plus fines, quoique analogiques, et qu'ils présentent la modification de ces derniers.

A ce point de vue il devient compréhensible pourquoi les Epeiridae et les Theridiidae, par exemple, n'ont ces poils que sur le tibia et le metatarsus, tandis que les *Vagabundae* en ont en bien plus grand nombre non seulement sur les articles précités, mais encore sur le tarsus. Ces dernières sont éxposées à de bien plus grands dangers que les *Sedentariae*, c'est pourquoi elles doivent disposer de plus de moyens de défense. J'ai déjà dit qu'elles sont plus richement pourvues de poils protecteurs, qu'elles ont un bien plus grand nombre de poils tactils ordinaires que les Sedentariae; un plus grand nombre de poils, nommés auditifs ne fait que prouver que ces poils ont pour elles de l'importance dans le même sens que les poils tactils.

Par conséquent les Sedentariae ont pu perdre ces conformations, comme probablement ils ont perdu les poils protécteurs que nous ne voyons ni chez les Epeiridae, ni chez les Theridiidae.

Il sera opportun ici de signaler le fait suivant. Sorti de l'oeuf, l'Attus terebratus n'a pas de ces conformations ni sur le tarse, ni sur le metatarse; ce n'est que sur le tibia qu'on leur voit *un seul* poil pareil. La Lycosa saccata, étant sortie de l'oeuf, n'en a pas un. Ce qui est curieux, c'est que l'Attus au sortir de l'oeuf a des poils tactils, quoique en petit nombre et la Lycose n'en a pas du tout. Après la seconde mue toutes les deux ont par un poil sur le tarse, 2—sur le métatarse et 2 sur le tibia. La Lycose (dont il est question) adulte a 4 poils sur le tarse, 9—sur le metatarse et 7—sur le tibia.

Enfin ce qui est de la valeur de ces conformations pour la systématique, il est douteux qu'elle soit plus grande que celle que lui présentent les poils tactils en général. La nature même de ces conformations, ainsi que la tentative de Dahl de systématiser les araignées prenant pour base ce criterium, parlent en faveur de cela.

Je ne puis m'arreter sur l'examen détaillé de cette tentative, parce que cela m'éloignerait trop du but que je me suis proposé dans la note présente, mais je me bornerai à dire que ce criterium, comme le prouve la tentative précitée, ne peut être adapté aux grouppes taxonomiques inférieurs. Quant aux supérieurs, le rapprochement des familles, que Dahl établit sur ce critérium, est en contradiction avec ce que nous présentent les critériums, sous tous les rapports de bien plus grande valeur.

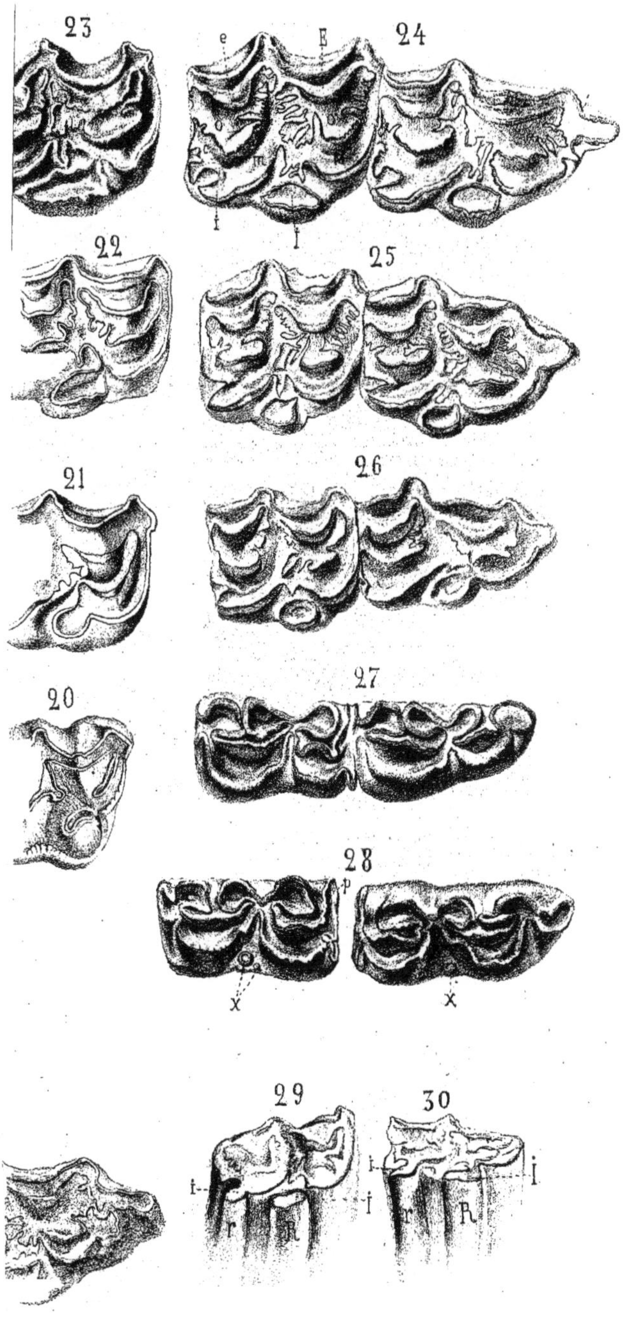
23
24
e
E
i
I
22
25
21
26
20
27
28
p
x
x
29
30
i
I
r
R

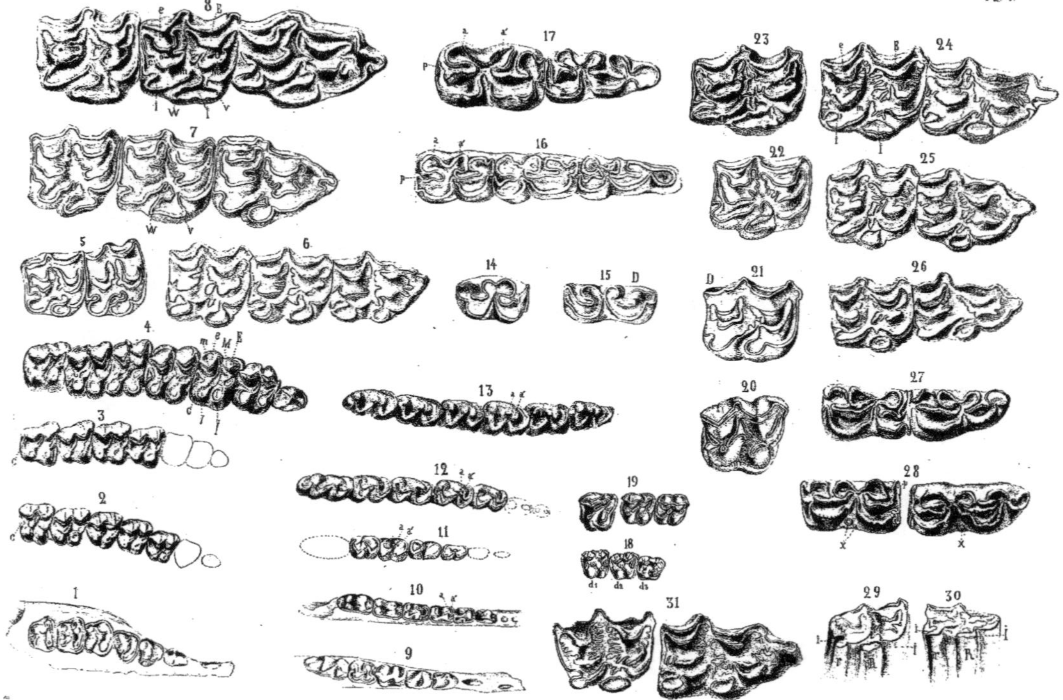

Рис. съ натуры В. Ачуевъ.

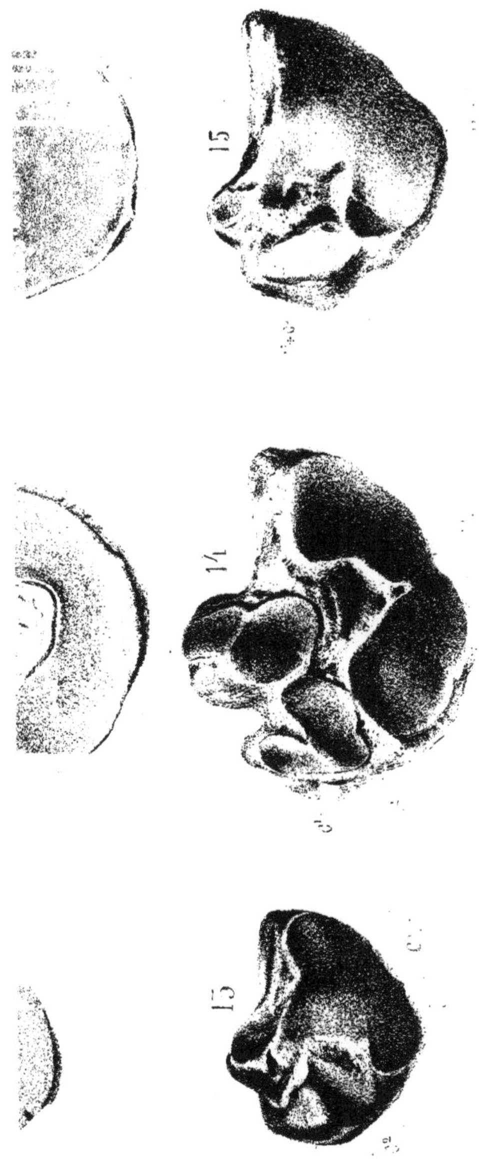
13
14
15

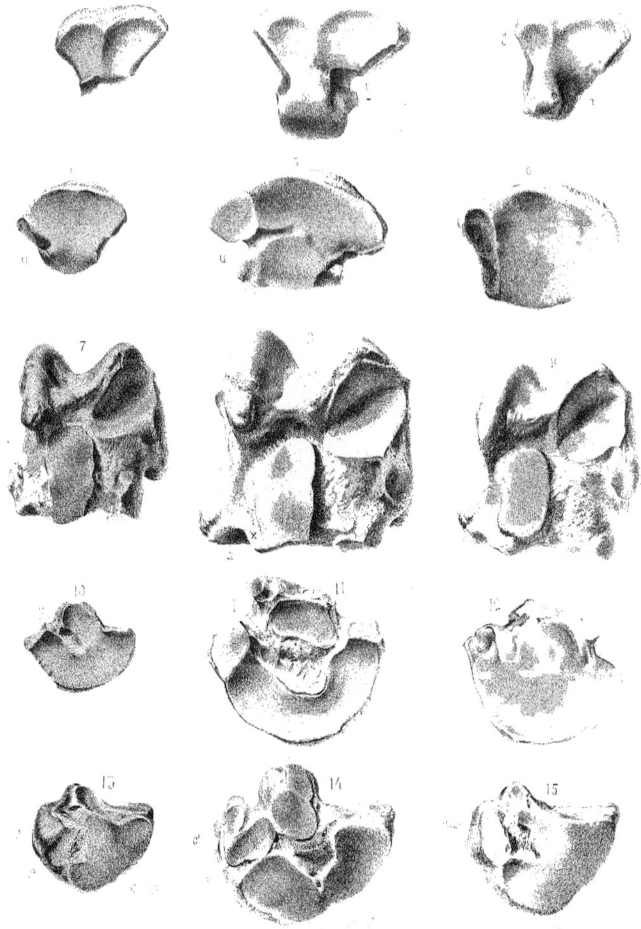

ETUDES SUR L'HISTOIRE PALÉONTOLOGIQUE

DES ONGULÉS.

Par

Marie Pavlow.

II.

Le développement des Equidae.

(Avec deux planches).

En commençant le second chapitre de mon ouvrage sur les ongulés, je ne peux passer sous silence la note de M. Cope *) concernant le 1-er chapitre du dit ouvrage **). En exprimant ma reconnaissance à l'illustre paléontologiste pour l'attention qu'il a prêté à mon article, je ne peux admettre ses observations à propos de quelques formes anciennes fossiles, p. ex. *Hiopsodus* Leidy. Selon M. Cope les pieds de ces formes manquant, et les dents seules étant connues, la position génétique en devrait pour le moment rester indéterminée. Dans ce cas la plus grande partie des animaux resteraient sans que leur position fût déterminée. M. Cope ne vent admettre la réunion de *Hyracotherium leporinum* Ow. avec la famille de *Phenacodontidae* et place toute la famille des *Hyracotheridae* à la base du développement des *Perissodactyla.* Pourtant la ressemblance frappante des dents de *Hyracotherium leporinum* avec celles de *Phenacodus puercensis* distingue celui-là des antres *Hyracotheridae.* En même temps les tubercules doubles (aá Rütim.) bien développés aux molaires inférieures de *Hyracotherium siderolithicum* Pict. et la grande ressemblance des molaires supérieurs de ce dernier avec celles de *Pachinolophus* ont permis de réunir *Hyracotherium siderolithicum* à la

*) *M. Cope.* Amer. Natur. 1887. № 7 p.. 656.
**) *Marie Pavlow.* Groupe primitif de l'éocène iuférieur.

famille de *Pachynolopidae* *). Nous avons alors: 1) *Hyracotherium leporinum* Ow.=*Phenacodus leporinum*, caractérisé par des molaires supérieures à 6 tubercules arrondis, des molaires inférieures à quatre tubercules réunis par des côtes peu prononcées, en deux croissants (les différentes espèces de *Phenacodus* ont ces tubercules et ces côtes plus ou moins prononcés). 2) Les antres *Hyrocatherium* excepté *Hyrac. craspedotum* Cope, doivent être placés à la base de la ligne chevaline. Ce genre reste caractérisé par des molaires supérieures à 6 tubercules faiblement allongés, dont les contours sont moins accusés que chez la forme précédente; molaires inférieures forment deux croissants distincts, mais ne possédent pas le double tubercule (a a'Rut.). Enfin 3) *Pachynolophus siderolithicum*=*Hyracoth. siderolithicum* suit génériquement les Hyracotherium proprement dits et peut être distingué par les 6 tubercules des molaires supérieures reunis en 2 crêtes et par l'apparition du tubercule double (aá Rüt.) aux molaires inférieures; caractère propre aux Equidae. L'absence de ce tubercule chez quelques *Hyracotherium* et sa présence chez quelques antres fig. 10 n'est que la preuve que les premières formes sont plus rapprochées des *Phenacodus* et les autres des *Pachynolophus*.

Après cette observation et cette indication sommaire, j'aborde l'étude des différentes formes fossiles, qui doivent réunir les deux formes extrêmes de la ligne chevaline, *Phenacodus puercensis* et *Equus caballus*, formes si éloignées par leur position géologique et par leurs caractères zoologiques. Je vais rappeler les différents points de vue des paléontologistes sur la généalogie des chevaux, que j'ai déjà eu l'occasion d'indiquer en partie.

Mr. R. Owen a été, parait-il, le prémier à indiquer **) *Palaeotherium* comme prédécesseur du cheval, et à supposer qu'*Anchitherium* et *Hipparion* réunissaient ces deux formes.

En 1873 W. Kovalewsky ***) a développé la même idée en indiquant *Palaeotherium medium* seul de ce genre, comme ancêtre des chevaux; il considérait le *Hyracotherium* comme une forme isolée, dont les rapports avec les autres formes éocènes n'ont pas été connus. Ce fut cette idée sur la provenance du cheval qui dominait sans rivale jusqu'à la découverte du *Phenacodus* par M. Wortman et qui est encore admise actuellement par quelques savants.

---

*) *Gaudry*. Les Enchaînements fig. 155 et 214. *M. Lydekker*. Catalogue part. III, p. 13.

**) *Owen*. Palaeontology 1861. page 398.

***) *Kovalewsky*. Anchitherium.

En 1882—1886 M.M. Wortman *), et M. Schosser **) en étudiant *Phenacodus* ont indiqué cette forme comme restant à la base du developpement des Imparidigités en général et des chevaux en particulier. *Hyracotherium*, d'après l'indication de ces auteurs, devait succeder au *Phenacodus*.

Voilà deux idées différentes pour l'origine des chevaux; et c'est la dernière qui semble dominer aujourd'hui. Mais ontre l'indication de la forme primitive chevaline, il nous est intéressant de suivre quelles sont les formes intermédiaires qui dans leur développement ont réuni les formes anciennes avec celles des Equidae de nos jours. Je ne ferai pas ici une étude détaillée des différentes opinions à ce sujet, exprimées par les paléontologistes, qui ont étudié cette question. Je ne ferai que les résumer brièvement, après quoi j'étudierai les formes, qui me paraissent composer la ligne génétique du cheval. Mon étude sera basée sur les riches matériaux, que je puisse trouver dans la littérature et sera appuyée des collections de l'Université de Moscou.

C'est depuis Cuvier, en 1872, que l'étude paléontologique des chevaux et des formes rapprochées a pris naissance. Cet éminent savant a décrit un grand nombre de différentes espèces du *Palaeotherium*, en réunissant sous ce nom générique plusieurs formes qui ont été séparées plus tard pour former des genres nouveaux. Herman v. Meyer a séparé en 1834 *Palaeotherium aurelianense* pour former un genre nouveau—*Anchitherium aurelianense*, nom sous lequel cette forme est connue aujourd'hui, et ce n'est que Blainville qui a persisté de garder le nom de *Palaeotherium aurelianense*.

En 1833 Kaup ***) a fondé le nouveau genre *Hippotherium* (*Hipparion*) pour l'animal trouvé à Eppelsheim et rapproché du cheval. Depuis cette trouvaille la description des fossiles de ce groupe a été suivie d'une comparaison des genres: *Palaeotherium*, *Anchitherium*, *Hipparion* et *Equus*. Tous les paléontologistes, occupés de cette question, étaient d'accord sur la ressemblance de ces formes, tous y voyaient une parenté. Les noms de ces illustres savants sont trop connu, pour que j'aie besoin de les citer ici. Il me suffit de rappeler: M.M. Owen, Gaudry, Rütimeyer, Herman v. Mayer, pour évoquer le souvenir d'une pléiade de savants qui ont dédié leur vie à cette étude. Tous ces savants voyaient cette pa-

*) *Wortman*. On the origin of Horses.
**) *Schlosser*. Beitrage zur Kenntniss der Hufthiere.
***) *Kaup*. Die zwei urweltlichen Pferdeartigen Thiere.

renté et cette ressemblance, mais ce fut W. Kovalewsky, qui a entrepris une étude toute spéciale pour suivre les différentes modifications, qu'ont subi ces fermes durant les époques géologiques. En 1873 W. Kovalewsky **) est arrivé à la conclusion, que les formes mentionnées ont été non seulement rapprochées, parentes, mais qu'elles se sont transformées les unes dans les autres que *Palaeotherium*, *Anchitherium*, *Hipparion* et *Equus* présentent, pour ainsi dire, la même ferme palaeotherienne, modifiée dans les temps géologiques, que toutes ces formes ne sont qu'une transformation d'une ferme dans l'autre. C'est dans son ouvrage sur „l'Anchitherium" que W. Kovalewsky suit pas à pas les modifications, qui ont dû se produire dans les différentes parties de ces formes, pendant leur développement successif, depuis le *Palaeotherium* jusqu'au *Equus*. Il est vrai que les mêmes caractères de ces formes ne coïncident pas souvent, mais la ressemblance des plusieurs antres a permis à ce savant d'arriver à la conclusion générale que ces fermes se sont développées les nnes des antres et il a formulé ce développement dans un tableau dont je reproduis ici une partie.

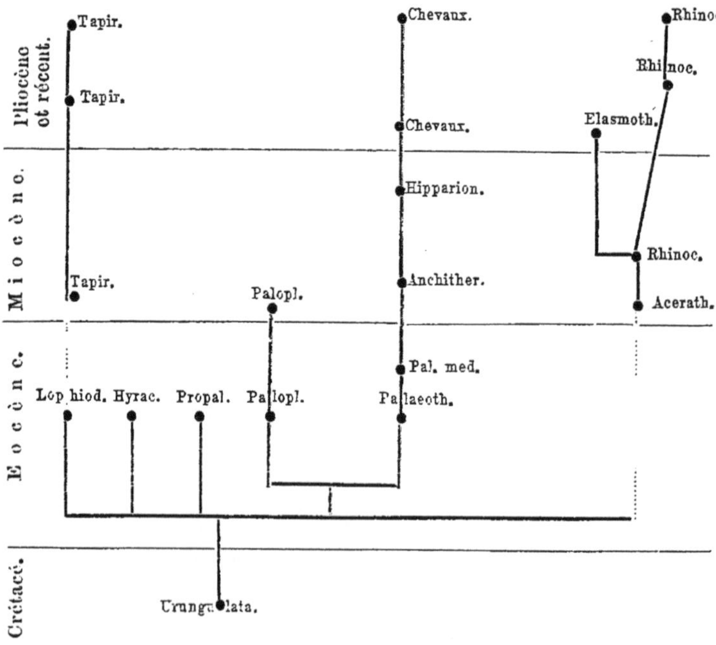

**) *W. Kovalewsky.* Anchitherium.

De ce tableau nous voyons: que 1) W. Kovalewsky considérait le *Palaeotherium medium* comme espèce unique dans le genre Palaeotherium, qui a servi à développer la forme suivante—*Anchitherium*; que 2) les autres espèces de ce genre ont disparu dans le miocène sans laisser de descendants; que 3) *Hyracotherium*, (connu à l'époque de l'apparition de cet ouvrage par les dents seules des formes européennes) est placé, comme forme éocène, dont les ancêtres et les descendants ne sont pas indiqués. Cette opinion sur le développement des chevaux répondait à la théorie évolutioniste et a été acceptée par d'autres savants. Dans l'ouvrage sur le „Mont. Léberon" M. Gaudry dit: „les *Anchitherium* sont en voie de devenir des *Hipparion*, mais ont encore gardé une grande partie des caractères de leurs ancêtres des *Palaeotherium*" (page 32). A peu près à l'epoque de l'apparition de l'ouvrage de W. Kovalewsky une étude au même sujet a été faite en Amérique. M. Marsh a publié en 1874 *) un ouvrage, résumant la généalogie du cheval américain en partant de l'éocène jusqu'à nos jours. Cet ouvrage est suivi d'un tableau, qui nous présente des schêmas des dents et des membres avec leurs modifications successives depuis l'*Orohippus* (éocène) jusqu'au l'*Equus* récent. Plus tard M. Marsh a complété **) ce tableau par deux formes nouvelles *Epihippus* et *Eohippus* (la plus ancienne). En 1878 l'illustre professeur du Museum de Paris, M. Gaudry a publié son livre sur „les enchaînements du monde animal", ouvrage qui a tant passionné la jeunesse et a provoqué l'admiration pour la paléontologie, qui ouvrait un nouvel et large horizon à l'étude des sciences naturelles. Il est vrai que dans cet ouvrage nous ne trouvons pas de résumé systématique sur le développement de la ligne chevaline, mais dans tout le chapitre concernant les Solipêdes on voit que M. Gaudry admet l'idée de W. Kovalewsky à l'égard du dit développement. Mais, en comparant les dents et les membres des *Palaeotheridae* et des *Equidae*, l'anteur ne se borne pas à nommer *Palaeotherium medium* (comme le fait W. Kovalewsky), mais a recours à différentes espèces de ce genre. On rencontre ici *Pachynolophus siderolithicum*, placé entre *Palaeotherium minus* et *Anchitherium* par la ressemblance des dents, surtout les molaires inférieures. En comparant les membres M. Gaudry trouve ntile de placer *Paloplother. minis* entre *Palaeotherium medium* et *Anchitherium*.

---

*) *Marsh*. Fossil Horses.
**) *Marsh*: Polydactyle Horses. 1879.

Mais, dans tens ces comparaisons des différentes fermes rappochées on voit dominer l'idée de W. Kovalewsky sur le développement de la ligne chevaline.

En 1881 M. Cepe *) nous donne le schêma suivant pour résumer le développement des *Perissodactyla*:

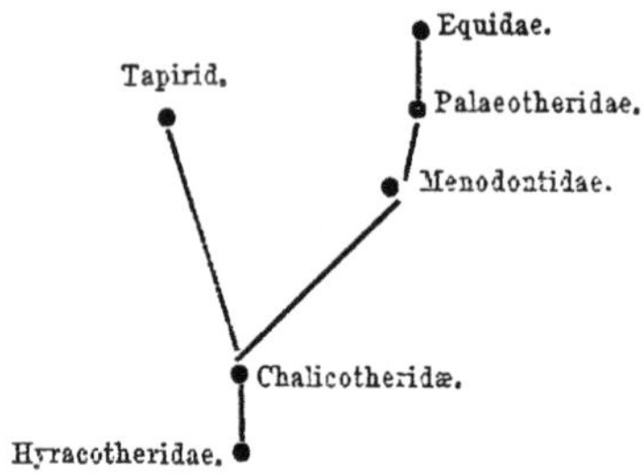

Nous voyons que M. Cope place la famille des *Hyracotheridae* à la base de l'arbre génétique des *Perissodactyla*, et suppose, que les chevaux ont dû traverser pendant leur développement les stades de *Chalicotheridae*, de *Menodontidae* et de *Palaeotheridae*. L'étude des familles nous démontrera si ce point de vue est naturel. La même idée a encore été exprimée par M. Cope en 1884 **). M. Köllner ***) admet la théorie de W. Kovalewsky sur le développement de la ligne chevaline et attache une grande importance au genre *Palaeotherium*, comme ancêtre des *Equidae* (p. 20 et 24). Pourtant l'auteur divise les *Palaeotheridae* en trois groupes: 1) genre *Anchilophus*, qui n'a pas laissé de descendents, de même que 2) le genre *Paloplotherium*, enfin 3) *Palaeotherium medium*, ancêtre des chevaux.

A la même époque (1882) *Phenacodus* fût trouvé en Amérique et placé par M. Wortman à la base des *Perissodactyla*, comme j'ai dejà eu l'occasion de l'indiquer. Dans l'exposition du développement des *Perissodactyla*, l'anteur suppose, comme l'a fait M. Cepe, que les *Perissodactyla*, se transformant successivement, ont traversé presque toutes les familles de cet ordre (excepté les *Tapiridae* et les *Rhinoceridae*) pour aboutir à *Equus* ****). *Phenacodus* dans son développement a dû passer à *Hyracotherium* (Fam. des *Lophiodontidae*) d'après M. Wortman.

*) *Cope*. The systematic Arrangement of Perissodactyla.
**) *Cope*. Tertiary Vertebrata.
***) *Köllner*. Entwickelungsgeschichte der Saugethiere. 1882.
****) *Wortman*. On the origin and development of the existing horses.

En 1883 la littérature paléontologique s'est enrichie par l'ouvrage capital de M. Branco *), renfermant de nombreuses indications nécessaires sur la distribution géologique et géographique d'*Equidae*. On trouve dans cet ouvrage une étude comparative détaillée sur l'*Equus Andium* et autres formes: *Anchitherium*, *Hipparion* et différents *Equus*, mais l'anteur n'exprime aucune opinion sur les formes primitives de ce groupe. Ce n'est qu'à un seul endroit que M. Branco indique, que M. Cope suppose *Hyracotherium* et non *Palaeotherium* ancêtre des *chevaux* (p. 104). M. Oscar Schmidt **) dans son travail, paru en 1884, confirme les idées de M. Owen et de W. Kovalewsky en rangeant *Palaeotherium*, *Anchitherium*, *Hipparion* et *Equus* comme formes successives dans leur développement. C'est un retour aux idées, qui semblaient être modifiées après la découverte des *Phenacodus* et des *Hyracotherium* américains, et après l'indication de la position de ces derniers à la base de la ligne chevaline. Pour les *Equidae* de l'Amérique, M. Schmidt accepte la théorie de M. Marsh.

J'arrive maintenant à l'ouvrage de M. Schlosser ***), ouvrage que j'ai souvent cité dans le 1-er chapitre de mon étude. Ce savant nous donne l'arbre généalogique détaillé des *Equidae*, en partant de *Phenacodus puercensis* et de *Hyracotherium*. Ce qui est surtout précieux dans ce travail, c'est l'identification des différentes formes connues sous des noms différents, mais étant en réalité synonymes. Cette identification est surtout précieuse à l'égard des formes de M. Marsh, que l'anteur a comparées personnellement, et qui ne sont représentées dans l'ouvrage cité de M. Marsh que par des schêmas, avec un resumé succint des caractères distinctifs. Les os carpiens et tarsiens n'y figurant pas, les genres indiqués étant à peu prés tons fondés par M. Marsh et n'étant pas mis en synonymie avec les formes européennes ou américaines des antres auteurs, ce travail ne peut être utile pour l'étude comparative sans le témoignage des paléontologistes, qui ont eu l'occasion de comparer les échantillons de M. Marsh avec les formes dejà connues. Or, dans mon étude j'aurai recours à ces témoignages personnelles de M. Schlosser, pour identifier les formes synonymes, mais portant des noms différents.

D'après le tableau de M. Schlosser, résumant le développement des *Perissodactyla* (p. 30), nous voyons que toutes les formes

---

*) *Branco*. Fossile Säugethiere—Fauna v. Punin. 1883.

**) *Oscar Schmidt*. Die Saugethiere in ihrem Verhaltniss z. Vorwelt.

***) *Schlosser*. Beiträge zur Kenntniss der Hufthiere.

européennes de la ligne chevaline ont leurs représentants en Amérique, ce qui n'a pas lieu à l'égard du *Meryhippus* Leid. de l'Amérique, qui semble donner naissance à une nouvelle branche chevaline européenne. *Meryhippus* a pour ainsi dire réuni en lui les formes européennes, pour en développer une nouvelle série.

M. Schlosser suppose que nous devons chercher le commencement de la ligne chevaline en Amérique, à cause des *Phenacodentidae*, qui s'y sont développés et qui y ont donné naissance aux *Hyracotheridae*.

Le genre *Palaeotherium* n'est d'après M. Schlosser qu'une branche latérale, qui, provenant d'autres espèces des *Phenacodus*, a disparu sans laisser de descendents. C'est donc M. Schlosser, qui le premier a considéré sous ce point de vue tout le genre *Palaeotherium* et même tout le groupe des *Palaeotheridae*: *Palaeotherium*, *Paloplotherium* et *Propalaeotherium*. *Pachynolophus* parait à l'auteur se trouver dans la même condition que les formes précédentes, à l'exception de *Pachynolophus* Kov. *(Hyracoth. siderolithicum)* et *Pachynolophus* Cope.

Quelques mois après l'apparition de l'ouvrage de M. Schlosser, M. Lydekker a publié son „Catalogue“ *), dont la III-me partie est consacrée principalement aux *Perissodactyla*. Nous y trouvons *Hipparion* placé dans la famille d'*Equidae*; M. Lydekker fait en même temps remarquer la difficulté qu'il y a à séparer la famille d'*Anchitheridae* de celle d'Equidae. Le genre *Anchilophus* parait à l'anteur être intermédiaire entre *Pachynolophus* et *Anchitherium* (p. 42), *Pachynolophus* d'après les molaires supérieures intermédiaire entre *Anchilophus* et *Hyracotherium* (p. 13). Suivant ces indications, je crois pouvoir ranger ces formes dans l'ordre suivant, en partant de *Hyracotherium leporinum* Ow. et différentes formes américaines, suivant par *Pachynolophus*, *Anchilophus* et *Hipparion*, pour arriver à *Equus*. Cette succession des formes dans le développement de la ligne chevaline coïncide avec celle qui a été indiquée par M. Schlosser dans son tableau.

Je crois utile de noter que dans le „Systematik index“ du Catalogue *Hyracotherium* et *Pachynolophus* (=*Propalaeotherium*) sont placés dans la famille des *Lophiodontidae*. *Anchitherium*, *Anchilophus* et *Palaeotherium* sont réunis dans la famille des *Palaeotheridae* (y compris *Paloplotherium*). La position génétique des *Palaeotherium* n'est pas indiquée dans cet ouvrage.

---

*) *Lydekker*. Catalogue Part III.

Dans l'intéressant ouvrage, qui vient de paraître, M. Gaudry *) donne plusieurs tableaux, résumant le développement des *Perissodactyla*. Pour le groupe des chevaux l'anteur indique comme forme primitive *Pachynolophus* de Reims (dans l'éocène inférieur), donnant deux branches: *Pachynol. isselanum* d'un côté et *Paloplotherium* de l'autre. A *Pachynolophus* succède *Anchilophus radegondense* de l'éocène supérieur. Les deux branches aboutissent à un seul représentant dans le miocène moyen—*Anchitherium*, qui précède *Hipparion*. (miocène moyen). Les différentes espèces de ce dernier donnent les différentes espèces d'*Equus* apparaissant dans le miocène supérieur (*Eq. sivalensis*) et existant encore aujourd'hui (p. 140).

Ce qui est intéressant à noter, c'est que *Pachynolophus* de Reims, nommé comme la forme la plus ancienne de la ligne chevaline, est aussi, d'après l'anteur, la forme, par laquelle le type *Rhinoceridae* est lié au type *Tapiridae*" (page 151). *Paloplotherium* ainsi que *Palaeotherium magnum* et *Pal. curtum* sont indiqué comme réunissant *Pachynolophus* avec *Acerotherium*.

D'après ce qui est parvenu à ma connaissance, ce sont là toutes les données principales qu'offre la littérature paléontologique pour la question, qui nous intéresse. Après cette revue générale, je voudrais m'arrêter encore à la famille des *Palaeotheridae*, dont le rôle dans cette ligne parait varier selon les différents auteurs. Tandis que M. Owen et W. Kovalewsky ont indiqué *Palaeotherium* comme forme primitive des chevaux (idée admise par plusieurs antres paléontologistes), d'autres savants, comme M. M. Wortman et Cope, n'en ont fait qu'une forme intermédiaire; M. Schlosser l'envisage comme une forme qui, quoique rapprochée des chevaux, ne se trouve pas en ropport direct avec ces derniers (n'est qu'une branche latérale). M. Gaurdy place cette forme prédécesseur d'*Acerotherium*, comme nous venons le voir.

Il me semble que, pour décider cette question, il est plus naturel de commencer par l'étude comparative des formes, qui pourront entrer dans la ligne génétique des chevaux. Alors la question concernant la position du *Palaeotherium* sera décidé d'elle-même; sa parenté avec les autres formes d'*Equidae*, sa ressemblance à un degré plus ou moins rapproché s'établiront par la comparaison d'autres restes fossiles. Dans cette étude je ne me bornerai pas à comparer seulement les formes européennes; mais j'attacherai également mon attention sur les fossiles connus des deux hémisphères,

*) *Gaudry*. Les ancêtres de nos animaux. 1888.

car il me parait impossible d'admettre que les formes semblables se soient isolément développées dans différents pays et qu'elles soient arrivées à donner comme point culminant la même forme— *Equus,* comme l'admettent plusieurs paléontologistes, p. ex. M. Ch. Vogt. *). Il me parait beaucoup plus naturelle de croire que le développement et la prédominance de l'une ou de l'autre de ces formes dans un pays donné n'a été que le résultat des conditions temporaires et que le changement de ces conditions a provoqué ou une émigration des formes, ou les modifications de celle ci selon ces conditions.

Encore quelques mots avant d'aborder l'étude comparative: je ne veux point dire que les formes que j'indiquerai ici, soient des formes absolues, uniques, qui sont entrées dans l'enchaînement de la ligne chevaline, que ces formes se soient succédé sans interruption ou sans l'intervention de toute autre forme. Je les considère seulement comme des chaînons rapprochés les uns des antres par leur ressemblance; mais il est bien possible que plus tard on trouvera encore quelques formes, qui entreront dans cette chaîne, pour la compléter, pour en réunir plus intimement les anneaux, ou peut-être même pour en remplacer quelqu'uns, qui ne sont connus aujourd'hui qu'en partie.

Or, en admettant la famille des *Phenacodontidae* à la base du développement de la ligne chevaline et indiquant *Phenacodus puercensis* Cope comme forme qui, selon ses caractères peut être regardée comme ancêtre d'*Equus*, je place la famille des *Hyracotheridae* (de l'eocène inférieur) comme la première qui ait subi une transformation évidente dans la direction du développement du cheval. Je vois dans *Hyracoth. venticolum* **) Cope le type de cette famille, caractérisée par quatre doigts aux membres antérieurs et trois doigts aux membres postérieurs; les molaires supérieurs composées de six tubercules (T. I, fig. 1), presque arrondis, les quatre tubercules des molaires inférieurs (T. I, fig. 9), perdant leur contours pour se réunir les uns aux antres par des faibles côtes, et donner naissance à la formation de deux croissants.

Les molaires supérieurs se distinguent des prémolaires; la pr^1 est triangulaire, la pr^2 a presque la même forme que la pr^1, mais est

---

*) *Ch. Vogt.* Quelques hérésies darwinistes.
**) *Cope.* Tertiary vertebrata T. 49 a, 49 b.

plus petite; la pr[3] n'est formée que de deux tubercules, dont l'antérieur est plus petit; enfin la pr[4] ressemble à une petite canine et a le type carnivore. La pr[4] est séparée de la précedente et de la canine par deux petites diastèmes. La pr[1] inférieure ressemble aux molaires; la pr[2] est plus simple, les pr[3] et pr[4] ont la forme des canines supérieurs et sont séparées les unes des antres et de la canine par des diastèmes. La dernière molaire inférieure est munie d'un talon. Nous voyons que cette disposition des dents du *Hyracotherium venticolum* est presque la même que chez *Phenacodus puercensis*, mais les tubercules commencent à perdre leur forme arrondie, et la pr[1] devient plus compliquée. M. Schlosser *) croit *Hyracotherium venticolum* identique avec *Eohippus* Mr. (sans indiquer l'espèce). M. Cope identifie les antres espéces d'*Hyracotherium* avec *Orohippus* Mr. Il est bien possible que les deux genres de M. Marsh peuvent être synonymes avec les différentes espèces des *Hyracotherium*. *Orohippus* Mr. caractérisé par les quatre doigts aux membres antérieurs et trois doigts aux postérieurs représente les membres de *Hyracotherium venticolum* décrites et représentés par M. Cope, *Eohippus pernix* Mr. possédant le rudiment du 5-me doigt et ayant la partie inférieure de l'astragalus plus allongée **) et plus rapprochée de celle des *Phenacodus*, trouvera sans doute une forme identique parmi les autres Hyracotheridae. En tout cas, on voit que la famille des *Hyracotheridae* présente déjà une réduction bien prononcée du nombre des doigts, comparée au *Phenacodus*. De nouvelles fouilles en Europe et en Amérique nous découvriront probablement les différentes formes intermédiaires et réuniront plus intimement ces deux types bien connus.

En continuant notre comparaison des dents, nous devons nous arrêter à *Pachynolopidae* (éocène moyen). Cette famille nous présente un nouveau caractère de rapprochement avec les chevaux. Les molaires inférieures possédent déjà le tubercule double (T. I. fig. 11, aa[1]) qui se développera plus tard en feuillets moyens (T. I, fig. 17 aa[1]) des molaires inférieures des chevaux. Les tubercules des molaires supérieures chez *Pachynolophus* se sont allongées d'une manière bien nette, marquant la tendence de se transformer en crêtes. Au côté postérieur des molaires supérieures apparaît un tubercule accessoire (T. I, fig. 2, c). La disposition

*) *Schlosser* l. cit. p. 13.
**) *Marsh*. „Pourtant cette face allongée possède à sa partie inférieure une petite facette pour le cuboid." Amer. Journ. of Sc. and Arts. 1878. tom. 12, p. 401.

des dents, ainsi que leur forme générale ont aussi changé progressivement. La 3-me prémolaire supérieure est plus rapprochée des antres molaires que dans la forme précédente (T. I. fig. 2); la pr[2] ressemble déjà à la pr[1]=m, elle n'est que plus petite. Dans la mâchoire inférieure (fig. 11, T. I) la pr[3] est aussi rapprochée de son pr[2], mais la structure en est plus simple. Les membres de ce genre ne sont pas encore connus. M. Lydekker indique dans le Catalogue (p. 13) que *Pachynolophus* se trouve en Europe et dans l'Amérique du Nord. Je n'ai pas pu trouver l'indication dans la littérature pour ce dernier cas. Ne serait-ce pas *Orotherium* *) Cope, dont la ressemblance des dents nous permet de supposer, qu'il pourrait entrer dans cette famille (les *aa*[1] Rütim. sont présents). Le genre *Pachynolophus* présente une série de modification des dents dans les différentes espèces; quelques-unes d'entre elles sont plus rapprochées des *Hyracotheridae*, p. ex. *Pachynolophus prevosti* Gerv. **), qui présente la 2-me premolaire supérieure moins compliqués qu'elle ne l'est chez *Pachynol. siderolithicum* (T. I. fig. 2), forme plus développée. *Pachynolophus* de Reims, cité par M. Gaudry ***) comme forme de l'eocène inférieur, qui a donné naissance aux principaux groupes des Imparidigités (*Equidae*, *Rhinoceridae* et *Tapiridae*) deit présenter une espèce encore moins modifiée que les formes ci nommées. A mon grand regret, je n'ai pas en ma disposition ni la description ni les figures de cette forme. Le genre *Pachynolophus* parait même arriver dans l'éocène supérieur (*Pachynol. cervulus* Gerv.) ****).

M. M. Gaudry *****) et Lydekker ******) croyent *Pachynolophus* synonyme avec le *Propalaeotherium*. Mais, cette dernière forme parait être un type qui, réunissant les traits caractéristiques de plusieurs genres, ne pourrait être intimement rapprochée d'aucune en particulier. Ses molaires supérieures ont une ressemblance avec *Pachynolophus*; mais la première prémolaire, dessinée par W. Kovalewsky (T. VIII, Anthracother.) nous montre, qu'elle est beaucoup plus simple que ne l'est même la pr[2] de *Pachynolophus*. En même temps les molaires inférieures possédent le *aa*[1] Rütim.

---

*) M *Cope*. 100-th. Merid. T. LXV, f.

**) W. *Kovalewsky*. Anthracotherium. T. VIII, f. 8.

***) *Gaudry*. Ancêtres de nos animaux, page 131, 140

****) *Lydekker*. Catalogue, page 15.

*****) *Gaudry*. Enchaînement, page 67, 69.

******) *Lydekker*. L. cit., page 13.

ce qui les éloigne des *Hyracotherium* en les rapprochant des *Pachynolopidae* une fois de plus. La position de *Propalaeotherium* dans l'éocène moyen et la grande correspondance de ses dents avec celles de *Meniscotherium* d'antre part; enfin son astragalus avec la partie inférieure allongée (Blainv. T. VIII). Palaeoth. d'Argenton fig. P? argent. Gervais Zool. et Paléont. fr. p. 61)—tout cela donne au *Palaeotherium* des caractères qui mettent en donte sa position génétique. et ne me permettent pas de la croire synonyme avec Pachynolophus.

On a trouvé dans l'éocène supérieur une forme qui doit appartenir à la famille des *Pachynolopidae* en succédant à ce genre tant par ses caractères anatomiques que par sa position géologique; c'est *Anchilophus* Gerv. Les six tubercules (T. I, fig. 3) des molaires supérieures forment ici deux crêtes, dont les parties externes forment les côtes externes des dents, caractéristiques chez les chevaux. Les parties moyennes des crêtes sont développées plus faiblement, et les parties internes se sont un peu dirigées en arrière. Le tubercule accessoire (fig. 3, c) des molaires supérieures est plus prononcé que dans le *Pachynolophus*. Les molaires inférieures ont leurs tubercules doubles (T. I, fig. 12 a a^1) plus développés. Il n'existe plus de diastème entre les prémolaires. Les pr^2 et pr^3 supérieures ressemblent aux molaires; la pr^3 n'est que plus petite. Les prémolaires inférieures ont la même disposition que les supérieures; les pr^4 des deux mâchoires restent petites et carnivores; le talon de la dernière molaire inférieure se conserve.

W. Kovalewsky a indiqué *l'os magnum d'Anchilophus* de Mauremont *), comme unique partie connue du squelette de ce genre. Cet os avait à sa partie postérieure une protubérance, qui entrait dans l'enfoncement de l'os *lunare*, ce qui a lieu dans les formes des imparidigités, qui ont commencé la réduction de leurs membres. Chez les formes avec les membres non réduites cette protubérance passe entre le scaphoide et le lunaire. W. Kovalewsky, en attribuant une grande importance à cette forme de l'*os magnum*, ne voit dans Anchilophus qu'un „Versuchsgenus in der Pferderichtung. Der Versuch war aber erfolglos und der Anchilophus erlischt im Eocän, ohne directe Nachfolger zu hinterlassen". Ce résultat me paraît parfaitement étrange, et en m'appuyant sur la ressemblance

*) W. *Kovalewsky*. Anthracotherium, page 157.

des dents d'*Anchilophus* avec celles de la forme précédente et celles d'*Anchitherium*, comme nous allons le voir et sa forme dejà modifiée de l'os magnum, je crois naturel de voir dans *Anchilophus* une forme, qui n'est pas eteinte sans descendents, mais qui s'est transformée en *Anchitherium*. M. Schlosser place *Anchilophus* avec *Epihippus* Mr. *), en indiquant pour les deux formes les mêmes caractères et le nombre commun de trois doigts à tous les membres. C'est un grand point d'appui pour la position génétique d'*Anchilophus* précédant *Anchitherium*, dont la ressemblance est si grande, qu'on a confondu les dents de ces deux formes (Gervais. Zool. et Pal. fr., t. 30).

Le genre *Anchitherium* ayant ses représentants dans le miocène de l'Europe et de l'Amérique du Nord est très rapproché des formes d'abord étudiées. Il présente pour ainsi dire le développement successif des dents d'*Anchilophus* et des membres d'*Epihippus* Mr. Les tubercules formant les crêtes des molaires supérieures se sont recourbés un peu plus en arrière (T. I, fig. 4); les tubercules moyens sont les moins développés. Au côté postérieur les tubercules accessoires (c) sont bien prononcés. Les molaires inférieures (T. I, fig. 13) rappellent par leur forme celle d'*Anchilophus*, en développant plus les tubercules aa^1 et en diminuant le talon de la dernière molaire. Les molaires des deux mâchoires forment des rangées complètes sans diastèmes; les six molaires sont égales, la 7-me plus petite conserve la forme carnivore. Les espèces européennes d'*Anchitherium (Anch. aurelianense)* sont plus grandes que celles de l'Amérique *(Anch. Bairdi)*, qui par cela même, ainsi que par leurs caractères anatomiques, sont plus rapprochées de la forme précédente.

Les membres de devant sont munis de 3 doigts bien dévelloppés avec le rudiment du 4-me (V mete. selon M. Schlosser et M. Marsh). W. Kovalewsky l'indique dans le texte de son ouvrage sans le figurer dans le tableau **). M. Lydekker (Catal. p. 43) dit pour l'*Anchith. aurelianense*: „there is no trace of the fifth metacarpal". Cette apparente opposition d'opinions sur le nombre des metacarpus confirme l'idée que ce genre nous présente plusieurs espèces, possédant des caractères progressivement variables. Dans quelques formes ces caractères indiquent des stades plus développées que les antres. *Anchitherium biardi* Leidy corserve le ru-

*) *Schlosser*. L. cit, page 14.

**) W. *Kovalewsky*. Anchitherium, T. II, fig. 1. Anthracotherium, T. VIII, fig. 3.

diment du V-e metacarpus et présente les petites dimensions, tandis que l'*Anchitherium aurelianense* s'est debarassé de son metacarpus V et a beaucoup augmenté sa taille. Des différentes formes intermédiaires complètent la série. Par leur position géologique c'est *l'Anchitherium* de l'Amérique du Nord (depuis le miocène inférieur) qui est plus ancien que celui de l'Europe (depuis le miocène moyen).

M. Schlosser croit que *Mesohippus* et *Miohippus* Mr. sont identiques avec *Anchitherium* *), mais il n'indique pas, laquelle de ces formes est plus rapprochée aux espèces européennes et laquelle à celles de l'Amérique, pourtant la différence est assez notable. Il me semble possible de supposer que *Mesohippus* n'est antre chose qu'*Anch. Bairdi*, et qu'*Anchither. aurelianense* ne présente qu'une variété plus grande et plus développée du genre, y compris *Miohippus* Mr.

Les formes que nous avons jusqu'à présent passées en revue, nous paraissent tellement rapprochées les unes des antres, et apparaissent avec une telle succession de caractères anatomiques et d'époques géologiques, que quelques formes intermédiaires suffiraient pour rendre cette succession si peu tranchée qu'il serait même difficile de définir les limites de la transformation. De cette manière nous sommes arrivés à *Anchitherium*, cette forme dont la position dans la ligne chevaline n'est contestée de personne. Mais, dans cet enchainement des formes, conduisant à *Anchitherium*, nous n'avons pas rencontré *Palaeotherium*, forme, dont la position génétique, qui précède *Anchitherium*, a été pour la première fois contestée par M. Schlosser, qui n'en voyait qu'une branche latérale et non une forme liée génétiquement avec *Anchitherium*. La même idée a été exprimée par A. Pavlow **), qui voit dans *Palaeotherium* (ainsi que dans *Anoplotherium* et *Entelodon*) une forme, qui avait réduit inadaptivement ses membres, et a disparu sans laisser de descendants. Pourtant, la position de *Palaeotherium* est regardée par plusieurs paléontologistes si parfaitement déterminée dans la ligne chevaline que le simple replacement de sa position, sans indiquer les données qui forcent à le faire, ne sauraient suffir. Nous allons passer en revue, quoique brièvement, les caractères de cette forme, pour décider le pour, ou le contre de sa position. Pour ne pas entrer dans des détails inutiles, j'aurai

---

*) *Schlosser*. L. cit., p. 14.
**) A. *Pavlow*. Note sur l'histoire géologique des oiseaux. 1885, p. 25.

recours à l'ouvrage de W. Kovalewsky où la comparaison de *Palaeotherium* avec *Anchitherium* a fait le mieux ressortir les traits de ressemblance et de dissemblance de ces formes. Sans m'arrêter aux dissemblances assez marquées de quelques parties d'omoplate et d'humerus*), j'attirerai l'attention sur le radius (page **10—11**) si différent dans les deux formes. En parlant de la face articulaire inférieure du radius du *Palaeotherium*, W. Kovalewsky dit, qu'elle diffère complètement d'Anchitherium (cette dernière représente la face carpienne de l'ane), et que „là etait la grande difficulté de passage entre *Palaeotherium* et *Anchitherium*" (page **12**, fig. 47). Dans cette même page on trouvera l'indication de ces différences; je ne crois pas nécessaire de les répéter ici.

Cubitus, femur, tibia, et les os carpiens présentent chez ces deux formes des différences qui ne nous permettent pas d'admettre une parenté intime. Même l'atlas de *Palaeotherium* a un caractére qui ne permet pas de le rapprocher de celui des chevaux: „le canal pour l'artère vertébrale y perce en arrière l'épaisseur de l'apophyse latérale vers la base comme dans le tapir, et non sa face supérieure comme dans le cheval et l'*Anchitherium*" (page 69, fig. 40). Ce caractère a été indiqué par Cuvier **). Si nous passons à l'examen des dents du *Palaeotherium*, nous verrons une grande différence dans la forme des crêtes, très contournées en arrière chez *Palaeotherium* comparativement à *Anchitherium*. Le côté extérieur des molaires supérieures prèsente ces deux plis saillants, qui distinguent les dents des *Palaeotherium* de toutes les dents des formes analysées.

Les molaires inférieures ne présentént pas des denticules doubles (*aá*), si caractéristiques dans la ligne chevaline, et qu'on trouve dejà dans des formes aussi anciennes que Pachynolophus.

Je ne chercherai pas à déterminer pour le moment la position génétique de *Palaeotherium*, et à indiquer les ancêtres et les descendants de cette forme; il faudrait pour cela faire une étude spéciale de différentes espèces de *Palaeotherium* et des formes qui leur sont rapprochées. J'ai voulu seulement démontrer l'impossibilité de sa position génétique, précédant l'*Anchitherium*, et indiquer, qu'*Anchilophus* Gerv. (*Epihippus* Mr.) possède incontestablement tous les caractères nécessaires pour occuper cette place (du moins parmi les formes connues).

---

*) W. *Kovalewsky*. Anchitherium, page 45, 71.
**) *G. Cuvier*. Oss. fass. p. 397.

Pour s'expliquer la raison pour laquelle W. Kovalewsky a placé le *Palaeotherium*, comme ancêtre des chevaux, et prédécesseur *d'Anchitherium*, il fant se rappeler, que la plus grande partie des formes américaines, trouvées et décrites par M.M. Marsh et Cope n'ont pas été connues avant la publication de l'ouvrage de W. Kovalewsky. Il est certain que parmi les formes connues alors *Palaeotherium* était celle qui paraissait la plus rapprochée *d'Anchitherium*, et, en supposant quelques formes encore inconnues, placées entre ces deux genres, on pourrait admettre le passage de l'une de ces formes à l'autre. La diversité des caractères des *Palaeotherium*, concerne surtout les dents et l'astragalus *), dont le prolongement inférieur est d'une longueur variable, selon les différentes espèces; la facette calcanéenne varie aussi dans les astragalus des *Palaeotherium*, tantôt s'allongeaut pour arriver presque jusqu'au bord inférieur, tantôt se raccourcissant et s'arrondissant.

Tons ces caractères, ainsi que la diversité de taille du *Palaeotherium* ne laissent pas de donte que c'était un groupe très variable, peu stable pour ainsi dire, mais qui, en même temps, n'a pas les caractères qui permettraint ou de le positivement réunir à quelque forme connue, ou de le réjeter, comme branche latérale disparue sans laisser de descendants. Cette diversité de caractères est d'autant plus frappante que toutes les espèces de ce genre appartiennent à la même époque géologique (éocène supérieur). Ce genre n'est connu qu'en Europe, et encore sa distribution géographique n'est-elle pas large dans cette partie du monde; il a été trouvé principalement en France, plus rarement en Angleterre et en Allemagne.

En étudiant les formes chevalines américaines, on est frappé de la ressemblance de *Meryhippus* (t. I, fig. 5, 14) Leidy avec *Anchitherium* d'une part, et avec *Protohippus* Leidy de l'autre. A mon grand regret, je n'ai à ma disposition ni moules, ni spécimens de cette forme si intéressante et je dois me borner aux dessins, donnés par M. Leidy **) et à la description qu'il a faite. Cette dernière est si parfaite, pourtant, qu'elle donne une idée complète de la position de *Meryhippus* entre *Anchitherium* et la forme suivante—*Protohippus*. M. Schlosser dit aussi, que cette forme „genugt allen Anforderungen, die man einer Mittelform zu stellen

*) Voir les nombreux dessins chez *Blainville* et *Gervais*, pour les dents et les astragalus.

**) *Leidy*. Nebraska et Dakota page 292, 294. T. 17, 18, 21.

berechtigt ist" (entre *l'Anchitherium* et *Equidae* proprement dit) *). C'est dans les dents de cette forme que nous voyons pour la première fois apparaître le cément, remplissant les intervalles entre les crêtes, ce qui est moins marqué dans les prémolaires et plus dans les dents de lait; l'allongement des molaires commence aussi chez *Meryhippus*. C'est encore dans cette forme que se produit l'isolement des deux îlots (o. O. f. 8.) remplis du cément; ces ilots sont caractéristiques pour les dents *d'Equidae*. (Marken de Kovalewsky). L'îlot antérieur se forme par la réunion des prolongements latéraux des tubercules moyens (m. m); le postérieur (o) grâce aux prolongements du tubercule accessoir (c), qui le lient avec le tubercule moyen portésieur (m). Ces îlots isolés se transmettent de *Meryhippus* au *Protohippus* et plus tard à *Equus* (f. 8. T. I).

M. Leidy dit, que la ressemblance des dents, séparées, de *Meryhippus* avec celle de *Protohippus* est si grande, qu'on a été tenté de les prendre pour les dents de ces derniers avant d'avoir trouvé les fragments du crâne (mâchoire supérieure), qui rapprochaient le *Meryhippus* de *l'Achitherium*.

M. Leidy indique encore plusieurs formes parentes *d'Anchitherium*, p. ex. *Hypohippus*, *Anchippus*, *Parahippus*, mais je ne m'arrêterai pas à ces formes, tant parce que les parties qui en sont connues, sont trop peu nombreuses, que parceque le passage *d'Anchitherium* à *Protohippus* Leidy par *Meryhippus* Leidy me paraît tout naturel et que les formes nommées ne peuvent presque rien ajouter à cette ligne génétique. Quand elles seront étudiées dans un plus grand nombre d'échantillons, elles pourront peut-être complèter cette ligne.

Je m'arrêterai maintenant à *Protohippus* Leidy **), cette forme tridactyle, qui commence dans le pliocène (miocène supérieur?) la famille *d'Equidae* proprement dits, possédant des dents allongées et convertes du cément. Les molaires (T. I. fig. 6, 14) de cette forme nous présentent le passage graduel des dents de *Meryhippus* à celles des chevaux. Tandis que les unes sont très rapprochées des dents de *Meryhippus*, grace à la position et à la forme arrondie de leurs denticules antero-internes des molaires supérieurs, les antres commencent dejà à allonger cette denticule pour se rapprocher plus des chevaux; l'émail, qui entoure les îls forme ici quelque plis. Mais dans toutes les dents de *Proto-*

---

*) *Schlosser* l. cit., page 14.
**) *Leidy*, Dakata et Nebraska. T. 17, 18. Western Territory. T. 20, fig. 20.

hippus représentées par M. Leidy, ainsi que dans celles de ma collection on trouve toujours le même caractère (plus ou moins accentué) — *le denticule antero-interne réuni au denticule moyen* (sans aucune tendence à se séparer); ce caractère qui s'est manifesté dejà chez *Pachynolophus*, c'est à dire depuis la modification des tubercules séparés en crêtes composées de trois denticules, s'est conservé jusqu'aux nos chevaux actuels.

Sans entrer dans l'analyse des changements de chacune des molaires, qu'on trouvera indiqué chez M. Leidy (p. 275 Dak. et Nebr.), je crois pouvoir indiquer la position génétique de cette forme américaine tridactyle à la base du développement des chevaux proprement dits, comme l'ont proposé M.M. Leidy et Marsh. Quoique il n'existe pas dans la littérature de description détaillée des membres de cette forme, mais nous avons l'indication qu'elle avait les trois doigts qui n atteignaient pas le sol. M. Marsh place *Protohippus* entre *Miohippus* et *Pliohippus* *), ne le confondant jamais avec Hipparion **).

Les modifications dentaires peu sensibles à première vue nous conduisent de *Protohippus* Leidy à *Hippidium* Ow. du pliocène de l'Amérique du Nord (=*Pliohippus* Mr. d'après M.M. Cope, Branco ***) et Lydekker). Dans l'Amérique du Sud cette forme a été trouvée dans le post-pliocène ****).

Les denticules antero-internes des molaires supérieures se sont allongés en arrière plus que les postero-internes. L'émail est devenue pins plissée.

Le metacarpus et metatarsus III sont les seuls doigts bien developpés; les doigts latéraux ne sont plus que des stilets déponrvus des sabots.

Le degrés suivant dans le développement des caractères propres à la famille *d'Equidae* nous trouvons chez *Equus stenonis* Cocchi, forme qui a ses représentents en Europe (eocène superieur), en Algérie et en Asie, si l'on admet son identité avec *Equus sivalensis* Falc *****). Le denticule antero-interne des molaires supérieures s'est allongé longitudinalement, en manifestant dejà un petit prolongement aussi en avant (t. I. fig. 7, v 16); l'email a

---

*) *Marsh*. Polydactyle Horses. page 502.
**) *Marsh* Fossil Horses. page 290.
***) *Branco*. Punin, page 107.
****) *Burmeister*. Pampas-Formation. *Burmeister*. Republique Argentine.
*****) *Forsyth-Major*. Quart. Journ. Geol. Soc. Volxli., p. 2. 1885.

formés un plus grand nombre de plis autour des îlots remplis du ciment. Ces modifications graduelles nous amènent à la forme culminante *d'Equidae*—à *Equus caballus* de nos jours.

Dans les molaires supérieures de ce dernier le denticule antero-interne a pris la forme presque triangulaire avec un long talon postérieur (T. I. fig. 8 w) et un antre plus court antérieur (v). En même temps, l'allongement des molaires a augmenté, les racines ont disparues; la 4-me prémolaire a disparu de la mâchoire supérieure; elle n'apparait quelquefois que temporairement. Pour les molaires inférieures nous pouvons suivre aussi une modification graduelle quoique avec moins de détails.

Pour *Photohippus* nous avons la fig. 14, qui nous montre le progrès du développement des molaires inférieures *d'Anchitherium* et le passage à celles des chevaux. C'est toujours le denticule double aa' qui progresse dans son développement et forme ici deux feuillets moyens, encore peu développés. Dans les espèces plus jennes géologiquement, *Hippidium*, *Eq. stenonis* et *Eq. caballus* ces feuillets se développent d'avantage; l'enfoncement, compris entre eux, devient plus profond, l'email se plisse davantage et même quelques nouveaux replis se forment. L'éxtremité postérieure du croissant postérieur (fig. 16, 17,) se développe aussi en feuillet, quoique moins complet que l'antérieur. En étudiant le tableau 14 de Leidy (Nebr. et Dak.), où un grand nombre des molaires inférieures est représenté, on peut suivre le développement de ces dents. Les fig. 23, 1, 22, 29, 12, 16, 3, 29 représentent une modificatton graduelle des dents en partant de celles *d'Anchitherium*. Les dents du dit tableau ne sont pas déterminées, mais leur comparaison avec les formes connues aujourd'hui ne laisse pas de donte qu'on peut les identifier avec toutes les formes chevalines connues.

Pour ce qui concerne les membres, les paléontologistes n'ont pas été aussi heureux dans leurs trouvailles, qu'ils l'ont été pour les dents, et toutes les espèces *d'Equidae* connues par leurs dents ne le sont pas par leurs membres. En tout cas nous avons dans ces formes une série de membres, qui conduit du pied à 5 doigts de *Phenacodus* au pied monodactyle *d'Equus* de nos jours, où les doigts lateraux ne sont que de faibles stylets.

Les formes que je viens de passer en révue après *Protohippus* et *Hippidium* (formes américaines) appartiennent également au nouveau et au vieux monde. *Equus stenonis* a été nommé dans les trois parties du vieux monde; n'est-il pas représenté en Amérique par *Equus parvulus* Mr?.. *Equus caballus* a existé dans le Pleistocène en Europe et en Amérique arctique. Nous trouvons en Asie *Equus sivalensis* et *Eq. nomadicus* *) Fal. qui se distinguent en général par leurs dimensions plus considérables et par leurs molaires plus épaisses **).

Il est bien possible qu'*Equus nomadicus* Falc. pourrait être mis en synonymie avec *Equus caballus*, quoique plusieurs des formes de cette espèce présentent un plissement d'émail beaucoup plus prononcé que ne le possède aucune forme *d'Equus caballus*. En tout cas, le passage graduel de ces formes pliocènes et postpliocènes est assez difficile à suivre dans les différents pays. Je donnerai à la fin de cette étude un tableau, qui résumera la distribution géographique de ces formes dans les différentes époques géologiques. Je ne les ai nommées ici que pour rappeler qu'un lien intime les a uni, et que nul ne doit douter que toutes ces formes ont entre elles la parenté génétique et générique la plus prononcée.

Nous avons donc suivi le développement de la ligne chevaline, en partant de l'époque la plus réculée—de l'éocène inférieure et de la forme ne présentant presque aucune ressemblance avec le cheval — *Phenacodus puercensis*, pour arriver au type parfait que présente notre cheval actuel. Mais chacun de ceux qui se sont jamais occupés de cette question, tant parmi les paléontologistes par spécialité, que parmi les simples dilettantes, sera étonné de ne pas trouver dans cette chaîne chevaline une forme bien connue — *l'Hipparion*. L'idée que cet animal a été le prédécesseur du cheval est tellement répandue aujourd'hui, qu'on est sûr de rencontrer le nom *d'Hipparion* précédant le cheval, également, quand on consulte un traité général de paléontologie, un travail tout spécial sur ces Imparidigités ou sur les Equidae et même tout travail sur la paléontologie populaire.

C'est partout la même indication, c'est-à dire que *Hipparion* a précédé le développement du cheval, et que c'est lui qui est l'ancêtre direct de ce dernier. Cet ancêtre est caracterisé par *des membres tridactyles, des dents à émail tres-plissées et à denticule antero-interne* (*i* f. 24. T. I) *séparé du denticule moyen*. Je le repète, l'idée concernant la position de cette forme semble telle-

---

*) *Falconer*. Fauna antiqua sivalensis. T. 82.
**) *Lydekker*. Siwalik and Nabrada Equidae. T. 14, 15.

ment inébranlable et cette forme parait si nécessaire au développement des chevaux, d'après presque tous les paléontologistes, que son absence parmi les chaînons de la ligne chevaline doit paraître tout au moins étrange.

Les traits caractéristiques indiqués pour *Hipparion* ne peuvent être contestés, car il est difficile de caractériser une forme d'une manière plus nette et plus bréve. Il y a pourtant eu quelques formes qui portant le nom *d'Hipparion* ne répondaient pas complètement à cette définition; p. ex. pour *Hipparion antilopinum* il n'était indiqué qu'un seul doigt *). Le plissement de l'émail était aussi moins prononcé chez quelques formes *d'Hipparion*, que chez le cheval actuel. Ce n'est que le tubercule isolé *d'Hipparion*, qui ne manquait jamais.

Mais ces exceptions mêmes semblaient servir à mieux soutenir et à mieux prouver la parenté intime entre les deux formes extrêmes. Pourtant, en examinant les dents *d'Hipparion* il me semblait incompréhensible que des caractères nouveaux (denticule separé) se développant chez *Hipparion*, puissent disparaître chez les chevaux. En suivant toutes les modifications qui se sont opérées dans les dents, depuis *Phenacodus* et *Hyracotherium* (transformation des six tubercules complètement arrondis en deux crêtes composées de trois denticules aigus; recourbement de ces crêtes dans leurs parties internes); j'ai toujours vu les mêmes parties, pour ainsi dire, fondamentales des dents, changeant leur forme, leur position, mais n'ajoutant rien d'essentiel aux dents. En examinant les dents *d'Hipparion* j'ai vu un caractère tout spécial, qui empêchait de comprendre sa position comme prédécesseur du cheval.

Pour m'expliquer cette particularité des dents j'ai tâché de comparer, avec tonte la prudence et l'impartialité, les parties principales de dents *d'Hipparion* avec celles des formes qu'on est habitué de regarder comme formes les plus rapprochées de lui, c'est à dire *Anchitherium* d'une part et *Equus* de l'autre.

Le caractère essentiel des dents de ces trois formes est le même. Le côté externe composé de deux denticules externes (E. e. ffig. 4. 24. 8. T. I), séparés par un repli; ces denticules sont liés avec les tubercules moyens (*M*, *m*), et ces derniers se lient aux tubercules internes (*I*, *i*). Outre celà, nous voyons aux dents *d'Hipparion* et du cheval deux grands ilôts d'émail (*O*, *o*) (Marken de Kovalewsky), qui semblent manquer chez *l'Anchi-*

*) *Falconer.* Fauna Antiqua Siwalensis. T. 81—85.

therium; mais nous avons dejà vu (p. 152) comment se sont formés ces îlots chez Meryhippus, forme intermédiaire entre *Anchitherium* et *Protohippus*. Il est facile à comprendre que ces ilots fermés ne sont qu'un développement progressif de la surface des molaires *d'Anchitherium*.

Dans les antres parties, les trois dents que nous comparons se ressemblent à l'exception du denticule antero-interne *I*, lié au *M* chez *Anchitherium* et *Equus* et separé chez *Hipparion*. Outre cela, le plissement de l'email, qui contourne les îlots est chez *Hipparion* beaucoup plus prononcé que chez *l'Equus*. Voilà quelles sont les principales différences entre les dents *d'Anchitherium*, *d'Hipparion* et *d'Equus*. Le désir d'expliquer le rapport mutuel qui existe entre le denticule antero-interne séparé chez *Hipparion*, avec celui *d'Equus* réuni avec le *M*, a fait supposer à W. Kovalewsky que ce denticule a chez *Hipparion* un développement spécial, qu'il ne correspond pas à celui *d'Anchitherium*, mais qu'il a la même origine que le tubercule accessoire des Paridigitae (*Bovidae* et *Cervidae*). Il cherche l'origine de ce denticule chez *Anchitherium*, dans les tubercules accessoires moyen de quelques dents; le trouve isolement developpé chez *Hipparion* et lié avec le *M* chez *Equus* (p. 220 Antracother.).

Mais cette idée n'a pas été admise par les autres paléontologistes, qui voyaient bien l'homologie du denticule *I d'Anchitherium* avec celui *d'Hipparion* et *d'Equus*. (M.M. Owen, Gaudry, Lydekker). Et vraiment, en admettant que le *I d'Hipparion* s'est développé d'un tubercule accessoire, comment pourrait-on expliquer la disparition de *I d'Anchitherium*, et pourquoi alors les *i d'Equus* et *d'Hipparion* ne seraient-ils pas aussi des tubercules accessoires, car il est difficile de croire à l'origine différente de ces deux parties des dents, si l'on snit le développement successif des crêtes, depuis les formes anciennes jusqu'à *Anchitherium* et *Equus*. La comparaison entre les dents *d'Hipparion* et celles de *Merihippus* et de *Protohippus* Leidy (formes primitives *d'Equidae* proprement dit), ne laisse aucun donte sur l'origine semblable de toutes leurs parties en général et des denticules internes en particulier. Cette comparaison sera encore plus complète, si nous comparons les côtés internes des dents de *Protohippus* et *d'Hipparion* (T. I. fig. 29, 30). Aprés avoir examiné ce côté des dents, peut-on douter que le développement de deux *I i* soit le même dans ces deux formes? Mais, tandis que chez *Protohippus*, les deux replis (*R*, *r*,) formant les *I i* dans les dents usées) restent ouvertes sur presque toute la longueur des dents, chez *Hipparion* ce n'est que le repli *r* qui a le même aspect, et le repli *R* s'isole. Alors, sur la face supérieure des molaires ce repli n'a plus l'aspect d'une presqu'ile (*i*), mais d'une île isolée (*I*). La forme même de cette ile se modifie avec les espèces: d'une forme arrondie, semblable à celle de *I d'Anchitherium* et de *Protohippus*, on passe à des îles plus elliptiques et plus éloignées sur le bord interne des dents. Si nous admettons que cet *I d'Hipparion* s'est formé grace à l'isolement de *I d'Anchitherium* et de *Protohippus*, ce que nous venons de voir, comment pourrons-nous admettre, que cet *I* isolé se réunira de nouveau à *M* chez *Equus* *)? Ne serait-il pas plus naturel de voir dans cet isolement, ainsi que dans le plissement de l'émail, un stade plus avancé des dents *d'Hipparion* comparativement à celles des chevaux? Et, si nous admettons cela, on ne pourra plus douter 1) que *Hipparion* n'a pu génétiquement être intermédiaire entre *Anchitherium* et *Equus*, 2) que les dents *d'Anchitherium*, dans leur développement, n'ont eu aucun besoin de passer par le stade *d'Hipparion* pour arriver à *Equus*; 3) que leur évolution dans cette direction a donné la forme des dents de *Meryhippus*, de *Protohippus* et *d'Equus* dans le sens propre de ce nom; 4) que dans cet enchainement, aucune des parties essentielles des molaires n'a eu besoin de disparaître pour reparaitre plus tard, ou pour développer des parties complètement nouvelles et différentes *).

Si nous comparons les molaires inférieures *d'Hipparion* avec celles *d'Anchitherium* et *d'Equus*, nous verrons que chacune de ces dents est composée de deux croissants (T. I. fig. 13, 27. 17), et que les denticules doubles *a a'* représentés chez *Anchitherium* en forme de pointes, se sont développés en feuillets chez *Hipparion* et *Equus*. Ce développement passe les degrès successifs par *Meryhippus*, *Protohippus* pour arriver *d'Anchitherium* à *Equus*, comme nous l'avons vu. Ainsi, la forme générale de ces dents est la même chez *Equus* et *Hipparion*. Mais, si nous comparons les contours de l'émail et le développement des feuillets, nous verrons que chez *Hipparion* l'émail forme des replis qui sont beaucoup plus découpés. Les molaires de lait (fig. 28) présentent surtout une différence notable dans le plissement de l'émail comparativement avec les dents des chevaux.

---

*) Les tubercules *i* des dents de lait chez *l'Hipparion* présentent aussi une tendence à s'isoler (T. I. fig. 31).

**) *Owen*. Philos. Trans. 1869. № 2. p. 536, 537. fig 2, 3.

Le passage des molaires inférieures *d'Anchitherium* à celles de *Protohippus* et *d'Equus* semble plus possible que le passage intermédiaire aux molaires *d'Hipparion*, c'est à dire à une forme plus compliquée. Certe, la différence entre les molaires inférieures *d'Hipparion* et *d'Equus* est moindre que la différence entre les molaires supérieures de ces formes; mais leur structure beaucoup plus compliquée parait tout évidente, et *Hiparion* apparait sous le rapport de ces dents aussi comme forme, qui a surpassé le cheval dans son développement.

Nous allons maintenant étudier comparativement les membres *d'Hipparion* avec ceux *d'Anchitherium* d'un côté, et *d'Equus* de l'autre pour voir s'ils peuvent occuper la place intermédiaire entre *Anchitherium* et *Equus*. Dans l'excellent ouvrage de W. Kovalewsky sur l'Anchitherium nous trouvons une comparaison assez complète de ces formes, quoique ce soit plutôt avec *Equus* que la comparaison *d'Anchitherium* a été faite. (J'insisterai sur l'étude des membres, sans m'arrêter sur les autres parties du squelette).

Membres antérieurs. Nous trouvons chez *Hipparion* un *trapèze* *). En même temps la question sur l'existence d'un rudiment du *I metacarpus* a été soulevé par Hensel (p. 16). Quoique cette dernière indication a été contestée par W. Kovalewsky (p. 29), la possibilité même de cette discussion prouve que les membres *d'Hipparion* présentent une moindre réduction que cela parait au premier abord. Le *trapèzoid d'Anchitherium* est inconnu, et grace à cela la question sur l'existence de *trapèze* ne peut être décidée. Quant au *V metacarpus* sa présence chez *Hipparion* est demontré par W. Kovalewsky ***); chez *Anchitherium* il n'existe que dans quelques espèces seulement (*Anchith. bairdi*), comme nous l'avons dit dans les pages précédentes **); chez *Equus* il n'y en a pas trace.

Le *scaphoïde d'Hipparion*, ayant une ressemblance avec celui *d'Anchitherium* et *d'Equus*, semble être moins rappoché de ce dernier que ne l'est celui *d'Anchitherium*, surtout par sa partie postérieure, qui dans son bout inférieur est plus allongé.

L'os magnum d'Hipparion nous présente une différence notable dans les rapports des dépressions lunarienne et scaphoïdienne,

---

*) *Hensel.* Hipparion mediterraneum, p. 77. *Gaudry.* Attique, p. 224.

**) *W. Kovalewsky.* Antracoth. T. I. fig. 3 a. *Hensle.* l. cit. T. 2.

***) Faute d'échantillons, je dois me borner à la littérature.

comparativement à celles *d'Anchitherium* et *d'Equus*. Chez le premier la dépression lunarienne (T. II. fig. 3. e) est beaucoup plus petite qu'elle ne l'est chez les deux antres formes (T. II. fig. 1. 2).

Le prolongement postérieur du *magnum d'Hipparion* ne présente pas d'échancrure qui est bien marquée chez *Equus*, au point de réunion de cette partie avec la partie antérieure de cet os (T fig. 2. 3). Pourtant c'est dans cette échancrure que passe le tendon, ce qui est d'une grande importance; elle est bien marquée dejà chez *Protohippus.*

Le III-me *Metacarpus*. La partie distale de cet os, chez *Anchitherium*, possède sur sa facette unciformienne une échancrure pour le ligament (T. II. fig. 4 u). Cette échancrure n'éxiste pas chez *Hipparion*, (fig. 6) mais chez *Equus* elle est devenu tellement profonde (fig. 5 u) qu'elle a coupé la facette unciformienne en deux parties et qu'elle s'est même prolongée jusqu'au milieu de la face distale du metacarpus (sous l'os magnum).

Dans les différentes espèces *d'Equus* cette échancrure est plus ou moins développée, mais elle ne manque jamais. Au contraire, dans ce genre on voit au côté opposé de la même face articulaire une antre échancrure, qui s'enfonce pour diviser la facette servant à l'articulation du metacarpus III avec le metacarpus II (T. II. fig. 5).

Or, la présence ou l'absence de ces échancrures doivent avoir une grande importance dans la solidité des membres. L'empreinte de ces ligaments existe sur la face inférieure de l'os magnum (qui est lisse chez *Hipparion*).

Membres postérieurs. L'astragalus. Sur sa face *calcanéenne* on remarque chez *Hipparion* (T. II. fig. 9) quelqnes particularités qui ne répondent pas à la position intermédiaire de cette forme entre *Anchitherium* et *Equus*. La facette *oblongue interne* (*i*) qui chez *Anchitherium* arrivait jusqu'à la surface tarsienne (fig. 7) est séparée chez *Hipparion* du bord inférieur de l'os, ce qu'on trouve encore chez quelques espèces de *Palaeotherium*, et ce qui n'éxiste pas chez les chevaux (fig. 8). Le bord supérieur de cette facette s'élève plus haut chez *Anchitherium* et *Equus* que chez *Hipparion*; dans les deux premières il est séparé du bord supérieur par un profond enfoncement. C'est dans cet enfoncement qu'entre la saillie correspondante du *calcaneum*. Chez *Anchitherium* et *Equus* cette facette oblongue continue au côté interne de l'os en forme de dépression allongée (*x*) selon le plan vertical et sert à loger le ligament. Chez *Hipparion* la dite facette s'arrête sur la face postérieure de l'astragalus sans la dépasser.

Je crois utile à noter, que les échantillons que j'ai à ma dispositon offrent des échancrures parfaitement nettes sur la face tarsienne d'astragalus chez *Anchitherium* (voir Anchither. W. Kovalewsky p. 39).

Le *naviculare* présente chez *Hipparion* (fig. 15) à son bord postérieur une dépression moins prononcée qu'elle ne l'est chez *Anchitherium* et *Equus* (fig. 13. 14). Et comme cette dépression sert à loger la saillie du bord postérieur de l'astragalus (a), elle contribue fortement à la solidité du pied (W. Koval. Anchith. fig. 14, 17). La facette oblongue interne de l'Astragalus n'arrivant pas chez *Hipparion* jusqu'au bord inférieur de l'os et n'entrant pas dans la depression du naviculare n'assure pas la fermeté de cette articulation. Sur la face inférieure du naviculare, on voit chez *Hipparion* deux facettes distinctes: une pour le grand *cuneiforme*, *(cun³)* et une autre pour les deux antres *cuneiformes* (*cun* ² + *cun* ¹). Chez l'*Anchitherium* et chez l'*Equus*, les trois facettes pour les trois cuneiformes sont distinctes et nettement séparées entre elles (T. II, fig. 13. 14) W. Kovalewsky fait observer qu'*Anchitherium* présente un cas tout spécial de soudure du grand cuneiforme (cun. ³) avec le 2-me cunciforme, et que chez le cheval et l'*Hipparion* la soudure s'est produite entre le cneif. ² et cuneif. ³. En étudiant chez les chevaux les facettes pour les trois cuneiformes, j'ai vu qu'elles sont aussi nettes que chez l'*Anchitherium* et que le 1-e et le 2-me cuneiformes sont tantôt unis entre elles chez *Equus* tantôt complètement séparés. Me rappelant que W. Kovalewsky nomme aussi plusieurs cas, où les trois cuneiformes étaient séparés chez le Daw et chez les chevaux, je suppose que cette soudure et cette séparation ne sont qu'accidentelles chez *Anchitherium* et chez *Equus*, sans être encore devenus caractères génériques. Antrement la limite entre les facettes pour le 2-me et le 3-me cuneiformes (sur le naviculare) devrait disparaitre. Parmi les échantillons de ma collection, je trouve le *naviculare* d'un cheval vivant, qui s'est complètement sondé avec le grand *cuneiforme* (cun. ³); caractère commun pour les *Bovidae* et les *Cervidae* et ne se rencontrant pas parmi les Imparidigités. Cependant, même dans cette soudure le petit cuneiforme ² est séparé du cuneiformes ³.

Metatarsus III. La surface tarsienne de cet os chez l'*Hipparion* se distingue de celle d'*Anchitherium*, ainsi que de celle d'*Equus*. *Anchitherium* avait déjà une excavation à son bord externe, excavation qui borne la facette cuboidienne. (T. II. fig. 10 p.). Cette excavation est assez profonde et se prolonge presque jusqu'au milieu de la surface tarsienne du Metatarsus III d'*Anchitherium*. Chez l'*Hipparion* cette surface de Metatarsus III est unie, sans trace d'excavation quelconque (T. II. fig. 12). Quoique M. Forsyth-Major conteste cette surface unie, indiquée par W. Kovalewsky, les dessins que donne le même auteur ne laissent aucun donte sur la justesse de cette observation de W. Kovalewsky *). Chez le cheval actuel cette excavation se dirigeant de la facette cuboidienne ne s'arrête pas au milieu de la surface tarsienne du Metatarsus, mais passe au bord opposé, de sorte que la surface supérieure du Metatarsus III se trouve divisée en deux parties: l'une en forme de demicercle (1), l'autre irrégulièrement arrondie (2). (T. I. fig. 11. 12). Sons ce rapport *Equus stenonis* **) présente le passage d'*Anchitherium* à *Equus* actuel. Dans la comparaison de ces trois Metatarsus cette excavation pour le ligament ne peut ltre niée, car son absence chez l'*Hipparion* devait affaiblir la soëidité du pied qu'avait déjà acquise *Anchitherium*.

Ne voulant trop exagérer l'influence de tous ces caractères des membres d'*Hipparion* faiblement développés, et ne m'arrêtant pas à d'autres caractères moins importants, je ne peux pourtant admettre en lui une forme, qui pourrait être intermédiaire êntre l'*Anchitherium* et l'*Equus*. Les membres paraissent être moins solidement organisés que même ceux d'*Anchitherium* (absence d'excavation pour les ligaments sur les surfaces supérieures des metatarsus et metacarpus). *Hipparion* représente donc un type qui, surpassant même le cheval actuel par la complication et le développement des dents, est resté en arrière pour le développement de ses membres. Il paraît être une branche latérale, rapprochée des chevaux, mais n'entrant pas dans la ligne chevaline. Nous avons déjà eu quelques formes, comme *Palaeotherium* p. ex., dans de semblables conditions, et il est bien possible qu'une étude fondée sur de nouvelles formes trouvées plus tard nous aidera à prouver même la parenté génétique de ces formes entre elles. On ne peut indiquer aujourd'hui que quelques traits de ressemblance entre les dents et les membres de *Palaeotherium* et d'*Hipparion*, p. ex.

---

*) *Forsyth-Major*. l. cit. fig. 40.
**) *Forsyth-Major*. Fossile Pferde. p. 64, T. VI, f. 23.
W. Kovalewsky, Anchitherium T. II, fig. 29, p. 60.

le denticule antero-interne séparé dans quelques dents chez *Palaeotherium* et *Paloplotherium* *) et constamment chez *Hipparion*. La facette oblongue d'astragalus ne descendant pas non plus chez quelques espèces de *Palaeotherium* jusqu'au bord inférieur de l'os, ce qui est le cas aussi pour *Hipparion*. Je ne veux point dire que ces indications paraissent être suffisantes pour permettre de voir en Hipparion le descendant d'une des formes des *Palaeotheridae*, ou pour voir entre ces formes et *Hipparion* une liaison génétique, qui pourrait être complétée par des formes encore inconnues. Ces caractères me permettent seulement de considérer *Hipparion* comme étant une forme qui s'est séparée de la ligne génétique des chevaux, avant que l'évolution du type cheval se soit opérée, et peut-être même avant *Anchitherium aurelianense*.

En étudiant les caractères distinctifs d'*Hipparion* comparativement à l'*Anchitherium* et à l'*Equus*, je ne crois pas les avoir tous indiquée. Il est bien possible qu'on pourrait en indiquer encore plusieurs, dont l'importance est assez grande. Mais pour cela, il faudrait disposer de plus de matériaux, surtout pour l'*Anchitherium*. Il me semble pourtant que les caractères indiqués plus haut sont assez saillants, pour mettre en donte non seulement la position d'*Hipparion* entre *Anchitherium* et *Equus*, mais encore pour oser l'exclure de cette position intermédiaire, c'est à dire pour oser admettre la possibilité de l'enchaînement des formes tel qu'il a été reproduit dans les pages précédentes—*sans* l'*intervention* d'*Hipparion*.

Les paléontologistes, qui comme M.M. Hensel et Kaup croyaient, que *Hipparion* était intermédiaire entre *Palaeotherium* et *Equus*, pouvaient encore expliquer les modifications successives des dents dans ces trois formes. En voyant le denticule antero-interne séparé dans quelques dents de *Palaeotherium*, on l'a trouvé séparé dans presque toutes les dents d'*Hipparion* et lié chez *Equus*. Mais en plaçant *Hipparion* entre *Anchitherium* et *Equus* nous ne pouvons nous expliquer ces modifications des dents. M. Gaudry nous indique dans les différentes dents de *Protohippus* Leid. le passage des dents d'*Hipparion* aux dents d'*Equus* **). Mais en étudiant les dents de différentes formes d'*Hipparion* (non *Protohippus* Leidy.) nous trouvons un éloignement successif du ty-

*) *Gaudry*. Anchaînement. p. 128, fig. 164.
**) *Gaudry*. Mont Léberon, p. 38.

pe d'*Anchitherium* jusqu'au type le plus compliqué d'*Hipparion*. En même temps, c'est avec le même succès que nous trouvons dans le genre *Protohippus* Leidy toutes les formes intermédiaires entre l'*Anchitherium* et l*Equus* (exceptant Hipparion).

Je vais indiquer dans la littérature quelques points d'appui pour confirmer ce que je viens de dire. On a trop insisté sur la ressemblance des différentes formes d'*Hipparion*, trouvées dans divers pays, pour que j'ai besoin d'ajouter encore quelque chose. M. *Koken* *) en donnant la description des dents d'*Hipparion Richthofeni* les a comparé avec celles d'*Hipparion* d'Europe et d'Asie (*Hipp. antilopinum* et *Hipp. Theobaldi*).

La ressemblance des différentes formes européennes d'*Hipparion* est si grande que dernièrement M.M. Gaudry et Lydekker **) les ont réunis dans le même genre d'*Hipparion gracile*, et M. Ledekker y joint aussi les formes du N.W. Persia et d'Algeria (Catalog. p. 51). Toute la différence entre ces formes consiste principalement en ce que les metacarpus et les metatarsus sont d'une épaisseur et d'une longueur plus ou moins grande; en ce que la forme du denticule antero-interne des molaires supérieures est plus ou moins arrondie ou étirée, et en ce que l'émail est plus ou moins plissée.

Parmi ces formes on trouve tous les passages des caractères intermédiaires. Les dents d'*Hipparion* de Chine et de l'Inde semblent être, en général, plus massives que celles des espèces européennes. La différence est beaucoup plus marquée dans les formes des dents d'espèces américaines. Ici, nous trouvons p. ex. parmi les dessins de M. Leidy (Dak. et Nebr. T. XVIII), une grande diversité dans les plis de l'émail et dans la forme du denticule isolé. Les fig. 20—24 d'*Hipparion affine* représentent les dents avec un faible plissement de l'émail et avec le denticule antero-interne isolé. Les fig. 25—30 d'*Hippar. gratum* donnent l'émail avec plus de plis; le denticule a la même forme que dans les dents précédentes. Dans les fig. 31—37, 14—16 l'émail a formé des plis semblables à celles des dents des formes européennes (très plissé). Sachant que les *Hipparion* de l'Amérique du Nord se trouvent dans des dépôts plus anciens que ceux où se trouvent les *Hipparion* européens, l'idée que le plissement accentué de l'émail, et la forme allongée du denticule sont le résultat d'un développe-

---

*) *Koken*. Säugethiere aus China, p. 39.
**) *Gaudry*. l. cit., p. 32. *Lydekker*. Catal., p. 51.

ment progressif, se présente d'elle-même. Et, en effet, d'où *Hipparion* pourrait-il hériter cet émail plissé, qui ne se trouve dans aucune forme ancienne? J'ai trouvé encore un point d'appui pour cette idée du développement de l'émail et de la séparation du denticule, dans les spéciments de ma collection. Ici, j'ai pu suivre pas à pas, dans les différentes dents la séparation du denticule antero-interne, suivi d'une complication du plissement de l'émail. La longueur de ces dents étant la même, il faut croire qu'elles étaient usées presque également, et appartenaient aux animaux du même age. Chez l'*Hipparion*, qui rappelle l'*Hippar. affine* Leidy (T. I. fig. 26) la séparation du denticule n'est pas complète, la dernière molaire a les deux denticules internes liés avec les moyens, comme chez le *Protohippus* (fig. 6); l'émail n'est aussi presque pas plus plissé que chez ce dernier. Les antres molaires de ces deux formes ont une ressemblance frappente entre elles, sauf la séparation du denticule chez *Hipparion*, qui concerve pourtant sa position semblable à celle des dents de *Protohippus*. Quelques antres formes ont progressé (fig. 25) leurs denticules antero-internes, se sont non seulement séparés, mais se sont aussi éloignés sur le bord interne des molaires, et le plissement de l'émail a augmenté. Enfin dans *Hipparion* de Pikermi (fig. 24) l'émail est très plissé (comme il ne l'est jamais chez les chevaux) et le denticule a pris une forme allongée, au lieu d'être arrondi. La grande ressemblance des dents de quelques espèces d'*Hipparion américains* avec le *Protohippus* Leidy, pourrait à elle seule faire supposer que 1) ou l'une de ces formes a succédé à l'autre, ou 2) qu'elles ont eu toutes les deux un ancêtre commun. La première supposition paraît inadmissible à cause de leur existence à la même époque géologique *). Quant à la deuxième supposition, nous pouvons trouver une réponse pour son plus ou moins de fondement dans une étude plus détaillée de formes plus anciennes, peu connues aujourd'hui, comme nous l'avons déjà mentionné. Pour *Protohippus*, le *Meryhippus* et l'*Anchitherium* peuvent être indiqué comme des ancêtres les plus rapprochés (comme nous l'avons vu).

L'ancêtre d'*Hipparion* ne peut-être indiqué pour le moment même provisoirement. D'un côté sa ressemblance avec *Protohippus*, de l'autre quelques caractères le rapprochant d'*Anchitherium*, de *Palaeotherium* et de *Paloplotherium* ne nous permettent que supposer que, si *Hipparion* s'est détaché de la ligne chevaline

---

*) *Marsh.* Fossil Horses.

pour former une branche latérale, il a dû se détacher d'une des formes rapprochées d'*Anchitherium*. Pent-être même dans la famille des *Anchitheridae*, quelques formes plus évolutionnées ont-elles continué la ligne chevaline, d'autres, dont les membres étaient moins développées, ont-elles donné naissance aux *Hipparion*. Alors cette ressemblance entre les dents de *Protohippus* et quelques anciennes formes d'*Hipparion* pourrait être expliquée comme parallelisme.

C'est ici que je crois utile de rappeller cette forme unique d'*Hipparion*, comme possédant un doigt unique à chacun de ses membres—*Hipparion antilopinum* Fal. *); les dents de cette forme sont celles de l'*Hipparion* ordinaire. Les petites dimensions du metacarpus semblent être la seule cause, pour laquelle on l'a attribué à *Hipparion*, et non à *Equus*. Il me semble pourtant, qu'il serait plus naturel d'admettre une aussi petite variété de cheval dans les depôts de Siwalik Hills, que de croire à l'existence d'*Hipparion* muni d'un seul doigt; les formes plus jennes possedant toujours trois doigts.

Si nous nous en rapportons à la position géologique d'*Hipparion* nous verrons qu'il se trouve avec *Protohippus* dans le pliocène inférieur **), et avec *Equus* dans le pliocéne supérieur et même dans le post-pliocène de l'Amérique du Nord d'après Holme's ***). M. Marsh (dans Foss. Horses) dit: „it is, of course, impossible to say with certainty throught which of the three-toed genera of the Pliocene that lived together, the succession came". Pour les espèces d'*Hipparion* trouvées dans les Siwalik Hills M. Lydekker dit: „que nulle d'entre elles n'a pu être l'ancêtre direct des chevaux" (l. cit., vol. III. P. 1, pag. 16). Après tout ce que je viens d'exposer il me semble tout evident, que *Hipparion* doit être exclu de la ligne chevaline directe, pour être placé seulement comme forme rapprochée d'elle, mais ne pouvant par son développement occuper la place qui lui a été attribuée jusqu'à présent; il deit être remplacé par *Protohippus* Leidy.

Dans une des pages précédentes j'ai comparé la position génétique que doit occuper *Hipparion* avec celle de *Palaeothe-*

---

*) *Falconer*. Fauna Antiqua Svalensis. p. 186. T. 82.
Lydekker. Palaeontologia Indica ser. 10 vol. 11, p. 79.
Gaudry. Mont Leberon, p. 40.
**) *Marsh*. Fossil Horses. Loup-Fork Miocène Sup. d'après M. Cope.
***) *Holme's*. Post-pliocène: Fossils of South Carolina, page 105, fig. 32.

rium. Mais cette ressemblance ne peut être admise que dans le sens que l'un et l'autre forment des branches latérales. Pourtant, tandis que les caractères de *Palaeotherium* ne nous assurent pas la disparition complète de ce genre, l'*Hipparion*, au contraire, semble posséder des particularités, qui ne se sont transmises à aucune antre forme. Il présente non seulement une branche latérale comme *Palaeotherium*, mais une branche qui, après une assez longue existence, a disparu dans le pliocène supérieur du vieux monde et dans le post-pliocène de l'Amérique, *sans laisser des descendants.* Il me parait utile de rappeler ici quelques formes analogues qui (parce que le développement de leurs organes avait perdu l'harmonie nécessaire) ont disparu sans laisser de descendants. P. ex. *Elasmotherium*, possédant des dents prismatiques à émail très compliqué (ce qui est une garantie de leur solidité) et un crane qui ressemble absolument à celui d'un Rhinoceros—a disparu. Son squelette n'étant pas étudié pour le moment, il est difficile d'en indiquer exactement la cause; mais sa ressemblence avec le *Rhinoceros* force à supposer une transgression de loie de connexion des organes.

Un exemple plus intéressant peut nous préter l'*Archaeopteryx*, cette forme étrange, qui a été primitivement cité par Ch. Vogt comme être intermédiaire entre les oiseaux et les sauriens. Plus tard il a été décrit par M. Dames comme un véritable ancêtre des oiseaux actuels *(Carinata)*. Mais en 1885 A. Pavlow *) a prouvé que cette forme n'était qu'une branche latérale (subdivision *Saurornites*) des oiseaux primitifs. Cette forme a modifié ses membres postérieurs en ceux des oiseaux actuels. En même temps, elle a essayé de réunir dans ses membres antérieurs les deux fonctions: celle de préhension et celle du vol. Le développement de cette dernière fonction n'était pas accompagnée du développement correspondant du sternum et des côtes. La longue queue qu'avait gardé cet étrange animal était un obstacle de plus pour le développement du vol. Une pareille organisation ne pouvait garantir le developpement progressif du type, et a provoquée sa disparition complète.

Une étude comparative des dents de lait de la ligne chevaline m'a amenée à des résultats qui diffèrent notablement de l'idée

*) A. *Pavlow.* Notes sur l'histoire géologique des oiseaux.

admise jusqu'à présent à l'égard de cette question, que les dents de lait reproduisent les molaires des formes précedentes *). Sans insister sur les caractères qui distinguent généralement les dents de lait des prémolaires, j'attirerai l'attention sur les caractères distinctifs de ces dents dans chacune des formes qui nous intéressent. Nous allons commencer par les dents supérieures. Parmi les formes éocènes les dents de lait nous sont connues chez *Pachynolophus siderolithicum* (T. I, fig. 18). Elies sont plus compliquées que les prémolaires, qui leur succèdent. Il est vrai que d^1 a presque la même structure que la première prémolaire (pr^1), mais d^2 est plus compliquée que pr^2; d^3 l'est encore plus que pr^3 et ressemble plutôt à la pr^2 qu'à pr^3 (mais elle est plus petite que cette dernière). Les dents de lait de *Pachynolophus* ressemblent plus aux prémolaires d'*Anchilophus*, qu'à celles de *Pachynolophus.*

En examinant les dents de lait d'*Anchilophus* (fig. 19) nous voyons que les rapports de ces dents avec celles qui succédent seront presque les mêmes que dans la forme précédente. Mais, comme la pr^2 est plus compliquée dans cette forme qu'elle n'a été chez *Pachynolophus,* il y aura plus de ressemblance entre d^2 et pr^2. Dans leurs caractères généraux, ces dents nous rappellent les prémolaires d'*Anchitherium* (fig. 4). Au lieu de décrire les dents de lait de ce dernier, je citerai ce que dit W. Kovalewsky: „In fig. 22, T. 8 (Anthracotherium p. 220) ist ein Milchzahn dargestellt, an dem das Nachjoch einen Vorsprung nach vorne gibt, welcher bei der Abkauung sich mit dem vorderen Querjoch verbindet und zur schnelleren Herstellung einer Marke beiträgt. Ich habe solche Vorsprunge nie an Ersatzzähnen beobachtet, sondern nur an Milchzahnen". (Vergl. Anchither. fig. 52, 53, d^1, d^2, d^3, mit p^1, p^2, p^3).

Nous voyons donc que chez *Anchitherium* (T. I, fig. 20) les dents de lait font aussi un pas en avant dans leur développement: les deux tubercules moyens présentent des prolongements latéraux avec une tendence pour s'unir et former l'îlot antérieur. L'isolement de l'îlot (Marke de W. Kovalewsky) postérieur est produit par des prolongements semblables du tubercule accessoire postérieur (c) et du tubercule moyen postérieur. Ces îlots à moitié isolés dans les dents de lait d'*Anchitherium* le sont plus dans les molaires de *Merychippus* (page 152) et le sont complètement dans celles de *Proto-*

---

*) *Rütimeyer.* Foss. Horses, p. 680. *Forsith-Major.* Fossilen Pferde, page 4. *Köllner.* Entwickelungsgeschichte, page 26.

hippus et dans toutes les formes des chevaux proprement dits; mais ils ne se rencontrent chez aucune des formes plus anciennes qu'*Anchitherium* (dans la ligne chevaline). Si nous passons à l'examen des dents de lait d'*Equidae* proprement dits, nous verrons que dans les *d* de *Meryhippus* Leidy (fig. 21) l'email est plus plissé que dans les prémolaires et que le denticule antero-interne y est plus développé; les îlots sont plus isolés. Ces caractères s'accentuent davantage dans le développement des formes chevalines, et la complication plus accentuée des dents de lait comparativement avec des prémolaires, peut être observée dans *Equus Stenonis* et *Equus caballus* *) (fig. 22, 23), quoique ici cette différence soit moins marquée à cause de la parenté plus intime entre ces formes modernes, qu'entre les formes anciennes citées. Mais dans aucune des formes d'*Equus* les *d* ne nous reproduisent les dents d'*Hipparion*, caractérisées par un denticule isolé et l'email tout parliculièrement plissé. Les dents de lait d'*Hipparion* (fig. 31) sont aussi plus compliquées que les prémolaires de cette forme (fig. 25) et leur denticule isolé est plus étiré en longueur; le plissement de l'émail se produit même tout autour de cette île (*I*). L'isolement de ce denticule est constant dans la d^3 d'*Hipparion*, tandis que dans la pr^3 il ne s'opère que dans les formes les plus développées (jeunes géologiquement). Le denticule postéro-interne (*i*) marque une tendence à s'isoler du denticule moyen, ce qu'on n'observe ni dans les prémolaires d'*Hipparion* ni chez aucun d'*Equidae*.

Après cette revue des dents de lait supérieures il paraît évident qu'elles ne répètent pas les prémolaires de la forme précédente, mais au contraire, elles prédisent pour ainsi dire une forme nouvelle d'animal qui va succéder; c'est pour ainsi dire, un essai du développement d'une organisation supérieure à celle qui avait jusqu'à lors existé.

Pour les *dents de lait inférieures*, les données ne sont pas aussi riches que pour les précédentes. Pourtant, tout ce qu'on peut trouver dans la littérature et parmi les spécimens peut plutôt servir à l'appui de nos déductions, qu'á les faire rejéter. La fig. 12. T. II gerv. nous donne les dents de lait inférieures de *Hyracotherium* (Koval. p. 214) et certes elle ne peut que nous prouver, que les *d* de cette forme sont plus compliquées que ne

---

*) Voir les nombreux dessins chez *Forsyth Major* Fossilen Pferde. *Rütimeyer* Pferde der Quaternar-Epoche. *Branco.* Punin.

le sont les prémolaires. Je n'ai pas trouvé les dénts de lait ni de *Pachynolophus,* ni *d'Anchilophus* indiquées dans la littérature, et quoique dans ma collection je trouve un grand nombre de dents séparées de ces formes, qui pourraient confirmer la théorie que nous venons d'exposer pour le développement des antres formes, je ne veux rien admettre qui puisse provoquer le donte. Je me bornerai donc volontiers à n'indiquer que les formes, dont la définition est dejà acceptée. Les *d* inférieures d'*Anchitherium* ne sont pas connues, et, quoique W. Kovalewsky nous indique pour cette forme que les *d=pr=m*, la différence notable entre les *d* et les *pr* des antres formes, et celle entre les *pr* et les *d* supérieures d'*Anchitherium* proteste contre cette supposition. Le *d* de *Meryhippus* (fig. 15) rappelle absolument la *pr* de *Protohippus* étant plus compliquée que celle d'*Anchitherium*, notamment le feuillet moyen est beaucoup plus développé.

Chez *Equus stenonis* les *d* prèsentent malgré leur forme générale plus étroite, un émail plus plissé que dans les prémolaires, ce qui augmente la solidité de la surface masticatrice.. En même temps leur demi-île antérieure (prolongement du croissant antérieur) se prolonge plus en arrière presque jusqu'au bord interne des dents (Forsyth Major, t. VII, f. 10, 11, 5, 21). Ce caractère est rare dans les prémolaires d'*Equus stenonis,* et, au contraire, se rencontre souvent dans cellss d'*Equus caballus* (voir les tableaux de Forsyth Major et Branco). Les dents de lait d'*Hipparion* présentent encore plus de caractères à l'appui de notre théorie, que ne l'ont fait les dents supérieures. La complication de l'email (fig. 28) et le développement de plusieurs denticules secondaires (x) sont, sans contredit, des caractères progressifs nous donnant l'idée de ce que pourraient être les prémolaires d'une forme qui se sérait développée de l'*Hipparion*; mais ces caractères ne peuvent sans aucun donte donner l'idée de la forme qui a servi de prédécesseur à *Hipparion* (à cause de sa plus grande complication).

Je me permets de croire que l'etude des dents de lait inférieures ne nous a servi que pour donner encore plus de force à la théorie exprimée pour les dents de lait supérieures. Après cette revue comparative des dents de lait nous pouvons considérer comme établie: que 1) le développement successif des dents de lait peut par lui-même servir de nouveau point d'appui pour la succession des formes chevalines que nous avons exposé; que 2) les molaires de lait ne sont pas la répétition des prémolaires de la forme précédente, mais, qu'an contraire, elles nous annoncent des prémolaires d'une forme nouvelle qui succédera; 3) que la différence des dents de lait et des prémolaires de la même forme est d'autant plus grande que la forme en est plus ancienne; 4) que la ressemblance des dents de lait avec les prémolaires dans deux formes successives est d'autant plus nette que les formes en sont plus anciennes. Cette différence de ressemblance ou de dissemblance pourrait dépendre—ou de ce que nons ne connaissons pas encore toutes les formes intermédiaires, ou de ce que l'évolution a fait dans des temps éloignés des pas plus grands qu'elle n'en fait aujourd'hui. Elle a pour ainsi dire cherché à elaborer le plus vite possible une organisation supérieure. Aujourd'hui, que l'organisation de la forme culminante de cette ligne a presque atteint l'idéal, l'évolution s'est ralenti. Mais, comme dans la nature il n'y a rien de si parfait qui ne puisse encore se perfectionner, une évolution lente se produit encore dans le genre *Equus*, en n'en modifiant du reste que ses caractères secondaires. Nous venons de voir qu'une amélioration hâtive mais partielle de certains organes seulement ne pouvait suffire à *Hipparion* pour lutter dans la vie: *Hipparion* avait acquis une solidité des dents tonte particulière, ce qui lui permettait de bien mastiquer sa nourriture. D'un antre côté, grâce á ses membres mal organisés, faiblement munis des ligaments nécessaires à une solidité articulaire des os, ce même *Hipparion* ne pouvait par la fuite se soustraire à ses ennemis dont il devenait la proie. Certainement cette cause n'était pas la seule de la disparition d'*Hipparion*; il est bien possible que d'autres conditions participaient à son extinction, mais en tout cas l'influence dé la structure anatomique avait acceléré cette disparition complète d'*Hipparion*.

Résumons maintenant dans un tableau la distrubution des formes chevalines de différents pays dans les temps géologiques. Cette indication de l'àge géologique des formes est basée sur les travaux des M. M. Gaudry, Branco, Neumayr et antres auteurs; mais elle ne peut être qu'appoximative, à cause de la difficulté qu'on éprouve à mettre en concordance les depôts de differents pays *).

*) Par. ex: les depôts de Pikermi et d'Eppelsheim (avec Hipparion) sont du miocène super. pour M. Gaudry et du pliocène pour M. Fouchs.

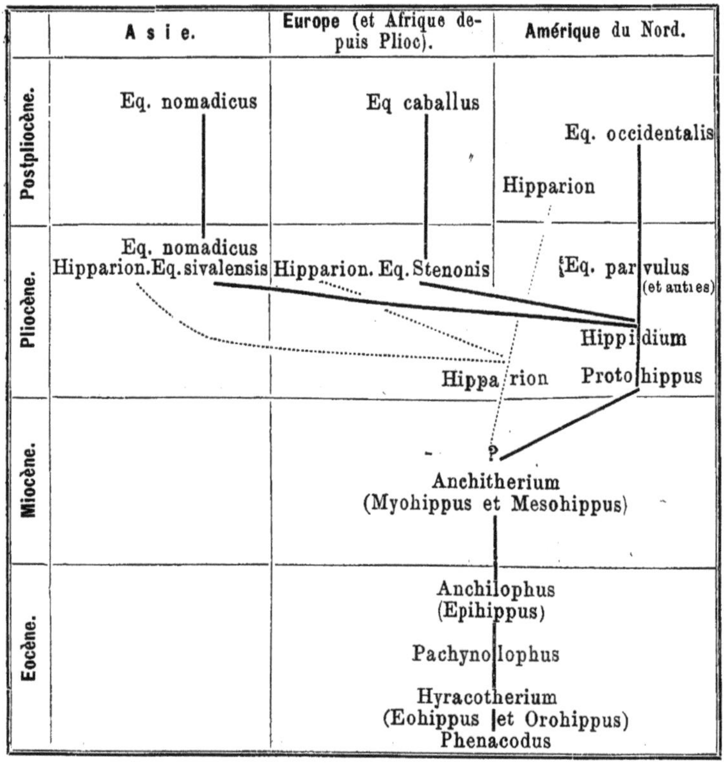

Les formes chevalines les plus anciennes proviennent de l'eocène le plus inférieur de l'Amérique du Nord (*Phenacodus*). En Europe, c'est *Hyracotherium leporinum* qui seul pour le moment peut compter parmi eux. *Hyracotherium*, *Pachynolophus* *) et *Anchilophus* ont vécu dans les deux continents jusqu'àu miocène. Cette analogie de formes indique une liaison qui a existé entre ces deux continents durant l'éocène. Dans le miocène, c'est *Anchitherium* qui est connu aux deux continents avec une différence dans l'éspèce et dans l'àge. En Europe il est apparu plus tard, ce qui permet de supposer que cette forme a commencé son développement en Amérique et que quelques espèces plus développées ont pendant le miocène supérieur emigré en Europe, tandis que d'ant-

*) M. *Lydekker*. Catalog., p. 13.

res ont continué leur développement en Amérique, et se sont transformées en *Protohippus* dans le mio-pliocène. Cette dernière forme à son tour a donné *Hippidium* et *Equus* qui s'est largement développé dans le pliocène de l'Amérique du Nord, de l'Asie, de l'Europe et qui se rencontre même dans le pliocène de l'Afrique. Ces formes pliocènes sont, malgré les caractères qui les distinguent des chevaux actuels, liées avec ceux-ci par l'intermédiaire des formes du post-pliocène.

Après cette étude des formes composant la ligne chevaline, il serait intéressant de décider, si notre cheval actuel provient précisément de cet *Equus caballus,* qu'on trouve et dans le diluvium des pays où ce dernier existe encore aujourd'hui et dans celui d'autres pays où il n'existe plus. Mais avant d'aborder cette question, je voudrais décrire quelques formes d'*Equus* trouvées dans le diluvium de la Russie. Grace à l'obligeance des M. M. Stoukenberg, Inostranzew et Wenioukow j'ai réçu des matériaux assez riches, pouvant me servir pour l'étude de cet objet, si peu traité dans la paléontologie russe, et c'est précisément l'étude de ces formes, qui fera l'objet de mon ouvrage suivant. C'est alors que je tâcherai d'exposer les données sur les rapports des chevaux du diluvium avec nos chevaux actuels.

III.

Rhinoceridae et Tapiridae.

Nous venons de voir que, sans beaucoup de peine, nons avons pu indiquer les ancêtres de nos chevaux dans le groupe primitif des *Condylarthra.* Faute des matériaux nécessaires nons ne serons pas aussi heureux pour ce qui concerne les deux antres familles des *Imparidigitae.* Pourtant, en étudiant la littérature, nous avons pu arriver à quelques résultats que nous nons permettons d'exposer ici.

La différence entre ces deux familles et celle d'*Equidae* est trop grande, pour qu'il soit nécessaire d'insister ici sur leurs caractères distinctifs. Je vais m'arréter seulement sur la forme des dents, qui distinguent ces groupes. Si nous partons de la forme primitive des molaires supérieures à six tubercules, et des molaires inférieures à 4 tubercules, nous verrons que chez les chevaux, les tubercules des molaires supérieures ont gardé assez longtemps leur forme distincte. En formant les deux crêtes, les trois tubercules de chaque crête étaient encore distincts dans *Anchitherium*, quoique il y ait plutôt pris la forme des dinticules. Les tubercules des molaires inférieures se sont réunis pour former deux croissants. Chez le *Rhinoceros* et le *Tapir* les six tubercules des molaires supérieures se sont confondus pour former les deux crêtes transversales, réunies entre elles par une crête formée par la soudure des tubercules externes. Les quatre tubercules des molaires inférieures se sont réunis à deux pour former deux crêtes transversales chez le *Tapir*; chez le *Rhinoceros*, les crêtes, formées de la même manière que chez le *Tapir*, se sont recourbées, en même temps le bont antérienr de la crête antérieure s'est prolongé jusqu'au bord extérieur de la dent, et la crête postérieure adhère à la base de la précédente.

C'est cette modification de la forme primitive des dents qu'il serait intéressant de suivre, depuis les animaux d'époques les plus réculées jusqu'aux formes actuelles. En étudiant les animaux compris dans le groupe des *Condylarthra* je n'ai pu y trouver aucune forme qu'on pourrait designer comme ancêtre des *Rhinoceridae* et des *Tapiridae*.

Pourtant, dans les dépôts éocènes de l'Amérique du Nord (Wasatch) on rencontre un animal qui, par la forme de ses dents, semble pouvoir occuper cette position primitive—c'est *Systemodon* Cope *); les molaires supérieures sont au nombre de 7, disposées sans diasthème; elles ont une forme quadrangulaire et sont composées chacune de deux crêtes, dans lesquelles les denticules externes sont le plus prononcés; les deux antres se réunissent entre eux. Les prémolaires se distinguent beaucoup des molaires; les pr^1 et pr^2 sont triangulaires, la pr^3 est plus courte que les deux précédentes; la pr^4 est toute petite.

Les molaires inférieures sont aussi au nombre de 7; les prémolaires sont aussi simples que les molaires; les quatre tubercules de ces molaires sont très nets et rappelent beaucoup ceux du *Phenacodus*. Ce n'est que dans quelques dents qu'on voit la formation des crêtes avec disparition des tubercules. La pr^4 est séparée par un petit diasthème de la pr^3 et de la canine. Ce qui indique encore plus les caractères primitifs de cette forme c'est l'astragalus du *Systemodon tapirinum* **) qu'on trouve représenté chez M. Cope. Le bont inférieur de cet astragalus est allongé, et l'enfoncement peu marqué servant à l'articulation du

*) M. *Cope*. Tertiary Vertebrata. T. 56.
**) M. *Cope*. 100-th Meridian. T. 66.

tibia le rapproche de celui des *Condylarthra* et permet à supposer que ses membres ont été pourvu de cinq doigts. Les antres parties du squelette ne sont pas encore connues. Je crois possible de placer provisoirement cette forme à la base du développement des *Rhinoceridae* et des *Tapiridae*, grâce à ces caractères des dents et d'astragalus; mais tant que les autres parties du squelette seront inconnues, on ne peut se prononcer définitivement sur cette question. Comme forme la plus rapprochée de la précédente, on peut indiquer *Hyrachyus*, dont plusieurs espèces de l'Amérique du Nord ont été décrites et figurées par M. M. Cope et Leidy *). Ce genre se trouve dans l'éocène de Bridger (supérieur à Wasatsh) et parait renfermer plusieurs espèces ayant des caractères assez différents pour permettre de supposer qu'elles peuvent d'un coté donner origine à des *Rhinoceridae* et à des *Tapiridae* de l'autre, ce que suppose aussi M. Cope. Le squelette presque complèt (depourvu du crâne) de *Hyrachyus eximius* Leidy a été decrit par M. Cope. Le nombre de doigts est réduit ici a quatre aux membres antérieurs et à trois aux membres postérieurs. Les molaires supérieures ont les denticules de leurs crêtes plus liés entre eux qu'ils ne l'ont été chez *Systemodon*. Dans la mâchoire inférieure, les pr^1 et pr^2 sont plus compliquées que dans la forme précedente, et la pr^4 s'est rapprochée de la pr^3. Le talon de la dernière molaire inférieure a disparu. Dans quelques espèces de *Hyrachyus* les crêtes des molaires inférieures restent droites, p. ex. *Hyrachyus eximius* **), dans d'autres, elles se sont un peu recourbées, *Hyrachyus agrarius* ***) Leidy. Je n'ai pu étudier ces formes que d'après la description et les dessins des auteurs, mais ces deux types de dents de *Hyrachyus* semblent être assez nets pour qu'on puisse supposer que c'etait ce genre qui dans son développement a pris la direction vers les *Tapiridae (Hyrachyus eximius)* et vers les *Rhinoceridae (Hyrachyus agrestis)*.

Il est vrai que les membres du genre *Hyrachyus* ne sont connus que pour *Hyrachyus eximius*, et que ces derniers se rapprochent présisément de ceux des *Tapiridae* par leur forme allongée et se distinguent des membres lourdes des *Rhinoceridae*. Mais la forme différente entre les molaires chez ces deux espèces de *Hyrachyus* fait supposer que leurs membres n'etaient pas

---

*) M. *Cope*. Tertiary Vertebrata. T. 52, 55a, 23a, 58.
M. *Leidy*. Western Territories. T. VI, IV, XXVI.

**) M. *Cope*. L. cit. T. 23a, 55, 55a.

***) M. *Leidy*. L. cit. T. IV, fig. 9—18. T. XX, fig. 26, 25.

les mêmes. Il y a toute probabilité pour supposer que *Hyrachyus agrarius* a eu des membres plus lourds, qui se sont transformés en ceux des *Rhinoceridae*.

C'est peut-être *Hyracodon* Leidy *), possédant deja les vrais caractères des *Rhinoceridae* qui est le plus rapproché du *Hyrachyus agrarius*. Cette forme tridactyle du miocène inférieur garde encore toutes ses incisives et ne possède pas de cornes.

Les espèces de *Rhinoceridae* sont très nombreuses et très différentes, en partant depuis l'éocène supérieur (Rhinoc. croizeti Filh.-Acerather.), jusqu'à l'époque actuelle. Il est très difficile de dire positivement que telle forme de *Rhinoceridae* s'est développée de teile antre. Il paraît que les *Aceratherium* qui se distinguent principalement des *Rhinoceridae* proprement dits par les quatre doigts aux membres antérieurs et par l'absence de cornes, se sont parallèlemeut développés avec les *Rhinoceros*, et ne les ont pas précédés, comme on pourrait le croire d'après quelque caractères anatomiques. Dans le miocène inférieur (de Caylux) c'est le *Rhinoceros minutus* Cuv. qui fait son apparition, en même temps *qu'Aceratherium*. Dans le miocene moyen et supérieur de l'Europe et de l'Amérique du Nord on trouve un assez grand nombre de *Rhinoceridae*; mais c'est dans le pliocène que ce genre prend un développement considérable et possède des caractères très variables. Tandis que *l'Aceratherium*, dépourvu de corne, monte même dans le pliocène, les *Rhinoceridae*, à une et à deux cornes, dépourvus ou muni d'incisives, se développent en Europe, en Asie et en Amérique. Pourtant, il y a eu quelque chose dans les conditions de leur existence, qui a dû se modifier durant le postpliocène; et nous ne trouvons ce genre de nos jours que limité au Cap, à l'Inde et à l'île de Jave, quoique représente par un grand nombre d'espèces.

Une forme très intéressante a été trouvée dans le post-pliocène de la Russie (prés de Samara) c'est *l'Elasmotherium* **) qui, d'après les caractères généraux du crâne a été rapporté aux *Rhinoceridae*. Pourtant les dents de cet animal nous présentent des caractères tout spéciaux, qui le rapprochent du cheval: le plissement de l'émail et la croissance des molaires.

Pour le moment je ne m arreterai pas sur cette forme, dont

*) M. *Leidy*. Dakota and Nebraska, p. 212, 191.
**) *Fischer*. Program Moscou. 1808. *Brand* Mem. Ac. Imp. St:-Petersbourg. 1864.

l'étude sera faite dans mon ouvrage consacré à l'étude des fossiles ongulés trouvés en Russie.

Dans les pages précédentes nous avons supposé, que *Systemodon* a été une forme ayant précédé les *Hyrachyus*—genre composé d'espéces assez différentes pour qu'elles puissent donner naissance aux *Rhinoceridae* et aux *Tapiridae.*

Voyons, quelle a été la forme fossile qui, d'après ses caractères, pourrait être placée à la suite du *Hyrachyus eximius* pour conduire vers les *Tapiridae.*

Nous trouvons dans l'eocène de l'Europe deux formes qui, d'après leurs caractères généraux, paraissent occuper le milieu entre le *Hyrachyus* et le *Tapir*; ce sont le *Lophiodon* et le *Protapirus* *).

Mais, en étudiant les caractères particuliers, tels que le nombre des dents et leur forme spéciale, nous trouvons que les deux genres nommés ont dejà perdu leurs pr^4 dans la machoire supérieure, et que le nombre des doigts n'est que de trois pour les membres antérieurs de *Lophiodon*; quant au *Protapirus* les membres ne sont pas indiqués. Ces caractères des dents et des membres désignant un progrès dans le développement ne permettent pas placer *Lophiodon* et *Protapirus* comme prédécesseurs du *Tapir*, qui jusqu'à présent a conservé le 4-me doigt aux membres antérieurs, et la pr^4 dans la mâchoire supérieure.

Chez *Tapirus priscus* Kaup du miocène superieur cette pr^4 est presque aussi bien développée que les autres prémolaires. Il est évident que cette forme, si bien développée, n'a pu provenir directement du *Hyrachyus eximius*, mais qu'il y a eu entre elles encore quelque forme intermédiaire, inconnue aujourd'hui. Cependant plusieurs caractères de ces formes semblent s'être développés les uns des antres (p. ex. la complexité successive des prémolaires). Le squelette du *Hyrachyus eximius,* autant qu'on puisse en juger d'après les dessins de M. Cope présente des données suffisantes pour permettre d'arriver dans son développement au squelette des Tapirs.

Quant au *Lophiodon* et au *Protapirus*, ils doivent être considérés comme formes, qui en se développant d'une des espèces de *Hyrachyus* ont réduit le nombre de leurs dents et de leurs doigts un peu avant que leur structure générale ne l'exigeât, et ont disparu dans l'éocène, sans laisser de descendants.

---

*) *Filhol.* Phosphoritis du Quercy, page. 355 f. 236.

Le nombre restreint d'échantillons qu'en ce moment j'ai en ma disposition ne me permet de faire ici qu'une revue succinte des formes rapprochées des *Rhinoceridae* et des *Tapiridae*. J'ai principalement voulu voir si dans le groupe primitif de l'éocène de l'Amérique du Nord il me serait possible d'indiquer quelque forme comme prédécesseur de ces deux familles. Il me semble, que *Systemodon* autant qu'il est connu aujourd'hui peut être indiqué comme la forme cherchée, et que *Hyrachyus* représenté par différentes espèces, devait le lier avec les *Rhinoceridae* d'une part, et avec lez *Tapiridae* de l'autre.

Quant à la famille des *Chalicothaidae*, qui a été placée dans ce dernier temps parmi les *Imparidigitae*, la littérature paléontologique n'a fourni jusqu'à présent que peu de données pour définir sa position génétique et ses rapports aux antres familles de cet ordre. M. Gaudry dans son travail sur „les ancêtres de nos animaux" nons annonce, que: „M. Filhol, qui poursuit en ce moment à Sansan avec un grand succès les recherches commencées par Lartet, vient de découvrir que le *Chalicotherium*, considéré d'abord comme un ongulé, n'est autre que l'édenté appelé *Macrotherium*", (page 257). Or, il me semble prématuré de publier mon étude sur cette famille, avant que la description de ces nouvelles trouvailles soit faite.

Liste de travaux cités dans l'ouvrage.

Edw. Cope. Report upon United States Geographical Surveys West of the one Hundredth Meridian. Vol. II. Paleontology. 1877.

„ Pavlow, on the Ancestry of Ungulates. Amer. Naturalist. 1887. № 7, vol. 21, page 656.

Georges Cuvier. Recherches sur les ossements fossiles. 1836.

W. Branco. Fossile Säugethierfauna von Punin bei Riobamba in Ecuador. 1883. Palaeontolog. Abhandlung. Bd. I. Heft. 2.

J. Brandt. Observationes de Elasmotherium reliquiis. 1864. Memoir. d'Acad. Imper. de St. Pétersbourg, № 4.

M. Blainville. Ostéographie.

Burmeister. Die Fossilen Pferde der Pampas Formation. 1875. id. Description physique de la république Argentine. 1879.

Forsyth Major. Beiträge zur Geschichte der fossilen Pferde. 1877. Schweizer paläontol. Gesells. vol. IV.

Hugh Falconer. Fauna antiqua sivalensis. 1840—1845.

Albert Gaudry. Ancêtres de nos animaux. 1888.

„ Les enchaînements du monde animal. 1878.

„ Animaux fossiles du Mont Léberon. 1873.

„ Géologie de l'Attique. 1862—1867.

Holme's. Post-pliocene. Fossils of S. Carolina.

Hensel. Ueber Hipparion mediterraneum. Abhandl. des Königl. Akad. d. Wissenschaft zu Berlin 1860. p. 27.

P. Gervais. Zoologie et paléontologie française. 1848—52.

Hermann v. Meyer. Equus primigenius. Palaeontographica. 1868. T. XV.

W. Kovalewsky. Sur l'Anchitherium aurelianense et sur l'histoire paléontologique des chevaux. Mém. de l'Acad. Imper. de St. Pétersbourg. 1873. T. XX.

Kaup. Die zwei urweltlichen Pferdartigen Thiere. 1833. August.

Köllner. Entwickelungsgeschichte der Säugethiere 1882.

Er. Koken. Ueber fossile Säugethiere aus China 1885. Palaeont. Abhand. B. III Heft. 2.

Dawkins. On the classification of the tertiary period by means of the Mammalia. Quart. Journal 1880. № 143. August.

Richard Lydekker. On the Fossil Mammalia of Maragna u. N.W. Perisa. .Quart. Journal 1886. № 166.
„ Sivalhippus. Record of the geological survey of India 1877. Vol. X. Part 1, 2.
„ Additional Siwalik perissodactyla. Memoir of the geol. Surv. of India 1884. Ser. X. Vol. 1, 2, 3.

Leidy. Contribution to the Extinct Vertebrata Fauna of the Western Territories. 1873.

Marsh. Fossil Horses of America. 1874. Amer. Natur.
„ Polydactyle Horses. 1879. Amer. Journ. of Science and Arts.
„ New Equine Mammals from the Tertiary Formation. 1874. ibid.
„ Eohippus pernix. 1878. ibid.

Neumayer. Erdgeschichte. 1887.

Rich. Owen. Palaeontology. 1861.
„ Equine remains. Philosoph. Transact. Royal Soc. of London. 1859, № 2, p. 535.

A. Pavlow. Notes sur l'histoire géologique des oiseaux. Communication faite le 20 Décembre 1884—1885.

Marie Pavlow. Etudes sur l'histoire paléontologique des ongulés en Amérique et en Europe. I. groupe primitif de l'éocéne inférieur. Bull. Mos. 1887.

L. Rütimeyer. Beitrage zur Kenntniss der fossilen Pferde. 1863.
„ Eocane Saugethiere aus dem Gebiet des schweizerischen Jura. 1862. (Nouv. mém. de la Société Helvetique).
„ Weitere Beitrage zur Beurtheilung der Pferde der Quaternar-Epoche. 1875. Vol. 2. Abhandl. d. schweizerischen pal. Ges.

Oscar Schmidt. Die Säugthiere in ihrem Verhältniss zur Vorwelt. 1884.

Wagner. Beitrage zur Kenntniss d. Säugethiere Amerika's. Abhandl. d. Mathem. physik. Classe de König. Bayer. Akad. d. Wissenschaften. 1847. p. 121.
„ Urweltliche Saugthier-Ueberreste aus Griechenland. ibid. p. 337.

Roth et Wagner. Hipparion gracile var. mediteran. v. Pikermi. Ibid. 1853. p. 438.

Carl. Vogt. Quelques hérésies darwinistes. Révue scientif. 1886. 3-me série. № 16.

Autres ouvrages nécessaires sont cités dans le premier chapitre de ces études.

Explication des figures *).

Planche I.

Fig. 1. Mâchoire supérieure du *Hyracotherium venticolum* Cope (d'après l'auteur)
„ 2. Mâchoire supérieure du *Pachynolophus siderolithicum* Pictet.
„ 3. „ „ d'*Anchilophus radegondense* Gerv.
„ 4. „ „ d'*Anchitherium bairdi* Leidy.
„ 5. La troisième et la deuxième molaires supérieures du *Meryhippus insignis*. Leidy. (d'après l'auteur).
„ 6. Les trois molaires supérieures du *Protohippus perdidus* Leidy.
„ 7. Les molaires d'*Equus Andium* Branco (d'après l'auteur).
„ 8. „ „ d'*Equus caballus* Lund. (des differents individus du diluvium du gouvern. de Kieff).
„ 9. Mâchoire inférieure du *Hyracotherium venticolum* Cope (d'après l'auteur).
„ 10. „ „ du *Hyracother. angustidens*. Cope. ibid.
„ 11. „ „ du *Pachynolophus siderolithicum* Pict.
„ 12. „ „ d'*Anchilophus radegondense* Gerv.
„ 13. „ „ d'*Anchitherium bairdi* Leidy.
„ 14. Une molaire inférieure de *Protohippus* Leidy.
„ 15. „ dent de lait inférieure de *Meryhippus* Leidy (les trois dern. d'après l'auteur).
„ 16. Les molaires inférieures d'*Equus Andium* Branco (d'après l'auleur).
„ 17. Molaires inférieures d'*Equus caballus* Linn. (du diluvium du gouvern. de Kieff).
„ 18. Les trois dents de lait supérieures du *Pachynolophus siderolithicum* Pict. (d'après W. Kovalewsky).
„ 19. „ „ „ d'*Anchilophus radegondense* Gerv. (Ibid.).
„ 20. Une dent de lait supérieure d'*Anchitherium aurelianense* Bl. (ibid.)
„ 21. „ „ „ du *Meryhippus* Leidy (d'après l'auteur).
„ 22. „ d'*Equus andium* Branco (d'après l'auteur).
„ 23. „ „ „ d' *Equus caballus* Linn.

---

*) Les figures sont faites en grande partie d'après les spécimens et les moules du cabinet géologique de Moscou et complétées par les dessins connus. Les fig. 8. 17 d'après les spécimens du cabinet géologique de St. Pétersbourg.

„ 24. Molaires supérieures d'*Hipparion gracile* Kaup de Pikermi.
„ 25. „ „ variété moins compliquée.
„ 26. „ „ d'*Hipparion affine* Leidy.
„ 27. Molaires inférieures d'*Hipparion gracile* Kaup.
„ 28. Dents de lait inférieures d'*Hippar. gracile* Kaup.
„ 29. Côté interne d'une molaire supérieure du même animal.
„ 30. Même côté de *Protohippus perdidus* Leidy.
„ 31. Dents de lait inférieures d'*Hipparion gracile* Kaup. du Sud de la Russie.

Planche II.

Fig. 1.*) Surface supérieure de l'os magnum d'*Anchitherium aurelianense* Blainv.
„ 2. „ „ „ du cheval vivant.
„ 3. „ „ „ d'*Hipparion* de Pikermi.
„ 4. Surface distale du Metacarpus III d'*Anchitherium aureli.*
„ 5. „ „ „ du cheval vivant.
„ 6. „ „ „ d'*Hipparion* de Pikermi.
„ 7. Côté postérieur de l'astragalus d'*Anchitherium aureli.*
„ 8. „ „ „ du cheval vivant.
„ 9. „ „ „ d'*Hipparion* de Pikermi.
„ 10. Surface distale du Metatarsus III d'*Anchitherium aureli.*
„ 11. „ „ „ du cheval vivant.
„ 12. „ „ „ d'*Hipparion* de Pikermi.
„ 13. Surface inférieure du naviculare (montrant les facettes pour les cuneiformes) d'*Anchitherium.*
„ 14. „ „ du cheval vivant.
„ 15. „ „ d'*Hipparion* du Pikermi.

*) Toutes les figures de cette planche sont faites d'après les spéimens du cabinet géologique de Moscou, excepté la fig. 10. (d'après Forsith Major).

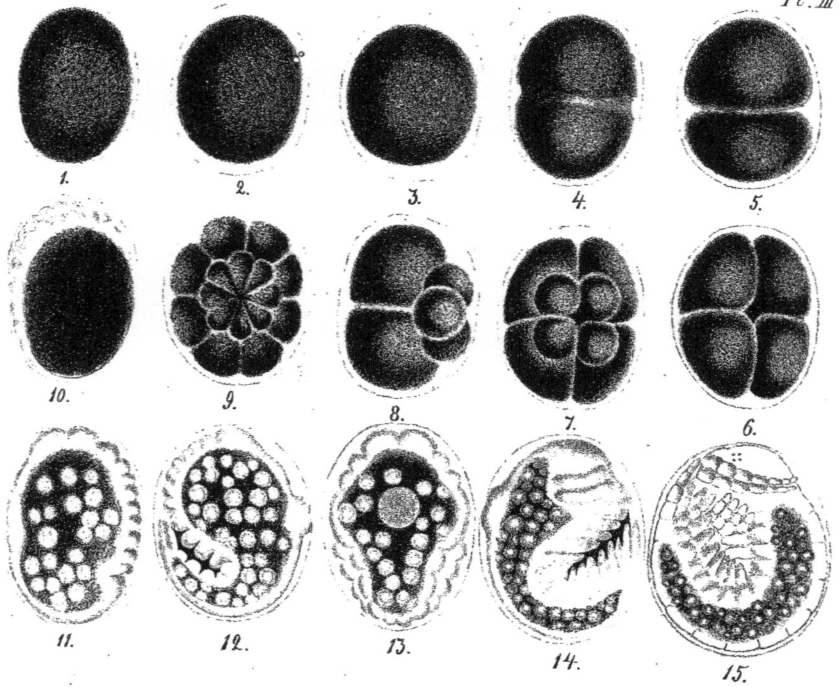
1.
2.
3.
4.
5.
10.
9.
8.
7.
6.
11.
12.
13.
14.
15.

Pl. IV.

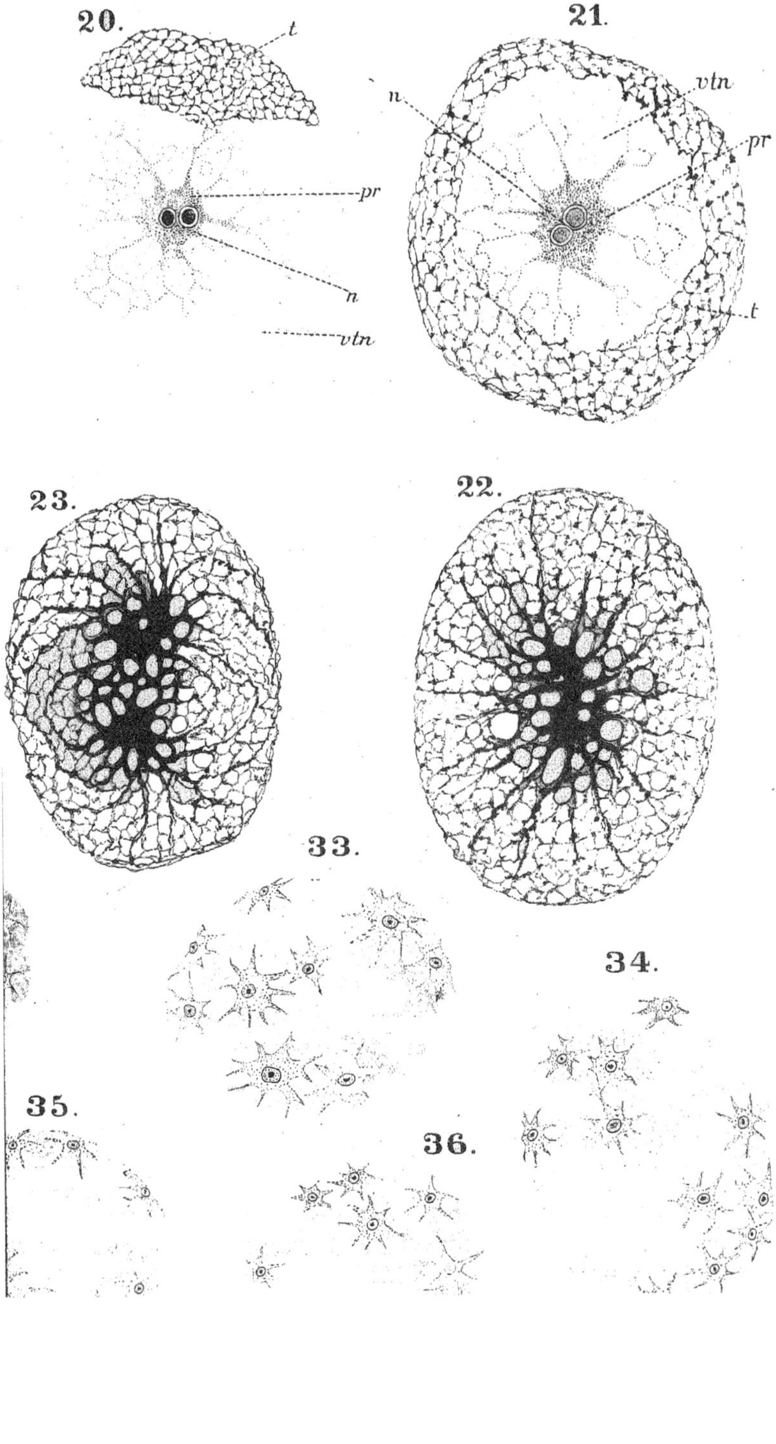

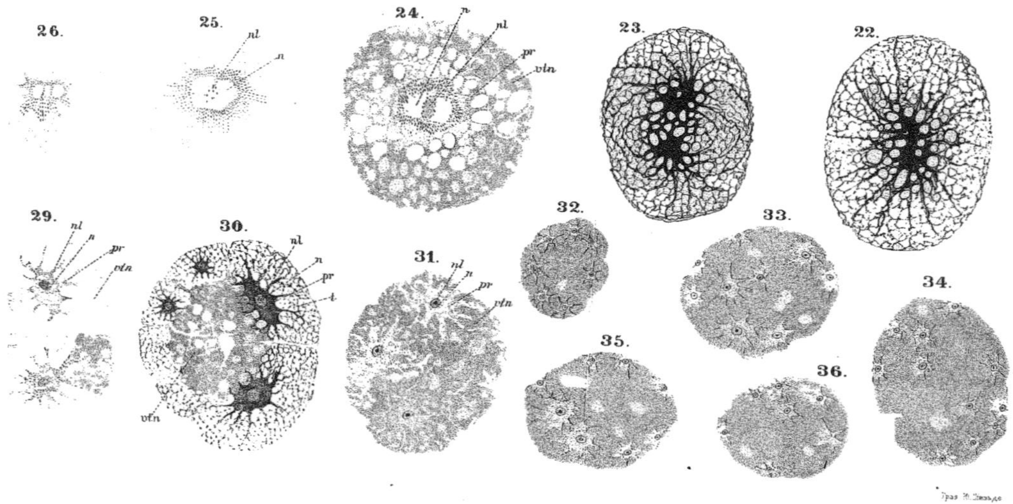
26.
25.
nl
n
24.
n
nl
pr
vln
23.
22.
29.
nl
n
pr
vln
30.
nl
n
pr
t
vln
31.
nl
n
pr
vln
32.
33.
34.
35.
36.

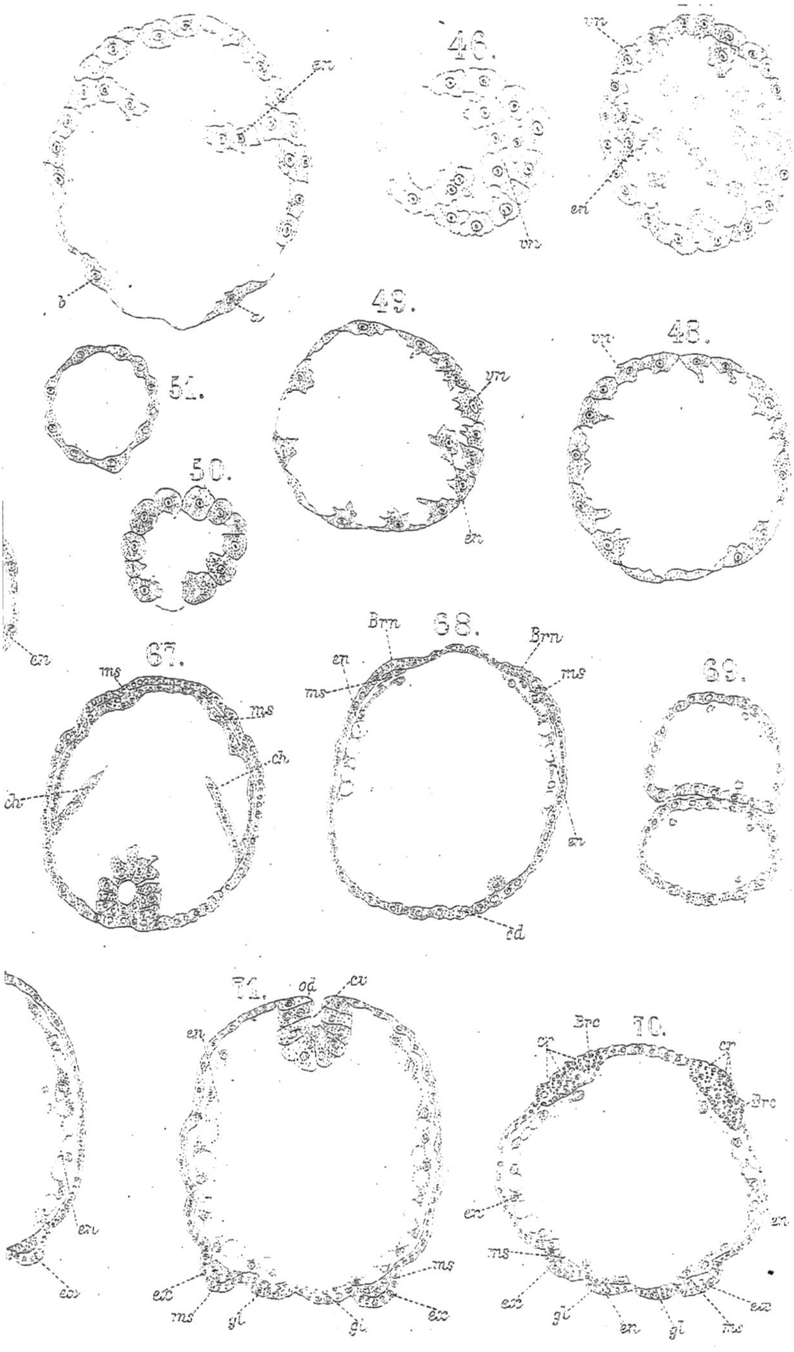
46.
49.
48.
51.
50.
67.
68.
69.
71.
70.
en
vn
b
ms
ch
Brn
cd
od
cv
Brc
cr
ex
gl

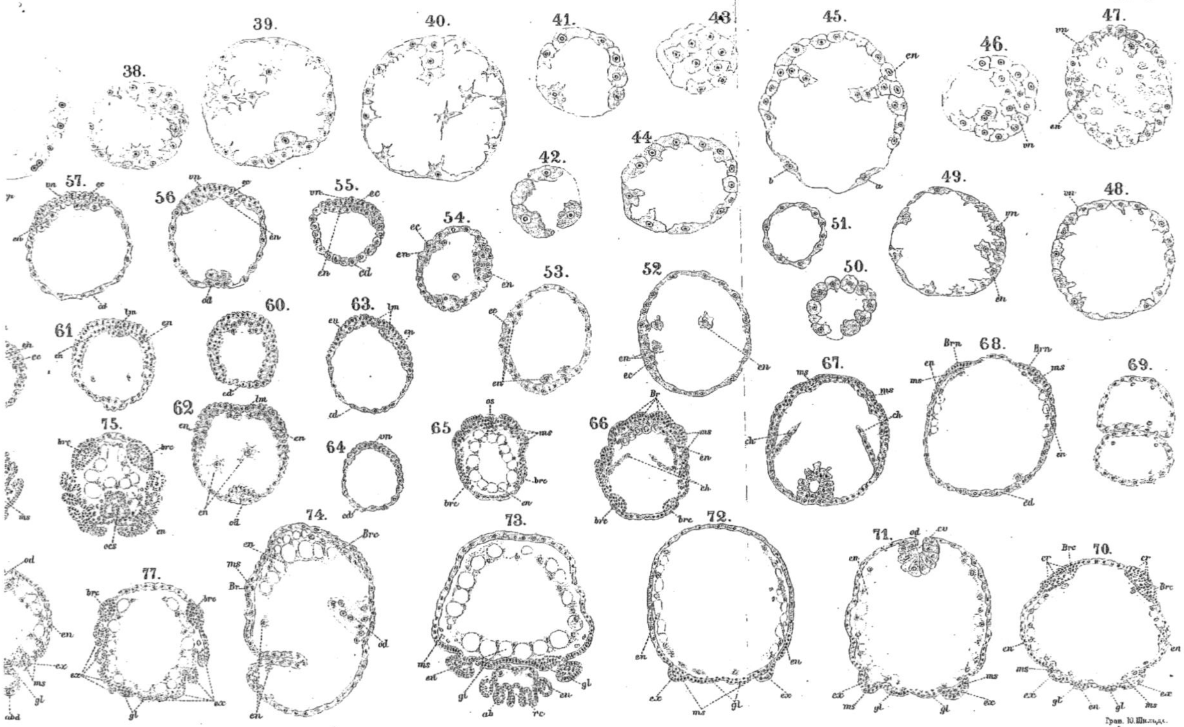

Грав. Ю. Шильде.

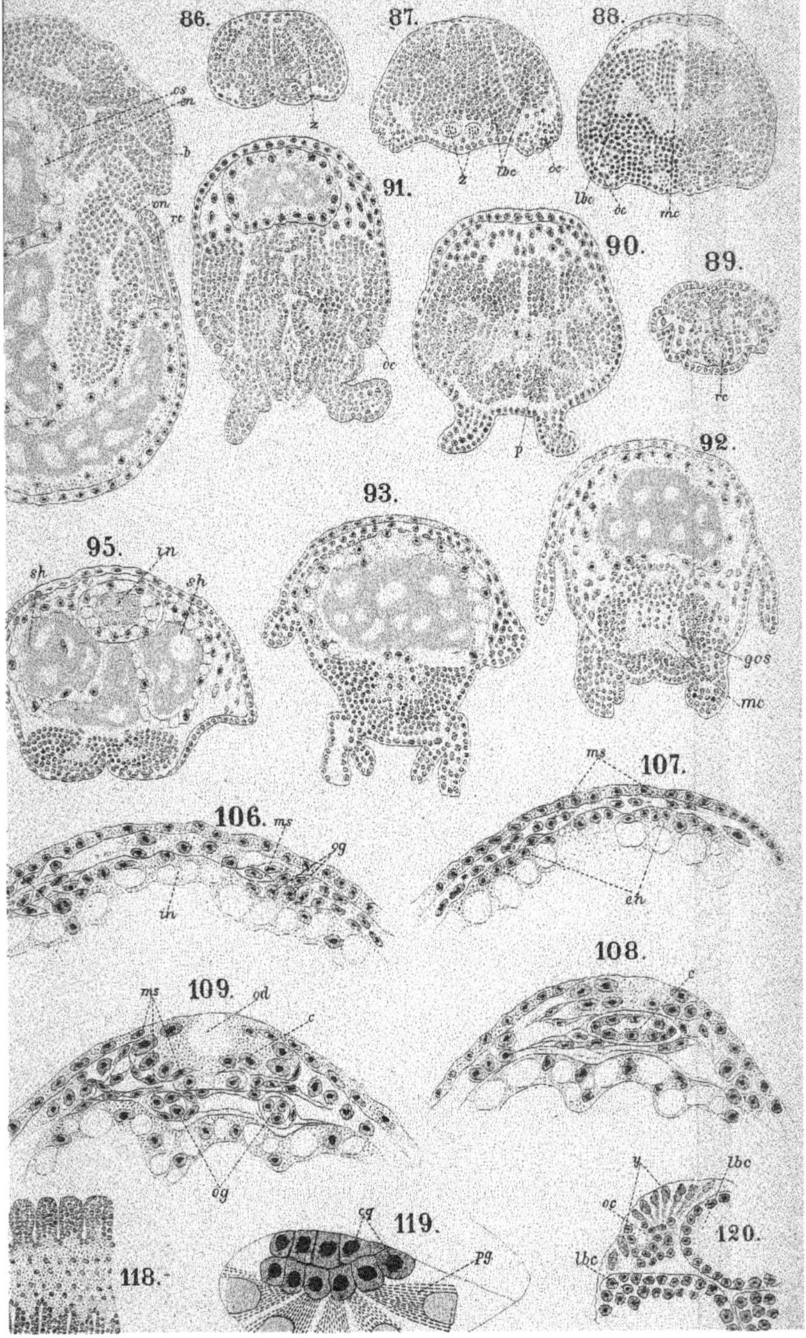
86.
87.
88.
89.
90.
91.
92.
93.
95.
106.
107.
108.
109.
118.
119.
120.
os
en
b
on
rc
z
lbc
oc
mc
p
gos
sh
in
ms
og
eh
c
od
y
cg
pg

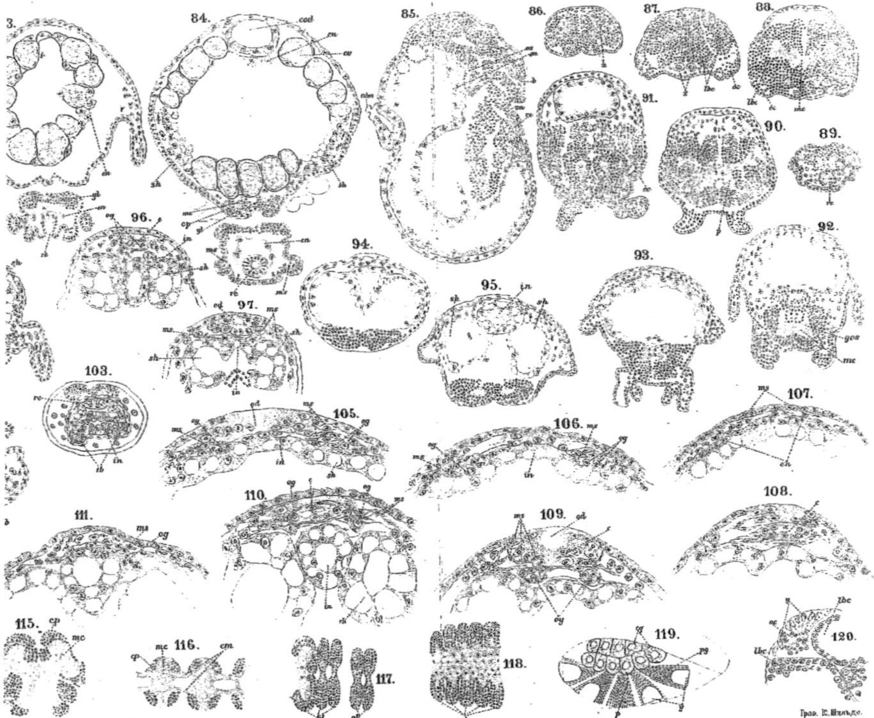

Грав. К. Шильде.

ÉTUDES SUR LE DÉVELOPPEMENT DES AMPHIPODES.

Par

Dr. Sophie Pereyaslawzewa et *M-lle Marie Rossiiskaya.*

PRÉFACE.

Les trois ouvrages suivants présentent la description du développement des représentants de trois espèces d'Amphipodes. Par la variété des données embryogéniques, ils pourraient présenter beaucoup de materiaux bien intéressants pour un aperçu comparatif de même que pour certaines déductions générales. Aussi j'ai eu l'intention de le faire. La cause qui me la fit remettre fut celle que pour l'été prochain j'aurais trois élèves, qui viendront à Sébastopol pour y travailler sous ma direction sur le développement des Amphipodes.

Maintenant je suis certaine de la possibilité de réaliser mon plan depuis longtemps conçn et d'étudier complètement un groupe au fait d'embryogénie pour avoir des descriptions du développement non seulement de ses représentants éloignés, mais encore des espèces du même genre.

J'étais sûre, qu'une série de pareils travaux donnnerait une matière abondante à des déductions, très intéressantes. Les trois ouvrages présents confirment ma supposition toute théorique et éveillent en moi d'autant plus le désir de persévérer dans mon intention.

L'été prochain je prends sur moi la tâche d'étudier le développement de différentes espèces de Gammarus, qui se trouvent dans la baie de Sébastopol. Quant à mes élèves, pour les unes je choisirai les espèces les plus rapprochées de celles qui ont déjà été explorées; pour les antres—les plus éloignées.

En vue de cette perspective je ne puis envisager les trois ouvrages présents que comme premiers anneaux d'une chaîne à former, et je trouve superflu pour le moment de faire un aperçu comparatif du développement de trois Amphipodes, esperant d'en faire l'année prochaine de sept espèces de ce groupe.

Il ne se présente point de difficultés pour l'accomplissement de mon plan, et j'espère en tirer des déductions, qui ne manqueront pas d'intérêt.

Dr. Sophie Pereyaslawzewa.

Sebastopol. Station biologique.
29 Mars 1887 an.

PREMIÈRE PARTIE.

LE DÉVELOPPEMENT DE GAMMARUS POECILURUS, RTHK.

Par

Dr. Sophie Pereyaslawzewa.

(Avec 4 planches).

Observations sur l'oeuf vivant.

L'oeuf de Gammarus poecilurus, Rthk., fraîchement pondu présente la forme ovalaire, il est colorié d'une belle couleur lilas. Immédiatement après la ponte, la périphérie de l'oeuf adhère complètement au chorion, qui le recouvre (fig. 1). Mais bientôt apparaît une mince ligne claire, qui s'élargit peu à peu et au bont de quelques heures (de deux à trois), nons voyons un très grand espace qui sépare le chorion de la périphérie de l'oeuf (fig. 2). Il n'est pas difficile de s'en convaincre que cet espace s'est produit aux dépens des dimensions de la masse de l'oeuf, puisque ce dernier parait plus petit. Evidemment il se contracte peu à peu. Au moment du plus haut degrès de la contraction, apparaîssent les deux cellules polaires une après l'autre et l'oeuf, se contractant encore uu peu, devient sphérique (fig. 3).

Une heure et demie après ce phénomène, I'oeuf se dilate assez promptement et toute sa surface paraît onduleuse à cause des mouvements qui se manifestent dans sa masse.

Le résultat immédiat de ce mouvement est un sillon transversal qui prend naissance à la périphérie de l'oeuf et le divise en deux segments égaux. Au commencement la direction du sillon est oblique, puis elle coïncide avec l'axe transversal (fig. 4 et 5). A la fin de la division les segments sont sphériques et ne se touchent que dans un point; mais peu à peu ils se rapprochent, se pressent, ce qui rend la surface de leur contact de plus en plus large, et quand elle devient égale au diamètre de l'oeuf, les segments sont tellement pressés l'un contre l'autre, que c'est à peine qu'on remarque les faibles traces du sillon, indiquant que le fractionnement de l'oeuf a eu lieu dans la direction transversale.

Une heure après nous assistons à l'apparition d'un sillon longitudinal, l'oeuf subit les mêmes modifications et la division en quatre segments s'accomplit (fig. 6). Les segments ne changent point de place, comme c'est le cas chez les Orchesties.

Tous les stades de la segmentation de l'oeuf de Gam. poecilurus s'en suivent régulièrement dans l'intervalle d'une heure.

Le troisième sillon traverse l'oeuf en sa longueur, mais les quatre segments sont divisés en parties inégales; nous sommes en présence du stade à huit globes, dont quatre nouvellement formés sont petits et adhérent à la surface de quatre globes primitifs d'un volume plus considérable (fig. 7 et 8).

Au stade subséquent s'accomplit le fractionnement en seize segments *): les huit globes se divisent simultanément dans la direction de deux axes latéraux dont le plan est perpendiculaire: chaque sillon traverse deux grands et deux petits segments vis-à-vis (fig. 8).

Jusqu'au stade exposé la multiplication des globes suivait une voie très régulière et toutes les modifications étaient faciles à suivre. Mais depuis, le fractionnement s'accomplit très irrégulièrement: chez les uns il est très actif, chez les autres très lent. De plus il est à noter que l'examen des coupes nous démontre un certain nombre de cellules qui s'enfoncent dans le janne, où elles continuent à se multiplier.

Pendant que les modifications décrites se produisent, les contours des noyaux ne sont pas reconnaissables et aucune lumière ne contribue à les rendre distincts. Dans la description des coupes de ces stade nous en comprendrons la cause.

Cependant l'évolution se produit très énergiquement, le nombre de segments accroit visiblement, leurs dimensions en deviennent de plus en plus petites et il n'est plus possible de les compter. C'est à

*) Jusqu'à ce stade le fractionnement ne diffère point de la segmentation de G. locusta, d'après la description de van Beneden „Mémoire sur la formation du blastoderme" etc.

ce moment qu'apparaissent quelques cellules non colorées et transparentes; elles se débarrassent complètement de la conche épaisse du janne qui les enveloppait et sortent à la surface d'un des pôles de l'oeuf. C'est le germe du blastoderme qui s'est accusé (fig. 10). La région où les cellules se sont manifestées représente la face ventrale de l'embryon et le pôle près duquel elles s'accumulent deviendra le pôle oral.

Le blastoderme s'étant accusé, toutes les observations sur l'oeuf vivant deviennent très faciles et très intéressantes, vu que les cellules non colorées et transparentes, aux limites très nettement tracées se détachent parfaitement bien sur le fond lilas du janne et permettent de suivre les moindres modifications. Il est facile à voir que leur nombre augmente dans toutes les directions; en même temps leur volume diminue.

A mésure que la conche blastodermique s'étend, elle enveloppe le pôle oral, la face ventrale et les côtés de l'embryon; elle descend ensuite au pôle aboral, recouvre la face dorsale, où ses bords se rejoignent et se soudent. Tout le temps, qui comprend la formation du blastoderme, les cellules de la face ventrale et du pôle oral gardent la forme cylindrique ce qui rend la conche blastodermique très épaisse. Par contre elle est très mince et à peine visible sur les côtés et à la face dorsale, ce qui dépend évidemment de la forme très aplatie des cellules. Grâce à cette disposition on ne confond jamais les deux pôles et les différentes faces de l'embryon.

Le point, où les bords du blastoderme se sont soudés, se trouve sur la ligne médiane de la face dorsale, plus rapproché du pôle aboral. Bientôt après on remarque que dans ce point le blastoderme s'épaissit à l'intérieur et donne naissance à un tubercule; le développement de ce dernier se produit progressivement à celui de l'embryon; c'est l'organe dorsal qui s'est accusé.

Quelques heures après les phénomènes énoncés, à la face ventrale de l'embryon apparaît un sillon transversal, rapproché du pôle aboral; s'avançant progressivement de la périphérie vers le centre de l'oeuf, il enfonce le blastoderme en dedans du janne. Simultanément sur la face ventrale de l'embryon se dessinent quatre rangées de tubercules, qui occupent les deux côtés de la ligne médiane.

Voici les germes de tous les organes externes, qui se sont déjà manifestés: le sillon transversal délimite l'abdomen, les deux grands tubercules en arrière du pôle oral représentent la tête (fig. 10 et

14) et tous les autres qui s'en suivent jusqu'au sillon transversal, toujours diminuant en volume, représentent: les deux rangées du milieu—la chaine ganglionnaire ventrale, ceux d'à côtés—les parties buccales, les antennes et les pattes. Les tubercules du système nerveux sont à péine visibles. Les bourrelets des pattes ne se distinguent que par la position de ceux des antennes et des parties buccales.

Au fur et à mesure du développement de l'embryon tous ces organes grandissent lentement. L'articulation des extremités est très tardive, tout de même elle s'accuse bien avant qu'elles eussent atteint la longueur normale. Bien plus tard, de deux côtés de la tête, apparaissent quelques taches de pigment rouge. Ce sont les yeux.

Depuis l'apparition des organes externes, l'organe dorsal prend les dimensions excessives, comme le démontrent les fig. **12**, **13**, **14** et **15**. Sur les mêmes figures on remarque la diminution de la masse du vitellus nutritif, qui est due à la différenciation lente de l'intestin et des sacs hépatiques. Il est facile de suivre la formation de leurs tuniques musculaires et du coeur. Mais la description de ces phénomènes aura lieu dans l'exposé du développement des organes internes de l'embryon.

La contraction du coeur et de l'intestin précéde de beaucoup l'eclosion de l'embryon.

L'étude du développement des organes externes, faite sur les oeufs vivants, de même que d'après les coupes des stades décrits, donne la possibilité de tracer un plan de la disposition des organes mentionnés à leur début chez le Gam. poecilurus, chez les Caprelles et les Orchesties.

Les deux lignes latérales, d'après lesquelles se disposent les organes externes, affectent la forme de deux S, dont les bouts inférieurs, se coïncidant, représentent l'abdomen, et les points supérieurs, corréspondants aux ganglions céphaliques, restent écartés (fig. 14).

Les bourrelets des lobes céphaliques n'apparaîssent jamais sur le pôle même, mais ils sont repliés sur le dos chez les embryons des Amphipodes, comme c'est le cas chez les Isopodes *); mais l'abdomen de ces derniers est de même renversé sur le dos, tandis que chez les deux Amphipodes il est replié par devant (Gammarus et Caprella).

---

*) Bobretzky. „Zur Embryologie des Oniscus murarius", Zeitsch. fur wissensch. Zool. Band XXIV.

Les Orchesties présentent la forme intermédiaire entre les Isopodes et les Amphipodes: elles ont la tête renversée en arrière, tandis que la ligne médiane reste longtemps parfaitement droite et l'abdomen, qui occupe le pôle aboral de l'embryon, ne donne aucunes traces d'incurvation.

Plus tard, quand les extremités sont assez grandes, l'abdomen se relève et l'embryon se replie en deux dans la partie médiane de la face ventrale, ce qui fait que définitivement l'abdomen est renversé du côté ventral.

Par conséquent, la courbure qu'affecte l'abdomen des Orchesties, bien qu'elle correspond à celle des Gammarus et des Caprelles, en diffère essentiellement d'après la manière de son développement et le moment de son apparition.

Les modifications qui se manifestent dans l'intérieur de l'oeuf durant la période qui précède la segmentation.

Autant que j'ai remarqué les Gammarus poecilurus pondent leurs oeufs le matin et le soir; aussi dans les exemplaires collectionnés de grand matin les oeufs non segmentés n'étaient pas rares à observer. En ontre il est très facile de se procurer des femelles qui sont prêtes à pondre et de saisir le moment de la ponte. Je préférai cette dernière manière de me procurer les oeufs non segmentés pour en faire les coupes.

Au commencement du mois de Juin j'ai préparé des coupes des oeufs non ségmentés, pris dans différents moments de cette période. A mon grand regret je ne puis pas donner la suite juste des coupes mentionnées, parce que j'ai du suspendre mes études pour deux mois. Dans cet intervalle les étiquettes des coupes des oeufs non ségmentés se sont embrouillées.

Au commencement de l'automne, j'ai pu recommencer mes études sur le développement de Gam. poecilurus, mais les oeufs de tous les stades se prêtaient très mal au confectionnement des coupes et les oeufs non ségmentés ne se prêtaient pas du tout. Comme ces insuccès coïncidèrent avec un brusque changement de température et avec de fortes tempêtes, il faut en conclure, que l'automne n'est pas un temps favorable pour les études du développement. J'ai résolu de me contenter pour le moment des résultats obtenus et de remettre au printémps le confectionnement des stades non ségmentés.

Malgré mon incertitude par rapport à la disposition juste des figures des coupes représentant les stades non ségmentés, elles démontrent des faits aussi intéressants que j'ai résolu de donner leur description.

Il fallait pourtant se guider de manière ou d'antre en fait des préparations en question et tâcher de les classer avec le plus d'ordre possible. Il y a quelques ans de celà, après avoir suivi le dévelloppement des oeufs des Rotifer inflatus *) dans l'ovaire, j'ai étudié l'embryogénie de ces animaux.

Je donnerai ici une courte description de ces derniers. Les oeufs de ces Rotateurs sont tout-à-fait transparents et les moindres modifications qui se produisent dans l'oeuf sont faciles à suivre. La disparition du nucléole est le premier phénomène qui se manifeste; ensuite le volume de la vésicule germinative accroit visiblement et simultanément elle prend la direction d'un des pôles. Quand elle eut atteint ce dernier, ses dimensions sont doublement accrues, après quoi elle disparaît, faisant place à un petit enfoncement à la périphérie de l'oeuf. Il est évident qu'au moment donné la cellule polaire doit être evacuée, mais chez ces Rotateurs qui se développent par parthénogénése, ce fait n'a pas lieu, tandis que les antécedants sont restés les mêmes.

Longtemps après, la vésicule germinative n'est pas visible; cependant le volume de l'oeuf diminue de beaucoup et en même temps les grains du jaune changent de position. Lorsque les phases décrites s'accomplissaient, ces grains formaient une conche uniforme à la périphérie de l'oeuf, maintenant ils s'enfoncent vers le centre, ce qui rend la surface de l'oeuf beaucoup plus claire.

Ensuite, quand il ne reste plus aucuns grains à la surface, l'oeuf comprend une texture telle que suit: au centre la vésicule germinative aux contours très peu distincts, entourée de toute la masse des grains de janne, attirés de la périphérie, et y formant une surface onduleuse. Le tout est enveloppé d'une couche claire du protoplasme. Longtemps après le tableau change: l'oeuf qui se contractait lentement durant quelques heures, s'élargit brusquement et remplit le chorion; les grains du janne montent simultanément à la surface de l'oeuf et la vésicule germinative disparaît. Après un court laps de temps le protoplasme de l'oeuf commence

---

*) „Le développement des Rotateurs" (en russe), Mémoire de la Société des Naturalistes de la Nouvelle-Russie. T. IX, livr. 1, 1884.

à se mouvoir, sa surface devient onduleuse. Ces mouvements sont les antécédents de l'apparition du sillon qui fractionne l'oeuf.

Telles sont les modifications qui se passent dans les oeufs des Rotifer durant la période qui précéde la ségmentation.

Les oeufs de Gammarus parcourent absolument les mêmes phases comme le prouvent les quatre premières figures: l'oeuf fraîchement pondu remplit le chorion; peu a peu il se contracte; dans la période de la contraction apparaît la cellule polaire, et la contraction du volume devient plus vive. Peu avant la formation du sillon, l'oeuf se dilate promptement, adhère complètement au chorion; un mouvement énergique se produit dans le protoplasme et se manifeste dans des ondes à la surface de l'oeuf.

Par conséquent les changements dans le volume de l'oeuf de Gammarus s'en suivent tout de même qu'il en est le cas chez les Rotifer. Mais les oeufs du premier ne sont pas transparents et ce sont les coupes de ses stades qui nous vont démontrer ce qui se passe dans l'intérieur.

La coupe représentée par la fig. 16, correspond évidemment au stade, où le nucléole des oeufs de Rotifer vient de disparaître; on voit (fig. 16) la vésicule germinative aux dimensions très grandes, aux contours très peu nets; elle se dirige, ainsi que le protoplasme, vers la périphérie pour donner naissance à la cellule polaire; le protoplasme est entouré d'une conche épaisse du vitellus nutritif qui présente une masse compacte. Au stade suivant la vésicule germinative disparaît. Pas un des grossissements auxquels j'avais recours, ne me permit d'apercevoir la présence de cette dernière dans les coupes prises aux trois stades subséquents de cette période (fig. 17, 18, 19, 20).

Le protoplasme se distribue parmi les éléments nutritifs y formant un mince réseau, à peine reconnaissable. Ce n'est que du côté du pôle qu'une petite partie du protoplasme, à l'aspect d'une tache ronde, constitue un réseau plus épais, d'un rouge très caractéristique, qui tire sur le violet, tandis que les autres parties de l'oeuf sont coloriées d'un rose pâle (fig. 17). Au stade subséquent la tache mentionnée est accrue de beaucoup; les deux coupes des stades suivants la démontrent encore grossie et une petite quantité de protoplasme s'est accusée tout prés d'elle (fig. 18).

Pendant la période de la contraction, après l'apparition de la cellule polaire, le vitellus nutritif chez les Gammarus—les grains du janne chez les Rotifer — doit se diriger vers le centre et entourer la vésicule germinative, tandis que le protoplasme monte à la périphérie. En effet la coupe fig. 21, correspond parfaitement au stade fig. 13 représenté dans mon article sur le développement des Rotateurs. L'examen de cette coupe confirme parfaitement tout ce que j'ai vu sur les oeufs vivants des Rotateurs: la vésicule germinative accompagnée de deux nucléoles siège au centre de l'oeuf, une conche épaisse d'éléments nutritifs les recouvre et le tout est enveloppé du protoplasme, qui y forme un réseau très mince.

Cette coupe obtenue me fit éprouver une vive satisfaction, parce que ce fut la première fois que j'ai observé dans une coupe les faits énoncés, mainte fois étudiés d'après les oeufs vivants des Rotateurs et des Turbellariées, dont les oeufs ne se prêtent pas aux confectionuement des coupes.

Bien que j'avais affaire à des oeufs complètement transparents, les modifications n'étaient pas faciles à suivre et beaucoup de détails intéressants devaient m'échapper. C'est ainsi qu'il fut tout-à-fait impossible d'étudier les particularités de la structure réticulaire du protoplasme, l'état, les contours et la forme de la vésicule germinative et du nucléole. Par contre les coupes démontrent un tableau exact de ces phases intéressantes; tous les détails y sont si nettément tracés que les figures, bien que reproduites avec tous les soins les plus scrupuleux, ne donnent pas un tableau aussi frappant de tout ce que la coupe présente.

Après le stade examiné, l'étude ultérieure des oeufs de Rotateurs et des Gammarus nous met en présence d'une phase où l'oeuf se dilate, remplit le chorion, la vésicule germinative disparait et toute la masse de l'oeuf commence à se mouvoir visiblement; ensuite le noyau apparaît derechef, se divise, disparaît de nouveau; les mouvements du protoplasme deviennent si énergiques qu'ils sont à suivre sans aucune difficulté; après un sillon prend naissance à la périphérie et divise l'oeuf en deux segments.

L'examen des coupes des oeufs de Gammarus aux stades correspondants démontre que la vésicule germinative et le protoplasme ont en effet disparu (fig. 22), le tout se confond en une masse uniforme; il fant que les mouvements soient très forts, pour que tous les éléments de l'oeuf—le vitellus nutritif, le protoplasme et la vésicule germinative, se confondent pour former un réseau aussi uniforme que le présente la coupe (fig. 22).

Au centre seulement le réseau est un peu plus épais qu'à la périphérie.

La masse centrale devient de plus en plus condensée, la vésicule germinative et le nucléole apparaîssent, le protoplasme se différencie et se concentre autour du noyau, qui siège au milieu de l'oeuf, tandis que le jaune senl loge à la périphérie. La vésicule germinative se divise en deux, ainsi que le protoplasme et le. jaune et après ce fractionnement toutes les matières constituantes de l'oeuf se confondent derechef, séparément dans chaque segment, se condensant maintenant autour de deux centres (fig. 23); ces derniers s'étant accusés renvoyent des rayons, qui se touchent à la ligne médiane, y formant des arcs.

Ségmentation et formation du blastoderme.

Au moment exposé l'oeuf, c'est à dire le vitellus nutritif et formatif se fractionne en deux, la vésicule germinative étant déjà divisée. Les deux globes nouvellement formés accussent la présence du noyau, le vitellus formatif se range autour de ce dernier, le vitellus nutritif (le janne) occupant la périphérie, enveloppe le tout.

Le fractionnement continue, les noyaux se divisent derechef (fig. 24, 25, 26 faites au moyen de forts grossissements nous représentent la division du noyau dans l'un des globes de l'oeuf déjà divisé en deux ségments, prêts à se diviser en quatre). Coupe longitudinale de l'oeuf (fig. 27), divisé en deux ségments, nons démontre un creux, qui sépare les deux globes. Les noyaux fractionnés logent encore dans la même conche du protoplasme, qui s'est accusé en forme d'un réseau très mince, faiblement tracé, distinct seulement dans les parties avoisinantes du janne. Les modifications suivantes nous les montrent confondus avec les éléments nutritifs et nons assistons de nouveau à des phases semblables à celles qui sont représentées fig. 17, 18.

Les deux figures suivantes nous démontrent les coupes longitudinales au stade à hnit ségments, pris à deux moments différents, quand les noyaux se sont accusés, mais le plotoplasme est confondu avec le jaune (fig. 28); au moment donné les noyaux subissent des modifications tout particulières, aussi leur aspect est à noter, comme au plus haut dégré original; ils apparaissent sous forme de vésicules très claires, remplies de granules coloriés très-vivement, tandis que la vésicule est incolore. Le protoplasme qui l'entoure, étant confondu avec les éléments nutritifs, reçoit de même un aspect tout particulier. Comme matière colorante j'employais ordinairement le carmin *) (Borax-carmin) pour les coupes des oeufs

*) Quand au procédé du confectionnement il était absolument le même que celui, décrit pour Caprella et Orchestia.

de Gammarus et après avoir soumis les préparations à l'effet de l'alcool d'une faible consistence, avec addition d'acide, j'obtenais des coupes coloriées de rouge, mais au stade énoncé le protoplasme recevait toujours une teinte violette et ne portait aucune trace d'une structure ponctuée.

Sous un tout antre aspect nous apparaît le noyau et le protoplasme quand ce dernier s'est débarassé complètement d'éléments nutritifs, qui enveloppent indépendamment chaque cellule (fig. 29). Evidemment au moment présent nous avons affaire à la phase du noyau, que tous les investigateurs observent généralement, ce qui trouve son explication dans le fait qu'au stade décrit le noyau laisse passer très bien les matières colorantes; aussi est-il colorié plus vivement que les parties avoisinantes de la cellule. Le vitellus formatif revêt l'aspect d'une amibe, qui émet un grand nombre de pseudopodes et s'offre à l'observateur sous la forme bien connue d'une masse de structure ponctuée, fréquemment reproduite dans les figures; la coloration est moins vive que celle du noyau. Le janne se dessine de même dans son état ordinaire d'une masse compacte percée d'un grand nombre de cavités de différentes dimensions. Les modifications exposées ne dépendent aucunement de la manière dont les coupes étaient préparées, celle qui est représentée figure 30 nous en convainc le mieux; nons y distinguons le janne complètement différencié et le janne confondu avec le protoplasme.

La coupe longitudinale (fig. 30) nous représente le stade de la ségmentation, où les quatre cellules se sont divisées et ont donné naissance à quatre globes nouveaux et les quatre grands ségments se divisant derechef nous placent en présence du stade à seize ségments; la coupe a suivi la diréction du sillon représenté fig. 9. Il est facile à reconnaître que chaque ségment a la forme pyramidale et la cellule, proprement dite, loge à la base; le protoplasme (vitellus formatif) est confondu avec une certaine partie d'éléments nutritifs.

Par conséquent au stade examiné une certaine quantité du janne (vitellus nutritif) ne prend aucune part dans le fractionnement ou vant mieux dire, dans les mouvements du protoplasme, qui précédent la division connue; ce fut le cas pour le stade antérieur, bien qu'il continue à participer dans le fractionnement des cellules, parce qu'au centre de l'oeuf on aperçoit autant de fragments compacts d'éléments nutritifs, que de cellules à la périphérie (fig. 30).

C'est au stade subséquent que les masses nutritives ne jouent plus aucun rôle dans le fractionnement de l'oeuf.

La structure pyramidale disparaît faisant place à une masse compacte, qui enveloppe les cellules. Ces dernières approchent la périphérie, mais, comme la coupe donnée (fig. 32) nous met en évidence, elles sont plongées dans les éléments nutritifs et ne sont pas visibles sur l'oeuf vivant. Un certain nombre de cellules, notamment celles, qui mésurent un volume plus considérable, sont refoulées au centre du janne, où leur fractionnement continue assez activement (fig. 33, 34). Les cellules posées plus prés de la périphérie de l'oeuf se débarassent complètement d'éléments nutritifs, s'installent à la périphérie même et s'appliquent fortement les unes contre les autres, y formant la conche blastodermique.

Les coupes qui représentent les premières phases de la formation du blastoderme nous le démontrent enveloppant la plus grande partie de l'oeuf (fig. 37); par contre dans les exemplaires des oeufs vivants il ne se dessine que sur la face ventrale et à l'extrémité du pôle oral de l'embryon (fig. 11). Ces faits trouvent leur explication dans l'épaisseur des cellules des parties mentionnées, ce qui permet de distinguer leurs contours sur la teinte lilas d'éléments nutritifs. Leur extrême minceur et leur transparence dans d'autres parties les rendent invisibles sur le janne qu'elles recouvrent. De plus les cellules, qui se sont refoulées au centre, après le stade en seize ségments, y restèrent en continuant à se développer et le blastoderme s'étant accusé quelques-unes se rangèrent dans la partie extérieure de l'oeuf, se posant par conséquent au dessous de la conche blastodermique du pôle oral; les autres s'appliquèrent aux cellules de la face ventrale, en affèctant une disposition très-symétrique. La texture exposée nous explique parfaitement que le blastoderme étudié sur les oeufs vivants est sans comparaison plus distinct dans les parties nommée qu'ailleurs.

A mesure que l'envéloppement du janne se complète les cellules de la face ventrale se serrent plus étroitement l'une contre l'antre et revêtent une forme cylindrique, tandis que celles de la face dorsale et des côtés restent aplaties et très allongées, en voie à se joindre (fig. 45 a, b). Certaines coupes nous mettent en présence d'un blastoderme complètement développé, constituant une membrane qui enveloppe et ferme l'oeuf, les cellules sont tellement allongées (les cellules de la face ventrale excepté) qu'il est difficile d'en distinguer les contours, le noyau accuse à lui seul la présence des cellules. Au stade décrit la formation du blastoderme s'est complétée. Dans l'exposé des phases ultérieures nous le désignerons désormais sous le nom d'éctoderme.

L'exposé des modifications subséquentes nous permettra de voir que seules les parties ventrales du blastoderme intérviennent largement dans la formation des couches embryonnaires, ce sont elles qui, pour ainsi dire, constituent les matériaux indispensables au développement complet de l'embryon. La face dorsale ne joue qu'un rôle passif dans l'acte du développement.

Ectoderme et les organes qui en dérivent.

Au stade subséquent à celui dont nous venons de parler l'évolution se produit de plus en plus énergiquement, surtout sur la face ventrale, et le nombre de cellules augmente visiblement, mais leurs dimensions en deviennent très petites.

Il en résulte que les cellules sont placées très étroitement, ce qui rend la conche blastodermique plus épaisse ici qu'à la face dorsale, où les cellules sont plus étendues.

Dans un endroit seulement de la face dorsale nous apercevons des cellules plus arrondies, qui se disposent en forme d'un éventail et s'enfoncent dans les masses vitellinnes: c'est le germe de l'organe dorsal qui s'est accusé. La multiplication de ces cellules s'opère progressivement et l'organe dorsal comprend un volume plus considérable (fig. 56, 62 od.).

Je n'ai pas réussi à observer le micropile dans les premiers stades du développement de l'organe dorsal; dans les exémplaires des Orchesties et des Caprelles il n'a été vu qu'aux stades très avancés, quand la cavité est déjà formée. Ainsi nous ne pouvons pas élucider la question concernant le moment de la formation du micropile: elle peut précéder l'apparition de l'organe dorsal qui se rattache au micropile; dans ce cas le rôle de ce dérnier est d'accord avec sa dénomination. Par contre il est possille d'admettre que le micropile se développe après la formation de l'organe dorsal et ne joue aucunement le rôle, que certains auteurs lui ont attribué.

Ce qui est incontestable c'est que le micropile existe même dans les stades très âgés, comme un des exemplaires des Gammarus nous en convainc (fig. 85 odm.).

A mesure que l'organe dorsal se développe, l'éctoderme avoisinant s'épaissit visiblement et garde pour longtemps cette configuration, vu qu'il ne détache aucun organe nouveau. Ce rôle passif qui lui est propre, me permet de le comparer à la plaque dorsale chez les Insectes. La dissemblance consiste en ce que chez ces derniers la formation de la plaque précéde celle du tube, tandis que chez les Crustacés nous rémarquons le contraire. D'après les recherches de Mr. Korotneff sur le développemenf de Gryllotalpa *), les cellules qui dérivent en grand nombre de la plaque dorsale, s'introduisent dans les masses nutritives et après les avoir élaboré de manière à les préparer pour l'assimilation, qui aura lieu dans les cellules de l'intestin, elles se détruisent complètement.

Il est indubitable que chez les Gammarus et de plus chez les Orchesties l'organe dorsal, ainsi que l'éctoderme avoisinant, détachent de cellules; leur nombre n'est pas grand, elles sont tout-à-fait liberées et s'enfoncent dans le vitellus nutritif. Or, tandis que les cellules en question se logent dans les masses vitellinnes, les cellules entodérmiques, d'une parfaite ressemblance avec les premières, sont aussi en voie d'y chevaucher; leur résidence simultanée dans le vitéllus ne nous permet d'affirmer aucunement que les cellules, issues de la plaque dorsale s'atrophient: aucune de mes préparations ne le prouve pas.

Tandis que le développement de l'organe dorsal est plus marqué, une cavité s'en accuse; chez les Gammarus cette dernière est parfois très volumineuse. Cependant ses dimensions varient de beaucoup dans les différentes préparations correspondantes au même stade; ceci nous permet d'admettre que nous sommes en présence des variations individuelles. Mais ce qui concerne la cavité mentionnée elle est propre à tous les exemplaires des Gammarus.

L'examen des coupes nons laisse voir que les dimensions de ce creux diminuent graduellement à l'accroissement de l'embryon et que la plaque dorsale s'amincie simultanément; il est évident que le cas énoncé trouve son explication dans la destruction de l'organe cité; elle l'amène à une complète atrophie, qui se signale peu avant l'éclosion de l'embryon.

Après que la conche éctodermique ait donné naissance à l'organe dorsal, elle s'épaissit de plus en plus dans certains endroits de la face ventrale; mais cet épaississement ne comprend pas la face ventrale dans son entier.

La coupe correspondante au stade fig. 8, qui a traversé le pôle oral (fig. 60), nous permet d'apercevoir l'épaississement de

*) Korotneff. „Die Embryologie der Gryllotalpa“, Zeitschrift für wissenschaftliche Zoologie, Band XLI, H. 4.

toute la conche éctodermique, mais sur la face dorsale les cellules ne s'appliquent pas aussi étroitement que sur la face ventrale et dans les parties latérales de l'embryon. Dans les coupes subséquentes (fig. 61, 62) du stade en question, qui ont passé un peu au dessous de la précédente, nous distinguons facilement que l'éctoderme est legèrement concave sur la ligne médiane et convexe dans les parties latérales; les cellules constituantes sont placées plus étroitement et y sont plus épaisses qu'ailleurs. Au stade subséquent (les coupes 65—68 se rapportent à celui qui est représenté sur la fig. 11), tous les résultats des phénomènes exposés deviennent très nets: ce sont les premiers indices de la formation des extremités et du systéme nerveux qui se sont accusés.

Ils débutent dans la partie supérieure de l'embryon et descendent peu à peu dans la partie inférieure; l'analyse des coupes précédentes nous en convainc: partout l'éctoderme est très épais dans la partie céphalique et s'amincie vers le pôle aboral. Dans toute leur étendue ces épaississements se divisent en quatre rangées de metamères; les deux du milieu représentent les ganglions du système nerveux; les deux antres—les appendices.

La coupe représentée fig. 65, qui a traversé la région de la tête, nous permet de voir huit tubercules éctodermiques, disposés très symétriquement. Ceux qui sont le plus éloignés (brc) nous présentent les germes des ganglions céphaliques (un de chaque côté de la tête); les deux suivants—ceux des antennes, ensuite vient la paire qui donne naissance anx parties buccales et les protubérances les plus rapprochées et les plus petites, séparées par un enfoncement très profond, présentent l'ébauche de l'oesophage (os) et de la cavité buccale.

Dans la coupe (fig. 66 brc), qui a passé au dessous de la précédente, les lobes du cerveau sont encore plus nets; ontre cela nous distinguons que l'éctoderme de ces lobes y forme deux crénaux qui avancent en dedans. La coupe suivante (fig. 68 Brn et Brp), qui a passé plus bas encore, nous démontre une paire de bourrelets éctodermiques de chaque côté de la ligne médiane; ils sont plus petits et à mesure que nous prendrons des coupes de ce stade descendantes de plus en plus vers le pôle aboral de l'embryon, nous verrons que les bourrelets deviennent de plus en plus petits. Cette diminution est encore plus nette sur la fig. 74 Br., qui nous représente la coupe longitudinale du stade un peu plus avancé.

Toutes ces coupes transversales et longitudinales nons démontrent que l'éctoderme est très épais dans les proéminences, par contre très mince dans les enfoncements qui les délimitent. Outre cela les coupes prouvent parfaitement que les bourrelets, représentant le système nerveux et les appendices, dès leur début sont séparés non seulement dans la direction transversale, mäis que de même ils sont divisés dans la direction longitudinale, savoir: non seulement les tubercules des éxtremités sont séparés de ceux du système nerveux, qui sont aussi divisés au moyen de quelques cellules éctodermiques très minces, mais que de chaque côté de l'embryon le bourrelet d'une patte est séparé de celui de la suivante; le premier tubercule de la chaine ganglionnaire ventrale est détaché de celui qui se rapporte au chaînon suivant et ainsi de suite.

Par conséquent la ségmentation du corps ne fait défaut que lorsque la couche éctodermique apparaît sous forme de deux épaississements latéraux, parfaitement uniformes. Dans un moment donné ces épaississements se divisent simultanément dans la direction transversale, en détachant les extremités et le système nerveux, et graduellement dans la direction longitudinale. Si nons envisageons la formation des ganglions et des extremités comme résultats de la ségmentation, nous avons le droit d'admettre que cette dernière se produit chez les Amphipodes graduellement, à mesure du dévelloppement des organes qui la déterminent.

Malgré l'apparition simultanée des deux caractères principaux de la ségmentation, dans le cours de l'évolution le développement des extremités dévance de beaucoup celui du système nerveux et le développement des bourrelets des appendices est plus acceléré que celui de la chaîne ganglionnaire.

Nous avons exposé comment l'éctoderme s'apprête pour donner naissance aux extremités et à la chaîne ganglionnaire. Si nous passons en revue les coupes des stades ultérieurs, nons nous rendrons compte de la manière dont se produit le détachement des cellules ganglionnaires de celles de l'éctoderme.

Les fig. 70, 71 gl, ms, nous démontrent que les cellules de la chaîne ganglionnaire débutent par suite du fractionnement dans la direction tangente des cellules éctodermiques, situées au sommet des tubercules, destinés à donner naissance au système nerveux; l'analyse des coupes nous en convainc parfaitement. Nous y observons de même que chaque cellule, située au sommet du bourrelet éctodermique, n'en détache qu'une senle cellule ganglionnaire. La quantité des cellules qui en résulte est très restreinte et elle augmente indépendamment de la couche éctodermique uniquement aux dépens de la multiplication des cellules déjà détachées.

Cette multiplication est très active et bientôt, sur les coupes des stades très rapprochés, nons observons des ganglions assez épais (fig. 73). A mesure de leur développement, entre les cellules du milieu de chaque ganglion apparaît d'abord une petite quantité de la masse claire (fig. 84), ponctuée, qui augmente dans le cours du développement de l'embryon. Ainsi se sont accusés les deux éléments du système nerveux: la masse centrale, constituée d'une substance claire, très finement ponctuée, et la conche cellulaire très épaisse, qui l'entoure et représente la conche périphérique des ganglions. Plus tard, comme l'analyse des coupes (fig. 115 et 116) des stades plus avancés nous en convaine, c'est la masse centrale qui prévalue et la conche périphérique cellulaire est devenue mince.

Tel est le tableau que l'étude des coupes relatives au développement de la chaîne ganglionnaire ventrale nous permet de tracer. Dès leur début les chaînons étaient rapprochés; dans le cours du développement ils s'éloignaient peu à peu et occupaient sur l'embryon la position représentée par le schème (fig. 79).

Fig. 79.

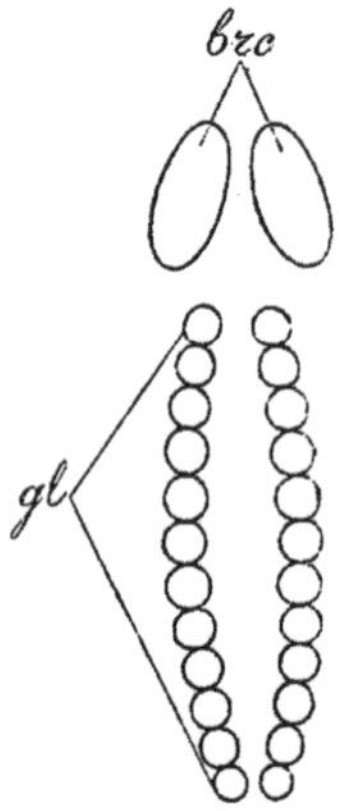

Schème de la disposition des lobes céphaliques et de la chaîne ventrale au moment de leur apparition.

Fig. 80.

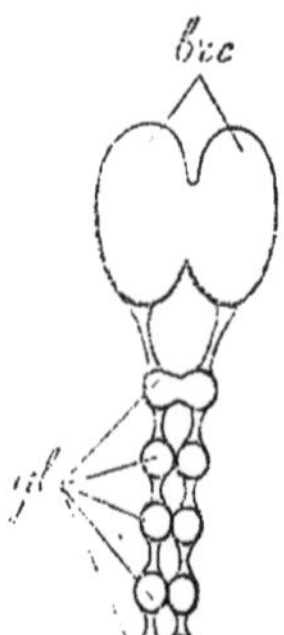

Idem à la fin du développement.

A mesure de l'accroissement de l'embryon les chaînettes se rapprochent et chez l'adulte elles se disposent conformément au schème représenté par la fig. 80. Sur les coupes, d'après lesquelles ces schèmes sont tracés, nous voyons qne le rapprochement finit par la jonction transversale des ganglions de la chaîne ventrale, posés par paires. Dans cette direction la soudure se produit non seulement dans la conche périphérique cellulaire, mais aussi dans la masse centrale.

Par contre dans la direction longitudinale les ganglions mêmes s'écartent de plus en plus, mais en même temps la masse centrale de chaque ganglion s'allonge, tire hors des limites de la couche périphérique cellulaire et soude avec un prolongement du ganglion adjacent. Chaque ganglion en a un, donc chaque paire des ganglions de la chaîne ventrale en a deux. A mesure que ces commissures se développent, la distance qui sépare les ganglions augmente visiblement. Ce qui est remarquable c'est que ces commissures sont formées uniquement par la masse centrale ponctuée de ganglion et pas une senle cellule de la conche périphérique n'intervient dans leur formation. Elles conservent cette structure chez les adultes.

Nous venons de tracer le cours complet du développement des ganglions de la chaîne ventrale; si nous nons adressons maintenant à la formation des ganglions céphaliques, d'autres particularités y sont manifestes.

La fig. 70 brc nons démontre que l'éctoderme des deux bourrelets les plus volumineux, situés symétriquement de deux côtés de la tête, avance dans l'intérieur, y forme deux enfoncements (cr) tout en donnant trois petites proéminences à la surface. Ces enfoncements avancent toujours, simultanément les trois proéminences de chaque bourrelet se touchent et se sondent; les parties refoulées de l'éctoderme, s'étant détachées complètement de la périphérie, se distribuent conformément au plan des lobes du cerveau, dont elles présentent l'ébauche en miniature.

Tont le temps qui embrasse le processus de l'enfoncement de l'éctoderme, la division des cellules se produit très énergiquement et les cellules qui en dérivent se disposent d'après un certain plan.

Il est à noter qu'ici, de même que dans tous les cas de la division des cellules éctodermiques, décrits plus haut, on remarque une symétrie parfaite dans la disposition des cellules de deux côtés latérales de l'embryon. Mais elle n'est visible que sur les coupes, qui ont passé tout juste par la ligne parallèle à l'axe transversal de l'embryon.

Tandis que les cellules de la chaîne ganglionnaire ventrale sont uniformes, nous distinguons deux formes de cellules dans les ganglions céphaliques: les unes petites, à noyau d'un volume considérable, entouré d'une mince couche du protoplasme; elles sont pareilles à celles de la conche périphérique des ganglions de la chaîne ventrale; d'autres grandes, à noyau granuleux, toujours d'une couleur moins vive que les premières (fig. 86 z). Ces cellules sont plus distinctes aux stades ultérieurs du développement du cerveau; elles sont situées entre les lobes et dans la partie antérieure, où elles mesurent un volume excessif. Je n'ai pas réussi à élucider la question concernant le rôle que jouent ces cellules dans la formation du cerveau et quelles sont les métamorphoses qu'elles en subissent. De ma part je ne puis qu'affirmer que dans le cours du développement de l'embryon, la réduction en nombre de ces cellules marche de pair avec l'excroissance de leur volume; sur les coupes adultes elles ne se voient pas.

Dans la suite du développement les deux ganglions céphaliques se rapprochent; les parties antérieures sont les premières à se toucher.

Plus tard apparaît dans chaque lobe une petite quantité de la masse centrale et c'est par là que se produit la jonction des deux moitiés du cerveau. Puisque la soudure n'est produite que par la masse centrale son etendue augmente proportionnellement à la quantité de cette dernière.

La conche périphérique de chaque lobe, tout en confinant celle des lobes adjacents, ne s'y applique pas étroitèment, mais tout au contraire y forme une fente. Tandis que la masse centrale devient plus abondante la conche périphérique est restreinte. Dans les exemplaires déjà éclos (fig. 115 pe) elle n'est pas régulière et dans certains endroits on ne voit qu'une senle rangée de cellules.

Pour achever la description du développement de la tête il me reste à dire quelques mots sur la formation des yeux. Cette dernière est comparativement assez tardive et commence lorsque les lobes antérieurs des ganglions céphaliques se sont rapprochés, par conséquent au stade rendu par la figure 12. Les coupes de ce stade nons démontrent que l'éctoderme proémine de deux côtés de la tête, en face de deux lobes contigus des ganglions céphaliques; les sommets de ces proéminences s'introduisent dans la partie intérieure, y formant une grande dent (fig. 88 oc). Aux stades plus âgés les cellules de la couche externe de l'éctoderme, qui se disposent de deux côtés de l'enfoncement mentionné, s'épaississant de plus en plus, affectent une formé pyramidale (fig. 120 y). Les bases de ces pyramides sont tournées en dehors et leurs sommets donnent sur la partie dentiforme de l'éctoderme, qui s'est élargie visiblement. Cette dent affecte une forme triangulaire et l'angle intérieur avance entre les deux lobes arrondis et contigus du cerveau (fig. 88 oc).

Au cours du développement les pyramides sont accrues de beaucoup, chaque cellule ou vant mieux dire chaque pyramide comprend un cristallin et le protoplasme contient une quantité considérable de pigment très fin, qui se dispose en rangées régulières, depuis la base vers le sommet des pyramides (fig. 119). L'aspect, propre aux cellules ordinaires est complètement attenué, le noyau disparaît ou se modifie peut-être en cristallin; le protoplasme n'est pas visible à cause de la quantité du pigment.

Les cellules constituantes la dent mentionnée deviennent plus volumineuses et se posent en deux rangées; elles sont pressées fortement les unes contre les autres et leur forme se rapproche beaucoup d'un cadrat. Le sommet de chaque pyramide touche une cellule carrée (fig. 119 cq) dans la conche externe de deux rangées mentionnées. La conche interne des cellules carrées confine le cerveau, qui donne naissance au nerf oculaire, constitué d'éléments de la masse centrale des ganglions. La structure de ce nerf étant très délicate, il ne s'est conservé que dans quelques préparations.

Sous tel aspect nous apparaîssent les yeux d'un Gammarus qui vient de faire éclosion.

Conformément à ce qui était dit plus haut, l'enfoncement de l'éctoderme qui s'est accusé entre les deux petits bourrelets (fig. 65 os) nous présente le germe de l'oesophage et de la bouche. Sur la coupe qui intéresse la région mentionnée, mais qui se rapporte à un stade plus avancé, cet enfoncement est notablement accru et sa forme s'est modifiée (fig. 78 br). Nous y distinguons qu'il se bifurque.

Les coupes du stade correspondant à celui qui est représenté fig. 12, et qui sont prises dans la région de l'abdomen, nous démontrent que l'éctoderme de ce dernier ne fait que se préparer à donner un enfoncement, premier vestige du rectum (fig. 78 rc). Par conséquent il est évident que la formation de l'oesophage précède de beaucoup celle du rectum.

Les figures du stade subséquent (fig. 75 oes) nous permettent de distinguer la cavité oesophagienne y formant déjà un cul-de-sac du côté de l'intestin moyen, tandis que le rectum commence à peine à se creuser (fig. 73 rc). S'approfondissant graduellement il constitue aussi un cul-de-sac du côté de l'intestin moyen.

Fait très intéressant, qui mérite d'être noté, c'est qu'à mesure de l'accroissement du rectum et de l'oesophage, leur partie intérieure affecte absolument la même forme carrée, dont les parois sont concaves. Ce qui concerne la configuration des cavités, elles n'en différent aucunement et se dessinent sous forme d'une croix oblique; la dissemblance consiste en ce que dans l'oesophage ce sont les parois qui s'enfoncent, tandis que les parois du rectum sont tapissés d'un epithelium cylindrique, dont les cellules s'aplatissent graduellement vers les angles (fig. 82 os, 102 c.).

Le développement ultérieur de ces dérivés éctodermiques comprend leur accroissement en dedans, l'épaississement des parois et la jonction avec l'intestin moyen, qui est très tardive et s'opère après que la tunique musculaire se soit formée.

Ce qui concerne le développement des extrémités, savoir les antennes et les pattes, nous avons fait mention dans l'aperçu des phénomènes évolutifs qui se rapportent à la formation du système nerveux, que de deux côtés des bourrelets, qui donnent naissance à ce dernier, apparaîssent des tubercules qui suivent la direction de la chaîne ganglionnaire, depuis la partie céphalique, vers la partie caudale.

Dès que l'éctoderme ait formé ces proéminences, les cellules de ces dernières commencent à se diviser dans la direction tangente, donnant naissance au mésoderme. Par conséquent la proéminence de chaque extremité comprend une conche mésodermique, parfaitement indépendante. Cependant l'espace trop petit des ces dernières ne pouvant contenir toutes les cellules mésodermiques, nouvellement formées, ces dernières chevauchent dans deux directions, poussant entre l'éctoderme et l'entoderme et se dirigeant surtout du côté de la face dorsale.

L'achévement du procéssus décrit consiste en ce que les bourrelets des extrémités deviennent de plus en plus éminents et affectent la forme des poches éctodermiques très longues et très étroites, aveugles au point distale, ouvertes dans la cavité du corps. Pendant tout le laps de temps qui comprend leur accroissement, l'éctoderme qui les constitue est formé de cellules cylindriques; la coupe transversale nous les représente sous forme de petits cercles formés d'un epithelium cylindrique et remplis d'éléments mésodermiques (fig. 98, 99).

L'articulation apparaît (comme les figures nons le demontrent) bien avant que les extremités aient acquis leur longueur normale.

Mésoderme et ses dérivés.

L'exposé de la formation des extrêmités nous a démontré que le feuillet mésodermique débute bientôt après que les bourrelets éctodermiques se soient accusés. Nous avons vu que les cellules cylindriques de ces bourrelets la détachent en se divisant. Outre cela, la conche éctodermique s'est épaissie dans les parties latérales de l'embryon, de deux côtés des bourrelets représentant les extrémités; ces parties détachent aussi quelques éléments mésodermiques qui s'accumulent d'abord entre l'éctoderme et l'entoderme, dans la partie antérieure du corps, d'où ils passent ensuite à la face dorsale (fig. 65—78 ms.).

Pendant tout le laps de temps qui comprend l'évolution, le mésoderme n'affecte jamais l'aspect d'une conche continue; mais il apparaît sous forme de cellules, qui sont en voie de chevaucher et qui s'accumulent juste dans les endroits où la formation des muscles doit avoir lieu. L'accumulation se manifeste avant dans les extrêmités pour y former les muscles; simultanément, elle se produit autour de l'oesophage, qui vient d'apparâitre, et elle contribue à la formation de la paroi musculaire (fig. 65 ms, 76 ms et 75 ms).

Au fur et à mesure du développement du rectum, nous remarquons la formation de la tunique musculaire, constituée d'éléments mésodermiques. Au stade qui se rapporte à la différenciation des appendices hépatiques, notamment quand elles sont très rapprochées de l'organe dorsal, une agglomération considérable d'éléments mésodermiques s'accuse au dessus et au dessous de ce dernier. Ces éléments font défaut à l'endroit où les parois de l'organe dorsal et de l'intestin se confinent. Les agglomérations d'éléments mésodermiques précédent la formation du système sanguin, dont le développement se produit immédiatement après celui des organes sexuels (fig. 104—107 et 108—111).

Le coeur débute dans la région moyenne de l'embryon, entre l'intestin et l'éctoderme; ce processus se manifeste de la manière suivante: tout d'abord on remarque, que le mésoderme forme une conche continue, qui adhère à la paroi de l'intestin et dans les deux enfoncements, qui sont produits par la coincidence des sacs hépatiques et de l'intestin, on voit les agglomérations irrégulières des cellules mésodermiques. Il s'en détache de ces dernières par une cellule fusiforme de chaque côté; par un de leurs bouts elles s'appliquent très étroitèment à la conche mésodermique mentionnée, tandis que les bouts restés libres affectent une forme très allongée et se dirigent au devant l'un de l'autre (fig. 109 c, ms). D'autres cellules s'en approchent et y forment une seconde rangée d'éléments mésodermiques, logée au dessous de la première. Mais cès deux rangées ne se confinent qu'à l'aide des cellules extrêmes, par conséquent une cavité de forme ovalaire y prend place. Les parois de ce tube se ferment toujours du côté de l'ectoderme (fig. 109).

L'organe sanguin, ayant débuté dans un point de la partie inférieure du corps, avance graduellement dans la direction de l'organe dorsal. Presque en même temps les phénomènes évolutifs, en tout points semblables à ceux que nous venons d'éxposer, se manifestent dans la partie céphalique de l'embryon. Le vaisseau qui s'y forme se dirige au devant de celui qui se trouve au dessous de l'organe dorsal (fig. 108—110). La jonction devrait avoir lieu dans la région de ce dernier pour former un seul tronc; mais elle s'arrête, ou vaut mieux dire, elle est très lente; l'organe dorsal, jusqu'au moment da sa complête destruction, semble y former un obstacle. En effet dès que le coeur se soit accusé au dessous et au dessus de l'organe dorsal, ce dernier commence à s'atrophier (fig. 109) Le processus de la déstruction de l'organe dorsal s'opère ainsi que suit: les éléments mésodermiques pénétrent entre l'organe dorsal et la paroi de l'intestin, qui se confinaient très étroitement au moment donné, et les détachent l'un de l'autre pour faire place aux cellules, qui constituent le coeur; simultanément les éléments mésodermiques, notablement accumulés antour de l'orgaue dorsal, se glissent entre ce dernier et l'ectoderme avec lequel il formait un tout entier. Par conséquent les cellules mésodermiques, après l'avoir éloigné de l'intestin, le détachent complètement de l'éctoderme; c'en est peu: certaines cellules s'introduisent entre les cellules de l'organe dorsal et le fragmentent complètement. Les cellules qui le constituent se transforment en masses graisseuses et, autant qu'il m'était possible de suivre les modifications ultérieures, je suis encline d'admettre, qu'elles forment les matières nutritives des cellules mésodermiques, qui constituent le tissu musculaire de la face dorsale (fig. 109). A mesure du développement du coeur, il s'emplit d'éléments sanguins. Mais je n'ai pas réussi à trancher la question concernant l'origine de ces éléments et je ne me décide pas à affirmer quelles sont les cellules, qui leur donnèrent naissance.

Par conséquent il en résulte, que le vaisseau se développe dans la partie inférieure du corps, se dirige vers l'organe dorsal, après quoi un vaisseau parfaitement semblable à celui, qui s'est formé, s'accuse dans la partie supérieure du corps et les deux vaisseaux se dirigent au devant l'un de l'autre (fig. 108—110), et tandis qu'au dessus et au dessous de l'organe dorsal les vaisseaux sont complètement formés, dans la région même de l'organe dorsal le processus du développement du coeur n'a pas encore commencé (fig. 109). A l'endroit cité ce dernier marche de pair avec la destruction de l'organe dorsal et se manifeste simultanément. Les figures énumérées nons représentent les coupes successives d'un senl et même embryon au stade antérieur à celui qui est rendu par la figure 14.

De même ces figures nous démontrent clairement que le processus de la formation du vaisseau se manifeste d'abord par le développement de la paroi avoisinante l'intestin, que le vaisseau confine très étroitement dès son début; ce sont les angles arondis qui se constituent ensuite et les cellules, qui en dérivent, forment la paroi, qui adhère à l'éctoderme. Les particularités qui se rapportent au développement du coeur sont parfaitement analogues dans les trois représentants des Amphipodes, qui viennent d'être étudiés. Immédiatement après la formation du coeur se développe la tunique musculaire de l'intestin et les muscles du corps, ceux des extrêmités excepté, où le développement retarde de beaucoup et marche de pair avec celui de leur conche cuticulaire.

Je supprime tous les détails sur le développemement des muscles et des organes etxernes des Gammarus, quoique les matériaux, dont je dispose, me permettent d'en tracer un tableau exact et complet. Je renvoie l'examen de ces modifications jusque à l'automne, quand je me propose de faire un aperçu général et comparé des phénomènes évolutifs chez les Amphipodes; du reste la formation des organes mentionnés est analogue chez tous les représentants des Crustacés.

Entoderme et ses dérivés.

L'étude de la ségmentation nous a démontré que dans le stade de 16 globes une partie de cellules sera refoulée dans les éléments nutritifs. Il ressort de la description du développement du blastoderme, que ces cellules se multiplièrent et y restèrent, enveloppées de la conche blastodermique, qui a recouvert le jaune. Les cellules blastodermiques se divisent simultanément dans deux diréctions, radiale et tangente; celles qui suivent le premièr mode du fractionnement s'installent dans le blastoderme, les secondes se plongent dans les masses vitéllines et donnent naissance à l'entoderme, ainsi que les cellules d'un nombre réduit, restées de la ségmentation.

Le blastoderme ne détache qu'un petit nombre de cellules entodermiques (comme il est facile de s'en convaincre sur les coupes représentées figures 45—54 en) et pour le moment cette dernière ne présente pas encore une conche continue. Au milieu des matières vitellines nous distinguons des cellules, qui se trouvent en voie du déplacement; puis celles, qui adhèrent à la conche blastodermique et enfin celles qui sont prêtes à se détacher des cellules du blastoderme. Toutes les cellules mentionnées sont celles de l'entoderme, et la coupe représentée fig. 44 cm, où le blastoderme est presque fermé, nous les démontre y constituant deux petites chaînettes, les deux bouts de ces dernières se rangent de deux côtés de la face ventrale du blastoderme, tandis que les deux antres restés libérés sont en voie à se joindre sur la ligne médiane. Mais la jonction ne se produit pas, comme les figures consécutives nous en assurent (fig. 53—57 cn), les petites bandelettes se posent en long de deux côtés de l'axe ventral du blastoderme.

Par conséquent l'entoderme prend naissance sous forme de deux bandelettes; l'espace qui les sépare est très restreint sur la face ventrale, énorme sur la face dorsale. Si nous examinons attentivement les coupes du stade éxposé, nous remarquerons facilement que l'épaisseur des cellules blastodermiques diffère de beaucoup; les cellules de la face dorsale sont étendues et aplaties; à la face ventrale elles sont serrées les unes contre les antres et y forment une conche plus épaisse; celles qui recouvrent les cellules entodermiques, bien que plus étroitement logées, sont moins volumineuses, que les cellules posées au nombre de trois ou quatre sur la ligne médiane de la face ventrale.

Aux premiers stades du développement entodermique (fig. 57 vn), elles ne reposent sur aucunes cellules de l'hypoblaste (fig. 63 lm).

Si nous nous adressons aux figures du stade ultérieur, quand l'organe dorsal est déjà marqué, nous verrons que les deux bandelettes entodermiques se sont fortement allongées du côté de la face dorsale, que les cellules constituantes se sont serrées les unes contre les antres et un certain nombre d'entre elles sont en voie de multiplication, ce qui nous explique parfaitement l'accroissement de deux chaînettes entodermiques. D'autres cellules, logées dans les masses vitellines, sont en voie de déplacement; quelques-unes, situées à la face dorsale, semblent former un lien entre les deux chaînettes mentionnées; mais l'examen des coupes nous permet de reconnaître que toutes les cellules sont parfaitement indépendantes et prises dans leur ensemble, les chaînettes y compris, ne forment pas de conche continue. Par contre nons avons droit d'affirmer que la chaîne est brisée et que les chaînons du milieu, bien que formant une senle et même rangée, sont détachés (fig. 57, 62 et 63 lm).

L'origine de ces cellules est sans contredit blastodermique, ultérieure à celle des chaînettes entodermiques. Il était démontré plus haut que les cellules blastodermiques, qui revêtent les chaînettes entodermiques, sont plus aplaties que celles qui siegent sur l'axe ventral; nous avons fait observer de même que le blastoderme, avant d'envelopper complètement le vitellus nutritif, détache plusieurs cellules entodermiques.

En effet, après que les bords de la conche blastodermique se soient repliés, cette dernière ne donne nulle part naissance à de nouvelles cellules entodermiques et l'accroissement des chaînettes se produit exclusivement aux dépens du fractionnement des cellules constituantes. Pourtant l'examen attentif des cellules blastodermiques, qui logent sur l'axe ventral, nous laisse distinguer nettement que leur épaisseur est plus considérable, comparativement à celle des antres et qu'elles ne se sérrent pas aussi étroitement les unes contre les autres, comme c'est le cas pour les cellules qui siègent de deux côtés des cellules mentionnées. Rapellons-nous aussi que plusieurs d'entre elles, en se multipliant, donnent naissance aux cellules entodermiques librement interposées entre les deux chaînettes.

Par conséquent après que le développement de la conche blastodermique se soit complété, seules les cellules blastodermiques, situées sur la ligne médiane de la face ventrale, dont le nombre est réduit, continuent d'intervenir dans la formation de la conche entodermique, tandis que les parties latérales du blastoderme, bien qu'elles s'épaississent considérablement, s'apprêtent à la formation des extrêmités, du mésoderme et du système nerveux, comme l'examen des coupes (fig. 63 lm) nous en démontre.

Les cellules entodermiques, qui ne font pas partie des chaînettes mentionnées, mais qui sont en voie de déplacement parmi les masses vitellines, (fig. 52, 58, 62 cn), occupent le plus souvent la partie inférieure de l'oeuf, où les bandelettes entodermiques ne se sont pas encore formées, car elles ne dépassent pas le niveau de l'organe dorsal; au dessous de ce dernièr l'entoderme est représenté uniquement par les cellules vagabondes, qui se trouvent déplacées.

Figures **65** en qui nous représentent les coupes du stade fig. **11**, nous perméttent de distinguer la partie supérieure de l'oeuf, où l'éctoderme s'est accusé en forme d'un cercle ou, vaut mieux dire, une fois qu'on se représente l'oeuf dans son entier, qu'il y forma le cul-de-sac de la poche entodermique, ce que l'analyse des coupes longitudinales de ce stade (fig. **74** en) nons confirme parfaitement.

Sur la coupe, qui passe au dessous de la précédente (fig. **66** en, ch) le cercle n'est pas encore fermé et bien que les bandelettes entodermiques se soient jointes sur la face ventrale, les deux bouts tournés vers la face dorsale ne se sont pas rapprochés et se dressent en dedans. Le fait examiné est encore plus prononcé sur les coupes du stade subséquent de la région de l'organe dorsal, où les bandelettes tournées en dedans sont très néttement tracées.

La coupe, qui a passé dans la partie plus inférieure (fig. 68 en) nous laisse voir, que les bandelettes sont très courtes, ne forment point de plis et sont très écartées l'une de l'autre, non seulement sur la face dorsale, mais aussi sur la face ventrale de l'embryon. Sur la coupe plus inférieure, les bandelettes de cellules entodermiques ne se sont pas accusées et l'entoderme est représenté par des cellules vagabondes.

Les coupes longitudinales ne nous permettent pas de suivre en détail toutes les transformations des cellules constituantes l'entoderme et ne nons donnent pas un tablean complet et exact de ces phases intéressantes, c'est aussi la cause de ce que j'ai préféré les coupes transversales aux coupes longitudinales.

Au stade suivant les plis des bandelettes entodermiques se redressent et la plupart des coupes nous montrent l'entoderme sous l'aspect d'un cercle fermé, ou vant mieux dire, ce dernier, formant un cul-de-sac du côté de la tête, s'est allongé du côté opposé. Les coupes prises dans la région de l'organe dorsal nous permettent de voir l'entoderme se rapprocher beaucoup de ce dernier, sans le confiner pourtant. La figure mentionnée nous laisse voir de même que l'occlusion de l'entoderme sur l'axe ventral est presque complète.

Sur la coupe représentée fig. 73 ab nous apercevons l'ébauche de l'abdomen. Nous y voyons de même une accumulation considérable de cellules entodermiques et quoique elles sont séparées par les masses vitellines, elles affectent la forme d'un cercle, dont les bords sont prêts à se sonder.

Dans la partie médiane de l'embryon les cellules entodermiques mesurent un volume tont-à-fait insignifiant et sont le plus disseminées (fig. 74, 72). Par conséquent l'intestin moyen qui est d'origine tout entodermique prend sa naissance sur les deux points extrêmes de l'embryon; c'est du côté du pôle oral que se signale le premier vestige de cet organe, y formant un cul-de-sac; il descend dans la partie médiane de l'embryon, en forme de deux bandelettes latérales qui se soudent dans le cours du développement; quelque temps après nons assistons aux phénomènes du même genre, qui se produisent dans le pôle opposé; le tube aveugle du côté de l'abdomen se dirige vers la partie médiane de l'embryon pour se rattacher au tube descendu du pôle oral. Sur la face ventrale la jonction des bords des bandelettes précéde de beaucoup la soudure définitive du tube, qui a lieu sur la face dorsale de l'embryon.

Les coupes qui ont passé dans la partie supérieure de l'embryon (fig. 81—85 os, en) nons annoncent que le tube est complétement formé et le cul-de-sac touche au tube oesaphagien.

Les cellules, qui servent à constituer l'intestin moyen, nous offrent un aspect assez original: les grands noyaux, disposés en cercle, éloignés les uns des antres sont seuls à distinguer; le protoplasme de ces cellules s'étant étendu et s'étant gonflé, renferme des vacuoles remplies de matières nutritives en forme de boules, de sorte que chaque cellule apparaît sous l'aspect d'une senle vésicule. Ordinairement les noyaux sont logés à la périphérie de ces vésicules et ces dernières sont si parfaitement appliquées les unes contre les autres qu'on ne distingue pas leurs limites réciproques et toutes les cellules avoisinantes semblent n'avoir qu'une senle et même paroi.

Mais c'est dans la partie supérieure que le tube, à en juger d'après les coupes, est constitué uniquement de cellules vésiculaires. La coupe, qui a passé en dessous de la précédente dans la région de l'organe dorsal, nous démontre que le cercle des cellules vésiculaires est fermé à l'aide de quatre cellules d'un aspect ordinaire. Les deux coupes suivantes, prises dans la partie plus inférieure, nous permettent d'observer le même fait.

Sur la coupe représentée (fig. 84 cv) les cellules vésiculaires touchent de deux côtés l'organe dorsal, qui semble boucher le sac entodermique; en effet ce dernier n'est pas encore fermé dans la région mentionnée, et nous distinguons deux cellules entodermiques (en), d'un aspect ordinaire, émettant de longs pseudopodes et en voie à se joindre avec les cellules vésiculaires, qui se sont apprêtées pour la soudure définitive de la poche entodermique. La coupe (fig. 85) correspondante au stade antérieur à celui, dont il vient d'être question, mais qui a passé dans la même région, nous démontre que la poche mentionnée est en effet fermée, ou pour ainsi dire, bouchée à l'aide d'un petit sac de l'organe dorsal.

La coupe nous laisse voir de même que les cellules (sh) entodermiques des parties latérales, plus rapprochées de la face ventrale, s'appliquent fortement les unes contre les autres et leur protoplasme est plus compacte et ne renferme que de petites vacuoles; ces deux rangées latérales sont jointes à l'aide de cinq cellules vésiculaires d'un volume excessif, qui se reposent sur la chaîne ganglionnaire ventrale et occupent par conséquent le milieu de la face ventrale de l'embryon. Les deux rangées mentionnées présentent le premier germe des sacs hépatiques. Par conséquent les sacs hépatiques commencent à se développer au dessous de la partie médiane de l'embryon, avant que le sac entodermique se soit fermé. La différenciation se produit de bas en haut: mais elle ne s'accomplit qu'après que le sac entodermique soit fermé. L'intestin moyen, là où il confine le rectum, nous offre sur les coupes l'aspect d'un cercle fermé, constitué de cellules entodermiques très étendues, mais point vésiculares (fig. 61). Le cul-de-sac qu'il y forme devient concave en dedans à cause de la préssion que produit le rectum. Les parois de ces tubes se confinent très étroitement, mais la soudure n'est pas manifeste.

La différenciation des sacs hépatiques s'accomplit ainsi que suit: avant tout on remarque, comme nous venons de l'exposer plus haut, que les cellules de la poche entodermique, logées dans les parties latérales, se multipliant de plus en plus, se rapprochent de beaucoup. Les vésicules, que leur protoplasme a formé, sont moins volumineuses que celles que nous venons d'observer dans les autres parties du sac entodermique. Quelque temps après, dans deux endroits de la face dorsale, la paroi entodermique avance dans les masses vitellines, y formant deux créneaux, peu écartés l'un de l'autre. S'enfonçant de plus en plus dans les matières nutritives, les créneaux se rapprochent, se rencontrent et se joignent en forme d'un petit cercle. Au moment donné la paroi ventrale de la poche entodermique formant un créneau avance sur la ligne médiane dans les éléments nutritifs; celui-ci se dirige vers le point de jonction de ceux qui se sont accusés à la face dorsale; quand les trois créneaux se rapprochent, ils y forment trois cercles qui ne sont pas fermés complètement; aux sommets de ces créneaux les parois se déchirent; les bords de ces cercles se replient ensuite, et nous assistons à la formation de trois cercles tout à fait séparés et complètement fermés. La différenciation de la poche entodermique en trois tubes distincts ne s'accomplit pas simultanément, mais elle s'empare graduellement de l'espace mentionné et va prendre naissance dans un point situé un peu au dessous de la partie médiane de l'embryon. Le cercle qui occupe la position centrale, d'un volume plus considérable, représente l'intestin, tandis que les deux autres vont former les appendices hépatiques.

Les parties inférieures de ces derniers se ferment et donnent naissance à des culs-de-sac; en même temps leur agrandissement s'accomplit de deux manières, savoir: par la différenciation de l'intestin, qui se produit de bas en haut, et par la multiplication des cellules constituantes.

J'ai dit plus haut qu'à l'endroit cité, où les appendices hépatiques se sont différenciés, ils apparaissent en forme de tubes, qui mesurent un diamètre très insignifiant, tandis que les dimensions de l'intestin sont plus volumineuses. Le rapport varie de bas en haut: l'intestin semble prendre des dimensions beaucoup plus petites, vu que les appendices hépatiques se sont visiblement étendus.

Par conséquent, comme nous venons de le dire, le procéssus de la différenciation est très lent et s'accomplit de bas en haut.

Mais avant qu'il touche à l'organe dorsal dans la région duquel les sacs hépatiques restent longtemps ouverts, nous assistons au développement des organes génitaux, qui se détachent de la paroi dorsale de l'intestin moyen, nommément de la partie supérieure de ce dernier, qui n'a pas encore donné naissance aux sacs hépatiques.

La différenciation graduelle des organes génitaux est très distincte sur les huit coupes qui nous montrent l'embryon au stade ultérieur à celui de la figure 12, quand l'évolution est presque achevée, mais le pigment de l'oeil n'est pas encore déposé.

Les figures 104, 105, 106 et 107, sont faites d'après la préparation, représentée par les fig. 93, 94 et 95; mais dans les figures 104, 105, 106 et 107 j'ai representé les troisièmes coupes de la série et j'ai dû recourir à des grossissements plus forts.

La première de ces coupes nous permet de distinguer une rangée de cellules fusiformes, très rapprochées les unes des antres, qui s'est accusée entre les deux parois, ectodermique et entodermique, ce sont les premiers indices des cellules mésodermiques, qui donnent naissance aux muscles. Les noyaux des cellules qui constituent les parois du tube digestif sont tournés vers le mésoderme, tandis que les parties vésiculaires confinent le vitellus. Il faut noter que les trois cellules logées dans la partie médiane, ne portent aucunes traces de structure vésiculaire (fig. 107). Le mésoderme qui repose sur les cellules mentionnées est constitué d'éléments épars, tandis que les parties latérales sont formées d'éléments mésodermiques visiblement entassés et fortement appliqués les uns contre les autres. La coupe suivante nous montre les cellules musculaires qui s'enfoncent dans la paroi de l'entoderme et semblent en détacher une cellule de chaque côté (106 og et ms). En effet nous distinguons de deux côtés par une cellule entodermique, qui poussent en avant et sont presque entièrement enveloppées de cellules mésodermiques; la jonction avec la paroi digestive n'est manifeste que dans un point. Dans la figure 92, faite d'après la coupe subséquente, la séparation est complête, parce que les deux cellules mésodermiques ont percé parmi les autres et s'étant fortement allongées occupent la position entre la paroi du tube digestif et les cellules qui se sont détachées et que les éléments mésodermiques d'une forme oblongue ont complètement enveloppé. Les deux coupes suivantes (fig. 93, 94) nous montrent les phases qui doivent amener à une différenciation complète; mais cette dernière ne s'est pas encore accusée. Ces coupes ont passé au dessous des trois coupes précédentes et à en juger d'après les figures se rapportent à la région de l'organe dorsal. Tous les phénomènes décrits se dessinent plus nettement dans les coupes qui correspondent au stade ultérieur du développement embryonnaire et où la différenciation des ovaires, qui est très facile à observer, comprend déjà la région de l'organe dorsal. Les phases, qui décident du processus mentionné n'approchent que très lentement, aussi dans les coupes qui nous montrent les embryons à l'oeil formé, où le pigment est déjà déposé, nous pouvons suivre néanmoins toutes les phases de la différenciation des organes génitaux.

Par conséquent le phénomène exposé se passe conformément à celui de la différenciation des appendices hépatiques, mais dans l'ordre inverse, c'est à dire de haut en bas; les éléments musculaires semblent jouer un rôle plus actif et contribuent à détacher les cellules, tandis que, dans le cas énoncé s'est la paroi du tube digestif qui à elle seule amène la différenciation.

Si nous suivons l'analyse des coupes du stade exposé dans la partie inférieure de l'embryon (fig. 98, 103, 113 et 114 tb), nommément dans la région de la soudure de l'intestin moyen et du rectum, nous remarquerons que le premier, donnant naissance aux organes génitaux dans sa partie supérieure, détache dans sa partie inférieure, à l'endroit correspondant de la face dorsale, deux petits tubes. Il est probable que ce sont les mêmes, que Claus nomme tubes de Malpighi, et qui se trouvent dans l'abdomen des Amphipodes *). Les coupes représentées dans la figure nous montrent que la séparation s'accomplit du côté du tube aveugle de l'intestin moyen qui donne naissance à deux saillies dirigées vers la face dorsale; leurs parois se rapprochent peu à peu, se soudent définitivement et la différenciation se complète; les bords de l'intestin moyen, dont elles se sont détachées, se replient de nouveau à l'endroit donné. De même comme ce fut le cas avec les phénomènes exposés plus haut (développement des appendices hépatiques et des organes génitaux) le processus décrit s'accomplit lentement et graduellement, ce qui permet de suivre toutes les modifications dans les coupes d'un seul et même embryon.

Afin de complèter l'aperçu du développement des organes d'origine entodermique, il me reste à faire mention de la manière dont se produit le fractionnement des appendices hépatiques. Il s'opère après que les organes énumérés aient débutés, peu avant l'éclosion de l'embryon.

Le fait se passe tout simplement et peut être considéré comme analogue à celui du développement des tubes de Malpighi. Dans la figure 105 nous avons affaire à une coupe, où nous voyons un appendice hépatique détacher un petit tube, tandis que dans un autre le même fait doit s'accomplir immédiatement. La différenciation qui se produit sur la face ventrale des appendices hépatiques est très graduelle et se dirige de bas en haut. Les appendices hépatiques

*) *Claus*. Traité de Zoologie. Deuxième édition française, Paris, 1884, p. 691.

donnent naissance à des saillies qui se différencient ensuite graduellement.

Quand les organes décrits se sont accusés, l'intestin moyen se joint au rectum et à l'oesophage, après quoi le tube digestif (dans les exemplaires des embryons vivants) commence à se mouvoir.

Mais les cellules constituantes les appendices hépatiques et la partie supérieure de l'intestin moyen gardent pour longtemps leur forme vésiculaire. La partie inférieure de l'intestin moyen, comme j'ai dit plus haut, était formée de cellules d'une structure ordinaire, les stades ultérieures nous montrent la même chose (fig. 98 in), les cellules revêtent une forme cylindrique et les vacuoles ne s'accusent pas.

La description de la formation du mésoderme et de ses dérivés, exposée plus haut, nous a démontré qu'au moment donné, le tube digestif est recouvert, à peu près dans son entier, de la conche musculaire, qui intervient dans les mouvements du tube chez les exemplaires vivants des Gammarus. Bientôt après que les mouvements du tube digestif et du coeur deviennent manifestes, l'embryon fait éclosion sous l'aspect d'un petit Gammarus complètement développé.

Après avoir suivi attentivement la formation des feuillets et des organes, qui en dérivent, il est facile de nous convaincre que toutes les cellules, qui les constituent sont âptes de mouvements amiboïdes. Le fait éxposé est le moins prononcé dans les dérivés éctodermiques et mésodermiques. Les cellules de la première renvoyent des pseudopodes et se déplacent (quoiqu'elles ne chevauchent pas, comme à leur début) même lorsque la couche entodermique affecte la forme d'une poche complètement formée et les cellules constitutives méritent d'être désignées sous le nom d'épithelium. Les cellules du mésoderme sont âptes de locomotion et même de chevauchement aux stades très agés d'évolution; bref, jusqu'au moment de la transformation complète des cellules en tissu musculaire. Ces phénomènes sont propres à tous les représentants des Amphipodes qui viennent d'être étudiés (Gammarus, Caprella, Orchestia) et il est très probable qu'ils sont communs chez tous les Ctustacés; mais les investigateurs n'ayant pas voué l'attention désirée à cette question, cette dernière attend sa complète solution, bien que certains faits, mentionnés dans les recherches antérieures, me permettent de baser là dessus les considérations que je viens d'exposer.

Sébastopol, station biologique.
15 Décembre 1886 an.

Explication des figures.

Planche III.

Fig. 1. L'oeuf fraîchement pondu.
„ 2. L'oeuf commence à se contracter. L'apparition des cellules polaires.
„ 3. Le plus haut degré de la contraction de l'oeuf; il devient sphérique.
„ 4. L'apparition du premier sillon.
„ 5. La division en deux segments.
„ 6. La division en quatre segments.
„ 7. L'oeuf en face } au stade de 8 segments.
„ 8. „ en profil } au stade de 8 segments.
„ 9. Le stade de 16 segments.
„ 10. L'apparition des cellules à la surface du vitellus. Formation du blastoderme.
„ 11. Les bourrelets de tous les organes extérieurs se sont accusés.
„ 12. Le stade plus avancé.
„ 13. Le même embryon, du côté du dos.
„ 14. L'embryon au stade très avancé.
„ 15. L'articulation des organes externes s'est accusée.

Planche IV.

„ 16. Coupe transversale de l'oeuf à peine pondu; le vitellus nutritif (vtn) à l'état compact occupe la périphérie; le protoplasme a l'aspect d'une amibe au pseudopodes très longs (pr, ps); au centre la vésicule germinative très dilatée, le nucleol est disparu.
„ 17. „ 18. „ 19. } Coupes longitudinales présentent les différents moments de la contraction de l'oeuf. Le protoplasme (pr) y est dispersé dans la masse compacte du vitellus nutritif. A l'un des pôles les noeuds du réseau protoplasmatique sont plus épais (t). Cette tache augmente toujours.
„ 20. Au centre de l'oeuf s'accusent le protoplasme et les deux noyaux.
„ 21. Coupe longitudinale de l'oeuf au stade quand le protoplasme monte à la périphérie et le vitellus nutritif entoure les deux noyaux, plongés dans le protoplasme d'une quantité restreinte.

fig. 22. Coupe longitudinale de l'oeuf à l'état de mouvements qui précédent l'apparition du premier sillon.

„ 23. Coupe longitudinale de l'oeuf après la division en deux segments.

„ 24, 25 et 26. Trois coupes subséquentes qui présentent la division du noyau.

„ 27. Coupe longitudinale de l'oeuf divisé en deux segments prêts à se diviser en quatre.

„ 28. } Coupe longitudinale de l'oeuf divisé en 8 ségments, pris
„ 29. } à deux moments différents.

„ 30. Coupe longitudinale de l'oeuf divisé en 16 ségments.

„ 31, 32, 33, 34, 35, 36. Coupes du même oeuf représentant la disposition des cellules dans les différentes régions de l'oeuf au stade qui précéde l'apparition du blastoderme.

Planche V.

„ 37. Coupe transversale de l'oeuf au stade représentée par la fig. 11.

„ 38, 39, 40, 41, 42 présentent les coupes transversales de différentes régions du même oeuf au stade quand le blastoderme est formé. Fig. 38 présente le pôle oral, 41 et 42—le pôle opposé.

„ 43, 44, 45 présentent les coupes transversales de l'oeuf au stade plus avancé que celui des figures précédentes.

„ 46, 47, 48 et 49, 50. Coupes transversales de l'oeuf au stade, quand le blastoderme se ferme sur le dos. Fig. 46 présente le pôle oral, fig. 47, 48 et 49 le milieu de l'oeuf, et fig. 50 le pôle aboral; vn—la face ventrale.

„ 51, 52, 53 et 54. Coupes transversales de l'oeuf au stade plus avancé. Le plus grand nombre de cellules entodermique se manifeste au pôle oral (fig. 54) et au milieu (53 et 54); le pôle aboral n'en a pas une seule.

„ 55, 56, 57 et 58. Coupes transversales de l'oeuf au stade quand l'organe dorsal se forme (56 ad.). On remarque que la disposition des cellules entodermiques est plus régulière. La face ventrale (vn) présente sur toutes les coupes l'épaississement de l'éctoderme. Le pôle aboral est encore très pauvre de cellules entodermiques (58 en).

„ 59, 60, 61, 62, 63 et 64. Coupes transversales de l'oeuf au stade un peu plus avancé; l'organe dorsal est plus développé (od.), de même que l'entoderme.

„ 65, 66, 67, 68 et 69. Coupes transversales de l'oeuf au stade représenté par la fig. 11.

Planche VI.

„ 70, 71, 72. Coupes transversales de l'embryon au stade intermédiaire entre ceux, représentés par les figures 11 et 12.

„ 73 et 75. Coupes transversales de l'embryon au stade plus avancé.

„ 74. Coupe longitudinale du même stade.

„ 76, 77 et 78. Coupes transversales de l'embryon au stade représenté par la fig. 12.

„ 79 et 80. V. p. 200 dans le texte

„ 81, 82, 83 et 84. Coupes transversales de l'oeuf au stade représenté par la fig. 13.

„ 85. Coupe longitudinale de l'embryon du même stade.

„ 86—95. Coupes transversales de l'embryon au stade intermédiaire entre les deux représentés par les fig. 14 et 15.

„ 96—101. Coupes transversales de l'embryon au stade représenté par la fig. 15.

„ 102, 103, 108—113 les coupes de la même préparation aux plus forts grossissements.

„ 104, 105, 106 et 107 les mêmes coupes au grossissement plus fort.

„ 114. Coupe transversale de l'embryon à peine éclos; la division des sacs hépatiques.

„ 115. Coupe transversale du cerveau } de l'embryon à peine éclos.
„ 116. Coupe horizontale des ganglions de la chaîne ventrale } de l'embryon à peine éclos.

„ 117, 118. Coupes horizontales des ganglions de la chaîne ventrale de l'embryon au stade fig. 85 pour faire voir la jonction des ganglions.

„ 119. Coupe de l'oeil de l'embryon déjà éclos.

„ 112. La même coupe, qui est représenté par la fig. 91, faite aux plus forts grossissements.

СПИСОКЪ РАСТЕНІЙ, ДИКОРАСТУЩИХЪ ВЪ ТАМБОВСКОЙ ГУБЕРНІИ *).

Д. И. Литвинова.

LXVI. Plantagineae. Juss.

741. Plantago tenuiflora. W. K. *Кирс. у.* На солончакѣ по лугу между с. Троицкимъ (Караулъ) и Ширяевкой! [14]. 6 Іюля посл. цв. и пл.

742. P. major. L. var. α и β minima. Led. По сырымъ лугамъ, берегамъ ручьевъ, луговымъ дорогамъ и влажнымъ сорнымъ мѣстамъ вездѣ нерѣдко. [33].

743. P. media. L. По дорогахъ, сорнымъ мѣстамъ, на лугахъ и между кустарниками вездѣ обыкновенно. [53].

744. P. lanceolata. L. Луга, поляны и сорныя мѣста; обыкновенно. [53].

745. P. maritima. L. *Кирс. у.* на луговыхъ солончакахъ между с. Троицкимъ и Ширяевкой! *Тамб. у.* с. Волконщины (Выш.) *Усм. у.* Солончаки по степнымъ болотамъ бл. с. Добринки! Для послѣдняго уѣзда указано также П. Семеновымъ (Пр. ф. № 1034) [34].

746. P. arenaria. W. K. На пескахъ *Морш. у.* бл. города (Кожевн.) *Лип. у.* Романово-Таволжская казенная дача! *Борис. у.* По пескамъ лѣвыхъ береговъ р. Вороны обыкновенно [35].

LXVII. Amaranthaceae. R. Br.

747. Amaranthus retroflexus. L. По садамъ, огородамъ, вообще вблизи жилья на сорныхъ и навозныхъ мѣстахъ во всей губ. очень распространено. [45].

---

*) Fin. v. Bulletin 1888, № 1. p. 96.

748. **A. Blitum. L.** По огородамъ, садамъ и паровымъ полямъ во всей губ., но рѣже предъид. вида. [34].

749. **Polycnemum arvense. L.** По глинистымъ безплоднымъ обрывамъ, степнымъ дорогамъ и солончаковымъ мѣстамъ. *Кирс. у.* с. Паревка (Кожевн.), с. Пущино! *Борис. у.* вездѣ довольно нерѣдко. [34].

LXVIII. Salsolaceae. Moq.-Tand.

750. **Chenopodium polyspermum. L.** var. α spicatum. Fenzl. По влажнымъ сорнымъ мѣстамъ, луговымъ лѣснымъ дорогамъ вездѣ обыкновенно. [44].

751. **Ch. album. L.** По сорнымъ мѣстамъ, въ огородахъ, садахъ и въ поляхъ вездѣ очень обыкновенно [55].

752. **Ch. glaucum. L.** Blitum glaucum. Koch. На влажной и сорной почвѣ по огородамъ, выгонамъ и берегамъ рѣкъ вездѣ очень обыкновенно. [54].

753. **Ch. urbicum. L.** По сорнымъ мѣстамъ, преимущественно въ городахъ и деревняхъ вездѣ нерѣдко. [44].

754. **Ch. murale. L.** Указывается П. Семеновымъ (Пр. ф. № 1038).

755. **Ch. hybridum. L.** На сорныхъ мѣстахъ во всей губ. довольно разсѣянно. [43].

756. **Blitum virgatum. L.** По сорнымъ мѣстамъ во всей губ. довольно нерѣдко. Замѣчено въ большомъ количествѣ на известнякахъ по р. Матырѣ бл. ст. Грязи Лип. у. [43].

757. **B. polymorphum. C. A. M.** Chenopodium rubrum. L. *Елат. у.* (Wiaz. Verz. № 327 и герб. «на паровыхъ поляхъ обыкновенно»). *Шацк. у.* на каменистыхъ сорныхъ мѣстахъ бл. с. Конобѣева! Указывается также Семеновымъ (Пр. ф. № 1043). [23].

758. **Axyris amaranthoides. L.** var. stricta. Fenzl. *Лип. у.* по сорнымъ мѣстамъ бл. станціи Грязи! Въ этомъ же уѣздѣ найдено было гг. Мельгуновымъ и Семеновымъ (Пр. ф. № 1047). [13].

759. **Atriplex nitens. Rebent.** По ивнякамъ и сорнымъ мѣстамъ на берегахъ болѣе значительныхъ рѣкъ, у плотинъ, мостовъ и т. п. во всей губ. нерѣдко. [43].

760. **A. hortensis. L.** Найдено въ саду бл. г. Козлова (Kosch. Fl. № 464!). [13].

761. A. rosea. L. var. α dentata. Fenzl. Въ деревняхъ по выгонамъ и сорнымъ мѣстамъ, иногда въ очень большомъ количествѣ, мѣстами рѣдко. П. Семеновымъ указывается для средней и южной части губ. (Пр. ф. № 1044). Въ новѣйшее время найдено: *Шацк. у.* с. Рыбное! *Кирс. у.* с. Ширяевка! с. Рудное и бл. города! *Тамб. у.* с. Коріана (Сорок.). *Козл. у.* (Kosch. Fl. № 460!) бл. города. *Лебед. у.* с. Курапово (проф. Цингеръ). [35].

762. A. laciniata. L. var. α discolor. Fenzl. По дорогамъ, межамъ и сухимъ сорнымъ мѣстамъ; становится нерѣдкимъ только въ ю.-в. части губ. *Кирс. у.* с. Вердеревщина (Кожевн.), с. Троицкое! и бл. города! *Борис. у.* с. Бурнакъ! и мн. др. м. обыкновенно! *Тамб. у.* с. Лаврово (Сор.), *Лип. у.* бл. ст. Грязи! [35].

763. A. hastata. L. A. latifolia. Wahib. По сорнымъ мѣстамъ бл. жилья. *Елат. у.* с. Сасово! *Козл. у.* (Kosch. Fl. № 467!) *Кирс. у.* с. Пущино! Показано также П. Семеновымъ (Пр. ф. № 1045). [23].

764. A. patula. L. По дорогамъ, у канавъ, по межамъ и безплоднымъ сорнымъ мѣстамъ нерѣдко вездѣ въ губ. [44].

765. A. littoralis. L. var. α integrifolia. Fenzi. *Борис. у.* на луговыхъ солончакахъ бл. с. Бурнакъ! *Усм. у.* на солончакахъ по степнымъ болотамъ бл. с. Добринка! и для этого же уѣзда показано П. Семеновымъ (Пр. ф. № 1054, стр. 22). [24].

766. Ceratocarpus arenarius. L. По безплоднымъ глинистымъ обрывамъ, дорогамъ, выгонамъ и степнымъ солончакамъ. *Кирс. у.* солончаки по склону горы бл. с. Троицкаго! (Караулъ), с. Пущино! *Борис. у.* вездѣ нерѣдко! [45].

767. Kochia prostrata. Schrad. На солончакахъ: *Кирс. у.* с. Троицкое! *Борис. у.* с. Бурнакъ! [24].

768. K. arenaria. Roth. По сыпучимъ пескамъ: *Морш. у.* (Варг. Петунн., Кожевн.), *Тамб. у.* с. Разсказово! *Кирс. у.* с. Хорошавка! с. Алатырка! с. Каравайня (на р. Пандѣ!) *Борис. у.* пески по лѣвымъ берегамъ р. Вороны и Савалы вездѣ обыкновенно! *Лип. у.* Романовская казен. лѣсная дача! *Усм. у.* бл. города (Софійскій монастырь!). Указывается также П. Семеновымъ (Пр. ф. № 1061). Salsola prostratae affinis, упоминаемая Палласомъ (Reise. III, p. 686) для станціи Тагай (Борис. у.), лежащей на лѣвомъ песчаномъ берегу р. Савалы, вѣроятно относится къ этому, а не предыдущему виду. (Сравн. также Mey. Fl. Tamb. p. 5, примѣч.) [35].

769. Echinopsylon sedoides. Moq.-Tand. По безплоднымъ глинистымъ обрывамъ, дорогамъ, межамъ, ковыльнымъ залежамъ и на сухихъ степныхъ солончакахъ. *Кирс. у.* с. Троицкое (Караулъ) на солончакахъ! с. Пущино! *Борис. у.* вездѣ нерѣдко! *Лип. у.* бл. Грязей! и въ Романово-Таволжской лѣсной дачѣ! *Усм. у.* с. Добринка! [43].

770. Corispermum sp.? Имѣю экземпляры безъ плодовъ и потому опредѣленіе вида невозможно. На песчаныхъ степяхъ по лѣвымъ берегамъ р. Вороны въ *Кирс. у.* бл. города! и вездѣ южнѣе въ этомъ и *Борис. у.* довольно нерѣдко. Найдено также по р. Савалѣ въ Борис. у. бл. с. Окры! [34].

771. Suaeda maritima. Dumort. Chenopodina maritima. Moq.-Tand: Для южной ч. губ. показывается П. Семеновымъ (Пр. ф. № 1066).

772. Salsola Kali. L. По сыпучимъ пескамъ, преимущественно на сорныхъ мѣстахъ бл. жилья и по линіямъ желѣзныхъ дорогъ. *Кирс. у.* бл. города по полотну желѣзной дороги! с. Пущино! *Борис. у.* бл. города и с. Бурнакъ по полотну ж. д.! *Лип. у.* Грязи! [24].

LXIX. Polygoneae. Juss.

773. Rumex Marschallianus. Reichb. На лугахъ по р. Воронѣ бл. с. Пущина! [13].

774. R. palustris. Sm. Указывается Семеновымъ (Пр. ф. № 1076).

775. R. maritimus. L. По лугамъ, берегамъ рѣкъ на влажной илистой почвѣ во всей губ. разсѣянно. [42].

776. R. ucranicus. Fisch. *Елат. у.* по берегамъ р. Цны бл. с. Устья! Вѣроятно найдется и въ остальныхъ частяхъ губ. [13].

777. R. obtusifolius. L. var. sylvestris. Koch. Сырые лѣса и луга, преимущественно въ сѣверной части губ. *Елат. у.* с. Сычевка (на р. Мокшѣ!) *Шацк. у.* с. Черниговка! *Козл. у.* с. Завороножское (Kosch. Fl. № 471!). *Кирс. у.* (Petunn. Verz. № 40; въ герб. нѣтъ). [33].

778. R. Nemolapathum. Ehrh. var. α exsanguis. Wallr. *Спасск. у.* на сыромъ лугу бл. с. Ширингуши! Var. β sanguineus L. (sp.) указывается для *Лебед.* и *Лип. уу.* П. Семеновымъ (Пр. ф. № 1077) [13].

779. R. crispus. L. var. α typicus. Trautv. (Act. Hort. Petr. VI. p. 39) и β paucigramineus Trautv. (l. c.). По лугамъ, межамъ, паровымъ полямъ и сорнымъ мѣстамъ во всей губ. обыкновенно. [53].

780. **R. domesticus. Hartm.** Вмѣстѣ съ предыд. вездѣ обыкновенно [43].

781. **R. Hydrolapathum. Huds.** По илистымъ или торфянистымъ болотамъ, обыкновенно въ водѣ: *Елат. у.* городской боръ! *Темник. у.* озеро въ долинѣ р. Мокши бл. г. Кадома! *Морш. у.* лѣса бл. города! *Козл. у.* с. Заворонежское (Kosch. Fl. № 474 и герб.! s. n. R. maximus Schrad.?) *Тамб. у.* с. Липовицы (Сорок.). *Кирс. у.* с. Алатырка! *Борис. у.* с. Бурнакъ! (луговое болото) [33].

782. **R. aquaticus. L.** По берегамъ озеръ и болотъ. *Елат. у.* бл. города (Орл.). *Спасск. у.* (Mey. Fl. Tamb. № 55). *Тамб. у.* бл. города! [23].

783. **R. confertus. Willd.** По лугамъ во всей губ. нерѣдко. [44].

784. **R. Acetosa. L.** Луга и травянистыя лѣсныя поляны; во всей губ. нерѣдко. [54].

785. **R. Acetosella. L.** По паровымъ полямъ и на песчаныхъ степяхъ, особенно на сорныхъ мѣстахъ и, рѣже, по обрывамъ, вездѣ обыкнов. [55].

786. **Polygonum Bistorta. L.** По лугамъ, преимущественно на торфянистой почвѣ; очень обыкновенно въ лѣсныхъ частяхъ сѣверныхъ уѣздовъ, рѣже въ южныхъ. [54] и [34].

787. **P. amphibium. L.** α aquaticum и β terrestre. Led. По рѣкамъ, озерамъ и болотамъ самое обыкновенное растеніе. [55].

788. **P. nodosum Pers.** На влажной почвѣ по лугамъ и склонамъ овраговъ у ключей; довольно рѣдко. *Тамб. у.* с. Лаврово (Сорок.), *Кирс. у.* с. Ржаксы! [23].

789. **P. lapathifolium. L.** var. α, β, prostratum. Aschers. (Fl. Brandenb.), γ incanum. Schmidt (sp.), δ album: foliis supra canescentibus, subtus tomentoso canescentibus. По сорнымъ мѣстамъ, рвамъ, болотамъ, берегамъ рѣкъ (β) и въ пнякахъ на песчаной почвѣ (δ), во всей губ. нерѣдко. Var. δ найдено въ Кирс. у. с. Пущино! [54].

790. **P. Persicaria. L.** *Елат. у.* (Wiaz. Verz. № 334). *Козл. у.* с. Екатеринино (Petunn. Verz. № 44!) с. Лозовка (Озноб.). *Тамб. у.* с. Лаврово (Сорок.). *Лип. у.* (Mey. 1 Nachtr. № 40). *Борис. у.* с. Ольшанка (Mey. 2 Nachtr. p. 122 и герб.!). Указывается также Семеновымъ (Пр. ф. № 1085). Встрѣчается вмѣстѣ съ предыд. видомъ. [33].

791. P. mite. Schrank. По сырымъ лугамъ и берегамъ болотъ вездѣ въ губ., но въ южныхъ частяхъ рѣже, чѣмъ въ сѣверныхъ. [34] и [44].

792. P. minus. Huds. Изъ гербарія А. Н. Петунникова я имѣю одинъ плохо сохранившійся экземпляръ, собранный въ Козл. у., по линейно-ланцетовиднымъ, при основаніи округленнымъ, листьямъ сходный съ P. minus. Кромѣ того этотъ видъ упоминается для нашей флоры П. Семеновымъ (Пр. ф. № 1051), но это указаніе м.-б. относится къ предъидущей, довольно обыкновенной формѣ, вовсе не показанной во флорѣ П. Семенова. Растенія, упоминаемаго для Елат. у. въ Сборникѣ проф. В. Я. Цингера (стр. 381), я не видѣлъ. Несомнѣнно, впрочемъ, что растеніе должно найтись, особенно въ сѣверныхъ уѣздахъ губерніи.

793. P. alpinum. All. По черноземнымъ степямъ, особенно между степными кустарниками. *Тамб. у.* с. Волконщины (Вышесл.), с. Липовицы и с. Лаврово (Сорок.). *Кирс. у.* с. Ивановка! *Борис. у.* с. Ольшанка (Mey. II Nachtr. p. 120, № 19 и герб.!). Показывается также П. Семеновымъ (Пр. ф. № 1099). [33].

794. P. Convolvulus. L. По сухимъ кустарникамъ, полямъ и бурьянамъ во всей губ. обыкновенно. [43].

795. P. dumetorum. L. Вмѣстѣ съ предыд. видомъ, но рѣже. [33].

796. P. aviculare. L. var. α procumbens. Led., β erectum. Led. и γ vegetum Led. По дорогамъ, полямъ, выгонамъ и сорнымъ мѣстамъ вездѣ въ губ. одно изъ самыхъ обыкновеннѣйшихъ растеній. [55].

797. P. Bellardi. All. *Кирс.* и *Борис. уу.* по бугристымъ пескамъ лѣвыхъ береговъ р. Вороны очень нерѣдко. [43].

LXX. Santalaceae. R. Br.

798. Thesium ramosum. Hayne. По кустарнымъ склонамъ и на травянистыхъ степныхъ мѣстахъ. *Кирс. у.* с. Пущино! с. Ивановка! *Борис. у.* бл. города! *Тамб. у.* с. Полковое. (Сор.) [33].

799. Th. ebracteatum. Hayne. По сухимъ кустарникамъ и лѣснымъ полянамъ. *Шацк. у.* с. Рождествено (Mey. 1 Nachtr. № 37). *Козл. у.* с. Борщевое (Kosch. Fl. № 486!). *Лип. у.* Романово-Таволжанская каз. лѣсная дача, нерѣдко! [34]. Показывается и Семеновымъ (Пр. фл. № 1199 и стр. 22).

LXXI. Thymelaeae. Juss.

800. Daphne Mezereum. L. По лѣсамъ въ *Темник.* и *Спасск. уу.* нерѣдко! *Елат. у.* (Орл. и Wiaz. Verz. № 338!). *Шацк. у.* с. Рождествено (Mey. 1 Nachtr. № 38). Южнѣе въ послѣднее время не замѣчено, но П. Семеновымъ (Пр. ф. № 1097) повидимому указано для всей губ. [42].

LXXII. Aristolochieae. Juss.

801. Asarum europaeum. L. По лиственнымъ лѣсамъ на перегнойной почвѣ вездѣ обыкнов. [54].

802. Aristolochia Clematitis. L. *Елат. у.* берега Цны бл. с. Нащи (Wiaz. Verz. № 340 и герб.!); берега Оки бл. Балушевы Починки! и на известнякахъ бл. с. Темгенева! *Спасск. у.* (Mey. Fl. № 303). *Южнѣе* становится очень обыкновеннымъ растеніемъ въ долинахъ рѣкъ преимущественно на каменистой почвѣ. Въ *Кирс.* и *Борис. уу.* въ большомъ количествѣ растетъ въ тѣнистыхъ лѣсахъ нагорнаго берега р. Вороны! [33] и [44].

LXXIII. Euphorbiaceae. R. Br.

803. Euphorbia procera. M. B. E. pilosa. L. *Елат. у.* Известняки по Цнѣ бл. с. Темгенева! и для этого же уѣзда указывается кн. Вяземскимъ (Verz. № 341 и герб. подъ именемъ E. palustris L!), какъ обыкновенное растеніе. *Южнѣе*, въ черноземныхъ частяхъ губ., становится очень распространеннымъ растеніемъ по сухимъ кустарникамъ и на травянистыхъ степяхъ. [33] и [53].

804. E. desertorum. Weinm. Впервые описано Вейнманомъ (Observ. № 149). Съ тѣхъ поръ никѣмъ въ Россіи не указывается. Вѣроятно это есть форма предыдущаго вида; къ тому же и самъ Вейнманъ (l. c.) сомнѣвается въ отличіи ея отъ E. pilosa L.

805. E. palustris. L. По сырымъ лугамъ и луговымъ болотамъ. *Елат. у.* луга по р. Окѣ бл. города! *Шацк. у.* с. Рождествено (Mey. 1 Nachtr. № 150). *Кирс.* и *Борис. уу.* луга по р. Воронѣ и Савалѣ, нерѣдко! [33].

806. E. Gerardiana. Jacq. Дюнные бугры по р. Воронѣ и Хопру бл. г. Борисоглѣбска! [14].

807. E. Cyparissias. L. Указано Вейнманомъ (Obs. № 150) и Семеновымъ (Пр. ф. № 1104 и стр. 22); по послѣднему автору встрѣчается только въ самой южной части губ. до 52° (широта г. Усмани).

808. E. tenuifolia. Ledeb. (Fl. ross. III, 571).—March. Bieberst Fl. t. cauc. I, p. 372 и III, p. 323.—Steven. Verz. № 1279.—Gruner. Enum. pl. Catherinosl. № 418.—Сюда же относимъ и E. Esulae var. Mey. 2 Nachtr. p. 120 (въ герб. Воейкова также подъ именемъ «E. tristis»!) и, вѣроятно, частью E. gracilis Цинг. Сборн. № 1303. Отъ E. Esula L. и E. gracilis Led. Fl. ross., наше растеніе отличается совершенно цѣльнокрайними листьями, не одинаковыми листочками покрывала, обыкновенно простыми (не двураздѣльными) одноцвѣтковыми лугами зонтика. Корень многоголовчатый. Стебель высотою до 0,3 м. Листья 20—40 мм. длины, 3—6 мм. ширины съ острой или притупленной вершиной. Въ пазухахъ верхнихъ листьевъ одноцвѣтковые лучи. Все растеніе темно-зеленое, послѣ сушки листья становятся кожистыми какъ у. E. Esula var. caesia Bunge (Suppl. Fl. Alt.). Наше растеніе повидимому отличается отъ E. leptocaula Boiss. и E. gracilis Bess. (см. Шмальг. Флора. Ю. З. Р. р. 527—28) и болѣе всего подходитъ подъ діагнозъ E. tenuifolia δ Led. Fl. ross., хотя и здѣсь отличается листьями нерѣдко притупленными.

Растетъ на травянистыхъ мѣстахъ по степи въ южной части губ. *Козл. у.* Жидиловка (Петунн.). *Тамб. у.* с. Лаврово (Сорок.) с. Волконщины (Выш.) с. Эксталь (Игнат. Спис. р. № 342 и герб!). *Кирс.* и *Борис. уу.* вездѣ нерѣдко! [43].

809. E. Esula. L. (Led. Fl. ross. III. p. 575). Имѣющіеся въ моемъ гербаріи экземпляры, отличаются корнемъ многоголовчатымъ (Сравн. объ этомъ: E. Regel in Act. Hort. Petr. VI. p. 402). На степи и между кустарниками. *Шацк. у.* с. Рождествено (Mey. 1 Nachtr. № 152). *Тамб. у.* с. Лаврово (Сорок.). *Кирс. у.* въ зарослихъ степныхъ кустарниковъ бл. с. Иванова! Указывается также Семеновымъ (Пр. ф. № 1105). [33].

810. E. gracilis. Bess. Указывается П. Семеновымъ (l. с. № 1108).

811. E. virgata. W. K. По межамъ, полямъ, сорнымъ мѣстамъ и по кустарникамъ во всей губ. очень обыкновенное растеніе. [54].

812. Mercurialis perennis. L. По тѣнистымъ лиственнымъ лѣсамъ вездѣ въ губ. обыкновенно. [53].

LXXIV. Cupuliferae. Rich.

813. Corylus Avellana. L. По лѣсамъ; въ сѣверныхъ уѣздахъ чаще, чѣмъ въ южныхъ. [44] и [33].

814. Quercus pedunculata. Ehrh. Въ сѣверныхъ уѣздахъ сплошные дубовые лѣса встрѣчаются, какъ кажется, только въ заливныхъ частяхъ большихъ рѣчныхъ долинъ. Проѣзжая по р. Окѣ изъ Рязани въ г. Елатьму, я видѣлъ такіе лѣса во многихъ мѣстахъ въ Рязанск. губ.; въ Тамб. губ. мнѣ извѣстны только остатки такихъ лѣсовъ напр. бл. г. Елатьмы (городской лѣсъ) и въ нѣкоторыхъ мѣстахъ по р. Мокшѣ въ Темник. у. Множество дубовыхъ «корчей», опасныхъ для судоходства, лежатъ на днѣ этихъ рѣкъ, указывая на большое распространеніе долинныхъ дубовыхъ лѣсовъ въ былое время. Внѣ долинъ большихъ рѣкъ, въ лѣсахъ сѣверныхъ уѣздовъ, дубъ рѣдко попадается сплошными участками и ростетъ небольшими группами, или отдѣльными деревьями, среди другихъ лиственныхъ породъ. Въ южныхъ уѣздахъ, кромѣ повсемѣстнаго распространенія его по займищамъ, дубъ подымается сплошными лѣсами по гористымъ берегамъ рѣкъ и склонамъ степныхъ балокъ; въ послѣднихъ, послѣ вырубки старыхъ лѣсовъ, молодыя поросли, объѣдаемыя стадами, имѣютъ теперь корявый, приземистый видъ. Со склоновъ балокъ дубъ переходитъ иногда и на ровныя мѣста, образуя болѣе или менѣе значительныя рощи на черноземѣ, но не удаляющіяся далеко въ глубь степи.

Не имѣемъ наблюденій для констатированія существованія въ нашей флорѣ двухъ разновидностей дуба, «ранней» и «поздней» (или зимней), упоминаемыхъ проф. Цингеромъ (Сборн. свѣд. с. 392), а также Боде (Verbreitungs-Granzen d. Holzgew. p. 37), который подъ именемъ Q. Robur разумѣетъ, вѣроятно, такъ-называемый «зимній» дубъ, поздно распускающій листья, но можно догадываться, судя по замѣчаніямъ В. Черняева въ статьѣ: «О лѣсахъ Украйны» (въ Записк. Комит. лѣсов. II. с. 61), что наши луговые дубовые лѣса состоятъ изъ «ранняго» дуба, называемаго Черняевымъ также «луговымъ».

Q. sessiliflora. Sm. По утвержденію г. Боде (въ статьѣ: «Нѣсколько замѣчаній о произростаніи дуба въ Россіи», помѣщенной въ Журн. Мин. Госуд. Имущ. XLII. 4; см. также E. Trautvetter: Floræ rossicæ fontes подъ № 141), сѣверная граница распространенія этого дуба въ Россіи проходитъ черезъ Тамб. губ., что очень сомнительно, такъ какъ въ послѣднее время нигдѣ это дерево не было найдено ни въ Тамб., ни въ сосѣднихъ съ нею губерніяхъ *).

---

*) Впрочемъ, этотъ дубъ указанъ для Казанской губ. г. Мартьяновымъ въ статьѣ „О растительности с. Морквашъ“, помѣщенной въ Трудахъ съѣзда естествоиспытателей въ г. Казани, но и это указаніе кажется мнѣ очень сомнительнымъ.

LXXV. Salicineae. Juss.

815. **Salix pentandra. L.** По болотистымъ кустарникамъ во всей губ. обыкновенно [53].

816. S. **fragilis. L.** Обыкновеннѣйшее дерево въ деревняхъ, на плотинахъ и дико въ сырыхъ лѣсахъ по берегамъ рѣкъ. [53].

817. **S. alba. L.** Вмѣстѣ съ предыд. видомъ также нерѣдко во всей губ. [53].

818. **S. amygdalina. L.** var α discolor. Koch. и β concolor. Koch. (S. triandra. L.). По сырымъ кустарникамъ и берегамъ рѣкъ вездѣ обыкновенно. [54].

819. **S. acutifolia. Willd.** incl. S. daphnoides. Vill. Въ дикомъ состояніи до сихъ поръ встрѣчено только въ *Елат. у.* по берегу Оки бл. с. Балушевы Починки! и въ *Темник. у.* по р. Мокшѣ бл. г. Кадома *). Какъ разводимое въ деревняхъ въ садахъ, по кладбищамъ и погостамъ, встрѣчается вездѣ въ губерніи.

820. **S. purpurea. L.** Указывается П. Семеновымъ (Пр. ф. № 1132) и г. Игнатьевымъ (Спис. раст. № 351). Растенія изъ Тамб. губ. я не видѣлъ.

821. S. **viminalis. L.** *Елат. у.* берега Оки бл. города (Орл.). *Морш. у.* бл. города, по р. Цнѣ! *Тамб. у.* (Игнат. Спис. р. № 351). Указывается также П. Семеновымъ (Пр. ф. № 1134). [33].

822. **S. stipularis. Smith.** *Елат. у.* берега Оки бл. с. Балушевы Починки! *Спасск. у.* по р. Парцѣ бл. с. Зубова Поляна! *Тамб. у.* (Игнат. спис. раст. № 353). [34].

823. **S. cinerea. L.** По болотистымъ кустарникамъ во всей губ. очень обыкновенно. [53].

824. S. **nigricans. Fr.** Вмѣстѣ съ предыд. видомъ; въ сѣверныхъ и западныхъ уѣздахъ чаще, чѣмъ въ южныхъ и юго-восточныхъ. [43] и [23].

825. **S. Caprea. L.** По сырымъ лѣсамъ и кустарникамъ вездѣ нерѣдко. [53].

826. **S. aurita. L.** По болотамъ на торфянистой почвѣ. *Елат. у.* въ городскомъ бору (Орл.). *Темник.* и *Спасск. уу.* нерѣдко!

---

*) Указаніе акад. Рупрехтэ (Геобот. изсл. с. 59) о нахожденіи этого дерева на Окѣ бл. ст. Кистры, цитируемое для Тамб. губ. В. Я. Цингеромъ (Сборн. свѣд. с. 394), относится къ Рязанской губ.

Шацк. у. с. Черняево! *Усм. у.* болота на степи бл. с. Добринки! Указано также во флорѣ П. Семенова (№ 1140). [33].

827. **S. livida. Wahlb.** S. depressa auct. По болотамъ и сырымъ кустарникамъ въ сѣверныхъ лѣсныхъ частяхъ губ. обыкновенно; къ югу болѣе рѣдко. [44] и [33].

828. **S. phylicifolia. L.** *Лип. у.* по сухимъ кустарникамъ за р. Матырой бл. ст. Грязи! *Козл. у.* бл. города (Кожевн.). *Кирс. у.* с. Алатырка! Указывается еще П. Семеновымъ (Пр. ф. № 1142). [33].

829. **S. myrtilloides. L.** По мшистымъ торфянымъ болотамъ *Спасск. у.* въ казенныхъ лѣсахъ бл. с. Зубова Полпна! *Шацк. у.* с. Черняево! [23].

830. **S. repens. L.** Большой прямостоячій кустарникъ, иногда почти дерево. Встрѣчаются формы съ листьями болѣе или менѣе широкими, съ обѣихъ сторонъ или только снизу (S. argentea Sm?), или только сверху серебристо-волосистыми. Сережекъ не видѣлъ. До сихъ поръ замѣчено только въ южныхъ уѣздахъ: *Усм. у.* (Mey. Fl. Tamb. № 48); на степныхъ болотахъ бл. с. Добринки! *Лип. у.* Романово-Таволжанская каз. дача, по болотамъ и сырымъ лугамъ въ видѣ большихъ кустовъ и, рѣже, деревьевъ! *Тамб. у.* с. Лаврово (Сорок.). Торф. болота бл. с. Разсказова (Кож.). *Кирс. у.* болота бл. с. Алатырки (большой кустарникъ!). *Борис. у.* степныя болота бл. с. Шибряй (больш. куст.!). [43].

831. **S. rosmarinifolia. L.** incl. S. angustifolia. Wulf. Небольшой кустарникъ съ лежачими или приподымающимися вѣтвями, встрѣчающійся на торфяникахъ, или по окраинамъ торфяниковъ, иногда на совершенно сухихъ мѣстахъ. Въ лѣсныхъ частяхъ *Елат.*, *Темник.*, *Спасск.* и *Шацк. уу.* нерѣдко! *Тамб. у.* лѣса за р. Цной бл. города! *Кирс. у.* с. Можарово! *Лип. у.* Роман.-Таволж. каз. дача (Двурѣченское болото!). Указывается также П. Семеновымъ (Пр. ф. № 1143, стр. 24). Въ отличіе отъ предыд. вида, экземпляры съ женскими сережками попадаются еще въ концѣ Іюня. [43] и [23].

832. **S. Lapponum. L.** По мшистымъ торфянымъ болотамъ: *Темник. у.* Саровская пустынь! *Спасск. у.* с. Зубова Поляна! *Шацк. у.* с. Черняево! *Тамб. у.* с. Полковое «на пловучихъ по озеру торфяникахъ» (Сорок.). *Усм. у.* степныя болота бл. с. Добринки! *Лип. у.* Роман.-Таволж. каз. дача; Двурѣченское болото! [33].

833. **Populus alba. L.** Въ поемныхъ лѣсахъ долины р. Вороны: *Кирс. у.* с. Пущино! и вездѣ южнѣе въ *Борис. у.* несомнѣнно дико. Во всей губ. разводится въ садахъ. [33].

834. P. tremula. L. Обыкновеннѣйшее дерево по лѣсамъ во всей губ. Растетъ также среди степи, по степнымъ болотцамъ (баклушамъ) въ Кирс., Борис. и Усм. уу. [55].

835. P. nigra. L. *Елат. у.* берега р. Оки бл. города (Wiaz. Verz. № 355!) и с. Балушевыхъ Починокъ! Берега р. Цны бл. с. Устья! Дерево это растетъ здѣсь на песчаныхъ мѣстахъ у самаго обрѣза берега, въ видѣ молодой поросли, развивающейся изъ сучьевъ, приносимыхъ, повидимому, съ верховьевъ и не могущихъ укорениться вслѣдствіе передвиженія песка во время весеннихъ разливовъ *). Большихъ деревьевъ въ долинахъ этихъ рѣкъ я не видѣлъ, но участокъ большой дороги бл. г. Елатьмы, идущей по нагорной сторонѣ рѣки, обсаженъ осокоремъ, разросшимся до громадныхъ красивыхъ деревьевъ. На югѣ губерніи осокорь, вмѣстѣ съ бѣлымъ тополемъ, замѣченъ дикорастущимъ пока только въ долинѣ р. Вороны въ *Кирс.* и *Борис. уу.*, гдѣ онъ образуетъ иногда небольшія рощи.

LXXVI. Cannabineae Blum.

836. Humulus Lupulus. L. По сырымъ лѣсамъ въ долинахъ рѣкъ и у ручьевъ, въ ольшанникахъ и ивнякахъ вездѣ обыкновенно. [44].

837. Cannabis sativa. L. Вездѣ разводится и легко дичаетъ.

LXXVII. Urticaceae Endl.

838. **Urtica urens. L.** По сорнымъ мѣстамъ вездѣ очень обыкновенно. [54].

839. **U. dioica L.** По сорнымъ мѣстамъ, особенно въ садахъ, на тучной почвѣ, очень обыкновенно. [55].

LXXVIII. Ulmaceae Mirb.

840. Ulmus campestris. L. var. α montana. With. (sp.).—В. Черняевъ: О лѣсахъ Украйны. Въ Запиек. Комит. Лѣсов. II, с. 69.—Шмальгаузенъ: Флора Юго-Запад. Россіи, с. 533.—Garcke Fl. v. Deutschl. 13 Aufl. p. 351.—Schlechtendal: Flora v. Deutschl. 5

---

*) Точно въ такомъ же видѣ растетъ Populus nigra по Окѣ въ Калужск. и Тульск. губ. бл. г. Алексина!

Aufl. № 914. Экземпляры въ плодахъ, несомнѣнно принадлежащіе къ этой разновидности или, можетъ-быть, виду, я имѣю собранные въ лѣсу бл. г. Борисоглѣбска А. К. Котсомъ. Вѣроятно къ этой же формѣ надо отнести дерево нерѣдко встрѣчающееся въ лѣсахъ нагорнаго берега р. Вороны въ Кирс. и Борис. уу. съ шершавыми листьями, достигающими на молодыхъ вѣтвяхъ очень крупныхъ размѣровъ (0,2 × 0,15 метр.), но по очертаніямъ не имѣющихъ замѣтной разницы со слѣдующими двумя разновидностями. Къ сожалѣнію, мнѣ не приходилось заставать его въ плодахъ. U. major Sm., показываемый для Борис. у. Мейеромъ (2 Nachtr. № 16 и герб. Воейкова, одни листья!) можетъ-быть относится къ этой же разновидности. [34?].

β vulgaris. Ledeb. Начиная съ *Тамб. у.* и *южнѣе* очень распространенное дерево; встрѣчается преимущественно по склонамъ степныхъ балокъ и опушкамъ лиственныхъ лѣсовъ. U. glabra Mill., указанный Мейеромъ для Борис. у. (Mey. 2 Nachtr. № **16**; въ герб. Воейкова одни листья!) можетъ-быть относится сюда же. [44].

Не имѣю возможности рѣшить, къ этой или предъидущей формѣ слѣдуетъ отнести U. campestris L., упоминаемый Мейеромъ (Fl. Tamb. № 49) для Елат. у., а также U. campestris, отмѣченный у меня въ дорожномъ дневникѣ въ Елат. у. с. Темгеневѣ и въ Темник. у. бл. г. Кадома.

γ suberosa. Ehrh. (sp.). Отъ предыд. формы отличается только пробковыми наростами на вѣтвяхъ. Я находилъ ее въ лѣсахъ вмѣстѣ съ предыд. формой въ *Кирс.*, *Борис.* и *Лип. уу.*! она же доставлена изъ с. Волконщины *Тамб. у.* (Вышесл.). Согласно съ этими свѣдѣніями и Боде (Verbreitungs-Granzen d. Holzgew. p. 34) проводитъ границу ея въ нашей губ. [33].

δ pumila. Pall. (sp.). (Cfr. E. Regel. Act. Hort. Petrop. VI, p. 478). Кустарникъ съ пробковыми наростами на вѣтвяхъ образуетъ иногда заросли по склонамъ степныхъ балокъ въ *Кирс. у.* (с. Пущино!) и *Борис. у.*! Въ *Лебед. у.* найденъ по известнякамъ на Дону и р. Красивой Мечѣ (проф. Цингеръ). Мнѣ не удалось собрать экземпляровъ этой формы въ плодахъ или цвѣтахъ, а потому я не вполнѣ увѣренъ въ отличіи ея отъ предыдущей: можетъ-быть корявый и приземистый видъ слѣдуетъ приписать объѣданію стадами молодыхъ вѣтвей? [35].

841. U. pedunculata. Foug. U. effusa. Willd. Встрѣчается по лѣсамъ во всей губ. Нерѣдко растетъ на влажныхъ луговыхъ мѣстахъ. [43].

LXXIX. Betulaceae Bartl.

842. **Betula alba. L.** По лѣсамъ во всей губ., но къ югу становится рѣже, встрѣчаясь главнымъ образомъ на торфянистой и болотистой почвѣ. [55] и [33]. Var. verrucosa. Ehrh. (sp.), съ вѣтвями густо покрытыми бородавочками, найдено мною въ *Лип. у.* въ Романово-Таволжанск. каз. дачѣ и указывается Мейерсмъ (Fl. Tamb. № 39) и, для *Тамб. у.*, г. Игнатьевымъ (Спис. р. № 363).

843. **B. pubescens. Ehrh.** По торфянистымъ, или мшистымъ торфянымъ, болотамъ. *Спасск. у.* с. Зубова Поляна! *Тамб. у.* (Игнат. Спис. р. № 364). *Козл. у.* с. Хоботово (Kosch. Fl. № 497!). *Лип.* и *Усм. уу.* (Mey. Fl. Tamb. № 40). Указывается также П. Семеновымъ для сѣверной части губ. (Пр. фл. № 1145).

844. **Alnus incana. DC.** По указанію П. Семенова (Пр. ф. № 1144) встрѣчается въ сѣверной части губ. *).

845. **A. glutinosa. Gärtn.** По иловатымъ болотамъ въ заливныхъ частяхъ долинъ рѣкъ, вездѣ обыкновенно. Въ долинахъ южныхъ рѣкъ Вороны, Савалы, Воронежа, образуетъ мѣстами большіе непроходимые лѣса съ особою, характерною флорою. [45].

Class. II. **Monocotyledoneae.**

LXXX. Typhaceae Juss.

846. **Typha latifolia. L.** По болотистымъ берегамъ озеръ и рѣкъ во всей губ. нерѣдко. [34].

847. **T. angustifolia. L.** Также, какъ предъидущій видъ, но нѣсколько рѣже. Встрѣчается во всей губ., не исключая самыхъ сѣверныхъ частей (Темник. у. Саровская пустынь!). [34].

848. **Sparganium ramosum. Huds.** Болота, берега рѣкъ и озеръ во веей губ. нерѣдко. [33].

849. **S. simplex. Huds.** Вмѣстѣ съ предыд. видомъ, обыкновенно. [44].

850. **S. affine. Schnitzl.?** (Сравн. Цингеръ. Сборн. Свѣдѣн., с. 405). По торфянистымъ болотамъ въ водѣ между кочками и въ ольшан-

*) Въ статьѣ: Статистическое описаніе лѣсовъ Воронежской губерніи, помѣщенной въ Журналѣ Минист. Госуд. Имущ. 1861 г. кн. 3 стр. 105, упоминается о бѣлой ольхѣ, какъ о весьма рѣдкомъ деревѣ въ означенныхъ лѣсахъ.

никахъ *Спасск. у.* Зубова поляна! *Тамб. у.* с. Разсказово (Булг.). *Кирс. у.* с. Алатырка (ольшанники!) *Борис. у.* ольшанники въ долинѣ р. Хопра! [34].

851. S. natans auct. non L. Для сѣверной части губ. указывается П. Семеновымъ (Пр. ф. № 1183) и для Елат. у. кн. Вяземскимъ (Verz. № 370), но въ гербаріѣ кн. В. А. Вяземскаго я этого растенія не нашелъ. Указанія эти вѣроятно относятся къ предыд. виду или къ Sp. minimum. Fr., до сихъ поръ въ Тамб. губ. не найденному.

LXXXI. Aroideae Juss.

852. Calla palustris. L. По окраинамъ торфянистыхъ болотъ и ольшанникамъ: *Елат. у.* бл. города (Орл.) и с. Ункоръ и Петасъ (Wiaz. Verz. № 374). *Спасск. у.* с. Зубова поляна! *Темн. у.* Саровская пустынь и др. м.! *Козл. у.* с. Красивое (Kosch. Fl. № 370!). *Борис. у.* ольшанники въ долинѣ Хопра бл. города! На югѣ вообще рѣдко. [44] и [23].

853. Acorus Calamus. L. Имѣю одинъ цвѣтущій (съ початкомъ) экземпляръ, собранный на берегахъ Дона въ *Лебед. у.* проф. В. Я. Цингеромъ.

LXXXII. Lemnaceae Link.

854. Lemna minor. L. Въ стоячей водѣ озеръ, прудовъ во всей губ. очень обыкновенно. [55].

855. L. trisulca. L. Вмѣстѣ съ предыд., также обыкновенно. [55].

856. Telmatophace gibba. Schleid. Lemna gibba. L. Указывается П. Семеновымъ (Прид. ф. № 1178).

857. Spirodella polyrhiza. Schleid. L. polyrhiza. L. Вмѣстѣ съ двумя первыми рясками, но менѣе обильно. [54].

LXXXIII. Najadeae Endl.

858. Caulinia fragilis. Willd. Najas minor. All. Найдено въ *Козл. у.* въ р. Польномъ Воронежѣ бл. с. Дмитровки (Kosch. Fl. № 622!) и въ *Кирс. у.* въ р. Воронѣ бл. с. Ржаксы (Перевозъ)! [24].

859. Najas major. All. Въ р. Воронѣ, нерѣдко. *Кирс. у.* с. Паревка (Кож.) с. Пущино! *Борис. у.* бл. города! [14].

860. Potamogeton natans. L. По стоячимъ водамъ во всей губ. очень обыкновенно. [55].

861. P. fluitans. Roth. Указывается П. Семеновымъ (Пр. фл. № 1171).

862. P. rufescens. Bess. Указывается П. Семеновымъ (Пр. фл. № 1173) для *сѣверной* части губ. Мною найдено въ лѣсномъ ручьѣ бл. с. Зубова Поляна *Спасск. у.* [25].

863. P. gramineus. L. По торфянымъ кочковатымъ болотамъ, обыкновенно въ водѣ между кочками. *Тамб. у.* с. Разсказово (Кожевн.). *Кирс. у.* с. Алатырка! Указывается также П. Семеновымъ (Пр. ф. № 1172). [25].

864. P. lucens. L. По рѣкамъ и озерамъ вездѣ очень обыкновенно. [55].

865. P. praelongus. Wulf. *Тамб. у.* въ озерѣ бл. с. Полковаго (Сорок.). Указывается также П. Семеновымъ (Пр. ф. № 1174).

866. P. perfoliatus. L. Въ рѣкахъ самое обыкновенное растеніе. [55].

867. P. crispus. L. Вмѣстѣ съ предыд. очень обыкновенно. [55].

868. P. compressus L. По иловатымъ болотамъ вездѣ въ губерніи нерѣдко. [44].

869. P. Friesii. Rupr. (teste C. F. Meinshausen). *Кирс. у.* с. Алатырка, ольшанники! [13].

870. P. pusillus. L. var. α vulgaris. Koch. (var. major. Petunn. Verz. № 9, et. herb.! non Koch.) **и** β tenuissimus. Koch. Вездѣ обыкновенно по болотамъ, озерамъ и въ рѣкахъ. [54].

871. P. pectinatus. L. Вмѣстѣ съ предыд. вездѣ обыкн. [55].

P. glaucum—загадочный видъ, указываемый Ледебуромъ (Fl. ross. IV, p. 32) со словъ Гюльденштедта, между Тамбовомъ и станицей Михайловской, собственно найденъ Гюльденштедтомъ въ р. Хопрѣ бл. г. Новохоперска, принадлежащаго теперь къ Воронежской губерніи (См. Güldenst. Reisen. I, p. 49).

LXXXIV. Juncagineae L. Rich.

872. Triglochin maritimum. L. *Кирс. у.* на лугу по р. Воронѣ бл. с. Карай-Пущина (Кожевн.). *Борис. у.* с. Бурнакъ, солончаковыя мѣста на лугахъ по р. Савалѣ! [23].

873. T. palustre. L. По болотистымъ лугамъ, берегамъ рѣкъ и на сырыхъ солончакахъ во всей губ. обыкновенно. [43].

871. **Scheuchzeria palustris. L.** Торфяныя мшистыя болота. *Темн.* и *Спасск. уу.* нерѣдко! *Лип. у.* Двурѣченское болото въ Романово-Таволжанской каз. дачѣ! [44] и [14].

LXXXV. Alismaceae L. Rich.

875. **Alisma Plantago. L.** По болотамъ во всей губ. обыкновеннѣйшее растеніе. Var. β lanceolatum. Ledeb. найдена въ Козл. у. (Kosch. Fl. № 526!). [54].

876. **Sagittaria sagittaefolia. L.** Вмѣстѣ съ предыдущ. вездѣ нерѣдко. [44].

LXXXVI. Butomaceae Lindl.

877. **Butomus umbellatus. L.** По берегамъ рѣкъ вездѣ обыкновенно. [54].

LXXXVII. Hydrocharideae Dec.

878. **Hydrocharis Morsus ranae. L.** По стоячимъ и медленно текучимъ водамъ вездѣ нерѣдко. [45].

879. **Stratiotes aloides. L.** Вмѣстѣ съ предыд. видомъ, но нѣсколько рѣже; особенно часто въ луговыхъ озерахъ. [45].

LXXXVIII. Orchideae Juss.

880. **Corallorhiza innata. R. Br.** *Темник. у.* Саровская пустынь, по окраинѣ лѣснаго болота, на влажной перегнойной почвѣ! [13].

881. **Liparis Loeselii. Rich.** *Лип. у.* Романово-Таволж. казенная лѣсная дача, Двурѣченское торфяное болото! *Козл. у.* с. Екатериновка (Петунн.). [22].

882. **Orchis latifolia. L.** *Елат. у.* (Wiaz. Verz. № 128 sub. O. incarnata L. и герб.!). *Кирс. у.* торфянистый лугъ бл. с. Можаровка! *Борис. у.* с. Ольшанка (Mey. 2 Nachtr. p. 121 и герб!). Указывается также Вейнманомъ (Observ. № 145) и Семеновымъ (Пр. фл. с. 136). [33].

Orchis maculata. L. β labello trifido C. A. Mey. (Fl. Tamb. № 29)—форма, доставленная Мейеру изъ Елат. и Темник. уу. и отнесенная Ледебуромъ (IV., p. 56) съ сомнѣніемъ къ O. incarnata. L., но которую Мейеръ (l. c.) сравниваетъ съ O. Traunsteineri. Saut., скорѣе относится къ этому или слѣдующему виду.

883. **O. Traunsteineri. Saut.** *Шацк. у.* с. Черняево; торф. болото! *Лип. у.* Романово-Таволжанская казенная дача, Двурѣченское торфяное болото! [23].

884. **O. incarnata. L.** Указывается П. Семеновымъ (Пр. ф. с. 137) и въ послѣднее время найдена: *Козл. у.* (Kosch. Fl. № 514!) Petunn. Verz. № 27! и Озноб.). *Тамб. у.* с. Татарщины (Надежд.). [33].

885. **O. maculata. L.** По лиственнымъ лѣсамъ на перегнойной почвѣ. Въ *сѣверныхъ* уѣздахъ довольно обыкновенно, въ *южныхъ*—рѣдко. Укажемъ самыя южныя изъ извѣстныхъ намъ мѣстонахожденій: *Тамб. у.* лѣса бл. города (Игнат. Спис. № 383!) с. Разсказово (Булг.). *Козл. у.* (Kosch. Fl. № 513!) и др. *Лип. у.* Романово-Таволжанская дача! Растеніе изъ южныхъ уѣздовъ нерѣдко имѣетъ блѣдные цвѣты и листья безъ пятенъ. [44] и [32].

886. **O. militaris. L.** *Козл. у.* с. Панское, по сырымъ лугамъ (Kosch. Fl. № 511!) и др. м. (Петунн.). *Тамб. у.* с. Татарщины, въ лѣсу (Игнат.) *Борис. у.* с. Ольшанка, въ лѣсу (Mey. 2 Nachtr. № 9 и герб!). Указывается также П. Семеновымъ (Пр. ф. с. 137). [33].

887. **O. ustulata. L.** *Козл. у.* По холмамъ, поросшимъ кустарникомъ бл. с. Жидиловка (Kosch. Fl. № 512!). Указывается также Семеновымъ (Пр. ф. с. 137). [11].

888. **Gymnadenia conopsea. R. Br.** По лѣснымъ полянамъ и кустарникамъ на влажной почвѣ. Въ *сѣверныхъ* уѣздахъ нерѣдко; самыя южныя изъ извѣстныхъ мѣстонахожденій: *Лип. у.* Романовская каз. лѣсн. дача! *Козл. у.* (Kosch. Fl. № 515! Petunn. Verz. № 27! и др!) *Тамб. у.* Лѣса (Игнат. Спис. № 384! Надежд., Булгк.). [44] и [33].

889. **Platanthera bifolia. Reich.** Встрѣчается во всей губ., но въ ю.-в. уѣздахъ значительно рѣже, чѣмъ въ сѣверныхъ. Въ сѣверныхъ уѣздахъ (Темн. и Спасск.) растетъ по лиственнымъ лѣсамъ, полянамъ и на открытыхъ мѣстахъ по кустарникамъ; въ южныхъ уѣздахъ только по тѣнистымъ лиственнымъ лѣсамъ. [44] и [32].

890. **P. chlorantha. Curt.** *Лип. у.* Романово-Таволжанская лѣсная дача! [13].

891. Peristylus viridis. Lindl. Coeloglossum viride. Hartm. *Елат. у.* с. Петаевъ, въ лѣсу (Wiaz. Verz. № 383!). Приводится кромѣ того Семеновымъ (Пр. фл. № 1196). [13].

892. Herminium Monorchis. R. Br. Козл. у. бл. города (Kosch. Fl. № 5171). Приводится также Семеновымъ (Пр. ф. № 1197). [13].

893. Epipogon Gmelini. Rich. *Спасск. у.* Въ небольшомъ сплошномъ еловомъ лѣсу по болотистому берегу р. Парцы бл. с. Зубова Поляна! 11 Іюля цв. [13].

894. Listera ovata. R. Br. *Елат. у.* въ лѣсу бл. г. Елатьмы (Орл.) и Балушевыхъ Починокъ! *Темник. у.* по сырымъ лѣсамъ нерѣдко! *Тамб. у.* въ лѣсу бл. с. Татарщины (Игнат.). *Усм. у.* лѣса бл. города! Указывается также Семеновымъ (Пр. ф. с. 137). [42] и [22].

895. Neottia Nidus avis. L. По тѣнистымъ лиственнымъ лѣсамъ во всей губ. нерѣдко! [43].

896. Epipactis palustris. Sw. *Лип. у.* Романово-Таволжанская дача; Двурѣченское болото! *Тамб. у.* с. Татарщины (Надежд.). Показывается также Семеновымъ (Пр. фл. № 1198). [23].

897. E. latifolia. Sw. var. α varians. Rchb. По свѣтлымъ лиственнымъ лѣсамъ во всей губ. нерѣдко. [42].

898. Cypripedium Calceolus. L. *Елат. у.* по лѣсистому нагорному берегу Оки повыше города! *Темник. у.* Торфяное болото бл. с. Аламасова (у Саровской пустыни)! *Козл. у.* лѣса бл. с. Хоботова (Kosch. Fl. № 520!). *Усм. у.* лѣса бл. города; въ густомъ влажномъ кустарникѣ. Указывается также Семеновымъ (Пр. ф. с. 137). [34].

Orchis odoratissima (Gymnadenia odoratissima Rich.), упоминаемая въ путешествіи Гюльденштедта (Reisen. I, p. 114), въ послѣднее время нигдѣ въ средней Россіи найдена не была. Кромѣ этого вида Гюльденштедтомъ приводятся еще слѣд.: Serapias Helleborine (Epipactis latifolia. Sw.) Ophrys Nidus (Neottia Nidus avis. L.). Ophrys bifolia (Listera ovata. R. Br.). Orchis latifolia. L. и O. conopsea (Gymnadenia conopsea. R. Br.).

LXXXIX. Irideae R. Br.

899. Iris sibirica. L. По сырымъ лугамъ, преимущественно въ долинахъ рѣкъ, въ сѣверной части губ. (Семен. Пр. ф. с. 138). *Темник. у.* (Mey. Fl. № 34) и на лугахъ по р. Мокшѣ бл. г.

Кадома! *Елат. у.* (Wiaz. Verz. № 385 и Орл.!). *Шацк. у.* с. Борки (герб. кн. Вяземск!). [33].

900. I. Pseud-Acorus. L. По берегамъ ручьевъ и болотъ во всей губ. очень обыкнов. [54].

901. I. furcata. M. B. По черноземнымъ или песчанистымъ степнымъ мѣстамъ, особенно между степными кустарниками, въ южныхъ уѣздахъ обыкновенно. *Кирс. у.* с. Поляковка (Апушк.) с. Уметъ! и др. м. *Тамб. у.* с. Эксталь (Игнат. Спис. № 387!) и др. м. *Козл. у.* (Kosch. Fl. № 522!) и др. м. *Южнѣе* указанныхъ мѣстъ вездѣ обыкновенно. [43]. *Сѣвернѣе*—найдено въ *Елат. у.* на известнякахъ бл. с. Темгенева!

Къ этому же виду относится и Iris germanica. L., указанное Мейеромъ (2 Nachtr. № 8 и герб!) для Борис. у.

902. I. pumila. L. *Борис. у.* на песчаныхъ степныхъ мѣстахъ бл. города! Указывается также П. Семеновымъ (Пр. ф. с. 137). [13].

903. Gladiolus imbricatus. L. По влажнымъ лугамъ и лощинамъ, весной заливаемымъ водою; во всей губ. нерѣдко, но разсѣянно. [43].

Къ этому же виду относимъ и G. communis. L., упоминаемый для нашей флоры г. Петунниковымъ (Verz. № 25!) и г. Игнатьевымъ (Спис. р. № 388!). Эти экземпляры отъ типическаго G. imbricatus. L. отличаются только болѣе крупными цвѣтами (до 4 сант. длин.).

XC. Smilacineae R. Br.

904. Paris quadrifolia. L. По тѣнистымъ лиственнымъ лѣсамъ на перегнойной почвѣ. Становится болѣе рѣдкимъ на ю.-в. губерніи. [53] и [32]. Нерѣдко встрѣчаются экземпляры съ 5 и даже съ 6 листьями.

905. Polygonatum officinale. All. По лѣсамъ, преимущественно на сухой, песчанистой почвѣ; вездѣ нерѣдко. [43].

906. P. multiflorum. All. По тѣнистымъ нагорнымъ лѣсамъ во всей губ. обыкновенно. [53].

907. Convallaria majalis. L. Самое обыкновенное растеніе въ тѣнистыхъ лѣсахъ во всей губ. [55].

908. Smilacina bifolia. Desf. Majanthemum bifolium. DC. По лѣсамъ преимущественно хвойнымъ или смѣшаннымъ. На юго-востокѣ губ. несомнѣнно становится рѣдкимъ и въ уѣздахъ Кирс. и Борис. не найдено. [55] и [34].

XCI. Liliaceae Endl.

909. Tulipa Biebersteiniana. Schult. *Тамб. у.* с. Волконщины (Вышесл.). *Кирс. у.* с. Троицкое (Б. Чичеринъ, въ журн. Садоводства. Москва 1858 г., Февр., с. 96), с. Пущино, на степныхъ песчаныхъ мѣстахъ по лѣвымъ берегамъ р. Вороны! *Борис. у.* лѣса за р. Вороной бл. города! [34].

910. Gagea lutea. Schult. По тѣнистымъ лѣсамъ, кустарникамъ и садамъ на перегнойной почвѣ во всей губ. нерѣдко. [55].

911. G. pusilla. Schult. По паровымъ полямъ, кустарникамъ и на степи. [35].

912. G. minima. Schult. По лѣсамъ и садамъ, на паровыхъ поляхъ во всей губ. обыкновенно. [55].

913. G. spathacea. Schult. Указывается П. Семеновымъ (Пр. ф. № 1235).

914. Fritillaria Meleagris. L. На лугахъ по р. Воронѣ въ *Кирс. у.* бл. с. Пущина! [14]. Отличаемъ этотъ видъ отъ слѣдующаго болѣе широкими (до 7 мм.) листьями, болѣе крупными (20—30 мм.) цвѣтами и долями рыльца длиною въ $^1/_3$ столбика.

915. F. minor. Ledeb. *Борис. у.* По сыроватому, солончаковому лугу по р. Савалѣ бл. с. Бурнакъ! [14].

916. F. ruthenica. Wickstr. По степнымъ опушкамъ лѣсовъ, между степными кустарниками на черноземной или песчаной почвѣ. *Козл. у.* с. Лозовка (Озноб.). *Тамб. у.* с. Эксталь (Игнат. Спис. № 398!), с. Волконщины (Выш.). *Кирс. у.* с. Пущино! *Борис. у.* с. Ольшанка (Mey 2 Nachtr. № 6 и герб!), бл. города! и др. м! *Лип. у.* бл. с. Казинка! Несомнѣнно къ этому же виду слѣдуетъ отнести и Fr. verticillata. L., указываемую для послѣдняго уѣзда П. Семеновымъ (Прид. фл № 1222 и стр. 19). [43].

917. Lilium Martagon. L. *Лип. у.* (Mey. 1 Nachtr. № 28); приводится также для нашей флоры П. Семеновымъ (Прид. фл. № 1223).

918. Muscari racemosum. Mill. Указано у П. Семенова (Прид. фл. № 1234).

919. M. pallens. Fisch. (Led. Fl. ross. IV, p. 155). M. leucophaeum. Stev. (Enum. pl. Taur. № 1417) secund. Цингеръ: Сборн. свѣд., с. 431 (teste. E. R. Trautvetter). Hyacinthus leucophaeus. Mey. 2 Nachtr. № 7 et herb.! Литвин. Очеркъ раст. форм., с. 252, non Steven. in Ledeb. IV, p. 156. H. Pallasianus. Gruner. Enum. pl. Catherinosl. № 459 et herb! *). Вѣроятно сюда же слѣдуетъ отнести H. pallens. M. a. Bieberst. (Fl. taur. cauc. I, p. 283 „frequens in campestribus gub. Tamboviensis ad. fl. Choper“) **) и Muscari pallens. Mill. (Семеновъ Прид. фл., стр. 19) ***). По черноземнымъ цѣлинамъ, выгонамъ и въ поляхъ въ ю.-в. части губ. *Кирс. у.* с. Ивановка! *Борис. у.* с. Ольшанка (Mey. l. c.). Бурнакъ! и др. м. *Тамб. у.* с. Эксталь (Игнат. Спис. раст. № 399!), с. Лаврово (Сорок.), с. Волконщины (Вышесл.). [45].

На твердой степи растеніе бываетъ ниже ростомъ (около 10 сант.) и имѣетъ болѣе мелкіе (4 мм.) цвѣты, но на вспаханной почвѣ полей, гдѣ это степное растеніе сохраняется благодаря луковицамъ, глубоко сидящимъ въ землѣ, нерѣдко встрѣчаются экземпляры до 20 сант. высоты съ цвѣтами въ 7 мм. длины и съ соотвѣтственно болѣе широкими листьями. Попадаются также экземпляры съ цвѣтоножками нѣсколько болѣе длинными чѣмъ цвѣтокъ.

Кромѣ этихъ двухъ видовъ Muscari, П. Семеновымъ (Прид. фл., стр. 14) указано для «Воронежск. и Тамб. губ. подъ 51° широты» еще Muscari botryoides. Mill., но Тамб. губ. до 51° не доходитъ и, притомъ, въ общемъ спискѣ на стр. 140 этотъ видъ упоминается только для Земли Войска Донскаго, почему мы и не вносимъ его въ нашъ списокъ.

920. Scilla cernua. Red. Sc. amoenula. Horn., Sc. sibirica Andr. По лиственнымъ лѣсамъ на перегнойной почвѣ, по садамъ и паркамъ. *Тамб. у.* с. Лаврово, въ саду (Сорок.) с. Волконщины (Выш.). *Козл. у.* с. Лозовка, въ лѣсу (Озноб.). *Лип. у.* «на лугахъ» (П. Семеновъ) и въ лѣсу бл. с. Казинки! *Кирс. у.* (Petunn. Verz. № 36!). *Борис. у.* с. Ольшанка, въ лѣсу (Mey. 2 Nachtr., p. 119 и герб!); бл. г. Борисоглѣбска въ лѣсу (Котсъ) и въ луговомъ лѣсу по р. Савалѣ бл. с. Бурнака! Показывается также Вейнманомъ (Obs. № 53 „inter. frutices“) и Семеновымъ (Прид. фл., № 1228). [44].

---

*) Эземпляръ этого растенія изъ гербарія Л. Н. Грунера, принадлежащаго Московскому Университету, я имѣю для сравненія благодаря любезности проф. И. Н. Горожанкина; оно оказалось совершенно тождественнымъ съ нашимъ.

**) Впрочемъ, это наблюденіе м. б. относится къ Новохоперскому уѣзду (Воронежской губ.), принадлежавшему въ концѣ прошлаго вѣка къ Тамб. губ.

***) На страницѣ 19 „Придонской флоры“ П. Семенова, это растеніе указано для Тамб. губ., но въ Общемъ спискѣ (стр. 140), вѣроятно по ошибкѣ, напечатано „Тульск. губ. южн. часть“, гдѣ оно до сей поры нигдѣ не было находимо.

921. **Allium rotundum. L.** Въ поляхъ между хлѣбами. Въ сѣверныхъ уѣздахъ изрѣдка. *Елат. у.* (Wiaz. Verz. № 396! и Орл.). *Темн. у.* с. Котельни! [23]; *южнѣе* вездѣ обыкновенно. [54].

922. **A. spaerocephalum. L.** Показывается П. Семеновымъ (Нр. ф. № 1232) и въ послѣднее время найдено: *Лип. у.* на каменистыхъ мѣстахъ бл. с. Крутаго! и въ *Борис. у.* на песчаныхъ буграхъ бл. города! [23].

923. **A. Schoenoprasum. L.** Въ сѣверной части губ. показывается П. Семеновымъ (Нр. ф. № 1236).

924. **A. oleraceum. L.** По обрывистымъ склонамъ овраговъ, на песчаной или каменистой почвѣ во всей губ. нерѣдко, но разсѣянно. [33].

925. **A. paniculatum.** L. По ковыльнымъ степнымъ мѣстамъ въ ю.-в. части губ. *Тамб. у.* с. Волконщины (Выш.) *Кирс. у.* с. Пущино! с. Ивановка! *Борис. у.* вездѣ нерѣдко! Цвѣты обыкновенно свѣтло-розовые, рѣдко бѣлые *), но на солончакахъ въ Борис. у. бл. с. Алабушка! и с. Шибряй! мы встрѣтили въ большомъ количествѣ форму съ густой кармино-красной окраской околоцвѣтника (сравн. Литв. Очеркъ раст. форм., с. 270). [43 и 45].

926. **A. angulosum.** L. По поемнымъ лугамъ, преимущественно на песчаной почвѣ, во всей губ. обыкновенно. [44].

927. **A. albidum. Fisch.** По ковыльнымъ цѣлинамъ въ южной части губ. *Кирс. у.* с. Пущино! *Борис. у.* нерѣдко! *Усм. у.* (П. П. Семеновъ in sched. s. n. A. ochroleucum. W. K.). Несомнѣнно сюда же относится и A. flavum. L., упоминаемый П. Семеновымъ (Пр. ф. № 1230) для Тамб. губ. [34].

928. **Anthericum Liliago. L.** Указывается П. Семеновымъ (Нрид. фл. № 1224).

929. **A. ramosum. L.** *Елат. у.* известняки по р. Цнѣ бл. с. Темгенева! *Шацк. у.* (Mey. 1 Nachtr. № 31) и на пескахъ въ лѣсу бл. с. Боголюбовки! *Лебед. у.* с. Попово (Варг. Кожевн.). *Лип. у.* Романово-Таволжанская каз. лѣсная дача, на песчаной почвѣ нерѣдко! [33].

930. **Asparagus officinalis. L.** Во всей губ. по заливнымъ лугамъ на песчаной почвѣ обыкновенно; растетъ, кромѣ того на камени-

---

*) Любопытно, что экземпляры съ совершенно бѣлыми цвѣтами послѣ сушки, положенные въ гербаріѣ, приняли розовый цвѣтъ.

стыхъ мѣстахъ, а въ южныхъ уѣздахъ также на черноземныхъ степныхъ мѣстахъ въ сообществѣ съ степными формами. [53].

XCII. Melanthaceae. R. Br.

931. Bulbocodium ruthenicum. Bunge. *Борис. у.* (Mey. 2 Nach. № 4 и герб.!). Растеніе, по сообщенію Л. А. Воейкова, было найдено на сырой солончаковой низинѣ въ степи бл. с. Морозовки. *Тамб. у.* с. Эксталь, по склону оврага (Игнат. Спис. р. № 403!) [25]. Вѣроятно, найдется во многихъ другихъ мѣстахъ южной части губ. Цвѣтетъ въ концѣ Марта и нач. Апрѣля.

932. Veratrum nigrum. L. *Лебед. у.* (Варг.). *Тамб. у.* с. Лаврово (Сорок.), с. Экcталь въ лѣсу (Игнат. Спис. р. № 404 и герб.!). Указывается также П. Семеновымъ (Пр. фл. № 1255).

933. V. album. L. v. Lobelianum. Bernh. На лугахъ во всей губ., въ юговосточныхъ частяхъ губ. становится замѣтно болѣе рѣдкимъ. [44].

XCIII. Junceae. DC.

934. Lusula pilosa. Willd. По лѣсамъ на перегнойной почвѣ. *Елат. у.* с. Степановка! *Спасск. у.* Зубова Поляна! *Шацк. у.* с. Надеждино! *Козл. у.* с. Хоботово (Kosch. Fl. № 546!). Указывается также Н. Семеновымъ (Прид. фл., стр. 141). [33].

935. L. campestris. DC. var. α и β multiflora. Lej. (sp.). По лѣсамъ и кустарникамъ во всей губ. очень нерѣдко. Типическая форма (α) мнѣ неизвѣстна и приводится только Н. Семеновымъ (Пр. ф., № 1262). [54).

936. Juncus effusus. L. По сырымъ лугамъ, берегамъ ручьевъ, болотъ и проч. во всей губ. обыкновенно. [43].

937. J. conglomeratus. L. По болотистымъ мѣстамъ. *Шацк. у.* с. Боголюбовка! *Усм. у.* бл. города! [23].

938. J. glaucus. Ehrh. *Усм. у.* бл. города на сыромъ глинистомъ мѣстѣ! [14].

939. J. filiformis. L. *Елат. у.* бл. города (Орл.). *Спасск. у.* по болоту бл. с. Зубова Поляна! Въ южныхъ уѣздахъ до сихъ поръ нигдѣ не найдено; Н. Семеновымъ (Прид. фл. № 1264) указывается тоже для сѣверныхъ уѣздовъ. [23].

940. J. articulatus. L. J. lamprocarpus. Ehrh. По берегамъ рѣкъ, болотъ и на влажныхъ лугахъ во всей губ. обыкновенно. [54].

941. I. atratus. Krock. По сырымъ мѣстамъ на заливныхъ лугахъ и на степныхъ болотцахъ (см. Литв. Очеркъ раст. форм., с. 268 и 283) встрѣчается повидимому во всей губ., но преимущественно въ южныхъ уѣздахъ. *Темн. у.* луга по р. Мокшѣ бл. г. Кадома! *Тамб. у.* с. Разсказово (Кожевн.) с. Ивановка (Сорок.). *Кирс. у.* по лугамъ и окраинамъ болотъ лѣвыхъ береговъ р. Вороны, нерѣдко! *Борис. у.* с. Ольшанка (Mey. 2 Nachtr. № 3!) с. Шибряй! с. Алабушка! и др. м. *Козл. у.* (Петунн.) [13] и [35].

942. I. sylvaticus. Reich. По сырымъ лугамъ *Козл. у.* бл. города (Кожевн.). *Тамб. у.* с. Разсказово (Кожевн.), с. Лаврово (Сорок.). Указывается также Н. Семеновымъ (Пр. фл. № 1260). [33].

943. I. compressus. Jacq. Луга, берега ручьевъ, болотъ во всей губ. обыкновенно. [53].

944. I. bufonius. L. По сырымъ мѣстамъ во всей губ. обыкновеннѣйшее растеніе. [55].

XCIV. Cyperaceae DC.

945. Cyperus flavescens. L. *Козл. у.* с. Смородиновка (Petunn. Verz. et herb. s. n. Cyperus fuscus. L.). *Лип. у.* Двурѣченское торфяное болото! *Кирс. у.* торфянистыя болота между песчаными буграми по лѣвому берегу р. Вороны бл. Мосоловки! [24].

946. C. fuscus. L. var. α и β virescens. Bess. На сырой песчанистой или илистой почвѣ по берегамъ рѣкъ Вороны и Савалы въ *Кирс.* и *Борис. уу.* Найдено также въ *Лебед. у.* (Н. Н. Семеновъ въ герб. Спб. Унив.) и указывается П. Семеновымъ (Пр. фл. № 1267). Вѣроятно найдется по берегамъ всѣхъ наиболѣе значительныхъ рѣкъ въ губерніи. [33].

947. Eleocharis acicularis. R. Br. Scirpus acicularis. L. По илистымъ берегамъ водъ во всей губ. обыкнов. [45].

948. E. palustris. R. Br. Scirpus palustris. L. Вмѣстѣ съ предыд. вездѣ обыкнов. [55].

949. E. ovata. R. Br. Sc. ovatus. Roth. *Елат. у.* с. Каргашино (?) (Т. Гендрихъ). *Лип. у.* Романово-Таволж. дача. Двурѣченское торф. болото! П. Семеновымъ (Пр. ф. № 1287) показывается для сѣверной части губ. [24].

950. Scirpus Tabernaemontani. Gmel. Луговыя болота по сосѣдству съ солончаками. *Кирс. у.* с. Пущино! *Тамб. у.* с. Лаврово (Сорок.). *Борис. у.* с. Бурнакъ! [25].

951. S. lacustris. L. По берегамъ рѣкъ, озеръ и болотъ во всей губ. очень обыкнов. [55].

952. S. maritimus. L. var. α typicus. По берегамъ рѣкъ въ водѣ *Елат. у.* берега Оки (Орл.). *Тамб. у.* бл. города (Батал.). *Кирс.* и *Борис. уу.* по р. Воронѣ мѣстами часто! [34].

Var. β compactus. Отличается отъ предыд. разновидности болѣе низкимъ стеблемъ (0,2—0,5 метр.), листьями короче стебля, колосками скученными, сидячими, съ 2—3-листной оберткой, при чемъ одинъ листъ обертки длиннѣе остальныхъ и прямостоячій и, наконецъ, плодниками съ двухраздѣльнымъ рыльцемъ. Отъ S. compactus Kroeker (Fl. Silesiaca Suppl. partis 1 и 2, p. 88) отличается присутствіемъ клубненосныхъ побѣговъ, какъ у типической формы, двураздѣльнымъ рыльцемъ и среднимъ зубчикомъ у прицвѣтниковъ шиловидно заостреннымъ. Я принималъ прежде эту форму за особый видъ S. Koshewnikovii, о чемъ упоминаетъ проф. В. Я. Цингеръ (см. Спис. раст. собранныхъ А. Котсомъ бл. ст. Урюпинской подъ № 422), но впослѣдствіи, въ Области Донскихъ казаковъ, найдены мною формы переходныя къ типической. Растетъ по сырымъ лугамъ и степнымъ балкамъ у ручьевъ, на мѣстахъ только весной заливаемыхъ водой, но не на степи, какъ ошибочно указано В. Я. Цингеромъ (l. c.). Эта разновидность вообще болѣе распространена, чѣмъ типическая форма. *Кирс. у.* бл. города! с. Вердеревщина (Кож.), с. Пущино! и др. м. *Борис. у.* с. Крапоткино! с. Бурнакъ! и др. м. нерѣдко. [44].

953. S. sylvaticus. L. По болотамъ, берегамъ рѣкъ и ручьевъ во всей губ. обыкнов. [54].

954. S. radicans. Schkuhr. По торфянымъ болотамъ. *Темн. у.* Пуштинская станц! *Тамб. у.* въ лѣсу бл. города! с. Разсказово (Кожевн.). *Лип. у.* Двурѣченское болото! [24].

955. Eriophorum vaginatum. L. По торфянымъ болотамъ. *Елат. у.* с. Цернёво (кн. Вяземск.) и въ бору бл. города! *Темник. у.* с. Черные! и др. м. *Спасск. у.* с. Зубова Поляна! и др. м. *Тамб. у.* въ лѣсу бл. города! *Лип. у.* с. Козинка! (Боръ). Указывается также П. Семеновымъ (Нр. ф., № 1290). [35].

956. E. latifolium. Hoppe. По торфянымъ болотамъ и торфянистымъ лугамъ, рѣже слѣд. вида. [45].

957. E. angustifolium. Roth. Торфяныя болота; во всей губ. [55]

958. E. gracile. Koch. *Спасск. у.* торфяныя болота въ бору бл. с. Зубова Поляна! [14].

959. Blysmus compressus. Panzer. *Елат. у.* торфяное болото въ бору бл. г. Елатьмы (Орл.) *Усм. у.* на влажной глинистой почвѣ по дну желѣзнодорожной выборки бл. города! [24].

960. Carex dioica. L. *Лип. у.* Двурѣченское торфяное болото! [15].

961. C. chordorrhiza. L. По мшистымъ торфянымъ болотамъ. *Шацк. у.* с. Черняево! *Лип. у.* Двурѣченское болото! [25].

962. C. stenophylla. Wahlb. *Усм. у.* На солончакахъ бл. с. Добринки! [14].

963. C. intermedia. Good. C. disticha. Huds. *Тамб. у.* въ болотѣ бл. с. Ивановки (Сорок.). *Борис. у.* въ луговомъ болотѣ по р. Савалѣ бл. с. Бурнакъ! *Усм. у.* степныя болота бл. с. Добринки! [34].

964. C. divisa. Led. Fl. ross. IV, p. 272 (teste C. F. Meinshausen). C. ligerica Цинг. Сборн. свѣд., с. 451. C. arenaria. Литв. Очеркъ раст. форм. с. 264. *Кирс.* и *Борис. уу.* по песчанымъ буграмъ лѣвыхъ береговъ р. Вороны и Савалы! Для *Елат. у.* упоминяется В. Я. Цингеромъ (l. c.) [34].

965. C. vulpina. L. var. α и β nemorosa. Willd. Болотистые луга вездѣ обыкновенно. [53].

966. C. muricata. L. По сухимъ кустарникамъ, лугамъ, лѣсамъ вездѣ обыкнов. [54].

967. C. teretiuscula. Good. По торфянымъ болотамъ. *Тамб. у.* с. Полковое (Сорок.). *Лип. у.* Двурѣченское торф. болото! *Усм. у.* торфянистыя болота на степи бл. с. Добринки! Для *сѣверной* части губ. показывается Н. Семеновымъ (Прид. фл. № 1296). [35].

968. C. paradoxa. Willd. По торфянымъ болотамъ. *Темник.* и *Спасск. уу.* нерѣдко! *Тамб. у.* въ лѣсу бл. города! и с. Полковое (Сорок.). *Кирс. у.* с. Можаровка! *Козл. у.* (Петунн.). *Лип. у.* Двурѣченское болото! Упоминается также П. Семеновымъ (Нрид. фл., стр. 142). [34].

969. C. paniculata. L. Упоминается Н. Семеновымъ (Прид. фл. с. 142). Растенія изъ Тамб. губ., которыя я прежде относилъ къ этому виду (см. Литв. Очеркъ раст. форм. с. 282, а также Цинг. Сборн. свѣд. с. 453) слѣдуетъ причислить, по волокнистому при основаніи стеблю, къ предыд. виду. Впрочемъ, нѣкоторые неполно собранные экземпляры не могутъ быть въ точности опредѣлены.

970. C. elongata. L. По болотистымъ лугамъ, лѣсамъ и у родниковъ во всей губ. обыкнов. [53].

971. C. leporina. L. По сыроватымъ лугамъ и окраинамъ болотъ во всей губ. обыкнов. [53].

972. C. canescens. L. По торфянистымъ лугамъ и торфянистымъ болотамъ. *Темн.* и *Спасск. уу.* нерѣдко! *Шацк. у.* с. Черняево! *Тамб. у.* с. Липовицы (Сорок.) и бл. города! *Козл. у.* с. Хоботово (Kosch. Fl. № 556!) *Лип. у.* с. Горицы (Кожевн.). [34].

973. C. loliacea. Wahlb. По окраинамъ торфяныхъ болотъ. *Темник. у.* Саровская пустынь! с. Аламасово! *Спасск. у.* въ болотистомъ еловомъ лѣсу бл. с. Зубова Поляна! [34].

974. C. stellulata. Good. *Тамб. у.* с. Разсказово въ торфяномъ болотѣ (Кожевн.). Для *сѣверной* части губ. показывается П. Семеновымъ (Пр. ф., стр. 142). [13].

975. C. Schreberi. Schrk. C. praecox. Schreb. По сухимъ открытымъ склонамъ, преимущественно на песчанистой почвѣ, во всей губ. очень распространенное растеніе. [55].

976. C. Buxbaumi. Wahlb. Для *сѣверной* части губ. показывается П. Семеновымъ (Пр. ф., № 1312); въ послѣднее время найдена въ *Тамб. у.* бл. города: торфяное болото при въѣздѣ въ лѣсъ по Кирсановской дорогѣ! [12].

977. C. digitata. L. По тѣнистымъ лѣсамъ на перегнойной почвѣ преимущественно въ сѣверныхъ уѣздахъ. [44] и [33].

978. C. pediformis. C. A. Mey. Вмѣстѣ съ предыд., но рѣже. *Темн. у.* бл. г. Кадома! *Козл. у.* с. Хоботово (Kosch. Fl. № 559!). *Борис. у.* лѣса бл. города (Котсъ). [33].

979. C. pilosa. Scop. По сухимъ лиственнымъ лѣсамъ на перегнойной почвѣ вездѣ въ губ., но на югѣ рѣже чѣмъ на сѣверѣ. [54] и [33].

980. C. panicea. L. По окраинамъ торфяныхъ болотъ. *Темн. у.* ст. Озерская! *Тамб. у.* въ лѣсу бл. города! Указывается также П. Семеновымъ (Пр. ф. № 1276). [23].

981. C. Michelii. Host. *Лип. у.* Романово-Таволжанская каз. дача, въ лѣсу бл. с. Казинки! *Борис. у.* лѣса за р. Вороной бл. города! *Кирс. у.* с. Пущино! Растетъ въ тѣнистыхъ лиственныхъ лѣсахъ или подъ кустарниками. [34]. Зацвѣтаетъ въ серед. Апр.

982. C. diluta. M. B. *Тамб. у.* с. Полковое (Сорок.). *Борис. у.* с. Терново (г. Квашнинъ-Самаринъ) и на сыромъ солончаковомъ лугу по р. Савалѣ бл. с. Савольскаго! *Усм. у.* бл. города, на солончаковыхъ мѣстахъ! [35].

983. C. flava. L. Для сѣверной части губ. указывается Н. Семеновымъ (Нр. ф., 1310).

984. C. praecox. Jacq. *Елат. у.* с. Темгенево, на известнякахъ! *Кирс. у.* с. Пущино, на степныхъ мѣстахъ! *Борис. у.* бл. города! *Лип. у.* бл. с. Казинки по степной опушкѣ лѣса! [34].

985. C. longifolia. Host. C. polyrhiza. Wallr. *Лип. у.* Романово-Таволжанская каз. дача, въ лѣсу бл. ст. Казинки! Эта форма, представляющая по всей вѣроятности только разновидность предыдущаго вида, упоминается также для нашей флоры П. Семеновымъ (Пр. ф. № 1305). [13].

986. C. montana. Wahlb. По сухимъ лиственнымъ лѣсамъ на перегнойной почвѣ. *Елат. у.* бл. с. Темгенева (на известнякахъ!). *Морш. у.* бл. с. Козмодемьянскаго! *Южнѣе* становится довольно обыкновенной не исключая самыхъ юго-восточныхъ мѣстностей (окрестн. г. Борисоглѣбска!). [24] и [44].

987. C. ericetorum. Poll. Въ сосновыхъ лѣсахъ на песчаной почвѣ. *Темн. у.* Саровская пустынь! *Спасск. у.* с. Богородицкое (на р. Вышѣ)! *Шацк. у.* с. Черняево! *Лип. у.* Романово-Таволжанская каз. лѣсная дача! Указывается также Н. Семеновымъ (Пр. фл., стр. 143). [34].

988. C. tomentosa. L. Н. Семеновъ (Пр. ф., № 1283).

989. C. globularis. L. По торфянымъ болотамъ въ лѣсныхъ частяхъ *Елатомск.*, *Темн.* и *Спасск. уу.* обыкновенно! [45].

990. C. supina. Wahlb. *Шацк. у.* (Mey. 1 Nachtr. № 24) вѣроятно на известнякахъ. *Тамб. у.* с. Ивановка «на черноземной степи» (Сорок.). *Борис. у.* между степными кустарниками у с. Кожухова (бл. города!) и с. Бурнакъ! *Лип. у.* на известнякахъ по р. Матырѣ бл. Грязей! *Усм. у.* на сухомъ солончакѣ бл. с. Добринки! [34].

991. C. pallescens. L. var. α и β undulata. Kunz. По лугамъ, кустарникамъ и лѣсамъ во всей губ. очень обыкнов. [53].

992. C. limosa. L. Но ммистымъ торфянымъ болотамъ. *Темн. у.* ст. Озерская! *Спасск. у.* с. Зубова Поляна! *Шацк. у.* с. Черняево! *Тамб. у.* с. Ивановка (Сорок.). *Лип. у.* Двурѣченское болото! [35].

993. C. Pseudocyperus. L. По торфянымъ и луговымъ илистымъ болотамъ во всей губ. обыкновенно. [53].

994. C. caespitosa. L. Вмѣстѣ съ предыд. видомъ вездѣ въ губ. очень обыкновенно. [55].

995. C. vulgaris. Fr. var. α и β juncella. Fr. По болотамъ и торфянистымъ лугамъ вездѣ нерѣдко. [55].

996. C. stricta. Good. Торфяныя ботота. *Елат. у.* бл. города (Орл.). *Темн. у.* ст. Озерская. *Тамб. у.* сс. Ивановка и Полковое (Сорок.). *Лип. у.* Двурѣченское болото! [34].

997. C. acuta. L. По берегамъ рѣкъ, озеръ и болотъ во всей губ. очень обыкновенно. [55].

998. C. riparia. Curt. *Темник. у.* бл. Саровской пустыни по берегу рѣчки у мельницы! *Тамб. у.* с. Татарщины (Надежд.), бл. города! и др. м. нерѣдко. *Козл. у.* (Петунн.). *Кирс.* и *Борис. уу.* по берегамъ рр. Вороны и Савалы обыкновенно! *Усм. у.* бл. города! Вѣроятно найдется и вездѣ въ губ., но въ сѣверныхъ уѣздахъ несомнѣнно рѣже, чѣмъ въ южныхъ. [34] и [45].

999. C. paludosa. Good. *Елат. у.* (Wiaz. Verz. № 408!). *Борис. у.* бл. города (var. α и β Kochiana. DC. (sp.)! Указывается также П. Семеновымъ (Пр. ф., стр. 142). Растетъ вмѣстѣ съ предыд. видомъ и едва ли можетъ быть строго отдѣлена отъ него. [24].

1000. C. nutans. Host. По окраинамъ болотъ и на сырыхъ низинахъ въ степи, весной залитыхъ водою, на мѣстахъ солончаковаго характера. *Кирс. у.* с. Пущино! *Тамб у.* с. Михайловка (Сорок.). *Борис. у.* бл. г. Борисоглѣбска! и на степныхъ болотахъ бл. с. Шибряй и с. Алабушки! [35].

1001. C. orthostachys. C. A. Mey. По берегамъ болотъ. *Тамб. у.* въ лѣсу за р. Цной бл. города! *Усм. у.* степныя болота бл. с. Добринки! *Борис. у.* луговыя болота бл. города! [34].

1002. C. vesicaria. L. По болотамъ и берегамъ ручьевъ во всей губ. нерѣдко, но въ ю.-в. уѣздахъ замѣтно рѣже. Въ южныхъ уѣздахъ (Лип. и Усм.) нерѣдко встрѣчается форма съ укороченными прямостоящими женскими колосками, которая есть можетъ-быть var. γ. Led. IV, p. 319. [53] и [33].

1003. C. ampullacea, Good. Вмѣстѣ съ предыд. видомъ вездѣ нерѣдко. [54).

1004. C. hirta. L. По берегамъ рѣкъ и ручьевъ, обыкновенно въ ивнякахъ на песчаной почвѣ. Въ ю.-в. уѣздахъ повидимому становится болѣе рѣдкой. [43].

1005. C. filiformis. L. По торфянымъ болотамъ. *Темн.* и *Спасскаго уу.* нерѣдко! *Шацк. у.* с. Черняево! *Тамб. у.* с. Полковое (Сорок.). *Лип. у.* Двурѣченское болото! [45] и [35].

XCV. Gramineae Juss.

1006. Nardus stricta. L. По сырымъ болотистымъ низинамъ на торфяной почвѣ въ сѣверной части губ. *Темник. у.* вездѣ въ лѣсныхъ частяхъ уѣзда нерѣдко! *Спасск. у.* с. Зубова Поляна! [45].

1007. Elymus sabulosus. M. B. E. giganteus. Литв. Очеркъ раст. форм., стр. 264. *Борис. у.* песчаныя дюны лѣвыхъ береговъ р. Савалы бл. ст. Окры! [15].

1008. Triticum cristatum. Schreb. incl. T. pectinatum M. B. et. T. imbricatum. M. B. По черноземнымъ степнымъ мѣстамъ вмѣстѣ съ ковылями. *Кирс. у.* (ю. ч.) с. Пущино! *Тамб. у.* (ю. ч.) с. Коріана (Сор.). *Лип. у.* (П. Семен. Пр. ф., стр. 146) ст. Грязи! и др. м. Южнѣе, въ уѣздахъ *Борис.*! и *Усм.*! вездѣ очень обыкновенно. Преимущественно распространена форма съ шершавыми или волосистыми колосками: var. hirsutum Lindem. (Bull. Mosc. 1867, IV, p. 346). [55].

1009. T. caninum. Schreb. По тѣнистымъ лиственнымъ сухимъ лѣсамъ на перегнойной почвѣ вездѣ въ губ. [43].

1010. T. repens. L. По залежамъ, лугамъ, посѣвамъ во всей губ. очень обыкновенно. [53] и [55].

1011. T. rigidum. Schrad. var. α ruthenicum. Griseb. и β repens: rhizomate repente, spiculis pubescenti-subtomentosis, glumis apice truncato-rotundatis, 5 nerviis. Колосковыя пленки у нашего растенія, никогда не имѣютъ болѣе 7 нервовъ. Послѣдняя форма (β) пушистыми колосками приближается къ var. tomentosum. E. Regel (Act. Hort. Petrop. VII, p. 592), а по ползучему корневищу должна бы быть отнесена къ Tr. junceum. L. (Cfr. E. Regel l. c. in adnot.), но мы не отдѣляемъ ея отъ T. rigidum, такъ какъ этотъ признакъ, по свидѣтельству Р. Э. Траутфетера (см. Act. hort. Petrop. IV, p. 189) и нашимъ наблюденіямъ, не имѣетъ постоянства. *Шацк. у.* на известнякахъ бл. с. Конобѣева! *Лебед. у.* известняки по р. Красивой Мечѣ бл. с. Курапова (Цингеръ). *Кирс. у.* на лугахъ по солончаковымъ мѣстамъ бл. города. Вездѣ *южнѣе* указанныхъ мѣстъ растеніе очень обыкновенно по твердымъ черноземнымъ степямъ, каменистымъ склонамъ и особенно на солончакахъ. Форма β найдена въ *Кирс. у.* въ зарослях степныхъ кустарниковъ бл. с. Ивановки! [44].

1012. T. junceum. L. Упоминается П. Семеновымъ (Прид. фл., стр. 148).

1013. **Lolium perenne. L.** Упоминается П. Семеновымъ (стр. 146).

1014. Brachypodium pinnatum. P. B. По опушкамъ лѣсовъ и сухимъ кустарникамъ во всей губ. нерѣдко, но разсѣянно. [43].

1015. B. sylvaticum. P. B. По тѣнистымъ лиственнымъ лѣсамъ. До сихъ поръ найдено только въ южныхъ уѣздахъ: *Кирс.* и *Борис. уу.* лѣса нагорныхъ береговъ р. Вороны нерѣдко! *Усм у.* бл. города! [33].

1016. Cynosurus cristatus. L. *Тамб. у.* с. Экcталь (Игнат. Спис. раст. № 419 и герб!). [13].

1017. Festuca ovina. L. var. α **vulgaris. Koch.** β **violacea. Koch.** γ duriuscula. Koch. δ glauca **Koch.** Во всей губ. обыкновенное растеніе. Въ сѣверныхъ нечерноземныхъ частяхъ губ. встрѣчается преимущественно на песчаной или каменистой почвѣ, на югѣ—самое обыкновенное растеніе на черноземныхъ степяхъ. [34] и [55].

1018. F. rubra. L. var. α villosa. **Koch** и β arenaria. Osbeck. По залежамъ, кустарникамъ, опушкамъ лѣсовъ и по лугамъ во всей губ. обыкнов. Var. β найдена въ Козл. у. бл. с. Гремушки (Kosch. Fl. № 600!) и въ Тамб. у. бл. города (Игнат.). [55].

1019. F. elatior. L. Луга, сады, лѣсныя поляны, кустарники, рѣже на степи, во всей губ. обыкнов. [54].

1020. F. gigantea. Vill. По тѣнистымъ лѣсамъ во всей губ. нерѣдко. [43].

1021. Bromus asper. Murr. Указывается П. Семеновымъ (Пр. фл., стр. 146). Растеніе, которое мы прежде называли этимъ именемъ (см. Литв. Очерк. растит. форм. стр. 275), есть Bromus erectus. Huds. var. β *).

1022. B. erectus. Huds. var. α typica и β serotina: panicula depauperata, ramis imis saepe 1—2. Встрѣчаются экземпляры послѣдней разновидности съ влагалищами нижнихъ листьевъ густо-шероховато-волосистыми, какъ у Br. asper. Murr., отъ котораго эта форма отличается однако прямостоящимъ стеблемъ, узкими нижними листьями и нижними цвѣточными пленками ланцетовидными. По кустарникамъ, опушкамъ лѣсовъ, межамъ и на черноземныхъ цѣлинахъ обыкновенно въ степной части губ. Наиболѣе сѣверныя изъ извѣстныхъ мѣстонахожденій: *Козл. у.* (Petunn. Verz. № 14!

---

*) Къ этой же формѣ слѣдуетъ отнести и растеніе изъ Петровскаго у. Саратовской губ.; см. Цингеръ. Сборн. свѣд. № 1618.

Kosch. Fl. № 606! и др.). *Тамб. у.* бл. города! *Кирс. у.* с. Лоскъ (Лукьян.) и др. м.! *Южные* вездѣ очень обыкнов. Разновидность β появляется въ большомъ количествѣ въ концѣ Іюля на скошенныхъ мѣстахъ. [54].

1023. B. inermis. Leyss. var. α typica и β aristata. Луга, кустарники и поля во всей губ. очень обыкнов. [55].

1024. B. tectorum. L. По желѣзнодорожнымъ насыпямъ и резервамъ въ *Лип. у.* бл. ст. Грязи! и въ *Усм. у.* бл. города! Можетъ-быть растеніе занесено въ недавнее время. [14].

1025 B. mollis. L. *Лип. у.* на сорныхъ мѣстахъ бл. с. Крутаго! Указывается также П. Семеновымъ (Пр. фл. № 1369). [23].

1026. B. arvensis. L. По межамъ, пашнямъ и вдоль дорогъ во всей губ. нерѣдко. [55].

1027. B. Squarrosus. L. *Борис. у.* на песчаныхъ степныхъ мѣстахъ бл. города! *Лип.* и *Усм. уу.* по желѣзнодорожной насыпи бл. ст. Грязи! и г. Усмани! въ двухъ послѣднихъ мѣстахъ м. б. занесено. [23].

1028. B. secalinus. L. По межамъ, пашнямъ и въ хлѣбахъ во всей губ. довольно разсѣянно. Кромѣ типической, встрѣчаются формы съ отогнутыми остями (var. divergens. Rchb.) и вовсе безъ остей. [43].

1029. B. patulus. M. K. По безплоднымъ обрывамъ, дорогамъ и склонамъ степныхъ балокъ вмѣстѣ съ ковылями. *Кирс. у.* с. Калаисъ! с. Пущино! и др. м. *Борис. у.* вездѣ нерѣдко! [45].

1030. Briza media. L. По лѣсамъ, лугамъ и кустарникамъ обыкновенное растеніе вездѣ въ губ. [53].

1031. Dactylis glomerata. L. Вмѣстѣ съ предыд. вездѣ самое обыкнов. растеніе. [54].

1032. Poa bulbosa. L. var. α и β vivipara. *Шацк. у.* (Mey. 1 Nachtr. p. 10. var. α). *Тамб. у.* бл. города! и с. Полковаго (Сорок.). *Кирс. у.* с. Пущино! *Лип. у.* бл. ст. Грязи! *Борис. у.* вездѣ очень обыкновенно! Растетъ по выгонамъ, черноземнымъ ковыльнымъ мѣстамъ, а также на песчаныхъ степныхъ мѣстахъ (бл. г. Борисоглѣбска!). [55].

1033. P. compressa. L. var. α и β Langeana. Rchb. По лугамъ во всей губ. нерѣдко. [44].

1034. P. nemoralis. L. var. α vulgaris. Koch. и β firmula. Koch. По тѣнистымъ лѣсамъ во всей губ. очень обыкновенно. [54].

1035. P. fertilis. Host. По сырымъ лѣсамъ и болотистымъ лугамъ во всей губ. нерѣдко. Въ сѣверныхъ уѣздахъ чаще, чѣмъ въ южныхъ. [44].

1036. P. annua. L. По влажнымъ сорнымъ мѣстамъ, огородамъ, и на лугахъ вездѣ нерѣдко, но въ сѣверныхъ уѣздахъ чаще, чѣмъ въ южныхъ. [44].

1037. P. pratensis. L. var. angustifolia. Rchb. По лугамъ, лѣснымъ полянамъ, рѣже на степи, вездѣ нерѣдко. [54].

1038. P. trivialis. L. По сырымъ лугамъ, болотамъ; въ сѣверныхъ уѣздахъ нерѣдко [54], на югѣ довольно разсѣянно. [34].

1039. P. sudetica. Haenk. var. remota. Fr. *Темн. у.* по окраинѣ торфянаго болота по дорогѣ изъ Саровской пустыни въ с. Аламасово бл. границы Нижегородской губ! *Шацк. у.* с. Надеждино, въ лѣсу у желѣзистаго ручья! и на такомъ же мѣстѣ въ *Усм. у.* бл. города! [34].

1040. Eragrostis poacoides. P. B. *Борис. у.* на бугристыхъ пескахъ бл. города! [14].

1041. E. megastachya. Lk. Указывается П. Семеновымъ (Пр. фл. с. 15) для *Лип. у.*

1042. E. pilosa. P. B. *Кирс. у.* на пескахъ въ заливной части долины р. Вороны бл. с. Хорошавки! [14].

1043. Catabrosa aquatica. P. B. Луговыя болота, берега рѣкъ во всей губ. очень обыкновенно. [54].

1044. Glyceria distans. Wahlb. var. typica. Rgl. Act. h. Petrop. VII. p. 623. Atropis distans. Griseb. *Борис. у.* на сыромъ солончаковомъ лугу бл. с. Бурнакъ! Для *Усм. у.* указыв. П. Семеновымъ (Пр. ф. с. 147). [14].

var. β. convoluta. Rgl. (l. c.). Atropis convoluta. Griseb. По высыхающимъ лѣтомъ солончакамъ: *Кирс. у.* с. Караулъ (Троицкое)! *Тамб. у.* с. Ивановка, Лаврово (Сорок.). *Борис. у.* с. Шибряй! с. Верхняя-Алабушка! с. Бурнакъ! и др. м. [45].

1045. Glyceria fluitans. R. Br. По сырымъ лугамъ, берегамъ водъ, во всей губ. очень обыкновенно. [54].

1046. G. plicata. Fr. Растетъ вмѣстѣ съ предыд. *Шацк. у.* (Mey. 1 Nachtr. p. 11). *Козл. у.* (Kosch. Fl. № 595 и герб!). Вѣроятно найдется вездѣ въ губ. [34?].

1047. G. spectabilis. W. K. По луговымъ болотамъ, берегамъ рѣкъ, озеръ во всей губ. обыкновенно. [55].

1048. Scolochloa festucacea. Lk. Donax borealis. Trin. *Борис. у.* въ долинѣ р. Савалы въ луговомъ болотѣ бл. с. Бурнакъ! *Тамб. у.* с. Полковое «въ водѣ озера Ильменя» (Сорок.). [23].

1049. Arundo Phragmites. L. По берегамъ рѣкъ, озеръ и болотъ во всей губ. очень обыкнов. [55].

1050. Molinia coerulea. Mch. По окраинамъ торфяниковъ. *Темник.* и *Спасск. уу.* вообще нерѣдко! *Кирс. у.* с. Можаровка! Высокорастущая форма съ зелеными колосками: M. arundinacea. Schr. найдена въ сосновомъ бору на сухой песчаной почвѣ въ *Темник. у.* бл. г. Кадома! и въ *Козл. у.* с. Жидиловка. (Kosch. Fl. № 597!). [35].

1051. Melica ciliata. L. *Лебед. у.* на известнякахъ по р. Красивой Мечѣ (проф. Цингеръ). *Кирс. у.* въ зарosляхъ степныхъ кустарниковъ бл. с. Иванова! [23].

1052. M. nutans. L. По лѣсамъ на перегнойной почвѣ во всей губ. обыкнов. [54].

1053. M. altissima. L. *Тамб. у.* с. Волконщины (Вышесл.). Кромѣ того указывается П. Семеновымъ (Пр. ф. № 1346).

1054. M. uniflora. Betz. Показано П. Семеновымъ (Пр. ф. с. 147).

1055. Koeleria cristata. Pers. *Елат. у.* на известнякахъ бл. с. Темгенева! *Южнѣе* очень обыкновенное растенiе на черноземныхъ степныхъ мѣстахъ и въ заливныхъ долинахъ рѣкъ на песчаной почвѣ. [23] и [55].

1056. K. glauca. DC. На дюнныхъ сыпучихъ пескахъ. *Елат. у.* въ городскомъ бору! *Тамб. у.* сосновые лѣса между городомъ и с. Разсказово! *Лип. у.* Романово-Таволжанская каз. лѣсная дача! *Борис. у.* бл. города! [34].

1057. Hierochloa borealis. R. et. Schult. Очень обыкнов. растенiе во всей губ. Растетъ на лугахъ по сырымъ мѣстамъ, а также, очень нерѣдко, по влажнымъ лощинамъ на дюнныхъ пескахъ. [44].

1058. Anthoxanthum odoratum. L. По лугамъ, кустарникамъ и лѣсамъ, рѣдко на степи, во всей губ. обыкновенно. [55].

1059. Holcus lanatus. L. Доставлено Л. Х. Вышеславцевой изъ с. Волконщины *Тамб. у.* Можетъ-быть занесено.

1060. H. mollis. L. Указывается П. Семеновымъ (Пр. ф. с. 146).

1061. Arrhenatherum elatius. M. K. Найдено Ѳ. А. Игнатьевымъ бл. с. Экстать *Тамб. у.*

1062. Avena pubescens. L. var. α typica. По лугамъ, кустарникамъ, рѣже на степи, во всей губ. обыкнов. [53].

var. β compressa: foliorum inferiorum vaginis compressis. На песчаныхъ мѣстахъ *Лип. у.* Романово-Таволжанская каз. дача! *Борис. у.* бл. города! [23].

1063. A. pratensis. L. *Кирс. у.* въ зарosляхъ степныхъ кустарниковъ бл. с. Иванова! Указывается также П. Семеновымъ (Пр. ф. с. 146) *). [12].

1064. A. flavescens. L. По лѣсамъ во всей губ. нерѣдко. [34]

1065. Deschampsia flexuosa. Trin. Указано П. Семеновымъ (Пр. ф. с. 146).

1066. D. caespitosa. P. de Beauv. var. α typica β pallida. Koch. Луга, лѣса въ сырыхъ или тѣнистыхъ мѣстахъ вездѣ въ губ. обыкнов. [54].

1067. Calamagrostis sylvatica. DC. На сухой песчаной почвѣ по лѣсамъ преимущественно сосновымъ. *Елат. у.* городской боръ (Орл.). *Темн.* и *Спасск. уу.* вездѣ нерѣдко! *Шацк. у.* с. Боголюбовка! *Козл. у.* соборные хутора (Kosch. Fl. № 580!). *Лип. у.* (Mey. 1 Nachtr. p. 10). Романовское лѣсничество! Указано также П. Семеновымъ (Пр. ф. с. 146). [45] на сѣв. и [25] на югѣ губ.

1068. C. stricta. Dec. (an Spreng?). Указано П. Семеновымъ (Прид. фл. с. 146).

1069. C. lanceolata. Roth. По берегамъ озеръ, болотистымъ лугамъ, особенно на торфяникахъ вездѣ въ губ. очень обыкновенно. [55].

1070. C. Epigeios. Roth. Самое обыкновенное растенiе на песчаныхъ почвахъ и по безплоднымъ обрывамъ во всей губ. Встрѣчаются экземпляры съ рѣдкой или густой метелкой, окрашенной въ лиловый или зеленый цвѣтъ. [55].

1071. Agrostis stolonifera L. var. α vulgaris. With. (sp.). β alba. L. (sp.) γ gigantea. Roth. Луга, поля, лѣса и на степяхъ во всей губ. обыкновенно. [55].

1072. A. canina. L. По лугамъ на сыроватыхъ мѣстахъ и на сыпучихъ песчахъ во всей губ. [45].

---

*) Гризебахомъ, очевидно по недосмотру, этотъ видъ указывается для Тамб. губ. со словъ Мейера, упоминающаго во всѣхъ спискахъ Тамбовской флоры только одно A. pubescens L. (см. Ledeb. Fl. ross. IV. p. 414 и стр. 413, гдѣ цитата изъ Мейера правильно отнесена къ A. pubescens).

1073. Apera Spica venti. P. de. Beauv. По влажнымъ лугамъ, кустарникамъ, лѣсамъ и въ поляхъ вездѣ въ губ. очень обыкновенно. [55].

1074. Milium effusum. L. По тѣнистымъ лѣсамъ во всей губ. нерѣдко. [43].

1075. Stipa capillata. L. По непаханнымъ склонамъ степныхъ балокъ, на почвахъ каменистыхъ и на черноземныхъ цѣлинахъ. Довольно рѣдко. Показано П. Семеновымъ (Пр. ф. с. 147) для южной части губ. и въ послѣднее время найдено: *Кирс. у.* с. Калаисъ! с. Пущино! *Борис. у.* бл. города! с. Бурнакъ! и степи между с. Сукманкой! и с. Рѣпное! [35].

1076. St. pennata. L. По черноземнымъ цѣлинамъ и на песчаныхъ степяхъ въ южной части губ. *Шацк. у.* с. Рождествено (Mey. 2 Nachtr. p. 10). *Козл. у.* (Kosch. Fl. № 584! и Петунн.) с. Аннино (на границѣ въ Ранненбургск. у. Рязанск. губ.) (Козенъ). *Тамб. у.* с. Эксталь (Игнат. Сп. р. с. 50), с. Лаврово (Сорок.). *Кирс. у.* на резервахъ по линіи ж. д. бл. ст. Краснослободка! с. Калаисъ! с. Иноково! с. Пущино! с. Алатырка! (на пескахъ) и др. м. *Борис. у.* нерѣдко! *Усм. у.* бл. города! *Лип. у.* Романово-Таволжанская каз. лѣсная дача, по полянамъ на песчаной почвѣ! [45].

1077. Beckmannia eruciformis. Host. По заливнымъ лугамъ во всей губ. довольно обыкнов. [44].

1078. Digraphis arundinacea. Trin. По берегамъ водъ и сырымъ лугамъ во всей губ. [53].

1079. Phleum Boehmeri. Wib. Въ сѣверныхъ уѣздахъ встрѣчается преимущественно на песчаной или каменистой почвѣ, а на югѣ, кромѣ того, обильно растетъ на черноземѣ. [44] и [55].

1080. Ph. pratense. L. По лугамъ и кустарникамъ на почвѣ болѣе влажной чѣмъ предыд. видъ; обыкнов. во всей губ. Var. bulbosa. Host. (sp.) найдено въ Козл. у. (Kosch. Fl. № 574!) [55].

1081. Crypsis alopecuroides. Schrad. *Темн. у.* на лугу по р. Мокшѣ бл. г. Кадома! *Кирс. у.* на луговомъ солончакѣ въ долинѣ р. Ванды между с. Троицкимъ (Караулъ) и с. Богдановымъ! [23].

1082. Cr. schoenoides. Lam. По луговымъ солончакамъ въ долинѣ р. Вороны (отъ г. Кирсанова! до г. Борисоглѣбска! и р. Савалы въ *Кирс.* и *Борис. уу*! [34].

1083. Alopecurus pratensis. L. По лугамъ во всей губ. обыкновенно. [55].

1084. A. ruthenicus. Weinm. var. α nigricans. Rgl. (Act. hort. Petrop. VII. p. 654) и β exserens. Rgl. (l. c.). По сырымъ лугамъ и берегамъ ручьевъ на мѣстахъ солончаковаго характера. *Козл. у.* (Петунн.). *Тамб. у.* с. Полковое (Сорок.). *Кирс. у.* с. Алатырка! *Борис. у.* с. Бурнакъ! и бл. города! Указывается также Вейнманомъ (Observ. p. 56. s. n. Alop. pratensis. L. var. ruthenicus. Weinm.). [34].

1085. A. geniculatus. L. По берегамъ рѣкъ, болотъ на илистой или торфяной почвѣ во всей губ. обыкнов. [54].

1086. A. fulvus. Sm. Вмѣстѣ съ предыд. нерѣдко. [44].

1087. Leersia oryzoides. Sol. *Тамб. у.* с. Эксталь (Игнат. Спис. p. c. 50!). *Кирс. у.* по берегамъ озеръ въ долинѣ р. Вороны бл. с. Пущина! *Борис. у.* с. Бурнакъ! Вѣроятно найдется вездѣ въ губ. [34?].

1088. Digitaria glabra. R. et. Schult. D. filiformis. Rchb. Panicum glabrum. Trin. По сыпучимъ дюннымъ пескамъ *Спасск. у.* Зубова Поляна! *Морш. у.* 1-е лѣсничество (отъ г. лѣсничаго). *Тамб. у.* с. Разсказово (Булг.). *Кирс. у.* с. Каравайня, песчаный обрывъ (бл. Дворянскаго поселка)! и вездѣ по бугристымъ дюннымъ пескамъ лѣвыхъ береговъ р. Вороны въ этомъ и *Борис. у.* [44].

1089. Setaria viridis. P. de Beauv. По паровымъ полямъ и въ хлѣбахъ во всей губ. очень обыкновенно. Форма съ фіолетовыми щетинками найдена въ Кирс. у. бл. города! [53].

1090. S. glauca. P. Beauv. Встрѣчается вмѣстѣ съ предыд. видомъ во всей губ., но въ сѣверныхъ уѣздахъ рѣже, чѣмъ въ южныхъ. Въ особенно большомъ количествѣ растетъ на песчаныхъ буграхъ лѣвыхъ береговъ рр. Вороны и Савалы въ Кирс. и Борисоглѣбскомъ уу. [33] и [44].

1091. Echinochloa Crus galli. P. B. var. α typica. По паровымъ полямъ и сорнымъ мѣстамъ во всей губ. очень обыкнов. [53].

var. β aristata. Rchb. Обыкновенно во всей губ. Встрѣчается преимущественно по лугамъ и сырымъ сорнымъ мѣстамъ по берегамъ рѣкъ, у родниковъ и т. п. [43].

Divisio II. Gymnospermae.

XCVI. Abietineae Rich.

1092. Picea vulgaris. Link. Pinus Abies. L. *Елат. у.* Боръ (городской?) (Wiaz. Verz. № 365); въ лѣсахъ по лѣвому берегу р. Оки бл. Толстиковскаго перевоза! и въ восточныхъ частяхъ уѣзда за р. Цной или Мокшей! *Темник. у.* нерѣдко; мѣстами образуетъ сплошные участки лѣса! *Шацк. у.* указывается въ статьѣ:

«Лѣсное хозяйство въ лѣсахъ Борковской вотчины Шацкаго уѣзда», помѣщенной въ Журн. Минист. Государств. Имущ. 1860 г. и г. Феоктистовымъ въ томъ же журналѣ за 1866 г. (см. Ѳ. Кеппенъ. Распространеніе хвойныхъ, с. 340). Эти указанія вѣроятно относятся къ восточной части Шацкаго уѣзда, лежащей за р. Цной. *Спасск. у.* въ казенныхъ лѣсахъ между с. Зубова Поляна и с. Прощинымъ! встрѣчается отдѣльными деревьями и небольшими сплошными участками. Южнѣе указанныхъ мѣстъ ель, въ дикомъ состояніи, до сихъ поръ нигдѣ не наблюдалась и, согласно съ этимъ, П. Семеновъ (Пр. фл. с. 24) проводитъ южную границу ели въ нашей губ. подъ 54°. [44].

1093. Pinus sylvestris. L. По песчанымъ пространствамъ къ востоку отъ р. Цны въ *Тамб.*, *Морш*, *Шацк.* и *Елат.* уѣздахъ обыкновенно; къ западу отъ р. Цны въ предѣлахъ Тамб. губ. замѣчено въ Елат. у. по правому берегу Оки бл. с. Балушевыхъ Починокъ! Въ *Темник. у.* вездѣ обыкновенно. Въ *Спасск. у.* во всей западной песчаной части уѣзда нерѣдко. По песчанымъ берегамъ долинъ рр. Вада и Выши заходитъ и въ восточную часть этого уѣзда (Боры бл. с. Ширингуши! и с. Богоявленскаго! Послѣдній боръ теперь почти вырубленъ). Въ уѣздахъ *Козл.*, *Лебед.*, *Лип.* и *Усм.* мѣстами образуетъ большіе боры на пескахъ вдоль долины р. Воронежа. Въ *Борис. у.* встрѣчается на пескахъ по р. Хопру бл. с. Кожухова, на самой границѣ съ Воронежской губ! [45].

XCVII. Cupressineae Rich.

1094. Juniperus communis. L. *Елат. у.* въ лѣсахъ по лѣвому берегу р. Оки бл. Толстиковскаго перевоза обыкновенно! Въ меньшемъ количествѣ въ лѣсахъ къ востоку отъ р. Цны въ уѣздахъ *Елат.*, *Темник.* и *Спасск.*! Южнѣе найденъ: въ *Тамб. у.* въ лиственномъ лѣсу на песчаной почвѣ бл. с. Рожественскаго-Подоскляй (Кожевн.). *Лип. у.* Романово-Таволжанская казенная лѣсная дача, рѣдко! *Лебед. у.* (герб. Кожевн., экземпляръ безъ подробнаго указанія мѣстонажденія). [44] и [23].

CRYPTOGAMAE.

XCIX. Equisetaceae DC.

1095. Equisetum arvense. L. По паровымъ полямъ во всей губ. обыкновенно, но въ южныхъ уѣздахъ рѣже чѣмъ въ сѣверныхъ. [55] и [43].

1096. E. sylvaticum. L. По сырымъ тѣнистымъ лѣсамъ вездѣ въ губ., но въ южныхъ уѣздахъ рѣже, чѣмъ въ сѣверныхъ. [44] и [33].

1097. E. pratense. Ehrh. По сырымъ лугамъ и лѣсамъ въ поемныхъ долинахъ рѣкъ вездѣ въ губ. [44].

1098. E. palustre. L. По сырымъ лѣсамъ и болотамъ преимущественно на торфянистой почвѣ. Въ *сѣверныхъ* уѣздахъ нерѣдко, въ *южныхъ* до сихъ поръ найдено только въ *Кирс. у.* с. Можарово (торфян. болото)! *Козл. у.* с. Красивое (Kosch. Fl. № 630!). [44] и [23].

1099. E. limosum. L. По рѣкамъ, озерамъ, болотамъ въ самой водѣ вездѣ въ губ. очень распространено. [55].

1100. E. hyemale. L. По сухимъ лѣсамъ во всей губ.; мѣстами часто. [43].

C. Lycopodiaceae DC.

1101. Lycopodium annotinum. L. Въ хвойныхъ лѣсахъ. *Темн. у.* Саровская пустынь! *Елат. у.* городской боръ (Орл.). *Спасск. у.* Зубова Поляна! [35].

1102. L. complanatum. L. Въ хвойныхъ лѣсахъ. *Спасск. у.* Зубова Поляна! *Лип. у.* Романово-Таволжанская каз. лѣсная дача, бл. ст. Казинка! [23].

1103. L. clavatum. L. Въ хвойныхъ лѣсахъ. *Елат. у.* городской боръ! и бл. с. Балушевыхъ Починокъ (на правомъ берегу Оки)! *Темн.* и *Спасск. уу.* вездѣ нерѣдко! *Шацк. у.* с. Боголюбовка! *Морш. у.* казенные лѣса бл. города (Кожевн.). *Тамб. у.* бл. города (Игнат. Спис. р. № 459!), с. Разсказово (Булг.), с. Бокино (Сорок.). *Козл. у.* с. Хоботово и бл. города (Kosch. Fl. № 627! и предисл.). *Лип. у.* вмѣстѣ съ предыд. видомъ! [45].

CI. Filices R. Br.

1104. Ophioglossum vulgatum. L. *Тамб. у.* бл. города въ сыромъ лѣсу за р. Цной при въѣздѣ въ лѣсъ по Кирсановской дорогѣ! [15].

1105. Polypodium Phegopteris. L. *Темн. у.* въ еловомъ лѣсу по дорогѣ изъ с. Ивановки въ с. Сандрово! [14].

1106. P. Dryopteris. L. По влажнымъ мшистымъ хвойнымъ лѣсамъ. *Темн. у.* Саровская пустынь! *Спасск. у.* Зубова Поляна! [24].

1107. Polystichum Thelipteris. Roth. По болотистымъ лѣсамъ во всей губ.; въ южныхъ уѣздахъ встрѣчается преимущественно въ ольшанникахъ. [44].

1108. P. Filix mas. Roth. По сырымъ лѣсамъ и въ тѣнистыхъ лѣсныхъ оврагахъ во всей губ. [45].

1109. P. cristatum. Roth. По окраинамъ торфяныхъ болотъ; въ *сѣверныхъ* уѣздахъ часто, изъ южныхъ уѣздовъ найдено въ *Лип. у.* Двурѣченское торфяное болото! *Тамб. у.* бл. города! и с. Разсказова (Кожевн.). [54] и [23].

1110. P. spinulosum. DC. По тѣнистымъ мшистымъ, преимущественно хвойнымъ, лѣсамъ въ *сѣверной* части губ. нерѣдко. Самыя южныя изъ извѣстныхъ мѣстонахожденій: *Козл. у.* (Kosch. Fl. № 634! Petunn. Verz. № 2!). *Тамб. у.* лѣса бл. города! (Игнат. Спис. р. № 461!). [44] и [33].

1111. Cystopteris fragilis. Bernh. *Елат. у.* бл. города (Орл.). *Лебед. у.* на известнякахъ по р. Красивой Мечѣ бл. с. Курапова (Цингеръ). *Козл. у.* (Петунн.). [33].

1112. Asplenium Filix foemina. Bernh. По болотистымъ лѣсамъ, ольшанникамъ, въ *сѣверныхъ* уѣздахъ нерѣдко. На югѣ губерніи найдено въ *Кирс. у.* с. Пущино! *Тамб. у.* (Сорок.). *Козл. у.* (Добров.). [55] и [34].

1113. A. Ruta muraria. L. *Лебед. у.* на известнякахъ по р. Красивой Мечѣ бл. с. Курапова (Цинг.). [13].

1114. Pteris aquilina. L. По лѣсамъ, кустарникамъ на песчаной почвѣ во всей губ. нерѣдко, но въ сѣверныххъ уѣздахъ чаще чѣмъ въ южныхъ. [55] и [45].

1115. Struthiopteris germanica. Willd. По влажнымъ лѣсамъ и тѣнистымъ лѣснымъ оврагамъ. *Елат. у.* бл. города (Орл.) и с. Балушевыхъ Починокъ! *Темник. у.* Саровская пустынь. *Спасск. у* (Mey. Fl. p. 1); с. Зубова Поляна! *Морш. у.* (Mey. l. c.). *Кирс. у.* бл. оз. Рамза въ долинѣ р. Вороны (Кожевн.). [34].

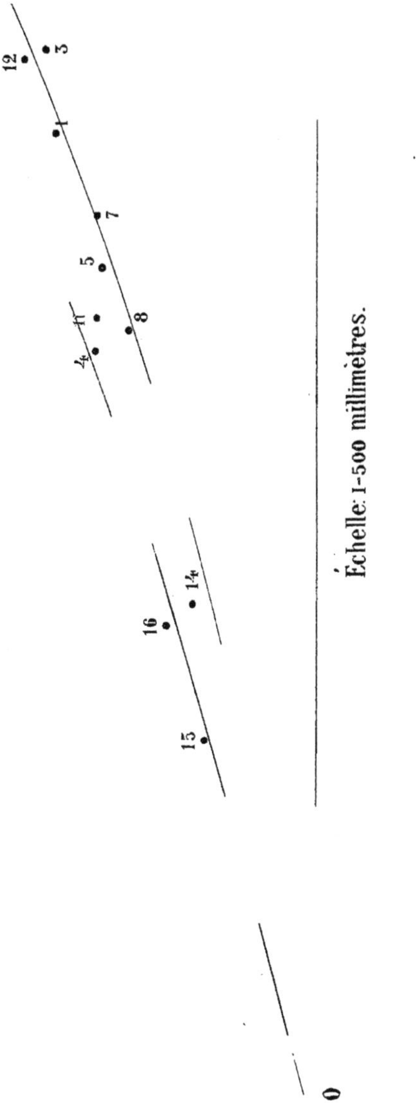

Лит. Университета.

SUR LA GRANDE COMÈTE DE 1887 I.

(44)

Par

Th. Bredichin, A. R. A. S.

(Avec une planche).

Les observations et les dessins de cette comète se trouvent dans les Monthly Notices of the R.A.S. (Vol. XLVII, № 5: *Finlay*, à Cope Town, pg. 303 et *Todd*, à Adelaide, pg. 305) et dans la Revista de l'Observatoire de Rio de Janeiro (Anno II, № 2, pgg. 17, 18).

Moyennant ces dessins on obtient les positions de l'*axe* de la come: les unes sont données à l'aide d'étoiles et nous les désignerons par un astérisque, les autres sont déterminées moins exactement à l'aide du réseau des cartes de l'Uranometria Argentina. Les numéros des étoiles de comparaison sont pris dans l'Uranometria, vol. I.

Les positions rapportées au temps moyen de Greenwich sont:

	1887, Janvier		AR.			Decl.	
1	Ad.	19.9900	21^h	20^m	0^s	— 65°	0'.0
2	Ad.	20.9900	22	5	0	— 67	30 .0
3	Ad.	21.9900	23	20	0	— 70	0 .0
4	Cap.	22.3170	Moyennes de 8 et 13 Tucanae:				
			22	30	27	— 62	54 .8
5	Cap.	23.3271	23	30	0	— 65	0 .0
6	Rio	23.4328	1	0	0	— 73	12 .0

1887, Janvier			AR.			Decl.	
				ζ Tucanae:			
7	Ad.	24.0320	0	13	32	— 65	36 .6
			Moyennes de 42 et 46 Tucanae:				
8	Cap.	24.3340	23	57	11	— 63	19 .0
9	Rio	24.4465	2	19	32	— 69	13 .7
				β Tucanae:			
10	Ad.	24.9900	0	25	49	— 63	39 .1
			Moyennes de (52,53) et 64 Hydri:				
11	Cap.	25.3445	0	35	46	— 63	18 .0
12	Ad.	25.9900	2	10	0	— 64	20 .0
13	Ad.	27.0007	2	10	0	— 62	0 .0
				ξ Phoenicis:			
14	Cap.	27.3340	0	36	4	— 57	11 .3
			Moyennes de 62 et 71 Phoenicis:				
15	Cap.	28.3479	0	35	22	— 54	44 .4
16	Cap.	29.3340	1	20	0	— 55	0 .0

Les positions des points observés réduites à l'équinoxe moyen de 1887.0 sont:

	α'		δ'	
1	320°	15′	— 64°	57′
2	331	29	67	27
3	350	11	69	56
4*	337	46	62	51
5	352	40	64	56
6	375	6	73	8
7*	363	32	65	33
8*	359	27	63	15
9	394	56	69	10
10*	366	36	63	35
11*	369	5	63	14
12	392	35	— 64	17

	α'		δ'	
13	392°	35'	— 61°	57'
14*	369	9	57	7
15*	368	59	54	40
16	380	7	— 54	56

Les coordonnées de Soleil pour les moments des observations sont:

	a		d	
1	302°	21'.5	— 20°	7'.7
2	303	25 .0	19	54 .5
3	304	28 .3	19	40 .9
4	304	48 .8	19	36 .2
5	305	52 .5	19	22 .1
6	305	59 .3	19	20 .6
7	306	36 .8	19	11 .9
8	306	55 .8	19	7 .6
9	307	2 .8	19	5 .9
10	307	37 .0	18	58 .1
11	307	59 .0	18	52 .6
12	308	39 .5	18	43 .1
13	309	42 .3	18	27 .4
14	310	3 .0	18	22 .2
15	311	5 .8	18	6 .2
16	312	7 .0	— 17	50 .4

Les éléments de l'orbite de la comète (Astr. Nachr.., № 2785; *Oppenheim*) ne sont pas exacts, car la comète ne présentait qu'un noyau très faible et sa tête était une masse très diffuse se confondant avec la racine de la come. „It (la comète) presented the appearance of a pale narrow ribbon of light, quite straight, and of nearly uniform brightness throughout its length. There was no head or condensation of any kind visible near the and, the light simply fading away to nothing. The tail was quite straight at first, but on the Jan. 27, 28 and 29 a slight curvature was perceptible. The physical appearance of the comet, its long straight tail of no *greater* brilliancy than the smaller Magellanic cloud and the absence of head at once recalled to mind the comet of February 1880". (*Finlay,* l. c.).

„At no time was there any defined nucleus [A nucleus was observed by Mr. *Eddie* of Grahamstown, on Jan. 24, 25 and

26.—Ed.] or condensation about the head. It was simply a narrow nebulous streak of about 30° long" (*Todd*, l. c.).

Mr. *Todd* nous donne encore une remarque très intéressante par rapport à la structure de la come: „On the 27 the head of the comet, a very diffused nebulous mass, appeared to be cut off by a wide break or rift, from the tail, and higher up there was another narrow break in the continuity of the tail. Both of these breaks might be attributable to small clouds, but we could see faint stars through the breach which seemed to forbid such a supposition" (l. c.).—Cette solution de continuité près de la tête le 27 Janvier serait l'indice de l'interruption et de la cessation de l'effluve de la matière caudale vers ce temps.

A Rio de Janeiro la come se présentait aussi sous la forme d'une bande très faible,—„sob forma de uma faxa debilissima" (l. c.).

Passons maintenant à nos calculs. Les éléments d'*Oppenheim* sont:

T = 1887, Jan. 11.4147 t. m. Greenwich

$$\left.\begin{aligned} \omega &= 64^\circ\ 40'.3 \\ \Omega &= 339\ \ 51.7 \\ i &= 138\ \ 1.8 \\ \pi &= 275\ \ 11.4 \end{aligned}\right\}\ \text{équin. m. 1887.0}$$

$$log\ q = 7.6660$$
$$log.\ m = 3.46023$$

Ces éléments nous donnent pour les coordonnées équatoriales:

$$x = (7.65477)\ sin\ (169^\circ\ 55'.3 + v)\ sec^2 \frac{v}{2}$$

$$y = (7.64887)\ sin\ (263\ \ 52.8 + v)\ sec^2 \frac{v}{2}$$

$$z = (7.22601)\ sin\ (\ 42\ \ 28.1 + v)\ sec^2 \frac{v}{2}$$

Avec la valeur de $\varepsilon = 23^\circ\ 27'.1$ ou calcule premièrement

$$A = 230^\circ\ 34'.8, \qquad D = -68^\circ\ 44'.5$$

Puis on obtient les valeurs suivantes de v et r:

	v	$log.\ r$
1	168° 25′ 27″	9.65922
2	168 49 11	9.68936

	v			$log.\ r$
3	169°	12′	54″	9.72068
4	169	19	30	9.72956
5	169	38	20	9.75528
6	169	40	12	9.75788
7	169	50	16	9.77206
8	169	55	6	9.77896
9	169	56	52	9.78140
10	170	5	7	9.79344
11	170	10	15	9.80096
12	170	19	10	9.81414
13	170	32	8	9.83370
14	170	36	9	9.83988
15	170	47	44	9.85784
16	170	58	10	9.87438

On voit que durant toutes les observations l'anomalie vraie a subi une variation de 2° 33′.

A l'aide des coordonnées équatoriales on obtient les coordonnées de la comète α, δ et ρ:

	α		δ		$lg\ \rho$
1	312°	19′	—40°	46′	9.81204
2	316	15	42	34	9.81070
3	320	35	44	15	9.79136
4	322	32	44	44	9.78882
5	326	56	46	11	9.78142
6	327	26	46	19	9.78082
7	330	29	47	2	9.77755
8	332	4	47	22	9.77611
9	332	38	47	29	9.77561
10	335	34	48	1	9.77354
11	337	30	48	19	9.77254
12	341	4	48	45	9.77126
13	346	44	49	14	9.77053
14	348	38	49	17	9.77103
15	354	19	49	22	9.77254
16	359	43	—49	10	9.77575

Plus loin on a:

	p^0		P		P'		S	
1	154°	42′	208°	6′	280°	14′	130°	24′
2	150	31	208	25	284	45	130	35
3	146	10	208	16	289	30	130	38
4	143	54	208	7	291	22	130	24
5	140	8	208	9	295	50	130	9
6	139	40	208	1	296	18	130	6
7	136	52	207	43	299	9	129	44
8	135	25	207	28	300	35	129	33
9	134	56	207	18	301	6	129	30
10	132	19	206	50	303	40	129	3
11	130	37	206	26	305	19	128	44
12	127	31	205	34	308	17	128	6
13	122	42	204	3	312	48	126	59
14	121	5	203	28	314	14	126	32
15	116	25	201	38	318	30	125	11
16	112	6	199	46	322	24	123	44

Ensuite on obtient:

	p		s		T	
1	171°	56′	24°	37′	46°	31′
2	166	48	23	56	48	53
3	159	58	29	39	52	13
4	159	35	20	6	52	7
5	152	23	23	23	56	18
6	157	35	34	13	52	53
7	148	22	25	30	58	29
8	146	19	21	55	59	42
9	148	17	36	49	58	1
10	144	1	22	58	60	37
11	142	30	22	47	61	17
12	139	1	31	12	63	6
13	134	12	28	5	65	25
14	130	28	14	29	68	28
15	126	54	10	14	69	31
16	122	30	13	44	71	44

Et enfin on trouve les coordonnées des points de l'axe de la come:

	φ		ξ	η
1	+ 15°	46′	0.2748	0.0776
2	16	2	0.2585	0.0743
3	14	43	0.2990	0.0785
4	17	3	0.2122	0.0651
5	14	29	0.2361	0.0610
6	20	25	0.3186	0.1186
7	14	19	0.2513	0.0641
8	13	54	0.2187	0.0541
9	16	48	0.3434	0.1037
10	15	27	0.2247	0.0621
11	16	1	0.2217	0.0636
12	16	10	0.2947	0.0854
13	17	12	0.2656	0.0822
14	14	31	0.1440	0.0373
15	17	5	0.1022	0.0314
16	+ 17	57	0.1352	0.0438

Ces coordonnées ξ, η sont portées sur la planche ci-jointe ayant l'échelle 1 = 500 millimètres. Le dessin de la planche nous montre un accord très satisfaisant des observations.

Pour l'estimation de la force répulsive $1-\mu$ on prend les moyennes des coordonnées des points les plus favorables par rapport à la longueur de la come et à la précision des observations, nommément des points 4, 7, 8, 10 et 11. Pour la moyenne des temps respectifs, janvier 24.2035, on a ainsi

$$\xi = 0.22572, \qquad \eta = 0.06180,$$

$$v = 169^0 \quad 52' \quad 3'', \qquad log\ r = 9.774996$$

A l'aide des formules approximatives on trouve facilement que la force $1-\mu$ ne surpasse pas 0.1. Donc l'appendice de notre comète présentait la come du III type, et consistait par cousé-quent en molécules des éléments denses ou en particules non ré-duites aux molécules.

Pour le point de l'axe au bont de la come on obtient $\varphi = 18^0$ $37'$; pour la force $1-\mu = 1$ cet angle aurait été 5^0 $15'$ et pour le temps de l'émission de la masse du bont de la come du

II type on obtient facilement, à l'aide de la tangente, $v = 158°$ $57'$, $r = 0.14$ et $t - T = 1^{j}.5$ après le passage du noyau au périhélie.

La tête a passé à la distance de quelques milliers des lieues de la surface du Soleil et les molécules plus volatiles de l'hydrogène (I type) et des hydrocarbures (II type) ont pu être déjà dispersées dans l'espace sans être vues, dans le cas même qu'elles existaient dans la tête. En effet, avant le passage au périhélie, la comète était eclipsée par le clair de lune,—la pleine lune ayant eu lieu le 9 janvier,—et quelque temps après elle se trouvait à l'opposite du Soleil ou trop près de cet astre.

1888, mars 29 (17).

KURZE NOTIZEN

ÜBER EINIGE RUSSISCHE BLAPS-ARTEN *).

Von

E. Ballion.

II. Artickel.

XXIX. *Blaps lusitanica* Hbst. Gemminger und Harold führen in ihrem Cataloge dieselbe als selbstständige Art an.—Mulsant (Latigènes, pag. 110) setzt sie als Synonym zu *Bl. gigas* Lin.—Allard (Ann. d. Fr. 1881, pag. 145, № 12) beschreibt sie als gute Art und setzt zu ihr als Synonym *Bl. producta* Cast.—Solier (Stud. Ent. pag. 320) hält *Bl. producta* für gute Art, Reiche aber (Ann. d. Fr. 1857, pag. 251) behauptet, dass *Bl. producta* nur Synonym von *Bl. gigas* Lin. sei. Auch Mulsant (Latig. pag. 114) hält *Bl. producta* für gute Art und setzt zu ihr als Synonym *Bl. gigas* Oliv.—*Blaps producta* Brullé und *Bl. producta* Cast. hält Mulsant für identisch, Allard (Ann. d. Fr. 1881, pag. 152, № 17) hingegen für verschieden und setzt *Bl. producta* Brullé als Synonym zu *Bl. gages* Lin. und die *Bl. producta* Cart. als Synonym zu *Bl. lusitanica* Herbst. Wozu Allard bei seiner *Bl. lusitanica* noch „Solier, Stud. Ent. pag. 120" citirt, ist mir ganz unbegreiflich, da a. a. O. ein Staphylinide beschrieben ist.—Im Cataloge von Gemminger und Harold ist *Bl. producta* Brullé als Synonym zu *Bl. gages* Lin. gesetzt und *Bl. producta* Cast. als selbstständige Art angeführt. Küster (Käf. Eur. III, № 42) führt Dejean als Autor der *Bl. producta* an und

*) V. Bulletin 1887, № 4, p. 900.

beschreibt sie als gute Art; die *Bl. lusitanica* Hbst. setzt er jedoch (Käf. Eur. III, № 43) als Synonym zu *Bl. gages* Lin. Zu dieser Art setzt Küster noch als Synonym *Bl. gigas* Oliv. hinzu. Mulsant hält aber *Bl. gigas* Oliv. und *Bl. gigas (gages)* Lin. für zwei verschiedene Arten. Dieser Wirrwar in der Synonymie ist gerade zu grossartig und wie ist dieser gordische Knoten zu lösen?

XXX. *Blaps miliaria* Fisch. Im Spicilegium pag. 103, № 116, beschrieben. Von dieser Art sagt Motschulsky (Bull. d. Mosc. 1845, pag. 68) sie gleicht sehr der *Bl. caudata* Gebl., ist aber zwei Mal kleiner und sehr fein runzelig von oben.—Hier scheint ein Irrthum obzuwalten: Fischer giebt die Grösse seiner Art auf 11 Linien Länge und 5 Linien Breite an. Gebler (Bull. d. Mosc. 1860, III, pag. 21) giebt die Grösse seiner *Bl. caudata* auf $10^1/_2$ bis 12 Linien Länge und $4^1/_2$—$5^1/_2$ Linien Breite an. Folglich sind beide Arten fast von gleicher Grösse. Nach Fischer ist die Oberseite gekörnt, granulata, Motschulsky sagt—fein runzelig. Dr. Kraatz, welcher *Bl. miliaria* (das typische Exemplar befindet sich in Dresden) gesehen hat, sagt von ihr dass sie der *Bl. granulata* Gebl. sehr nahe stehe und setzt zu ihr (Deutsch. Ent. Zeitschr. 1881, pag. 57) als Synonym *Bl. turcomana* Fisch. (Kar.). Diese letzte Art setzt Allard (Ann. d. Fr. 1881, pag. 160, № 23) als Synonym zu *Bl. pruinosa.* H. Allard hat wahrscheinlich ein falsch bestimmtes Exemplar vor sich gehabt, denn diese beiden Arten haben Nichts mit einander gemein. Die *Bl. miliaria* beschreibt auch Allard (Ann. d. Fr. 1882, pag. 80, № 72) und giebt ihre Grösse auf 18^{mm} Länge (Bei Fischer $25.^{mm}$) und 9^{mm} (bei Fischer $11^1/_2{}^{mm}$) Breite an. Vom Thorax sagt er: „couvert de points très fins, peu profonds et assez serrés“, bei Fischer steht: „thorax tenuissime granulatus“. Die Beschreibung der Flügeldecken stimmt bei Allard auch nicht mit Fischer. Das Vaterland der *Bl. miliaria* ist nach Fischer—Sibirien, Nertschinsk; Motschulsky bezeichnet die Soongarei und Allard—Armenien als Vaterland. Haben Motschulsky und Allard auch die echte *Bl. miliaria* Fisch. vor sich gehabt?

XXXI. *Blaps damascena* Fisch. Die Beschreibung dieser Art bei Fischer (Spicil. pag. 101, № 113) lasst vieles zu wünschen übrig. Gemminger und Harold führen in ihrem Cataloge den Käfer als selbstständige Art an. Dr. Kraatz, welcher die Typen der Fischerschen Sammlung genau durchgesehen, sagt (Deutsche Ent. Zeitsch. 1881, pag. 60): „*Blaps damascena* Fisch. Podol. (bezettelt) ist=*fatidica* Illig. ♀ mit schwachen Spuren von Längsstreifen, darauf folgen zwei ähnliche ♀“, und „*Blaps damascena*

m. Ross. m. (bezettelt) scheint *reflexicollis* Fisch. Jedenfalls ist das erstgenannte Exemplar das typische". Ich bezweifle nicht im Geringsten dass Dr. Kraatz richtig gesehen und dass die *damascena* nur eine *fatidica* sei. Die Beschreibungen dieser letztern Art bei Sturm, Solier, Küster und Mülsant stimmen im Wesentlichen so ziemlich überein, besonders in der Beschreibung der Sculptur der Flügeldecken. Wenn Fischer die mehr oder weniger raspelartige Sculptur der *fatidica* mit den Worten „elytris.... obliterate sulcatis, interstitiis *punctis transversis* aut *lineis impressis scabris*", hat bezeichnen wollen, so hat er ganz falsch gewählte Ausdrücke gebraucht. *Blaps damascena* Fisch. muss also aus der Zahl selbstständiger Arten gestrichen und als Synonym zu *Bl. fatidica=similis* Latv. gestellt werden. Allard in seinem Werke führt die *damascena* Fisch. gar nicht, weder als Art, noch als Synonym an.

XXXII. *Blaps Clotzeri* Kar. In № III dieses Bulletin für 1887, pag. 919 und 920, sprach ich die Vermuthung aus dass die von Fischer im Spicilegium pag. 105, № 119 beschriebene Art keine Blaps, sondern vielleicht eine Prosodes sei. Ich kannte den Käfer nicht aus Autopsie und musste mich nur mit dem Vergleiche der Beschreibungen dieser Art bei Fischer und Allard begnügen und kam dann zu der Voraussetzung dass diese beiden Autoren wahrscheinlich zwei ganz verschiedene Arten als *Bl. Clotzeri* beschrieben haben. Diese Voraussetzung basirte sich auf die vollkommen sich widersprechender Beschreibungen. Fischer beschreibt das Brustschild als gekörnt, Allard sagt—mit starken Punkten; die Flügeldecken beschreibt Fischer als mit länglichen, in Reihen geordneten Körnern besetzt, Allard sagt dass sie mit starken, hervorragenden queren Unebenheiten bedeckt seien. Diese Merkmale sind hinreichend um die Identität beider Arten zu verneinen. Die Herren Dr. Dohrn und Ed. Reitter waren so freundlich mir Exemplare der von Allard beschriebenen Art mit Allard's eigenhandiger Etiquette zur Ansicht zu schicken. Diese Exemplare passten aber nicht im Geringsten zu Fischers Beschreibung der *Bl. Clotzeri* und dieser Umstand verstärkte nur meine Vermuthung. Um mir nun Gewissheit zu verschaffen wandte ich mich an Herrn Kirsch in Dresden, wo jetzt die Fischersche Sammlung conservirt wird, mit der Bitte das typische Exemplar der *Bl. Clotzeri* Fisch. in dieser Sammlung genau auf die Sculptur des Brustschildes und der Flügeldecken zu untersuchen. H. Kirsch war so uberans gefällig meine Bitte zu erfüllen und schrieb mir über diesen Gegenstand folgendes: „*Bl. Clotzeri* (Kar.) ist 16 Millemeter lang und 6—7 breit.

Der Thorax ist keineswegs gekörnt, sondern mit grossen, etwas unregelmässig vertheilten, also stellenweise gedrängter oder weitläufiger stehenden, auf der Scheibe deutlich genabelten Punkten; auf den Flügeldecken an der Basis fein, dann bis hinter die Mitte grob querrunzelig, die Querrunzeln nach der Spitze hin in einzelne fast spitze, selten querreihig geordneten Tuberkeln aufgelöst". Diese Characteristik stimmt mit der Beschreibung bei Allard und passt vollkommen auf die mir vorliegende Stücke. Dies Alles beweist nur wie riskant es ist sich unbedingt an Fischers Worte zu halten. Dass Fischer nicht wühlerisch in seinen Ausdrücken ist, war mir längst bekannt, dass aber seine Ungenauigkeit so weit gehen könnte einen eingestochenen Punkt—Korn und Querrunzeln—Längsreihen zu nennen, konnte ich niemals vermuthen. Die Beschreibung der *Blaps Clotzeri* bei Fischer ist folglich ohne allen wissenschaftlichen Werth und muss vollständig ignorirt werden. Allard hat also richtig gesehen und richtig beschrieben. Zu dieser Art setzt Allard (Ann. d. Fr. 1882, pag. 96) als Synonym: *Bl. De Haani* Baudi. Um mich über die Identität dieser Arten zu überzeugen bat ich Herrn Baudi di Selve mir seine Art zur Ansicht zu schicken, was er auch mit der freundschaftlichsten Bereitwilligkeit that. *Bl. De Haani* unterscheidet sich nicht im Geringsten von *Bl. Clotzeri* Kar.

XXXIII. *Blaps gibba* Cast. Gemminger und Harold setzen in ihrem Cataloge als Synonym zu dieser Art: *Blaps australis* Sol., *Bl. rectangularis* Sol. und als Varietäten ♂ *impressicollis* Sol. und ♀ *planicollis* Sol. Dass *Bl. australis* Sol. mit *Bl. gibba* identisch sei darauf hat Reiche (Ann. d. Fr. 1857, pag. 252) zuerst aufmerksam gemacht. Von der Varietät-*impressicollis* ♂ sagt Solier (Stud. Ent. I, pag. 324), dass sie vielleicht eine besondere Art bildet.—Allard (Ann. d. Fr. 1881, pag. 495, № 42) hält die *Bl. gibba* auch für gute Art und setzt zu ihr als Synonym: *Bl. australis* Sol. und *Bl. ecaudata* Küst. und Var. *planicollis* und *impressicollis* Sol.; die *Bl. rectangularis* Sol. scheidet er als selbstständige Species aus. Die *Blaps ecaudata* Küst. wird im Cataloge von Gemminger und Harold als eigne Art angeführt und, wie ich glaube, mit Recht, denn die Beschreibung der *ecaudata* bei Küster (Käf. Eur. III, № 45) stimmt nicht mit der Beschreibung der *gibba* bei Allard. Von der *Bl. ecaudata* sagt Küster: „Vollkommen übereinstimmend zeigt sie sich mit *Bl. abbreviata* Friv. (Ménétriés. Ins. d. Turq. pag. 35), doch hat diese punktstreifige Deckschilde und ein tiefer ausgeschnittenes Brustschild". Folglich kann *Bl. ecaudata* schon dem Habitus nach nicht zu *gibba* gehören, wie Allard annimmt. Das Vaterland der *gibba* ist fast ausschliesslich Italien; die *ecaudàta* fand Küster in Dalmatien. Die *Bl. rectangularis* Sol. setzen Gemminger und Harold, wie oben gesagt, als Synonym zu *Bl. gibba* Cast., aber vollkommen mit Unrecht, denn die flach gewölbte Gestalt unterscheidet dieselbe schon beim ersten Anblick von der *Bl. gibba*. Solier kannte nur ein Männchen aus der Berberei und Allard beschreibt nur ein Weibchen aus Algier.

XXXIV. *Blaps orientalis* Sol. Zu dieser Art setzt Allard (Ann. d. Fr. **1881**, pag. **132**, № 1) als Synonym *Uroblaps spathulata* Sol. ♂.—Motschulsky (Bull. d. Mosc. **1851**, II, pag. **653**) hingegen hält die *Bl. spattulata* Sol. für das Männchen von *Bl. puncto-striata* Sol. Solier selbst war in Zweifel ob seine *spathulata* (Stud. Ent. pag. 328) auch gute Art oder nur das Männchen von *Bl. orientalis* sei. Noch mehr zweifelte Solier an die Selbstständigkeit seiner *Bl. puncto-striata*, denn er sagt (a. a. O. pag. 329) dass die *puncto-striata* für das Weibchen von *spathulata* gehalten werde und wenn dieses richtig, so kann es geschehen dass *Bl. orientalis*, *spathulata* und *puncto-striata* vereinigt werden müssen und dass *puncto-striata* in diesem Falle nur Varietät des Weibchens der *orientalis* ist. Allard hingegen (Ann. d. Fr. 1881, pag. **158**, № 21) hält die *puncto-striata* nicht für Varietat der *Uroblaps-orientalis* Sol., sondern für selbstständige Art und setzt sie sogar in seine Untergattung—*Lithoblaps* und beschreibt nur das Weibchen, das Männchen war ihm unbekannt. Nach Allard soll sich *puncto-striata* sehr von der *orientalis* unterscheiden. Wer hat Recht—Solier oder Allard?

XXXV. *Blaps cribrosa* Sol. Die Beschreibung dieser Art bei Allard (Ann. d. Fr. 1881, pag. **502**, № 47) stimmt im Wesentlichen mit der von Solier gegebenen überein. Gemminger und Harold setzen in ihrem Cataloge zu dieser Art als Synonym *Bl. angulata* Reiche. Dieses thut auch Allard. Ob hier nicht ein Irrthum obwaltet? Reiche kannte sehr gut die *Bl. cribrosa* des Solier, wie aus seiner Bemerkung in den Ann. d. Fr. **1857**, pag. **245** zu sehen ist. Die Beschreibung welche Reiche von seiner *Bl. angulata* (a. a. O. pag. **247**, № 167) giebt unterscheidet sich in mehreren Punkten von der Beschreibung der *Bl. cribrosa* bei Solier und Allard; besonders verschieden beschrieben ist das Brustschild. Ich kenne den Käfer nicht aus Autopsie, bin aber geneigt anzunehmen dass *Bl. angulata* nicht identisch mit *cribrosa* sei, sondern wahrscheinlich eine selbstständige Art. Die Abbildung der *Bl. cribrosa* bei Allard ist ganz verfehlt.

XXXVI. *Blaps graeca* Sol. Solier hatte nur ein einziges Exemplar und, wie er glaubte, ein Männchen vor sich als er die Beschreibung dieser Art abfasste. Allard (Ann. d. Fr. 1882, pag. 92, № 83) beschreibt beide Geschlechter. Er citirt: *Bl. subquadrata* Motsch. Wie Allard dazu kommt ist mir ganz unerklarlich, da Motschulsky nie und nirgends eine Blaps dieses Namens beschrieben hat. Ausserdem setzt er als Synonym zu *Bl. graeca* die *Prosodes Ledereri* Fairm., welehe Gemminger und Harold in ihrem Cataloge in der Gattung Prosodes lassen. Nach der Beschreibung bei Fairmaire (Ann. d. Fr. 1866, pag. 263) zu urtheilen, so hatte Fairmaire wirklich eine Prosodes-Art vor sich, wie man aus seinen Worten: „la forme dissemblable chez les deux sexes et les tarses comprimés le rengent parmi les veritables Prosodes", ersehen kann. Solier vergleicht seine *Bl. graeca* mit *Bl. fatidica=similis* Latr., Allard aber mit *Bl. scabiosa*. Fairmaire sagt von seiner *Prosodes Ledereri*: „Cet insecte présente presque la sculpture et la teinte du *Bl. rugosa*". Da ich kein typisches Exemplar der *Pr. Ledereri* besitze, so muss ich es unentschieden lassen ob Allard Recht hatte diese Art mit *Bl. graeca* zu vereinigen. Die Käfer welehe ich von Haag als *Bl. graeca* vom Libanon und von H. Reitter als *Blaps Ledereri* von Kis-Anle erhalten, haben nicht die geringste Aehnlichkeit mit einander und passen auch schlecht zu den Beschreibungen.

XXXVII. *Blaps proxima* Sol. In den Stud. Ent. pag. 313, № 12 von Solier aus dem südlichen Frankreich beschrieben. Gemminger und Harold führen sie in ihrem Cataloge als selbststandige Art an. Mulsant kannte den Käfer nicht und wiederholt nur wörtlich (Latig. pag. 124) die Beschreibung aus Solier. Allard erwähnt dieser Art gar nicht in seinem Werke. Ich kenne den Kafer auch nicht. Ist er gute Art oder nur Varietät einer andern (similis?)? Die Beschreibung bei Solier ist ungenugend, so dass man weder das Geschlecht erkennen, noch einen Käfer mit Sicherheit bestimmen kann.

XXXVIII. *Blaps Emondi* Sol. In den Stud. Ent. pag. 331 von Solier beschrieben und zu Ehren des H. Emond d'Esclevin so benannt. Gemminger und Harold ändern in ihrem Cataloge die Benennung in *Edmondi* um. Ob mit Recht? Ich glaube nicht dass es bei Solier ein Druckfehler sei, denn er wiederholt dieselbe schreibweise mehrere Male in seinem Werke.

XXXIX. *Blaps sulcata* Fab. Gemminger und Harold setzen in ihrem Cataloge als Synonym zu dieser Art: *Bl. sulcata* Sol., *costata* Sturm, *lineata* Sol. und *lineata* Küst., *sulcata* Küst., und *polychresta* Forsk. Hier sind augenscheinlich zwei oder sogar mehrere ganz verschiedene Arten zusammen geworfen. In der Entomologica systematica, I, pag. 106, № 2, giebt Fabricius von seiner *Bl. sulcata* eine Diagnose von drei Worten: „B. coleopteris mucronatis sulcatis" und citirt dabei *Tenebrio polychrestus* Forsk. Descript. 79, 10 und weiter sagt er: „Duplo fere minor B. mortisaga. Elytra connata, mucronata sulcis octo vel novem laevibus exarata". Wenn man die Grössen-Angabe unberucksicht lässt so kann die Fabricius'sche Diagnose auf alle Blapse mit gefurchten Flügeldecken anwenden. Das Werk von Forskal besitze ich nicht, kann daher keine Vergleiche machen. Küster (Kaf Eur. III, 41) beschreibt die *Bl. sulcata* sehr ausführlich und obgleich er am Ende sagt: „Ich zweifle keinen Augenblick, hier die von Forskal beschriebene Art gegeben zu haben, es passt jedes Wort seiner Beschreibung auf meine Exemplare", so bezweifle ich doch dass er die echte *Bl. polychresta* Forsk. beschrieben, denn seine Exemplare stammen aus Sardinien, wo er sie bei Cagliari unter Steinen an den Salzteichen gesammelt, die *polychresta* aber kommt, wenn ich nicht irre, nur ausschliesslich in Egypten vor. Die Grösse der *sulcata* giebt Küster auf 1 Zoll 5 Linien (=39$^{m/m}$) an, und dies passt sehr schlecht auf die Grössen-Angabe bei Fabricius. Solier beschreibt auch eine *Bl. sulcata* (Stud. Ent. I, pag. 344, № 40) und giebt ihre Grösse auf 20—27 Millemeter an. Vom Flügeldecken=Fortsatz sagt er: „très court bidenté". Folglich ist diese nicht die *sulcata* Küsters. Die Beschreibung der *Bl. sulcata* bei Allard (Ann. d. Fr. 1881, pag. 174, № 35) widerspricht nicht der der *sulcata* Soliers. Die Grösse der *Bl. lineata* giebt Solier (Stud. Ent. pag. 347, № 43) auf 38^{mm} an und von den Flügeldecken-Fortsatz sagt er: „étroit, très long chez le mâle, moyen chez la femelle". Dieses passt aber gar nicht zu der *Bl. lineata* bei Küster (Käf. Eur. XIII, № 65), bei welcher der Fortsatz nach Küsters eigenen Worten breit dreieckig, kurz und stumpf abgerundet ist. Dass die *Bl. lineata* Solier's die *Bl. polychresta* Forsk. sei, hat Reiche in den Ann. d. Fr. 1857, pag. 253, № 15, zuerst bemerkt. Diesem folgte Allard und beschreibt (Ann. d. Fr. 1881, pag. 173, № 34) diese Art unter ihren wahren Namen etwas ausführlicher als Solier. Vergleiche ich die Beschreibung dieser Art bei Allard mit der der *Bl. sulcata* bei Küster, so finde ich bedeutende Differenzen. Allard nennt den Kafer ziemlich matt, Küster sagt—ziemlich stark glänzend; von den Längsrippen auf den Flügeldecken sagt Allard dass sie ziemlich breit und „bien marquées", mit zwei Reihen feiner Punkte in den etwas schmäleren Zwischenraumen seien; nach Küster sind die Flügeldecken fein und zerstreut punktirt, die Längsstreifen wenig erhaben, nur neben der Naht und hinten deutlich; von den doppelten Punktreihen in den Zwischenräumen schweigt Küster ganz. Diese Unterschiede so wie die verschiedene Vaterlandsangabe lassen glauben dass wir hier zwei verschiedene Arten vor uns haben. Gemminger und Harold citiren noch *Bl. costata* Sturm als Synonym der *sulcata*. Sturm hat, so viel mir bekannt, niemals eine *Bl. costata* beschrieben; in seinem Cataloge von 1843 ist die *costata* St. Cat. als Synonym zu *Bl. lineata* Dej. gesetzt, welche von Dejean auch niemals beschrieben wurde und folglich mit der *costata* nur Catalogs-Namen sind und daher unberücksichtigt bleiben können. Allard setzt die *costata* Sturm zu *sulcata* sibi und die *Bl. lineata* Sol. zu *polychresta* als Synonym. Die *Bl. lineata* bei Küster hat nichts gemein mit *lineata* Sol.=*polychresta* Forsk. Küster vergleicht seinen Käfer mit *Bl. prodigiosa* Er., welche einen ganz andern Habitus hat und schon deshalb nicht mit *Bl. lineata* Sol. vereinigt werden kann. Die Beschreibung welche Küster giebt, stimmt mit keiner der von Solier und Allard beschriebenen Arten. Ich finde dass die beiden Küsterschen *Bl. sulcata* und *Bl. lineata*—ganz verschieden sind von den Arten, welche diese Namen bei Solier und Allard tragen und müssen daher neu benannt werden. Wenn meine Ansicht sich als gegründet erweisen sollte, so möchte ich die Synonymie folgender Weise zusammenstellen:

1) Blaps polychresta Forsk.
Blaps lineata Sol.
Rhizoblaps polychresta All.

2) Blaps Küsteri mihi.
Blaps lineata Küst.

3) Blaps sarda mihi.
Blaps sulcata Küst.

4) Blaps sulcata Fab.
Blaps sulcata Sol.
Rhizoblaps sulcata All.

BEITRÄGE ZUR MOLLUSKENFAUNA DES KAUKASUS.

Von

O. Retowski in Theodosia (Krim.).

I.

Verzeichniss der von mir in der nächsten Umgebung von Novorossiisk gesammelten Mollusken.

Im April des Jahres 1886 hatte ich eine Sammelexcursion nach Novorossiisk unternommen, bei der mein Augenmerk in erster Linie auf die dort vorkommenden Mollusken gerichtet war, und gebe in den folgenden Zeilen eine Zusammenstellung der von mir gefundenen Arten. Da ich in Novorossiisk nur zehn Tage verweilen konnte, so kann die nachstehende Liste natürlich keinen Anspruch auf Vollstandigkeit machen, doch erwies sich das gesammelte Material auch so interressant genug, um eine Zusammenstellung desselben bekannt zu machen.

1. *Daudebardia (Rufina) Lederi, Boettg., var.*

Mein verehrter Freund Dr. O. Boettger, dem ich das einzige von mir gefundene Exemplar zur Begutachtung übersandte, schreibt mir, dass dasselbe mit seinen in Swanetien und in dem Letschghum gesammelten Stücken vollkommen übereinstimme. Wie diese unterscheidet sich das Novorossiisker Exemplar von der typischen Form durch die evident geringere Grösse der Hyalina-artigen Jugendschale. Da sich jedoch ausserdem keine Unterscheidungsmerkmale von D. Lederi, Boettg., finden, so ist die Novorossiisker Form höchstens als Varietät derselben zu bezeichnen.

2. *Paralimax varius, Boettg.*

Auf meiner im Jahre 1884 im Auftrage der Senckenbergischen naturf. Gesellschaft in Frankfurt a/M. ausgeführten Sammelexcursion nach Abchasien und Tscherkessien hatte ich diese Art in 2 Exemplaren bei Psirsk (Novo-Afonskij-Monastir) entdeckt und sie wurde von Dr. N. Boettger unter obigem Namen in dem Bericht über die Senck. naturf. Geselschaft für 1884, p. 147 beschrieben. Die von mir bei Novorossiisk gefundenen 3 Exemplare stimmen vollkommen mit den bei Psirsk gesammelten überein, die Art dürfte also wohl über das ganze Littoral von Novorossiisk bis Suchum verbreitet sein.

3. *Limax (Lehmannia) variegatus, Drap.*

Ausser 7 erwachsenen Exemplaren, die sich nur durch etwas dunklere Färbung von meinen Krimer-Stücken unterscheiden, fand noch 4 ganz junge (10 mm. lange) Thiere, die sich durch ganz schwarze Färbung des Schildes und Rückens auszeichnen und vielleicht zu L. ecarinatus, Boettg., gehören dürften. Da ich jedoch kein erwachsenes Exemplar dieser Art bei Novorossiisk gefunden habe, so bleibt die Zugehörigkeit zu L. ecarinatus, Boettg., zweifelhaft.

4. *Limax (Agriolimax) agrestis, L.*

Das einzige von mir gefundene Exemplar weist alle für Krynickillus minutus, Kal., als characteristisch angegebenen Merkmale auf; der Körper ist schwarz gefleckt, der Kopf schwarz, der Saum der Sohle dunkler als das Mittelfeld, die Höhe relativ bedeutend (6 mm. bei nur 16 mm. Länge), doch schliesse ich mich der Meinung Boettger's an, der den L. minutus, Kal., für identisch mit L. agrestis, L., hält, da sich mit Ausnahme des dunkleren Saumes der Sohle alle von Kaleniczenko angegebenen Merkmale unbedenklich auf. L. agrestis, L., beziehen lassen.—Dr. O. Boettger lagen Exemplare vom Suramgebirge, von Suchum, Uetsch-Deré und Psirsk vor, die ebenso gefärbt waren wie mein Novorossiisker Stück.

5. *Hyalina (Retinella) Duboisi, Charp.?*

Da die 10 mir vorliegenden Exemplare sämmtlich nicht ausgewachsen sind, so kann ich nicht mit Sicherheit die Zugehörigkeit zu Duboisi behaupten. Die verhältnissmässig enge Nabelung, sowie das etwas erhöhte Gewinde weisen auch auf H. suanetica, Boettg., hin.

6. *Hyalina (Polita) nitidula, Drap.*

Ich sammelte 10 Exemplare, die etwas grösser als nordische Exemplare sind und bei denen in Folge dessen der lezte Umgang etwas stärker erweitert ist, als bei jenen. Gleiche Exemplare sammelte ich in der Krim und scheinen mir die Krimer und die kaukasischen Stücke Clessin's Meinung zu bestätigen, dass H. nitidula, Drap., nur als var. von H. nitens, Mich., aufzufassen ist.

7. *Helix (Vollonia) costata, Müll.*

8. *Helix (Vallonia) pulchella, Müll.*

Beide bei Novorossiisk nicht selten.

9. *Helix (Eulota) appeliana, Mouss.*

Journ. d. Conch. t. 24. 1876, p. 32., t. 2. fig. 3.

Diese gute Mousson'sche Art hat zu mannigfachen Missdeutungen Anlass gegeben, indem Kobelt und Boettger auf dieselbe eine oder die andere Varietat von H. narzanensis, Kryn., bezogen. Zu diesen Missdeutungen hat der Autor insofern selbst Anlass gegeben, als er seine Art als zur Campelaea-gruppe gehörig bezeichnete. Dass er selbst jedoch mit dieser Zutheilung nicht ganz zufrieden war, beweist das Fragezeichen hinter dem Namen Campylaea, überdies hätte die Angabe in der Diagnose, dass die Art „pallide cornea" sei und ihre Form sie, wie in der Beschreibung gesagt ist, den Fruticolen nahere, die späteren Autoren darauf hinweisen sollen, dass die Mousson'sche Species nicht wohl eine Varietät der H. narzanensis, Kryn., sein könne.

Die 29 von mir gesammelten Exemplare stimmen genau mit der Moussonschen Diagnose überein; die feine Granulation der Schale, die in Folge der nahe an einander gerückten Insertionen merkwürdig kleine Mundung, der weite Nabel, alles trifft bei meinen Stücken mit Mousson's Beschreibung zu. In der Grösse variiren meine Exemplare von: diam. maj. 16,5—19 mm., min. 13,75—17 mm., alt. 10—11,5 mm.

Was die Stellung anbetrifft, welche H. appeliana, Mouss., im Systeme einzunehmen hat, so glaube ich sie mit Sicherheit in die

Gruppe Eulota verweisen zu können, mit deren Arten sie das erbohte Gewinde, den weiten Nabel und die durchsichtige Farbe des Gehauses gemein hat.

Da Mousson l. c. die Art „appeliana" genannt hat, so gebrauche ich diese Schreibart anstatt des von Boettger angewendeten „Appeliusi".

10. *Helix* (*Carthusiana*) *carthusiana*, *Müll.*

Zahlreich in fast typisch zu nennender Form. Die Grössenverhältnisse schwanken zwischen 10—13,5 mm. lat. und 5—7,5 mm. alt.

11. *Helix* (*Carthusiana*) *frequens*, *Mouss.*

Vereinzelt in Wäldern bei Novorossiisk. Die Exemplare haben eine Breite von 10,5—12 mm., eine Höhe von 7—8 mm.

12. *Helix* (*Tachea*) *atrolabiata*, *Kryn.*, *v. stauropolitana*, *A. S.*

Von den vorliegenden 54 Exemplaren erreichen nur 2 folgende Grösse: Länge 42 mm., Breite 34 mm., Höhe 27 mm. Die Mehrzahl (45 Ex.) hat eine Länge von 30—32 mm., Breite von 26—28 mm. und Höhe von 20—22 mm. Ein verhaltnissmässig hohes Gewinde weisen die beiden kleinsten Exemplare auf, namlich 20 mm. Höhe bei nur 27 mm. Länge und 22 mm. Breite. Die Schale ist so rauh wie bei den Exemplaren von v. stauropolitana, A. S., anderer Fundorte, die gelbe Epidermis fehlt sehr oft auch bei den lebenden Thieren. In der Bänderung sind die Exemplare sehr constant, insofern als alle 3 schwarze Bander (3, 4, 5) aufweisen, die zwar ziemliche Breite haben, aber meistens stark weissgelb geflecht sind, so dass die schwarze Grundfarbe der Bänder oft halb verschwindet.

13. *Helix* (*Helicogena*) *obtusata*, *Z.*

Ungemein häufig bei Novorossiisk. Ich sammelte 108 leb. Exemplare, die sich nur durch die bedeutend dickere Schale von den Krimer Exemplaren unterscheiden. Wie bei diesen, so sind auch bei den Novorossiisker Stücken die funf Bander bald alle vollstandig erhalten, bald verschwinden einzelne mehr oder weniger. Fur die mir vorliegenden Stücke kann ich in Betreff der Bänderung folgende Tabelle aufstellen:

1	2	3	4	5	(d. h. mit sämmtlichen 5 Bändern).	39	Exempl.
1	2	3	4	5	(Bd. 2 u. 3 fliessen zusammen)...	13	„
1	(2	3	4)	5	(Bd. 2, 3 u. 4 nur schwach angedeutet, also Uebergang zu v. bicincta, Dub., bildend)............	7	„
1	(2)	3	(4)	5	(Bd. 2 u. 4 in Flecken aufgelöst).	2	„
1	.	3	4	5	(Bd. 2 fehlt)..................	3	„
1	2	.	4	5	(Bd. 3 fehlt)..................	4	„
1	2	3	.	5	(Bd. 4 fehlt)..................	1	„
1	.	.	4	5	(Bd. 2 u. 3 fehlen)...........	2	„
1	.	3	.	5	(Bd. 2 u. 4 fehlen)...........	15	„
1	.	.	.	5	(Bd. 2, 3 u. 4 fehlen) v. bicincta, Dub.	11	„
Albinos (reinweisse)					....	11	„
						108	Exempl.

Merkwürdig ist die verhältnissmässig grosse Zahl (10 %) von Albinos. In der Grösse schwanken die Exemplare zwischen 27—33 mm. diam. und 26—32 mm. Höhe.

Ausser diesen—abgesehen von der Dichschaligkeit—typisch zu nennenden Exemplaren fand ich noch eins, das durch seine Grösse so von der Stammform abweicht, dass es als Varietät angesprochen werden kann. Ich benenne dieselbe:

v. Ballionis, mihi.

differt a typo testa crassiore atque majore, anfr. $4\frac{1}{2}$ nec. 4, diam. et alt. 40 mm.

14. *Helix (Herophila) derbentina, Kryn.*

Die zahlreichen vorliegenden Stücke unterscheiden sich in nichts von den von mir an anderen Orten des Kaukasus und in der Krim gesammelten Exemplaren. Die grosse Mehrzahl ist rein kalkweiss, nur c. 17 % zeigen mehr oder minder starke Fleckenbänder.

15. *Helix (Herophila) Krynickii, Andr., f. minor, Boettg.*

vgl. Bericht über d. Senck. naturf. Ges. 1884. p. 152.

Nur ein mit den bei Suchum gefundenen Exemplaren vollständig übereinstimmendes Stück.

16. *Helix (Herophila) candicans, Z., v. dejecta, Jan.*

Die 5 mir vorliegenden Exemplare gleichen vollkommen den Krimer Stücken meiner Sammlung, die auf Freund Clessin's Autorität als dejecta, Jan., bezeichnet habe.

17. *Buliminus (Zebrina) cylindricus, Mke., v. subacuminatus, mihi.*

Reinweiss, sehr selten die oberen Umgänge mit einigen kurzen braunen Streifen. Umgänge $9^{1}/_{2}$—$10^{1}/_{2}$, wenig gewölbt. Spirallinien vorhanden. Lippe beim Uebergang in den Spindelrand mit deutlichen Eindruck *). long. 21—28 mm., lat. 6—7,5 mm.

Sehr häufig bei Novorossiisk.—In der Form gleichen alle meine Exemplare ganz solchen, die ich in der Krim bei Jalta sammelte und die den Uebergang von der typischen Form zur v. acuminatus, Ret., bilden. Wie bei dieser Varietät sind die Umgänge wenig gewölbt, wenn auch das Gehäuse nie so schmal wird, wie bei den von mir mit dem Namen acuminatus bezeichneten Stücken. Wenn ich der Novorossiisker Form einen besonderen Namen beilege, so geschieht es hauptsächlich desshalb, weil sie sich von den Krimer Stücken gleicher oder ähnlicher Form durch rein kalkweisse Farbe unterscheidet und die weissen Krimer-Varietaten nicht diese längliche zugespitze Form aufweisen. Sehr selten (bei 6 von 110 Exempl.) zeigen die oberen Umgänge einige kurze braune Streifen. Jedenfalls ist die vorliegende Schnecke nicht von B. cylindricus, Mke., zu trennen, dessen Vorkommen somit nicht nur auf die Krim beschränkt ist.

18. *Buliminus (Medea) Raddei, Kob.*

Es gelang mir von dieser hübschen Art 48 Exemplare zu finden. Von diesen sind 12 (25%) albin. Die anderen 36 zeigen genau die von Kobelt in seiner Iconographie f. 2008 gegebene Zeichnung, ein breites röthlich violettes Band auf der Mitte jedes Umganges. In der Form entsprechen die Novorossiisker Exemplare ganz denen, die ich bei Uetsch-Deré (unweit Sotschi) gefunden hatte.

*) Dieser Eindruck findet sich auch bei einigen Krimer Formen des B. cylindricus, Mke., jedoch nicht bei allen.

19. *Buliminus (Chondrula) tridens, Müll.*

Nicht selten bei Novorossiisk.

20. *Buliminus (Chondrula) lamelliferus, Rssm., v. phasianus, Dub., f. angustior, mihi.*

Länglich eiförmig, Wirbel nicht so schnell zugespitzt wie bei phasianus, Dub., bedeutend schmäler als dieser. Umgänge $6^1/_2$, long. 4,25—5,5 mm., lat. 2,2—2,5 mm.

Die am Abhange eines Berges auf der Westseite der Novorossiisker Bucht in ziemlich grosser Anzahl (c. 400 Ex.) gesammelten Exemplare sind unter sich sehr übereinstimmend; die Bezahnung ist bei allen gleich und zwar wie bei v. phasianus, Dub., nur dass das Angularzähnchen niemals mit der Parietallamelle verbunden ist, was übrigens ja auch bei phasianus vorkommt. Durch die schmale Form mit mehr konischer Spira nähert sich die Novorossiisker Form meiner v. angustatus, mit der ich sie jedoch nicht identificiren kann, da bei letzterer Varietät der Angularzahn mit der Parietallamelle verbunden und der mittlere Randzahn fast quadratisch ist, während derselbe bei der f. angustior zwar stärker als die andern Randzähne, jedoch nicht quadratisch ist. Auch ist bei angustior—wie bei phasianus, Dub., über dem oberen Randzahne noch ein kleines viertes Randzähnchen vorhanden, das nur bei nicht völlig entwickelten Exemparen fehlt, angustatus weist dagegen keine Spur eines solchen Zähnchens auf. Endlich ist noch ein Unterschied in der Form der Mündung vorhanden. Dieselbe ist bei phasianus und angustior halbeiförmig gerundet, bei angustatus auf der ausseren Seite etwas zusammengepresst, so dass die Mündung die Hälfte eines schiefen Ovals bildet.

21. *Cionella (Zua) lubrica, Müll.*

Diese weitverbreitete Species ist auch bei Novorossiisk nicht selten.

22. *Pupa (Pupilla) triplicata, Stud., v. luxurians, Reinh.*

Die in ziemlicher Anzahl vorliegenden Exemplare sind sämmtlich von geringer Grösse (nur c. 2 mm. lang); zusammen mit sicher zur v. luxurians, Reinh., gehörigen Stücken sammelte ich aber auch Exemplare, bei denen die für luxurians charakteristische zweite obere Gaumenfalte fast oder ganz verschwindet.

23. *Pupa (Isthmia) Strobeli, Gredl., v. laevestriata, mihi.*

differt a typo testa non costulata.

Das einzige von mir gefundene Exemplar unterscheidet sich durch seine fast glatte Schale so von der gerippten Stammform, dass es als besondere Varietat bezeichnet zu werden verdient. Bei dem vorliegenden Stücke sind alle 3 Zähne schwächer entwickelt, als bei der typischen Form, doch mag das nur individuel sein.

24. *Clausilia (Serrulina) serrulata (Midd.), Pfr.*

Ist im ganzen Littoral von Novorossiisk bis Suchum nicht selten.

25. *Clausilia (Euxina) pumiliformis, Boettg.*

Ein todtes Exemplar, das vollkommen mit meinen typischen Stücken von Suchum übereinstimmt. Auch diese Species ist somit für das gange Küstengebiet zwischen Novorossiisk und Suchum (Poti) nachgewiesen.

26. *Clausilia (Euxina) novorossica, mihi.*

T. parva, fusiformis, ventriosa, corneo-fusca, nitidula. Anfr. 12, convexiusculi, summi 3 laeves, caeteri densissime costulato-striati, ultimus vix fortins striatus, latere longitudinaliter non impressus, basi sulcatus arcuatimque carinatus. Apertura rotundato-piriformis, basi medio canaliculato; peristoma continuum, solutum, reflexiusculum, albidum. Lamella supera antice valida, satis longa, cum spirali non juncta; infera profunda, valida, angulatim ascendens; subcolumellaris emersa; palatales 4, subparallelae, in apertura conspiciendae, subaequales, palatales secunda et tertia verae cum lunella junctae. long. 14 mm., lat. 3,75 mm.

Innerhalb der Section Euxina steht die vorstehend beschriebene Art, von der mir 2 Exemplare vorliegen, des Cl. maesta, Fér., und des Cl. carpulenta, Friv., am nachsten. Wenig verschieden in der äusseren Form ist auch die Mundbildung eine ähnliche; die hervortretende Spindelfalte, die in der Mündung deutlich sichtbaren, verhältnissmässig kurzen Gaumenfalten, von denen die 3 wahren höchstens nur bis zur Mondfalte reichen und auch die Principalfalte nur wenig über diese hinausgeht, sind allen 3 Arten eigen; Cl. novorossica, mihi, unterscheidet sich aber von den beiden andern hauptsächlich dadurch, dass bei ihr die 4 Gaumenfalten fast gleichlang sind (die 3 wahren Gaumenfalten reichen unverkürzt bis zur Mondfalte, die Principalfalte ist wenig länger), während bei Cl. maesta und bei Cl. corpulenta die zweite und dritte wahre Gaumenfalte immer verkürzt sind und ausserdem bei beiden Arten noch eine fünfte kurze Gaumenfalte auftritt; ferner ist der Mundsaum bei Cl. novorossica ohne alle Fältchen, die allerdings bei Cl. corpulenta, Friv., ebenfalls bisweilen fehlen. Aehnliche Mundbildung weisen ferner noch Cl. Hübneri, Pfr., und Cl. laevestriata, Ret., auf, bei denen aber ebenfalls die zweite wahre Palatale stark verkürzt ist; überdies dürften diese beiden Arten in Folge ihres ganz abweichenden äusseren Habitus keinen Anlass zur Verwechslung mit Cl. novorossica geben.

27. *Clausilia (Oligoptychia) foveicollis, Charp.*

Ich sammelte diese in ganz Transcaucasien häufige Art in ziemlicher Anzahl bei Novorossiisk; die Exemplare sind von mittlerer Grösse, long. 14—16,5 mm., lat. 3—3,5 mm.

28. *Succinea Pfeifferi, Rssm.*

Ein kleines Exemplar von nur 7,5 mm. Länge.

29. *Cyclostoma (Cyclostoma) costulatum, Rssm.*

Sehr häufig bei Novorossiisk.

II.

Zur Molluskenfauna Tscherkessiens.

Im Jahre 1884 hatte ich eine Excursion nach Abchasien und Tscherkessien ausgefuhrt und wurden die dabei von mir gesammelten Mollusken von Dr. O. Boettger in dem Bericht der Senck. naturf. Ges. für 1884, p. 146—155 bekannt gemacht. Im Sommer 1886 excursirte der bekannte Petersburger Entomologe Hr. E. König ebenfalls in Tscherkessien (im Sotscher Kreise), und, obgleich hauptsächlich dem Fange von Coleopteron obliegend, hatte er nebenbei auch einige Mollusken gesammelt, die er mir zur Bestimmung sandte, mir dabei in liberalster Weise einige unioa überlassend, wofür ihm hiemit meinen besten Dank ausspreche. Da ich im Ganzen nur 6 Tage in jener Gegend geweilt hatte, Hr. König dagegen dort längere Zeit bleiben und auch seine Excursionen weiter ausdehnen konnte, so gelang es ihm noch einige Arten zu sammeln, die ich daselbst seiner Zeit nicht gefunden hatte.

An das oben erwähnte Verzeichniss des Hrn. Dr. O. Boettger anknüpfend, führe ich in den folgenden Zeilen nur diejenigen Arten, auf, die entweder demselben fehlen, oder aber von neuen Fundorten vorliegen.

1. *Hyalina (Retinella) sucinacia, Boettg.*

Uetsch-Deré (c. 13 Werst nord-westlich von Sotschi, am Meere gelegen), Fundort neu.

2. *Helix (Carthusiana) holotricha, Boettg.*

Ich hatte diese hübsche stark behaarte Art 1884 in einem Exemplare bei Psirsk entdeckt. Hr. König war so glücklich, ein zweites im Sotscher Kreise in einer Höhe von 7000′ zu finden. Dasselbe unterscheidet sich von dem jetzt im Frankfurter Museum befindlichen Originalexemplar nur durch etwas weitern Nabel.

3. *Helix (Eulota) euages, Boettg.*

Diese prächtige Species wurde von Leder bei Psirsk in 3 Exemplaren entdeckt und unter dem angegebenen Namen von Boettger beschrieben und abgebildet (Jahrb. d. dent. Mal. Ges. 1883, p. 161. Taf. 4, f. 2, Taf. 6, f. 1, a—c).

An demselben Orte sammelte ich 1884 einige Exemplare dieser Art, von der ich auch 2 weitere Stücke am Ufer des Krim angeschwemmt fand. Heute nun liegt mir ein Exemplar vor, welcher Hr. König in Uetsch-Deré gefunden hat, das somit ein zweiter Fundort für diese seltene Art ist. Das mir freundlichst überlassene Stück ist bedeutend breiter, aber nicht höher als die typischen Psirsker Exemplare (es hat 20 mm. Br. bei 12,5 mm. Höhe), es bildet demnach den Uebergang zu der von mir als v. depressa bezeichneten Form.

4. *Buliminus (Chondrula) Lederi, Boettg., f. major, mihi.*

differt a B. Lederi typico anfr. 9 nec 8, labio dextro latius expanso. alt. 15 mm. lat. 5 mm.

Das einzige tadellose Stück wurde von Hrn. König an gleichem Fundorte wie H. holotricha, Boettg., gefunden; es unterscheidet sich nur durch seine Grösse—der typische B. Lederi hat $11^1/_2$ mm. alt.,—einen Umgang mehr und etwas stärker erweiterte rechte Lippe von der Stammform, ist daher auch wohl nicht als eine besondere Varietät, sondern nur als eine grössere Form zu betrachten.

5. *Pupa (Charadrobia) pulchra, Ret.*

Mal. Bl. N. F. VI. 1883. p. 57.

Da ich diese Art nach 2 in der Krim angeschwemmten Exemplaren aufgestellt hatte, so war der wahre Ort des Vorkommens bislang unbekannt; es ist somit von Interesse, dass Hr. König einige lebende Exemplare bei Uetsch-Deré auffand, und wir nunmehr Tscherkessien als die Heimat des hübschen kleinen Schnecke angeben können. Die beiden mir zugesandten Exemplare unterscheiden sich etwas in der Form, das eine ist eiförmig-oblong, hat $8^1/_2$ Umgänge, 4,5 mm. Länge und 2 mm. Breite, das andere ist kurzeiförmig, hat einen Umgang weniger und ist 3,6 mm. lang, aber auch 2 mm. breit. Auf dem letzten Umgange sind beide Exemplare in des Mitte der Länge nach eingedrückt.

Die Bezahnung ist bei beiden, wie ich sie in der Beschreibung angegeben habe, die 5 kleinen Zähnchen zwischen Basal- und Spirallamelle sehr deutlich; die Costulirung tritt noch viel schärfer hervor, als bei den beiden mir zuerst bekannt gewordenen Exemplaren *). Zu den bei dem Vergleiche von P. pulchra, Ret., mit P. superstructa, Mouss., angegebenen Unterschieden kann noch hinzufügen, dass bei P. pulchra die beiden Parietallamellen innen

---

*) In den Mal. Bl. N. F. Bd. IX. 1887 sind Pupa pulchra, Ret., typ. auf Taf. I, f. 12, f. bilabiata, Ret., Taf. I, f. 1. (NB., in dem Verzeichnisse, p. 42 sind die Namen vertauscht) abgebildet. Zu diesen Abbildungen ist zu bemerken, dass die Zahne, insbesondere der kammförmige Zahn am Aussenrande in Wirklichkeit viel stärker entwickelt sind, als aus den Abbildungen ersichtlich, bei f. 12 fehlen überdies durch ein Versehen des Zeichners die 5 kleinen faltenförmigen Zähnchen zwischen Spiral- und Basallamelle, bei beiden fig. ist die Costulirung nicht deutlich genug.

stark einwarts gebogen sind, während sie bei P. superstructa ziemlich grade verlaufen.

6. *Pupa (Orcula) bifilaris*, *Mouss.*

Uetsch-Deré reiht sich den beiden bisher bekannten Fundorten— Suchum und Umgebung des Goktscha Sees in Russisch-Armenien— als dritter an.

7. *Cyclostoma (Cyclostoma) costulatum*, *Rssm.*

Diese im ganzen Gebiet des Kaukasus nicht seltene Art kommt auch in Uetsch-Deré vor.

8. *Melanopsis praerosa*, *L.*, *v. mingrelica*, *Mouss.*

9. *Planorbis (Gyrorbis) spirorbis*, *L.*

10. *Ancylus (Ancylastrum) fluviatilis*, *L.*, *v. subcircularis*, *Cless.*

Alle 3 Arten im Dagomys-flusse, einem Bache c. 10 Werst nordwestlich von Sotschi.

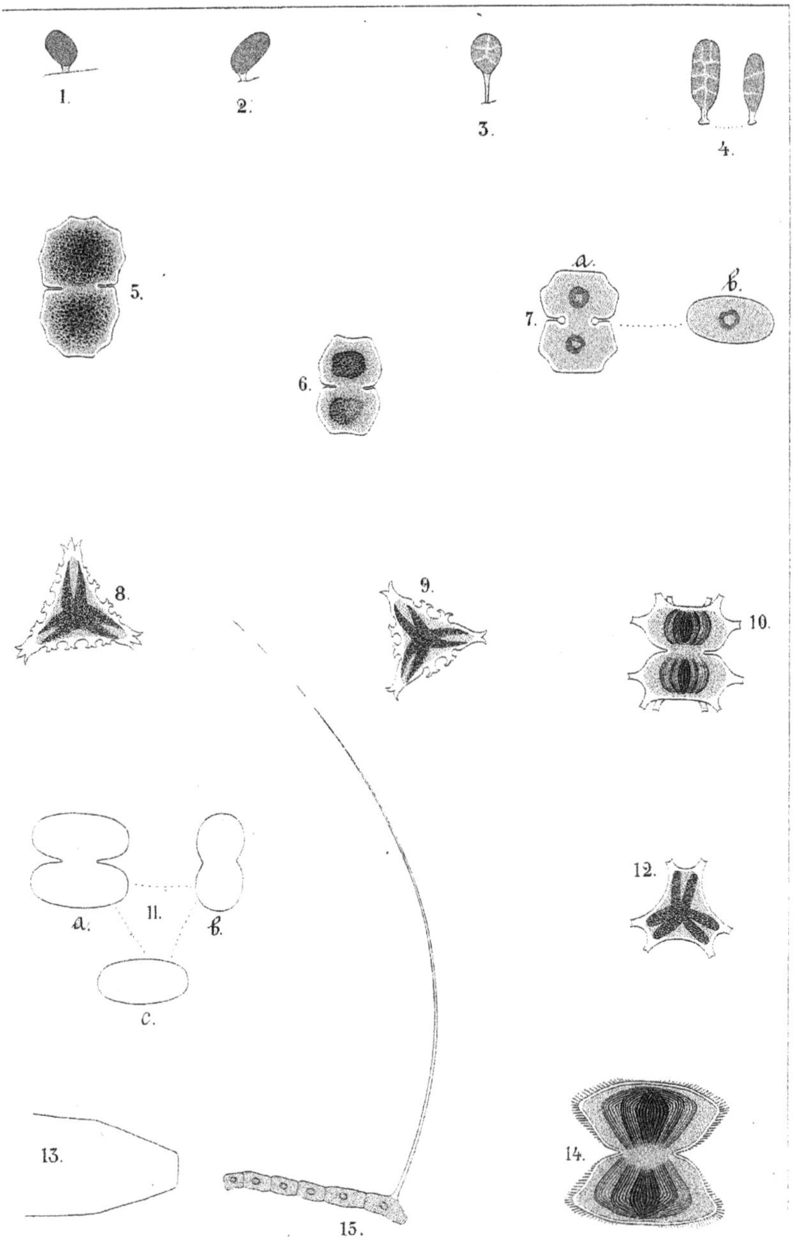

Лит. Университета.

Auct del

LES CHLOROPHYCÉES DES ENVIRONS DE KHARKOW.

Par

D. B. Riabinine.

Dedié à la mémoire du Prof. *L. Cienkowski.*

Avec 1 planche.

Les premières recherches qui avaient pour but d'explorer la flore des algues de notre patrie, datent d'une époque tout-à-fait récente. La connaissance des algues, que nous leurs devons, est bien loin d'être suffisante et il faudra encore beaucoup d'études assidues et approfondies pour la rendre complète. J'indiquerai ici les recherches sur la flore des algues, dont j'ai fait connaissance pendant mes études et qui portent appui à mes paroles et celà en particulier pour les algues vertes qui furent l'objet de mes études. Ces travaux sont:

1. Le compte-rendu d'une excursion aux environs de Bielgorod et de Zmiyow par M. L. Reinhard inséré dans les „Travaux de la Société des Naturalistes de Kharkow", 1869, vol. I. (Труды Харьковскаго Общества Испыт. Прир." 1869, т. I). On y trouve cité plus de 100 formes, les Diatomées prédominant; cependant il y est indiqué quelques formes de l'ordre des Chlorophycées pour les environs de Kharkow.

Puis, l'an 1870, dans le „Bulletin de la Société des Naturalistes de Kiew", vol. I, (Записки Кіевскаго Общ. Естествоисп." т. I) M. le prof. Borszczow offre son mémoire intitulé „Matériaux pour servir à l'étude des algues du gouv. de Tschernigow" (Матеріалы для флоры водорослей Черниговской губерніи"), dans lequel il cite 60 espèces, dont les algues vertes font à peu prés la moitié. Dans le même volume se trouve l'article de M. Borszczow „Notice sur quelques espèces nouvelles des unicellulaires des environs de Kiew". (О нѣсколькихъ новыхъ одноклѣтныхъ окрестностей Кіева) (trois espèces nouvelles avec une planche de figures).

En 1870 la Société des Naturalistes de Kiew envoya trois explorateurs dans trois gouvernements divers dans le but spécial d'étudier la flore des Cryptogames et c'est dans les Mémoires de la Société de l'an 1871 que leurs rapports se trouvent insérés. M. Rischawi dans ses deux articles intitulés „Matériaux pour servir à l'étnde des algues du gouv. de Kiew" (Матеріалы для флоры водорослей Кіевской губерніи) cite en tout 177 espèces, dont 50 espèces appartiennent à l'ordre des Chlorophycées et 121 aux Diatomées. M. Ploutenko dans ses „Matériaux pour servir à l'étude des algues du gouv. de Pultava" (Матеріалы для флоры водорослей Полтавской губерніи) indique 57 espèces appartenant presque exclusivement à l'ordre des Diatomées; des Chlorophycées nous n'y trouvons que 9 espèces. Dans son article intitulé „Matériaux pour servir à l'étude des algues du gouv. de Tschernigow" (Матеріалы для флоры водорослей Черниговской губ.) M. Timoféew cite 100 espèces, dont 41 reviennent aux Chlorophycées.

L'année suivante, 1871, dans les „Travaux de la Société des Naturalistes de Kharkow" (Труды Харьк. Общ. Ест.) est inséré l'article de M. le prof. L. Reinhard sous le titre „Characieae de la Russie centrale et méridionale" (en russe), où ce petit groupe est soumis à une revision complète et agrandi en même temps de 4 espèces nouvelles.

L'an 1873 dans le „Bulletin de la Société des Naturalistes de la Nouvelle-Russie" (vol. II, livraison I) (Записки Новороссійскаго Общ. Ест.) se trouve inséré l'article de M. Sredinski „Matériaux pour servir à l'étude des algues de la Nouvelle-Russie et de la Bessarabie" (Матеріалы для флоры водорослей Новороссійскаго края и Бессарабіи), dans lequel il fait rentrer des formes marines et qui offre la majorité prédominante des Diatomées et une quantité plus petite seulement (50 espèces) des algues vertes.

De ces indications il est évident que la famille des Diatomées est étudiée d'une manière beaucoup plus ample, tandis que la connaissance de l'ordre des Chlorophycées dont l'étude fut poursuivie avec moins de succès dans les oeuvres citées plus haut, n'est que très incomplète. L'ordre des Chlorophycées se trouve considérablement mieux étudié dans l'ouvrage moderne de M. Artari „Mémoire sur la flore des algues vertes du gouv. de Moscou" (Флора зеленыхъ водорослей Московской губерніи), 1885, où il est decrit plus de 100 formes.

Dans mon ouvrage présent j'offre des données recueillies pendant l'année courante, 1886, et en partie en automne 1885. L'été de l'année présente peut être considéré comme un des plus défavorables pour les recherches algologiques et cela à cause d'une sécheresse extraordinaire qui durait pendant les mois de Juin, de Juillet et d'Août, de manière que la plupart des réservoirs d'eau s'est tari à sec. Quelques-uns seulement ont laissé des lieux legèrement humides et c'est là que le *Botridium granulatum*, *Grew.*, s'est développé en quantité considérable. Un nombre de marais encore plus petit n'avait pas le temps de se dessécher.

Parmi les réservoirs complètement desséchés se trouvait aussi un marais tel que le Klioukvénoyé, important par la richesse et la diversité des formes surtout de la famille des Desmidiacées. Les marais prés du hameau de Natotschiyi ont été de même desséché, ainsi qu'un petit marais prés de Péssotschine—le lieu où l'on pouvait rencontrer le *Cylindrocapsa involuta*, *Reinsch.*; dix marais environ au delà de Dergatschi ont subi le même sort; à Ivanovka c'est déjà en Juin que certains marais se sont desséchés, qui du reste ne se distinguaient jamais par l'abondance d'ean; de plus, même l'ombre d'un bosquet d'aunes n'était pas en état de conserver deux petits marais situés prés de la plate—ferme de Khliebnikow (auprès du remblai du chemin de fer de Koursk à Azow).

De cette manière, la sécheresse durait pendant tout le temps le plus favorable pour le développement des algues. Pour cette raison quelques unes des formes me semblent avoir pu échapper à l'oeil de l'investigateur. Ce n'est qu'au commencement du mois de Séptembre que la quantité des sediments atmosphériques était agrandie de manière à restaurer les marais.

La région des environs de Kharkow que j'avais choisie pour mes recherches ne dépassait pas 16 kmtr. dans le rayon; les réservoirs d'eau lesquels malgré la sécheresse ont tenu une quantité d'eau suffisante pour le développement des algues, étaient comme il suit.

La rivière de Lopagne à Ivanovka.

La rivière de Kharkow à Jourovliovka.

La rivière d'Oudoui prés de Kouriaje, prés du hameau de Natotschiy; près de Grigorovka, et les petites baies formées par la rivière à cet endroit.

La série d'étangs de Kouriaje.

Les petits marais prés de la digue de Skouridine au delà de l'eglise d'Osnova.

L'étang de Lémékhow au delà de Péssotschine.

Les marais à Osnova près de Novosiolovka aussi que dans le forêt de pius, à droit du remblai du chemin de fer de Kharkow à Nikolayew.

Deux marais enfin prés du hameau de Béréjenoyé au delà de Dergatschi et deux marais au delà de Dergatschi au chemin du hameau de Bérèjenoyé.

Les ouvrages dont j'ai fait usage comme manuels en déterminant les matériaux recueillis étaient comme il suit.

A. Braun. Algarum Unicellularum genera nova et minus coguita praemissis observationibus de algis unicellularibus in genere. 1885.—A. Br. Alg. Unicell.

Brügger und *Churwalden.* Bundner Algen beobachteten im Jahre 1862. Erster Bericht über die Kleinste-Leben der Rathischen Alpen (Jahresber. Naturforsch. Ges. Graubünden. 1863).

F. Cohn. Kryptogamen-Flora von Schlesien. Algen bearbeitet von *O. Kirchner.* 1878. Bres.

F. Cohn. Desmidiaceae Bongonensis. Halle. 1879.

M. C. Cooke. Fresh Water Algae exclusive of Desmidiaceae and Diatomaceae. 1882—84.

Ehrenberg. Die Infusionstierchen als volkommene Organismen.

Giuseppe de Notaris. Elementi per lo studio delle Desmidiaceae italicae. Gen. 1867.

Hermann. Ueber die bei Neudam angefundenen Arten des Genus Characium. In *Rabenhorst's* Beiträge zur näh. Kentniss der Algen. 1863. H. I.

J. Kickx. Flore Cryptogamigue des Flandres. Vol. II. 1867.

Kützing. Tabulae Phycologicae, T. I—VI.

P. M. Loundel. De Desmidiaceis quae in Sueciae inventae sunt. Observationes criticae. Upsaliae 1871.

C. Naegeli. Die neueren Algensysteme und Versuch zur Begrundung eines eigenen System der Algen und Florideen. 1847.

C. Naegeli. Gattungen einzelliger Algen physiologisch und systematisch bearbeitet. Zürich. 1849.

P. Petit. Spirogyra des environs de Paris. 1880.

Perty. Zur Kentniss der kleinsten Lebensformen nach Baun, Functionen u. Systematik mit Specialverzeichniss der in der Schweiz beobachteten. Bern. 1852.

Pringsheim. „Beiträge.....“ Morphologie der Oedogonien. Jahrb. Wissensch. Bot. 1857. Bd. I. Hf. 1.

L. Rabenhorst. Flora Europaea Algarum aquae dulcis et submarinae. Sct. III. 1864.

M. Raciborski. De nonnullis Desmidiaceis novis vel minus cognitis quae in Polonia inventae sunt. W Krakowie. 1885.

J. Ralf. British Desmidieae. Lond. 1848.

Л. В. Рейнгардъ. Characieae средней и южной Россіи. Труды Харьк. Общ. Исп. Природы. 1872. Vol. IV.

P. Reinsch. Die Algenflora des mittleren Theiles von Franken etc. Nürenberg. 1867.

P. Reinsch. De speciebus generibusque nonnullis novis ex algarum et fungorum classe. Fr. a. M. 1867.

P. Reinsch. Contributiones ad algologiam et fungologiam. Vol. I. Lips. 1875.

F. Stein. Der Organismus der Infusorien. III. Abth. I. Hälfte. Der Organismus der Flagellaten.

Wittrock. Prodromus monographiae Oedogoniarum. Upsaliae. 1874.

M. Woronin. Chromophyton Rosanowi. Wor. Bot. Zeitg. Jahrg. XXXVIII.

En conclusion je me fais un devoir agréable d'exprimer ma plus profonde reconnaissance à mes très honorés précepteurs MM-rs les professeurs L. Cienkowski et L. Reinhard qui plus d'une fois m'ont porté appui par leur precieux conseils et indications.

A noter: 1μ=0,001 m.

Kharkow,
le 20 Décembre 1886.

Ordre PALMELLACEAE.

Fam. Palmellaceae.

I. Genre Eremosphaera, De By.

1. **Er. viridis, De By.** Rabh. Flor. Eur. Alg. III, p. 23. Cooke Fresh. Wat. Alg. p. 3, pl. I. Kirchn. Krypt Fl. Schles. p. 115. De Bary Conjugat p. 56, pl. VIII, fig. 26 et 27. Reinsch. Algenfl. p. 200.

Les exemplaires que j'ai mesurés offraient des vacillations de 105 à 150μ dans le diamètre. J'ai rencontré cette espèce dans le Klioukvénoyé, dans un marais de ses alentours, et celui à la verste 221.

2. Gnr. Pleurococcus, Menegh.

2. **Pl. mucosus, Rabh.**—Flor. Eur. Alg. III, p. 26. Cooke Fresh. Wat. Alg. p. 4, pl. H, f. 3. Kützing. Tab. Phyc. I. tal. 4.

Sur les murs de pierre en forme de taches vertes. Il se développe surtout sur la plâtre, par exemple sur les bâtiments de l'Université.

Diamètre des cellule de 2 à 5μ.

3. **Pl. vulgaris, Menegh.**—Rabh. Flor. Eur. Alg. III. p. 24. Kütz. Tab. Phyc. I, tab. 5. f. 1—*Protococcus vulgaris, Ktz.*; Reinsch. Algenfl. p. 55. Kirchn. Krypt. Fl. Schles. p. 114. Naegeli Einzell. Alg. p. 64. pl. IV, E, 2. Cooke Fresh. Wat. Alg. p. 3. pl. II, f. 1.

Extrêmement commun. Se trouve dans l'eau (par exemple dans le Klioukvénoyé) croit aussi en plein air; sur l'écorce des arbres feuillées et des conifères dans chaque forêt de pins, en recouvrant parfois les abres à une hauteur considérable; se rencontre sous les gouttières et généralement dans les mêmes conditions que le *Protococcus viridis, Ag.*

Diamètre des cellules de 9 à 16μ.

Rabenhorst, M. Kirchner et M. Naegeli (l. c.) établissent comme limite du nombre d'individus qui constituent une colonie, celui de 32. Mais j'ai rencontré quelquefois d'immenses accumulations de *Pleurococcus vulgaris*, *Menegh.*, qui présentaient à l'oeil nu des flocons de $^1/_8$ mm. environ dans le diamètre. Ces accumulations étant morcelées sous la lamelle mince, se resolvaient toujours en colonies consistant d'un nombre varié de cellules d'une grandeur inégale; il y avait entre antre des colonies mésurant 200μ dans une direction et 150μ à peu près dans l'autre, et consistant en même temps de plusieurs couches. Si nons acceptons qu'une cellule du *Pleur. vulgaris*, *Menegh.*, complètement développée ait 15μ dans le diamètro, il faudra plus de 130 cellules pour former une conche d'une telle dimension.

4. **Pl. angulosus, Menegh.**—Rabh. Flor. Eur. Alg. III. p. 25. Cooke Fresh. Wat. Alg. p. 4, pl. II, f. 2. Kirchn. Krypt. Fl. Schles. p. 115, № 177. Kütz. Tab. Phyc. I. f. 3.

Il s'est rencontré dans le marais au bois d' Osnova et dans le lac de Repnoyé à Slaviansk.

3. Gnr. Gleocystis, Naeg,

5. **Gl. ampla, Rabh.**—Flor. Eur. Alg. III. p. 29; *Gleocapsa ampla* Kütz. Tab. Phyc. I. III, f. 3. Kirchn. Krypt. Fl. Schles. p. 112. Cooke Fresh. Wat. Alg. p. 6, pl. III, f. 1.

L'espèce extrêmement répandue dans notre localité. Je l'ai trouvé dans le Klioukvénoyé, le marais près du hameau de Bérèjenoyé au delà de Dergatschi, ainsi que dans le marais près du village de Philipovo, dans une pièce d'eau à Osnova, sur le sol humide des laes et des marais taris.

Cellules ovales de 9μ de large, de 12μ de long, ou rondes atteignant 16—17μ dans le diamètre. Se développe présque toujours sur les parois des vases immédiatement au-dessus de la surface d'ean.

6. **Gl. vesiculosa, Naeg.**—Rabh. Flor. Eur. Alg. III, p. 29, Cooko Fresh. Wat. Alg. p. 7, pl. III, f. 2. Kirchn. Krypt. Fl. Schles. p. 112 comme une variété du *Gleocystis ampla* Rabh.; Naegeli Einzell. Alg. p. 66, pl. IV. Reinsch. Algenfl. p. 57.

Dans la rivière de Lopagne à Ivanovka, le marais près du hamean de Bérèjenoyé, le Klioukvénoyé. Diamètre des cellules 5—7μ.

M. Kirchner décrit le *Gleocystis vesiculosa*, *Naeg.*, comme une variété du *Gleocystis ampla*, *Rabh.*, mais puisqu'il n'affirme pas son opinion des données qui pourraient la rendre incontestable je crois faire mieux en suivant la diagnose de Rabenhorst et de M. Naegeli de considérer le *Gl. vesiculosa, Naeg.*, comme une espèce spéciale.

7. **Gl. botryoides, Naeg.**—Rabh. Flor. Eur. Alg. III, p. 30. Cooke Fresh. Wat. Alg. p. 8, pl. III, f. 3. Kirchn. Krypt. Fl. Schles. p. 112. Reinsch. Algenfl. p. 57. *Gleocapsa botryoides* Ktz. Tab. Phyc. I. 1.

Les cellules ont 2—3μ dans le diamètre. Les conches des envelloppes gélatineuses ne sont pas toujours clairement exprimées.

Dans le Klioukvénoyé parmi les autres algues et sur les parois de vases.

4. Gnr. Schizochlamys, A. Br.

8. **Sch. gelatina, A. Br.**—Rabh. Flor. Eur. Alg. III, p. 32. Kütz. Tab. Phyc. I, pl. VI. Kirchn. Krypt. Fl. Schles. p. 109. Cooke Fresh. Wat. Alg. p. 10, pl. III, f. 6.

Cellules rondes d'un vert foncé, à l'enveloppe épaisse se partageant en parties symétriques. Diamètre des cellules, l'enveloppe y compris, mésure de 11 à 14μ, l'épaisseur de l'enveloppe ayant 2—3μ.

Trouvé dans un marais au delà de Dergatschi; il s'est développé aussi dans un vase renfermant les algues d'étangs de Kouriaje.

5. Gnr. Palmella, Lyngb.

9. **Pal. mucosa, Ktz.**—Rabh. Flor. Eur. Alg. III, p. 33. Kirchn. Krypt. Fl. Schles. p. 110, № 160. Cooke Fresh. Wat. Alg. p. 11, pl. V, f. 1. Reinsch. Algenfl. p. 58.

Cellules de 8—10μ de diamètre, d'une couleur verte à teinte un peu olivâtre.

Sur d'objets moites, aux endroits humides, au niveau d'eau.

10. **Pal. hyalina, Breb.**—Rabh. Flor. Eur. Alg. III, p. 33. Kirchn. Krypt. Flor. Schles. p. 210, № 162. Cooke Fresh. Wat. Alg. p. 11, pl. V, f. 3. Kütz. Tab. Phyc. I, pl. 15.

Dans un fossé près de la ferme de l'agriculture à Dergatschi, dans les petits marais sur le bord de la rivière d'Oudoui à Grigorovka.

Cellules rondes, 1—2μ de diamètre.

6. Gnr. Tetraspora, Link.

11. **T. lubrica, Ag.**—Rabh. Flor. Eur. Alg. III, p. 41. J. Kickx. Flore des Flandres II. p. 439. Kirchn. Krypt. Fl. Schles. p. 109,

№ 156. Cooke Fresh. Wat. Alg. p. 16, pl. VI, f. 3. Reinsch. Algefl. p. 59. Ktz. Tab. Phyc. I, pl. 30.

Cellules de 6—10μ en diamètre. Trouvé au printemps dans un fossé près de la ferme de l'agriculture.

12. **T. gelatinosa, Ag.** (Desv.).—Rabh. Flor. Eur. Alg. III, p. 39, J. Kickx. Flor. des Flandres II, p. 439. Kirchn. Krypt. Fl. Schles. p. 109, № 158. Cooke Fresh. Wat. Alg. p. 16. pl. VI, f. 2. Reinsch. Algenfl. p. 59.

Cellules de 3—11μ de diamètre. Au même endroit que le précédent.

7. Gnr. Palmodactylon, Naeg.

13. **Pal. varium, Naeg.**—Rabh. Flor. Eur. Alg. III, p. 44. Kirchn. Krypt. Fl. Schles. p. 107, № 149. Kütz. Tab. Phyc. VI, pl. 70, Naeg. Einzell. Alg. p. 70, pl. II, B, 1. Reinsch. Algenfl. p. 58,

Diamètre des cellules mêmes de 6 à 9μ, la largeur, le tegument y compris, atteignant 16—35μ.

Trouvé parmi d'autres algues, ainsi que sur des plantes aquatiques, par exemple sur l'*Hottonia palustris*, *L.*, sur les feuilles d'*Alisma Plantago*, *L.*, d'*Oedogonium* dans le Klioukvénoyé et prés du hameau de Bérèjenoyé.

14. **Pal. simplex, Naeg.**—Rabh. Flor. Eur. Alg. III. 44. Kirchn. Krypt. Fl. Schles. p. 107, № 151. Naegeli Einzell. Alg. p. 70, pl. II, B, 2. Reinsch. Algenfl. p. 59.

Cellules de 5—8μ de diamètre. Dans le Klioukvénoyé.

8. Gnr. Rhaphidium, Ktz.

15. **Rh. polymorphum, Fres.**—Rabh. Flor. Eur. Alg. III, p. 44, Kirchn. Krypt. Fl. Schles. p. 113, № 170.

Épaisseur des cellules de 2—4μ, la longueur mésurant 35—60μ. Espèce très répandue. Dans le Klioukvénoyé, dans les marettes près du moulin de Skouridine, sur le marais près du hameau de Bérèjenoyé, dans la rivière de Lopagne à Ivanovka.

var. aciculare—Reinsch. Algenfl. p. 64. Cooke Fresch. Wat. Alg. p. 19. pl. VIII. f. 3.

var. falcatum—*Rhaph. falcatum* Naeg. Einzell. Alg. p. 83, pl. IV. C, 1. *Ankistrodermus falcatus* Ralfs Brit. Desm. p. 180, id. De Notaris Elem. p. 71, pl. IX, 83 et pl. XXXIV, 3. Cooke Fresch. Wat. Alg. p. 19, pl. VIII, f. 1.

var. sygmoideum—*Scenedesmus dudlex* Raifs Brit. Desm. p. 193, pl. XXXIV, f. 17. *Rhaphidium duplex* Reinsch. Algenfl. p. 64 et Cooke Fresh. Wat. Alg. p. 20, pl. VIII, f. 5.

Aux lieux cités ci-dessus.

16. **Rh. falcula, A. Br.**—Rabb. Flor. Eur. Alg. III, p. 46. Kirchn. Krypt. Fl. Schles. p. 113, № 172.

Épaisseur des cellules de 4,5—5μ, la longueur mésurant 35—66μ. Trouvé ordinairement parmi d'autres algues dans le Kliouk-vénoyé et près du hameau de Bérèjenoyé.

17. **Rh. convolutum var. minutum, Naeg.**—Rabh. Flor. Eur. Alg. III, p. 46. Kirchn. Krypt. Fl. Schles. p. 114, № 173. *Rhaphidium minutum* Naeg. Einzell. Alg. p. 83, pl. IV, C, 2.

De 3 à 5μ d'épaisseur, snr une longueur de 10—22μ.

Dans les marettes prés du moulin de Skouridine et dans un étang du village de Riaboushki (dans le district de Lébédine).

18. **Rh. selenastrum, Reinsch.**—*Selenastrum Bibraianum* Reinsch. Algenfl. p. 64, pl. IV, f. II.

Rencontré parfois par deux cellules ou par trois et quelque fois plus, reunies d'une gélatine intermédiaire. Dimensions des cellules: largeur 20—26μ sur une longueur de 10—12μ.

Dans les marais près de Doudkovka et les matériaux du village de Riaboushki.

Des formes semblables au *Rhaphidium* se rencontrent souvent enveloppées d'une masse commune de gélatine.

9. Gnr. Dictyosphaerium, Naeg.

19. **Dict. Erenberghianum, Naeg.**—Rabb. Flor. Eur. Alg. III, p. 47. Kirchn. Krypt. Fl. Schles. p. 105, № 146. Cooke Fresh. Wat. Alg. p. 20, pl. IX, 1. Naegeli Einzell. Alg. p. 73, pl. II, E. Reinsch. Algenfl. p. 61.

Récueilli au printemps dans l'étang de Lémékhov, le Klioukvénoyé et prés du hameau de Bérèjenoyé.

Cellules d'une forme ovale, larges de 6 à 8μ, longues de 11—15μ.

10. Gnr. Oocystis, Naeg.

20. **Ooc. Naegelii, A. Br.**—Rabb. Flor. Eur. Alg. III, p. 53, Kirchn. Krypt. Fl. Schles. p. 113, № 169. Cooke Fresh. Wat. Alg. p. 26. A. Braun. Alg. Unicell. p. 94.

Dimensions des cellules mésurent 15×21μ sur 16×31μ; diamètre du coenobium 46μ. Dans les marais d'Osnova, et un marais au delà de Dergatschi.

Dans un marais près du hameau de Bérèjenoyé j'ai trouvé une forme ressemblant à l'*Oocystis geminata Naeg.*: dans le tégument sphérique d'environ 27μ en diamètre ont été renfermé, soit une cellule large de 18μ, longue de 24μ, soit deux cellules des dimensions moindres.

11. Gnr. Nephrocytium, Naeg.

21. **Nph. Agardhianum, Naeg.**—Rabh. Flor. Eur. Alg. III, p. 52. Kirchn. Krypt. Fl. Schles. p. 112, № 168. Cooke Fresh. Wat. Alg. p. 25, pl. IX, f. 1. Naegeli Einzell. Alg. p. 80, pl. III, f. C, 2. Reinsch. Algenfl. p. 62.

Les exemplaires observés par moi présentaient des cellules larges de 10μ et longues de 20—30μ, réunies par 6 où par 8.

En automne, dans le marais prés du hameau de Bérèjenoyé et le Klioukvénoyé.

12. Gnr. Porphyridium, Naeg.

22. **Por. cruentum, Naeg.**—Einzell. Alg. p. 71, pl. IV, H. Kirchn. Krypt. Fl. Schles. p. 111, № 164. *Palmella cruenta* Kütz. Tab. Phyc. I. Cooko Fresh. Wat. Alg. p. 13, pl. V, f. 6. Rabb. Fl. Eur. Alg. III, p. 397. Reinsch. Algenfl. p. 58.

Cellules en diamètre de 5—10μ. Dans une des serres chandes du Jardin Botanique de l'Université.

13. Gnr. Apiocystis, Naeg.

23. **Ap. Brauniana, Naeg.**—Rabh. Flor. Eur. Alg. III, p. 43. Cooke Fresh. Wat. Alg. p. 17, pl. VIII, f. 1. Kütz. Tab. Phyc. VI, pl. 68. Naegeli, Einzell. Alg. p. 62, pl. II, A.

Les dimensions ne dépassaient pas 60μ; cellules de 8—9μ en diamètre.

Dans le Klioukvénoyé, dans les marais sur les bords de rivière d'Oudoui à Grigorovka; sur des filaments de *Cladophora glomerata, Lin.*, et sur des feuilles de *Sagittaria sagittifolia, L.*

14. Gnr. Botryococcus, Ktz.

24. **Botr. Braunii, Ktz.**—Rabh. Flor. Eur. Alg. III, p. 43. Kirchn. Krypt. Fl. Schles. p. 111, № 166. Cooko Fresh. Wat. Alg. p. 17, pl. VII, f. 2.

Dans le Klioukvénoyé, près du hameau de Bérèjenoyé, en automne, par des aggrégats de forme diverse, consistant en cellules pour la plupart rondes, parfois un peu anguleuses—résultat de la pression mutuelle—remplies d'un contenu granuleux, de 9—12μ en diamètre.

Fam. Protococcaceae.

15. Gnr. Protococcus, Ag.

25. **Pr. viridis, Ag.**—Rabh. Flor. Eur. Alg. III, p. 56. J. Kickx. Flor. de Flandres II, p. 441 Kirchn. Krypt. Fl. Schles. p. 103. № 138. Cooko Fresh. Wat. Alg. p. 29, pl. XII, f. 1.

Cellules de 4—14μ en diamètre. Ordinairement aux endroits humides, en l'air, sur les clotûres et la terre tenue humide par l'eau qui dégoutte des toits aussi que. dans l'oau même.

M. Kirchner comprend sous le nom du *Protococcus viridis*, *Ag*,. le *Cystococcus humicola*, *Naeg.*, malgré que celui-ci diffère distinctement du *Protoc. viridis*, *Ag.*, par la présence d'un noyau et d'une vacuole aussi bien que par son contenu homogène, tandis que le *Protoc. viridis*, *Ag.*, s'en distingue nettement en ce qu'il a le contenu granuleux, le noyau et la vacuole n'y étant point découvert.

16. Gnr. Cystococcus, Naeg.

26. **Cyst. humicola, Naeg.**—Einzell. Alg. p. 85, pl. III, E. Reinsch. Algenfl.· p. 69. Rabh. Flor. Eur. Alg. III, p. 58—*Chlorococcum humicola*, *Rabh.*; Kirchn. Krypt. Fl. Schles. p. 103.—*Protococcus viridis*, *Ag.*

De 6—18μ de diamètre. En forme de conche pulverulente sur la terre humide, les clôtures *), sous les gouttières, en société du *Pleurococcus vulgaris*, *Menegh.*

---

*) Par conséquent, sur des surfaces verticales, en dépit de la description de M. Reinsch (Algenfl. l. c.), où il dit: „auf horizontal liegenden, der Luft und Wetter langere Zeit exponirten Brettern".

17. Gnr. Polyedrium, Naeg.

27. **Pol. muticum, A. Br.**—Rabb. Flor. Eur. Alg. III, p. 62. Kirchn. Krypt. Fl. Schles. p. 104, № 149. A. Braun. Alg. Unicell. p. 94.

De 8—12μ de grandeur. Trouvé dans le marais près du hameau de Bérèjenoyé et l'étang du village de Riaboushki.

28. **Pol. Pinacidium, Reinsch.**—Algenfl. p. 80, pl. II. f. III. Reinsch. Ex. Alg. et Fung. p. 28, pl. III, A. 3.

C'est dans un étang prés du village de Riaboushki que j'ai trouvé les deux formes citées par M. Reinsch (l. c.). La largeur en était de 8μ, l'étranglement ayant 5μ, et leur section transversale mésurant 6×8μ.

29. **Pol. enorme, De By.**—Rabb. Flor. Eur. Alg. p. 63. Kirchn. Krypt. Fl. Schles. p. 104, № 143. *Staurastrum enorme* Raifs Brit. Desm. p. 140, pl. XXXIII, f. 11. Cooke Fresh. Wat. Alg. p. 32, pl. XIII, f. 4. *Polyedrium lobulatum* Naeg. Einzell. Alg. p. 84, pl. IV, B, 4. De By. Conjug. p. 71. Reinsch Algenfl. p. 78, pl. II, f. II.

Trouvé dans l'étang de Lémékhov et le Klioukvénoyé au milieu des accumulations d'algues filiformes. Dimension de 30—38μ.

30. **Pol. tetraedricum, Naeg.**—Rabb. Flor. Eur. Alg. III. p. 62. Naegeli Einzell. Alg. p. 87, pl. IV, B, 3. Cooke Fresh. Wat. Alg. p. 32, pl. VIII, f. 3.

Dans le marais près du hameau de Bérèjenoyé. Cellules de 18μ en diamètre.

18. Gnr. Staurogenia, Ktz.

31. **St. rectangularis, A. Br.**—Rabh. Flor. Eur. Alg. III, p. 80. Kirchn. Krypt. Fl. Schles. p. 108, № 153. Cooke Fresh. Wat. Alg. p. 46, pl. XVIII, f. 3, A. Brann Alg. Unicell. p. 70.

Cellules de 7μ de largeur, 1—1½ fois plus longues que larges, oblongues-arrondies. Dans le marais au delà de Dergatschi et près du hameau de Bérèjenoyé, dans l'étang du village de Riaboushki.

32. St. **quadrata, Morren.**—Rabb. Flor. Eur. Alg. III, p. 80.

Cellules de 7μ de largeur, sur une longueur égale ou un peu plus grande. Près du hameau de Bérèjenoyé.

19. Gnr. Scenedesmus, Meyen.

Représentants de ce genre se trouvent partout dans les eaux courantes aussi que dans les eaux stagnantes, indifférement soit dans les tourbières, soit dans les marais ordinairs. Grandeur des cellules, qui constituent une colonie de *Scenedesmus*, étant extrêmement variable, les caractères morphologiques sont si inconstants qu'ils ont inspiré à M. Walz *) l'idée de considérer toutes les espèces du *Scenedesmus* (sanf le Sc. Iongicornis, Borszczow), discernées jusqu'aujourd'hui, comme une seule espèce *Scenedesmus polymorphus, Walz.*

Neanmoins la question du polymorphisme du *Scenedesmus* n'étant pas encore suffisamment éclairée je suivrai ci-pendant la systématique de M. Kirchner.

33. Sc. **obtusus, Meyen.**—Rabh. Flor. Eur. Alg. III,. p. 63. Kirchn. Krypt. Fl. Schles. p. 98, № 118. Cooke Fresh. Wat. Alg. p. 33, pl. XIII, f. 5. Ralfs Brit. Desm. p. 191, pl. XXXI, f. 16. Naegeli Einzell. Alg. p. 91, pl. V, A, f. 1. De Notaris Etem. p. 77., pl. IX, f. 87. Perty Kleinst. Lebeusf. p. 211. Reinsch. Algenfl. p. 80.

Dans le Klioukvénoyé et les étangs de Kouriaje.

34. Sc. **acutus, Meyen.**—Rabh. Flor. Eur. Alg. III, p. 63. Ralfs Brit. Desm. p. 193, pl. XXXI, f. 14 et *Scenedesmus obliquus* p. 192, pl. XXXI, f. 15. Kirchn. Krypt. Fl. Schles. p. 98, № 119. *Scened. oblquus* De notaris Elem. p. 75, pl. IX, f. 85. Reinsch. Algenfl. p. 82.

Dans le Klioukvénoyé, les étangs de Kouriaje, à Osnova.

35. Sc. **dimorphus, Ktz.**—Rabh. Flor. Eur. Alg. III, p. 63. Cooke Fresh. Wat. Alg. p. 34, pl. XIII, f. 6 comme une variété du *Scen. acutus Meyen.* Kirchn. Krypt. Fl. Schles. p. 98, № 120. Ralfs Brit. Desm. p. 191, pl. XXXI, f. 13. Reinsch. Algenfl. p. 82.

Près du hameau de Bérèjenoyé.

36. Sc. **caudatus, Corda.**—Kirchn. Krypt. Fl. Schles. p. 98, № 121. Rabh. Flor. Eur. Alg. III, p. 63. Ralfs Brit. Desm. p. 190, pl. XXXI, f. 12. Cooke Fresh. Wat. Alg. p. 34, pl. XIII, f. 8. Reinsch. Algenfl. p. 83. *Scen. quadricauda* De Notaris Elem. p. 72, pl. IX, f. 84. Naegeli Einzell. Alg. p. 91, pl. V, f. 2.

---

*) Walz. Sur les algues du genre Scenedesmus, Meyen. Memoires de la Société des Natur. de Kiew. 1870, I.

J'en ai trouvé toutes les trois variétés—var. **setosus**, v. **horridus** et v. **abundans**. Dans le Klioukvénoyé et la rivière d'Oudoui.

20. Gnr. Sciadium, A. Br.

37. **Sc. arbuscula, A. Br.**—Cooke Fresh. Wat. Alg. p. 39, pl. XV. *Ophiocytium arbuscula, Br.* Rabh. Flor. Eur. Alg. III, p. 68; Kirchn. Krypt. Fl. Schles. p. 99. A. Braun. Alg. Umcell. p. 48, pl. IV. Naegeli Einzell. Alg. p. 89.

De 5—15μ de largeur, sur une longueur de 65—104μ, stipes toutes les fois longues de 8μ.

Dans le marais au delà de Dergatschi, près du hameau de Bérèjenoyé, dans le Klioukvénoyé.

21. Gnr. Ophiocytium, Naeg.

38. **Oph. parvulum, A. Br.**—Rabh. Flor. Eur. Alg. III, p. 67. Kirchn. Krypt. Fl. Schles. p. 100, № 126. A. Braun. Alg. Unicell. p. 55; *Brachidium parvulum* Perty Kleinst. Lebensf. p. 215, pl. XVI, f. 6.

Large de 5μ. Dans le Klioukvénoyé et près du hameau de Béréjenoyé.

39. **Oph. cochleare, A. Br.**—Rabh. Flor. Eur. Alg. III, p. 67. Kirchn. Krypt. Fl. Schles. p. 100, № 125. Cooke Fresh. Wat. Alg. p. 38, pl. XIV, f. 2. Naegeli Einzell. Alg. p. 89, pl. IV, A. 1. A. Braun Alg. Unicell. p. 54.

Dans le Klioukvénoyé, prés du hameau de Bérèjenoyé; de 8μ de largeur. C'est dans la rivière d'Oudoui près de Natotschiyi que j'ai trouvé des individus d'une longueur extraordinaire, jusqu'à 500μ.

22. Gnr. Hydrodiction, Roth.

40. **Hydr. utriculatum, Roth.**—Rabh. Flor. Eur. Alg. III. p. 66. J. Kickx. Flore des Flandres H, p. 403. Kirchn. Krypt. Fl. Schles. p. 93. A. Braun. Alg. Unicell. p. 55—62. Reinsch. Algenfl. p. 70. Kutz. Tab. Phyc. IV, pl. 53. Cooko Fresh. Wat. Alg. p. 35. pl. XIV. F. Cohn. in Nova Acta vol. XXIV, 1, p. 209.

Dans la rivière d'Oudoui prés du village de Philipovo, et dans les marettes prés du moulin de Skouridine. Il atteint en croissant des dimensions considérables: de 0,4 mm. de largeur sur une longueur de 2,5 mm.

M. Reinsch (l. c.) fait des remarques sur l'apparition et la disparition de cette algne, ce qui arrive selon lui dans la période de deux années. Il me semble que j'ai eu aussi occasion d'observer quelque chose de semblable: c'est ainsi qu'en Juillet et Août 1885 cette espèce a été trouvé par moi en quantité moindre en comparaison des mêmes mois de 1886, bien que l'on ne puisse point parler de la disparition complète.

23. Gnr. Pediastrum, Meyen.

41. **Boryanum, Menegh.**—Kirchn. Krypt. Fl. Schles. p. 95, № 110. Ralfs Brit. Desm. p. 184, pl. XXXI, f. 9, a. Rabh. Flor. Eur. Alg. III. p. 74. Naegeli Einzell. Alg. p. 95, pl. V. B, 1. A. Braun Alg. Unicell. p. 96, № 10, pl. II, B. Cooke Fresh. Wat. Alg. p. 42, pl. XVI, f. 11. De Notàris Elem. p. 79, pl. IX, f. 92.

Espèce le plus souvent rencontrée. Dans le Klioukvénoyé, la rivière de Lopagne à Ivanovka. J'ai trouvé des coenobiums à 8, 16, 32 et plus rarement à 64 cellules, dont la largeur atteignait 30μ (en pourtour du coenobium) et la longueur—24μ dans la diréction radiale, les pousses exclus, qui seules atteignent parfois 8μ.

Outre les formes typiques j'ai rencontré pareillement la variété

var. brevicorne, A. Br.—se distinguant par des pousses très courtes et la courbure un peu visible du bord extérieur des cellules periphériques; et la

var. granulatum—largeur des cellules 30μ. Coenobium à 64 cellules, d'environ 250μ dans une direction et d'environ 150μ dans l'autre.

42. **Ped. Ehrenberghii, A. Br.**—Alg. Unicell. p. 97, № 15, pl. V, H. De Notaris Elem. p. 78, pl. IX, f. 89, 90. *Pediastrum biradiatum, Ped. heptactis Ped. tetras*—Ralfs Brit. Desm. p. 182, pl. XXXI. Rabh. Flor. Eur. Alg. III, p. 77. L. Reinhard. Excurs. aux env. de Bielgorod et de Zmiev p. 1—17. Cooke Fresh. Wat. Alg. p. 44, pl. XVIII, f. 1. Kirchn. Krypt. Fl. Schles. p. 96, № 112. De Notaris Elem. p. 78, pl. IX, f. 89. Reinsch. Algenfl. p. 97.

var. excisum—à une courbure légère de chaque lobe des cellules de periphérie.

var. cuspidatum—aux lobes des cellules profondément incisés.

Coenobiums à 4, 16 et rarement à 8 cellules (de 36μ en diamètre). En général cette espèce ne se rencontre pas souvent en quantité considérable.

Dans le Klioukvénoyé, l'étang du villàge de Riaboushki et les étangs de Kouriaje. Cellules de 12μ de largeur.

43. **Ped. rotula, Ehrb.**—A. Braun. Alg. Unicell. p. 101, pl. VI, 1—14. Rabh. Flor. Eur. Alg. III, p. 79. Rirchn. Kript. Fl. Schles. p. 96, № 113. Cooke Fresh. Wat. Alg. p. 45, pl. XVIII, 2. Reinsch. p. 98.

Dans le Klioukvénoyé et l'étang du village de Riaboushki. Cellules de 9—20μ de largeur.

44. **Ped. constrictum, Hass.**—Rabh. Flor. Eur. Alg. III, p. 47. *Pediastrum ellipticum* Ralfs Brit. Desm. p. 188, pl. XXXI, f. 10, d. A. Braun. Alg. Unicell. p. 91. Cooke Fresh. Wat. Alg. p. 42, pl. XVII, f. 2.

Dans le Klioukvénoyé. Coenobium à 32 cellules se rencontre le plus souvent; diamètre de 180 environ; cellules de 24μ de largeur.

45. **Ped. pertusum, Ktz.**—A. Br. Alg. Unicell. p. 92, pl. IV, f. 15. Ralfs Brit. Desm. p. 185, pl. XXXI, f. 6 a и b. Rabh. Flor. Eur. Alg. III, p. 75. Kirchn. Krypt. Fl. Schles. p. 95, № 111. Cooke Fresh. Wat. Alg. p. 43, pl. XVII, f. 4. Reinsch. Algenfl. p. 92. pl. X, V.

C'est dans le Klioukvénoyé accompagnées de la forme typique que se rencontrent les variétés

var. clathratum, A. Br.—Cooke l. c. pl. XVII, f. 5—se distinguant par les porcs grands et la forme prèsque polylobe des cellules intérieures, larges de 17μ, longues de 20μ; et

var. microporum, A. Br.—à pousses courtes et à pores intérieurs relativement très petits.

Dans les étangs de Kouriaje et la rivière de Lopagne à Ivanovka.

46. **Ped. gracile, A. Br.**—Alg. Unicell. p. 93, № 13. Rabh. Flor. Eur. Alg. III, p. 75. Ralfs Brit. Desm. p. 85, pl. XXXIV, f. 15—*Pediastrum simplex* Ralfs; Cooke Fresh. Wat. Alg. p. 43, pl. XVII, f. 3. Reinsch Algenfl. p. 94, pl. VII, f. 2.

Dans le Klioukvénoyé et l'étang du village de Riaboushki. Cellules de 10μ larges.

47. **Ped. integrum, Naeg.**—Rabh. Flor. Eur. Alg. III, p. 71, Kirchn. Krypt. Fl. Schles. p. 95, № 109. Reinsch Algenfl. p. 91, pl. VII, f. V. A. Braun Alg. Unicell. p. 81. Naegeli Einzell. Alg. p. 96, pl. V.

Dans le Klioukvénoyé. Largeur des cellules de periphérie 15μ à peu près, les pousses excluses; longueur mésurant dans la periphérie du coenobium 22μ. Le bord extérieur de ces cellules periphériques présente entre les deux pousses une échancrure plus ou moins grande, parfois nulle.

24. Gnr. Coelastrum, Naeg.

48. **Coel. sphaericum, Rabh.**—Rabh. Flor. Eur. Alg. III, p. 79—*Coel. Naegelii*; Kirchn. Krypt. Fl. Schles. p. 97, № 114. *Coel. sphaericum* et *Coel. cubicum, Naeg.* Einzell. Alg. p. 97, pl. V, C. Cooke Fresh. Wat. Alg. p. 45, pl. XIX, f. 2. Reinsch Algenfl. p. 87.

Coenobiums à diamètre de 50 à 70μ, consistant en cellules grandes de 15μ d'un nombre varié, se sont rencontré dans l'Oudoui. Dans les matériaux provenant des environs du village de Riaboushki j'ai trouvé des exemplaires se distinguant par leur grandeur exiguë: coenobium à 32 cellules de 17μ en diamètre.

49. **Coel. microporum, Naeg.**—Rabh. Flor. Eur. Alg. III, p. 80. Kirchn. Krypt. Fl. Schles. p. 97, № 116. *Coelastrum microsporum, Naeg.* Cooke Fresh. Wat. Alg. p. 46. A. Braun Alg. Unicell. p. 70.

Trouvé en petite quantité dans la rivière de Lopagne à Ivanovka. Coenobium rond, à diamètre de 54μ, consistant en 32 cellules rondes, ayant 12μ dans leur diamètre transversal. Les espaces intercellulaires rétrécis en comparaison de *Coelastr. sphaericum, Naeg.*, et d'une forme triangulaire.

25. Gnr. Sorastrum, Ktz.

50. **Sor. spinulosum, Naeg.**—Rabh. Flor. Eur. Alg. III, p. 81. Kirchn. Krypt. Fl. Schles. p. 97, № 117. Cooke Fresh. Wat. Alg. p. 46, pl. XIX, f. 1. Naeg. Einzell. Alg. p. 99, pl. V, D. Reinsch Algenfl. p. 86, pl. V, f. 6.

Dans le Kliouvénoyé et les marais à Osnova. Coenobium à 16 cellules, de 40μ en diamètre. Cellules de 15μ dans le diamètre.

26. Gnr. Chromophyton.

51. **Chr. Rosanoffi, Woronin.**—Bot. Leisch. Jahrg. XXXVIII.

Il se développe à la surface de l'eau en forme d'une couche pulverulente brune. Grandeur de diamètro de 9 à 12μ. Bec large de 1,5—4μ.

J'ai rencontré une forme à dimensions moindres laquelle ne

se distingue de la première que par la coloration (M. Woronine l. c. fig. 15); à diamètre de 4 à 8μ.

27. Gnr. Characium, A. Br.

52. **Ch. subulatum, A. Br.**—L. Reinhard Characieae p. 15, f. 1. Rabh. Flor. Eur. Alg. III, p. 84. Kirchn. Krypt. Fl. Schles. p. 101, № 129. A. Braun Alg. Unicell. p. 47, pl. V, f. 9.

Il adhère aux plantes aquatiques, par exemple, sur les feuilles d'*Alisma Plantago, L.*, et des diverses algues filiformes: sur le *Cladophora glomerata, Lin.*, le *Vaucheria sp.*, le *Chaetophora elegans, Ag.* Dans un marais près du hameau de Bérèjenoyé et les marettes près du moulin de Skouridine.

C'est sur le *Chaetophora elegans, Ag.*, dans le même endroit que le *Charac. subulatum, A. Br.*, que je l'ai trouvé en quantité très considérable, de maniére que des individus placés l'un à côté de l'autre se soudaient par podécies à plusieurs points, par 30 exemplaires et plus. Ces individus étant détachés de la plante qui leur servait de siége, la liaison entre les podécies ne cessait pas de persister en toute intégrité.

La longueur des individus du *Ch. subulatum, A. Br.*, pédicelle et podécies y compris, vacille entre 12—28μ, la largeur étant de 4—6μ.

53. **Ch. ambiguum, Herm.**—L. Reinh. Characieae p. 16, f. 2. Rabh. Flor. Eur. Alg. III, p. 86. Rabh. Beiträge p. 26, pl. VII, f. 9.

De 27μ environ de longueur sur une largeur de 6—9μ. Rencontré en abondance dans un marais près du hameau de Béréjenoyé et dans le Klioukvénoyé. J'ai rencontré dans les mêmes lieux la

var. tenue, Rabh.—forme correspondante au *Charac. tenue, Herm.* (Rabh. Beiträge p. 26, pl. VII. Cooke Fresh. Wat. Alg. p. 48, pl. XIX), sur les filaments d'*Oedogonium* et de *Vaucheria sp.*; de 2—4μ de largeur sur une longueur de 20—36μ.

C'est dans un marais à Osnova que j'ai trouvé en outre la

var. rhaphidiiforme, Reinhd.—(L. Reinhard Characieae l. c. f. 23), dont la grandeur dépassait notablement les dimensions habituelles de la forme typique *Char. ambiguum, Herm.* J'ai vu un exemplaire de cette variété, qui avait 57μ de longueur, à cellule un peu courbée, allongée assez fortement de deux côtés. Son contour latéral est ondulé, la largeur de cellule atteint aux divers points en vacillant le maximum de 10μ.

54 **Ch. rostratum, Reinhd.**—Characieae p. 20, f. 6.

Cette espèce proposée pour la première fois par M. le prof. L. Reinhard a été trouvé par moi sur des filaments des différents représentants de la famille des *Confervacées*, dans un marais à Osnova près du village de Novosiolovka.

De 5,5μ de largeur, de 26—28μ de longueur.

55. **Cd. longipes, Rabh.**—L. Reinhd. Characieae p. 21, f. 8. Rabh. Flor. Eur. Alg. III, p. 85. A. Braun. Alg. Unicell. p. 43, pl. V, D. Kirchn. Krypt. Fl. Schles. p. 102, № 133. Reinsch. Algenfl. p. 73.

Des exemplaires de cette espèce se sont rencontré dans les marettes près de moulin de Skouridine, sur le *Chaetophora elegans, Ag.*, et sur les filaments de *Vaucheria sp.* La grandeur ordinaire de cette espèce est de 7μ à peu près de largeur et près de 40μ de longueur, la pointe mésurant 2,5μ et le pedicelle long de 12μ, épais de 1,5μ. Près du hameau de Bérèjenoyé.

56. **Ch. ornithocephalum, A. Br.**—L. Reinhd. Charac. p. 20, f. 7. Rabh. Flor. Eur. Alg. III, p. 85. Kirchn. Krypt. Fl. Schles. p. 102. A. Braun Alg. Unicell. p. 42, pl. III, C. Cooke Fresh. Wat. Alg. p. 48, pl. XIX, f. 5.

Le seul exemplaire de cette espèce a été trouvé détaché, dans un marais au delà de Dergatschi; large de 12μ, long de 30μ, pedicelle 9μ de longueur. D'après son aspect il correspond presque complètement à la fig. 7 de M. L. Reinhard (l. c.) et ne s'en distingue que par sa forme plus allongée.

57. **Ch. angustum, A. Br.**—L. Reinhd. Charac. p. 23, f. 10. A. Braun Alg. Unicell. p. 36, pl. III, B. Rabh. Flor. Eur. Alg. III. p. 83. Kirchn. Krypt. Fl. Schles. p. 101.

Sur les filaments de *Vaucheria sp.* et de *Cladophora glomerata, Lin.*, dans les marettes près du moulin de Skouridine accompagué de *Characium Sieboldii, A. Br.* De 30—47μ de longueur sur une largeur de 8—10μ. L'exemplaire le plus grand que j'ai vu à cet endroit, avait 52μ de longueur et 12μ de largeur.

Quelques-uns des exemplaires se terminaient par un bec lisse, émoussé, d'autres avaient un *apiculum*. En considérant ce fait ainsi que les représentations de cette espèce de A. Braun (l. c.) et la description faite par M. L. Reinhard (l. c.) il faut conclure, qu'un *apiculum* n'est point un caractère essentiel pour l'espèce *Characium angustum, A. Br.*

58. **Ch. minutum, A. Br.**—L. Reinhd. Charac. p. 23, f. 11. A. Braun Alg. Unicell. p. 46, pl. X. Kütz. Tab. Phyc. VI, pl. 69.

Rabh. Flor. Eur. Alg. III, p. 86. Kirch. Krypt. Fl. Schles. p. 101, № 131.

Sur les fils d'*Oedogonium sp.*, dans un marais près de la plateforme de Khliebnikov, dans un bosquet d'aunes, en quantité assez considérable, de 3—5μ de largeur sur une longueur de 15—20μ.

59. **Ch. strictum**, A. **Br.**—Alg. Unicell. p. 37, pl. V, A. Kirchn. Krypt. Fl. Schles. p. 100. Rabb. Flor. Eur. Alg. III, p. 84.

Trouvé dans les marettes près du moulin de Skouridine, sur les filaments de *Vaucheria sp.*, de 27—32μ de longueur sur une largeur de 9—10μ.

60. **Ch. acutum**, A. **Br.**—Alg. Unicell. p. 29. Kirchn. Krypt. Fl. Schles. p. 101. Rabh. Flor. Eur. Alg. III,—*Hydrianum acutum Rabh.*—p. 87.

Au même lieu que le précédent, sur les fils de *Cladophora glomerata, Lin.*, ainsi que dans un marais près du hameau de Bérèjenoyé; de 7—10μ de largeur sur une longueur de 25—40μ, dont un quart revient pour le pedicelle.

61. **Ch. pedicellatum, Herm.**—Rabb. Beiträge H. 1, p. 28, pl. VIII, f. 8. L. Reinhd. Charac. p. 24, f. 12. Rabh. Flor. Eur. Alg. III, p. 89.

Dans les marettes près du moulin de Skouridine, sur les fils de *Clodophora sp.*, de *Vaucheria sp.*, en automne, en très petite quantité, d'une longueur d'environ 8μ en diamètre. Pédicelle d'une longueur égale et aucunement filiforme, comme il est chez les formes typiques, décrites par M. Herman (Beiträge l. c.) et M. L. Reinhard (l. c.), mais d'une épaisseur ne dépassant pas 1μ. La longueur est égale au diamètre de la cellule ou ne le dépasse que peu. Fig. 3.

62. **Ch. Naegelii, A. Br.**—Alg. Unicell. p. 16. Naegeli Einzell. Alg. p, 86, pl. III, D. Rabh. Flor. Eur. Alg. III, p. 84. Kirchn. Krypt. Fl. Schles. p. 101, № 130.

Dans un marais près du hameau de Bérèjenoyé, sur les fils d'*Oedogonium sp.* et de *Conferva sp.*; elle s'est développée aussi dans les matériaux provenant de l'Oudoui. De 12—16μ de largeur sur une longueur de 21—28μ, pédicelle très mince, long de 4μ.

63. **Ch. Sieboldi**, A. **Br.**—Alg. Unicell. p. 32, pl. III. Kichn. Krypt. Fl. Schles. p. 100, № 127. Rabh. Flor. Eur. Alg. III. p. 83. Cooke Fresh. Wat. Alg. p. 48. pl. XV, f. 9. Reinsch. Algenfl. p. 73.

Sur les fils de *Vaucheria sp.*, près du moulin de Skouridine en grande abondance; mésurant 30—48μ en longueur sur une largeur de 13—25μ.

64. **Characium, sp.**—Dans le même endroit que le précédent, en automne 1886, s'est rencontré une espèce du *Characium*, n'ayant rien de commun avec les descriptions des auteurs cités. Cellules élliptiques d'un vert clair avec une teinte légèrement bleuâtre, à base et à sommet obtus, arrondis, se rétrécissant brusquement en pédicelle mince, assez court, qui se dilate un peu à la fin, en formant un podecie décoloré.

J'ai vu des exemplaires, dont le contenu homogène était divisé en plusieurs parties, comme on peut le voir par la figure 4.

Sur des filaments de *Vaucheria sp.*; de 9—11μ de largeur sur une longueur de 20—27μ.

28. Gnr. Hydrianum, Rabh.

65. **Hydr. gibbum, Rabh.**—Rabh. Flor. Eur. Alg. III, p. 89. L. Reinhd. Charac. p. 26, f. 13. *Characium gibbum* A. Braun. Alg. Unicell. p. 45, pl. III.

Au même endroit que le précédent, sur les fils de *Cladophora glomerata, Lin.*, en petite quantité. Long. de 9—11μ, large de 7—8μ, pédicelle ayant jusqu'à 3μ d'épaisseur.

J'ai vu un exemplaire de *Hydr. gibbum, Rabh.*, dont le pédicelle n'avait pas une position excentrique, et restait attaché au milieu de la cellule même; il est probable que cet individu conformement à la figure de Braun (l. c. pl. III, D, 1) présente un jenne exemplaire, non complètement developpé. Fig. 1 et 2.

66. **Hydr. tuba, Rabh.**—Flor. Eur. Alg. III, p. 88. L. Reinhd. Charac. p. 27, f. 14. Herm. in Rabh. Beiträge H. 1, p. 27, pl. VII, f. 4.

Dans le Klioukvénoyé rarement et dans un fossé près de l'étang dit de Léméknov; 21—24μ de longueur sur une largeur de 6,5—7,5μ, pédicelle ayant 9μ environ de longueur.

67. **Hydr. pyriforme, Rabh.**—L. Reinhd. Charac. p. 28, f. 16. *Characium pyriforme* A. Braun. Alg. Unicell. p. 40, pl. V, B. Kirchn. Krypt. Fl. Schles. p. 101. Rabh. Flor. Eur. Alg. III, p. 88. Reinsch. Algenfl. p. 71.

Rencontré dans un marais prés du hameau de Bérèjenoyé, et l'Oudoui prés de Grigorovka, sur les *Cladophora*. De 23—25μ de longueur, sur une largeur de 10—11μ.

68. **Hydr. clava. Rabh.**—L. Reinhd. Charac. p. 27, f. 15. *Characium clavum,* Herm. in Rabh. Beiträge H. 1, p. 27, pl. VI, B. Rabb. Flor. Eur. Alg. III, p. 88.

Près du hameau de Bérèjenoyé, ainsi que dans un fossé prés de l'étang de Lémékhov. De 5—7μ de largeur sur une longueur de 14—21μ.

Les individus de cette espèce se soudent par podécies en groupes à cinq et parfois plus, puis en se détachant du point de fixation, ils ne se séparent pas.

29. Gnr. Hydrocytium, A. Br

69. **Hyd. acuminatum, A. Br.**—Alg. Unicell. p. 26, pl. II, A. L. Reinhd. Charac. p. 31, f. 17. Rabh. Flor. Eur. Alg. III, p. 90.

Rencontré dans la rivière d'Oudoui, sur les *Cladophora* ainsi que sur les *Oedogonium*; près du hameau de Bérèjenoyé, sur les *Oedogonium* et le *Closterium Lunula, Ehrb.*; s'est développé sur les parois des vases, immédiatement au dessus de l'eau, en quantité immense.

30. Gnr. Chlorochytrium, Cohn.

70. **Chl. Lemnae, Cohn.**—Kirchn. Krypt. Fl. Schles. p. 102, № 134. Cooke, Fresh Wat. Alg. p. 202, pl. XXXI, f. 9.

Dans les espaces intercellulaires du *Lemna trisulca, L.*, dans l'étang dit de Lémékhov. Cellules d'une forme ovale, ronde, rarement irrégulière, de 60—84μ de largeur sur une longueur de 65—95μ, les rondes ayant 90μ de diamètre.

71. **Chl. Knyanum, Cohn. et Szymanski**—Kirchn. Krypt. Fl. Schles. p. 102, № 135,—des dimensions un peu moindres que celles du *Chlor. Lemnae, Cohn.*

Dans les cavités intercellulaires de *Lemna minor, L.*, dont chacune renferme parfois plusieurs individus.

72. **Chl. pallidum, Cohn.**—en société des deux espèces précédentes sur les *Lemna.*

Fam. Volvocineae.

31. Gnr. Euglena, Ehrb.

73. **Eg. viridis.**—Ehrb. Infus. p. 107, pl. VII, f. IX. Fock. Phys. Stud. H. II.

Dans le Klioukvénoyé, les marettes près du moulin de Skouridine, à Osnova, souvent même dans des mares de pluie. Très répandu.

74. **Eg. deses.**—Ehrb. Infus. p. 107, pl. VII, f. VIII.

Dans les mêmes endroits que le précédent.

75. **Eg. spirogyra.**—Ehrb. Infus. p. 110, pl. VII, f. X.

Dans les mares au bord de la rivière de Kharkov au delà de Jouravliovka et dans une pièce d'eau à Osnova.

32. Gnr. Chlamydomonas, Ehrb.

76. **Chl. pulvisculus, Ehrb.**—Infus. p. 64, pl. III, f. X. Rabb. Flor. Eur. Alg. III, p. 94. Cohn. in Nov. Acta XXIV. 1. pl. XVIII. f. 28. Fock. Phys. Stud. H. II, pl. IV, 1. Kirchn. Krypt. Fl. Schles. p. 91, № 103. Cooke. Fresh Wat. Alg. p. 55, pl. XXI. f. 3.

De 15—27μ en diamètre. En automne, dans le Klioukvénoyé et un marais voisin, à Osnova et près de Doudkovka.

77. **Chl. hyalina. Cohn.**—in Nov. Act. XXIV, p. 169, pl. XVI, f. 1—9. *Polytoma Uvella*, Ehrb. Infuss p. 24, pl. XXXII. Kirchn. Krypt. Fl. Schless. p. 92. Stein. Fragellat. Abth. III, Hf. I, pl. XIV.

Forme assez commune dans notre localité.

78. **Chlamydomonas sp.**—ressemble de plus près au *Chlamyd. operculata, Stein* (pl. XV, f. 44 et 45), mais en diffère notablement par sa forme plus quadrangulaire. Je n'ai pas vu la dispositiou du noyau et des vacuoles à cause des changements, produits par l'action de la glycerine; 11μ de Iargeur sur une longueur de 20μ.

33. Gnr. Pandorina, Ehrb.

79. **Pan. Morum, De By.**—Rabh. Flor. Eur. Alg. III, p. 99. Kirchn. Krypt. Fl. Schles. p. 89, № 98. Ehrnb. Infus. p. 53, pl. II, f. XXXII. Focke Phys. Stud. p. 30, pl. IV, f. 3—6. Cooke Fresh. Wat. Alg. p. 67, pl. XXVII, f. 2.

Dans le Klioukvénoyé, à Osnova, au delà de Dergatschi. Colonies rondes de diamètre de 90μ, ou oblongues de 100×90μ de diamètre, pour la plupart consistant en 16 ou 8 cellules.

34. Gnr. Eudorina, Ehrb.

80. **Eud. elegans, Ehrb.**—Rabh. Fl. Eur. Alg. III, p. 98. Kirchn. Krypt. Fl. Schles. p. 87, № 97. Ehrb. Infus. p. 63, pl. III, f. VI. Pritch. Infus. p. 520. Cooke. Fresh. Wat. Alg. p. 65, pl. XXVI.

Dans le Klioukvénoyé près du hameau de Bérèjenoyé, dans l'étang dit de Lémékhov et à Osnova. Colonies grandes de 40—60μ, les cellules mésurant de 12—18μ dans le diamètre.

35. Gnr. Gonium, Müller.

81. **Gon. pectorale, Müller.**—Rabh. Flor. Eur. Alg. III, p. 99. Cooke. Fresh. Wat. Alg. p. 69, pl. XXVII, f. 1. F. Cohn. Nov. Act. XXIV, p. 169. Fock. Phys. Stud. I, p. 30, pl. IV, f. 7 et 8. Ehrb. Infus. p. 56, pl. III, f. 1. Kirchn. Krypt. Fl. Schles. p. 20, № 100. Reinsch. Algenfl. p. 101.

Dans le Klioukvénoyé et le voisinage, prés de Doudkovka et à Osnova. Le coenobium consiste ordinairement en 12—16 cellules ayant chacune 12—18μ en diamètre.

36. Gnr. Volvox, Ehrb.

82. **Vol. globator, Lin.**—Rabb. Flor. Eur. Alg. III, p. 97. Kirchn. Krypt. Fl. Schles. p. 87, № 95. Ehrb. Infus. p. 68, pl. IV. Cooke. Fresh Wat. Alg. p. 56, pl. XXII—XXIV. F. Cohn. Nov. Act. XXIV. Focke. Phys. Stud. p. 31. Perty. Kleinst. Lebensf. p. 84. Reinsch. Algenfl. p. 99.

Coenobium atteint de 1 mm. en diamètre. Dans l'étang de Lémékhov, près du hameau de Bérèjenoyé et à Osnova près de Novosiolovka.

37. Gnr. Synura, Ehrb.

83. **Syn. Volvox, Ehrb.**—Kirchn. Krypt. Fl. Schles. p. 89, № 99. Dans le fossé près de Novosiolovka en grande quantité, et dans le voisinage du Klioukvénoyé. Cellules de 13μ de largeur sur une longueur de 17μ.

Ordre ZYGOSPOREAE.

Fam. Desmidiaceae.

38. Gnr. Mesotaenium, Naeg.

84. **Mes. neglectum, Reinhard**—in litt.

De 12—18μ de largeur sur une longueur de 26—48μ. C'est en automne de l'année présente, en Octobre et Novembre, grace au temps pluvieux et chaud, que s'est développé dans le Klioukvénoyé et les marais voisins une quantité immense de cette espèce du Mesatoenium. Il a été possible de trouver parfois des individus copulant par trois.

39. Gnr. Penium, Breb.

85. **Pen. digitus, Breb.**—Ralfs. Brit. Desm. p. 150, pl. XXV, f. 3. a. Rabb. Flor. Eur. Alg. III, p. 118. Kirchn. Krypt. Fl. Schles. p. 134, № 241. *Closterium (Netrium) Digitus, Ehrb.* Naegeli. Einzell. Alg. p. 108, pl. 6, D.

Dans le Klioukvénoyé, Juin; de 60—72μ de largeur sur une longueur de 260—350μ.

86. **Pen. lamellosum, Breb.**—Rabh. Flor. Eur. Alg. III, p. 119. Kirchn. Krypt. Fl. Schles. p. 135, № 242. *Closterium digitus*, Focke. Phys. Stud. Hf. I, pl. III, f. 22—27.

De 60μ de largeur sur une longueur de 225μ; près du hameau de Bérèjenoyé.

87. **Pen. interruptum, Breb.**—Ralfs. Brit. Desm. p. 151, pl. XXV f. 4. Rabb. Flor. Eur. Alg. III, p. 119. Kirchn. Krypt. Fl. Schles. p. 135, № 245. De Bary. Conjug. pl. V, f. 1—4. *Closterium (Netrium) interruptum. Breb.* Reinsch. Algenfl. p. 183.

Au mois de Juin, dans le Klioukvénoyé; de 40μ de largeur sur une longueur de 200—250μ.

88. **Pen. Jenneri, Ralfs.**—Brit. Desm. p. 153, pl. XXXIII, f. 2. Rabb. Flor. Eur. Alg. III, p. 130.

De 18—23μ de largeur, sur une longueur de 63—90; dans le Klioukvénoyé.

89. **Pen. closterioides, Ralfs.**—Brit. Desm. p. 152, pl. XXXIV, f. 4. Rabb. Flor. Eur. Alg. III, p. 121. Kirchn. Krypt. Fl. Schles. p. 135, № 246. De Notaris Elem. p. 68, pl. VIII, f. 76. *Closterium (Netrium) Penium*, Reinsch. Algenfl. p. 184.

Dans le Klioukvénoyé, de 41μ de largeur sur une longueur de 206μ.

90. **Pen. margaritaceum, Breb.**—Ralfs. Brit. Desm. p. 149, pl. XXV, f. 1 et pl. XXXIII, f. 3. Rabb. Flor. Eur. Alg. III, p. 121. Kirchn. Krypt. Fl. Schles. p. 135. № 244. De Notaris Elem. p. 69, pl. VIII, f. 97. *Cylindrocystis margaritacea, Ehrb.* Reinsch. Algenfl. p. 198.

Près du hameau de Bérèjenoyé et dans le Klioukvénoyé; de 24μ de largeur sur une longueur de 120μ.

91. **Pen. Navicula, Breb.**—Rabh. Flor. Eur. Alg. III, p. 121. Lound. Desm. p. 84, №. 6. De Notaris Elem. p. 68, pl. VIII, f. 77.

Dans le Klioukvénoyé et l'étang de Lémékhov; de 12μ. de largeur sur une longueur de 54μ.

40. Gnr. Closterium, Nitzsch.

92. **Cist. obtusum, Breb.**—Rabh. Flor. Eur. Alg. III, p. 124. Arch. Pritch. Infus. p. 746. Kirchn. Krypt. Fl. Schles. p. 137, № 255. Lound. Desmid. p. 77, № 1.

De 9—12μ. de largeur sur une longueur de 45—70μ. Dans le Klioukvénoyé et le voisinage; il s'est développé abondamment surtout en automne de l'annéé présente.

93. **Clst. didymotoccum, Corda.**—Ralfs. Brit. Desm. p. 168, pl. XXVIII, f. 7. Rabh. Flor. Eur. Alg. III, p. 125. Kirchn. Krypt. Fl. Schles. p. 138, № 259.

D'environ 45μ. de largeur, la longueur surpassant dix fois la largeur. Dans le Klioukvénoyé.

Quelques-unes des formes ont une enveloppe brunâtre, les extrémités surtout sont brunes, souvent tout-à-fait obscures, l'enveloppe entière étant assez densement ponctuée. D'autres formes à l'euveloppe entièrement décolorée, ponctuée plus faiblement.

94. **Clst. Lunula, Ehrb. (Müll.)**—Ralfs. Brit. Desm. p. 163, pl. XXVII, f. 1. Rabh. Flor. Eur. Alg. III, p. 127. Kirchn. Krypt. Fl. Schles.p. 138, № 260. Fock. Phys. Stud. Hf. I, p. 51, pl. III, f. 13. Perty. Kleinst. Lebensf. p. 206. De Notaris Elem. p. 59, pl. VI, f. 61. Reinsch. Algenfl. p. 186.

Dans le Klioukvénoyé près du village de Novosiolovka à Osnova, et au delà de Dergatschi.

C'est dans les marettes près du moulin de Skouridine que j'ai rencontré des formes notablement moindres que les ordinaires, larges de 60μ., longues de 300μ., aux extrémités parfois un peu obliques, comme on peut le voir dans la fig. 12.

95. **Clst. Juncidum, Ralfs.**—Brit. Desm. p. 172, pl. XXIX, f. 6. Rabh. Flor. Eur. Alg. III. p. 127. Kirchn. Krypt. Fl. Schles. p. 137, № 256. De Notaris Elem. p. 64, pl. VIII, f. 69. Reinsch. Algenfl. p. 193.

De 6μ. de largeur sur une longueur de 248μ., c'est-à-dire la longueur dépassant 40 fois à peu prés la largeur. Dans le Klioukvénoyé, près du village de Novosiolovka, à Osnova.

96. **Clst. acerosum, Ehrb.**—Ralfs. Brit. Desm. p. 164, pl. XXVII, f. 2. Rabh. Flor. Eur. Alg. III, p. 128. Kirchn. Krypt. Fl. Schles. p. 138, № 261. Fock. Phys. Stud. Hf. I, p. 58, pl. III, f. 18. Perty. Kleinst. Lebensf. p. 206. De Notaris Elem. p. 61, pl. VIII, f. 65. Reinsch. Algenfl. p. 186.

De 24—48μ de largeur sur une longueur qui la dépasse 12—18 fois; extremités de 9μ de largeur.

Dans le Klioukvénoyé, près du hameau de Bérèjenoyé, près du village de Novosiolovka à Osnova, dans une mare à côté du remblai du chemin de fer de Kharkov à Nikolayev, dans les marettes près du moulin de Skouridine.

97. **Clst. Leibleinii, Ktz.**—Ralfs. Brit. Desm. p. 167, pl. XXVIII, f. 4. Rabh. Flor. Eur. Alg. III. p. 132. Kirchn. Krypt. Fl. Sches. p. 141, № 279.

Large de 51μ, longue de 260μ et moins, c'est-à-dire la longueur dépassant cinq fois la largeur.

Dans le Klioukvénoyé, l'Oudoui, l'étang de Léménkhov, la rivière de Lopagne à Ivanovka, les marettes près du moulin de Skouridine, près du village de Novosiolovka à Osnova.

C'est dans l'étang de Léménkhov ainsi que dans la rivière de Lopagne que s'est rencontré une variété fortement contournée aux extremités colorées d'un brun assez foncé.

98. **Clst. Dianae, Ehrb.**—Ralfs. Brit. Desm. p. 168, pl. XXVIII, f. 5. Rabh. Flor. Eur. Alg. III,—*Closterium acuminatum, Ktz.*—p. 133. Kirchn. Krypt. Fl. Schles. p. 140, № 272. Reinsch. Algenfl. p. 191. Lound. Desmid. p. 80.

De 20μ de largeur sur une longueur mésurant 162μ (en direction droite entre les extrémités) et atteignant 207μ dans l'arc, c'est-à-dire dépassant présque dix fois la largeur.

Dans le Klioukvénoyé et près du hameau de Bérèjenoyé.

99. **Clst. striolatum, Ehrb.**—Ralfs. Brit. Desm. p. 170, pl. XXIX, f. 2. Rabh. Flor. Eur. Alg. III, p. 125. Kirchn. Krypt. Fl. Schles. p. 139, № 265. De Notaris Elem. p. 63, pl. VII, f. 67.

var. genuinum, Kirchn.—de 42—45μ de largeur sur une longueur qui la dépasse sept ou onze fois.

Dans le Klioukvénoyé et à Osnova.

100. **Clst. parvulum, Naeg.**—Rabh. Flor. Eur. Alg. III; p. 134. Kirchn. Krypt. Fl. Schles. p. 141, № 276. Naegeli. Einzell. Alg. p. 106, pl. VI, C. f. 2. De Bary. Conjug. pl. V, f. 14—23.

De 12μ de largeur sur une longueur mésurant 93μ. Dans le Klioukvénoyé et près du hameau de Bérèjenoyé.

101. **Clst. Jenneri, Ralfs.**—Brit. Desm. p. 167, pl. YXVIII, f. 6. Rabh. Flor. Eur. Alg. III, p. 134. Kirchn. Krypt. Fl. Schles. p. 140, № 274.

De 12—14μ en largeur, sur une distance entre les extrémités de 56—68μ c'est-à-dire dépassant la largeur quatre et demie à cinq fois.

Dans le Klioukvénoyé l'étang de Kouriaje, et à Osnova.

102. **Clst. acutum, Breb.**—Rabh. Flor. Eur. Alg. III, p. 137. Ralfs Brit. Desm. p. 177. pl. XXX et XXXIV. f. 5. Kirchn. Krypt. Fl. Schles. p. 140, № 269. De Bary Conjug. pl. V, f. 13. Perty. Kleinst. Lebensf. p. 206, pl. XVI. f. 22.

De 9μ de largeur sur une longueur mésurant 132μ. Dans le marais près du hameau de Bérèjenoyé.

103. **Clst. setaceum, Ehrb.**—Ralfs. Brit. Desm. p. 167, pl. XXX, f. 4. Rabh. Flor. Eur. Alg. III, p. 136. Kirchn. Krypt. Fl. Sches. p. 142, № 282. De Notaris Elem. p. 67, pl. VIII, f. 74. Reinsch. Algenfl. p. 195. Fock. Phys. Stud. Hf. I, p. 59, pl. III, f. 32.

Près du hameau de Bérèjenoyé et dans les matériaux provenant du hameau de Riaboushki; de 6μ de largeur sur une longueur de 78μ.

104. **Clst. gracile, Breb.**—Kirchn. Krypt. Fl. Schles. p. 137. № 258. Laund. Desm. p. 82, pl. V, f. 15.

Dans les matériaux provenant du village de Riaboushki et le marais près de Novosiolovka. De 6μ de largeur sur une longueur de 170μ.

105. **Clst. moniliferum, Ehrb.**—Ralfs. Brit. Desm. p. 166, pl. XXVIII, f. 3. Naegeli. Einzell. Alg. pl. VI, C, f. 1. Rabh. Flor. Eur. Alg. III, p. 131. Kirchn. Krypt. Fl. Schles. p. 141, № 278. De Notaris Elem. p. 60, pl. VI, f. 62. Reinsch. Algenfl. p. 190.

var. minus, Kirchn.—de 30μ de largeur sur une longueur de 210μ; dans la rivière de Lopagne à Ivanovka, l'étang de Lémékhov.

106. **Clst. rostratum, Ehrb.**—Ralfs. Brit. Desm. p. 175. Rabh. Flor. Eur. Alg. III, p. 135. Kirchn. Krypt. Fl. Schles. p. 141, № 280. De Notaris Elem. p. 66, pl. VIII, f. 75. Reinsch. Algenfl. p. 194.

Dans le Klioukvénoyé ainsi que dans les marais voisins en quantité considérable, en société du *Closterium obtusum, Breb.*, en Octobre et Novembre 1886.

De 50μ de largeur, la longueur la dépassant présque de dix fois; les pousses s'épaississent un peu vers les extremités.

107. **Clst. lineatum, Ehrb.**—Ralfs. Brit. Desm. p. 173, pl. XXX, f. 1. Rabh. Flor. Eur. Alg. III, p. 130. Kirchn. Krypt. Fl. Schles. p. 139, № 267. Reinsch. Algenfl. p. 192.

De 15μ de largeur, la longueur la dépassant plus de trente fois.

Dans le Klioukvénoyé, les étangs de Kouriaje, près du village de Novosiolovka, à Osnova et près du hameau de Bérèjenoyé.

41. Gnr. Pleurotaenium, Naeg.

108. **Pleur. Baculum, De By.**—Rabh. Flor. Eur. Alg. III, p. 141. *Docidium Baculum, Breb.*—Ralfs. Brit. Desm. p. 58, pl. XXXIII, f. 5. De Bary Conjug. p. 75. *Docidium Baculum, Breb.* Kirchn. Krypt. Fl. Schles. p. 144, № 293. Loundel. Desmid. p. 88, № 1.

Dans le Klioukvénoyé; 18μ de largeur sur une longueur qui la dépasse en plus de dix fois. Il s'est rencontré des formes à l'enveloppe assez finement ponctuée.

109. **Pleur. trabecula, Naeg.**—Einzell. Alg. p. 104, pl. VI, A. *Docidium Ehrenberghii,* Ralfs. Brit. Desm. p. 157, pl. XXVI, f. 4. Kirchn. Krypt. Fl. Schles. p. 144, № 295. *Docidium trabecula, Ehrb.*—Reinsch. Algenfl. p. 182. Loudel. Desmid. p. 89, № 1.

Dans le marais près de la plateforme de Khliebnikov et près du hameau de Bérèjenoyé; de 34,5μ de largeur, sur une longueur qui la dépasse de quatorze fois à peu près.

110. **Pleur. nodulosum, Rabh.**—Reinsch. Algenfl. p. 184. F. Cohn. Desmid. Bongon. p. 8, pl. XI, f. 6. *Docidium nodulosum, Breb.*—Ralfs. Brit. Desm. p. 155, pl. XXVI, f. 1 et Kirchn. Krypt. Fl. Sschles. p. 144, № 296. *Pleurotaenium crenulatum,*— Rabh. Flor. Eur. Alg. III, p. 142.

Dans le marais près de la plateforme de Khliébnikov; de 40μ de largeur.

111. **Pleur. truncatum, Naeg.**—Einzell. Alg. p. 104. *Docid. truncatum, Breb.*—Ralfs. Brit. Desm. p. 156, pl. XXVI, f. 2. Rabh. Flor. Eur. Alg. III. p. 142. Fock. Phys. Stud. Hf. I, pl. II, f. 20.

De 45μ au maximum de largeur sur une longueur qni la dépasse huit fois. Près du hameau de Bérèjenoyé.

42. Gnr. Calocylindrus, De By.

112. **Cal. connatus, Breb.**—Ralfs. Brit. Desm. p. 108, pl. XVII, f. 10. *Cosmarium connatum, Breb.*—Rabh. Flor. Enr. Alg. III, p. 175. Kirchn. Krypt. Fl. Schles. p. 143, № 291. De Bary Conjug. pl. VI, f. 47. De Notaris Elem. p. 39, pl. III, f. 20. *Disphinctium connatum, Breb.*—Reinsch. Algenfl. p. 178.

Dans le Klioukvénoyé; de 45—50μ de largeur sur une longueur atteignant 86μ, l'isthme large de 35—40μ.

113. **Cal. turgidus, Breb.**—Kirchn. Krypt. Fl. Schles. p. 148, № 282. *Pleurotaenium turgidum, De By.*—Rabh. Flor. Eur. Alg. III. p. 144. id. De Bary Conjug. p. 75, pl. V, f. 31. *Cosmarium turgidum, Breb.*—Ralfs. Brit. Desm. p. 110, pl. XXXII, f. 8. *Disphinctium turgidum, Breb.*—Reinsch. Algenfl. p. 179.

var. majus, Reinsch.—de 90—99 de largeur sur une longueur de 225μ; près du village de Novosiolovka, à Osnova.

Dans les exemplaires que j'ai observés l'étranglement n'était pas placé à la ligne moyenne, comme il devait être chez les formes typiques complètement régulières, mais un peu obliquement. Cette disposition de l'étranglement accompagnée d'irrégularités du contour donnait à la cellule un caractère un peu rhomboïdal.

114. **Cal. Palangula, Breb.**—*Cosmarium Palangula, Breb.*—Ralfs. Brit. Desm. p. 212, № 34. De Bary. Conjug. p. 72, pl. VI, f. 51. Rabh. Flor. Eur. Alg. III, p. 174. Kirchn. Krypt. Fl. Schles p. 143. № 288.

Dans les étangs de Kouriaje et près du hameau de Bérèjenoyé.

115. **Cal. Cucurbita, Breb.**—Kirchn. Krypt. Fl. Schles. p. 143, № 289. *Cosmarium Cucurbita, Breb.*—Ralfs. Brit. Desm. p. 108, pl. XVII, f. 7, et Rabh. Flor. Eur. Alg. III, p. 174. *Disphinctium Cucurbita, Breb.*—Reinsch. Algenfl. p. 178.

Dans le Klioukvénoyé et à Osnova; de 27—33μ de largeur sur une longueur atteignant 63μ.

f. a. (Reinsch l. c.) „Dimidia a fronte visa fere semicircularia, a vertice circularia, sulco non profundo"; la largeur est égale à un tiers de longueur.

f, b. (Reinsch, ibid) „Dimidia a fronte visa in sciagraphia semiovata elliptica, interdum paulo truncata, a vertice visa circularia, sulco non profundo"; largeur est égale à demi-longueur.

116. **Cal. Cylindrus, Naeg.**—Kirchn. Krypt. Fl. Schles. p. 142, № 287. *Penium Cylindrus, Breb.*—Ralfs. Brit. Desm. p. 150. pl. XXV, f. 2. id. Rabh. Flor. Eur. Alg. III, p. 122. *Disphinctium Cylindrus,* Naeg. Einzell. Alg. p. 111. *Penium Cyl. Breb.* Lonndel. Desmid. p. 85.

Eu Avril et Mai dans le marais près de la plateforme de Khliebnikov; de 15—18μ de largeur sur une longueur de 50—78μ.

43. Gnr. Spirotaenia, Breb.

117. **Sp. condensata, Breb.**—Ralfs. Brit. Desm. p. 179, pl. XXXIV, f. 1. Rabh. Flor. Eur. Alg. III, p. 146. Kirchn. Krypt. Fl. Schles. p. 136, № 250. De Bary Conjug. pl. V, f. 12. De Notaris Elem. p. 71, pl. IX, f. 82. Reinsch. Algenfl. p. 202. Loundel Desmid. p. 91.

Dans le marais près du village de Novosiolovka, à Osnova, en quantité immense. Les dimensions sont très variables: de 22—27μ de largeur sur une longueur de 150—240μ.

118. **Sp. obscura, Ralfs.**—Brit. Desm. p. 179, pl. XXXIV, f. 2. Rabb. Flor. Eur. Alg. III, p. 147. Kirchn. Kript. Fl. Schles. p. 136, № 252. Reinsch. Algenfl. p. 202. Loundel Desmid. p. 91. № 4.

Au même endroit, en société du précédent, en grande quantité, ainsi que dans le marais près de la plateforme de Khliebnikov, rarement. Varie aussi beaucoup en grandeur: de 16—27μ de largeur sur une longueur de 48—184μ.

Il s'est rencontré en outre une forme apparemment *Spirotaenia closteridia, Rabh.* (Flor. Eur. Alg. III, p. 147), mais puisque je ne suis pas parvenu à en voir distinctement les chromatophores, je laisse cette détermination comme indécise.

44. Gnr. Sphaerozosma, Corda.

119. **Sph. vertebratum, Ralfs.**—Brit. Desm. p. 65, pl. VI. f. 1. Rabh. Flor. Eur. Alg. III, p. 148. Arch. Pritch. Inf. p. 724. De Bary. Conjug. pl. IV, f. 32—34. Kirchn. Krypt. Fl. Schles. p. 133, № 233. Reinsch. Algenfl. p. 199. Loundel. Desmid. p. 91.

Cellules de 12—14μ larges, de 13μ longues; dans le Klioukvénoyé.

D'après la diagnose de M. Kirchner la présence des crampons entre les cellules voisines serait un caractère essentiel. Cependant, c'est sans ces crampons que les exemplaires se rencontrent ordinairement, les crampons s'y trouvant comme exception et très rarement. La gaine gélatineuse ainsi que chez d'autres Desmidiacées filiformes, n'est point un caractère essentiel et constant, et selon toutes les vraisemblances sert à les défendre contre les influences du milieu, par exmp. les changements de la température, la dessication etc. Cette supposition est fondée principalement sur ce fait que les exemplaires enveloppés de la gélatine peuvent être trouvés le plus souvent dans un temps comparativement froid.

120. **Sph. excavatum, Ralfs.**—Brit. Desm. p. 67, pl. VI, f. 2. Rabh. Flor. Eur. Alg. III, p. 149. Reinsch. Algenfl. p. 199. Loundel. Desm. p. 92.

Les crampons se rencontrent par deux plus fréquemment que chez l'espèce précédente; je n'ai pas observé de gaîne gélatineuse.

Dans le Klioukvénoyé et les marais voisins.

C'est à la fin de l'automne que j'ai rencontré une forme du *Sphaerozosma* se rapprochant de plus près du *Sphaer. vertebratum, Ralfs*, mais ayant les dimensions considérablement moindres; large de 6—8μ et longue de 4—6μ.

45. Gnr. Hyalotheca, Ehrb.

121. **Hyal. dissiliens, Breb.**—Ralfs. Brit. Desm. p. 51, pl. I, f. 6. Rabb. Flor. Eur. Alg. III, p. 152. Kirchn. Krypt. Fl. Schles. p. 131, № 225. De Notaris Elem. p. 25, pl. I, f. 1. Arch. Pritch. Inf. p. 722. Reinsch. Algenfl. p. 203.

Dans le Klioukvénoyé, près du village de Novosiolovka, à Osnova, près du hameau de Bérèjenoyé et prés du village de Philipovo; cellules de 33μ de largeur sur une longueur de 16—20μ. Les cellules sont pourvues chacune d'un étranglement plus ou moins profond, qui est parfois très petit et même nul. Dans ce dernier cas les bords des cellules se présentent tout-à-fait lisses. La gaîne gélatineuse n'a pas été remarquée.

122. **Hyal. mucosa, Ehrb.**—Ralfs. Brit. Desm. p. 53, pl. I, f. 2. Rabb. Flor. Eur. Alg. III, p. 152. Kirchn. Krypt. Fl. Schles. p. 131, № 226. Arch. Pritch. Inf. p. 722. De Notaris Elem. p. 26, pl. I, f. 2. Reinsch. Algenfl. p. 204.

Cellules larges de 12—16μ, longues de 15—16μ; dans le Klioukvénoyé, près du hameau de Bérèjenoyé, près du village de Novosiolovka, à Osnova. Il s'est rencontré constamment sans enveloppe gélatineuse.

46. Gnr. Desmidium, Ag.

123. **Des. cylindricum, Grew.**—Ralfs. Brit. Desm. p. 57, pl. II. *Didymoprium Grewillei, Ktz.*—Rabh. Flor. Eur. Alg. III, p. 153. Kirchn. Krypt. Fl. Schles. p. 132, № 232. De Notaris Elem. p. 27, pl. I, f. 3. *Didym. Grew.*,—Reinsch. Algenfl. p. 207.

Atteignant au maximum 55—75μ de largeur dans les protubérances latérales et au minimum 28—40μ au point de jonction de deux cellules, ayant en longueur 22—38μ.

Je n'ai vu qu'un petit nombre d'exemplaires à l'enveloppe gélatinense, les filaments en étant pour la plupart dépourvues. Quant aux réliefs du contour j'y ai constaté des oscillations ayant pour résultat un certain alignement des bords latéraux des cellules. La fente étroite entre les refoulements latéraux était dans beaucoup de cas considérablement élargie en comparaison de la forme typique, en même temps la hauteur des refoulements était diminuée.

124. **Des. Schwartzii, Ag.**—Ralfs. Brit. Desm. p. 61, pl. IV. Rabh. Flor. Eur. Alg. III, p. 154. Kirchn. Krypt. Fl. Schles. p. 132, № 230. De Bary. Conjug. p. 76, pl. VI. f. 57. De Notaris Elem. p. 28, pl. I, f. 4. Reinsch. Algenfl. p. 205. F. Cohn. Desm. Bong. p. 5, pl. XI, f. 1.

De 40μ de largeur sur une longueur ne dépassant pas une demi-longueur, d'ordinaire même égale à un $^1/_3$—$^2/_5$; largeur au point de jonction des cellules, 30—34μ.

Ce sont les exemplaires dépourvus de gaine gélatineuse que j'ai observés; les refoulements latéraux sont aussi sujets à des certaines modifications: ils peuvent s'arrondir par exemple et l'étranglement peut devenir moins profond, présque superficiel, d'où resulte que les refoulements latéraux semblent être moins hauts.

125. **Des. quadrangulatum, Ktz.**—Ralfs. Brit. Desm. p. 62, pl. V. Rabh. Flor. Eur. Alg. III, p. 155. Arch. Pritch. Inf. p. 723. Reinsch. Algenfl p. 206.

De 36—42μ de largeur sur une longueur ne dépassant pas une demi-largeur (jusqu'à une $^1/_3$ même); dans le marais près du hameau de Bérèjenoyé et près du village de Novosiolovka, à Osnova.

Desm. quadrangulatum, Ktz., selon toutes les apparences présente la même espèce que le *Desm. Schwartzii, Ag.* et ne s'en distingue que par la forme quadrangulaire de son diamètre transversal; sous tous les autres égards il reproduit le *Des. Schwartzii, Ag.*

47. Gnr. Cosmarium, Corda.

126. **Cosm. Botrytis, Menegh.**—Ralfs. Brit. Desm. p. 99, pl. XVI, f. 1. De Notaris Elem. p. 43, pl. III, f. 28. Rabh. Flor. Eur. Alg. III, p. 158. Loundel. Desmid. p. 26. De Bary. Conjug. pl. VIII, f. 1—24. Reinsch. Algenfl. p. 119.

Largeur 52μ sur une longueur de 72μ, l'étranglement ayant 14μ de largeur. Dans le Klioukvénoyé, les materiaux provenant du village de Riaboushki, ainsi que dans le marais près du hameau de Bérèjenoyé et à Osnova.

C'est le représentant le plus répandu de ce genre et on peut dire que les déviations de la forme typique sont aussi grandes que sa généralité. Je me bornerai à indiquer quatre variétés le plus interessantes dont toutes les autres ne présentent probablement que des formes transitoires.

Forme **a**—sémicellules se rapprochent de la forme d'un trapèze, ce qui est occasionné par les côtés latéraux, qui sont plus ou moins plats.

Forme **b**—à sommet et côtés latéraux, non aplatis mais un peu convèxes, ce qui donne à la sémicellule une forme arrondie.

Forme **c**—sémicellule d'une forme arrondie; verrus manquent dans la région du sommet, l'enveloppe complètement lisse.

Forme **d**—à sommet rectiligne-émoussé, mais saillant au dessus des antres côtés de cellule, de manière à rappeler l'aspect du *Cosmarium ornatum, Ralfs,* quoique la même particularité y soit plus nettement exprimée.

127. **Cosm. amoenum, Breb.**—Ralfs. Brit. Desm. p. 102, pl. XVIII, f. 3. De Notaris Elem. p. 44, pl. IV, f. 30. Rabh. Flor. Eur. Alg. III, p. 159. Kirchn. Krypt. Fl. Sches. p. 15?, № 330.

De 18μ large, de 44μ longue, du côté de sommet il présente un cercle de 17μ en diamètre, l'étranglement ayant 6μ.

Dans le marais près du hameau de Bérèjenoyé.

128. **Cosm. pyramidatum, Breb.**—Ralfs. Brit. Desm. p. 94, pl. XV, f. 4. Rabh. Flor. Eur. Alg. III, p. 112. De Notaris Elem. p. 40, pl. V, f. 15. Kirchn. Krypt. Fl. Schles. p. 149, № 320. Reinsch Algenfl. p. 107.

f. Brebissonii, Reinsch (l. c.)—De 56μ de largeur sur une longueur de 80μ, l'isthme ayant 30μ de largeur. Dans le Klioukvénoyé.

129. **Cosm. pachydermum, Lound.**—Desmid. p. 32, pl. II, f. 15. Kirchn. Krypt. Fl. Schles. p. 149, № 321.

Largeur 81μ sur une longueur de 105μ, la membrane ayant l'épaisseur de 3μ; isthme—33—38μ. A Osnova et près du hamean de Bérèjenoyé.

Sémicellules d'une forme oblongue peu régulière, pour la plupart quelques-unes plus ou moins aplaties d'un côté.

130. **Cosm. coelatum, Ralfs.**—Brit. Desm. p. 103, pl. XVII, f. 1. Rabh. Flor. Eur. Alg. III, p. 170. Kirchn. Krypt. Fl. Schles. p. 154, № 399.

Dans le Klíoukvénoyé assez rarement, de 38μ de largeur sur une longueur mésurant 40μ, l'isthme ayant 12μ; convert de pousses assez densement.

131. **Cosm. Meneghinii, Breb.**—Ralfs. Brit. Desm. p. 96, pl. XV, f. 6. Rabh. Flor. Eur. Alg. III, p. 163. De Bary. Conjug. pl. VI, f. 33, 34. De Notaris Elem. pl. III, f. 25. Naegeli. Einzell. Alg.—*Cosmarium (Euastrum) crenulatum*—pl. VII, A, 7. Kirchn. Krypt. Fl. Schles. p. 148, № 315.

Largeur 15μ, longueur 24μ; dans le Klioukvénoyé et le marais d'Osnova.

132. **Cosm. crenulatum, Ralfs.**—Brit. Desm. p. 96. pl. XV. f. 7. De Notaris Elem. p. 47. pl. IV. f. 34. Rabh. Fl. Eur. Alg. III. p. 165. Kirchn. Krypt. Fl. Schles. p. 149. № 316.

De 15μ de largeur sur une longueur de 26μ, épaisseur mésurant 9μ; dans le Klioukvénoyé, près du village de Novosiolovka, à Osnova. Une variété est reproduite par la figure 5.

133. **Cosm. undulatum, Corda.**—Ralfs. Brit. Desm. p. 97, pl. XV, f. 8. Rabh. Flor. Eur. Alg. III, p. 165. Kirchn. Krypt. Fl. Schles. p. 149, № 317. Reinsch. Algenfl. p. 117. *Euastrum crenatum*, Fock. Phys. Stud. p. 41, pl. I, f. 3.

Largeur 16μ sur une longueur de 24μ, épaisseur 10μ; dans le Klioukvénoyé et les marais d'Osnova.

Les trois espèces précédentes, savoir *Cosm. Meneghinii, Breb.*, *Cosm. crenatum, Ralfs*, *Cosm. undulatum, Corda*, sont aptes de toutes les variations possibles, de manière que l'on y trouve toutes les formes de transition, et leur existence comme espèces indépendantes semble être très douteuse; il est très probable que ces trois espèces ne présentent que des variétés d'une seule, et même forme, par ex. celle du *Cosmarium undulatum, Corda.*

134. **Cosm. biocnlatum, Breb.**—Ralfs: Brit. Desm. p. 95, pl. XV, f. 5. Rabh. Folr. Eur. Alg. III, p. 163. Kirchu. Krypt. Fl. Schles. p. 147, № 309. Reinsch. Algenfl. p. 107.

De 9—13μ large, de 14—16μ longue, de 14—16μ longue; près du hameau de Bérèjenoyé et dans le Klioukvénoyé.

135. **Cosm. ornatum, Ralfs.**—Brit. Desm. p. 95, pl. XV, f. 5. Rabh. Flor. Eur. Alg. III, p. 169. Kirchn. Krypt. Fl. Schles. p. 153, №. 338.

Dans le Klioukvénoyé.

136. **Cosm. oniliforme, Ralfs.**—Brit. Desm. p. 107, pl. XVIII, f. 6. Rabh. Flor. Eur. Alg. III. p. 173. Kirchn. Krypt. Fl. Schles. p. 147, № 308. *Disphintium moniliforme, Turpin*— Reinsch. Algenfl. p. 180.

Forme B—Reinsch I. c.—Longueur de 28—32μ sur une largeur de 14—16, dans le Klioukvénoyé.

137. **Cosm. trilobulatum, Reinsch,**—Algenfl. p. 116, pl. IX, f. VI. Reinsch Ex. Alg. et Fung. p. 10, pl. III, f. 2.

Dans le marais près du hameau de Bérèjenoyé.

138. **Cosm. Hammeri, Reinsch.**—Algenfl. p. 111. pl. X. f. 1. h. g.—Ex. Alg. et Fung. p. 7. pl. III. f. B. 1.

Dans le Klioukvénoyé.

139. **Cosm. Brauni, Reinsch,**—Algenfl. p. 114, pl. X, f. III, a—c. Largeur de 14μ sur une longueur mésurant 21μ; au même endroit que le précédent, ainsi qu'à Osnova. Du nombre des variétés citées par M. Reinsch (l. c.) j'ai rencontré les suivantes:

var. A. β. intermedium (l. c. fig. III. c.)—largeur 20μ sur une longueur de 26μ.

var. A. γ. Meneghinii (fi. III. d.).

var. A. δ. minimum (fig. III. g.)—largeur 14μ, longueur 21μ.

var. B. β. minus (fig. III. e.).

140. **Cosm. quadratum, Ralfs.**—Brit. Desm. p. 92, pl. XV, f. 1. Rabh. Fl. Eur. Alg. III, p. 162. Reinsch. Algenfl. p. 113. Kirchn. Krypt. Fl. Schles. p. 146, № 306.

var. genuinu, Kirchn.—de 26μ de largeur sur une longueur de 50μ; dans le Klioukvévoyé parmi les algues filiformes.

141. **Cosm. Ralfsii, Breb.**—Ralfs. Brit. Desm. p. 93, pl. XV, f. 3. Rahh. Flor. Eur. Alg. III, p. 161. Reinsch. Algenfl. p. 108.

Longueur 114μ sur une largeur de 90μ. Au même endroit que le précédent.

142. **Cosm. Cucumis, Corda.**—Ralfs. Brit. Desm. p. 93, pl. XV, f. 2. De Notaris Elem. p. 41, pl. III, f. 21. Rabh. Flor. Eur. Alg. III. p. 161. Reinsch. Algenfl. p. 108.. Kirchn. Krypt. Fl. Schles. p. 146, № 305.

Largeur de 48μ sur une longueur de 63μ. Dans le Klioukvénoyé.

143. **Cosm. granatum, Ralfs.**—Brit. Desm. p. 96, pl. XXXII. f. 6. Kirchn. Krypt. Fl. Schles. 147. Reinsch. Algenfl. p. 109, non. *Cosm. granatum, Breb.*—Rabh. Flor. Eur. Alg. III. p. 162.

Largeur 19μ sur une longueur de 28μ, l'étranglement ayant 7μ; à l'endroit cité aussi que près du hameau de Novosiolovka à Osnova.

Les formes que j'ai rencontré différent de la description et de la figure de M. Ralfs (l. c.) par leurs côtés convèxes. Les déviations de cette forme typique dependent aussi du changement du rapport de la longueur à la largeur, lequel peut atteindre 1 à peu près; largeur 22μ, longueur 26μ. Figure 6 nous offre une des varietés.

144. **Cosm. biretum, Breb.**—Ralfs. Brit. Desm. p. 102, pl. XVI, f. 5. Rabh. Flor. Eur. Alg. III, p. 171. Kirchn. Krypt. Fl. Schles. p. 154, № 340.

Dans les étangs de Kouriaje et près de village de Novosiolovka à Osnova.

145. **Cosm. tinctum, Ralfs.**—Brit. Desm. p. 95, pl. XXXIII. *Sphaerozosma tinctum*—Rabh. Flor. Eur. Alg. III, p. 150. Kirchn. Krypt. Fl. Schles. p. 148, № 312.

Dans le Klioukvénoyé.

146. **Cosm. abruptum, Lound.**—Desmid. p. 43, pl. II, f. 22. Raciborski. Desmid. p. 24.

var. gostyniense, Racib. (l. c. pl. II, f. 13)—largeur 15μ, longueur 18μ, épaisseur 9μ. Dans le marais près de hameau de Bérèjenoyé. Fig. 7.

147. **Cosm. ellipsoideum, Elf.**—Raciborski. Desmid. p. 28, pl. I, f. 9.

var. major, Racib.—largeur 27μ, longueur 28μ, épaisseur 13μ, l'isthme 8μ. Au même endroit que le précédent. Je n'ai vu qu'une membrane dépourvue de tout contenu. Fig. 11.

48 Genr. Euastrum, Ehrb.

148. **Eu. binale, Ralfs.**—Brit. Desm. p. 90, pl. XIV, f. 8. De Notaris Elem. p. 37, pl. III, f. 18. Naegeli. Einzell. Alg.—*Eu-*

astrum dubium—p. 122, pl. VII, f. D, 2. Rabh. Flor. Eur. Alg. III, p. 186. Kirchn. Krypt. Fl. Schles. p. 159, № 361. *Didymium (Euastrum) binale, Turp.*—Reinsch Algenfl. p. 138. Perty Kleinst. Lebensf. p. 208. pl. XVI. f. 8. Loundel. Desmid. p. 22. pl. II. f. 7.

Dans les étangs de Kouriaje et dans le Klioukvénoyé.

149. **Eu. Elegans, Ktz.**—Ralfs. Brit. Desm. p. 89, pl. XIV, f. 7. *Euastrum bidentatum.*—Naegeli. Einzell. Alg. p. 122, pl. VII, D, f. 1. Rabh. Flor. Eur. Alg. III, p. 185. Perty. Kleinst. Lebensf. p. 208, pl. XV, f. 7. Reinsch. Algenfl. p. 136. Loundel. Desmid. p. 22.

f. typica, Rabh.—dans le Klioukvénoyé ainsi que près du hameau de Bérèjenoyé.

var. rostrata, Rabh.—*Euastr. rostratum*—Ralfs. Brit. Desm. p. 88, pl. XIV, f. 6. id. Lound. Desmid. p. 21.—largeur 37μ, longueur 58μ, isthme 16μ.

var. inerme, Rabh.—aux angles obtus.

150. **Eu. Didelta, Ralfs.**—Brit. Desm. p. 84, pl. XIV, f. 1. De Notaris Elem. p. 35, pl. III, f. 13. Rabh. Flor. Eur. Alg. III, p. 184. Kirchn. Krypt. Fl. Schles. p. 157. № 354. Fock. Phys. Stud. I, p. 43, pl. I, f. 3 et pl. II, f. 24. Perty. Kleinst. Lebensf. p. 208. Reinsch. Algenfl. p. 134. Lound. Desmid. p. 19, № 11.

Dans le Klioukvénoyé, assez souvent.

151. **Eu. oblongum, Ralfs.**—Brit. Desm. p. 80, pl. XII. De Notaris Elem. p. 34, pl. II, f. 11. Kirchn. Krypt. Fl. Schles. p. 157, № 352. Raciborski. Desmid. p. 37, pl. IV, f. 13, 14. Rabh. Flor. Eur. Alg. III, p. 181. Fock. Phys. Stud. Hf. I, p. 44, pl. II, f. 10. Reinsch. Algenfl. p. 136.

Dans le liman de Tschougouyew, ainsi que dans les marais près de Bérèjenoyé, et le Klioukvénoyé. Largeur 82—87μ, longueur 165μ.

152. **Eu. circulare, Hass.**—Ralfs. Brit. Desm. p. 85, pl. XIII, f. 5. De Notaris Elem. p. 36, pl. III, f. 16. Rabh. Flor. Eur. Alg. III, p. 183. Kirchn. Krypt. Fl. Schles. p. 158, № 355.

Largeur 52μ sur une longueur de 80μ. Dans le Klioukvénoyé.

153. **Eu. verrucosum, Ehrb.**—Ralfs. Brit. Desm. p. 72, pl. XI, f. 2. Kirchn. Krypt. Fl. Schles. p. 180, № 362. Rabh. Flor. Eur. Alg. III, p. 179. Raciborski. Desmid. p. 38, pl. IV, f. 10, 11. De Notaris Elem. p. 33, pl. II, f. 10. Perty. Kleinst. Lebensf. p.

208. Fock. Phys. Stud. p. 44, pl. I et II, f. 12, 13, 25. Reinsch Algenfl. p. 124.

Largeur 87μ, longueur 105μ. A Osnova prés du village de Novosiolovka et près de Bérèjenoyé.

var. coarctatum, Racib.—largeur 72μ, longueur 89μ.

154. Eu. Raifsii. Rabh.—Flor. Eur. Alg. III, p. 184. *Euastr. ansatum* Ralfs. Brit. Desm. p. 85, pl. XIV, i. 2. Kirchn. Krypt. Fl. Schles. p. 180. № 359. Naegeli Eincell. Alg. p. 122, pl. VII, D, f. 3. Focke. Phys. Stud. I, pl. I, f. 8. De Notaris Elem. p. 35. Reinsch. Algenfl. p. 130. *Euastr. ansatum Ralfs*—Loundel. Desmid. p. 20, № 13.

Dans le Klioukvénoyé; largeur 36—42μ sur une longueur de 88μ.

49. Gnr. Micrasterias, Ag.

155. **Micr. Arcuata, Bailey.**—Rabb. Flor. Eur. Alg. III, p. 188. *Tetrachastrum arcuatum*—Arch. in Pritch. Inf. p. 725.

Ce n'est qu'une seule fois dans un des étangs de Kouriaje que j'ai trouvé une moitié de la membrane vide de cette forme si caractéristique du Micrasterias.

156. **Micr. Crux. Melitensis, Raifs.**—Brit. Desm. p. 73, pl. IX, f. 3. Kirchn. Krypt. Fl. Schles. p. 161, № 367. Rabh. Flor. Eur. Alg. III, p. 190. Perty. Kleinst. Lebensf. p. 208. Fock. Phys. Stud. Hf. I, p. 45, I, f. 13. Reinsch. Algenfl. p. 114—comme une variété du *Didymium (Micrasterias) funcata, Ag.*

Largeur 105μ, longueur 120μ, isthme 19. Dans le Klioukvénoyé.

157. **Micr. fimbriata, Ralfs.**—Brit. Desm. p. 71, pl. VIII, f. 2. Rabh. Flor. Eur. Alg. III, p. 193. Kirchu. Krypt. Fi. Schles. p. 162, № 372. *Micrast. apiculata*—Fock. Phys. Stud. p. 46, pl. I, f. 16. Reinsch. Algenfl. p. 149. Raciborski. De Desmid. p. 50.

Dans le Klioukvénoyé.

158. **Micr. rotata, Ralfs.**—Brit. Desm. p. 71, pl. VIII, f. 1. *Micrasterias furcata, Agh.*—Rabb. Flor. Eur. Alg. III, p. 191. Kirchn. Krypt. Fl. Schles. p. 162, № 370. Fock. Phys. Stud. Hf. I. p. 46, pl. II, f. 1—7. A. Braun. Alg. Unicell. p. 108. Reinsch, Algenfl. p. 148. Lonndel. Desmid. p. 12. Raciborski. De Desm. p. 39.

Forme a—Reinsch l. c.—„omnium lobulorum dentes aequaliter longi". Largeur 250μ sur une longueur de 302μ. Dans le Klioukvénoyé et le marais près du village de Novosiolovka.

159. **Micr. denticulata, Breb.**—Ralfs. Brit. Desm. p. 70. pl. VII, f. 1. Rabh. Flor. Eur. Alg. III.—*Micrast. furcata, var. denticulata, Rabh.*—p. 192. Kirchn. Krypt. Fl. Schles. p. 162, № 371. Reinsch. Algenfl. p. 146.

var. a. (Reinsch l. c.) **denticulatum**—„lobuli tertiae ordinis breviter bi- aut tridentati".

var. b. crenulatum—„lobuli tertiae ordinis inermes integerrimi aut in medio subemarginati".

Dans le Klioukvénoyé.

Ce qui est à remarquer, c'est que dans beaucoup de cas les deux formes se trouvent réunies dans le même exemplaire, l'une moitié présentant la forme „crenulatum" et l'autre—„denticulatum".

160. **Micr. crenata, Breb.**—Ralfs. Brit. Desm. p. 75, pl. VII, f. 2. et pl. X, f. 4. Rabh. Flor. Eur. Alg. III,—*Micrast. truncata, Breb.* p. 191. Reinsch. Algenfl. p. 143. Naegeli. Einzell. Alg. p. 123, pl. VI, H, f. 3.

Dans le Klioukvénoyé, rarement.

50. Gnr. Staurastrum, Meyen.

161. **Staur. muticum, Breb.**—Ralfs. Brit. Desm. p. 125, pl. XXI, f. 4 et pl. XXXIV, f. 13. De Notaris Elem. p. 55. pl. V. f. 33. Reinsch. Algenfl. p. 150. *Phycastrum depressum*—Naegeli. Einzell. Alg. p. 126, pl. VIII, A, f. 1. Rabh. Flor. Eur. Alg. III, p. 200. Perty. Kleinst. Lebensf. p. 210. Kirchn. Krypt. Fl. Schles. p. 163, № 377.

a. typicum—largeur 30μ, longueur 32μ.

c. Bieneranum—largeur 44μ sur une longueur de 42μ.

Dans le Klioukvénoyé.

162. **Staur. orbiculare, Ralfs.**—Brit. Desm. p. 125, pl. XXI, f. 5. Reinsch. Algenfl. p. 152. De Notaris Elem. p. 55. pl. V. f. 53. Rabh. Flor. Eur. Alg. III. p. 200. Kirchn. Krypt. Fl. Schles. p. 164, № 378.

Largeur 20—25μ sur une longueur de 25—48μ. Dans le Klioukvénoyé.

163. **Staur. dejectum, Breb.**—Ralfs. Brit. Desm. p. 121. pl. XX. De Notaris Elem. p. 54, pl. V, f. 51. Rabh. Flor. Eur. Alg. III, p. 203. Kirchn. Krypt. Fl. Schles. p. 168, № 404 Reinsch. Algenfl. p. 157.

La forme typique se rencontre rarement dans le Klioukvénoyé; chez quelques-unes les extremités sont raccourcies. D'une longueur de 25—30μ sur une largeur présque égale.

164. **Staur. penculatum, Breb.**—Ralfs. Brit. Desm. p. 133, pl. XXII, f. 1. De Notaris Elem. p. 51, pl. IV, f. 43. Rabh. Flor. Alg. III. p. 208. Kirchn. Krypt. Fl. Schles. p. 164, № 380. Reinsch. Algenfl. p. 149. *Phycastrum striolatum*—Naegeli. Einzell. Alg. p. 125, pl. VIII, f. A, 3.

A. minus
α. trigonum' (Reinsch l. c.) Dans le Klioukvénoyé.
γ. alternans

On y pouvait rencontrer des formes, dont le triangle de sommet avait des côtés présque directs.

165. **Staur. polymorphum, Breb.**—Ralfs. Brit. Desm. p. 135, pl. XXII, f. 9 et XXXII, f. 6. Reinsch. Algenfl. p. 165. De Notaris Elem. p. 52, pl. IV, f. 46. Rabh. Flor. Eur. Alg. III, p. 209. Kirchn. Krypt. Fl. Schles. p. 167, № 396.

var. a. trigonum
var. b. tetragonum Reinsch. l. c. Largeur 18μ, sur une longueur de 30μ, isthme 10μ.

Dans le Klioukvénoyé, le marais à Osnova et près du hameau de Bérèjenoyé.

166. **Staur. tetracerum, Ktz.**—Ralfs. Brit. Desm. p. 137, pl. XXIII, f. 7. Rabh. Flor. Eur. Alg. III, p. 210 comme une var. du *Staur. paradoxum, Meyen.* Id. Reinsch. Algenfl. p. 169.

Dans le Klioukvénoyé.

Les cornes radiaux se terminaient par deux ou trois pointes, qui néanmoins n'étaient jamais détournées en directions diverses, mais constituaient une continuité immediate du contour. Quelques exemplaires avaient des cornes à la fois bi- et tri furquées.

167. **Staur. paradoxum, Meyen.**—Ralfs. Brit. Desm. p. 138, pl. XXIII, f. 8. Reinsch. Algenfl. p. 164. Rabh. Flor. Eur. Alg. III, p. 210. Kirchn. Krypt. Fl. Schles. p. 167, № 399.

Largeur de la semicellule seule 20μ sur une longueur de 36μ de l'individu tout entier, l'isthme 9μ, longueur de cornes finales 18μ, chacun muni de six anneaux de verrues.

Cette espèce est caracterisée chez Babenhorst (l. c.) par ses cornes radiaux bi- et trifurquées. De tous les spécimens de cette espèce que j'ai observés, ce n'est que dans un seul que les rayons se terminaient par deux pointes, dans tous les antres ce sont deux ou trois tubercules separés par des creux òu même un bont eutièrement lisse, à la fin de la corne qui remplaçaient les pointes citées.

168. **Staur. cuspidatum, Breb.**—Ralfs. Brit. Desm. p. 121, pl. XXI, f. 1 et pl. XXXIII, f. 10. *Phycastrum spinulosum*—Naegeli. Einzell. Alg. III, p. 126, pl. VIII, f. A, 2. De Bary. Conjug. pl. VI, f. 25—32. *Staur. dejectum*—Rabh. Flor. Eur. Alg. III. p. 203. Kirchn. Krypt. Fl. Schles. p. 169, № 405.

Dans le Klioukvénoyé. Dans tous les exemplaires que j'ai trouvés, l'isthme, réliant les deux sémicellules, avait une dimension notablement plus courte. que celle qui est indiqué chez Ralfs. Longueur oscillait de 5 à 7μ.

169. **Staur. laeve, Ralfs.**—Brit. Desm. p. 131, pl. XXIII, f. 10. Rabh. Flor. Eur. Alg. III, p. 206. Kirchu. Krypt. Fl. Schles. p. 167, № 394.

Dans le Klioukvénoyé.

170. **Staur. cyrtocerum, Breb.**—Ralfs. Brit. Desm. p. 135, pl. XXII, f. 10. Rabh. Flor. Eur. Alg. III, p. 210 comme une variété du *Staur. polymorphum*, *Breb.*, *Staur. polymorphum*, *Breb.*, *f. trigonum*—Reinsch. Algenfl. p. 165.

Dans le Klioukvénoyé et le marais prés du hameau de Bérèjenoyé. Les auteurs ci-dessus cités consideraient le *Staur. cyrtocerum*, *Breb.*, comme une variété du *Staur. polymorphum Breb.*; en effet, quoique la courbure des coins soit un caractère constant, le port général nous fait incliner en faveur d'un tel jugement.

171. **Staur. teliferum, Ralfs.**—Brit. Desm. p. 128, pl. XXII, f. 4 et pl. XXXIV, f. 14. De Notaris Elem. p. 50, pl. IV, f. 40. Rabh. Flor. Eur. Alg. III, p. 212. Kirchn. Krypt. Fl. Sches. p. 413.

Dans le Klioukvénoyé. En comparaison de la caractéristique et les figures de Ralfs, les formes que j'ai observés différent en ce que toute la surface est recouverte d'une assez grande quantité de pointes et que les côtés du triangle de sommet sont présque directs, non concaves; de côté la cellule se présente d'une forme oblongue, un peu irrégulière.

172. **Staur. hirsutum, Breb.**—Ralfs. Brit. Desm. p. 127, pl. XXII, f. 3. De Notaris Elem. p. 50, pl. IV, f. 41. *Staur. Pringsheimii*—Reinsch. Algenfl. p. 172. Rabh. Flor. Eur. Alg. III, p. 211. Kirchu. Krypt. Fl. Schles. p. 160, № 390.

Dans le Klioukvénoyé, pas souvent.

173. **Staur. polytrichum, Perty.**—Kleinst. Lebensf. p. 210, pl. XVI; f. 24. Rabb. Flor. Eur. Alg. III, p. 214. Loundel. Desm. p. 63, № 34.

Dans le marais prés du hameau de Bérèjenoyé; largeur 42μ., sur une longueur présque égale, isthme 18μ. Fig. 14.

175. **Staur. tricorne, Menegh.**—Ralfs. Brit. Desm. p. 133. pl. XXII, f. 11, et pl. XXXIV. f. 8. *Staur. dilatatum var. tricorne*, Rabh. Flor. Eur. Alg. III, p. 207. *Phycostrum Ralfsii*—Naegeli. Einzell. Alg. p. 129, pl. VIII, f. D.

Dans le Klioukvénoyé et le marais à Osnova.

175. **Staur. vestitum, Ralfs.**—Brit. Desm. p. 143, pl. XXIII, f. 1. Rabh. Flor. Eur. Alg. III, p. 218. Kirchn. Krypt. Fl. Schles. p. 167, № 398.

Dans le Klioukvénoyé j'ai trouvé cette espèce, le printemps excepté, dans le limau gelé; le 31 Janvier 1886, elle a été complètement conservée, à la profondeur de 70 cmtr.

J'en ai rencontré deux variétés, qui se distinguent par le nombre des pousses en forme d'épine, ainsi que par la forme des extrémités du triangle de sommet.

a. L'une variété se distingue par les pointes trifurquées, ainsi que par quatre ou cinq pousses bifurqués, placés sur chaque côté légèrement concave du triangle. Fig. 8.

b. L'autre variété est caracterisée par ses extrémités bifurquées, ainsi que par la présence de deux pousses bifurqués sur chaque côté du triangle de sommet. Fig. 9.

176. **Staur. sp.**—a froute subquadrangulare, laeve, profunde non constrictum, sinn subrectangulari, semicellulis fere ellipticis, a vertice conspectis triangularibus, angulis late rotundatis, quoque duobns cornubus bidentatis achrois instructo.

Largeur 30μ. sur une longueur de 33μ..

C'est dans l'étang de Lémékhow, près de Pessotschine, que j'ai rencontré une fois, parmi les entassements d'Oedogoniums et de *Cladophora glomerata, Link.*, cette forme du Staurastrum, que je représente dans les fig. 10 et 12.

51. Gnr. Xanthidium, Ehrb.

177. **Xant. armatum, Breb.**—Ralfs. Brit. Desm. p. 112, pl. XVIII. De Notaris. Elem. p. 47, pl. IV, f. 35. Rabh. Flor. Eur.

Alg. III, p. 222. Reinsch. Algenfl. p. 129. Kirchn. Krypt Fl. Schles. p. 154, № 342.

Largeur 82μ, les pousses y compris, sur une longueur de 252μ; dans le marais près de la plateforme de Khliebnikow et le Klionkvénoyé.

178. **Xant. cristatum, Ehrb.**—Ralfs. Brit. Desm. p. 115, pl. XIX, f. 3. Rabb. Flor. Eur. Alg. III, p. 224. Kirchn. Krypt. Fl. Schles. p. 155, № 348.

Dans le Klioukvénoyé.

52. Gnr. Arthrodesmus, Ehrb.

179. **Art. convergens, Ralfs.**—Brit. Desm. p. 118, pl. XX, f. 3. *Euastrum convergens.* Naegeli. Einzell. Alg. p. 114, pl. III, f. C, 1. Rabh. Flor. Eur. Alg. III, p. 227. Perty. Kleinst. Lebensf. p. 209. Fock. Phys. Stud. Hf. II, pl. IV, f. 14. Kirchn. Krypt. Fl. Schles. p. 156, № 349. Reinsch. Algenfl. p. 154.

Dans le Klioukvénoyé.

180. **Art Incus. Hass.**—Ralfs. Brit. Desm. p. 118, pl. XX, f. 4. Rabh. Flor. Eur. Alg. III, p. 226. Kirchn. Krypt. Fl. Schles. p. 156, № 350.

Dans le même endroit que le précédent.

Fam. Zygnemaceae.

53. Gnr. Spirogyra, Link.

En déterminant les espèces du genre Spirogyra, il est indispensable de porter attention aux caractères des organes végétatifs et reproductifs. Les prémiers sont d'une grande inconstance et les variations y sont beaucoup plus considérables que dans les derniers, ce qui les rend moins exacts et par consequent moins certains. Ainsi, pour déterminer une espèce du Spirogyra il est indispensable d'avoir sous les yeux tous les deux états: le végétatif ainsi que le reproductif, ce qui est très difficile, si l'on n'est pas aidé par un heureux accident. Ce fait est facile à expliquer, si nous nous souvenons qu'après avoir trouvé les filaments végétatifs du Spirogyra, nous ne pourrons pas observer aussitôt sa fructification, la raison en est que dans le temps de la formation de la zygospore mûre, dont la forme, l'aspect de la membrane et les dimensions (ainsi que la forme de la cellule fructifère) nous fournissent des caractères principaux pour la détermination, les bandes chlorophylliennes se contractent dans toutes les cellules, en formant des accumulations d'une forme irrégulière et en devenant parfois présque invisibles. Or il devient parfois très difficile et même plus souvent tont-à-fait impossible de discerner le nombre des bandes et des spires, ce qui rend la conclusion douteuse.

Cependant il est possible de faire une exception. Il éxiste deux espèces représentant des formes voisines du Spirogyra aux caractères végétatifs très prononcés. J'entends le *Spir. tenuissima, Hass.*, et le *Spir. crassa, Ktz.*, que j'ai déterminés sans avoir recours aux zygospores, en me guidant uniquement de l'aspéct des filaments végétatifs. Néanmoins, en vertu de considérations, que je viens d'exposer, je me suis convaincu d'avoir observé les deux espèces en question. Les antres que je cherchàis à déterminer sans zygospores se trouvent citées comme douteuses.

181. **Spir. tenuissima, (Hass) Ktz.**—Rabh. Flor. Eur. Alg. III, p. 233, Ktz. Tab. Phyc. V, pl. XXIX, f. 2. Petit. Spirog. de Paris p. 6, pl. I, f. 1—3. Kirchn. Krypt. Fl. Schles. p. 119, № 188. Cooke. Fresh. Wat. Alg. p. 96, pl. XXXIV, f. 3, a, b.

Cellules vegetatives larges de 12—14μ, et 10—12½ fois plus longues.

Une bande chlorophyllienne décrit dans les cellules courtes trois spires au moins; le nombre de spires est presque conforme à la longueur des cellules et atteint parfois six. Il s'est rencontré dans l'eau stagnante ainsi que dans l'eau courante.

Dans la rivière d'Oudoui près de Natotschiyi, les marettes près du moulin de Skouridine, l'étang de Lémékhow, le Klioukvénoyé et le fleuve de Donètz près de Tschougouyew.

182. **Spir. bellis, Clev.** Petit, Spirog. de Paris p. 31, pl. X, f. 1—3. Cooke. Fresh. Wat. Alg. p. 88, pl. XXXIV, f. 2. *Spirogyra subaequa*, Ktz. Tab. Phyc. V, pl. 26, f. 2. id. Rabh. Flor. Eur. Alg. III, p. 244.

C'est dans le Klioukvénoyé, en un seul point, que je l'ai recueili en petite quantité, avec des zygospores; les bandes chlorophylliennes s'étaient déjà contractées dans les cellules stériles et avaient pris une forme irrégulière: je n'en ai pas vu de filaments végétatifs; autant qu'il a été possible de remarquer, il y avait au moins quatre bandes spirales décrivant presque un demitour.

Les cellules ayant en largeur 60—66μ, sur une longueur double ou triple; les zygospores de 92—105μ dans l'axe longue, épaisseur 60—84μ.

183. **Spir. velata, O. Nordst.**—Petit. Spirog. de Paris p. 24, pl. VII, f. 1—5.

C'est dans une petite baie de la rivière d'Oudoui, au delà de Natotschiyi, que j'ai trouvé un nombre de filaments fructifères pourvus de zygospores; en raison de quoi, les cellules végétatives aux bandes régulièrement disposées n'out pas été observées, ainsi que dans le cas précédent.

Cellules de 54μ en largeur, et d'une longueur qui la dépasse de trois fois à peu prés; zygospores elliptiques, à 57—48μ de largeur et à 108—120μ de longueur.

184. **Spir. longata, (Vauch.) Ktz.**—Rabh. Flor. Eur. Alg. III, p. 238. Petit. Spirog. de Paris p. 20, pl. V, f. 4, 5. Kirchn. Krypt. Fl. Schles. p. 123, № 198. Kütz. Tab. Phyc. V, pl. XX, f. 1. Cooke. Fresh. Wat. Alg. p. 92, pl. XXXVI, f. 2.

Largeur des cellules végétatives 28—34μ, la longueur la dépasse de 4—11 fois; cellules fructifères non renflées; zygospores larges de 26μ et longues de 51μ (presque du double), membrane de ces dernières d'un brun clair

Dans l'Oudoui, près de Natotschiyi et dans le Donètz, près de Tschougouyew.

185. **Spir. crassa, Ktz.**—Rabh. Flor. Eur. Alg. III, p. 246, Kütz. Tab. Phyc. V, pl. XXVIII, f. 2. Reinsch. Algenfl. p. 211. Petit. Spirog. de Paris p. 32, pl. XII, f. 3, 4. Kirchn. Krypt. Fl. Schles. p. 119, № 184. Cooke. Fresh. Wat. Alg. p. 85, pl. XXXII, f. 1.

La largeur des cellules stériles varie de 120—160μ, la longueur est tantôt moindre, tautôt égale ou même double, c'est-à-dire de 132—285μ, cette diversité peut être observée sur le même filament. Bandes nombreuses, dont chacune décrit un tour ou un demitour; elles se trouvent au nombre de 6 dans les cellules courtes et leur nombre est plus considérable dans celles qui sont plus longues.

Aux mêmes endroits que le précédent.

186. **Spir. orthospira, (Naeg) Ktz.**—Tab. Phyc. *Spirogyra majuscula,* V, pl. XXVI, f. 1. Rabh. Flor. Eur. Alg. III, p. 244. Petit. Spirog. de Paris p. 30, pl. X, f. 4, 5. *Spir. majuscula, Ktz.* Kirchn. Kypt. Fl. Schles. p. 118, № 184. Cooke. Fresh. Wat. Alg. p. 87, pl. XXXIII, f. 2.

C'est dans la rivière de Lopagne à Ivanovka et le Donètz près de Tschougouyew que j'ai rencontré des filaments végétatifs, dont la largeur des cellules atteignait 58—60μ, sur une longueur qui la dépassait de 3—3½ fois. Les bandes chlorophylliennes au nombre de 4—6 sont presque parallèles aux parois des cellules; cloisons simples.

? **Spir. Grewilleana, Hass.?**—Rabh. Flor. Eur. Alg. III, p. 234. *Spir. inaequalis.*—Kütz. Tab. Phyc. V, pl. 29. Petit. Spirog. de Paris p. 10, pl. II, f. 1—6. *Spir. Weberi var. grewilleana.* Kirchn. Krypt. Fl. Schles p. 120.

Dans les marettes près du moulin de Skouridine.

Les caractères des exemplaires que j'ai rencontrés dans l'état de végétation coïncidaient complètement avec la description de M. P. Petit (l. c.). Cellules de 27μ de largeur sur une longueur d'environ 285μ, c'est-à-dire la dépassant de dix fois et demie. Il y avait pour la plupart une bande assez large, qui décrit 3 ou 4 tours, parfois même deux bandes enfermées dans une cellule ou dans plusieurs cellules, au milieu de ces dernières une bande unique décrivant trois tours; cloisons plissées.

? **Spir. inflata (Vauch), Rabh.?**—Flor. Eur. Alg. III, p. 233. Reinsch. Algenfl. p. 210. Kirchn. Krypt. Fl. Schles. p. 119. Petit. Spirog. de Paris p. 7, pl. I. f. 4—6. *Spir. tenuissima, var. inflata.* Cooke. Fresh. Wat. Alg. p. 96, pl. XIX, f. 3, c.

Dans l'étang de Lémékhow, l'Oudoui, la rivière de Lopagne à Ivanovka, les marettes près du moulin de Skouridine. Diamètre: 18μ, longueur des cellules mesurant 144μ environ; cloison repliée; toujours une seule bande décrivant 4—5 tours.

? **Spir. decimina, (Müll.) Ktz.?**—Rabh. Flor. Eur. Alg. III, p. 242. Petit. Spirog. de Paris p. 25, pl. VIII, f. 1—3. J. Kickx. Fl. de Flandres p. 405, № 3. Kirchn. Krypt. Fl. Schles p. 118, pl. 183. *Spir. porticalis, var. decimina.* Cooke. Fresh. Wat. Alg. p. 90, pl. XXXV, f. 2. Kütz. Tab. Phyc. V, pl. XXIII, f. 1 et pl. XXIV, f. 3.

C'est dans les marettes près du moulin de Skouridine, la rivière d'Oudoui près de Grigorovka, ainsi que dans le fleuve de Donètz près de Tschougouyew, que j'ai rencontré des filaments végétatifs de 42—45μ en diamètre, sur une longueur de cellules de 126μ environ, c'est-à-dire trois fois à peu près plus longues que larges, elles avaient des cloisons simples et deux bandes spirales, assez rétrécies, décrivant chacune trois tours et moins.

54. Gnr. Zygnema, Ktz.

187. **Zyg. crutiatum, (Vauch.) Agh.**—Cooke. Fresh. Wat. Alg. p. 79, pl. XXXI, f. 1. Reinsch. Algenfl. p. 212. Kütz. Tab. Phyc. V, pl. XVII, f. 4. Rabh. Flor. Eur. Alg. III, pl. 251.

Cellules végétatives de 31—42μ de largeur, sur une longueur de 51—60μ. Près du hameau de Bérèjenoyé et près du village de Novosiolovka.

188. **Zyg. stellinum, (Vauch.) Agh.**—Rabh. Flor. Eur. Alg. III, p. 249. Reinsch. Algenfl. p. 212. Kütz. Tab. Phyc. V, pl. XVIII. De Bary. Conjug. p. 78. Kirchn. Krypt. Fl. Schles. p. 126, № 208. Cooke. Fresh. Wat. Alg. p. 80, pl. XXX, f. 2.

Espèce du Zygnema la plus commune pour notre localité. Longueur des cellules dépasse 1—3 fois la largeur, laquelle atteint 32μ; dans le Klioukvénoyé, l'étang de Lémékhow près du village de Novosiolovka à Osnova et près du hameau de Bérèjenoyé.

189. **Zyg. anomalum, Ralfs.**—Cooke. Fresh. Wat. Alg. p. 81, pl. XXXI, f. 1. *Zygogoninm anomalum, Ralfs*—Reinsch. Algenfl. p. 213 id. Rabh. Flor. Eur. Alg. III, p. 252. *Zygogonium pectinatum, var. anomalum.* Kirchn. Krypt. Fl. Schles. p. 127.

C'est dans les matériaux recueillis dans le Klioukvénoyé le 31-er Mars de l'année, que l'espèce gélatineuse du Zygnema s'est developpée à la fin de l'été, en quantité considérable tant dans l'ean que sur les parois du vase. J'ai rencontré la même forme sur la terre humide prise dans un marais prés de Jikhor; largeur des cellules 26μ et même 45μ, conche gelatineuse y compris, la longueur dépasse d'1—2 fois la largeur.

55. Gnr. Mougeotia, De By.

190. **Moug. glyptosperma, De By.**—Conjug. p. 78, pl. VIII, f. 20—25. Rabh. Flor. Eur. Alg. III, p. 255.

Cellules de 12μ de largeur, sur une longueur de 120μ. Dans la rivière de Lopagne à Ivanovka, et le marais près du hameau Novosiolovka à Osnova.

56. Gnr. Mesocarpus, Hnss.

191. **Mes. pleurocarpus, De By.**—*Mougeotia genuflexa.* Kütz. Tab. Phyc. V, pl. I. Reinsch. Algenfl. p. 215.

Dans le Klioukvénoyé et la rivière d'Oudoui au mois de Septembre; ainsi que près du village de Novosiolovka à Osnova; largeur 24—36μ sur une longueur de 204—297μ, c'est-à-dire dépassant la largeur de 5—12 fois.

57. Gnr. Staurospermum, Ktz.

192. **Staur. viride, Ktz.**—Rabh. Fl. Eur. Alg. III, p. 260. Cooke. Fresh. Wat. Alg. p. 107, pl. XLIV, f. 2. *Staurospermum franconicum*. Reinsch. Algenfl. p. 217.

Je n'en ai vu qu'un seul exemplaire dans le Klioukvénoyé, l'automne passé; la zygospore avait des côtés concaves et les coins un peu arrondis.

Ordre SIPHONEAE.

Fam. Botrydiaceae.

58. Gnr. Botrydium, Wallr.

193. **Botr. granulatum, Grew.**—Kütz. Tab. Phyc. VI, pl. LIV. Kirchn. Krypt. Fl. Schles. p. 83. Reinsch. Algenfl. p. 218, pl. XIII, f. IV, a, b, c. J. Kickx. Flor. des Flandres, II, p. 398. Cooke Fresh. Wat. Alg. p. 111, pl. LXV. *Hydrogastrum granulatum, Desv.*—Rabh. Flor. Eur. Alg. III, p. 265.

Croît d'ordinaire épars, en quantité considérable, près des marais sur la terre humide, végétale ou argileuse, ne se rencontrant point sur des sols sablonneux. Je l'ai recueilli dans le voisinage de Klioukvénoyé, prés d'une mare à Osnova, mais il est surtout abondant aux endroits humides, au delà de Dérgatschi, par la dessication des marais.

Grandeur des têtes végétatives du Botrydium atteint jusqu'à 1,5 mm.

Fam. Vaucheriaceae.

59. Gnr. Vaucheria, De Cd.

194. **Vauch. sessilis, De Cd.**—Rabh. Flor. Alg. III, p. 267. Kütz. Tab. Phyc. VI, pl. LIX, f. 2. Kirchn. Krypt. Fl. Schles. p. 82, № 9. Cooke. Fresh. Wat. Alg. p. 123, pl. XLVI et XLVIII, f. 1, 2. Reinsch. Algenfl. p. 220.

J'ai trouvé cette espèce dans un des étangs de Kouriaje, près du moulin de Skouridine, dans tous les cas sur la terre humide, en dehors de l'ean ainsi que dans un endroit marécageux, près d'un marais.

Diamètre d'oogonie ayant 66—81μ, largeur du filament végétatif—70—80μ.

195. **Vauch. hamata,** Lyngb.—Rabh. Flor. Eur. Alg. III, p. 270. Cooke, Fresh. Wat. Alg. p. 126, pl. XLVIII, f. 10, 11. *Vaucheria hamulata* Ktz. Tab. Phyc. VI, pl. LXI, f. 2.

Dans une petite baie de la rivière d'Oudoui au delà de Grigorovka. Oogonie ayant jusqu'à 70μ de longueur sur une largeur un peu moindre.

196. **Vauch. geminata, De Cd.**—Rabh. Flor. Eur. Alg. III, p. 269. Kirchn. Krypt. Fl. Schles. p. 83, № 93. Cooke. Fresh. Wat. Alg. p. 125, pl. XLVIII, f. 6, 7 et XLIX, f. 4. Reinsch. Algenfl. p. 222. Kütz. Tab. Phyc. VI, pl. LIX.

Sur la terre humide à Osnova, au delà de Dérgatschi, dans la rivière d'Oudoui près du hameau de Natotschiyi.

La largeur du filament végétatif est très inégale, de 53—78μ; les dimensions d'une oogonie était de 72—84μ dans une direction et de 84—99μ dans l'autre. Outre les formes typiques j'ai trouvé aussi la

var. racemosa, Walz.—*Vaucheria racemosa, De Cd.*, Reinsch. Algenfl. p. 222. Ktz. Tab. Phyc. VI, pl. LXI, f. 2.—à trois et quatre oogonies.

197. **Vauch. sericea, Lyngb.**—Rabh. Flor. Eur. Alg. III, p. 271. Cooke. Fresh. Wat. Alg. p. 121, pl. XLVIII, f. 4. *Vaucheria rostellata, Ktz.* Tab. Phyc. VI, pl. LVIII, f. 4.

A Kouriaje sur les parois d'une auge de bois employée pour l'ecoulement de l'ean de source. Largeur du filament végétatif 27—32μ, l'oospore ayant 52μ dans le diamètre.

Ordre CONFERVOIDEAE.

Fam. Ulvaceae.

60. Gnr. Entheromorpha, Link.

198. **Ent. intestinalis, Link.**—Rabb. Flor. Eur. Alg. III, p. 313. Cooke, Fresh. Wat. Alg. p. 130, pl. LI, f. 1—5. Kütz. Tab. Phyc. VI, pl. XXXI.

Forme très répandue dans notre localité; dans la rivière de Kharkow à Jouravliovka, les marettes prés du moulin de Skouridine, la rivière de Lopagne à Ivanovka et l'Oudoui.

var. capillaris, Ktz.—Tab. Phyc. VI, pl. XXXII—*Enther. tubulosa*—à Jouravliovka.

var. tubulosa, Rabh.—thalle de 1—8 mm. de largeur sur une longueur de quelques pieds; dans l'Oudoui prés de Natotschiyi.

var. mesenteriformis,—Rabh. l. c.—*Enth. intestinalis, var. maxima.* J. Kickx. Flor. de Flandres II, p. 395.

Largeur atteignant 5 cmtr.; marettes près du moulin de Skonrídine.

Fam. Confervaceae.

61. Gnr. Conferva, Link.

199. **Conf. tenerrima, Ktz.**—Rabh. Flor. Eur. Alg. III, p. 322. Reinsch. Algenfl. p. 225. Kütz. Tab. Phyc. III, pl. XLII, f. 1. Cooke. Fresh. Wat. Alg. p. 137, pl. LIII, f. 5. Kirchn. Krypt. Fl. Schles. p. 79, № 85.

Largeur 4—5μ sur une longueur de 13—15μ, atteignant parfois 22μ; l'étang de Lémékhow, le marais prés de Bérèjenoyé, la rivière d'Oudoui au delà de Grigorovka, un marais à Osnova près de Novosiolovka.

200. **Conf. bombycina, Agh.**—Rabh. Flor. Eur. Alg. III, p. 323. Kütz. Tab. Phyc. III, pl. XLII. Cooke. Fresch. Wat. Alg. p. 137, pl. LXII, f. 4. Kirchn. Krypt. Fl. Schles. p. 79, № 86. Reinsch. Algenfl. p. 225.

Largeur 6—8μ sur une longueur de 15—24μ. Dans le Klioukvénoyé, une petite baie de la rivière d'Oudoui au delà de Grigorovka, le marais prés de Bérèjenoyé.

201. **Conf. pallida, Kütz.**—Kirchn. Krypt. Fl. Schles. p. 80, № 88. *Conferva bombycina, var. pallida,* Rabh. Flor. Eur. Alg. III, p 324.

Près du hameau de Bérèjenoyé. C'est en forme de filaments éparpillés que j'en ai rencontré des exemplaires; les cellules étant larges de 6—11μ et 8 fois plus longues environ.

M. Kirchner (l. c.) distingue deux variétés de cette espèce d'après les rapports numériques de la longueur à la largeur, savoir:

f. typica—„zellen 6 Mal so lang als dick".
vas. elongata—„zellen 6—12 Mal so lang als dick".

Il m'est arrivé cependant de rencontrer des filaments du *Conf. pallida, Ktz.*, larges de 11μ, dont les cellules étaient 4—8½ fois plus longues que larges. Avec laquelle de ces deux variétés devons nous identifier cette forme?

202. **Conf. vulgaris, Rabh.**—*Microspora vulgaris*. Flor. Eur. Alg. III, p. 221 Cooke. Fresh. Wat. Alg. p. 135, pl. XXXV, f. 2. Kütz Tab. Phyc. III.

A été trouvé à la fin d'automne dans le Klioukvénoyé, ainsi que dans les marais voisins; la longueur des cellules étant de 28μ, largeur—de 11μ.

203. **Conf. floccosa, Agh.**—*Microspora floccosa, Thur.*, Rabb. Flor. Eur. Alg. III, p. 321. Cooke. Fresh. Wat. Alg. p. 136, pl. LIII, f. 3. Kirchn. Krypt. Fl. Schles. p. 79, № 83. Kütz. Tab. Phyc. III, pl. XLII.

En automne dans le Klioukvénoyé et les marais voisins; cellules de 9μ de largeur et presque trois fois plus longues.

62. Gnr. Cladophora, Ktz.

204. **Clad. fracta, Dilw.**—Rabh. Flor. Eur. Alg. III, p. 334. Kutz. Tab. Phyc. IV, pl. 50. Kirchn. Krypt. Fl. Schles. p. 72, № 54. Cooke, Fresh. Wat. Alg. p. 143, pl. LVI, f. 1—2.

Trouvé presque dans tous les réservoirs d'eau, savoir: dans la rivière de Lopagne, celle de Khàrkow et d'Oudoui, l'étang de Lémékhow, les marettes près du moulin de Skouridine. Cellules de rameaux mésurant 84—98μ en largeur, et presque quatre fois plus longues; celles de ramuscules atteignant 42μ de largeur sur une longueur qui la dépasse de 5—6 fois.

205. **Clad. glomerata, Lin.**—Rabh. Flor. Eur. Alg. III, p. 339. Kütz. Tab. Phyc. IV, pl. 33. Kirchn. Krypt. Fl. Schles. p. 73, № 58. Cooke. Fresh. Wat. Alg. p. 143, pl. LVI, f. 1—4.

Largeur des cellules de rameaux ayant 65—105μ, la longueur la dépassant de 5—7 fois; la largeur de celles des ramuscules ne mésurant que 34μ, la longueur la dépassant de 4—6 fois.

Dans le marais à Osnova, la rivière d'Oudoui et de Lopagne à Ivanovka, les marettes près du moulin de Skouridine.

Fam. Ulotrichaae.

63. Gnr. Ulotrix, Ktz.

206. **Ul. zonata, Ktz.**—*Hormiscia zonata, Arech.* in Rabh. Flor. Eur. Alg. III, p. 362. Kütz. Tab. Phyc. II, pl. LXXXVIII. Kirchn. Krypt. Fl. Schles. p. 76, № 70. *Hvrm. zonata,* Cooke. Fresh. Wat. Alg. p. 179, pl. LXIX. Arechoug. Cbs. Phycol. p. 12. Dans le marais près de Bérèjenoyé; cellules de 18μ de largenr sur une longueur mésurant 9—21μ, parfois avec de légers étranglements.

207. **Ul. subtilis, Ktz.**—Tab. Phyc. II, pl. LXXXV. Rabh. Flor. Eur. Alg. III, p. 365. Kirchn. Krypt. Fl. Schles. p. 77, № 72.

f. typica,—largeur 5—6μ sur une longueur de 5—9μ; assez fréquemment dans l'eau.

f. subtilissima—largeur 3—4μ, 4—8μ et parfois même de 11—13μ en longueur; dans le Klioukvénoyé, en automne.

f. variabilis,—*Ulotrix variabilis. Ktz.*, Rabh. Flor. Eur. Alg. III, p. 365, id. Cooke. Fresh. Wat. Alg. p. 182, pl. LXX, f. 4.—cellules mésurant 6—7μ en largeur, sur une longueur égale, rarement un peu moindre ou la dépassant. Dans le marais près de Bérèjenoyé et les étangs de Kouriaje, formant souvent une conche pulverulente à la surface de l'eau.

208. **Ul. radicans, Ktz.**—Tab. Phyc. II, pl. XCV. Rabh. Flor. Eur. Alg. III, p. 367. Kirchn. Krypt. Fl. Schles. p. 77, № 74. Cooke. Fresh. Wat. Alg. p. 182, pl. LXXI, f. 1.

Dans un fossé près de l'étang de Lémékhow, sur les bâtons de la digue de Skouridine. Largeur des cellules 9μ, y compris l'enveloppe, ou bien 5—7, sans compter l'enveloppe.

209. **Ul. parientina, Ktz.**—Tab. Phyc. II, pl. XCV. Kirchn. Krypt. Fl. Schles. p. 78, № 76. Rabh. Flor. Eur. Alg. III, p. 367. Cooke. Fresh. Wat. Alg. p. 183, pl. LXXI, f. 2.

Largeur 11μ sur une longueur de 3—10μ. En plein air sur d'objets humides, par ex., a la base des troncs d'arbres, sur l'ecorce, et les briques sous les gouttières.

210. **Ul. compacta, Ktz.**—Tab. Phyc. II, pl. LXXXV. Kirchn. Krypt. Fl. Schles. p. 77, № 75. Rabh. Flor. Eur. Alg. III, p. 365.

Largeur des cellules 8μ sur une longueur de 7μ; dans les étangs de Kouriaje.

Fam. Chaetophoreae.

64. Gnr. Microthamnion, Naeg.

211. **Micr. Kützingianum, Naeg.**—Rabh. Flor. Eur. Alg. III, p. 375. Kütz. Tab. Phyc. III, pl. I. Kirchn. Krypt. Fl. Schles. p. 70, № 49.

Dans le Klioukvénoyé et le voisinage; largeur des cellules de 4—5μ sur une longueur la dépassant $2^1/_2$—4 fois.

65. Gnr. Stigeoclenium, Ktz.

212. **Stig. tenue, Rabh.**—Flor. Eur. Alg. III, p. 377. Kirchn. Krypt. Fl. Schles. p. 69, № 42. Kütz. Tab. Phyc. III, pl. I. Cooke. Fresh. Wat. Alg. p. 189, pl. LXXIII, f. 3.

var. lubricum,—*Stigeocl. lubricum*, Reinsch. Algenfl. p. 233. Kütz. Tab. Phyc. III, pl. VIII.

var. irregulare,—*Stigeocl. irregulare, Ktz.* (l. c.).

Dans le marais près du hameau de Bérèjenoyé, près de Novosiolovka à Osnova, sur les cailloux dans l'embouchure d'un ruisseau prés du moulin de Skouridine.

213. **Stig. longipilus, Ktz.**—Rabh. Flor. Eur. Alg. III, p. 379. Kirchn. Krypt. Fl. Schles. p. 69, № 43. Kütz. Tab. Phyc. III, pl. III.

Cellules de rameaux larges de 14μ et longues d'environ 22μ; celles de ramuscules ayant 10—12μ en largeur sur une longueur d'environ 15μ. Dans un fossé prés de l'étang de Lémékhow.

66. Gnr. Chaetophora, Schrank.

214. **Chaet. pisiformis, Ag.**—Rabh. Flor. Eur. Alg. III, p. 383. Kütz. Tab. Phyc. III, pl. XVIII. Kirchn. Krypt. Fl. Schles. p. 69, № 44. Cooke. Fresh. Wat. Alg. p. 193, pl. LXXVII, f. 1. Reinsch. Algenfl. p. 234.

Près du hameau de Bérèjenoyé sur des feuilles, plongées dans l'ean.

215. **Chaet. elegans, Ag.**—Rabh. Flor. Eur. Alg. III, 384. Kütz. Tab. Phyc. III, p. 18. Kirchn. Krypt. Fl. Schles. p. 69, № 45. Cooke. Fresh. Wat. Alg. p. 149, pl. LXXVII, f. 2.

Cellules de rameaux, larges de 9—12μ, et 3—5 fois plus longues que larges; celles de ramuscules ayant 7μ en largeur sur une longueur de 10μ. Dans une marette près du moulin de Skonridine, sur des feuilles des plantes plongées dans l'eau.

67. Gnr. Draparnaldia, Agh.

216. **Drap. glomerata, Rabh.**—Flor. Eur. Alg. III, p. 381. Kütz. Tab. Phyc. III, pl. XII. Kirchn. Krypt. Fl. Schles. p. 67, № 39. Cooke. Fresh. Wat. Alg. p. 191, pl. LXXV, f. 1, 2. Reinsch. Algenfl. p. 233.

Dans le marais près du hameau de Bérèjenoyé. Cellules de rameaux ayant 57μ. environ de largeur sur une longueur 1½—2 fois dépassant la largeur; celles de ramuscules larges de 20μ. environ et 1—1½ fois plus longues.

68. Gnr. Aphanochaete, A. Br.

217. **Aph. repens, A. Braun,**—Rabb. Flor. Eur. Alg. III, p. 391. Cooke. Fresh. Wat. Alg. p. 197, pl. LXXX, f. 3. Kirchn. Krypt. Fl. Schles. p. 71, № 51.

Dans l'étang de Lémékhow, le marais à Osnova près de Novosiolovka sur de différentes algues, les filaments d'Oedogonium, de Vaucheria, de Spirogyra, aussi que sur le *Lemna trisulca, L.* Cellules ayant 12μ. de largeur sur une longueur égale ou la dépassant un peu.

218. **Aph. Hystrix, Rabh.**—Flor. Eur. Alg. III, p. 391. Cooke. Fresh. Wat. Alg. p. 197, pl. LXXX, f. 2.

Il s'est rencontré détaché, ainsi que sur le *Spirogyra crassa, Ktz.*, dans l'étang de Lémékhow; la longueur des cellules étant égale à la largeur.

La figure 15 nous offre une forme de l'Aphanochaete, laquelle d'après la ressemblance peut être rapprochée soit de l'*Aphanochaete Hystrix, Rabh.*, soit de l'*Aphan. repens, A. Br.*, selon que l'on fera attention à la forme des cellules ou au mode d'adhérer les soies.

Fam. Chroolepidiaceae.

69. Gnr. Chroolepus, Ag.

219. **Chr. umbrinum, Ktz.**—Tab. Phyc. I, pl. VII, f. 2. Rabb. Flor. Eur. Alg. III, p. 372. Kirchn. Krypt. Fl. Schles. p. 76, № 67. Gobi. Alg. Stud. ub. Chroolepus.

Sur l'ecorce d'arbres en forme de conche pulvérulente brune; hors de la ville, ainsi que dans le jardin de l'Université. - Diamètre des cellules 12—22μ..

220. **Chr. lageniferum, Hildbr.**—Rabh. Flor. Eur. Alg. III, p. 273. Sur des plantes et d'autres objets, dans les serres-chaudes du Jardin Botanique de l'Université. Cellules mésurant 4—9μ en largeur sur une longueur de 13—20μ.

Fam. Sphaeropleaceae.

70. Gnr. Sphaeroplea, Agh.

221. **Sph. annulina, Agh.**—Rabh. Flor. Eur. Alg. III, p. 318. Kütz. Tab. Phyc. III, pl. XXXI. Cooke. Fresh. Wat. Alg. p. 132, pl. LII. Kirchn. Krypt. Fl. Schles. p. 63, № 36. Reinsch. Algenfl. p. 224.

Rencontré au printemps dans un marais à Osnova, prés du remblai du chemin de fer de Kharkow à Nikolaièw. Cellules végétatives ayant 36—50μ de largeur, la longueur la dépassant de 10—18 fois; oospores, l'enveloppe excepté, mésurent 12—18μ en diamètre.

71. Gnr. Cylindrocapsa, Reinsch.

222. **Cyl. involuta, Reinsch.**—Algenfl. p. 66, pl. VI, f. 1. Kirchn. Krypt. Fl. Schles. p. 64, № 37. Cooke. Fresh. Wat. Alg. p. 22, pl. IX, f. 3.

Dans un marais près de Péssotschine et celui prés du hameau de Bérèjenoyé. Cellules végétatives mésurant sans enveloppe 12μ environ, deux fois plus longues que larges; épaisseur de l'enveloppe jusqu'à 9μ.

Fam. Oedogoniaceae.

72. Gnr. Oedogonium, Link.

223. **Oed. Pringsheimii, Cram.**—Rabh. Flor. Eur. Alg. III, p. 348. Kirchn. Krypt. Fl. Schles. p. 57. Cooke, Fresh. Wat. Alg. p. 166, pl. LXIII, f. 2. Wittrock, Mongr. Oedog. p. 33, № 75, f. 16 et 17.

Cellules végétatives de 18μ de large, la longueur la dépassant de six fois; oogonie de 33×36μ, oospore de 27×26μ; dans l'étang de Léméкhow, la rivière de Lopagne à Ivanovka.

224. **Oed. ciliatum, Pringsh.**—Rabh. Flor. Eur. Alg. III, p. 347. Kirchn. Krypt. Fl. Schles. p. 56, № 19. Cooke. Fresh. Wat. Alg.

p. 163, pl. LXI, f. 3. Pringsh. Beiträge p. 70, pl. V, f. 8. (1857). Wittrock. Mongr. Oedog. p. 27, № 27.

Je n'ai point rencontré d'oogonies de cette espèce, mais j'ai trouvé un filament d'Oedogonium qui lui appartenait, sans aucun donte, à en juger d'après la structure caractéristique des cellules. Ce filament se terminait par un long cil, qui présente un caractère éssentiel de cette espèce et dépasse de 7—9 fois la largeur des cellules végétatives qui mésurent 18μ environ.

225. **Oed. Rothii, Pringsh.**—Rabh. Flor. Eur. Alg. III, p. 348. Kirchn. Krypt. Fl. Schles. p. 53, № 16. Pringsh. Beiträge p. 69, pl. V, f. 4. Wittrock. Mongr. Oedog. p. 18, № 36. Cooke. Fresh. Wat. Alg. p. 158, pl. LIX, f. 6.

Rencontré au printemps dans un bosquet marecageux d'aunes auprès de la plateforme de Khliebnikow (à la 221 verst); cellules végétatives larges de 7—9μ, et 3—5 fois plus longues que larges, oogonie mésurant 22—24μ de largeur, sur une longueur de 18μ.

226. **Oed. echinospermum, A. Br.**—Rabb. Flor. Eur. Alg. III, p. 349. Kirchn. Krypt. Fl. Schles. p. 56, № 20. Cooke. Fresh. Wat. Alg. p. 164, pl. LXII, f. 2. Wittrock. Mongr. Oedog. p. 29, № 64. Kütz. Tab. Phyc. III, pl. XXXVI.

Cellules végétatives mésurent 10—18μ en largeur et 3—5 fois plus en longueur; oogonie large de 30μ, longue de 36—40μ, oospore de 27×28μ, épines fines, de 2μ de longueur. Dans un marais auprès du remblai de chemin de fer de Kharkow à Azow. Juin et Juillet.

227. **Oed. cleveanum, Wittr.**,—Mongr. Oedog. p. 28, № 61. Cooke. Fresh. Wat. Alg. p. 164, pl. LXI, f. 1. Kirchn. Krypt. Fl. Schles. p. 56. *Oedog. echinospermum*, Pringsh. Beiträge p. 70, pl. V, f. 7.

Cellules végétatives mésurent 22μ environ en largeur et 3—6 fois plus en longueur; oogonie large de 60μ et longue de 60—68μ, diamètre de la spore 48μ; épines de 4μ, plus épaisses que chez l'espèce précédente. Dans un marais auprès de la plateforme de Khliebnikow.

228. **Oed. Landsboroughii, Wittr.**,—Mongr. Oedog. p. 35, № 80. Kirchn. Krypt. Fl. Schles. p. 58. Cooke. Fresh. Wat. Alg. p. 168, pl. LXIV, f. 1.

Cellules végétatives de 39—45μ de largeur sur une longueur qui la dépasse de 3—4 fois; oogonie mésurant 62×114μ, oospore—

54—58×78—90. Dans l'étang de Lémékhow au delà de Péssotschine.

229. **Oed. sp.**—Oogonio singulo subgloboso vel subelliptico, poro laterali supra aperto; oospora oogonii forma ejusque lumen replens. Articulis diametro (15μ) 3—5 plo longioribus. Magnitudo oogonii 37×43μ, oosporae 33×39μ.

Dans l'étang de Lémékhow.

73. Gnr. Bulbochaete, Agh.

230. **Bul. setigera, Agh.**—Rabh. Flor. Eur. Alg. III, p. 358. Kirchn. Krypt. Fl. Schles. p. 60. Cooke. Fresh. Wat. Alg. p. 175, pl. XLVIII, f. 1. Wittrock. Mongr. Oedog. p. 47, № 11. Pringsh. Beitrage, p. 72, pl. VI, f. 3. Reinsch. Algenfl. p. 230.

Cellules végétatives larges de 18—27μ et 2—3 fois plus longues; l'oogonie mésure 78μ en largeur sur une longueur de 60μ. Auprès de la plateforme de Khliebnikow, à Osnova près de Novosiolovka et près de Bérèjenoyé.

Fam. Coleochaetaceae.

74. Gnr. Coleochaete, Breb.

231. **Col. scutata, Breb.**—Rabh. Flor. Eur. Alg. III, p. 390. Kutz. Tab. Phyc. IV, pl. 89. Cooke. Fresh. Wat. Alg. p. 196, pl. LXXIX. Reinsch. Algenfl. p. 234.

Cellules végétatives mésurent 12μ en largeur sur une longueur de 24μ environ. Dans le marais au delà de Dergatschi et près du hameau de Bérèjenoyé, sur les feuilles des plantes aquatiques: de *Sagittaria sagittifolia, L.* et d'*Alisma Plantago, L.*

232. **Col. pulvinata, A. Br.**—Rabh. Flor. Eur. Alg. III, p. 389. Kütz. Tab. Phyc. IV, pl. 89, f. 3. Kirchn. Krypt. Fl. Schles. p. 49, № 11.

A la surface inférieure des feuilles d'*Alisma Plantago, L.*; dans un marais à droite du chemin à Kouriaje.

233. **Col. soluta, Pringsh.**—Rabh. Fl. Eur. Alg. III, p. 389. Kütz. Tab. Phyc. IV, pl. LXXXIX. Kirchn. Krypt. Fl. Schles. p. 50, № 12. Cooke. Fresh. Wat. Alg. p. 196, pl. LXXVII, f. 3.

Dans un marais au delà de Dergatschi, sur les feuilles d'*Alisma Plantago, L.*, qui étaient déjà demi-pourries et gisaient au fond.

Explication des figures.

Planche VIII.

Fig. 1 et 2. Hydrianum gibbum, Rabh.
„ 3. Characium pedicellatum, Herm.
„ 4. Characium species.
„ 5. Une forme intermédiaire entre le Cosmarium Meneghinii, Breb., et le Cosm. crenulatum, Ralfs.
„ 6. Une variété du Cosmarium granatum, Ralfs.
„ 7. a et b. Cosm. abruptum, Leund.
„ 8 et 9. Les variétés du Staurastrum vestitum, Ralfs.
„ 10 et 12. Staurastr. spec.
„ 11. Cosmarium ellipsoideum, Elf.
„ 13. Les extremités variantes du Closterium Lunula, Ehrb.
„ 14. Staurastrum polytrichum, Perty.
„ 15. Aphanochaete repens, A. Br.?

МАТЕРІАЛЫ ДЛЯ ФЛОРЫ МОСКОВСКОЙ ГУБЕРНІИ.

Проф. И. Н. Горожанкина.

Со времени выхода въ свѣтъ въ 1866 году извѣстнаго труда покойнаго профессора Н. Н. Кауфмана «Московская флора», изученіе Московской губерніи въ флористическомъ отношеніи не было предметомъ какого-либо спеціальнаго изслѣдованія. Однакоже, за послѣднее двадцатилѣтіе нашлось не мало лицъ заинтересованныхъ мѣстной флорой, которыя экскурсировали и собирали растенія въ различныхъ частяхъ Московской губерніи. Большая часть собранныхъ матеріаловъ, какъ цѣлыми гербаріями, такъ и отдѣльными экземплярами рѣдкихъ растеній, была доставлена въ Ботаническій Садъ Университета и теперь хранится въ Лабораторіи Сада.

Въ 1884 году одинъ изъ лучшихъ знатоковъ Московской флоры, А. Н. Петунниковъ, взялъ на себя большой и серіозный трудъ сравнить собранные въ Лабораторіи Сада матеріалы съ данными книги Кауфмана. Г. Петунниковымъ былъ составленъ новый списокъ растеній Московской флоры. Дополненіемъ къ этому списку послужили тѣ матеріалы, которые были собраны студентами Московскаго Университета въ 1884—87 годахъ въ различныхъ уѣздахъ Московской губерніи на экскурсіяхъ, предпринятыхъ отъ Лабораторіи Ботаническаго Сада. Въ настоящее время, когда все изданіе замѣчательной книги Кауфмана разошлось и когда чувствуется большая нужда въ новомъ изданіи подобнаго рода, я считаю своевременнымъ опубликовать слѣдующіе два списка. Первый представляетъ перечень видовъ или совсѣмъ не вошедшихъ въ «Московскую флору» Кауфмана, или такихъ, существованіе которыхъ въ Московской губерніи казалось сомнительнымъ. Во второмъ спискѣ указаны новыя мѣста нахожденія видовъ рѣдкихъ въ Московской губерніи.

Для составленія списковъ послужили матеріалами данныя слѣдующаго рода:

1. Гербарій профессора Н. Н. Кауфмана, собранный имъ въ 1866—69 годахъ и пожертвованный въ собственность Ботаническаго Сада вдовою покойнаго профессора.

2. Гербарій профессора П. Д. Чистякова, переданный въ собственность Сада вдовою покойнаго въ 1877 году.

3. Гербарій С. Н. Никитина, переданный въ собственность Университета въ 1877 году.

4. Гербарій профессора М. А. Максимовича. Три тома, найденные мною въ сравнительно недавнее время и, повидимому, неизвѣстные профессору Кауфману.

5. Гербарій О. А. Федченко.

6. Гербарій А. Н. Петунникова.

7. Гербарій Н. Н. Горожанкина.

8. Гербарій Н. Ѳ. Дубровина, собранный близъ села Екатериновскаго, Звенигородскаго уѣзда (собственность Ботаническаго Сада).

9. Гербарій Н. Ѳ. Золотницкаго (собств. Сада).

10. Гербарій рѣдкихъ растеній Московской губерніи, собранныхъ на экскурсіяхъ студентовъ въ 1884—87 годахъ (собственность Ботаническаго Сада).

11. Гербарій П. П. Мельгунова, поступившій въ собственность Ботаническаго Сада въ 1887 году.

12. Списокъ рѣдкихъ растеній Московской губерніи, доставленный въ 1887 году Н. Н. Варгинымъ.

13. Clerc, G. O. Catalogus florae mosquensis. (Только незначительная часть этого списка была напечатана въ Bulletin'ѣ Общества Испытателей Природы за 1878 г. Весь рукописный списокъ г. Клера, съ помѣтками проф. Кауфмана, я получилъ лишь въ 1887 году.

14. Отдѣльные виды рѣдкихъ растеній, доставленные гг. Бѣляевымъ, Сырейщиковымъ, Милютинымъ, Навашинымъ и др.

Москва,
Апрѣль 1888-го года.

I.

I. PLANTAE PHANEROGAMAE.

1. Angiospermae

A. CL. DICOTYLEDONEAE.

a. SUBCL. DIALYPETALAE.

1. Fam. Ranunculaceae, Juss.

1. Ranunculus, Hall.

1. *R. flaccidus, Pers.* (R. fluitans Кауфмана). Впервые показанъ въ 1863 году Семеновымъ въ Клинскомъ уѣздѣ (герб. Анненкова). Кромѣ того, найденъ С. Н. Никитинымъ въ р. Сѣтуни; А. Н. Петунниковымъ въ р. Яхромѣ; Н. Ѳ. Дубровинымъ—въ окрестностяхъ села Екатериновскаго, Звенигородскаго уѣзда; близъ с. Никифорова на Окѣ въ 1886 г. (экскур. Бот. Лабораторіи).

2. *R. illyricus, L.* Найденъ 18-го Мая 1887 года въ небольшомъ числѣ экземпляровъ студентомъ Михайловымъ близъ 1-го моста (отъ Москвы) по Брестской желѣзной дорогѣ. Очевидно занесено.

2. Aconitum, L.

3. *A. Anthora, L.* Впервые найденъ проф. Кауфманомъ близь села Лужки на Окѣ, Серпуховскаго уѣзда, въ Августѣ 1867 года.—Встрѣчается по лѣснымъ опушкамъ между Лужками и дер. Зибровой нерѣдко, (1885—87 гг. экскурсіи Ботан. Лабораторіи). Цвѣтеніе въ концѣ іюля и въ Августѣ.

2. Fam. Cruciferae, Juss.

3. Nasturtium, R. Br.

4. *N. austriacum, Crantz.* Показанъ впервые Рупрехтомъ близъ Серпухова, по заливнымъ лугамъ Оки.

4. Hesperis, L.

5. *H. matronalis, L.* Найденъ на островѣ р. Оки, противъ с. Коропчеева, Коломенскаго уѣзда (С. Н. Никитинъ), цвѣтетъ въ Іюнѣ.

5. Erysimum, L.

6. *E. strictum, Gaertn.* Найденъ въ Августѣ 1866 г. проф. Кауфманомъ въ Коропчеевѣ на Окѣ.—С. Протопопово Коломенскато уѣзда (Петунниковъ, также экскурсіи Ботан. Лабор.).

6. Erucastrum, Presl.

7. *E. Pollichii, Schimp.* Впервые указано Р. И. Шредеромъ въ 1884 году въ окрестностяхъ Петровской Академіи. Занесено.

7. Psilonema, C. A. M.

8. *P. calycinum, C. A. M.* Въ послѣднее время не найдено, но указывается въ спискахъ Стефана, Марціуса и Максимовича. Въ Моск. гербаріи Максимовича наход. 3 экземпляра этого растенія.

8. Camelina, Crantz.

9. *C. dentata, Pers.* Показано г. Черняевымъ въ Щербинкахъ Подольскаго уѣзда. Въ концѣ Августа со зрѣлыми плодами (Списокъ Клера), въ посѣвахъ.

9. Lepidium, L.

10. *L. Draba, L.* Одичалое. Найдено Д. Н. Литвиновымъ въ Москвѣ, въ Александровскомъ саду.

10. Chorispora, DC.

11. *Ch. tenella, DC.* Д. Зиброво, Серпуховскаго уѣзда. Найдено въ Маѣ 1886 года па лугу, въ густой травѣ. (Экск. Бот. Лаб.).

3. Fam. Violarieae, DC.

11. Viola, L.

12. *V. elatior, Fr.* Впервые найдено въ плодахъ А. Н. Петунниковымъ въ половинѣ Августа 1885 года подъ Коропчеевымъ,

Коломенскаго уѣзда; между сс. Никифоровымъ и Прилуками на Окѣ 20-го Мая 1886 г. (Экск. Ботан. Лабораторіи).

4. Fam. Caryophylleae, Juss.

12. Gypsophyla, L.

13. *G. paniculata, L.* Найдено С. Н. Милютинымъ и М. И. Голенкинымъ въ нѣсколькихъ экземплярахъ на заливномъ лугу подъ Симоновымъ монастыремъ (9-го Іюня 1886 г.).

13. Dianthus, L.

14. *D. Carthusianorum, L.* Подъ Серпуховымъ и Коломною въ 1885—86 гг (Петунниковъ).

14. Silene, L.

15. *S. viscosa, L.* Ключики, по дорогѣ къ Перову. Впервые найдено Н. Н. Варгинымъ въ 1873 году и потомъ тамъ же Литвиновымъ въ Августѣ 1886 г.

16. *S. Otites, Sm.* Указано Максимовичемъ и Борхманомъ, но Кауфманомъ исключено изъ списка. Найдено г. Казанскимъ на паровомъ полѣ, близъ пчельника, въ окрестностяхъ Петровской Академіи. Повидимому, занесено случайно.

15. Moehringia, L.

17. *M. lateriflora, Fenzl.* Впервые указано близъ Серпухова П. П. Мельгуновымъ; впослѣдствіи это растеніе находили на лугахъ Оки между Зибровымъ и Никифоровымъ. (Экск. Ботан. Лаб.).

16. Arenaria, L.

18. *A. graminifolia, Schrad.* Найдено Н. И. Варгинымъ въ сосновомъ лѣсу подъ Владычнимъ монастыремъ, близъ Серпухова (13-го Мая 1876 г.).

17. Stellaria, L.

19. *S. uliginosa, Murr.* Впервые найдено П. П. Мельгуновымъ въ Лосиномъ островѣ близъ Богородскаго въ 1870 году, и впослѣдствіи Д. П. Сырейщиковымъ въ Сокольникахъ, въ Іюлѣ 1886 г.

5. Fam. Balsamineae, Rich.

18. Impatiens, L.

20. *I. parviflora, DC.* Во многихъ садахъ и паркахъ, очевидно одичалое. Въ 1884 году Петунниковъ нашелъ его подъ Ново-Дѣвичьимъ монастыремъ. Цвѣтетъ въ теченіи всего лѣта.

6. Fam. Oxalideae, DC.

19. Oxalis, L.

21. *O. stricta, L.* Одичалое, по огородамъ подъ Серпуховымъ. (Арефьевъ).

7. Fam. Papilionaceae, L.

20. Melilotus, Tournef.

22. *M. coeruleus, Desr.* Находится въ спискѣ и гербаріѣ Максимовича, хотя безъ обозначенія мѣста сбора.

21. Trifolium, L.

23. *T. procumbens, L.* Найдено Н. Н. Кауфманомъ въ Іюлѣ 1866 г. въ Хотѣичахъ, и въ Августѣ того же года, въ Корончеевѣ на Окѣ.

22. Astragalus, L.

24. *A. hypoglottis, L.* Найдено въ 1870 г. Торнеусомъ и Мельгуновымъ на заливномъ лугу Оки подъ Серпуховымъ. Въ 1886—87 годахъ растеніе это встрѣчено въ большомъ числѣ экземпляровъ по заливнымъ лугамъ Оки между Лужками, Зибровымъ и Никифоровымъ. (Экск. Ботан. Лабораторіи).

23. Vicia, L.

25. *V. pisiformis, L.* На известковомъ, поросшемъ кустарникомъ склонѣ берега Оки, за селомъ Бѣлые Колодези, въ большомъ числѣ экземпляровъ, въ половинѣ Іюля 1886 г., въ цвѣту. (Экск. Бот. Лабор.).

24. Lathyrus, L.

26. *L. tuberosus, L.* Найдено студентомъ кн. Долгоруковымъ въ 1887 году, на лѣсномъ берегу Лопасни, близь Отрады, въ 2-хъ верстахъ отъ жилья.

8. Fam. Rosaceae, Endl.

25. Potentilla, L.

27. *P. supina, L.* Найдено Д. И. Литвиновымъ въ половинѣ Августа 1884 г. близъ Николо-Угрѣшскаго монастыря.

28. *P. opaca, L.* Найдено Арефьевымъ близъ Серпухова, на берегу Оки.

29. *P. alba, L.* Найдено впервые во множествѣ экземпляровъ Н. Н. Горожанкинымъ въ Маѣ 1872 года, близъ Новаго-Коптева (подъ Москвою), но въ этой мѣстности впослѣдствіи совершенно исчезло. Въ половинѣ Августа 1886 года снова найдено вблизи села Озеръ на Окѣ, по опушкѣ лѣса. (Экск. Бот. Лабор.).

26. Poterium, L.

30. *P. sanguisorba, L.* Упоминается въ спискахъ Стефана и Марціуса, но Кауфманомъ исключено. Найдено подъ Владычнимъ монастыремъ близъ Серпухова. Вѣроятно случайно занесено. (Экск. Ботан. Лаб.).

9. Fam. Pomaceae, Lindl.

27. Crataegus, L.

31. *C. sanguinea, Pall.* Найдено А. Н. Петунниковымъ близъ дачи Канатчикова, за Серпуховской заставой, въ 1880 году. Одичалое.

10. Fam. Onagrarieae, Juss.

28. Epilobium, L.

32. *E. parviflorum, Schreb.* Найдено Д. П. Сырейщиковымъ въ Останкинѣ въ Іюнѣ 1886 г.

29. Trapa, L.

33. *T. natans, L.* Плоды этого растенія найдены въ большомъ количествѣ И. Д. Чистяковымъ и А. Н. Петунниковымъ въ Тростенскомъ озерѣ въ 1868 г.

11. Fam. Umbelliferae, Juss.

30. Eryngium, L.

34. *E. campestre, L.* Упоминается въ спискахъ Марціуса и Максимовича, но Кауфманомъ исключено. Въ одномъ изъ трехъ томовъ гербарія Максимовича, найденныхъ только въ недавнее время, растеніе это находится.

31. Cicuta, L.

35. *C. virosa L.* v. *tenuifolia Koch.* Найдено въ Тростенскомъ озерѣ 3-го Іюля 1868 г. (Гербарій Н. Н. Кауфмана).

32. Ostericum, Hoffm.

36. *O. palustre, Bess.* Указано въ спискѣ Максимовича и находится въ его Московскомъ гербаріѣ.

33. Daucus, L.

37. *D. Carota, L.* Впервые найдено въ дикомъ состоянiи Н. Н. Варгинымъ на берегу р. Пахры, близь Подольска. Въ огромномъ количествѣ экземпляровъ встрѣчено Н. Н. Горожанкинымъ въ 1872 году, въ Рузскомъ уѣздѣ, по известковому берегу р. Москвы между Васильевскимъ и Сонинымъ. Впослѣдствiи, въ 1884, 1885 и 1886 годахъ найдено въ Невѣровѣ (Петунниковъ и экск. Бот. Лаб.).

34. Chaerophyllum, L.

38. *Ch. bulbosum, L. v. neglectum, Zing.* Тропарево, Можайскаго уѣзда (О. А. Федченко).

b. SUBCL. GAMOPETALAE.

12. Fam. Caprifoliaceae, Juss.

35. Linnaea.

38. *L. borealis, L. v. micrantha, Kaufm.* Найдено Н. Н. Кауфманомъ во второй половинѣ Мая 1868 года въ Серебряномъ бору, близъ Хорошова.

13. Fam. Rubiaceae, Juss.

36. Sherardia, L.

40. *Sh. arvensis, L.* Встрѣчено А. И. Петунниковымъ въ Новой Слободкѣ по огородамъ; очевидно занесено.

37. Galium, L.

41. *G. trifidum, L.* Найдено впервые Умовымъ въ 1866 году въ канавѣ Лосинаго острова (герб. Кауфмана) и между кочками въ Захарковскомъ болотѣ 3-го Iюля 1866 г. (герб. Кауфмана).

14. Fam. Compositae, Adans.

38. Gallatella, Cass.

42, *G. punctata, Lindl.* Найдено впервые въ 1872 году Н. Н. Горожанкинымъ верстахъ въ трехъ за с. Лужки на Окѣ, вблизи лѣсной опушки; встрѣчено тамъ же въ довольно большомъ числѣ экземпляровъ въ 1886 и 1887 гг. (Экск. Бот. Лаб.). Цвѣтетъ въ Iюлѣ и началѣ Августа.

39. Telekia, Baumg.

43. *T. speciosa, Baumg.* Впервые найдено В. Н. Палладинымъ въ Свирловѣ въ Іюлѣ 1884 г, на лѣсномъ склонѣ, въ большомъ числѣ экземпляровъ; находится тамъ и въ настоящее время. Занесено.

40. Inula, L.

44. *I. hirta, L.* Найдено Н. Н. Кауфманомъ во второй половинѣ Іюля 1868 года въ Коропчеевѣ на Окѣ.

41. Achillea, L.

45. *A. nobilis, L.* Найдено Н. Н. Мельгуновымъ на паровомъ полѣ близъ р. Сѣтуни въ 1870 г. въ большомъ количествѣ. Занесено.

42. Anthemis, L.

46. *A. arvensis, L.* Найдено Д. И. Литвиновымъ близъ Николо-Угрѣшскаго монастыря въ Августѣ 1884 г.

43. Matricaria, L.

47. *M. discoidea, DC.* (растеніе сорное, занесенное). Найдено С. Н. Милютинымъ между Драгомиловскимъ мостомъ и Воробьевыми горами во второй половинѣ Августа 1887 г.

44. Chrysanthemum, L.

48. *Ch. corymbosum, L.* Найдено Р. Н. Шредеромъ во второй половинѣ Іюля 1884 г. въ окрестностяхъ Петровской Академіи. Повидимому занесено.

45. Senecio, L.

49. *S. viscosus, L.* Растеніе это находится въ новыхъ томахъ гербарія Максимовича.

46. Cirsium, Tournef.

50. *C. eriophorum, Scop.* Найдено А. Н. Петунниковымъ въ ½ Августа 1885 года въ Бачмановѣ, Коломенскаго уѣзда. Кромѣ того, встрѣчено въ ½ Авг. 1886 года близъ села Озерки на Окѣ, по опушкѣ лѣса. (Экск. Бот. Лаб.).

47. Serratula, L.

51. *S. tinctoria, L.* Найдено въ 1872 г. Н. Н. Горожакинымъ близъ с. Лужки на Окѣ. Нерѣдко между Лужками и Зибровымъ. (Экск. Бот. Лаб.).

48. Scorzonera, L.

52. *S. purpurea, L.* Найдено Д. П. Сырейщиковымъ между Лужками и Зибровымъ на Окѣ, на холмѣ верстахъ въ двухъ отъ рѣки въ началѣ Іюня 1887 года.

49. Crepis, L.

53. *C. praemorsa, Tausch.* Найдено Н. Д. Чистяковымъ и А. Н. Петунниковымъ во $^2/_2$ Іюня 1868 г. между Костинымъ и Краснымъ станомъ Рузскаго уѣзда.—Близъ Борисова, Серпуховскаго уѣзда (Мельгуновъ).

54. *C. sibirica, L.* Найдено П. П. Мельгуновымъ близъ с. Лужки на Окѣ въ 1870 году.—Бѣлые Колодези, въ началѣ Августа 1886 г. (Экск. Бот. Лаб.).

50. Hieracium, L.

55. *H. Auricula, L.* Найдено въ Іюнѣ 1866 года С. Н. Никитинымъ на Поклонной горѣ, близъ Москвы. Въ 1868 году, въ $^1/_2$ Іюня, найдено Н. Д. Чистяковымъ близъ Петровскаго, въ Клинскомъ уѣздѣ.

56. *H. echiodes, W. K.* (H. leucocephalum Rupr.).—Найдено Н. Н. Кауфманомъ въ Хотѣичахъ, Бронницкаго уѣзда, въ Іюлѣ 1866 года.

57. *H. vulgatum, Fr.* Найдено И. Д. Чистяковымъ въ Рузскомъ уѣздѣ, по дорогѣ изъ Свистунова въ с. Покровское, 13-го Іюня 1868 г.

15. Fam. Campanulaceae Juss.

51. Phyteuma, L.

58. *Ph. spicatum, L. v. nigrum.* Найдено Р. И. Шредеромъ въ 1884 году въ окрестностяхъ Петровской Академіи. Одичалое.

52. Campanula, L.

59. *C. sibirica, L.* Найдено А. Н. Артари по дорогѣ къ хутору подъ Зибровымъ на Окѣ по лѣсной опушкѣ въ $^1/_2$ августа 1887 года. Дико.

16. Fam. Convolvulaceae, Juss.

53. Cuscuta, L.

60. *C. lupuliformis, Krok.* Найдено Н. Н. Кауфманомъ въ окрестностяхъ Серпухова въ $^1/_2$ августа 1867 г.—Бачмапово на

Окѣ, на островѣ, во $^{2}/_{2}$ авг. 1885 г. (А. Н. Петунниковъ). Бѣлые Колодези на Окѣ въ $^{1}/_{2}$ авг. 1886. (Экск. Бот. Лабор.).

17. Fam. Scrophularineae, R. Br.

54. Verbascum, L.

61. *V. orientale, M. B.* Тропарево, Можайскаго уѣзда (О. А. Федченко).

55. Mimulus, L.

62. *M. luteus, L.* Найдено А. Н. Петунниковымъ близъ Воскресенска во $^{1}/_{2}$ Іюня 1868 г. Одичалое.

18. Fam. Lentibularieae, Rich.

56. Utricularia, L.

63. *U. intermedia, Hayne.* Найдено впервые А. Н. Петунниковымъ и И. Д. Чистяковымъ въ Тростенскомъ озерѣ во $^{2}/_{2}$ іюня 1868 г.—Большія Мытищи, во $^{2}/_{2}$ іюля (Сырейщиковъ).

19. Fam. Labiatae, Juss.

57. Salvia, L.

64. *S. sylvestris, L.* Впервые найдено Максимовичемъ и хранится въ его гербаріи, хотя и безъ указанія мѣстонахожденія. Въ началѣ іюля 1886 года растеніе это въ числѣ нѣсколькихъ экземпляровъ найдено на известковомъ склонѣ въ селѣ Протопоповѣ на Окѣ (Экск. Бот. Лаб.).

58. Stachys, L.

65. *S. recta, L.* Найдено въ с. Протопоповѣ на Окѣ (Колом. уѣзда) на известковомъ холмѣ подъ церковью. (Экск. Бот. Лаб.).

20. Fam. Borraginae, Juss.

59. Symphytum, L.

66. *S. officinale, L.* Найдено въ дикомъ состояніи между с. Дракинымъ на Окѣ и Спасской Мельницей (па Протвѣ), въ болотѣ, въ довольно большомъ числѣ экземпляровъ 20 Іюня 1886 года. (Экск. Бот. Лаб.). Кромѣ того, между Коропчеевымъ и Коломной, въ канавѣ, 6 Іюля 1886 г. (Экск. Бот. Лаб.).

60. Omphalodes, Tourn.

67. *O. scorpioides, Lehm.* Найдено въ большомъ числѣ экземпляровъ въ Кунцовѣ П. П. Мельгуновымъ, 6 Мая 1887 года и почти одновременно Д. П. Сырейщиковымъ на Боровскомъ курганѣ, близъ с. Мячкова.

21. Fam. Primulaceae, Vent.

61. Cortusa, L.

68. *C. Matthioli, L.* Найдено П. Д. Чистяковымъ и А. Н. Петунниковымъ въ довольно большомъ числѣ экземпляровъ на известковомъ берегу р. Москвы близъ с. Григорова, Рузскаго уѣзда, въ плодахъ 29 іюня 1868 г.

c. SUBCL. MONOCHLAMIDEAE.

22. Fam. Chenopodeae, Vent.

62. Corispermum, L.

69. *C. intermedium, Schweigg.* Найдено Н. Н. Кауфманомъ между Серпуховымъ и Лужками (на Окѣ) въ $^1/_2$ августа 1867 г.

70. *C. Marschalii, Stev.* Впервые найдено подъ Серпуховымъ Н. И. Варгинымъ.—Бачманово, Колом. уѣзда, на островѣ (Петунниковъ); Никифорово, песчаный берегъ Оки 31 іюля 1886 года. (Экск. Бот. Лаб.).

20. Fam. Santalaceae, R. Br.

63. Thesium, L.

71. *Th. ebracteatum, Hayne.* Впервые найдено Н. Н. Кауфманомъ и А. Н. Петунниковымъ близъ с. Лужки на Окѣ въ Маѣ 1868 г. Тамъ же найдено неоднократно и въ большомъ числѣ экземпляровъ въ 1885—87 гг. (Экск. Бот. Лаб.). Цвѣтетъ въ маѣ.

24. Fam. Ulmaceae.

64. Ulmus, L.

72. *U. montana, Wahlb.* Часто разводится подъ именемъ U. campestris, L. (Ѳ. А. Гриневскій).

25. Fam. Salicineae, A. Rich.

65. Salix, L.

73. *S. longifolia, Host.* Найдено Ѳ. А. Теплоуховымъ въ 1870 году близь с. Владыкина подъ Москвою.—Воробьевы горы (Петунниковъ).

74. *S. acuminata, Koch.* Найдено въ 1881 Ѳ. А. Теплоуховымъ подъ Ховринымъ. Въ 1884 году указано Р. И. Шредеромъ въ окрестностяхъ Петровскаго-Разумовскаго.—Воробьевы горы, 1885 г., (Петунниковъ).

75. *S. phylicifolia, L.* Найдено въ 1871 г. Ѳ. А. Теплоуховымъ въ Петровско-Разумовскомъ. Сенежское озеро, въ 1882 г. (Шредеръ); Воробьевы горы, въ 1885 г. (Петунниковъ).

B. CL. MONOCOTYLEDONEAE.

26. Fam. Hydrocharideae, DC.

66. Elodea.

75. *E. canadensis, R. M.* Впервые найдено А. Н. Петунниковымъ въ Бачмановѣ на Окѣ, близь Коломны, въ 1/2 августа 1885 г. Впослѣдствіи встрѣчено повсюду по заводямъ и озерамъ по Окѣ (Экск. Бот. Лаб.). Несомнѣнно занесено.

27. Fam. Juncagineae, Rich.

67. Thiglochin, L.

77. *T. maritimum, L.* Найдено И. Д. Чистяковымъ и А. Н. Петунниковымъ въ Тростенскомъ озерѣ во 2/2 Іюня 1868 г.

28. Fam. Colchicaceae, DC.

68. Veratrum, L.

78. *V. nigrum, L.* Найдено въ числѣ двухъ отцвѣтающихъ экземпляровъ на половинѣ пути между с. Лужками и Зибровымъ (на Окѣ), на лѣсной полянѣ 31 Іюля 1885 г.—Кромѣ того, Бѣлые Колодези на Окѣ въ Авг. 1886 г. 1 экз. (Экск. Бот. Лаб.).

29. Fam. Liliaceae, DC.

69. Fritillaria, L.

79. *F. ruthenica, Wickstr.* Найдено въ очень большомъ числѣ экземпляровъ за с. Лужки на Окѣ по холмамъ во $^2/_2$ мая 1886 и 1887 гг. (Экскурсіи Бот. Лабор.).

70. Tulipa, L.

80. *T. sylvestris, L.* Впервые былъ указанъ Лондесомъ вблизи Оки, но послѣдующими авторами, не исключая Марціуса, Максимовича и Кауфмана, не внесенъ въ списки растеній Московской флоры. Найденъ въ плодахъ 15 мая 1887 года между Никифоровымъ и Прилуками въ большомъ числѣ экземпляровъ (Экск. Бот. Лабор.).

71. Lilium, L.

81. *L. Martagon, L.* Было указано въ спискахъ Максимовича и Борхмана, но Н. Н. Кауфманъ исключилъ его изъ списка Моск. растеній. Найдено Н. Ѳ. Дубровинымъ, близъ с. Екатериновскаго, Звенигор. уѣзда, 26 Іюня 1881 г.

72. Allium.

82. *A. schoenoprasum, L.* Найдено подъ Бѣлыми Колодезями на берегу Оки въ $^1/_2$ Мая 1887 г. Дико. (Экск. Бот. Лаб.).

30. Fam. Juncaceae, Bartl.

73. Juncus, L.

83. *I. sylvaticus Rich.* Есть въ гербаріѣ Максимовича; найдено имъ по дорогѣ изъ Москвы въ Верею.

31. Fam. Cyperaceae, Juss.

74. Cyperus, L.

84. *C. fuscus, L.* Найдено Д. И. Литвиновымъ въ $^1/_2$ Августа 1884 г. близъ Николо-Угрѣшскаго монастыря на берегу Москвырѣки.

75. Carex, L.

85. *C. loliacea, L.* Раменское, $^2/_2$ Мая 1887 г. (А. Н. Петунниковъ).

86. *C. stricta, Good.* Найдено въ ½ мая 1866—68 гг. Н. Н. Кауфманомъ въ окрестностяхъ Петр.-Разумовскаго, въ Бутыркахъ и въ Б. Мытищахъ.

87. *C. montana, L.* Найдено въ Маѣ 1868 г. близь Серпухова Петунниковымъ и Кауфманомъ; Никифорово на Окѣ въ Маѣ 1887 (Экск. Бот. Лабор.).

88. *C. riparia Court.* Найдено А. Н. Петунниковымъ въ Глубокомъ озерѣ, близъ Звенигорода, во ²/₂ Іюня 1868 г.

32. Fam. Gramineae, Juss.

76. Alopecurus, L.

89. *A. ruthenicus, Weinm.* По показанію Рупрехта встрѣчается близъ Серпухова на песчаномъ берегу Оки.

77. Stipa, L.

90. *S. pennata, L.* Найдено на холмахъ, верстахъ въ двухъ отъ Оки, между Никифоровымъ и устьемъ р. Лопасни въ ½ Мая 1887 г. въ нѣсколькихъ экземплярахъ (Экск. Бот. Лаб.).—По показанію мѣстныхъ жителей растетъ тамъ издавна.

78. Aira, L.

91. *A. flexuosa, L.* Найдено Н. Н. Кауфманомъ въ Серебряномъ бору близъ Хорошова въ іюнѣ 1868 г.—Петровское-Разумовское (Шредеръ).

79. Melica, L.

92. *M. altissima, L.* Найдено въ 1870 году П. П. Мельгуновымъ близъ Серпухова.

80. Bromus, L.

93. *B. erectus, Huds.* Найдено въ ½ Іюля 1884 г. Р. И. Шредеромъ близъ Петровскаго-Разумовскаго.

94. *B. patulus M. et K.* Въ ½ Августа 1885 г. близъ Коропчеева и Протопопова на Окѣ (А. Н. Петунниковъ).

81. Brachypodium, P. de B.

95. *B. sylvaticum, P. de B.* Впервые найдено Н. Н. Кауфманомъ и А. Н. Петунниковымъ 3 Августа 1868 г. въ Соколовѣ, подъ Москвою.—Лѣсъ близъ о. Колодкина, Верейскаго уѣзда (Экск. Бот. Лаб. 1886 г.).

82. Triticum, L.

96. *T. rigidum, Schrad.* Найдено Н. Н. Кауфманомъ въ 1/2 Августа 1867 г. между Серпуховымъ и о. Лужки, на песчаномъ берегу р. Оки.

34. Fam. Typhaceae, Juss.

83. Typha, L.

97. *T. angustifolia, L.* Въ новѣйшее время впервые встрѣчено между Серпуховымъ и Лужками Н. И. Варгинымъ въ количествѣ трехъ экземпляровъ 19 Іюля 1868 г. (рукопись Клера).— Кудиново, въ 1870 г. (Петунниковъ). Святое озеро за Владычнимъ монастыремъ, озéра за о. Дракинымъ по р. Протвѣ, 20—22 Іюня 1886 г. (Экск. Бот. Лабораторіи).

84. Sparganium.

98. *S. affine, Schnizl.* (Sparganium natans Кауфмана?). Найдено Д. П. Сырейщиковымъ въ Б. Мытищахъ. Цвѣтетъ въ іюлѣ.

35. Fam. Potameae, Juss.

85. Potamogeton, L.

99. *P. gramineus, L.* Тростенское озеро, 2/2 Іюня 1868 г. Найденъ И. Д. Чистяковымъ и А. Н. Петунниковымъ.

II. PLANTAE CRYPTOGAMAE.

36. Fam. Lycopodiaceae, DC.

86. Lycopodium, L.

100. *L. Selago, L.* Найдено впервые въ Лосиномъ Островѣ, близъ Малыхъ Мытищъ, Д. П. Сырейщиковымъ въ 1884 году; тамъ же по указанію г. Сырейщикова (Экск. Бот. Лаб.).

37. Fam. Filices, L.

87. Botrychium, Swartz.

101. *B. virginianum, Sw.* Найдено впервые А. Н. Петунниковымъ близъ Звенигорода во 2/2 Іюня 1868 г. (лѣвый берегъ Москвы-рѣки, противъ Порѣчья). Въ іюнѣ 1870 г. найдено П. П. Мельгуновымъ на берегу р. Сосенки, между фабрикой Соловьева и Гальяновымъ, среди вырубленнаго кустарника на кочкахъ; кромѣ

того, г. Мельгуновъ находилъ это растеніе въ Лосиномъ островѣ, близъ Богородскаго.—Въ $^2/_2$ Іюля 1884 г. найдено В. И. Бѣляевымъ около сельца Сотникова, Серп. уѣзда.

II.

PLANTAE PHANEROGAMAE.

I. Angiospermae.

CL. DICOTYLEDONEAE.

a. SUBCL. DIALYPETALAE.

1. Fam. Ranunculaceae, Juss.

1. Anemone, L.

1. *A. nemorosa*, *L.* Найдено Н. Н. Кауфманомъ во $^2/_2$ Апрѣля 1868 г. въ Михалковѣ, близь Петр. Академіи, въ тѣнистомъ мѣстѣ парка, неподалеку отъ большихъкаменныхъ воротъ.—Ильинскоо, близъ Можайска (Варженевскій). Порѣчье, имѣніе гр. Уварова (Варженевскій).

2. Fam. Berberideae, Vent.

2. Berberis, L.

2. *B. vulgaris*, *L.* Близъ Лужковъ на Окѣ (Горожанкинъ, 1872 г.); Коропчеево на Окѣ (Экск. Бот. Лабор. 1886 г.)—Лосинный островъ у Алексѣевскаго ручья (Петунниковъ, 1887 г.). Одичалое.

3. Fam. Cruciferae, Juss.

3. Arabis, L.

3. *A. hirsuta*, *Scop.* Воробьевы горы. (Іюнь 1885 г., Петунниковъ).

4. Lunaria, L.

4. *L. rediviva*, *L.* Найдено Арефьевымъ близъ Серпухова.

4. Fam. Caryophylleae, Juss.

5. Dianthus, L.

5. *D. barbatus, L.* Свирлово, Измайлово и Ивакино (П. П. Мельгуновъ). По дорогѣ отъ Троицкой Лавры къ Скиту (А. Н. Петунниковъ). Царицыно (М. И. Голенкинъ и С. Н. Милютинъ).

6. Silene, L.

6. *S. procumbens, Murr.* Около Серпухова (Арефьевъ). Бочманово, Коломенскаго уѣзда (Петунниковъ, Авг. 1885). Берегъ Оки между Голутвинымъ монастыремъ и Коропчеевымъ (1886 г., Экск. Бот. Лаб.).

7. *S. noctiflora, L.* Бородино и Романцово, Можайскаго уѣзда (Варженевскій 1877 г.).

5. Fam. Hypericineae, DC.

7. Hypericum, L.

8. *H. hirsutum, L.* Близь Серпухова (Арефьевъ).

6. Fam. Geraniaceae, DC.

8. Geranium, L.

9. *G. sibiricum, L.* Серпуховъ, село Кудаево (кн. Вяземскій).

10. *G. pusillum, L.* Нерѣдко по садамъ въ Москвѣ (Арефьевъ и Петунниковъ).

7. Fam. Papilionaceae, L.

9. Anthyllis, L.

11. *A. Vulneraria, L.* Найдено Н. Н. Кауфманомъ въ 1868 году въ Серебряномъ бору, близь Хорошова. Берегъ Оки близъ Серпухова, въ большомъ числѣ экземпляровъ (Горожанкинъ, 1887 г.).

10. Astragalus, L.

12. *A. glycyphyllos, L.* Верея во $^{2}/_{2}$ Іюня 1868 г., и между Костинымъ и Краснымъ Становъ, Рузскаго уѣзда, по берегу Москвы-рѣки (Чистяковъ и Петунниковъ). Между Васильевскимъ и Сонинымъ, Рузскаго уѣзда, и тамъ же, близь д. Григорова (Горожанкинъ, 1872 г. и Экск. Бот. Лаб. 1885 г.).

11. Onobrychis, Tournef.

13. *O. sativa, Lam.* Серпуховъ, Владычный монастырь, Іюнь 1886 г. (Экск. Бот. Лабор.). Занесено.

12. Orobus, L.

14. *O. niger, L.* Между Костинымъ и Краснымъ Станомъ, Рузскаго уѣзда, во ²/₂ Іюнн 1868 г. (Чистяковъ и Петунниковъ).— С. Бѣлые Колодези на Окѣ, Коломенскаго уѣзда (Экск. Бот. Лабораторіи, 1886), въ большомъ числѣ экземпляровъ.

8. Fam. Rosaceae, Endl.

13. Potentilla, L.

15. *P. collina, Wib.* (P. argentaeformis, Kauffm.). Серпуховъ-Лужки (Петунниковъ, 1887 г.).

16. *P. cinerea, Chaix.* Во ²/₂ Іюня 1868 г. Найдено Н. Н. Кауфманомъ въ Серебр. бору, близъ с. Хорошова.

9. Fam. Pomaceae, Lindl.

14. Pyrus, L.

17. *P. Malus, L.* Найдено въ Іюнѣ 1867 г. Н. Н. Кауфманомъ въ Буньковѣ, за Павловскимъ Посадомъ.—Между Костинымъ и Краснымъ Станомъ, Рузскаго уѣзда, во ²/₂ Іюня 1868 г. (Чистяковъ н Петунниковъ).—С. Бѣлые Колодези на Окѣ (Экск. Бот. Лаб.).

10. Fam. Onagrarieae, Juss.

15. Circaea, L.

18. *C. alpina, L.* Лѣсъ за Троицкою Лаврою, Іюль 1870 г. (Петунниковъ).

11. Fam. Grossularieae, DC.

16. Ribes, L.

19. *R. Grossularia, L.* Близъ Протопопова, Коломенскаго уѣзда, Августъ 1885 (Петунниковъ).

20. *R. rubrum, L.* Найдено въ дикомъ состояніи Н. Н. Кауфманомъ въ Медвѣдковѣ, въ Маѣ 1866 г., и близъ Бунькова—въ іюнѣ 1867 г.

12. Fam. Umbelliferae, Juss.

17. Seseli, L.

21. *S. coloratum, Ehrh.* Невѣрово, въ Сентябрѣ 1885 г. (Петунниковъ); по берегамъ Оки въ Серпуховскомъ и Коломенскомъ уѣздахъ, часто (Экск. Бот. Лаб.).

b. SUBCL. GAMOPETALAE.

18. Artemisia, L.

22. *A. procera, Willd.* Берегъ Москвы-рѣки близъ Невѣрова, Коломенскаго уѣзда (Экск. Бот. Лабор., $^{2}/_{2}$ іюня 1886 г.).

13. Fam. Compositae, Adans.

19. Scorzonera, L.

23. *S. humilis, L.* Близь Борисова, Можайскаго уѣзда (Мельгуновъ); Никифорово на Окѣ въ $^{1}/_{2}$ Мая 1887 г. (Экск. Бот. Лаб.).

20. Lactuca, L.

24. *L. muralis, DC.* Русиново, Можайск. уѣзда, $^{1}/_{2}$ Іюнн 1868 (Чистяковъ и Петунниковъ).

14. Fam. Scrophularineae, RBr.

21. Scrophularia, L.

25. *S. alata, Gil.* Тарбушево на Окѣ, Коломенскаго уѣзда, въ $^{1}/_{2}$ Авг. 1886 г. (Экск. Бот. Лабораторіи).

22. Linaria, Tournef.

26. *L. minor, Desf.* Коропчеево и Протопопово въ $^{1}/_{2}$ Авг. 1885 г. и Перерва—въ Сентябрѣ 1881 г. (Петунниковъ). По вспаханной на лугахъ землѣ, между Серпуховымъ и с. Дракинымъ, въ очень большомъ числѣ экземпляровъ (Горожанкинъ, 1887 г.).

23. Veronica, L.

27. *V. agrestis, L.* Буньково, Май 1868 г. (Петунниковъ); Богородское, $^{2}/_{2}$ Іюня 1870 г. (Мельгуновъ); Бородино, въ 1877 году (Варженевскій).

24. Melampyrum, L.

28. *M. cristatum, L.* За с. Лужки на Окѣ, въ лѣсу, въ очень большомъ числѣ экземпляровъ (1872 г., Горожанкинъ).

25. Pedicularis, L.

29. *P. sceptrum carolinum, L.* Серпуховъ, село Кудаево (кн. Вяземскій); Б. Мытищи (Д. П. Сырейщиковъ).

15. Fam. Lentibularieae, Rich.

26. Utricularia, L.

30. *U. minor, L.* Тростенское озеро, $^{2}/_{2}$ Іюня 1868 г. (Чистяковъ и Петунниковъ).—Петровское-Разумовское, $^{2}/_{2}$ Іюля 1870 г. (Н. Н. Кауфманъ).

16. Fam. Labiatae, Juss.

27. Elsholtzia, Willd.

31. *E. cristata, Willd.* Подъ Владычнимъ монастыремъ близъ Серпухова и въ самомъ городѣ, чаото. (Горожанкинъ, 1887 г.).

28. Salvia, L.

32. *S. glutinosa, L.* Близъ Звенигорода н Вереп; между Костинымъ н Краснымъ Становъ, Рузскаго уѣзда (1868 г. Чистяковъ и Петунниковъ).—Городковскій оврагъ близь Вереи (1885 г. Экск. Бот. Лаб.).

33. *S. pratensis, L.* Протопопово на Окѣ, Коломенскаго уѣзда; между Серпуховымъ и Дракинымъ по берегу Оки, часто (Горожанкинъ, 1887). Дракино, и за этимъ селомъ по лѣвому берегу Протвы, часто (Экск. Бот. Лаб.).

34. *S. verticillata, L.* Близъ с. Пушкина, около Прохоровской фабрики (1872 г., Горожанкинъ); Сокольники (Сырейщиковъ).

17. Fam. Borragineae, Juss.

29. Pulmonaria, L.

35. *P. azurea, Bess.* Между с. Троицкимъ Бутурлина и деревней Катеринкой во множествѣ экземпляровъ (1872 г. Горожанкинъ).—Береıа Оки близъ с. Бѣлыхъ Колодезей Коломенскаго уѣзда, въ большомъ количествѣ (Экск. Бот. Лаб.).

30. Nonnea, Medic.

36. *N. pulla, DC.* Лысово, подъ Коломной, $^{2}/_{2}$ мая 1887 (Петунниковъ); по берегу Оки, вправо отъ желѣзнодорожнаго моста по направленію къ с. Дракину, часто. (1887 г., Горожанкинъ).

18. Fam. Primulaceae, Vent.

31. Androsace, L.

37. *A. filiformis, Retz.* Лосинный островъ въ 1870 г. (Мельгуновъ). По дорогѣ изъ Новаго Iерусалима въ Звенигородъ, въ iюнѣ 1886 г. (Экск. Бот. Лаб.).

c. SUBCL. MONOCHLAMYDEAE.

19. Fam. Salicineae, A. Rich.

32. Salix, L.

38. *S. Lapponum, L.* Тростенское озеро, $^2/_2$ Iюня 1868 г. (Чистяковъ и Петунниковъ).

39. *S. repens, L.* Тамъ же.

40. *S. purpurea, L.* Найдено Р. И. Шредеромъ въ Коптевскомъ болотѣ близъ Петровской Академiи.

B. CL. MONOCOTYLEDONEAE.

20. Fam. Orchideae, Juss.

33. Corallorrhiza, Hall.

41. *C. innata, RBr.* Въ лѣсу Петровской Академiи, влѣво отъ большаго шоссе (1872 г., Горожанкинъ).—Б. Мытищи (Сырейщиковъ).

34. Cypripedium, L.

42. *C. guttatum, Swartz.* Село Ромашково за Кунцовымъ, по оврагамъ влѣво отъ села, въ очень большомъ числѣ экземпляровъ (1878 г., С. Н. Никитинъ и Горожанкинъ).

43. *C. Calceolus, L.* Волынское, оврагъ, 30 Мая 1873 г. (Горожанкинъ).

21. Fam. Irideae, Juss.

35. Gladiolus, L.

44. *G. imbricatus, L.* С. Сурмино по р. Камышевкѣ, въ 1870 году (Петунниковъ). Кустарникъ между Кунцевымъ и с. Ромашковымъ, нерѣдко. (С. Н. Никитинъ, 1873 г.); Одинцово (Сырейщиковъ).

36. Iris, L.

45. *I. sibirica, L.* Въ Iюнѣ 1867 г. найдено Н. Н. Кауфманомъ въ Буньковѣ.—Зиброво-Никифорово на Окѣ въ Маѣ 1887 г.

(Экск. Бот. Лаб.). Между Серпуховымъ и Никольскимъ Погостомъ, по сырымъ мѣстамъ, очень часто (1887 г., Горожанкинъ).

22. Fam. Cyperaceae, Juss.

37. Eriophorum, L.

46. *E. gracile, Koch.* Тростенское озеро, $^{2}/_{2}$ Іюня 1868 (Чистяковъ и Петунниковъ).

38. Carex, L.

47. *C. chordorrhiza, Ehrh.* Тростенское озеро, $^{2}/_{2}$ Іюня 1868 (Чистяковъ и Петунниковъ).

48. *C. panicea, L.* С. Хорошово $^{1}/_{2}$ Мая 1868 г. (Кауфманъ); Серебряный боръ $^{2}/_{2}$ Іюня 1868 (Кауфманъ).

23. Fam. Gramineae, Juss.

39. Panicum, L.

49. *P. glabrum, Gaud.* Николо-Угрѣшскій монастырь, $^{1}/_{2}$ Авг. 1884 (Литвиновъ). Близъ Серпуховскаго Владычнаго монастыря (М. И. Голенкинъ).

40. Phleum, L.

50. *Ph. Boehmeri, Wib.* С. Дракино, по склону къ р. Окѣ въ іюнѣ 1886 г. (Экск. Бот. Лаб.).

41. Leersia, Soland.

51. *L. oryzoides, Swartz.* Берегъ р. Сосенки, близъ Черкизова (Торнеусъ); Сокольники, близъ Яузы (Мельгуновъ); на берегу Сѣтуни (Никитинъ); Воробьевы Горы (Петунниковъ).

42. Arrhenaterum, P. de B.

52. *A. elatius, M. et K.* Сокольники (Мельгуновъ); близъ Крылацкаго (Никитинъ); Петровское-Разумовское (Шредеръ).

43. Avena, L.

53. *A. flavescens, L.* Близь Жуковки, подъ Москвою (Мельгуновъ); Богородское $^{2}/_{2}$ Іюня 1887 (Петунниковъ). Близь Владычнаго монастыря подъ Серпуховымъ въ 1887 г. (Горожанкинъ).

54. *A. pubescens, L.* Ромашково, близь Кунцева, въ Маѣ 1879 г. (Мельгуновъ); деревня Березина за Серпуховымъ въ Іюлѣ 1887 г. (Петунниковъ).

44. Donax, Trin.

55. *D. borealis, Trin.* (Scolochloa festucacea, Link.). Серебряный боръ близъ села Хорошова, $^2/_2$ Іюня 1868 (Кауфманъ); подъ Ново-Дѣвичьимъ монастыремъ (Кауфманъ).

45. Molinia, Schrank.

56. *M. coerulea, Moench.* Тростенское озеро, Іюнь 1868 г. (Чистяковъ и Петунниковъ); Петровское-Разумовское въ 1884 г. (Шредеръ)

46. Brachypodium, P. de B.

57. *B. pinnatum, P. de B.* Близъ Серпухова, во $^2/_2$ Іюня 1870 г. (Мельгуновъ).

24. Fam. Lemnaceae, Link.

47. Lemna, L.

58. *L. minor, L.* Глубокое озеро, близъ Звенигорода, $^2/_2$ Іюнн 1868 *въ цвѣту* (Петунниковъ).

II. PLANTAE CRYPTOGAMAE.

25. Fam. Filices, L.

48. Botrychium, Swartz.

59. *B. Lunaria, L.* Въ лѣсу Петровскаго-Разумовскаго вправо отъ большаго шоссе (Горожанкинъ).

60. *B. rutaefolium, Al.* Останкино, во $^1/_2$ Августа. (Гербарій Н. Ѳ. Золотницкаго).

Addenda:

Когда списки уже находились въ печати, на экскурсіи, предпринятой отъ Лабораторіи Сада 8—10 Мая 1888 года, А. Н. Петунниковымъ, С. Н. Милютинымъ и М. И. Голенкинымъ были найдены:

1. *Viola uliginosa*, Schrad, на Московскомъ берегу Оки, противъ Каширы, по торфянистому болоту, много экземпляровъ въ цвѣту.
2. *Alyssum minimum,* Willd. Бѣлые Колодези на Окѣ, множество экземпляровъ въ цвѣту и въ плодахъ.
3. *Omphalodes scorpioides*, Lehm. Въ лѣсу, близъ Акатьева, Колом. уѣзда, въ цвѣту.

DIE SPINNEN UND FORTGESETZTE MITTHEILUNGEN ÜBER BEI SAREPTA VORKOMMENDE INSEKTEN.

Von

Alex. Becker.

Im Jahre 1861 sandte ich an den Grafen E. von Keyserling und an den Professor A. von Nordmann die von mir in Sarepta's Umgegend, Häusern und Hofen gefundenen Spinnen. Ersterer bekam 810, letzterer 1197 Exemplare. Spater bekam auch die Kaiserliche Akademie der Wissenschaften in St. Petersburg eine bedeutende Anzahl von mir. Erkannt wurden folgende verzeichneten 85 Arten.

Argiope Bruennichii *Scop.*, Ar. lobata *Pall.*, Agalena similis *Keyserl.*, Ag. taurica *Thorell*, Attus arcuatus *Clerck*, Att. farinosus *C. Koch*, Att. seriatus *Thor.*, Cyrtophora oculata *Walck.*, Clubiona montana *L. Koch*, Cl. germanica *Thor.*, Chiracanthium italicum *Canestr.* et *Pav.*, Chir. carnifex *Fabr.*, Chir. Pennyi *Cambr.*, Dictyna latens *Fabr.*, Drassus lutescens *C. Koch*, Dr. loricatus *L. Koch*, Dr. mandibularis *L. Koch*, Dr. orientalis *L. Koch*, Diaea tricuspidata *Fabr.*, D. ornata *Thor.*, Epeira grossa *C. Koch*, Ep. bicornis *Gmel.*, Ep. dromadaria *Walck.*, Ep. diademata *Clerck*, Ep. ixobola *Thor.*. Ep. cornuta *Clerck*, Ep. patagiata *Clerck*, Ep. acalypha *Walck.*, Ep. ceropegia *Walck.*, Ep. adianta *Walck.*, Erigone graminicola *Sund.*, Euryopis laeta *Westr.*, Gnaphosa rufula *L. Koch*, Gn. nomas *Thor.*, Heliophanus cupreus *Walch.*, H. auratus *C. Koch*, Linyphia triangularis *Clerck*, Lycosa agrestis *Westr.*, L. nebulosa *Thor.*, Lathrodectus 13-guttatus *Rossi* var. lugubris *Dof.*, Micaria Albini *Sav.* et *Aud.*, Misumena villosa *Walck.*, M. truncata *Pall.*,

Micrommata virescens *Clerck*, Marpessa muscosa *Clerck*, M. pomatiae *Walck.*, Ocyale mirabilis *Clerck*, Oxyopes lineatus *Latr.*, Ox. transalpinus *Walck.*, Philodromus poecilus *Thor.*, Ph. dispar *Walck.*, Ph. aureolus *Clerck.*, Ph. elegans *Blackw.*, Ph. oblongiusculus *Lucas*, Philaeus chrysops *Poda*, Ph. bilineatus *Walck.*, Singa Herii *Hahn*, S. hamata *Clerck*, Steatoda castanea *Clerck*, Thomisus albus *Gmel.*, Tetragnatha extensa L. var. Solandri *Scop.*, Theridium sisyphium *Clerck*, Thanatus arenarius *Thor.*, Th. oblongus *Walck.*, Th. vittatus *Thor.*, Tarentula meridiana *Hahn*, T. cursor *Hahn*, T. Cronebergi, *Thor.*, T. Eichwaldi *Thor.*, T. striatipes *Dol.*, T. Beckeri *Thor.*, T. infernalis *Motsch.*, T. singoriensis *Laxm.*, T. vultuosa *C. Koch*, Xysticus tuberosus *Hahn*, X. Kochii *Thor.*, X. marmoratus *Thor.*, X. robustus *Hahn*, X. Ninnii *Thor.*, X. perogaster *Thor.*, X. trux *Blackw.*, X. pullatus *Thor.*, Yllenus arenarius *Sim.*, Yll. vittatus *Thor.*, Zilla crucifera *Thor.*

Mehrerer Arten sind unbestimmt geblieben. In den Jahren von 1862 bis 1888 habe ich noch eine bedeutende Anzahl anderer Arten aufgefunden.

Die auch zu den Spinnenthieren gehörenden, im Wasser und auf dem Lande bei Sarepta befindlichen Milben, sind einer Bestimmung noch nicht unterworfen worden. Die blutsaugenden 6 sareptaschen Ixodes-Arten bringen oft dem Menschen gefährliche Entzündungen, wenn sie sich angebissen haben. Das Anbeissen bemerkt man in der Regel erst nach Verlauf mehrerer Stunden durch ein schmerzhaftes Gefühl. Weil die Zecke durch Berührung sich nicht entfernen lässt, so reisst man sie ab, wobei sie fast immer etwas Haut in den Zangen behält. Man achtet nicht mehr auf die unbedeutende Wunde, hinterher aber fängt sie oft an sich zu entzünden und zu einem langanhaltenden Geschwür zu entwickeln. Diese Erfahrung machte ich als sich einmal an meiner Hüfte eine Zecke angebissen hatte. Nachdem ich sie entfernt, entstand eine eiternde tiefe Wunde, an der ich wochenlang su kuriren hatte. Mehrere meiner Freunde hatten an den Beinen ähnliche Entzündungen durch Zecken bekommen, welche sich 3 Zoll im Durchmesser blauroth entwickelten. Man glaubt, dass durch das Abreissen der Zecke ein Stöckchen ihrer Zangen in dem Fleische bleiben, wodurch die Wunde sich entzündet. Das ist aber nicht der Fall, denn die Zangen sind sehr fest und biegsam, es kann daher die Entzündung nur dem giftigen Biss zugeschrieben werden. Eine Zeckenart, die an den Huhnern in Sarepta und in den Dörfern bei Sarepta oft in grosser Anzahl sitzt, raubt ihnen das Leben.

Schmetterlinge.

Harpyia interrupta und H. aeruginosa habe ich bisher immer nur in wenigen Exemplaren gefangen. Die Harpyia interrupta-Puppe fand ich an einem Populus nigra-Zweig, aus welcher mir der Schmetterling vollkommen schön am 13 Juli herauskam. Gewöhnlich spinnen sich Raupen auf den Zweigen ein; die H. interrupta-Raupe dagegen hatte den Zweig ausgehöhlt und sich in demselben eingesponnen.

Die Zygaena sedi-Raupe ist blassgrun, behaart, hat 2 Längsreihen schwarze Punkte auf dem Rücken, jede Reihe enthält 11 Punkte, neben diesen sind 11 gelbe längliche Punkte, an den Seiten 11 kleine schwarze Punkte. Kopf schwarz, die 3 Paar Vorderbeine dunkel, die 5 Paar Hinterbeine gelb. Sie ist am 25 Mai ziemlich erwachsen auf Vicia branchytropis zu finden, spinnt sich gelb ein, verpuppt sich am 5 Juni und erscheint als Schmetterling am 18 Juni.

Die Saturnia carpini-Raupen frassen am 30 Mai die Blätter von Amygdalus nana und wurden endlich 2 Zoll lang. Sie waren gelbgrün mit schwarzer Querzeichnung in der Mitte auf jedem Bauchring und 6 gelbe Erhöhungen mit schwarzen Haaren. Einige Raupen waren einfarbig gelb und ohne Zeichnung. Ihr Schmetterling kam erst im nachsten Jahre am 17 März aus der Puppe.

Aus den Lappa major-Stengeln schnitt ich am 28 August viele Gortyna ochracea-flavago-Puppen. Ihre Raupe ähnelt einer Cossus-Raupe, ist röthlich, schwach behaart, hat auf jedem Bauchring 10 dunkle Punkte, der letzte Bauchring dunkel, Kopf braun, hinter demselben schwarz. Der Schmetterling kam am 30 August aus der Puppe. Merkwürdig ist, dass ich ihn bisher nie gefangen und nur durch Ausschneiden erlangte.

Aus Onopordon acanthium-Stengeln schnitt ich am 1 September eine hellgraue, schwach behaarte, 1 Zoll lange Cossus?-Raupe mit 5 Dunkelgrauen Längsstreifen, Kopf und Nacken schwarz, auf jedem Bauchring an der Seite 1 schwarzer Punkt.

Aus Xanthium strumarium-Stengeln schnitt ich am 2 September eine blassrothe, schwachbehaarte, 1 Zoll lange Cossus?-Raupe mit einem dunkelrothen Rückenstrich; auf jedem Bauchring 2 grössere Punkte und nach unten einen kleineren Punkt. Die grösseren Punkte sind in der Mitte heller und der kleinere Punkt hat nach hinten ein dunkleres Eck. Zwischen den 2 grösseren Punkten nach hinten, etwas nach oben, ein kleiner dunkler Punkt. Kopf braun, im Nacken seitwarts 2 dunkle Punkte.

Am 20 Mai sassen die Gastropacha populi-Raupen an Populus tremula-Stammen. Sie sind weiss, behaart, haben an den Seiten und auf dem Rücken 10 eckige Rundzeichen, in welchen 4 orangegelbe Flecke. Der Schmetterling kam am 22 October aus der Puppe. Diese ist mit ihrem festen Cocon gegen die Grösse der Raupe auffallend klein.

In den Allium sphaerocephalum- und All. longispathum-Zwiebeln sassen am 1 August rothe Cossus-Raupen. Die in All. sphaerocephalum waren dunkelroth und die in All. longispathum hellroth. Ihre Erziehung gluckte mir nicht, es ist daher auch ungewiss, ob sie nur einer Art, Endagria pantherina angehören. In Allium tulipaefolium-Zwiebeln befindet sich am 21 Mai eine ähnliche rothe Raupe.

Folgende in meinen Verzeichnissen fehlende Arten fing ich in den letzten Jahren: Acidalia pecharia *Stgr.*, Agrotis vitta *Hb.*, Agr. forcipula*S. V.*, Bryophila fraudatricula *Hb.*, Cilix spinula *Schiff.*, Colias Hyale L. var. sareptensis *Stgr.* am 14 Aug., Caradrina albina *Ev.*, Car. morpheus *Hufn.*, Cledeobia provincialis *Dup.*, Calamotropha paludella *Hb.*, Dasypolia Templi *Thnb.*, Eugonia alniaria *S. V.*, Erastria bankiana *F.*, Hadena sordida *BKh.*, Lycaena boetica L., flog am 8 Juli in Schluchten an der Wolga, Macaria aestimaria *Hb.* var. sareptanaria *Stgr.*, Mycteroplus puniceago *B.*, eine hubsche grüne var., Melitaea aurinia *Rott.* var. sareptana *Stgr.*, Nola squalida *Stgr.*, Odontia dentalis *Schiff.*, Rumina crataegata L., Schoenobus gigantellus *Sckhiff.*, Sciapteron tabaniformis *Rott.* an Populus tremula, Thalpochares polygramma *Dup.*, Tapinostola musculosa *Hb.*

Ein vollständiges Verzeichniss aller bei Sarepta vorkommenden Schmetterlinge wird Keinem möglich sein zu machen, weil man alljahrlich immer einige früher nicht gefangene Thiere fangt. Thiere, die ich vor vielen Jahren fing, kommen mir jetzt nicht mehr zu Gesichte, zu diesen gehört z. B. Perigrapha circumducta, die ich vor 30 Jahren nur in einem Exemplare erbeutete. Wenn ich sie nicht gefangen hätte, so musste man glauben, dass sie bei Sarepta gar nicht vorkommt. Auch von den anderen Insekten wird man eine vollständige Aufzählung nie machen können.

Die Futterpflanzen einiger Käfer.

April 28; frisst Meloe aeneus Vormittags Grasblätter.
Mai 23; Coelostemus depressirostris auf Carduus uncinatus.
Mai 31; frisst Trisybius tenebrioides die Blüthen von Rumia biogona und Ferula tatarica-Blätter.
Juni 11; Anthocomus imperialis *Moraw.* auf Poa nemoralis, ist nov. sp.
Juli 24; Baridius sulcatus an den Wurzeln verschiedener Salzkräuter

Bruchus Glycyrrhizae in den Glycyrrhiza glandulifera- und Gl.-echinata-Samen.

Zu meinem Verzeichniss der Fliegen bei Sarepta nach den Bestimmungen des Herrn Dr. von Röder in Hoym (Bull. № 1, 1880) sind hinzuzufügen: Anopheles maculipennis *Mg.*, An. bifurcatus *L.*, Atomosia virescens *Lw.*, Anthrax perspicillaris *Lw.*, Anthr. afer, Anthr. quinquefasciatus, Borborus fumipennis, Bombylius analis *Fabr.*, Corethra flavicans *Mg.*, Culex vexans *Mg.*, Chironimus latus *Mg.*, Ch. dorsalis *Mg.*, Ch. viridis *Mg.*, Ch. spec., Chrysops perspicillaris *Lw.*, Ceroxys canns, Coenosia tricolor *Zett.*, Chrysopogon cinereus *Röd.* nov. sp., Dysmachus cochleatus *Lw.*, D. dasyproctus *Lw.*, D. spiniger *Zell.*, Dexia rustica *Fabr.*, Dischistus minimus *Schrk.*, D. unicolor *Lw.*, Echinomyia argentifrons *Mcq.*, Empis macra *Lw.*, Exorista libatrix *Pz.*, Ex. sp., Epithriptus culiciformis *Wied.*, Echthistus rufinervis, Eumerus lunulatus *Mg.*, Geomyza marginella, Gymnopternus pulchriceps *Lw.*, Hylemyia variata *Fall.*, Heteropterina heteroneura *Mg.*, Lispe melaleuca *Lw.*, Lonchaea palposa *Zett.*, Laphystioma Beckeri *Röder* nov. gen., Merodon ruficornis *Mg.*, Machimus rusticus, Nemotelus argentifer *Lw.*, Ochthiphila juncorum, Oestrus purpureus *Brauer*, Platypygus bellus *Lw.*, Platycephala planifrons, Platypalpus cursitans *Fall.*, Pl. spec., Phthiria vagans *Lw.*, Ramphomyia spec., Sapromyza septentrionalis *Lw.*, S. apicalis *Mg.*, S. lupulina *Fabr.*, Sepsis cynipsea *L.*, Sciomyza Schoenherri *Fabr.*, Sc. dorsata *Zett.*, Sarcophaga haematodes *Mg.*, Sarcophila Wohlfarti *Portsch.*=S. magnifica *Schiner*, Trypeta onotrophes *Lw.*, Thereva nigripes *Lw.*, Th. pallipes *Lw.*, Th. arcuata *Lw.*, Tephritis irrorata *Fall.*, Tanypus culiciformis *L.*, Urellia stellata *Lw.*

Die Fliegen spielen im Haushalt der Natur eine grosse nützliche Rolle, indem ihre Larven die faulenden Stoffe vernichten und zahlreich auftretende schädliche Insekten vermindern; sie sind dagegen manchen Pflanzen schädlich und die blutsaugenden peinlich und mehrere bringen durch ihre Larven dem Menschen und Vieh die grössten Schmerzen. Portschinsky hat nachgewiesen in Horae Societatis Entomologicae Rossicae № 4, 1876, wie die Larven der Sarcophila Wohlfarti des Menschen Nase, Ohren und Gaumen durchfressen und dem Hornvieh, Pferden, Schweinen, Schafen, Hunden und Hausvögeln zur Qual werden. Ich hatte diese Sarcophila bisher selten gefangen, 1887 am 20 August aber sah ich eine Werst von Sarepta an einer nassen Stelle an dem Holz eines Dammes diese Fliege sich gesellschaftlich zusammensetzen, von denen ich 7 erbeutete. Sie stimmen genau überein mit der Zeichnung in der erwähnten Schrift von Portschinsky. Sie hat grosse Aenlichkeit mit der Sarcophaga dalmatina *Schin.*, ist aber durch die Flecke auf dem Leibe abweichend. Vor einigen Jahren hatte ein kleines Kind in Sarepta grosse Schmerzen mehrere Tage und Nächte in einem Auge, bis man in demselben einen Wurm entdeckte und ihn mit einer Zange herauszog. Ein anderes, grösseres Kind, hatte einen grindbedeckten Kopf. Die Mutter des Kindes kam zu mir und klagte uber die Unruhe des Kindes und sagte, dass sie etwas Lebendes in dem Grinde bemerkt habe. Ich rieth ihr an, Baumöl auf den Kopf zu giessen. Sie befolgte meinen Rath und sah bald viele grosse Wurmer dem Grinde entsteigen. Welcher Fliegenart diese Würmer angehörten ist unbekannt geblieben; eben so unbekannt ist mir der Oestrus geblieben, dessen Larve das Rückenfell der Antilope saiga massenhaft bewohnt. Ich sah ein frisch abgezogenes Fell dieser Antilope mit unzähligen grossen Larven auf der Innenseite bedeckt, von denen ich die grössten nahm, um ihre Verwandlung zu erhalten, aber wahrscheinlich waren sie nicht vollkommen erwachsen, denn sie verpuppten sich nicht. Der Grösse nach könnten sie Hypoderma lineata sein, die im Rückenfell des Rindviehes hausen soll. Diese Fliege setzt regelmässig im Mai auf Fahrwegen nahe bei Sarepta, aber an bestimmten Lokalitäten. Sie ist sehr scheu und daher nicht leicht zu fangen. Nahe zu Sarepta kommt die Antilope saiga nur, wenn sie durch Hunger oder Schmerz getrieben wird. Durch Hunger kommt sie in grosser Anzahl, wenn in der südlichen caspischen Steppe viel Schnee liegt; durch Schmerz der Würmer im Rücken rennen sie einzeln unendlich weit. Ein solcher gequalter, schöner Bock sah mich einmall in der Nähe starr an, als ich Morgens vor Sonnenaufgang im Sommer die nahe bei Sarepta gelagene Hügelkette bestieg, und rannte dann in ungeheuren Sätzen weiter.

Gastrus equi habe ich mehrmals aus Puppen im Pferdemist erhalten. Ich habe oft bemerkt, dass Pferde diese Fliege abzuwehren suchten; auch wenn sie eingespannt waren, suchten sie jede einzelne Fliege, die an den Vorderbeinen herumschwebte und sich an dieselben anzusetzen suchte, mit dem Maule und Erheben der Beine zu vertreiben, woraus sich folgern lasst, dass ihre Stiche sehr empfindlich sein müssen und viel empfindlicher als die Stiche der Tabanus-Arten, welche oft in grosser Zahl die Pferde bedecken, die sich dagegen nicht so sehr sträuben.

Oestrus purpureus ist eine Rachenöstride des Pferdes. Ich fing nur 1 Exemplar am 10 Juni 1887. Ist der Kameelostride Cephalomyia maculata ahnlich, welche ich an der Spitze des Bogdo-Berges häufig im Fluge fing.

Viele Fliegen haben eine weite Verbreitung; so findet man z. B. Bombylius analis am Kap der guten Hoffnung wie bei Sarepta, das Männchen mit schwarzem Thorax, das Weibchen mit weissem Thorax. Ich fing sie am 1 August.

Stenopogon sabandus ernährt sich von Orthopteren, z. B. von Caloptenus italicus; ist demselben also an Kraft überlegen. Fangt auch Vespa germanica, hält sie fest in Umarmung und fürchtet ihren scharfen Stachel nicht.

Es sind leider nur wenige Entomologen, die sich mit Fliegen beschäftigen, es ist daher ihre Entwickelungsgeschichte und Artenzahl noch sehr unerforscht und unvollstandig.

Sarepta, 1 März 1888.

ХИМИЧЕСКОЕ ИЗСЛѢДОВАНІЕ

ДАРЬИНСКОЙ ЖЕЛѢЗИСТОЙ ВОДЫ.

А. Сабанѣева.

Дарьинскіе желѣзистые источники находятся въ Московской губерніи Звенигородскомъ уѣздѣ въ 30 верстахъ отъ Москвы на землѣ села Дарьина-Никольскаго, принадлежащей гг. Столповскимъ, на правомъ берегу маленькой невысыхающей рѣчки Чернявки, принадлежащей къ водной системѣ Москвы рѣки. Правый берегъ этой рѣчки очень высокъ и у подошвы его рядомъ съ русломъ не болѣе $^1/_4$ версты отъ усадьбы выступаетъ въ нѣсколькихъ мѣстахъ минеральная вода, но особенно обильно въ мѣстѣ, давно извѣстномъ у окрестныхъ жителей подъ именемъ бездоннаго бочага. Это неправильной формы яма, дно которой покрыто ржавчиной и черноватымъ иломъ; она со дна наполняется водою, которая видимо стекаетъ туда многими струями. Въ послѣднее время источникъ нѣсколько обдѣланъ—прорыта канава въ нѣсколько аршинъ длины для стока воды въ рѣчку и надъ двумя болѣе обильными струями вертикально врыты цинковыя трубы, верхній конецъ которыхъ немного выше уровня воды въ водоемѣ, такъ что минеральная вода стекаетъ струей черезъ край трубы. Струя лежащая ближе къ стоку обозначена № 1, а находящаяся въ самомъ дальнемъ разстояніи отъ стока—№ 2. Кромѣ того № 3 обозначенъ отдѣльный ключъ нѣсколько саженъ далѣе бочага внизъ по рѣчкѣ. Предварительное опредѣленіе содержанія желѣза на мѣстѣ показало, что въ водѣ № 1 желѣза немного больше, чѣмъ въ водѣ № 2 и № 3. Вода же стекающая изъ водоема въ рѣчку, сравнительно мало желѣзиста.

Количество воды, которую даетъ струя № 1, оказалось 950 ведеръ въ сутки. Струя № 2 даетъ не много менѣе. Общее количество воды, стекающее изъ водоема въ рѣчку, отъ 8000 до 10000 ведеръ въ сутки.

Температура воды въ струѣ № 1 и № 2 была 6,6 Цельзія или 5,3 Реомюра.

Всѣ эти наблюденія были сдѣланы 29 Іюля 1887 года и тогда же взята въ большемъ количествѣ и подготовлена вода № 1 для подробнаго химическаго анализа. Причемъ она была быстро профильтрована и собрана въ стклянки съ хорошо протертыми стеклянными пробками.

Дарьинская желѣзистая вода прозрачна, безцвѣтна, имѣетъ слабый желѣзистый вкусъ. Черезъ короткое время, именно черезъ полчаса или часъ, она мутится, причемъ вслѣдствіе поглощенія кислорода воздуха выдѣляется осадокъ окиси желѣза. На лакмусъ она оказывается очень слабо, хотя замѣтно щелочною.

I. Качественный анализъ показалъ присутствіе слѣдующихъ веществъ:

1. Углекислыхъ солей.
2. Сѣрнокислыхъ солей.
3. Хлористыхъ металловъ.
4. Натрія.
5. Калія.
6. Кальція.
7. Магнія.
8. Желѣза.
9. Марганца.
10. Органическихъ веществъ.

Затѣмъ найдены слѣды фосфорной кислоты и аллюминія, но вода почти вовсе не содержала аммiака и азотнокислыхъ солей. Такъ какъ опредѣленіе послѣднихъ двухъ весьма важно для всякой воды вообще, то на это было обращено особое вниманіе, но тщательное изслѣдованіе дало отрицательные результаты. Во всякомъ случаѣ можно сказать, что въ водѣ содержится аммiака и азотной кислоты менѣе, чѣмъ одна десятимилліонная доля по вѣсу.

II. Количественный анализъ произведенъ былъ главнымъ образомъ по методамъ Фрезеніуса съ отступленіями указанными при описаніи химическаго изслѣдованія Липецкихъ минеральныхъ водъ *).

Непосредственные результаты анализа:

Окиси натрія.................	0,01431	p. Mille.
Окиси калія..................	0,00733	» »
Окиси кальція...........	0,10458	» »
Окиси магнія.................	0,02414	» »

*) См. Химическое изслѣдованіе Липецкихъ минеральныхъ водъ, проф. А. Сабанѣева. Отдѣльная брошюра, а также Bulletin de la Société Imperiale des Naturalistes de Moscou. 1886. № 1.

Закиси желѣза	0,01346	p. Mille.
Закиси марганца	0,00063	» »
Сѣрнаго ангидрида	0,01868	» »
Угольнаго ангидрида	0,26240	» »
Кремнезема	0,01303	» »
Хлора	0,00131	» »
Органическихъ веществъ	0,00626	» »

Эти числа суть среднія каждое изъ двухъ опредѣленій.

III. Содержаніе составныхъ частей въ формѣ солей комбинируется слѣдующимъ образомъ:

Въ 1000 частяхъ воды по вѣсу содержится:	Углекислыя соли вычислены въ видѣ одноуглекислыхъ.	Углекислыя соли вычислены въ видѣ двууглекислыхъ.
Хлористаго натрія	0,00216	0,00216
Сѣрнокислаго натрія	0,02016	0,02016
Сѣрнокислаго калія	0,00368	0,00368
Углекислаго калія	0,00783	0,01032
Углекислаго кальція	0,18675	0,26892
Углекислаго магнія	0,05069	0,07724
Углекислой закиси желѣза	0,02145	0,02946
Углекислой закиси марганца	0,00100	0,00142
Кремнезема	0,01303	0,01303
Органическихъ веществъ	0,00626	0,00626
Сумма	0,31302	0,43265
Угольн. ангидрида полусвязанн.	0,11963	—
Угольн. ангидрида свободнаго	0,02314	0,02314
Всего	0,45579	0,45579

Для окончательнаго контроля и показанія степени точности произведеннаго анализа сдѣланы были слѣдующія двѣ повѣрки:

IV. Сравненіе полученныхъ результатовъ съ вѣсомъ остатка послѣ выпариванія дало слѣдующую повѣрку:

Вѣсъ остатка послѣ выпариванія, в. при 180°	0,30216	p. Mille.
Прибавивъ сюда количество угольнаго ангидрида, вытѣсненнаго кремнеземомъ	0,00955	» »
получимъ вмѣстѣ	0,31171	» »
Сумма отдѣльно найденныхъ составн. частей	0,31302	p. Mille.

V. Сравненіе съ остаткомъ послѣ выпариванія воды съ сѣрною кислотою дало кромѣ того слѣдующую повѣрку:

Послѣ слабаго прокаливанія остатка получено. 0,40309 p. Mille.

Изъ отдѣльныхъ опредѣленій этотъ остатокъ вычисляется слѣдующимъ образомъ:

Сѣрнокислаго натрія....	0,03276	p. Mille
Сѣрнокислаго калія	0,01351	» »
Сѣрнокислаго кальція...	0,25398	» »
Сѣрнокислаго магнія....	0,07242	» »
Сѣрнокислой закиси марганца............	0,00145	» »
Окиси желѣза.........	0,01495	» »
Кремнезема...........	0,01303	» »
Сумма	0,40210	p. Mille.

Кромѣ того мнѣ доставлены были образцы Дарьинской минеральной воды, собранные въ Январѣ и Февралѣ мѣсяцѣ этого года, въ которыхъ было опредѣлено содержаніе важнѣйшей составной части, углекислой закиси желѣза колориметрическимъ способомъ.

	Содержаніе углекислой закиси желѣза ($Fe\ CO_3$).
Вода № 1 въ Январѣ 1888 г............	0,0172 p. Mille.
» » въ Февралѣ » »	0,0210 » »
» » » » » » газированная т.-е. искусственно насыщенная углекисл. газомъ	0,0200 » »
Вода № 1 въ Іюлѣ 1887 г.	0,0214 » »
Вода № 2 » Январѣ 1888 г............	0,0167 » »
» » » Февралѣ » »	0,0190 » »
» » » » » » газированная	0,0190 » »
Вода № 2 » Іюлѣ 1887 г.	0,0198 » »
» № 3 » » » »	0,0198 » »

Отсюда видно, что несомнѣнно происходятъ небольшія колебанія въ содержаніи желѣза и что ключъ № 1 содержитъ немного болѣе желѣза, тогда какъ содержаніе этой составной части въ ключахъ № 2 и № 3 одинаково.

Для наглядности приведу здѣсь сравнительную таблицу, показывающую содержаніе углекислой закиси желѣза въ русскихъ желѣзистыхъ водахъ.

	Углекислой закиси желѣза ($Fe\,CO_3$).
Дарьинская вода	0,02145 p. Mille.
Липецкая вода источникъ № 6	0,01674 » »
Курьинская вода источникъ № 1	0,01660 » »
Березовская вода	0,01337 » »
Желѣзноводскъ источникъ Великаго Князя Михаила	0,00977 » »

Какъ видно изъ приведенныхъ результатовъ дарьинская минеральная вода принадлежитъ къ чисто желѣзнымъ весьма слабо щелочнымъ водамъ. Она заключаетъ въ себѣ среднее количество углекислой закиси желѣза и мало свободной угольной кислоты. Слѣдуетъ также обратить вниманіе на почти полное отсутствіе амміака и азотной кислоты, что указываетъ на чистоту этой ключевой воды. Дарьинская вода сходна въ общемъ съ Липецкими, Курьинскими, Березовскими, Славинковскими желѣзными водами, хотя содержитъ болѣе углекислой закиси желѣза.

Въ заключеніе считаю долгомъ выразить благодарность А. В. Зотову и Н. Н. Касаткину за помощь при производствѣ этого сложнаго анализа.

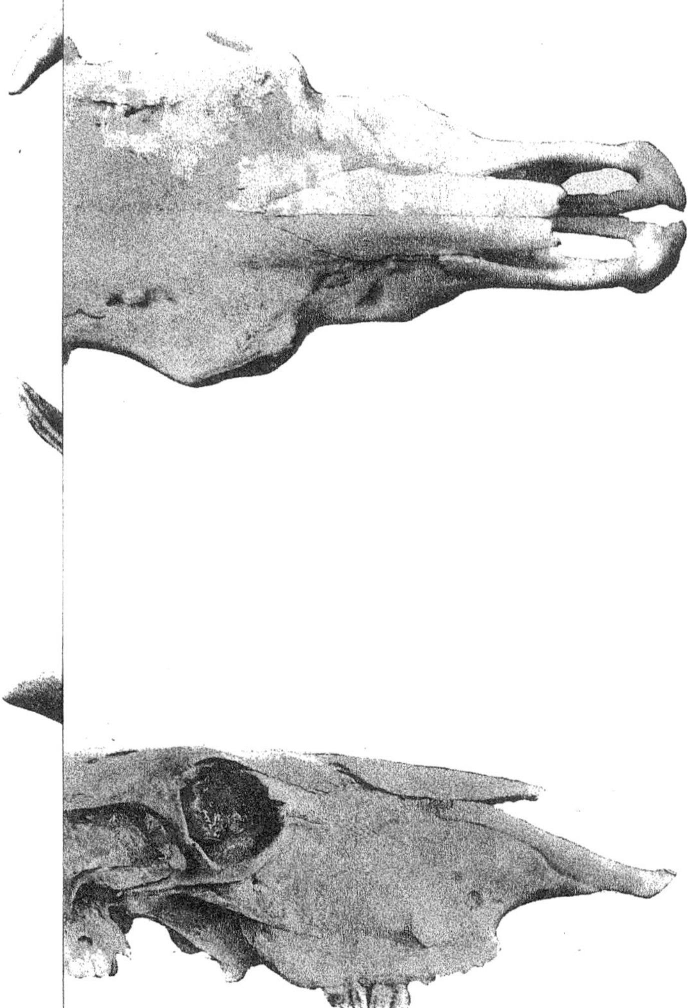

Фотогравюра Шереръ, Набгольцъ и Ко въ Москвѣ.

DIE SCHÄDEL-EIGENTHÜMLICHKEITEN DER ROTHEN KALMÜCKISCHEN RINDER-RASSE.

Von

P. Kuleschow.

Mit 1 Tafel.

Schon 1877 machten wir der Moskauer Naturforscher-Gesellschaft Mittheilung von den Resultaten der Erforschungen der Schädel-Formen, der drei verbreitetesten südrussischen Rinder-Rassen: der Ukrainischen, Kirgisischen und Kalmückischen *). Auf Grund dieser Forschungen sprachen wir die Ueberzeugung aus, dass diese Rassen, ihrer zoologischen Kennzeichen und insbesondere ihrer Schädel-Merkmale wegen, als *unzweifelhaft selbstständige Rassen* anerkannt werden dürften.

Wie aus dem allgemeinen Körperbau zu schliessen, unterscheidet sich die Ukrainische Rasse durch nichts von der Podolisch-Ungarischen und den weissen Rindern der englischen Parke und wird darum, wie auch die letztgenannten, in den Typus *Bos primigenius* eingeschlossen. Nach den Schädelmessungen und den allgemeinen Formen, weicht die Kirgisische Rasse wenig, oder fast gar nicht, von der Ukrainischen ab, indem sie sich durch etwas andere Richtung und geringere Länge der Hörner auszeichnet. Die Stirn ist lang und breit, so dass sie den grössten Theil des Schädels einnimmt, die Stirnfläche ist vollständig eben, die Hornstiele sind dick und abgeplättet und mit den Wurzeln an die Seitenränder der Stirn angesetzt, die Hornansätze sind kurz und mit einem

*) Landwirtsch. Zeitung (russ.). 1877, S. 307.

Kranze rauher Knochenwarzen besezt, die Hörner entspringen in gleicher Fläche mit der Stirn und sind seitwärts, dann aufwärts, vorwärts und mit den Spitzen häufig nach rückwärts gebogen, die Backzahnreihen sind kurz, die Zwischenkiefern lang. Diese Merkmale weisen deutlich auf die unverkennbare Aehnlichkeit des Schädels der Kirgisen-Rinder mit dem Schädel des *Bos primigenius* hin. Dessen ungeachtet, ist die dem Kirgisischen Vieh eigenthümliche Körperfarbe, als welche Schwarz manchmal mit Weiss durchmischt auftritt in so hohem Grade typisch, dass wir uns veranlasst sehen das Kirgisen-Vieh in eine besondere Rasse auszuscheiden. Wir wollen noch hinzufügen, dass alle drei Rassen eine streng begrenzte geographische Verbreitung haben und sich nur in den benachbarten Gebieten untereinander vermischen. Nach Hr. Krawzow, der unser Steppen-Vieh in dessen Heimath eingehend studirte und dieselbe Rassen-Eintheilung wie auch wir annimmt, wird das Kirgisische Riud iu den Steppenebenen der Uralschen, Turgaischen, Akmolinskschen und Semipalatinskschen Gebiete gezüchtet. Dabei hält er das Uralsche Rind für den, dem Typus dieser Rasse am besten entsprechenden Rinder-Schlag. Hr. Krawzow führt folgende allgemeine Charakteristik dieses Schlages an: schwarze Körperfarbe, mittlere Grösse, kerniger, gedrängter, tonnenartiger Rumpf, kurze, starke Beine und nach vorwärts gekrümmte Hörner. Als zur Kirgisen-Rasse gehörig dürfte aller Wahrscheinlichkeit nach auch das Rind des Semirjeczjeschen Gebietes angesehen werden; dasselbe hat hellere Farben, starke Formen und wird, nach Hr. Krawzow, in seiner Heimath hauptsächlich zum Packtragen gebraucht (Schlachtvieh. V. Krawzow (russ.). 1886, S. 114—119).

Unser hochgeschätzter Akademiker A. von Middendorff weist in seinem Bericht über die Forschungen im Fergana-Thal darauf hin, dass im Turkestan das Kirgisische-Rind die verbreiteteste Rinder-Rasse bildet. In demselben Bericht sagt Hr. von Middendorf, auf unseren Artikel in der Landwirtsch. Zeitung von 1877 verweisend, dass mit dieser Arbeit „die Grundlage zur richtigen Aufstellung von Typen unserer drei Steppenrind-Rassen gelegt worden ist" und fügt dabei hinzu, dass es vollkommen richtig sei, dass jede dieser Rassen eine ihr eigenthümliche Körperfarbe besitzt (Ferghana-Thal (russ.) 1882, S. 287).

Der vollständigeren Charakteristik des Kirgisischen-Rindes wegen, müssen wir noch hinzufügen dass dieses Rind der Grösse nach zu den mittleren oder selbst zu den kleinen Rassen gehört; die Stockhöhe (Hohe von der Sohle bis zum Widerrist) beträgt durchschnittlich

135 Centimeter, die Länge vom Hinterhaupt bis Schwanzansatz 137 Centm. und der Brustumfang 136 Centm. Nach den von uns in den Petersburger Schlächtereien ausgeführten Wägungen ist das Lebendgewicht der besten fettgeweideten Ochsen 1300 bis 1536 Pf. Das Schlachtgewicht schwankt zwischen 49,88% und 54,29%, im Durchschnitt 51,45%. Diese Angaben, die wir in den Nachrichten der Petrovschen Akademie (Извѣстія Петровской Академіи) von 1879 veröffentlichten, liefern den Beweis davon, dass das Kirgisische Rind zu den besten einheimischen Rassen gehört, wenn man von dem verhältnissmässig geringem Lebendgewicht absieht. Dies wird besonders durch die schwache Entwickelung des Knochengerüstes beim Kirgisen-Rinde bestätigt, welches bei ihm 20,67% des Schlachtgewichtes ausmacht, während beim Kalmückischen-Rind dasselbe gleich 24,32% ist und beim grauem Ukrainischen sogar 29,28% beträgt. Was die Qualität des Fleisches anbelangt, so ist das Fleisch des gemässteten Kirgisischen Rindes, wie sich darüber Hr. Krawzow richtig äussert, das zarteste und schmackhafteste aller anderen ihm bekannten Rassen (S. 117). Hinsichtlich des grauen Ukrainischen Rindes bemerken wir hier nur, dass dasselbe schwerlich einer allgemeinen Charakteristik bedarf, da es seiner Zoologischen Kennzeichen wegen, zu einer unzweifelhaft festgestellten Rasse gehört. Eben so wie auch in Ungarn und anderen Ländern Süd-Europas ist das graue Steppenrind Russlands von vorherschend gleichmässiger grauer Körperfarbe in allen seinen Schatirungen, auch graugelb und braun. Bis jetzt liessen sich nur zwei Schläge des grauen russischen Rindes feststellen, nämlich: der Czernomorsky'sche und Ukrainische. Der erste Schlag wird ausschliesslich im Kubanschen Gebiete gezüchtet, der andere im südlichen Kleinrussland und in den süd-westl. Gouvernements. Im Durchschnitt ist das Ukrainische Rind um 20 Centm. höher als das Kirgisische, die stärkeren Ochsen erlangen eine Höhe von 160 bis 170 Centm. Nach den allgemeinen Körperformen ist dies Rind vorzugsweise für Zugleistung geeignet d. h. mit stark entwickelten Schultern und Rumpfumfang und verhältnissmässig schwachem Hintertheil, massivem Knochengerüst und grober Haut. Das Lebendgewicht fettgegräster Ochsen ist 1200 bis 1425 Pf. und das Lebendgewicht gut gemässteter Ochsen erlangt 2000 bis 2500 Pf. Das Schlachtgewicht des Ukrainischen Rindes muss niedriger gesetzt werden als dasjenige des Kirgisischen Rindes, wobei die Qualität des Fleisches viel wegen des stark entwickelten Knochengerüstes verliert.

Die dritte Rasse, die Kalmückische, deren Schädel das Haupt-Objeckt dieser Forschung bildet, ist ausschliesslich in den süd-östlichen Ländereien verbreitet und kann nach ihrer Körperfarbe in zwei Schläge getheilt werden: das eigentliche Kalmückische-Rind, von Krawzow auch Ordynsches gennant, und das Donsche oder Schecken-Rind. „Der erstgenannte Schlag ist in den grossen Steppen, die an den oberen Manytsch (Fluss Манычъ) grenzen, verbreitet". Das Rind dieses Schlages ist von besserem Körperbau als das Donsche, auf kürzerem Gestell mit leichterem Knochengerüst, breitem Kreuz, mastfähiger als das Donsche und fast ausschliesslich von rother gleichmässiger Körperfarbe. Der Donsche Rinder-Schlag ist nicht blos im Donschen Gebiete, sondern auch in den Gouvernements Charkow und Woronesh sowie in der Kubanschen Gegend und im Kaukasus verbreitet, wo solches Rind manchmal auch Grusinisches genannt wird. Starke Ochsen Kalmückischen und Donschen Schlages haben, nach Hr. Krawzow's Messungen, bis **140** Centm. Stockhöhe: nach den von N. Kuleschow ausgeführten Messungen bis **145** Centm. Stockhöhe, bis **150** Länge vom Hinterkopf bis zum Schwanzansatz und **114** Ctm. im Brustumfang; das Gewicht grosser Ochsen ist nach Krawzow **36** bis **47** Pud, nach N. Kuleschow **31** bis **46** Pud. Bei den von uns angestellten Wägungen fettgeweideter Kalmücken-Ochsen besassen sie ein Lebendgewicht von **1080** bis **1520** Pf. und ein Schlachtgewicht von **45,41**% bis **52,12**%, durchschnittlich also **50,14**%. Der Mastfähigkeit und der Qualität seines Fleisches nach, gehört das Kalmückische Rind zu den besten eingeborenen Rassen Russlands. Bei den von Veterinär-Arzt Hr. A. Karytin auf dem Land-Gute Baron R. von Steinheils im Kubanschen Gebiete veranstalteten Fütterungs-Versuchen nahmen die Kalmückischen-Ochsen im Laufe von 5 Monaten täglich im Durchschnitt um $2\frac{1}{7}$ Pf. an Gewicht zu.

Bevor wir nun zur Beschreibung der zoologischen Schädel-Eigenthümlichkeiten dieser Rasse übergehen, halten wir uns genöhtigt zu erwähnen, dass schon **1877**, wo uns nur ziemlich beschräncktes osteologisches Material, von dessen guten Eigenschaften wir nicht einmal überzeugt waren, zu Gebote stand, wir die Vermuthung aussprachen: dass das Kalmückische Rind nach seinen Formen näher zum Typus des indischen Rindes, *B. sondaicus* und *B. etruscus* oder *Bibovina*, nach Rütimeyer, als zum Typus *B. primigenius* oder dem europäischen Rinde steht. Da wir gegenwärtig über Schädel verfügen, die von den typischen Vertretern des einfarbigen Kalmückischen Rindes genommen sind, so können wir nun auf Grund der detailirten Messungen, die wir nach dem von Prof. Rütimeyer vergeschlagenem Schema ausführten, die früher von uns ausgesprochene Ansicht nur bestätigen. Schon der Umstand, dass sich im europäischen Russland eine Rinder-Rasse befindet, die näher zum Typus des indischen Rindes als zum Typus *B. primigenius* steht, macht uns einige Hoffnung, dass unserer Arbeit nicht an wissenschaftlichem Interesse mangelt. Wie bekannt, hat Prof. Rütimeyer in seinem klassischen Werke (Versuch einer natürlichen Geschichte des Rindes) zuerst die scharfe Grenze zwischen der Gruppe des indischen Rindes, oder wie er sie nannte, der Gruppe *Bibovina* und der Gruppe *Taurina* aufgestellt. Als Haupt-Repräsentanten der ersten Gruppe (*Bibovina*) führt er den in Italien gefundenen fossilen *B. etruscus* an und als die die Formen derselben Gruppe tragend, doch näher zu Taurina stehend, den Sondschen Stier und das Zebu. Die Schädelmerkmale, die den Schädel von *Bibovina* der Gruppe *Taurina* nähern und von dem Büffel und Bison unterscheiden, bestehen hauptsächlich in der Kürze der Hinterhaupts-(Occipital) und der Scheitel-(Parietal) Theile. Diese Verkürzung macht sich besonders bei den männlichen Individuen bemerklich, so dass bei ihnen der ganze Scheiteltheil auf die Hinterhauptsfläche übergeht, welche mit dem Stirnbein einen deutlichen Winkel bildet; die Hörner sitzen auf der Grenze der Stirn und des Hinterhaupts; die typische Form derselben ist die cylindrische und sie sind kleiner, als bei den Büffeln und Bisonen. Die Hörner sind nach hinten und nach aussen zurückgedrängt, daher die Stirnfläche grösser und flach erscheinend (S. 69 und 70). Rütimeyer sagt weiter, indem er den *B. etruscus* beschreibt, dass die Schädelformen desselben entschieden von denjenigen des europäischen Rinderschädels abweichen (S. 73). Obgleich der Schädel dieses Rindes zur Rindergruppe mit walzenförmigen Hörnern gehört, unterscheidet er sich doch vom europäischen Rinde durch die starke Verlängerung der Scheitel- und Hinterhaupts-Theile. Der ganze Scheiteltheil und theilweise auch das Hinterhauptsbein liegen bei *B. etruscus* ebenso wie beim Hirsch, der Antilope und dem Schaf auf der Oberfläche des Schädels. Aehnliche Schädelformen können bei europäischen Rindern nur im embryonalem Zustande beobachtet werden (S. 75), beim entwickelten Schädel geht der Scheiteltheil nie auf die Stirnfläche über und bildet mit der letzteren eine scharf ausgeprägte Crista occipitalis. Die Hörner bei *B. etruscus*, mit sehr langen Stielen, bilden auf der Mitte des Schädels zwei Höcker; die Hornstiele krümmen sich schwach nach rückwärts und nach aussen, wobei sie sich nur wenig über die Stirnfläche erheben; die Hörner sind fast cylindrisch, ihre Krümmungen sind regelmässig und schlank. Diese Hörner zeichnen sich von den Hörnern der europäischen Rinder hauptsächlich dadurch aus, dass bei letzteren dieselben weniger nach rückwärts, doch mehr seitwärts gebogen sind (S. 76); die Augenhöhlen des Schädels *B. sondaicus* treten nur wenig vor; das Nasenbein ist kurz, schmal und schwach gewölbt; der Schädel verschmälert sich zu den Zwischenkieferbeinen; überhaupt sind die Gesichtstheile denen der folgenden Gruppe *Taurina* ähnlich, doch nach den Formen der Gehirnkapsel nähert er sich der Antilope und dem Hirsch (S. 77). Der fossile *B. etruscus* hat nach Rütimeyer einen jetzt lebenden Vertreter, dessen conservative d. h. weibliche Individuen in den meisten Details ihrer Schädelformen eine auffallende Aehnlichkeit mit dem Schädel des *B. etruscus* haben. Der gegenwärtig lebende Repräsentant trägt den Namen Banting oder *B. sondaicus*. Den weiblichen Schädel Bantings beschreibt Rütimeyer wie folgt: der ganze Kopf ist gestreckt; die Stirnbreite zwischen den Schläfen 164 Mm., ist in der vollen Schädellänge fast drei Mal enthalten, die Hornstiele sind sehr lang, die Augenhöhlen treten kaum aus dem seitlichen Umriss des Schädels vor, die Wangenhöcker sind stark entwickelt. *Die Hörner sind cylindrisch, richten, sich sehr wenig über dem Schädelprofil erhebend, stark nach hinten; die Hornspitzen sind nach einwärts gekrümmt* (S. 81).

Einen Schritt vorwärts, vom Banting zum Typus des europaischen Rindes, macht nach seinen Schädelformen das Zebu (*B. indicus*). Jedenfalls ist diese Annäherung nicht so bedeutend, als dass die Grenze zwischen diesen beiden Gruppen nicht noch scharf kenntlich geblieben wäre, und der Schädel des asiatischen Zebu steht dennoch viel näher zum weiblichen Schädel des Bantings, als zum Schädel des europäischen Rindes, wobei er sich von dem ersteren durch bedeutendere Kürze des Scheiteltheiles, engere Verbindung des Stirnwulstes mit der Hinterhauptfläche und völlig walzenförmigen Hörnern unterscheidet. Nach Rütimeyer ist der Schädel des Zebu langgestreckt und schlank, doch erfolgt diese Verlängerung mehr auf Kosten der Gesichts- als der Stirntheile. Die Stirn ist häufig schwach gewölbt, sich nach seitwärts neigend; der Schadel krümmt sich in der Profillinie von der Crista occipitalis bis zum Vorderrande der Nasenbeine, wie Aehnliches auch bei Pferden beobachtet werden kann. In anderen Fällen, besonders bei schmalen Schädeln, ist die Stirnfläche im Gegentheil eingesenkt. Die letztere Form erinnert sehr an den weiblichen Schädel des Bantings, wobei bei solchen Schädeln die Hörner sich gewöhnlich stark nach rückwärts krümmen, dagegen bei den Breit- und Gewölbt-stirnigen die Hörner mehr nach aussen gebogen sind. Die Augenhöhlen ragen nie stark hervor. Die Form des Hinterhaupttheiles hängt von dem Ansatz der Hornstiele ab. Der Stirnwulst ist. enger und mehr mit der Hinterhauptsfläche verbunden. Die Schläfengruben sind weniger tief als beim Banting, Jak und Büffel. In dieser Beziehung steht das Zebu näher zum europäischem Rinde als der Banting. Die schmalen Schädeln des Zebu stammen von der Insel Java, die breiten aus Bengalen (S. 118—123).

Solche umständliche Auszüge aus dem Werke Rütimeyer's machten wir zu dem Zwecke, um ausführlicher die Schädelformen der Hauptrepräsentanten der so nahe zu den Formen des von uns beschriebenen Kalmückischen Rindes stehenden Gruppe *Bibovina*, zu charackterisiren. Die dem Werke Rütimeyer's beigelegten Abbildungen der Schädel des *B. etruscus* und *B. sondaicus* ergänzen vollkommen unsere Beschreibung und erklären die Unterschiede, welche man zwischen dieser Gruppe und der Gruppe der europäischen Rinder beobachten kann. Indem wir nun zur Beschreibung des Schädels des Kalmückischen Rindes übergehen, wollen wir erst die Schädel, an welchen wir Messungen vorgenommen, näher bezeichnen.

Das Material für unsere Messungen im Jahre 1877 bildeten fast ausschliesslich Schädel von Ochsen, d. h. kastrirten Thieren; da aber der grösste Theil der Angaben in Rütimeyer's Forschungen von weiblichen Schädeln herrührt, so hielten wir unser Material für Vergleichungen unpassend und entschlossen uns unsere Arbeit erst jetzt zu veröffentlichen, nachdem wir weibliche Schädel des Kalmückischen Rindes erlangt hatten. Zu ausführlichen Messungen benutzten wir fünf Schädel von rothen Kalmückischen Kühen im Alter von 5 bis 8 Jahren; zwei von Stieren von 8 und 12 Jahren und zwei von Ochsen, 7 Jahre alt. Die Thiere von denen die erwähnten Schädel genommen wurden, gehörten, unseres Erachtens .nach, ihrem Körperbau und Farbe wegen zu den ganz typischen Vertretern der Kalmückischen Rasse.

Der Schädel des Kalmückischen Rindes kennzeichnet sich durch grosse Schlankheit, Enge und Verlängerung, besonders im Gesichtstheile; die Augenhöhlen treten wenig hervor; der Wangenhöcker ragt bedeutend nur bei männlichen Individuen und Ochsen hervor und ist bei weiblichen Exemplaren viel schwächer entwickelt. Die Stirnfläche ist gewöhnlich leicht eingesenkt, bedeutender im unte-

Zwei Kalmückische Ochsen in Arba

(aus dem Kubanschen Gebiet).

ren Theile, näher zu den Nasenbeinen. Die Nasenbeine sind bei vielen Exemplaren so stark gewölbt, dass das Gesichtsprofil ramsnasig erscheint. Die wichtigsten Kennzeichen des Schädels dieser Rasse, die ihn sehr dem weiblichem Schädel des Banting und dem Schädel des Zebu nähern, bestehen in den Stirn- und Hinterhauptheilen, sowie auch in der Richtung und der Form der Hörner. Zunächst fällt uns das gänzliche Fehlen des Stirnwulstes auf, wesshalb die Stirnfläche mit dem Hinterhaupt öfter einen rechten, zuweilen aber auch einen stumpfen Winkel bildet, so dass die Hinterhauptfläche, bei horizontaler Lage des Schädels, merklich zwischen den Hörnern hervortritt. Dies wird gut beim weiblichem Schädel № 1 wahrgenommen. Das Fehlen des Stirnwulstes bildet den wesentlichsten Unterschied des Schädels des Kalmückischen Rindes vom Schädel des *B. primigenius*, bei dem, wie bekannt, der Stirnwulst bedeutend die Hinterhauptfläche überragt, wobei er mit ihr häufig sogar einen spitzen Winkel bildet. Solche Beschaffenheit des Stirnwulstes beim Schädel des Kalmückischen Rindes nahert ihn entschieden dem Schädel des Zebu, insbesondere aber dem weibl. Schädel des Bantings (Fig. 1). Ausserdem übte die bezeichnete Eigenthümlichkeit ihren Einfluss auch auf die Länge des Schädels, von der Crista occipitalis bis zum Intermaxillarrand, auf die Stirnlänge von der Crista occipit. bis zu den Nasalia, und auf die Hinterhaupthöhe aus. In allen diesen Details steht der Kalmücken-Schädel, wie die Messungen zeigen (Siehe Tab. III), unvergleichlich viel näher zum Banting und Javaschen Zebu als zu *B. primigenius*, *frontosus* und *brachyceros*. Ein anderes wichtiges Kennzeichen des Schädels bildet die Richtung der Hornstiele, die beim Kalmückischem Schädel, sowie auch beim Banting die Fortsetzung des Vorderrandes des Stirnbeines bilden, indem sie sich stark hinterwärts, wenig vorwärts und bedeutend mit den Spitzen nach einwärts krümmen. Die Hornstiele sind an ihrer Wurzel mit einem schwach entwickelten Warzenkranze besetzt und liegen, die Richtung nach hinterwärts einschlagend, in gleicher Fläche mit der Stirnplatte (Fig. 4). Die Hörner sind walzenförmig, ihr horizontaler Durchmesser ist ganz dem senkrechten gleich. Die Hornstiele sind mittellang, nämlich bei Kühen von 70 bis 100 Mm.; bei Ochsen von 75 bis 212 und bei Stieren von 218 bis 253 Millim. Zieht man einerseits in Betracht, dass bei *B. primigenius* die Hörner aus den Seitentheilen des Stirnbeins entspringen, sich stark seitwärts wenden, dann nach vorn und nach oben biegen, andererseits, die auffallende Aehnlichkeit der Formen der Hornstiele und des Hinterhauptes des Kalmuckischen Rindes mit dem weibl. Schädel des *B. sondai-*

cus und des Zebu betrachtet, so darf man wohl mit grösster Wahrscheinlichkeit die genetische Verwandschaft dieser Rasse mit der Gruppe *Bibovina* voraussetzen (Fig. 1—4). Unsere Ansicht wird bei eingehender Betrachtung der diesem Artikel beigelegten Tabellen bestätigt. Tabelle I enthalt die absoluten Maasse der Schädel des Kalmückischen Rindes; Tabelle II das Procent-Verhältniss verschiedener Maasse zu der Schädellänge vom unteren Rande des Foramen magnum bis zum Vorderrand der Intermaxillaren, wobei dieses letztere Maass gleich 100 gesetzt ist. Tabelle III stellt die Vergleiche zwischen den Durchschnittsmaassen weiblicher Schädel des Kalmückischen Rindes und dem Schädel des Javaschen und Bengalischen Zebu einerseits und den weibl. Schädeln von *B. primigenius*, *P. frontosus* und *B. brachyceros*, anderseits, dar.

Von diesen Tabellen sprechend, können wir nicht umhin, zu sagen, dass die von Rütimeyer vorgeschlagenen Messungen viel zu detaillirt sind und für Zwecke der Rassen-Eintheilung in den Grenzen der Typen *Bibovina* und *Taurina* bedeutend abgekürzt werden könnten.

Aus Tabelle III ersieht man deutlich, dass alle Längen- und Breitenmaasse der Gesichtstheile, die Gaumenlänge, die Länge der Nasenbeine und der Backzahnreihen, im Procent-Verhältnisse, fast ganz gleiche Zahlen, wie bei der Gruppe des indischen Rindes, so auch bei der Gruppe des europäischen Rindes, ergeben. Dasselbe wird übrigens auch schon durch die angeführte Aussage Rütimeyers bestätigt, der, den Schädel des *B. etruscus* beschreibend, bemerkt, dass im Gesichtstheile dieser Schädel sich nicht von dem des europäischen Rindes unterscheiden lässt. Unzweifelhaft konzentriren sich alle Unterschiede zwischen diesen zwei Gruppen namentlich im Gehirntheile des Schädels, und darum dürften die Maass-Angaben fast auf die Hälfte reducirt werden, wie wir dies auch in Tabelle IV gemacht haben. Diese Tabelle zeigt noch einmal, und dabei viel deutlicher als die vorigen drei, die unzweifelhaft grössere Aehnlichkeit des Schädels des Kalmückischen mit dem Schädel des indischen Rindes als mit dem des europäischen. Besonders charackteristisch sind die Maase der Schädellänge von Crista occipitalis bis zum Intermaxillarrand, der Stirnlänge von der Crista occipitalis bis zum Vorderrand der Nasenbeine, der Hinterhauptshöhe, sowie der Hinterhauptsbreite zwischen den Hornansatzen und auch zwischen den Schläfengruben.

Wenn wir nun die Angaben auf Tabelle IV näher betrachten,

Tabelle I.

	BEZEICHNUNG DER MAASSE.	I Stier 8 Jahr alt.	II Kuh 8 Jahr alt.	III Kuh 5¹/₂ Jahr alt.	IV Kuh 5 Jahr alt.	V Kuh 5 Jahr alt.	VI Ochs 7 Jahr.	VII Ochs 7 Jahr mit eigenthüml. Hörnern.	VIII Stier 12 Jahr alt.	IX Kuh 7 Jahr.
		Kalmückischer Rasse.								
1	Schädellänge vom Vorderrand des Foram. magn. an	451	413	424	434	439	452	477	448	409
2	Schädellange vom Crista occipitalis an	471	428	430	449	467	473	509	457	434
3	Stirnlänge von Crista ip. bis Nasalia	192	180	167	179	197	206	227	204	185
4	Länge v. Hinterrand bis bis Hinterr. der Augenhöhlen	169	144	143	137	143	163	153	152	137
5	Lange der Nasenbeine	185	170	164	183	178	176	191	192	162
6	Gaumenlänge	274	251	260	263	274	287	296	270	257
7	Vorderrand der Intermaxillaren bis Mitte hinter d. 3-ten Molare	276	244	248	268	275	268	261	258	250
8	Vorderrand der Intermaxillaren bis Mitte Vorderr. d. Premolare	148	127	1 3	140	147	140	142	142	125
9	Lange der ganzen Zahnreihe	138	124	127	139	134	133	131	119	131
10	Lange der Zwischenkiefer (Intermaxillare)	176	130	1 3	161	163	157	180	141	136
11	Stirnbreite zwischen den Hornansätzen nach der Stirnfläche	184	139	142	141	140	140	150	120	133
12	Stirnbreite zwischen den Schlafen	174	151	156	151	151	172	185	180	156
13	Stirnbreite zwischen den Augenhohlen	220	198	204	199	194	227	220	228	199
14	Gesichtsbreite über den Wangenhöckern (Tuber maxill.)	151	143	141	142	145	167	160	149	136
15	Hinterhauptshöhe vom u...m Rande d Foram. magn.	134	127	128	122	123	135	138	139	124
16	Grösste Breite des Hinterhaupts über d. Ohr höckern	227	194	194	205	190	224	232	238	190
17	Hinterhauptsbreite zwischen d. Hornsätzen	112	104	98	114	122	115	107	95	101
18	Mitte zwischen d. Schlafengruben	137	101	109	115	116	124	144	144	107
19	Horizontaler Durchmesser der Hörner	60	40	47	39	41	49	59	70	44
20	Senkrechter Durchmesser d. Hörner	54	38	37	34	36	48	48	62	38
21	Hornlänge nach der grossen Krümmung	218	74	86	100	80	212	80 *)	253	50

*) und, nach der kleinen Krüm. 75.

Tabelle II.

	BEZEICHNUNG DER MAASSE.	Kuh 8 Jahre alt.	Kuh 5½ Jahre alt.	Kuh 5 Jahre alt.	Kuh 5 Jahre alt.	Kuh 7 Jahre alt.	Durchschnittsmaass von 5 Kühen.	Stier 8 Jahre alt.	Stier 12 Jahre alt.	Durchschnittsmaass von 2 Stieren.	Ochs 7 Jahre alt.	Ochs 7 Jahre alt.	Durchschnittsmaass von 2 Ochsen.
1	Schadellange vom Vorderrand Foramen magnum an......	100	100	100	100	100	*100*	100	100	*100*	100	100	*100*
2	Schadellange von Crista occipitalis an....	103,6	101,4	103,6	106,3	106,1	*104,2*	104,4	102,2	*103,2*	104,6	106,7	*106,*
3	Stirnlange von Crista occip. bis Nasalia	43,5	39,4	41,2	44,8	45,2	*42,8*	42,5	45,5	*44,0*	43,3	47,5	*45,4*
4	Stirnlänge vom Hinterrand d. Hornbasis bis Hintr. d. Augenhöhl	34,8	33,7	31,5	32,5	33,5	*33,2*	37,4	33,9	*35,6*	36,6	32,1	*34,3*
5	Lange der Nasenbeine..................................	41,1	38,7	42,2	40,5	39,6	*40,4*	41,0	42,8	*41,9*	38,9	40,0	*39,4*
6	Gaumenlange	60,5	61,3	60,6	62,4	62,8	*61,5*	60,7	60,2	*60,4*	63,4	62,0	*62,7*
7	Vorderr. der Intermaxillare bis Mitte hinter d. 3-ten Molare.	59,0	58,5	61,7	62,6	61,1	*60,6*	61,2	57,6	*59,4*	59,2	54,7	*56,9*
8	Vorderr. der Intermaxillaren bis Mitte Vorderr. der Premolare.	30,7	31,4	32,2	33,5	30,5	*31,6*	32,8	31,7	*32,2*	30,9	21,7	*30,2*
9	Lange der ganzen Zahnreihe	30,0	29,9	32,0	30,5	32,0	*30,9*	30,6	26,5	*28,5*	29,4	27,4	*28,4*
10	Lange der Zwischenkiefern (Intermaxillaren)............	31,4	31,4	37,1	37,1	33,2	*34,0*	39,0	31,4	*35,2*	34,7	37,7	*36,2*
11	Stirnbreite zwischen d. Hornansätzen nach der Stirnfläche..	33,6	33,5	32,4	31,9	32,5	*32,8*	40,8	26,7	*33,8*	30,9	31,4	*31,1*
12	Stirnbreite zwischen d. Schlafen..........................	36,5	36,7	34,8	34,4	38,1	*36,1*	38,5	40,2	*39,3*	38,0	38,7	*38,3*
13	Stirnbreite zwischen d. Augenhöhlen..................	47,9	48,1	45,8	44,2	48,6	*46,9*	48,7	50,9	*49,5*	50,2	46,1	*48,1*
14	Gesichtsbreite uber der Wangenhöckern (Tuber maxillare).	34,6	33,2	32,7	33,0	33,2	*33,3*	33,0	33,2	*33,1*	36,9	33,5	*35,2*
15	Hinterhauptshöhe vom unter. Rande d. Foram. magn.......	30,7	30,2	28,1	28,0	30,3	*29,4*	29,7	31,0	*30,3*	29,8	28,9	*29,3*
16	Grösste Breite des Hinterhaupts über d. Ohrhöckern	46,9	45,7	47,2	43,2	46,4	*45,8*	50,3	53,1	*51,7*	49,5	48,6	*49,5*
17	Hinterhauptsbreite zwischen den Linea	25,2	23,1	26,2	28,7	24,7	*25,4*	24,8	21,2	*23,0*	25,4	22,4	*23,9*
18	Hinterhauptsbreite zwischen den Schläfengruben..........	24,4	25,7	26,5	26,4	26,1	*25,8*	30,3	32,1	*31,2*	27,4	30,2	*28,8*
19	Horizontal-Durchmesser der Hörner	9,6	11,1	8,9	9,3	10,7	*9,9*	13,3	15,6	*14,4*	10,8	12,3	*11,5*
20	Senkrechter Durchmesser der Hörner.............. ...	9,2	8,7	7,8	8,2	9,2	*8,6*	11,9	13,8	*12,8*	10,6	10,1	*10,3*
21	Hornlänge nach der grossen Krümmung...	17,8	20,3	23,0	18,2	12,2	*18,3*	48,3	56,4	*52,3*	46,9	16,7	*31,6*

Tabelle III.

	BEZEICHNUNG DER MAASSE.	Kalmuck. Kuh 7 Jahre alt.	Durchschnitssmaas. Javasch. Zebu	Banting - Kuh.	Beng. Zebu - Kuh Durchschnitssmaass.	Durchschnitssmaass. von allen 5 Kalm. Kühen.	Primigenius - Kühe, aus 10.	Frontosus - Kühe, aus 8.	Brachyceros - Kühe aus 8.
1	Schädellänge vom Vorderrand Foramen magnum an	100,0	100,0	100,0	100,0	*100*	100,0	100,0	100,0
2	Schadellänge von Crista occipitalis an	106,1	106,0	107	112,4	*104,2*	111,5	114,1	112,1
3	Stirnlänge vou Crista occip. bis Nasalia	45,2	48,3	46,3	49,4	*42,8*	49,8	52,4	51,5
4	Stirnlange vom Hinterrand der Hornbasis bis Hintr. d. Augenhöhlen	33,5	33,3	34,5	34,6	*33,2*	36,9	35,2	34,3
5	Länge der Nasenbeine	39,6	35,5	38,8	41,4	*40,4*	42,0	39,3	39,4
6	Gaumenlänge	62,8		65,1	60,1	*61,5*	62,4	61,8	62,6
7	Vorderr. der Intermaxillaren bis Mitte hinter d. 3-ten Molare	61,1		64,0	61,7	*60,6*	60,3	62,1	61,6
8	Vorderr. der Intermaxilllaren bis Mitte Vorderr. der Premolare	30,5		32,7	30,9	*31,6*	31,6	31,8	30,7
9	Länge der ganzen Zahnreihe	32,0		31,3	31,4	*30,9*	28,9	32,6	30,6
10	Länge der Zwischenkiefern (Intermaxillaren)	33,2	31,1	32	34,8	*34,0*	33,4	35,0	34,3
11	Stirnbreite zwischen d. Hornansätzen nach der Stirnfläche	32,5	34,2	42,3	41,9	*32,8*	41,6	45,9	38,9
12	Stirnbreite zwischen d. Schläfen	38,1	34,3	38,5	37,1	*36,1*	38,2	37,2	37,6
13	Stirnbreite zwischen d. Augenhohlen	48,6	42,0	44,9	44,5	*46,9*	48,0	48,3	49,5
14	Gesichtsbreite uber den Wangenhöckern (Tuber maxillare)	33,2	31,4	37,4	30,4	*33,3*	34,1	35 8	35,8
15	Hinterhauptshohe v. unterem Rande Foram. magn. an	30,3	30,0	37,6	31,4	*29,4*	34,7	36,8	36,3
16	Grösste Breite des Hinterhaupts über d. Ohrhöckern	46,4	42,0	48,0	43,7	*45,8*	48,0	46,9	47,3
17	Hinterhauptsbreite zwischen den Hornansätzen	24,7	32,4	31,0	33,9	*25,4*	36,8	39,9	36,2
18	Hinterhauptsbreite zwichen den Schläfengruben	26,1	27,0	17,8	30,8	*25,8*	30,6	31,2	29,4
19	Horizontal - Durchmesser der Horner	10,7				*9,9*			
20	Senkrechter Durchmesser der Hörner	9,2				*8,6*			
21	Hornlänge nach der grossen Krümmung	12,2				*18,3*			

Tabelle IV.

	BEZEICHNUNG DER MAASSE.	Javasch. Zebu Durchschnitssmaas.	Banting - Kuh.	Beng. Zebu - Kuh Durchschnittsmaass.	Kalmück. Kuh Durchschnittsmaasse aus 5 Messung.	Primigenius Durchschnittsmaasse von 10 Kühen.	Frontosus - Kuh Durchschnittsmaasse aus 10 Messung.	Brachyceros - Kuh, Durchschnittsmaasse aus 8 Messung.
1	Schädellänge von Foram. magn. an........................	100	100	100	*100*	100	100	100
2	Schädellänge von Crista occip. an.........................	106,0	107,0	112,4	*104,2*	111,5	114,1	112,1
3	Stirnlänge von Crista occip. an	48,3	46,3	49,4	*42,8*	49,8	52,4	51,5
4	Stirnlänge bis Augenhöhlenrand.............................	33,4	34,5	34,6	*33,2*	36,9	35,2	34,3
5	Stirnbriete zwischen d. Hörnern nach der Stirnfläche	34,2	42,3	41,9	*32,8*	41,6	45,9	38,9
6	Stirnbriete zwischen den Augenhöhlen..........................	42,0	44,9	44,5	*46,9*	48,0	48,3	49,5
7	Hinterhauptshöhe von Foram. magn. an......	30,0	37,6	31,4	*29,4*	34,7	36,8	36,3
8	Grösste Hinterhauptsbreite über d. Ohrhöckern.....	42,0	48,0	43,7	*45,8*	48,0	46,9	47,3
9	Hinterhauptsbreite zwischen Hornbasis............	32,4	31,0	33,9	*25,4*	36,8	39,9	36,2
10	Hinterhauptsbreite zwischen d. Schläfengruben.	27,0	17,8	30,8	*25,8*	30,6	31,2	29,4

so lassen sich folgende Ergänzungen zur vergleichenden Charackteristik des Schädels des Kalmückischen Rindes machen:

1) Die Stirnlänge, von der Crista occipitalis bis zum Hinterrand der Nasalien, bei Kühen der Kalmückischen Rasse, macht im Durchschnitt 42,8% aus; beim europäischen Rind schwankt sie zwischen 49,8% bis 52,4% und beim Zebu und Banting zwischen 46,3% und 49,4%. Aus diesem Vergleich folgt, dass der Schädel des Kalmückischen Rindes, der Stirnlänge nach, nicht nur näher zu demjenigen des indischen Rindes steht, sondern auch in dieser Beziehung dessen äussersten Vertreter bildet. Im Vergleich mit *B. frontosus* erreicht der Unterschied zwischen den Stirnlängen sein Maximum, nämlich, 42,8% beim Kalmückischen Schädel und 52,4% bei *B. frontosus.*

2) Die Stirnbreite zwischen den Hörnern, nach der Stirnfläche gemessen, und die Hinterhauptsbreite zwischen den Hörnern ist beim Kalmückischen Rind sogar geringer als beim indischen Typus (32,8% und 25,8%) und steht demnach am nächsten zum Javaschen Zebu und zum Banting (34,4% und 27,0% und 31%) und am fernsten wiederum von *B. frontosus* (45,9%).

3) Die bedeutende Aehnlichkeit des Schädels des Kalmückischen Rindes mit denjenigen des Javaschen und Bengalischen Zebu, äussert sich noch in der Höhe des Hinterhauptes (29,4% beim Kalmücken-Rind und 30% beim Jav. Zebu) und auch in den zwei anderen Breitenmaassen des Schädels (42, 32 beim Jav. Zebu, 45,8, 25,4 beim Kalm. Schädel). Etwas höher ist das Hinterhaupt beim Bengal. Zebu (31,4%), bedeutend höher beim europaischen Rind (von 34,7% bis 36,8%) und höher als bei allen anderen bei Banting (37,6%).

4) Dem Schädel des Bantings steht der Schädel des Kalmuckischen Rindes der Stirnlange (42,8% beim Kalmuckischen und 46,3% bei Banting) und in der Hinterhauptsbreite zwischen den Hornwurzeln (25,8% beim Kalm. und 31% bei Banting) nach.

5) Mit dem europäischen Rinder-Schädel hat der Kalmückische Aehnlichkeit aus allen 10 Maassen nur in zwei: der Stirnlänge von der Crista occipitalis bis zum Augenhöhlenrand und in der Hinterhauptbreite über den Ohrhöckern. Wir bemerken hierbei, dass diese beiden Maasse zu den, für den Rassen-Unterschied zwischen *Bibovina* und *Taurina*, am wenigsten charackteristischen gehören, da sie zwischen beiden Gruppen Schwankungen von nur 2 bis 6% unterworfen sind (Tab. IV).

Indem wir die Beschreibung des Schädels des Kalmückischen Rindes beschliessen, müssen wir gestehen, dass unsere Voraussetzung von der genetischen Verwandschaft dieses Rindes mit der Gruppe *Bibovina* überhaupt nichts Unerwartetes oder besonders Neues enthält. Es ist wohl wahr, der Schädel des Kalmück. Rindes wurde bis jetzt noch von Niemand ausser uns beschrieben, dennoch ist der Zweifel an der Richtigkeit der von Rütimeyer und seinen Nachfolgern ausgesprochenen Ansicht, dass alle Rinderrassen ausschliesslich vom Ur-Ochsen (auch Thur) abstammen, schon öfter laut geworden. Prof. M. Wilckens, in seinem Werke „Naturgeschichte der Hausthiere. Dresden. 1880", unterwirft diese Ansicht Rütimeyer's ernstlicher Kritik, wie auf Grund der kolossalen Grösse des Urs im Verhältniss zu den Hausrindern und der daraus entstehenden Beschwerlichkeiten bei der Zähmung solch starker Thiere, so auch auf Grund der Unähnlichkeit der Dornfortsätze der Rückenwirbel der Urochsen mit solchen der Hausrinder (S. 153). Da ausser dem ausgestorbenen Ur-Ochsen keine anderen Stammeltern des Hausrindes bekannt sind, so meint Wilckens, dass dieselben in der Gruppe *Bibovina* gesucht werden dürften. Seine Vermuthung begründet Wilckens *erstens* darauf, dass der in Afrika und Asien lebende Vertreter der Gruppe *Bibovina*, das Zebu, zu den ältesten Hausthieren gehört, und in diesen Welttheilen die verbreiteteste Rinder-Gattung der Hausrinder bildet. *Zweitens,* darauf, dass das jetzige Hausrind Egyptens, das Berberische, obschon höckerlos, doch, nach der Aussage Rob. Hartmann's, deutliche Kennzeichen des Charakters des Zebu trägt; folglich darf man wohl eine Umwandlung, richtiger Ausartung, des Zebu in eine Rinder-Rasse, ähnlich dem europäischen Rind, gut zugestehen, ebenso wie wir genöthigt sind anzunehmen, dass das Zebu durch Zähmung des Bantings oder Gaurs entstanden sei, da weder jetzt lebende wilde, noch fossille Stammeltern des Zebu endeckt worden sind. Nach den Aussagen vieler Reisenden, sagt Wilckens, hat das Zebu in Afrika so grosse Verbreitung gefunden, dass man dort schwerlich eine Rinder-Rasse antreffen könnte die nicht Blut vom Zebu enthielte; wobei das Fehlen des Höckers die Frage, ob ein Rind Zebu-Blut enthält noch nicht entscheidet (S. 155). Den *dritten,* und, unserer Meinung nach, schwerwiegendsten Nachweis zu Gunsten der Verwandschaft des europäischen Rindes mit der Gruppe *Bibovina,* liefern die häufig in den Pliocän-Schichten vorkommenden Knochenreste des *B. etruscus,* welchen selbst Prof. Rütimeyer für den Vorfahr dieser Gruppe erklart. Es ist gar nicht so unwahrscheinlich, sagt Wilckens weiter, dass das europäische Rind ebenso von *B. etruscus* abstamme, wie das Zebu vom Banting oder Gaur. Aus den Erforschungen der Schädel des Duxer-Schlages des Tyrolischen Rindes, zieht Wilckens den Schluss, dass *B. etruscus*, mit mehr Wahrscheinlichkeit als *B. primigenius*, als Stammvater dieser Rasse anerkannt werden dürfte (Seite 157). *Diese Angaben, sowie auch die auffallende Aehnlichkeit des Schädels des Kalmückischen Rindes mit dem weiblichen Schädel des B. sondaicus und demjenigen des Zebu, machen diese Voraussetzung, von der Theilnahme des indischen Rindes bei Entstehung der europäischen Rassen, im höchsten Grade glaubwürdig.* Es ist selbstverständlich schwer zu entscheiden, ob das Kalmückische Rind eine eingeborene Rasse Russlands bildet, oder ob dieses Rind zu uns aus Asien eingeführt ist; wir jedoch möchten, uns mit den Worten des Akad. Middendorff *) ausdrückend, sagen, dass „das ehemalige Schicksal des Kalmückischen Volkes“ die zweite der Voraussetzungen auch nicht ausschliesst.

Moskau 1887, 10 Dec.

Erklärung der Abbildungen.

Tafel IX.

Fig. 1. Schädel einer Kalmückischen Kuh.
„ 2. „ eines Kalmückischen Ochsen.
„ 3. „ eines Kalmückischen Stieres.
„ 4. „ eines Kalmückischen Ochsen.

---

*) A. v. Middendorff. Ferghana-Thal (russ.), S. 288.

BEITRÄGE ZUR ORTHOPTEREN-KUNDE DER KRIM.

Von

O. Retowski in Theodosia (Krim.).

Da Localfaunen jedenfalls dann von besonderem, allgemeinerem Interesse sind, wenn die betreffende Gegend auch geographisch ein abgeschlossenes Ganzes bildet, so darf die Fauna der fast ganz vom Meere umschlossenen, kaum mit dem Festlande zusammenhangenden Krim mit vollem Rechte ein solches Interesse beanspruchen. So viel vereinzelte Mittheilungen wir nun auch von verschiedenen Forschern über in der Krim vorkommende Arten besitzen, so hat doch bis jezt—abgesehen von meiner kleinen Arbeit über die Molluskenfauna der Krim *)—noch keine der vielen Abtheilungen des Thierreichs ihren monographischen Bearbeiter für die Krim gefunden.

Die in folgenden Zeilen gegebene Liste der von mir in der Krim gefundenen Dermapteren und Orthopteren macht durchaus keinen Anspruch auf Vollständigkeit, da ich erst in den letzten Jahren den Insecten dieser Ordnung meine Aufmerksamkeit zuwandte und der weitaus grössere Theil der Halbinsel von mir bis jetzt nach denselben noch nicht durchforscht ist. Immerhin schien mir jedoch das vorliegende Material der Veröffentlichung werth, da wir bis jetzt ausser den spärlichen Mittheilungen in Fischer's „Orthoptera Imperii Rossici" über die Orthopterenfauna der Krim gar keine Kunde besitzen, und sich unter den von mir gesammelten Arten sowohl einige neue als auch solche finden, von denen man bisher angenommen hatte, dass sie nicht so weit nach Osten oder Norden gingen.

Schliesslich erlaube mir an dieser Stelle dem bekannten Orthopterologen, Herrn Dr. Krauss in Tübingen, meinen verbindlichsten Dank auszusprechen für die liebenswürdige Weise, in der er mich bei dieser Arbeit unterstützt hat.

---

*) Malakozoologische Blätter. Neue Folge. Bd. VI, p. 1—34. 1883.

SYSTEMATISCHES VERZEICHNISS *).

I. Dermaptera.

FORFICULIDAE.

Labidura, Leach.

1. *L. riparia*, *Pall.*—Ist wahrscheinlich überall an den Küsten der Krim zu finden; ich sammelte sie bei Theodosia, Dwuch-Jakornij, Sudak, Nowij-Swet (unweit Sudak), und. auch der Bai von Krasnij-Kut am Ufer des Asow'schen Meeres. Die von Dubrony gemachte Bemerkung, dass diese Species sich zuerst vom Februar bis Ende Mai zeige, darauf bis Mitte September verschwinde und dann wieder bis tief in den Winter hinein auftrete, stimmt für die Krim insofern nicht zu, als ich lebende Exemplare auch im Laufe des Juni und des Juli sammelte.

Anisolabis, Fieb.

2. *A. annulipes*, *Luc.*—Scheint hier selten zu sein, ich fand nur ein Exemplar bei Theodosia (October).

Labia, Leach.

3. *L. minor*, *L.*—Liegt mir von Sudak, Nowij-Swet und Friedenthal (c. 20 Werst östlich von Simferopol) vor.

Forficula, L.

4. *F. auricularia*, *L.*—Im ganzen Gebiet häufig. Die Exemplare meiner Sammlung stammen aus Theodosia, Sudak, Sewastopol, Bagtscheseraj und Friedenthal.

---

*) Anordnung nach Brunner's Prodromus, auf den auch bezüglich der Beischreibungen verweise.

II. Orthoptera.

BLATTIDAE *).

Ectobia, Westw.

5. *E. ericetorum, Wesm.*— Nicht selten auf kahlen Hügeln bei Fridenthal und dem unweit von diesem gelegenen Buragan (Juli).

Aphlebia, Br.

6. *A. maculata, Schreb.*—Bei Theodosia (Ende Mai). Ebenso wie die vorhergehende Species bislang nicht aus Russland bekannt.

7. *A. adusta, Fisch. de W.*—Bei Fridenthal (Juni und Juli). Von Fischer von Waldheim nach Exemplaren vom Tschatyr-Dagh beschrieben.

8. *A. Retowskii, Krauss* (n. sp.) —Bei Theodosia (Mai) vereinzelt.

9. *A. pallida, Brunn.*—Diese von Brunner von Wattemoyl aus Griechenland beschriebene Art scheint in der Krim ziemlich verbreitet zu sein; meine Exemplare stammen aus Theodosia (Mai), Jalta (März), und Fridenthal (Juli).

10. *A. Larrinuae, Bol.*—Ich fand bei Buragan 2 ♀ dieser bisher nur aus Marokko und Tunis bekannten Art.

Blatta, L.

11. *B. germanica, L.*—Bei Theodosia in Freien, aber selten; in Hausern habe ich sie hier nie gefunden.

Periplaneta, Burm.

12. *P. orientalis, L.* — Ueberall in Häusern häufig.

---

*) Die von mir in der Krim und bei Novorossiisk gefundenen Blattiden hat Dr. Krauss in einem besonderen Aufsatze besprochen, der in den Verhandlungen der k. k. zoologisch-botanischen Gesellschaft in Wien (Jahrgang 1888) erschienen ist.

MANTIDAE.

Mantis, L.

13. *M. religiosa, L.*— Häufig bei Theodosia, hier schon im August ausgewachsen. Wahrscheinlich über die ganze Halbinsel verbreitet.

Iris, Sauss.

14. *I. oratoria, L.*— Von August bis Anfang October bei Theodosia vereinzelt; auch bei Koktebel gesammelt.

Bolivaria, Stål.

15. *B. brachyptera, Pall.*—Bis jetzt nur bei Nowij-Swet unweit Sudak im Juli gefunden.

Ameles, Burm.

16. *A. Heldreichi, Brunn. f minor n.*— Bei Theodosia im August und September sehr häufig; auch bei Kisiltasch (Juli).— Die Krimer Exemplare sind bedeutend kleiner als die griechischen und kleinasiatischen, nach denen Brunner v. Wattenwyl die Art aufstellte, da sie nur die Grösse des A. decolor, Charp., (bis 23 mm.) erreichen; von diesem sind sie aber leicht durch die konisch zugespitzten Augen zu unterscheiden.

Empura, Illig.

17. *E. egena, Charp.*— Bei Theodosia und bei Nowij-Swet im September, doch selten.

ACRIDIDAE.

Tryxalis, Fab.

18. *T. nasuta, L.*— Wohl in der ganzen Krim haufig; bei Theodosia vom Juli bis Anfang October ausgewachsen.

Stenobothrus, Fisch.

19. *St. lineatus, Panz.*—Bei Theodosia (August) und bei Friedenthal (Juli) gefunden.

20. *St. petracus, Bris.* — Im August und September bei Theodosia, auch in Nowij-Swet (Juli).

21. *St. cognatus, Fieb.*—Bei Theodosia (September).

22. *St. bicolor, Charp.* — Sehr häufig bei Theodosia (August und September).

23. *St. pulvinatur, Fisch. de W.*—Bei Theodosia (September).

Stethophyma, Fisch.

24. *St. flavicosta, Fisch.* — Ein Exemplar dieser Art fand ich im Juni bei Friedenthal.

Epacromia, Fisch.

25. *E. thalassina, Fab.*—Bei Aïb-el (Juli) und bei Theodosia (September).

26. *E. tergestina, Charp.*—Bei Theodosia (September).

Sphingonotus, Fieb.

27. *Sph. coerulans, L.* — Sehr häufig an der Küste bei Theodosia und bei Novij-Swet vom Juli bis October. — Die von mir gesammelten Exemplare zeigen folgende Unterschiede in der Färbung:

a) das ganze Thier weiss, braun gefleckt; die Binden auf den Flügeldecken ebenfalls meistens in braune Flecken aufgelöst, in der Mitte des Halsschildes hinter der Transversalfurche ein brauner Fleck. Flügel in Innenwinkel bläulich, sonst hyalin.—Theodosia.

b) das ganze Thier gelbbräunlich mit zwei vollkommenen, dunkeln, oft schwarzen Binden auf den Flügeldecken, auf dem Pronotum kein dunklerer Fleck hinter der Transversalfurche. Flügel wie bei der vorigen Form.—Nowij-Swet.

c) Grau mit röthlicher oder braunlicher Nuance. Die Binden auf den Flügeldecken dunkel, doch nicht so scharf begrenzt wie bei den Stücken aus Nowij - Swet. Die Flügel sind innen bläulich, vorn bald einfach hyalin, bald mit mehr oder minder starker rauch brauner Binde in der Mitte. — Theodosia. Die Exemplare dieser Form sind insofern interessant, als sie zeigen, dass Sph. cyanopteras, Charp., doch wohl nicht als besondere Art zu betrachten ist, da nur das Vorhandensein der braunen Binde diese Art von Sph. coerulans, L., unterscheidet, wie Brunner in seinem Prodromus angiebt.

Oedipoda, Latr.

28. *O. coerulescens*, *L.* — Wohl der häufigste Acridier der Krim. Gewöhnlich ist die Grundfarbe des Körpers grau, seltener braun.

Pachytylus, Fieb.

29. *P. nigrofasciatus*, *Latr.* — Bis jetzt nur bei Nowij-Swet (Juli) gefunden.

30. *P. migratorius*, *L.*—Bei Theodosia im August und September, doch nur vereinzelt.—Brunner v. W. giebt für das genus Pachytylus an, dass der Kiel des Halsschildes nicht unterbrochen sein soll, dagegen man muss bemerken, dass die typische Furche fast immer den Kiel leicht einschneidet und ausserdem bisweilen auch eine oder zwei kleine Furchen auf der Vorderhälfte des Pronotums den Mittelkiel etwas einkerben. — Bei einem meiner Theodosier Exemplare haben die Flügeldecken an der Spitze einen grossen rauchbraunen Fleck.

Eremobia, Serv.

31. *E. muricata*, *Pall.*—Bis jetzt nur in der Bucht von Dwuch-Jakornij (unweit Theodosia) im Juni.—Die Krimer Exemplare bilden zwar eine Mittelform zwischen muricata, Pall., und limbata, Charp., sind jedoch nach Brunners Meinung sicher zu ersterer Art zu stellen.

Acridium, Geoffr.

32. *A. aegyptium*, *L.* — Ich fand einige ausgewachsene Exemplare im April bei Nowij-Swet.

Caloptenus, Burm.

33. *C. italicus*, *L.*—In der Krim ebenso gemein wie Oedipoda coerulescens, L. Von der hübschen *v. marginella*, *Serv.*, fand ein Exemplar bei Novij-Swet.

Tettix, Charp.

34. *T. subulatus*, *L.* — Bei Theodosia im März.

35. *T. depressus*, *Bris.*—Ebenfalls nur im Frühjahre bei Jalta und bei Sudak gefunden.

LOCUSTIDAE.

Poecilimon, Fisch.

36. *P. tauricus, n. sp.*

P. bosphorico, Brunn., et P. propinquo, Brunn., simillimus, differt a P. bosphorico cercis ♂ apice bimucronatis et lamina subgenitali ♂ margine postico subrecto, non triangulariter emarginato— a P. propinquo cercis ♂, pronoto angustiore ac breviore, antice concolori vel nigro-adsperso, abdominis segmentis nonnulis vel omnibus macula basali fusca subtrigona ornatis.

	♂	♀.
long. corp.	15—19 mm.	16—18,5 mm.
„ pronoti	4—5 „	4,5—5 „
„ femorum posticorum	13—15 „	17 ..
„ ovipositoris		7,5—8 „

·In Folge der gezähnelten Cerci des ♂ gehört die vorliegende Ar in die Gruppe des P. flavescens, H. Sch., bei dem dieselben jedoch allmählich zugespitzt sind, während sie bei tauricus an der Spitze erweitert und abgestutzt sind. Gleiche Form haben die Cerci bei den beiden andern Arten dieser Gruppe—P. bosphoricus, Brunn., und P. propinquus, Brunn., mit denen die neue Species überhaupt so grosse Aehnlichkeit besitzt, dass ich Abstand genommen hätte, sie als eine neue zu beschreiben, wenn nicht die Spitze der Cerci detutlich 2zahnig wäre, während sie bei den beiden erwähnten Ar en nur mit einem Endzahne versehen ist. Von bosphoricus unterscheidet sich tauricus noch durch die querabgestutzte nicht dreieckig ausgeschnittene lamina subgenitalis des ♂, die somit ebenso wie bei propinquus gebildet ist, der jedoch ein breiteres Pronotum besitzt und anders gefärbt ist. —In der Färbung variirt tauricus ziemlich bedeutend; die Grundfarbe ist bei allen Exemplaren grüngelblich mit mehr oder minder deutlich begrenzter, röthlicher Longitudinalbinde beiderseits auf dem Hintertheile des Halsschildes; die Mehrzahl der mir vorliegenden Stücke ist auf dem Kopfe, dem Vordertheile des Halsschildes und auf allen Beinen schwarzbraun gefleckt; die einzelnen Segmente des Abdomens haben oben in der Mitte einen länglich dreieckigen schwarzbraunen Basalfleck, der bei den starkgefleckten Exemplaren auf allen, bei anderen nur auf den ersten Segmenten vorhanden ist, ja sogar völlig verschwinden kann, wie ein von mir in Novorossiisk gefundenes Exemplar bezeugt, das ein ganz einfarbiges, gelbgrünes Abdomen besitzt.

Hierher gehört vielleicht *Barbitistes sanguinolenta, (Mot.) Fisch. de W.:* prothorace fasciis lateralibus sanguineis (le mâle a le corps un peu plus pâle en dessous et porte du côté du prothorax une bande longitudinale rouge-sanguin.), Crimée.—Die Abbildung Fischer's in Orth. rossica Tab. 33 Fig. 7 stellt ein unentwickeltes ♀ dar. Von Brunner ist die Krimer Art offenbar unrichtig zu Barbitistes serricauda, F., gestellt worden.

Im Juni und Juli bei Dwuch-Jakornij, Kisiltasch, Nowij-Swet, Friedenthal und Buragan (auch bei Novorossiisk vorkommend).

I s o p h i a, Brunn.

37. *I. taurica, (Eversm.) Brunn.*—Bei Dwuch-Jakornij und Kisiltasch im Juni und Juli.

Da Herrn Brunner v. Wattenwyl nur das ♀ bekannt war, so füge ich hier die Beschreibung des ♂ bei. — Das Pronotum ist rückwärts stark aufgebogen, so dass es von der Seite gesehen concav erscheint, und besitzt am Hinterrande in der Mitte eine kurze Longitudinalleiste; die erhaben reticulirten Flügeldecken sind kaum länger als der Halsschild und überragen nicht das erste Segment des Abdomens; die lamina subgenitalis ist ungekielt und stark ausgerandet, die cerci sind allmählig zugespitzt und mit einem kurzen Enddorne versehen. Die Grundfarbe ist gelbgrün oder hellbraun; der Scheitel ist rothbraun geflekt; die Seiten des Halsschildes sind durch eine mehr oder minder deutliche schwarze Linie markirt, der Vordertheil des Halsschildes, sowie die Seitenlappen desselben bald gefleckt, bald ungeflekht; die Flügeldecken sind dunkelroth mit breitem weisslichen Seitenrande; die einzelnen Segmente des Abdomens haben in der Mitte an der Basis einen mehr oder weniger getheilten schwarzen Fleck, der von rothbraunen Puncten begleitet ist, ein zweiter die ganze Breite des Segments einnehmender schiefer schwarzer Längsfleck befindet sich zu beiden Seiten jedes Segments, der Raum zwischen diesem Schrägflecke und dem Mittelflecke zeigt die einfache Grundfarbe, ein wenig unterhalb der Seitenflecke ist jedes Segment an der Basis mit einem grossen queren weissen Fleck versehen, der dunklere Raum zwischen diesen und den schwarzen Seitenflecken ist stark rothbraun punktirt; Beine röthlich, rothbraun geflekt, die Schenkel bisweilen grünlich.

Körperlänge.............	28—30	mm.
Länge des Pronotums	5	„
Länge der Hinterschenkel...	19	„

Ein leicht in die Augen fallendes Merkmal ist jedenfalls die kurze Longitudinalleiste am Hinterrande des Halsschildes, die I. taurica nur mit I. speciosa, Fieb., I. rectipennis, Brunn. und der nachfolgenden Species gemein hat. Von I. rectipennis unterscheidet sich I. taurica sogleich durch den hinten aufgebogenen Halsschild, die kurzen Flügeldecken und ganz andere Färbung; viel näher steht I. speciosa, die auch ähnlich gefärbt ist wie I. taurica, sich jedoch schon durch ihre geringe Grösse (16—18 mm.), sowie die fast die doppelte Länge des Pronotum erreichenden Flügeldecken als verschiedene Art erweist.

38. *I. Brunneri, n. sp.*

Differt ab I. taurica Brunn.: statura minore, colore viridi, lamina subgenitali ♂ profunde triangulariter excisa.

	♂.	
long. corporis..........	18	mm.
„ pronoti	3,5	„
„ femorum postic	17,5	„

Das einzige von mir bei Fridenthal gefundene ♂. stimmt in seiner Färbung fast ganz mit I. camptoxipha, Fieb., überein, gehört aber jedenfalls in die Nähe der I. taurica, mit der es den gleichgeformten Halsschild mit dem kurzen Längskiele, gleichgebildete cerci, ungekielte lamina subgenitalis und die kurzen Flügeldecken gemein hat. Letztere messen bei meinem Exemplare nur 2,5 mm., sind also sogar noch kürzer als der Halsschild, der bei taurica dieselbe Länge wie die Flügeldecken hat. Mit letzterer Art kann man jedoch I. Brunneri nicht identificiren, da geringere Grösse, ganz andere Färbung und die spitzwinklig ausgeschnittene lamina subgenitalis sie genügend unterscheiden.

Tylopsis, Fieb.

39. *T. liliifolia, Fab.*—Im Juli und August häufig bei Theodosia, Sudak und Nowij-Swet.

Xiphidium, Serv.

40. *X. thoracicum, Fisch. de W.*—1 Exemplar bei Theodosia (September).

Locusta, de Geer.

41. *L. viridissima, L.*— Bei Kisiltasch u. Dwuch-Jakornij (Juli).

Paradrymadusa, Herman.

42. *P. Galitzini, n. sp.*

Colore griseo vel pallide-testaceo, fusco-marmorato. Frons pallida, ad insertionem antennarum fascia nigra transversa ornata. Pronotum unicolor vel marmoratum, margine postico in utroque seu rotundato. Elytra reticulata, in ♂ nigra, truncata, abbreviata, incumbentia, segmentum abdominale secundum haud superantia, in ♀ eo breviora, lateralia vel raro incumbentia, rotundata, grisea vel nigrescentia. Femora antica subtus in margine antico spinulis nigris 2—4 armata. Tibiae anticae pronoto paullum longiores, supra plerumque 3 — spinulosae. Femora postica valde elongata, subtus in utroque margine spinulis nigris 5—7 armata. Prosternum obtusissime bidentatum. Cerci ♂ breves, crassi, in quarta parte apicali dente lato decurvo armati.

		♂.	♀.
long.	corporis..........	16—19 mm	17—27
„	pronoti...........	6—6,5 „	6,25— 9
„	elytrorum.........	3,5— 4 „	2— 6
„	femorum posticorum.	18—21 „	21—26
„	ovipositoris........		22—23.

Wie man aus der gegeben Beschreibung ersehen kann, bildet P. Galitzini ein Mittelglied zwischen den beiden bisher bekannten, in Grusien vorkommenden Arten der Gattung P. sordida, Hartm., und P. longipes, Brunn. Mit der ersteren Art hat P. Galitzini die schwarze Binde zwischen den Augen und das fast unbewaffnet zu nennende Prosternum, mit der zweiten dagegen das in beiden Geschlechtern hinten gerundete Pronotum, die kürzeren Flügeldecken und die Bezahnung der Schenkel gemein, auch scheinen die cerci des ♂ von gleicher oder doch sehr ähnlicher Form zu sein. Von P. longipes unterscheidet sich unsere Art aber durch die kürzeren Beine, das mit 2 nur sehr kleinen Zahnchen versehene Prosternum, die Transversalbinde auf der Stirn und andere Färbung.

P. Galitzini ist entweder hellgrau oder hellbraun, überall mehr oder weniger stark dunkelmarmorirt; die Färbung des Halsschildes ist ziemlich veränderlich, bald ist derselbe fast einfarbig grau oder braun, bald ist die Vorderhälfte, bald die Hinterhälfte dunkel marmorirt, bald endlich zeigen sich bindenartige dunklere Zeichnungen; die Flügeldecken sind bei allen meinen ♂ schwärzlich, bei den ♀ dagegen schwärzlich oder einfarbig grau mit einem weissen Flecke auf jeder Decke; die Schenkelenden sowie die oberen Enden der Schienen sind bisweilen schwarzgeringelt.

Bei Theodosia und bei Nowij-Swet von Ende Juli bis September nicht selten.

Als ein kleines Zeichen meiner Dankbarkeit erlaube ich mir diesen ersten Vertreter der Gattung Paradrymadura im eigentlichen Europa nach dem Besitzer von Nowij-Swet, dem Fürsten Leo Galitzin zu benennen.

Thamnotrizon, Fisch.

43. *Th. ponticus, n. sp.*

Magnus, robustus, fusco-castaneus, nigromaculatus. Occiput valde convexus, macula nigra retrooculari. Vertex latissimus, nigro-bipunctatus. Frons marmorata, nigro-punctata. Pronotum supra parum convexum, margine postico in utroque sexu truncato, lobis deflexis nigris, margine toto late pallido. Elytra ♂ pronoto semi-obtecta, segmentum abdominale secundum haud superantia, ♀ latere vix prominentia. Femora postica fusco-marmorata, supra in basi ipsa nigro-maculata, subtus pallida, inermia. Abdomen totum castaneum. Segmentum anale ♂ transversum, margine postico triangulariter exciso. Cerei ♂ recti, subulati, basi incrassati, in basi ipsa dente longo, subincurvo, acuto armati, apicem versus attenuati, obtusi. Lamina subgenitalis ♂ ampla, transversa, margine postico recto. Styli longi, crassiusculi. Ovipositor gracilis, rectus. Lamina subgenitalis ♀ acque longa et lata, pone medium obtuse carinata, profunde incisa, lobis subtriangularibus.

	♂	♀
long. corporis	20 mm.	27 mm.
„ pronoti	8 „	9 „
„ elytrorum partis productae	3 „	0 „
„ femorum posticorum	24 „	27 „
„ ovipositoris		24 „

Dieser neue Thamnotrizon ist insofern interessant, als er die beiden Gruppen Brunners mit einander verbindet. Am ehesten gehört er in Folge des abgestutzten Pronotums und der am Innenrande unbewehrten Hinterschenkel in die 2-te Gruppe, von der er sich jedoch durch die kurzen Flügeldecken unterscheidet, die wie bei den Arten der ersten Gruppe das zweite Bauchsegment nicht überragen.—Im Habitus hat Th. ponticus grosse Aehnlichkeit mit Th. transsylvanicus, Fisch., und Th. littoralis, Fieb., doch ist das ♂ leicht durch die Kürze der Flügeldecken und anders gebildete lamina subgenitalis und cerci zu unterscheiden, dagegen ist das dem ♀ Th. littoralis, Fieb., so ähnlich, dass ich die Krimer Species nach den zuerst von mir gefundenen ♀ als Th. littoralis, Fieb., bestimmt hatte.

Im Juni und Juli bei Dwuch-Jakornij, sowie bei Kisiltasch gefunden (1 ♂ auch bei Novorossiisk).

Platycleis, Fieb.

44. *P. grisea, Fab.* — Nicht selten bei Theodosia, Kisiltasch und Dwuch-Jakornij vom Ende Juni bis September.

Decticus, Serv.

45. *D. verrucivorus, L.*—Bei Dwuch-Jacornij (Ende Juni).

Saga, Charp.

46. *S. serrata, Fab.*— Von dieser grossen Raubheuschrecke fand ich 2 ausgewachsene ♀ Exemplare bei Koktebel (Ende Juni) und bei Kisiltasch (Juli), ferner eine Larve bei Theodosia (Mai).

GRYLLIDAE.

Oecanthus, Serv.

47. *O. pellucens, Scop.* Bei Theodosia im August nicht selten.

Gryllus, L.

48. *G. campestris, L.*— Bei Tschufut-Kaleh, Ajan und der Station Alma im Juni und Juli.

49. *G. desertus, Pall.*—Bei Theodosia, Dalnij-Kamüsch, Aïb-el vom Ende Mai bis August. G. desertus kommt in der Krim ebenso häufig mit vollkommen entwickelten Deck- und Unterflügeln vor, als mit obliterirten Flugorganen.

50. *G. Burdigalensis, Latr.*—Bei Aïb-el (Ende Juli).

Gryllomorphus, Fieb.

51. *G. Fragosoi, Bol.*—In Theodosia in Kellern und alten Gemauern nicht selten.—Diese ausgezeichnete Gryllenart wurde erst in neuester Zeit von Romualdo González Fragoso im ♂ Geschlechte bei Sevilla entdeckt und von Bolivar in der Pariser Zeitschrift „le Naturaliste" (Jahrg. 1885, p. 117) kurz beschrieben. In Anal. Sos. Españ. Hist. Nat. tomo XVI. 1887. p. 113 giebt Bolivar eine ausführliche Beschreibung und ebenda Lám. IV. Fig. 15 eine Abbildung des ♂, wobei er sagt, dass er inzwischen diese Art von Dr. Krüper aus Attica, doch ebenfalls nur im ♂ Geschlechte erhalten habe.—In Betreff der somit bisher unbekannten ♀ bemerke, dass dieselben etwas grösser und breiter als die ♂ sind, der Flugorgane gänzlich entbehren und eine Legescheide besitzen, deren Lange meist hinter $^1/_4$ der Körperlänge zurückbleibt.

Arachnocephalus, Costa.

52. *A. vestitus, Costa*—1 Exemplar bei Nowij-Swet (Juli).

Gryllotalpa, Latr.

53. *Gr. vulgaris, Latr.*—Bei Theodosia oft massenhaft auftretend, wahrscheinlich in der ganzen Krim häufig.

Was nun die geographische Verbreitung der in vorstehendem Verzeichnisse aufgeführten in der Krim gefundenen Arten betrifft, so gehört natürlich die grosse Mehrzahl zu denjenigen Species, die überhaupt einen grossen Verbreitungsbezirk haben, doch finden wir unter denselben auch:

a) eine Anzahl von Arten, die bisher nur aus West- oder Süd-Europa bekannt waren und zwar:

1) Anisolabis annulipes, Luc.—Diese im ganzen Gebiet des Mittelländischen Meeres sowie Afrika und Süd-Amerika vorkommende Art war bisher aus Russland unbekannt.

2) Ectobia ericetorum, Wesm.—Bisher nur aus dem Westen von Mitteleuropa bekannt.

3) Aphlebia maculata, Schreb.— Nach Brunner beschränkte sich der Verbreitungsbezirk dieser Art auf das Gebiet zwischen Frankreich und Siebenbürgen.

4) „ pallida, Brunn. — Griechenland, Kleinasien
5) „ Larrinuae, Bol.—Marocco, Tunis. } einzige, bisher bekannte Fundorte.
6) Ameles Heldreichi, Brunn. — Vom Autor aus Griechenland beschrieben.
7) Empasa egena, Charp.—Fischer v. Waldheim giebt zwar von dieser besonders im Westen des Mittelmeergebiets verbreiteten Art an, dass sie am Caspischen Meere vorkomme, doch war sie im eigentlichen Russland früher nicht gefunden.
8) Tryxalis nasuta, L. — Brunner sagt von dieser Art, dass sie in ganz Sud-Europa, Asien, Afrika und Australien zu finden sei, doch erwähnt er nichts über ihr Vorkommen im südlichen Russland.
9) Stenobothrus lineatus, Panz.—Von Eversmann als an der Wolga vorkommend angegeben, sonst nicht aus Russland bekannt.
10) Epacromia tergestina, Charp.—Kannte man nur aus der Triester Gegend, aus Tirol und aus der Schweiz.
11) Acridium aegyptium, L.—Die Notiz Eversmann's, dass sich diese Species in den Kirgisensteppen finde, ist die einzige Angabe über ihr Vorkommen im Gebiete des russischen Reiches.
12) Tylopsis liliifolia, Fab.—Aus Russland bisher nicht bekannt.
13. Gryllomorphus Fragosoi, Bol.—Bisher bekannte Fundorte: Südspanien und Marokko.
14) Arachnocephalus vestitus, Costa.—Bei Brunner sind nur Süd-Italien, Dalmatien und des Peloponnes als Fundorte angegeben.

b) Arten, die bis jetzt nur aus der Krim und dem West-Kaukasus bekannt sind:
1) Poecilimon tauricus, m.
2) Thamnotrizon ponticus, m.

c) bis jetzt nur aus der Krim bekannte Species:
1) Aphlebia adusta, Fisch. de W.
2) „ Retowskii, Krauss.
3) Isophya taurica (Eversm.), Brunn.
4) „ Brunneri, m.
5) Paradrymadusa Galitzini, m.

BEITRAG ZUR KENNTNISS DES BAUES

DER PSEUDOSCORPIONE.

Von

A. Croneberg.

Mit 3 Tafeln.

Die kleine Ordnung der Pseudoscorpione oder Chernetiden bildet innerhalb der Classe der Arachniden eine der am schärfsten gesonderten Abtheilungen. In ihrem äusseren Habitus, der Segmentation ihres Körpers und dem Bau seiner Anhänge zeigen sie unzweifelhaft eine gewisse Ahnlichkeit mit den ächten Scorpionen, entfernen sich aber wiederum von denselben nach dem, was wir bereits über ihren inneren Bau und ihre Entwickelung kennen. In der letzteren Zeit ist man vielmehr zu der Ansicht gekommen, dass sich die Pseudoscorpione eher gewissen Opilioniden, namentlich der Familie der Sironoiden oder Cyphophthalmiden anschliessen dürften, obgleich dabei nicht unberücksichtigt werden darf, dass wir von der inneren Organisation dieser Letzteren noch gar nichts wissen, ja selbst über manche äussere Merkmale, wie die Mundtheile, die Geschlechtsverschiedenheiten u. dgl. uns aus den Beschreibungen keine klare Vorstellung bilden können. Es ist besonders die von *Stecker* entdeckte und auch theilweise anatomisch untersuchte merkwürdige Gattung Gibbocellum, welche sich am meisten den Pseudoscorpionen zu nähern scheint und bereits von *Thorell* denselben als besondere Unterordnung beigezählt worden ist. Wenn unter diesen Umstanden eine Untersuchung dieser leider so seltenen und wenig zugänglichen Formen für die uns beschäftigende Frage unbedingt nothwendig wird, ist andererseits eine solche auch für die Pseudoscorpione selbst erwünscht, über deren Organisation wir bis

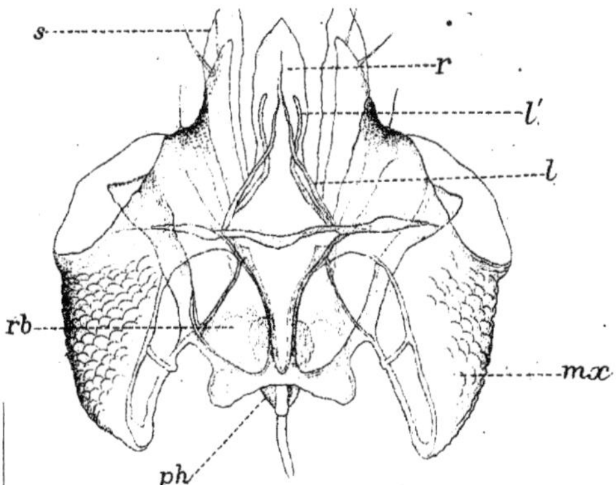

4.

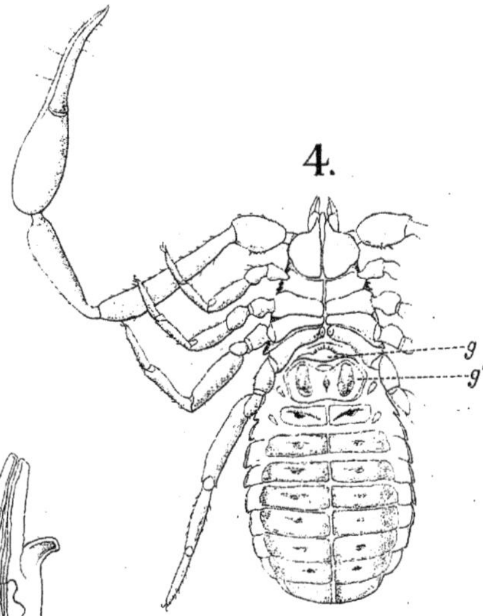

10.

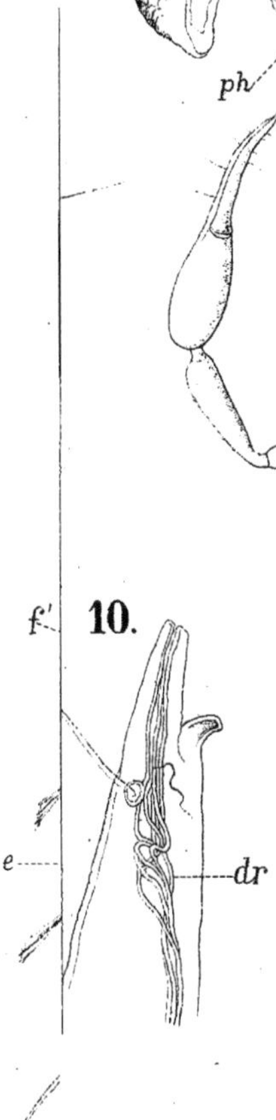

14.

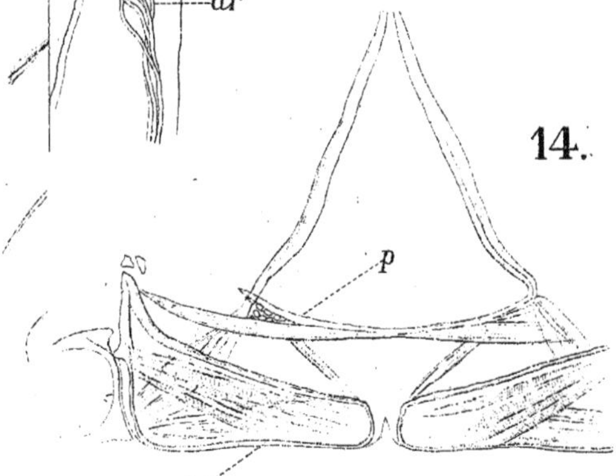

Cro   Grawirt. J. Schilde

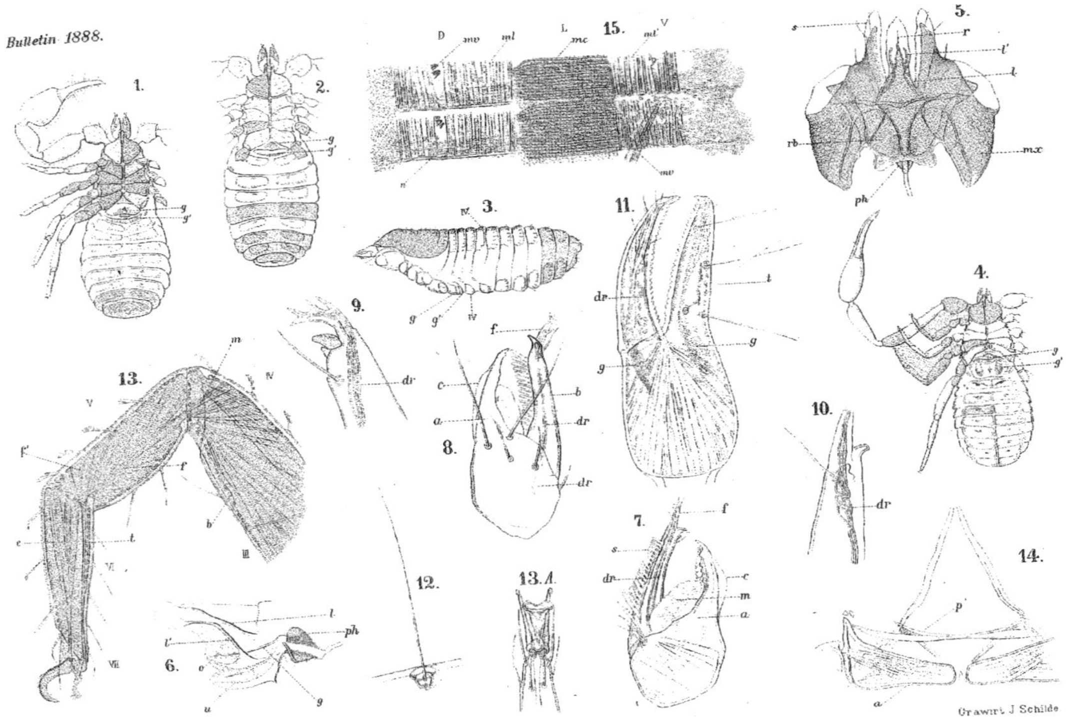
1.
2.
3.
4.
5.
6.
7.
8.
9.
10.
11.
12.
13.
13.A
14.
15.
Grawirt J Schilde

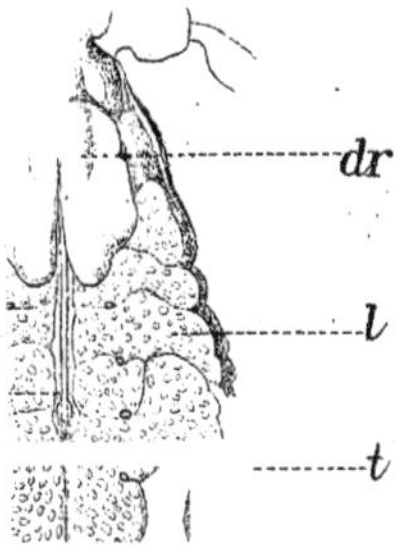

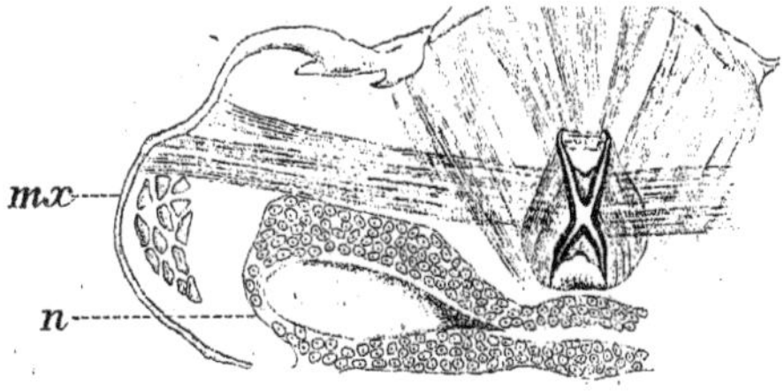

26.

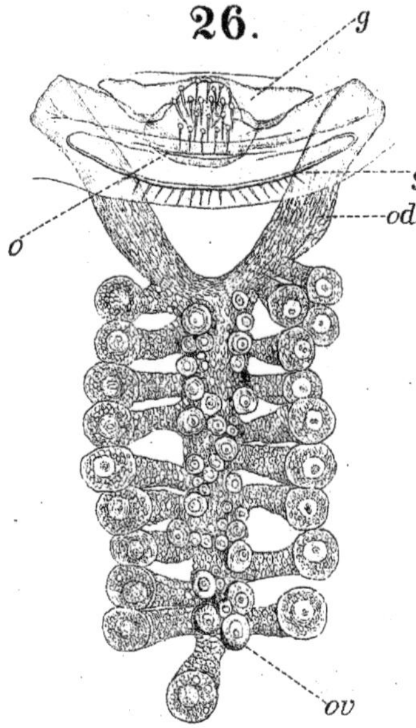

29.

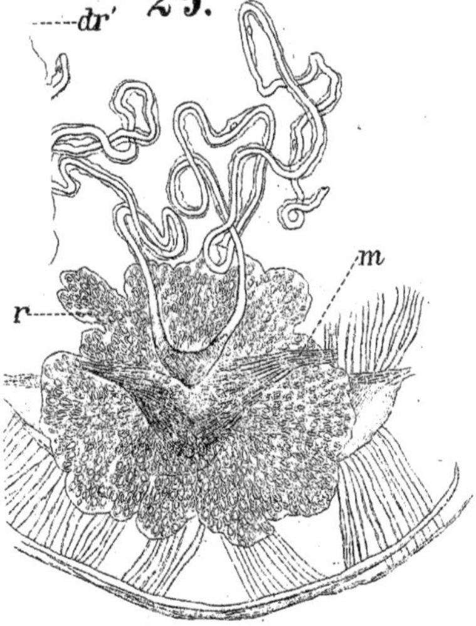

30.

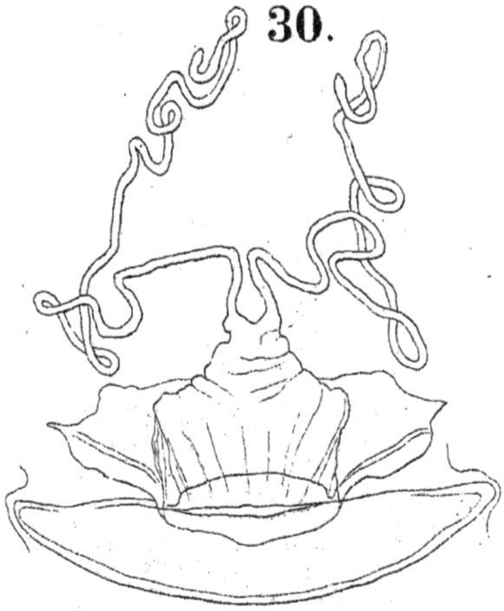

28.

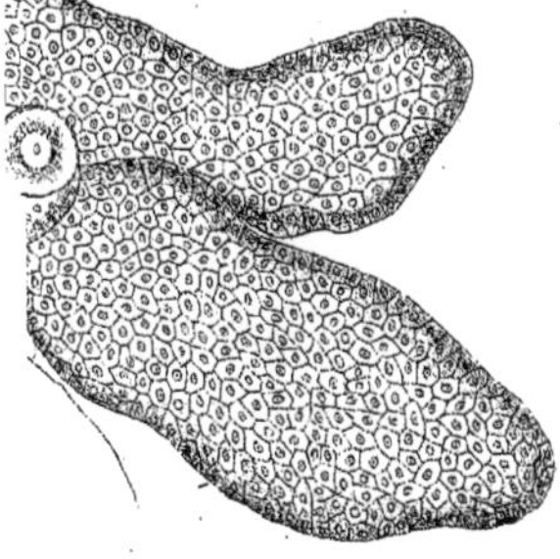

Grawirt J. Schilde

Bulletin 1888.

Taf. XI.

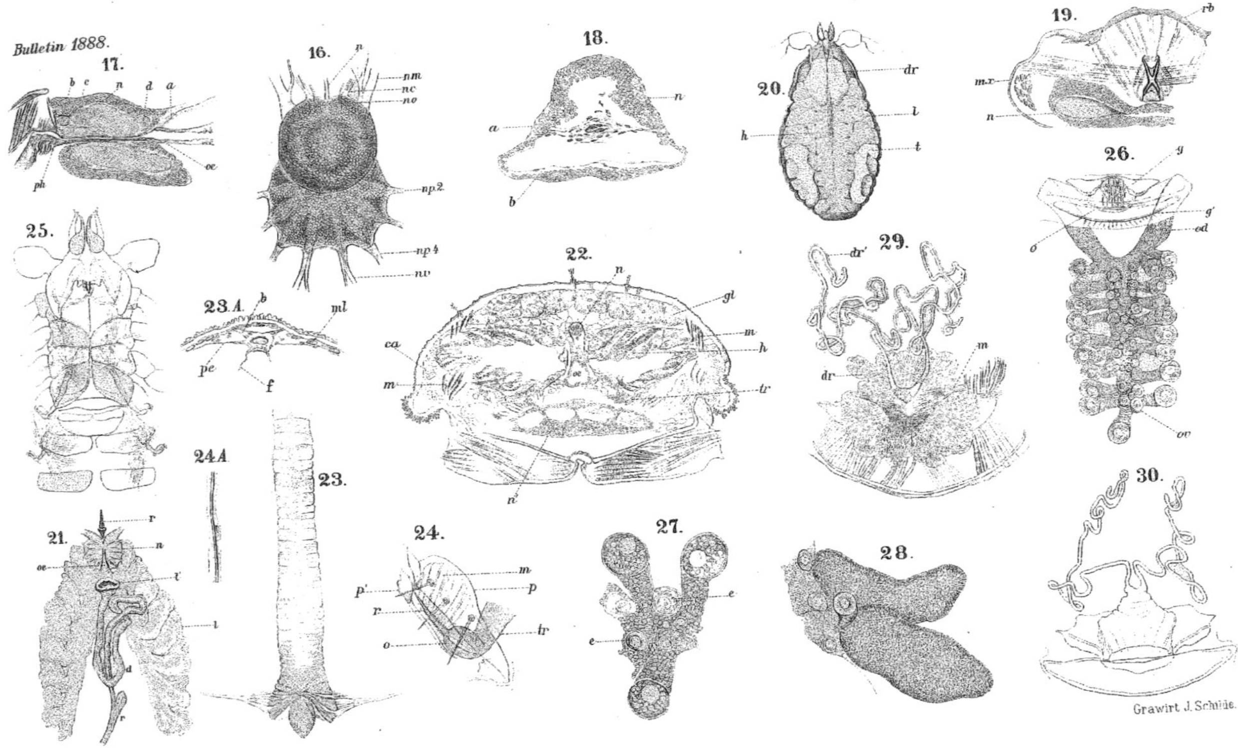

Grawirt J. Schulde.

35.

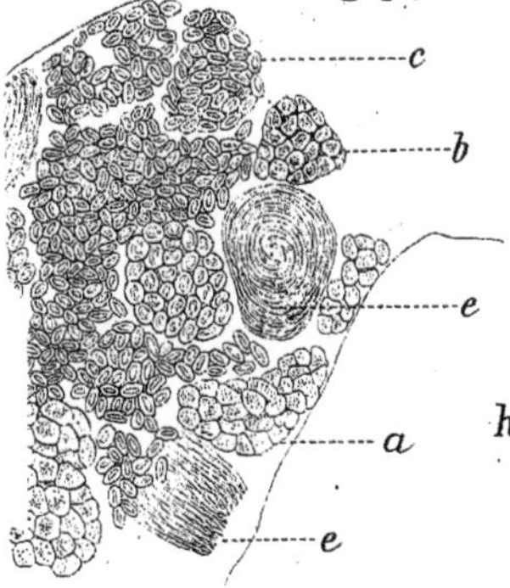

38.

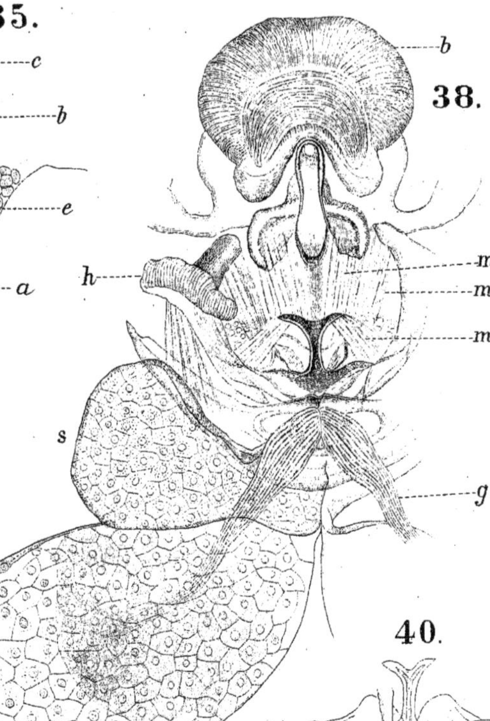

47.

40.

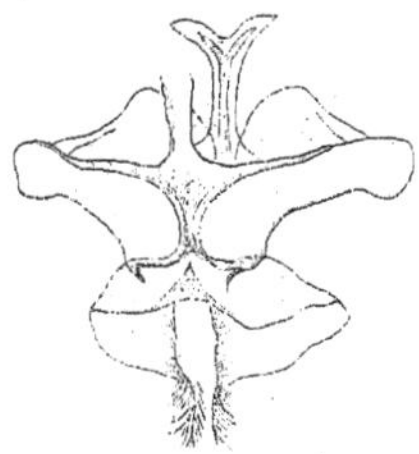

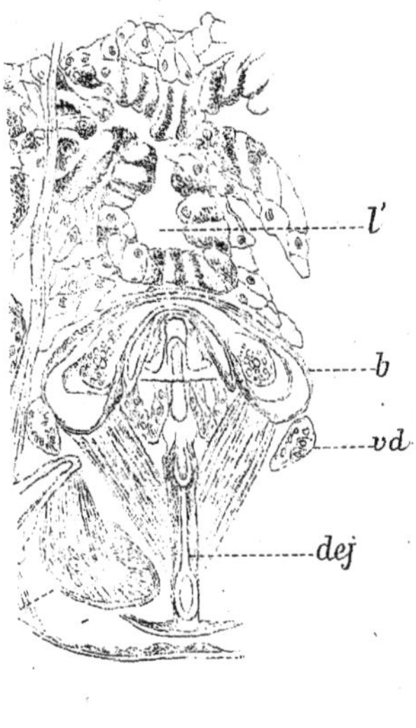

45.

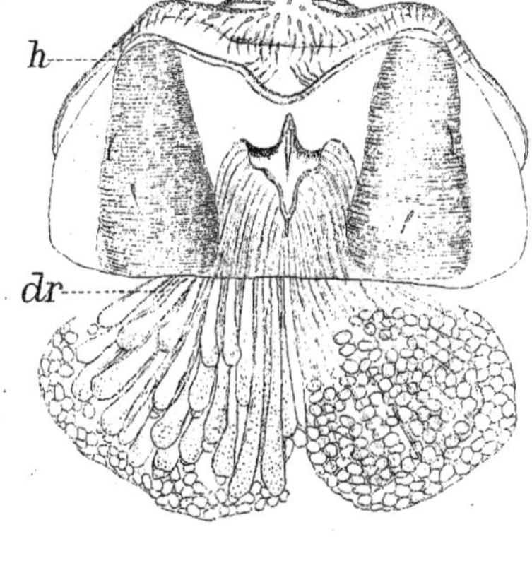

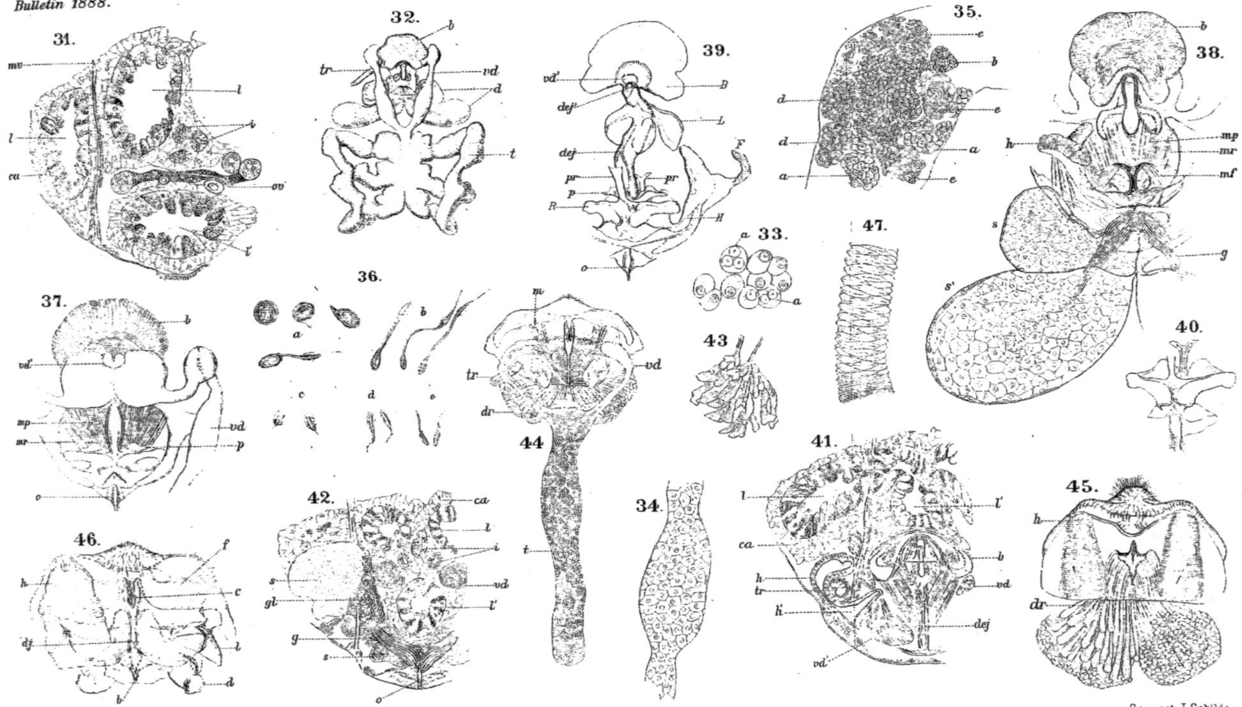

Grueneberg del.

Grawirt J. Schilde

jetzt zum grössten Theil noch auf altere Beobachtungen angewiesen sind, und desshalb glaubte ich den Umstand, dass eine kleine Art derselben, Chernes Hahnil, C. Koch, in den nächsten Umgebungen Moscau's ziemlich haufig unter Baumrinde vorkommt, benutzen zu müssen, um durch die Untersuchung dieses Vertreters der Pseudoscorpione fur die Frage nach ihrer Verwandtschaft einen neuen Beitrag liefern zu können. Von anderen Mitgliedern dieser Thiergruppe konnten bei der Seltenheit ihres Vorkommens nur ein paar Arten von Chelifer, sowie eine grössere unbestimmte Chernes-Art zu theilweisem Vergleiche berücksichtigt werden.

In der zoologischen Litteratur lassen sich nur wenige, der Anatomie der Pseudoscorpione speciell gewidmete Arbeiten aufweisen. *Menge* *) ist der Erste gewesen, der den Gegenstand moglichst gründlich zu erfassen den Versuch machte, und die in der Einleitung zu seiner bekannten Monographie niedergelegten Beobachtungen bilden noch bis jetzt unsere Hauptquelle in Bezug auf die innere Organisation der Chernetiden. In den Schriften, welche seitdem erschienen sind, finden meistens nur vereinzelte Organe dieser Thiere im Vergleich mit den übrigen Arachniden eine gelegentliche Berücksichtigung. So machte *Stecker* **) 1875 in seinen den indischen Chernetiden und der Gattung Gibbocellum gewidmeten Abhandlungen einige Bemerkungen uber die sog. Geruchsorgane und das Nervensystem und stellte zugleich eine ausführliche Monographie der Chernetiden in Aussicht, die indessen nicht erschienen ist. Im Jahre 1880 erschien dann die Arbeit von *Daday* ***) über das Herz der Pseudoscorpione, sowie mein Aufsatz ****) über die Mundtheile der Arachniden, wo diese Organe von Chelifer beschrieben sind. Einen ahnlichen Charakter haben auch die Arbeiten der letzteren Jahre; hierher gehören die Bemerkungen von *Dahl* *****) über die Hörhaare der Arachniden, von *Mac Leod* ******) uber den Bau

---

*) *Menge*, Über die Scheerenspinnen (N. Schr. d. naturf. Gesellsch. zu Danzig, Bd. V. 1855).

**) *Stecker*, Uber neue ind. Chernetiden (Sitzungsber. K. Acad. Wien. Bd. LXXII. p. 512).—*Ders.*, Anatomisches u. Histiolog. über Gibbocellum (Arch. f. Naturgesch. 1876. p. 293).

***) *Daday* in Termescet. Füset. Vol. IV. 1880 (mir nur nach dem Auszuge in Bertkau's Bericht für 1880 bekannt).

****) *Croneberg*, Über d. Mundtheile d. Arachniden (Arch. f. Naturg. 1880. p. 285).

*****) *Dahl*, Über die Hörhaare bei d. Arachniden (Zool. Anzeiger 1883. p. 267).

******) *Mac Leod*, Structure de l'intestin antér. des Arachnides (Bull. Acad. Belg. vol. 8. p. 377. 1884).

des Vorderdarms und von *Winkler* *) über das Herz von Obisium, gelegentlich der Beschreibung desselben bei gewissen Acariden.

Die meisten Schwierigkeiten, die sich einer Untersuchung der Pseudoscorpione entgegenstellen, liegen in der Beschaffenheit des Hautpanzers dieser Thiere, welcher sich für Tinctionsmittel sogut wie undurchdringlich erweist, indem die Objecte oft nach tagelanger Einwirkung derselben kaum eine diffuse Färbung erkennen lassen, sowie in seiner grossen Brüchichkeit und Sprödigkeit, welche die Herstellung feiner Schnitte sehr erschwert. Als Erweichungsmittel des Chitins hat mir Eau de Javelle keinen nennenswerthen Erfolg geliefert, indem die inneren Organe dabei zu sehr angegriffen wurden; es ist sicherer, wenn man die Wahl hat, hellere Exemplare zu benutzen, die sich offenbar unlängst gehäutet haben und ein weicheres Integument besitzen. Die Fixirung geschah z. T. mit warmem Alkohol, z. T. mit heissem Wasser. Die Färbung in toto (Grenacher's Boraxcarmin) — gelang mir erst, nachdem ich das von *Henking* bei Trombidium angewendete Verfahren, die langsame Einwirkung von Aether auf in Alkohol conservirte Thiere, versucht hatte. Nach Einbettung in Paraffin wurden die Schnitte, welche ohne Anwendung von Collodium leicht auseinander fallen, mit einem Microtom angefertigt und in Colophonium aufbewahrt. Für die Präparation unter der Lupe ist es am zweckmässigsten, die in Spiritus leicht gehärteten Thiere, nachdem man vorsichtig das integument von der Rücken- oder Bauchfläche entfernt hat, einige Minuten in eine mittelstarke Lösung von Haematoxylin zu legen, die von den verschiedenen Organen sehr ungleich aufgenommen wird und die Orientirung darüber erleichtert.

I. Äussere Gliederung des Körpers. Integument.

Der Körper von Chernes zerfällt, wie bei der Mehrzahl der Arachniden im Allgemeinen, in 2 Hauptheile: den die Anhange tragenden Cephalothorax und das Abdomen.

Der nach vorn ziemlich stark verschmälerte Cephalothorax wird auf der Oberseite von einem flach gewölbten, stark chitinisirten Rückenschilde bedekt, welches durch zwei Querfurchen in drei hinter einander liegende Abschnitte zerfällt (Fig. 3). Diese Segmentirung, die sich übrigens, so viel wir aus der Entwickelungs-

---

*) *Winkler*. Das Herz der Acariden. Wien. 1886.

geschichte wissen, ziemlich spät auszubilden scheint, steht jedenfalls an Vollständigkeit weit hinter der von Galeodes zurück, wo sich ausser dem Kopftheile noch drei deutliche Brustsegmente vorfinden, von denen jedes unzweifelhaft einem der drei hintersten Beinpaare entspricht. Ein derartiges Verhältniss ist bei den Pseudoscorpionen überhaupt nicht zu constatiren; die seitliche Begrenzung der Kopfbrust bildet eine weiche Verbindungshaut von dreieckiger, nach vorn verschmälerter Gestalt, deren hintere Grenze als schräge Furche zur Basis des letzten Fusspaares hinabläuft, ohne dass im Bereich dieser Haut selbst irgend welche Andeutungen einer Segmentation zu erkennen wären (Fig. 3). Die Unterseite des Cephalothorax wird vollständig von den zusammenstossenden Grundgliedern der Maxillen und der vier Beinpaare bedeckt, ohne jede Spur einer Sternalplatte (Fig. 1, 2, 4); die ersteren liegen dem seitlichen Rande des Rückenschildes ziemlich dicht an, während die Hüften der Beine, wie bemerkt, sich um so mehr von demselben entfernen, je weiter nach hinten sie gelegen sind.

Das mit breiter Basis der Kopfbrust anliegende Abdomen besteht bekanntlich bei Chernes, wie bei den meisten Pseudoscorpionen, oberseits aus 11 Segmenten (nur Cheiridium hat deren 10), deren stark chitinisirte Rückenschienen mit Ausnahme der letzten in der Mittellinie unterbrochen sind; nicht selten übrigens findet man Exemplare, bei welchen auch das letzte Segment eine mehr oder weniger deutliche mediane Theilung erkennen lässt. An den Seiten ist es eine, derjenigen am Cephalothorax völlig ähnliche Verbindungshaut, die je nach dem Umfange der inneren Organe sich in wechselnder Breite zwischen Rücken- und Bauchschienen erstreckt. In der Seitenlage erkennt man an dieser Haut eine der Rückenseite entsprechende Segmentirung (Fig. 3), welche aber mit jener der Bauchseite beim ersten Blick nicht ganz zusammenzufallen scheint. Zählen wir indessen die Segmente der Unterseite von hinten, so finden wir zunächst 8 Halbringe von zarterer Consistenz, als auf der Oberseite, aber ebenso, mit Ausnahme des letzten, in der Medianebene getheilt, die unzweifehaft den 8 letzten Halbringen des Rückens entsprechen; die vordersten dieser 8 Segmente sind auf Fig. 3 mit IV beiderseits bezeichnet, und zwischen dem der Unterseite und dem nächsthinteren sieht man das hintere Stigmenpaar, welches also dem Segmente IV angehört (vgl. auch. Fig. 1. 2 und 4). Weiter nach vorn folgen dann auf der Bauchseite bei beiden Geschlechtern noch zwei unpaare Platten (g, g'), die ich die vordere und hintere Genitalplatte nennen will, weil sich in der Mittellinie zwischen ihnen die Geschlechtsöffnung befindet. Betrachtet man nun das Lageverhaltniss der vorderen Stigmen in der Verbindungshaut zwischen der hinteren Genitalplatte und der Bauchschiene IV, welches ganz dem der hinteren Stigmen entspricht, so wird es sehr wahrscheinlich, dass die hintere Genitalplatte die dritte, in der Mitte ungetheilte Bauchschiene repräsentirt. Die vordere Genitalplatte könnte dann weiter das zweite Bauchsegment der Unterseite vorstellen, um so mehr als, wie wir im Abschnitte über die Genitalorgane sehen werden, mit den Seitentheilen dieser Platte gewisse Organe verbunden sind, die vielleicht rudimentären Tracheenstämmen entsprechen. Das noch fehlende erste Bauchsegment schliesslich könnte nur in jenem dreieckigen Baume gesucht werden, welcher sich zwischen den letzten Hüften und der vorderen Genitalplatte befindet, und wo ich wenigstens bei Chelifer eine leichte quere Chitinverdickung finde (Fig. 4). Jedenfalls erhellt aus dieser Betrachtung, dass die beiden Stigmenpaare sich nicht, wie *Menge* glaubte, am 2-ten und 3-ten Bauch-Segmente öffnen, sondern dem 3-ten und 4-ten angehören, und dass sich weiterhin ein bedeutender Unterschied in der Lage der Genitalöffnungen der Chernetiden und ächten Scorpione ergiebt, bei welchen die Geschlechtsorgane sich am ersten Abdominalsegment öffnen. Dieser Umstand scheint auch in neueren Schriften nicht genügend berücksichtigt worden zu sein. So lässt z. B. *Weissenborn* *) die Genitalöffnungen der Chernetiden sich am «verschmolzenen Sternaltheile» des 1-ten und 2-ten Bauchsegmentes (seines 8-ten und 9-ten Körpersegmentes), und die Stigmen am 2-ten und 3-ten Segmente sich öffnen.

Ehe wir zur Übersicht der verschiedenen Körperanhänge übergehen, muss ich noch ausdrücklich erwähnen, dass ich weder bei Chernes noch bei Chelifer eine Spur der nach *Menge* vor den Genitalöffnungen sich befindlichen Spinnröhren gefunden habe und uberhaupt deren Existenz, wenigstens bei den genannten Formen, durchaus in Abrede stellen muss. Was *Menge* dafür hielt, sind nur gewohnliche Chitinborsten, die wohl mit grösseren Poren, nicht aber mit Spinndrusen zusammenhangen, während die in dieser Leibesgegend sich wirklich befindlichen Drüsen Anhangsorgane des Geschlechtsapparats darstellen und auch bei beiden Geschlechtern einen verschiedenen Bau besitzen. Zudem werden wir finden, dass sich bei diesen Thieren an einer ganz anderen Körperstelle, nam-

*) *Weissenborn*. Beitrage zur Philogenie der Arachniden (Jen. Zeitschr. Bd. XX. p. 67, 68, 107).

lich im Cephalothorax und den Cheliceren, in beiden Geschlechtern gleichmassig ausgebildete Organe nachweisen lassen, die wohl mit mehr Recht als ein Spinnapparat betrachtet werden können.

Unter den Anhängen des Cephalothorax ist es zunächst das sog. *Rostrum*, welches unsere Aufmerksamkeit in Anspruch nimmt. Es bildet das eigentliche vordere Ende des Kopfes und liegt, eingekeilt zwischen den Grundgliedern der Maxillen, als ein kleiner Vorsprung unter und zwischen den scheerenförmigen Kieferfühlern (Fig. 5). Ich habe dieses Organ der Pseudoscorpione in meinem Aufsatz über die Mundtheile der Arachniden beschrieben und sehe mich auch jetzt nicht veranlasst, die dort versuchte Deutung dieses allen näher untersuchten Arachniden zukommenden Gebildes aufzugeben. Aus seiner deutlich paarigen Anlage beim Embryo, die sich auch im ausgebildeten Zustande bei manchen Formen erhält, zog ich den Schluss, dass wir es hier mit paarigen Anhängen des Kopfes zu thun hatten, und die unzweifelhaft praeorale Lage derselben liess mir nur die Möglichkeit offen, sie als ein später verschmelzendes Antennenpaar anzusprechen, und zwar als das erste, da ich die scheerenformigen vorderen Anhänge als zweites Antennenpaar betrachtete. Muss nun auch diese letztere Auffassung nach den neueren embryologischen Untersuchungen in gewissem Sinne modificirt werden, indem für die Cheliceren ein deutlich postorales Ganghon nachgewiesen worden ist, so berührt dieser Umstand doch keineswegs meine oben erwahnte Deutung des Rostrum. Wenn *Schimkewitsch* *) eine Homologie desselben mit dem Labrum der Insecten annimmt und dabei zugleich an die Untersuchungen von *Fr. Müller* an Calotermes, sowie von *Bütschli* an der Biene errinnert, so ist das, wie ich glaube, kein Einwand gegen meine Ansicht, sondern vielmehr eine Bekraftigung derselben, da ja diese Forscher ebenfalls das Labrum der betreffenden Thiere aus der Verwachsung eines Paares praeoraler Anhänge entstehen lassen, die in manchen Fällen, wo sie noch *vor* den definitiven Antennen stehen, wie z. B. bei der Larve von Hydrophilus *) oder bei Gryllotalpa **), ebenso gut einem ersten Antennenpaare entsprechen können, als sie auch der Anlage des Rostrum der Araneiden gleichen. Wenn ich demnach für wahrscheinlich halte, dass die Ober-

---

*) *W. Schimkewitsch*, Etude sur l'anatomie de l'Epeire, p. 27 (Separatabdruck).

**) *Kowalevski*, Embryologische Stud. an Würm. u. Arthropoden (Mém. Acad. Petersb. VII Sér. Tom. XVI, № 12, p. 38, tab. 8, fig. 10).

***) *Korotneff*, Die Embryologie der Gryllotalpa (Zeitschr. f. w. Zool. Bd. 41. Tab. XXIX, fig. 6).

lippe der Insecten einem verschmolzenen ersten Antennenpaare, ebenso wie das Rostrum der Arachniden, homolog ist, möchte ich sie dennoch nicht mit der Oberlippe der Crustaceen vergleichen, die sich überall als ein unpaares Organ anlegt, und zweitens muss ich annehmen, dass in diesem Fall die Antennen der Insecten nicht den 1-ten, sondern den 2-ten Antennen der Crustaceen entsprechen. Was die Innervation des Rostrum der Arachniden, sowie der Oberlippe der Insecten betrifft, so scheint für ihren Vergleich ebenfalls kein Hinderniss zu bestehen. Bei den Arachniden hat *Weissenborn* ***) wenigstens für Galeodes gefunden, dass das Rostrum von zwei zarten, zwischen den Augennerven entspringenden Nervenfadchen versorgt wird, und eine ähnliche Bedeutung wird wohl auch der von mir bei Chernes (vgl. unten) sowie bei Trombidium und Rhyncholophus ****) gefundene mediane vordere Nerv haben. Für die Insecten beschreibt *Michels* *) einen paarigen Nerven der Oberlippe bei Oryctes-Larven, welcher einen Ast der beiden Nerven bildet, die von dem Oberschlundganglion abgehen und das Ganglion frontale bilden.

Menge hat in seinem Werke über die Scheerenspinnen offenbar die obere Seite des Rostrum mit der unteren verwechselt, indem er von einer Unterlippe spricht, eine Oberlippe dagegen vermisst; aus seinen Abbildungen bleibt es überdies unklar, wie er sich die Lage der Mundoffnung vorstellte. Ich finde das Rostrum bei Chernes fast genau ebenso organisirt, wie ich es früher von Chelifer beschrieben habe **). Es besteht auch hier (Fig. 5, 6) aus zwei Theilen, von welchen der hintere oder basale (*rb*) den Raum, welcher von oben die Grundglieder der Maxillen trennt, in Form einer queren Brücke überspannt, welche über dem Pharynx (*ph*) liegt. Der vordere Theil (*r*) springt frei zwischen den Maxillarladen vor und hat, von oben gesehen, die Gestalt einer zungenförmigen, durchsichtigen Chitinlamelle, welche durch ein Paar nach vorn convergirender dünner Spangen (*l*, *l*) gestützt wird. Die nach unten umgebogenen Ränder dieser Lamelle werden überdies noch von einem anderen Paar tiefer liegender Chitinspangen (*l'*) gestützt und sind vorn, unter der Spitze des Rostrum, eine Strecke weit

---

*) *Weissenborn*, l. c. p. 46.

**) *Croneberg*, Über den Bau von Trombidium (Bull. de la Soc. Imp. des Nat. de Moscou, 1879).

***) *Michels*, Beschreib. des Nervensyst. von Oryctes (Zeitschr. f. w. Zool. Bd. 34, p. 644, tab. XXXIII, fig. 1, 4).

****) l. c. p. 290.

mit einander verswachsen, während sie weiter nach hinten auseinander weichen und sich jederseits mit einem convexen, quergestreiften und fein-gezahnelten Rande bis an den Pharynx (*ph*) fortsetzen. Im Grunde des Spaltes zwischen beiden Lamellen erstreckt sich als Fortsetzung der oberen Wand des Pharynx eine Chitinverdickung (*g*) bis an deren Vorderende. Die untere Wand des Pharynx setzt sich ebenfalls in zwei einander eng anliegende, unten verbundene und am oberen Rand gezahnelte Lamellen fort (*u*), die den beiden oberen an Länge fast gleich sind und in der Ruhe zwischen dieselben aufgenommen werden können. Es sind diese beiden paarigen Bildungen, welche *Menge* *) als zwei unpaare Blättchen unter dem Namen einer Zunge beschreibt und abbildet, während der „kleine, flache Wulst“, der mit ihnen verbunden ist, offenbar den Pharynx darstellt. Die Mundöffnung selbst wird durch den nach Umständen mehr oder weniger erweiterten Eingang gebildet, der in den Raum zwischen oberen und unteren Lamellen führt.

Die das Rostrum der Pseudoscorpione constituirenden Hauptbestandtheile, nämlich die paarigen Basalplatten, der vordere unpaare Fortsatz, sowie die die Mundöffnung umgrenzenden Theile lassen sich, wie ich in meiner oben erwähnter Schrift nachgewiesen zu haben glaube, bei den meisten natürlichen Gruppen der Arachniden mit genügender Sicherheit wiedererkennen, obgleich zugestanden werden muss, dass das ganze Organ im Allgemeinen eine ziemlich rudimentare Ausbildung besitzt; es ist dies aber um so mehr ein Grund, seiner Bedeutung in dieser Thierklasse nachzuforschen. In manchen Fällen mag auch die Schwierigkeit der Untersuchung an der ungenügenden Kenntniss dieser Bildungen die Schuld haben. Für die interessante Gruppe der Sironoiden z. B., die in mancher Hinsicht den Pseudoscorpionen am nächsten stehen, besitzen wir nur die ziemlich unklare Beschreibung, die *Joseph* **) von den Mundorganen von Cyphophthalmus giebt, und wenn dieselbe auch von *Thorell* ***) für die nahe verwandte Gatung Leptopsalis wesentlich erweitert und aufgeklärt ist, so lässt sie doch die Frage nach der Lage der Mundöffnung und des eigentlichen Rostrum noch unentschieden. Aber auch von der für uns wichtigsten Form, Gibbocellum nämlich, wissen wir über dieses Organ noch gar nichts; *Ste-*

---

*) *Menge*, l. c. tab. I, fig. 7.

**) *Joseph*, Cyphophthalmus duricorius etc. (Berl. Entom. Zeitschr. Bd. 12 p. 244).

***) *Thorell*, Descriz. d. alcuni Aracn. inferiori (Seperatabdr. aus Ann. del Mus. Civ. Genova, Vol. XVIII p. 12).

cker *) stellt die Mundöffnung einfach als ein ziemlich grosses Loch *hinter* den beiden in der Medianlinie zusammenstossenden Maxillen dar, ein Umstand, der dem Verfasser nicht aufgefallen zu sein scheint, der sogar eine Aehnlichkeit zwischen den Mundtheilen von Gibbocellum und der Chernetiden findet. Ist in dieser Hinsicht eine genauere Untersuchung sehr zu wunschen, so glaube ich doch schon jetzt das Rostrum als ein für die Arachniden typisches Gebilde betrachten zu können; darauf würde auch die Beobachtung von *Schimkewitsch* **) hinweisen, der bei Spinnenembryonen ein vor den Mandibularganglien liegendes kleines Ganglienpaar gefunden hat, welches wahrscheinlich das Rostrum innervirt. Es muss daher besonders hervorgehoben werden, dass bis jetzt bei Limulus weder im ausgewachsenen, noch im embryonalen Zustande eine dem Arachniden-Rostrum vergleichbare Bildung nachgewiesen worden ist und selbst wenn man als eine solche die unpaare Platte betrachten würde, die den vorderen Extremitaten zur Insertion dient, so fehlt doch derselben eine paarige praeorale Anlage.

Das nun folgende Extremitätenpaar, die *Kieferfühler* oder *Cheliceren*, wird nun wohl in Anbetracht seiner post-oralen Anlage im Embryo, ohne Rücksicht auf die spätere Innervirung aus dem Oberschlundganglion, als ein ursprünglich dem Rumpfe zugehöriges Extremitatenpaar aufgefasst werden müssen, welches indessen durchaus nicht den Mandibeln der Crustaceen und Insecten zu entsprechen braucht. Denn stimmt man der Meinung bei, dass die zweiten Antennen der Crustaceen ursprünglich ebenfalls nicht praeoral gelagert waren und ihre spatere Lage und innervation erst secundär erworben haben, so hat man in diesen Organen viel eher, als in den Mandibeln der Crustaceen, die wahren Homologa der Kieferfühler der Arachniden zu sehen. Entspricht das Rostrum der Letzteren und die Oberlippe der Insecten einem ersten Antennenpaar, so können auch die definitiven Antennen der Insecten und zugleich die Kieferfühler der Arachniden den zweiten Antennen der Crustaceen für homolog gehalten werden. In demselben Sinne also, wie es für das zweite Antennenpaar der Crustaceen geschieht, glaube ich auch fur die Arachniden die Bezeichnung als Kieferfühler oder Cheliceren fur das betreffende Extremitätenpaar aufrecht

*) *Stecker*. Anatomishes und Histiol. ub. Gibbocellum (Arch. f. Naturgesch. Bd. 42, p. 308. Taf. XVII. fig. 2).

**) *Шимкевичъ*. Матер. къ позн. эмбріональнаго развитія Araneina (Прил. къ LII т. запис. Акад. Наукъ, № 5. Петерб. 1886. стр 66, 68, фиг. 35, 37).

erhalten zu können. Hinsichtlich des Rostrum der Arachniden muss ich hier übrigens noch eine Bemerkung machen. In meiner oben erwähnten Schrift über die Mundtheile derselben habe ich bei verschiedenen Arachniden darauf hingewiesen, dass wir in den unteren, d. h. post-oralen Theilen des Rostrum, die die Mundöffnung von unten oder hinten begrenzen, möglicherweise die Rudimente noch eines zweiten Extremitätenpaares vermuthen können, welches ebenfalls in die Bildung des Rostrum eingegangen und auf welches sich die unteren Anhänge desselben bei den Scorpionen (Androctonus), Galeoden und Pseudoscorpionen, sowie auch die Unterlippe der Opilioniden und Araneiden zurückführen liessen. Als Stütze dieser Ansicht führe ich auch jetzt die Beobachtung von *Salensky* *) an, welcher am Hinterrande der Mundöffnung bei Spinnenembryonen ein Paar eben solcher Erhöhungen sah, wie diejenigen des vorderen Randes, welche die Anlage des Rostrum sind. Auch *Metschnikoff* **) beschreibt bei dem Scorpion die Anlage der Unterlippe als ein Paar ziemlich weit von einander entfernter plattenformiger Anhange, und ebenso hat *Schimkewitsch* ***) bei Spinnen die Bildung der Unterlippe aus zwei kleinen Anhängen beobachtet. Auf diese Thatsachen gestützt, glaube ich die Annahme machen zu können, dass wir es hier wirklich mit einem Extremitätenpaar zu thun haben, welches ich in Anbetracht seiner Lagerung als ein Aequivalent der Mandibeln der Crustaceen und Insecten annehme. Das Verhältniss, in dem ich mir die vorderen Körperanhänge bei Crustaceen, Arachniden und Insecten vorstelle, lässt sich in übersichtlicher Weise folgendermassen zusammenstellen:

Crustaceen	Labrum	Ant. 1.	Ant. 2.	Mandib.	Maxill. 1.	Maxill. 2.
Arachniden	—	Ob. Theil d. Rostr.	Chelice-ren	Unt. Theil d. Rostrum, Unterlippe.	Maxillen	Pes 1.
Insecten.	—	Oberlippe	Antennen.	Mandib.	Maxillen.	Unterlippe.

Was nun die Kieferfuhler der Pseudoscorpione betrifft, so bestehen dieselben bekanntlich aus einem an der Basis verdickten Grundgliede, (Fig. 7, 8), welches an seiner inneren und oberen Seite

---

*) *Заленскій*, Исторія развитія аранеинъ (Зап. Кіевскаго Общ. Естествоиспыт. T. II, вып. 1, стр. 30).

**) *Metschnikoff*, Embryologie des Scorpions (Zeitschr. f. wiss. Zool. Bd. 21, p. 222).

***) *Schimkewitsch*, Zur Entwickelungsgeschichte der Araneen (Zool. Anzeiger Jahrg. VII. 1884, p. 453).

in einen zahnartigen Fortsatz (*a*) ausläuft, während von aussen und unten damit das etwas längere bewegliche Scheerenglied articulirt (*b*). Die eigenthumliche Bewaffnung der Kieferfühler ist bereits von *Menge* ziemlich genau beschrieben und abgebildet worden. Sie besteht bei Chernes Hahnii am unbeweglichen Scheerenfinger aus einem doppelten, sägenförmig gezähnten, durchsichtigen Hautrande, welcher der Innenseite desselben anliegt und nur mit der Spitze ein wenig von dem Ende des Fingers absteht. Gegen die Basis scheint sich derselbe in eine ebenso durchsichtige, zierlich facherförmig gestreifte Membran fortzusetzen, welche mit abgerundetem Rande bis an den Ansatz des beweglichen Fingers reicht (*m*), wahrend der unbewegliche an der Aussenseite noch mit einem scharfen hellen Kiel versehen ist (*c*). An dem anderen ist es zunächst die sog. Säge (*s*), die an seiner Unterseite fast bis zur Basis herabreicht. Abweichend von anderen Formen ist sie bei Chernes in ihrer ganzen Länge der Scheere angewachsen, wahrend sie sonst meistens mehr oder weniger frei davon absteht. Sie besteht bei beiden Geschlechtern aus 17—18 langen, an der Spitze abgerundeten, durchsichtigen Zähnen, von denen der hinterste beträchtlich länger als die übrigen ist. Das Interessanteste an den Kieferfühlern ist aber der helle, weiche Fortsatz (*f*), welcher sich an der Spitze des beweglichen Fühlers über den zwei starken Zähnen erhebt, in welche derselbe ausläuft. Dieser Fortsatz, in systematischen Werken einfach als „Stielchen“ bezeichnet, scheint übrigens bei den meisten Pseudoscorpionen in grösserer oder geringerer Ausbilddung vorzukommen, denn er enthält die Ausmündungen zweier grosser Drüsenmassen, die in dem vorderen Theil des Cephalothorax liegen und mit ihren Ausführungsgängen in die Kieferfühler eintretend, den beweglichen Finger der ganzen Länge nach durchziehen. Bei Chernes bestehen diese Drüsen jederseits aus 4—5 langen, leicht gewundenen Schläuchen von 0,05 mm. im Durchschnitt, die in der Mittellinie zusammenstossen und unter dem Rückenschilde liegend, das Brustganglion und selbst einen Theil der vorderen Lebersäcke bedecken (Fig. 20, *dr*); die Grösse der ganzen Drusenmasse scheint je nach der Jahreszeit etwas verschieden zu sein, am bedeutendsten fand ich sie im Sommer. Auf dem Querschnitte (Fig. 22 *gl*) zeigen die Schläuche eine gegenseitige Abplattung und im Centrum eines jeden bemerkt man das helle Lumen eines nur 0,004 mm. weiten Canals, um welchen sich in radialer Anordnung die Drusenzellen gruppiren, die meist sehr undeutlich von einander abgegrenzt erscheinen und kleine Kerne von 0,003 mm. besitzen. Nach vorn verengern sich diese Schläuche ziemlich rasch und ihre Ausführungsgänge treten in Form eines Bundels paralleler, von einer körnigen Substanz umgebener enger Canale in die Basis des Kieferfuhlers ein. Sie in demselben zwischen den Muskeln zu verfolgen, ist fast unmoglich, nach Einwirkung von Kali aber treten sie, da sie hier chitinisirt sind, auf das Deutlichste hervor (Fig. 8, *dr*). Nachdem sie in die Endpapille eingetreten, vertheilen sich die nur ungefahr 0,0015 mm. weiten Ausführungsgange auf die fünf kleinen conischen Fortsätze, in welche die Papille bei Chernes ausläuft, wo sie mit äusserst feinen Offnungen endigen (Fig. 9). Deutlicher sind diese Letzteren bei Chelifer wahrzunehmen (Fig. 10), wo die Gange vor ihrem Eintritt in die Papille eine leichte Verknäuelung zeigen und Erstere selbst einen einfachen kegelformigen Fortsatz darstellt. Auch bei anderen Gattungen, die ich zu untersuchen leider keine Gelegenheit hatte, wie z. B. Cheiridium, Ectoceras, hat diese Endpapille der Kieferfühler eine bedeutende Ausbildung, wahrend sie bei Chthonius und Obisium nur einen kleinen Vorsprung bildet.

Die physiologische Bedeutung dieser Drüsen anbelangend, zweifele ich nicht, dass wir in denselben die wahren Spinnorgane der Pseudoscorpione vor uns haben. Denn erstens habe ich, wie schon bemerkt, die von den Autoren angenommenen Spinnröhrchen an der Basis des Abdomens weder bei Chernes, noch bei Chelifer finden konnen und mich überzeugt, dass die in dieser Gegend gelegenen Drüsen zum Genitalapparat gehören. Andererseits habe ich die beiden Geschlechter von Chernes Hahnii gleich häufig in ihren kleinen uhrglasförmigen Gespinnsten gefunden, in welchen sie unter Baumrinde die kalte Jahreszeit zubringen und somit constatiren konnen, dass das Spinnvermögen beiden gleichmässig zukommt. Die ganze Ausrustung der Scheere, welche für das Ordnen der Fäden viel besser geeignet erscheint als zu Angriffszwecken, sowie auch die weiche Beschaffenheit der Endpapille scheint mir ebenfalls zu Gunsten dieser Ansicht zu sprechen, und schliesslich wäre auch zu beachten, dass sich fur ein Spinnorgan kaum eine unpassendere Stelle gewahlt werden konnte, als gerade an der Basis des Abdomens. In morphologischer Hinsicht konnte man am ehesten an einen Vergleich mit den Giftdrüsen der Spinnen denken, doch fehlt bei Chernes an den Drüsenschläuchen die Muskulatur.

Die breit dreieckigen Basalglieder der *Maxillen* (Fig. 1, 2, 4) sind unten in der Medianlinie durch einen schmalen Spalt getrennt, in dessen Grunde die comprimirten Lamellen des Rostrum zu liegen kommen; die vorderen, in eine Spitze auslaufenden Ecken tragen an der Innenseite je eine ovale, durchsichtige Chitinlamelle (Fig. 5, *s*), die sich dem Rostrum mehr oder weniger anlegen kann und wahrscheinlich zum Saugen benutzt wird, während die vorderen Beinpaare der Pseudoscorpione wie auch von Gibbocellum ganzlich von der Umgebung des Mundes ausgeschlossen sind. Der mächtige Maxillarpalpus besteht aus funf Gliedern, da das zweite Glied hier nicht, wie an den Beinen, in Schenkel und Trochanter zerfällt. Ohne mich mit der Beschreibung der einzelnen Glieder aufzuhalten, erlaube ich mir nur noch einige Bemerkungen uber die Scheere, welche der Maxillartaster tragt. Die beiden Finger derselben (Fig. 11) sind längs ihrer Innenseite mit einer sägenartig aussehenden Reihe kleiner, heller Zähne besetzt, deren Spitzen je ein winziges rundes Knöpfchen tragen; nur der vorderste Zahn in jeder Reihe ist etwas stärker als die übrigen, besonders derjenige des beweglichen Scheerenfingers, und bei stärkerer Vergrösserung lässt sich in demselben ein feiner Canal entdecken, der unweit der Spitze ausmündet. Dieser Canal ist aber nur das Ende eines sich bis zur Mitte des Gliedes erstreckenden chitinisirten Rohres, welches sich an seinem hinteren Ende mit einer leichten Erweiterung an einen länglichen Schlauch ansetzt (*dr*), welcher offenbar eine Drüse darstellt. Die Zellen selbst, welche die feine Membran dieses Schlauches auskleiden, konnte ich nicht unterscheiden, sondern nur ihre Kerne; auch liegen der Membran Kerne von flacher Form an, die wahrscheinlich der bindegewebigen Hülle selbst angehören. Die Drüse wird zum Theil von Nervenganglien bedeckt (*g*, *g*), welche die Tasthaare versehen, und ihre hintere Grenze liegt ungefahr an der Basis des beweglichen Fingers. Was die Bedeutung derselben anbetrifft, wird es nach der ganzen Anordnung und Ausmündungsart am wahrscheinlichsten, dass es eine Giftdruse ist, deren Secret in die durch den Zahn beigebrachte Wunde abfliessen kann.

Hinsichtlich der vier *Beinpaare* unserer Thiere will ich bemerken, dass der Schenkel von dem zweiten Trochanter nur ausserlich durch eine Furche abgegrenzt ist, so dass zwischen ihnen keine eigentliche Gelenkverbindung besteht (Fig. 13); die Strecker und Beuger des Tibialgliedes (V) verlaufen ununterbrochen durch den Schenkel (IV) und zweiten Trochanter (III). Die das Tibialglied erfüllende Muskulatur ist in der Hinsicht merkwurdig, dass sie nur aus Beugern besteht, von denen der bei weitem mächtigere, noch durch ein Bündel (*m*) aus dem Femur verstarkte (*f*) den Beuger des ersten Tarsalgliedes (VI) darstellt, während diesem Letzteren ein Strecker gänzlich abgeht. Ein schwacheres Bündel, welches ebenfalls am Endtheil der Tibia entspringt (*f'*), setzt sich mit einer langen, das ganze Tarsalglied durchziehenden Sehne *t* an die Unterseite des Klauengliedes (VII) und fungirt also als Klauenbeuger. Dieses Glied besitzt auch einen ziemlich starken Strecker oder Zuruckzieher (*e*) für die Kralle. Ein ähnliches Verhältniss der Muskulatur wird auch von *Henking* *) für Trombidium angegeben. Nach der Anordnung der Muskeln zu urtheilen stellt das kleine Klauenglied ein wahres siebentes Fussglied vor. Auf seiner stark chitinisirten Basis (Fig. 13 a) erhebt sich ein schlanker, pokalformiger Haftnapf mit verbreiterter Mündung, sowie zwei stark sichelförmig gekrummte glatte Klauen, die in einen Ausschnitt des Tarsalgliedes zurückgezogen werden können. Im Endabschnitt dieses Letzteren liegt ein Haufen rundlicher Zellen von 0,01 m. m. Grosse, die vielleicht eine Drüse vortellen, deren Secret zur Befeuchtung des Haftlappens dient, doch war ein Ansführungsgang an derselben nicht zu sehen.

Integument. Der feinere Bau der Haut zeigt bei Chernes nichts wesentlich von anderen Arthropoden abweichendes. Speciell uber die Haut der Pseudoscorpione existiren nur die älteren Untersuchungen von *Menge*, welcher daran bereits zwei Schichten unterscheidet, die er als Oberhaut und eigentliche Haut bezeichnet. Die Erstere ist offenbar die Cuticula unserer Thiere, die sich, wie schon erwähnt, durch ihre grösse Brüchigkeit und Undurchlässigkeit auszeichnet; schwieriger ist aber zu entscheiden, was von der darunter liegenden sog. Haut zu halten ist. Nach *Menge* **) zerfällt sie bei Obisium ebenfalls in zwei dünne Schichten, welche Beide aus sich rechtwinkelig kreuzenden Längs- und Querfasern bestehen sollen, die kleine quadratische Felder umschliessen und in Essigsäure und Kali löslich sind; von Zellen oder Kernen in diesen Schichten wird nichts gesagt, aber in den Knotenpuncten der Fasern in der unteren sollen sich nach *Menge* kleine runde Öffnungen befinden. Wenn man in diesen letzteren statt der Öffnungen Kerne vermuthen sollte, so ergäbe sich eine Aehnlichkeit mit den von *Henking* ***) an Trombidium beobachteten Verhältnissen, wo er eine Hypodermis beschreibt, die übrigens einem viel weniger regelmässigen Bau besitzt und viel spärlicher vertheilte kernartige Bildungen in den

*) *Henking*, Beiträge z. Anatomie etc. v. Trombidium fuliginosum (Z. f. wiss. Zool. Bd. 37, Taf. 34, fig. 3.)

**) *Menge*, l. c. p. 10.

***) *Henking*, l. c. p. 562.

Knotenpuncten ihrer Maschen zeigt. Die obere Faserschicht mit ihren quadratischen Feldern mag immerhin als der Cuticula angehörig betrachtet werden, wie es schon längst von *Pagenstecher* bei Trombidium beobachtet und von mir und *Henking* bestätigt ist. Obgleich also im ganzen genommen die Beschreibung von *Menge* sich mit dem Befunde bei anderen Arachniden vereinbaren lässt, habe ich dennoch bei Chernes nichts dem Ähnliches sehen können. Hier besteht die Cuticula zwar auch aus zwei Schichten, die aber auf das Innigste mit einander verbunden sind. An den Stellen, wo die Cuticula am stärksten entwickelt ist, am Rückenpanzer und den Extremitäten (Fig. 13, 22), erkennt man deutlich eine obere dünnere und dunklere Schicht und darunter eine viel mächtigere und hellere. Die Gesammtdicke beider Schichten variirt von 0,004 mm. an den Extremitäten bis zu 0,012 mm. am Cephalothorax. Auch die weichere Verbindungshaut an den Seiten der Kopfbrust (Fig. 22) lässt eine ähnliche Zusammensetzung erkennen, nur erhebt sich hier die obere Lage in Gestalt zahlreicher, sehr dichtgedrängter Papillen, die bei der Ausdehnung theilweise zu verstreichen scheinen, während sie an den stärker chitinisirten Stellen nur eine grobkörnige Oberfläche darbietet und sich um die die Borsten tragenden Porencanäle wallartig erhebt. Die Sculptur der Verbindungshaut zwischen den Rücken- und Bauchschienen lässt, wie Fig. 15 zeigt, verschiedene Systeme von Erhebungen erkennen, die bald Papillenreihen, bald wellig geschlängelte Falten bilden.

Die Hypodermis, welche diese Cuticula absondert, bildet bei den erwachsenen Individuen, wie das bei Arachniden häufig vorkommt, nirgends ein zusammenhängendes Zellenlager, sondern nur eine dünne Protoplasmaschicht mit eingestreuten Kernen, welche besonders an den Extremitäten (Fig. 11, 12) oft ziemlich dicht gruppirt sind, dagegen am Rumpfe stellenweise viel spärlicher vorkommen. Sie besitzen eine ovale oder rundliche Form und eine Grösse von circa 0,005 mm. und tingiren sich sehr stark. Unter diesen Kernen lässt sich mitunter (Fig. 13 *b*) eine äusserst feine Membran erkennen, welche wohl die bindegewebige Unterlage der Haut vorstellt, wie sie bereits für verschiedene Arthropoden nachgewiesen ist. Sie löst sich stellenweise von der Hypodermis ab und zieht dann auch deren Kerne mit sich fort.

Unter den Anhängen der Haut sind zunächst die Borsten zu erwähnen, die in reichlicher Menge die Oberseite des Körpers und seiner Anhänge bekleiden (Fig. 13, 22). Sie sind ziemlich durchsichtig und erscheinen unter der Lupe kolbenförmig, bei stärkerer

Vergrösserung erkennt man aber, dass jede Borste eine Platte vorstellt, die mit ihrem verschmälerten Ende der Cuticula aufsitzt und der Länge nach 3—4 nach oben divergirende Falten bildet, die in ebensoviel Spitzen auslaufen, so dass das Ganze einer Pfeilspitze nicht unähnlich aussieht. Jede Borste sitzt auf einem 0,003 mm. weiten Porencanal, dessen Mündung von der oberen dünnen Cuticularschicht umwallt wird. Auf der Oberfläche des Rückenschildes stehen sie ziemlich unregelmässig zerstreut, aber an den Rückenschienen des Abdomens bilden sie regelmässige, deren hinteren Rand umsäumende Reihen. Die Unterseite des Körpers ist mit einfachen spitzen Haaren bekleidet, deren Porencanäle einen etwas geringeren Durchmesser besitzen.

An den Scheerengliedern der Palpen (Fig. 11) sitzen ferner einige schon von *Dahl* *) erwähnte längere Haare, deren Bau offenbar auf Sinnesorgane schliessen lässt. Einige Abweichungen abgerechnet, sind sie den Haaren sehr ähnlich, welche *Dahl* bei den Araneiden als Hörhaare beschreibt. Ich glaube jedoch, in Berücksichtigung ihrer Lage bei den Pseudoscorpionen sowie des Benehmens dieser Thiere, welche ihre Taster immer möglichst weit ausgestreckt halten und bei der geringsten Berührung derselben blitzschnell zurückfahren, in diesen Organen nur Tastorgane zu sehen. Sie haben eine ziemlich constante Lage und finden sich zu je 4—5 an jedem Scheerenfinger, obgleich mitunter Individuen vorkommen, bei welchen einer derselben dieser Haare ganz entbehrt. Die einzelnen Haare sind von sehr beträchtlicher Länge, die denen der Scheerenfinger kaum nachsteht, von zartem, durchsichtigem Aussehen und vollkommen unbefiedert. Die Vertiefung des Integumentes, welche die Basis des Haares aufnimmt, bildet einen weiten Trichter (Fig. 12), der fast die ganze Dicke der Cuticula einnimmt und an seinem Boden mit einer weiten runden Öffnung in eine untere abgerundete Kammer übergeht, die den Grund der Cuticulareinstülpung bildet. Am Boden dieser zweiten Abtheilung erhebt sich auf einer körnigen Masse, welche einen kleinen Hügel bildet, ein kleiner, oben erweiterter und anscheinend hohler Stiel, der dem Haare selbst zur Insertion dient. Wahrscheinlich tritt durch diesen Stiel einer der Nerven, welche von den beiden, an der Basis der Finger gelegenen Ganglien (Fig. 11 *gg*) abgehen, an das Haar. Die Weite der Öffnung, aus welcher dasselbe hervortritt, gestattet demselben eine freie Bewegung nach allen Seiten. Es ist noch zu bemerken,

*) *Dahl*, Über die Hörhaare bei d. Arachnoiden (Zool. Anzeiger 1883, p. 267).

dass weitere Nervenzweige aus denselben Ganglien zu einfachen, feinen Haaren gehen, die über gewöhnlichen Porencanälen stehen und sich an der Spitze der Scheerenfinger befinden.

Auch an den Kieferfühlern (Fig. 7, 8) stehen einige längere Borsten, unter welchen besonders eine an der Unterseite, nahe der Basis des beweglichen Fingers gelegene Gruppe von 4 Borsten, die sich auf einem gemeinsamen Cuticularringe erheben, zu bemerken ist. Diese Borsten, von denen die längere abgeplattet und einseitig gezähnelt ist, dürften nach ihrer Lage jenen verzweigten Anhängen entsprechen, die *Stecker* *) bei Chernes cimicoides sowie bei einigen indischen Arten gefunden hat und für Geruchsorgane erklärt. Ich weiss nicht, welche Gründe ihn bewogen haben, diesen Organen eine so specielle Function zuzuschreiben, und glaube in denselben eher eine für das Ziehen und Anordnen der Fäden bestimmte Einrichtung zu sehen.

2. Musculatur.

Eine eingehende Beschreibung der gesammten Körpermuskulatur eines so kleinen Thieres, wie unsere Chernes-Art, konnte bei den Schwierigkeiten der Untersuchung nicht wohl ausgeführt werden; hier sollen nur einige Bemerkungen Platz finden, die mir für den Vergleich dieser Thiere mit anderen Arachniden und fur ihre systematische Stellung nicht ohne Interesse erscheinen, zumal wir gegenwärtig eine sehr ausführliche Schilderung der Musculatur des Scorpions besitzen **). Die Muskeln der Extremitäten sind bereits theilweise im vorhergehenden Abschnitte behandelt, und diejenigen des Pharynx, der Genitalien u. s. w. glaube ich zweckmässiger bei der Beschreibung der betreffenden Organe zu besprechen.

Im Cephalothorax bilden die Hauptmasse der Muskeln die Extensoren und Flexoren des ersten freien Gliedes der Palpen und Beine, die hauptsächlich im Inneren der unbeweglichen Coxalglieder gelegen sind (Fig. 14, 22); doch ziehen von den Seiten des Rückenschildes starke Muskeln schräg nach unten, um sich oben an das peripherische Ende der Coxa anzusetzen, welche sie nach oben ziehen, wodurch eine Verengerung des Brustraumes und eine Faltung der weichen Verbindungshaut an den Seiten bewirkt wird

---

*) *Stecker*, l. c. p. 514, taf. II, fig. 3, 4, 7, 8, 9, 11.

**) *E. J. Beck*, Descr. of the muscular and endoskelet. syst. of Scorpio (Trans. Zool. Soc. of London, Vol. XI, p. 10. p. 339).

(Fig. 22 *m*). Sie mögen z. Th. den Dorso-Coxalmuskeln des Scorpions entsprechen. An den vorderen Theil des Rückenschildes inseriren sich die Muskeln der Kieferfühler, die über den Spinndrüsen liegen, und in dem hinteren Theil der Brust findet sich auch bei Chernes die für die Arachniden so charakteristische mediane sehnige Muskelverbindung, das Plastron *Lankesters*, welches hier jedoch eine viel einfachere Ausbildung besitzt, als beim Scorpion (Fig. 14, *p*). Es besteht aus einer schmalen queren, vorn leicht ausgeschweiften Platte, die in transversaler Richtung (zur Brust) circa 0,06 mm., in der Längsrichtung kaum 0,012 mm. misst und hinter dem Thoracalganlion über den letzten Hüften liegt. An der Unterseite dieser Platte entspringen jederseits mehrere (bis 4) Muskelbündel, die sich an die oberen Ecken der Hüften ansetzen, ob sie aber zu allen Hüftpaaren gehen, liess sich nicht sicher entscheiden. Entgegen der Angabe *Menge's*, dass aus der Mitte des Plastrons ein Muskel aufwärts zur Mitte des Rückenschildes geht, glaube ich mich bei Chernes überzeugt zu haben, dass ein solcher medianer Muskel nicht existirt, und auch beim Scorpion *) sind die vom Plastron zur Rückenfläche laufenden Muskeln paarig. Dagegen dienen die seitlichen Enden des Plastron bei Chernes mehreren anderen Muskeln zum Ansatz, von welchen zwei ziemlich starke Bündel schrag nach oben und innen aufsteigen, um sich in der Mittellinie an den hinteren Rand des Rückenschildes anzusetzen, und diese entsprechen wahrscheinlich den 3 Paaren der Dorso-plastron-Muskeln beim Scorpion. Von derselben Stelle des Plastron gehen aber jederseits noch ein Muskel nach unten zum inneren Rand der Hüfte und ein anderer zu ihrem unteren ausseren Rand. Beim Scorpion gehen von der Unterseite des Plastron ebenfalls einige Muskeln ab, die sich zu den Hüftgliedern der drei hinteren Beinpaare, sowie zum Operculum der Genitalien und den Kämmen begeben.

Die Musculatur des Bauches besteht zunächst aus einer Längsschicht, die sich über die Rücken- und Bauchseite sämmtlicher Segmente erstreckt (Fig. 15 *ml*, *ml'*). Schon *Menge* hatte bemerkt, dass die Mitte der Oberseite frei davon bleibt, ich kann jedoch hinzufügen, dass dasselbe auch auf der Unterseite der Fall ist und dass der von Muskeln freie Raum bei Chernes oben wie unten beträchtlich breiter ist, als *Menge* für Chelifer angiebt; ein in der ventralen Mittellinie verlaufendes Langsmuskelband, sowie die kurzen, daran seitlich angrenzenden queren und schragen Bündel

*) *Beck*, l. c. N° 63, 64, 65.

existiren bei Chernes nicht. Diese Letzteren scheinen auch bei dem Scorpion zu fehlen, dagegen findet sich bei diesem ein medianer ventraler Langsmuskel, der, in metamere Partien abgetheilt, sich uber das Abdomen und die vier ersten Segmente des Postabdomens erstreckt. Von den Langsbündeln sind die des Rückens bei Chernes am breitesten; sie verlaufen vom vorderen Rande jeder Rucken- und Bauchschiene, wo sie, wie schon *Menge* gesehen, mit einer Anzahl sehr feiner Sehnen sich inseriren, zum Hinterrande der dieselben verbindenden weichen Membran. In einigem Abstand vom medialen Rand der Schienen weichen die Langsmuskeln leicht auseinander, um den dorso-ventralen Bauchmuskeln (*m v*) Raum zur Insertion zu geben, welche die Leibeshöhle senkrecht durchsetzen und gleichfalls so characteristisch fur die Arachniden sind. Die Insertionen dieser Muskeln sind schon von aussen als dunkle Puncte an der Rücken- und Bauchseite des Thieres zu erkennen (Fig. 1, 2, 4). *Menge* scheint aber der Lage derselben keine grosse Anfmerksamkeit gewidmet und übersehen zu haben, dass sie auf der Rückenseite, wenigstens bei Chernes und Chelifer, nicht allen Segmenten zukommen, sondern constant auf dem ersten, dritten und letzten fehlen, wahrend unten nur das letzte keine solchen aufweist. Auf dem Rücken finden wir somit 8, auf dem Bauche nur 7 Paare solcher Muskelpuncte. Das erste Paar des Ruckens scheint zwei vertikalen Muskeln anzugehören, die sich an die Genitalplatten inseriren (Fig. 42), wahrend die übrigen je einem Segmente des Bauches entsprechen. Die Bündel selbst sind viel starker, als die Langsmuskeln, zeigen eine deutliche Querstreifung und zahlreiche Kerne am Sarcolemma (Fig. 15).

Ausser diesen Muskeln muss ich aber auf eine bei Chernes sehr deutlich entwickelte Quermuskelschicht aufmerksam machen (Fig. 15 *mc*), welche ein für einen Arthropoden sehr seltenes Vorkommnis darstellt, und bei den Scorpionen nur, wie *Ray-Lankester* *) muthmasst, durch die sog. Latero-dorsalmuskeln reprasentirt wird. Wahrend aber diese Letzteren nur die hintere Seite jedes Segmentes einnehmen, bilden sie bei Chernes eine die gesammte Unterflache der seitlichen Verbindungshaut überkleidende Schicht ziemlich feiner Fasern, die von der Rücken- zur Bauchseite hinabziehen und sich da ansetzen, wo die Langsmuskeln beginnen. Diejenigen Fasern, welche sich an den Ruckenschienen selbst inse-

*) *Ray Lankester*, On the muscular and endoskel. Syst. of Limulus and Scorpio (Trans. Zool. Soc. Lond. Vol. XI, p. 361, № 15—20).

riren, convergiren an diesem Punct, während die dahinter liegenden überall einen ziemlich genau parallelen Verlauf zeigen.

3. Nervensystem.

In der allgemeinen Gestaltung seines Centralnervensystems schliesst sich Chernes, trotz der so scharf ausgesprochenen Segmentirung dennoch nicht den eigentlichen Scorpionen an, sondern mehr den Araneiden und selbst gewissen Acariden; mir ist es wenigstens nicht gelungen, die von *Stecker* *) angegebenen abdominalen Ganglien zu finden, welche sich an der Basis des Abdomens und im siebenten Hinterleibssegment von Chthonius befinden und die letzten Reste einer Bauchganglienkette darstellen. Seine Angabe, dass bei der erwähnten Gattung das Oberschlundganglion „durch zwei ziemlich lange Commissuren" mit dem unteren Thoracalknoten verbunden sei, widerspricht übrigens dem, was von den Arachniden überhaupt bekannt ist. Das im vorderen Theile des Cephalothorax gelegene Centralnervensystem besteht, wie bei allen Arachniden, aus einer über dem Schlunde liegenden Ganglienmasse, die mit dem Brustknoten so eng verbunden ist, dass man kaum von Seitencommissuren reden kann. Die beiden Knoten zusammen (Fig. 16) bilden eine ovale Masse von ungefähr 0,5 mm. Länge und 0,4 mm. grösster Breite. Das Oberschlundganglion nimmt davon beinahe die Hälfte ein und erhebt sich über dem vorderen Theil des Brustknotens als ein stark vorragender, oben etwas abgeplatteter Hügel von nahezu rundem Umriss, welcher vorn, wo er fast unmittelbar an den Pharynx grenzt, steil zum Ösophagus abfällt (Fig. 17). Der untere Thoracalknoten bildet ebenfalls eine ziemlich dicke Masse und hat eine hinten etwas verbreiterte und wegen der abgehenden Nerven strahlige Gestalt.

Die gesammte Ganglienmasse wird von einem feinen äusseren Neurilemm umhüllt, an welchem man mitunter kleine längliche Kerne beobachten kann und welches sich auch auf die Nerven fortsetzt. Unter dem Neurilemm liegt eine dicke Schicht dicht gedrängter Nervenzellen, die in ihren Contouren sehr undeutlich sind und deren rundliche, sich stark tingirende Kerne nur eine Grösse von 0,006 mm. haben; diese Zellen umgeben die centrale Masse

*) *Stecker*, Anatomisches und Histiol. üb. Gibbocellum (Arch. f. Nat. Bd. 42, p. 318.)

von allen Seiten, wenn auch auf der Dorsalfläche des Brustganglions nur in einer dünnen Schicht. Nervenzellen von grösseren Dimensionen habe ich bei Chernes nie beobachtet und kann auch nichts über ihre Ausläufer angeben. Am dicksten ist diese Schicht an der Oberfläche des Oberschlundganglions, sowie an der Unterseite des Brustganglions gelagert (Fig. 17, 18). Die von demselben umgebene Centralmasse zerfällt im Bereich des Brustknotens in 6 Paare länglicher, körnig-faseriger Anhäufungen, die den Nerven der fünf grösseren Extremitätenpaare und einem sechsten hinteren Nervenpaare entsprechen und von bindegewebigen Scheidewänden umschlossen sind, welche, wie es scheint, von dem den Ösophagus umgebenden Bindegewebe ihren Ursprung nehmen. Dieses ist in einer ziemlich starken Schicht mit zahlreichen Kernen entwickelt (Fig. 18) und bildet nicht nur eine förmliche Scheidewand zwischen Ober- und Unterschlundganglion, sondern sendet auch in der Medianlinie Ausläufer nach oben, welche das Erstere selbst in zwei seitliche Partien theilen und setzt sich weiter in dünner Schicht um die ganze übrige Centralmasse fort (Fig. 18 *b*), dieselbe von der Zellenschicht abgrenzend. An Längsschnitten (Fig. 17) erkennt man ausserdem im vordersten Theile des Oberschlundganglions, jederseits noch eine kleine vorspringende Partie der inneren Substanz, welche vielleicht das Ganglion der Kieferfühler bildet. Wir hätten somit im Nervensystem von Chernes dieselbe innere Gliederung, die wir bereits von anderen höheren Arachniden kennen, nämlich im eigentlichen Gehirn die Ganglia optica und diejenigen der Kieferfühler, im Brustganglion diejenigen der übrigen fünf Extremitätenpaare und ein Ganglion adbominale, welches Letztere wahrscheinlich den Rest der Bauchganglienkette repräsentirt. Von einem rostralen Ganglion aber, wie solches *Schimkewitsch* bei Spinnenembryonen gefunden (vgl. oben), habe ich bei Chernes nichts bemerkt.

Was die von dem Nervencentrum abgehenden Nervenstämme betrifft, so ist deren Praparation ziemlich schwierig, ich kann aber nach Vergleich mehrerer Praparate Folgendes als sicher aufstellen. Von dem Oberschlundganglion entspringen vorn zwei ziemlich starke und sich alsbald gabelnde Nerven (Fig. 16 *n c*), die in der Richtung der Kieferfuhler gehen und bis in die unmittelbare Nähe derselben verfolgt werden konnten; ich zweifele desshalb nicht, dass sie diese Organe innerviren. Zwischen denselben entspringt ein unpaarer Nerv *(n)*, welcher über dem Pharynx verläuft, der unmittelbar an das Oberschlundganglion angrenzt. Ein ähnlicher unpaarer Nervenstamm ist bereits von einigen Milben bekannt und auch von *St. Rémy* *) bei dem Scorpion gefunden worden, wo er aber aus dem Cheliceren-ganglion *unterhalb* des Ösophagus entspringen soll. Ausserdem gehen aber am Vordertheil des Gehirnes von Chernes in einem viel hoheren Niveau zwei sehr feine Nerven ab *(no)*, die ich ihrer Ursprungsstelle nach für ein Paar sehr rückgebildeter Augennerven ansehe, obgleich die Augen selbst der Gattung Chernes fehlen. Da es indessen kaum bezweifelt werden kann, dass diese gegenwartig blinden Thiere von Vorfahren abstammen, welche Augen besassen, so wäre der rudimentäre Zustand dieser Nerven leicht erklarbar.— Von den Nerven des Brustknotens fallen die zwei Stämme, welche die Maxillarpalpen versehen, sofort durch ihre Machtigkeit in die Augen *(n m)*; sie geben unmittelbar an ihrem Ursprung an der inneren Seite je einen Ast ab, der sich bald weiter verzweigt. Es folgen dann die Nerven der Beinpaare, an denen aber, ebensowenig wie an den Maxillarnerven, ein feiner begleitender Nervenstamm vorhanden ist, wie bei den Galeoden **), Hydrachniden ***) und Trombidien ****). Von dem breiten Hinterrande des Brustknotens endlich, aber etwas höher als die Nerven der Beine, entspringen noch zwei gleichfalls ziemlich starke Stämme, die sich alsbald in zwei Aste theilen, von denen die inneren zu dem Ausführungsgang der Genitalien ziehen, die äusseren aber sich in der Masse der Lebersacke verlieren.

4. Verdauungsorgane.

Die Beschaffenheit der an der Unterseite des Rostrum befindlichen Mundöffnung ist bereits im ersten Abschnitt beschrieben worden. Die beiden gezahnelten Platten (Fig. 6 *o*, *u*), zwischen welchen sie sich befindet, gehen hinten unmittelbar in die obere und untere Wandung eines stark chitinisirten Pharynx über *(p h)*, welcher fast an das Brustganglion grenzt. Von der Seite betrachtet, erhebt sich die Wandung des Pharynx oben und unten in Gestalt je zweier fast senkrechter, abgerundet dreieckiger Fortsatze, welche

---

*) *Saint-Rémy*, Rech. sur la structure du cerveau du scorpion (Compt. rend. T. 102 p. 1492) Nach Journ. Roy. Micr. Soc. 1886.

**) *Kittary*, Anat. Unters. der gemein. u. furchtlos. Solpuga (Bull. Soc. Imp. d. Natur. de Moscou. 1848, p. 366).

***) *Кронебергъ*, О строеніи Eylais (Изв. Общ. Люб. Естеств. T. XXIX, вып. 2, стр. 16).

****) *Id.* Über den Bau v. Trombidium (Bull. Soc. d. Natur. de Moscou, 1879).

durch ihre dunkle Farbung von dem hellen centralen Lumen abstechen. Auf dem Querschnitte (Fig. 19) findet man, dass sich dies Lumen in Form von 4 engen Spalten in die Fortsätze der Wandung verfolgen lässt, oder mit anderen Worten, dass die Pharynx-Wand selbst von allen Seiten derartig comprimirt ist, dass sie sich oben und unten in je zwei spaltförmige Räume auszieht. Dass das Lumen übrigens nicht immer diese Form besitzt, erkennt man an anderen Querschnitten, wo es mitunter eine viel breitere vierstrahlige Form annimmt, und es ist überhaupt klar, dass wir es hier mit einem sehr ausgebildeten Saugapparat zu thun haben, der, wie der Querschnitt lehrt, mit demjenigen der Scorpione eine grosse Ähnlichkeit besitzt *). Zunächst ist der Pharynx selbst oben und seitlich von mehreren kleinen Muskeln umgeben, die bei gleichzeitiger Contraction eine Erweiterung seines Lumens bewirken mogen, da sie zwischen den Aussenseiten der Fortsätze ausgespannt sind; an die Seiten des Pharynx setzen sich weiterhin zwei starke Muskeln an, welche in horizontaler Richtung zur Innenfläche des Coxalgliedes der Palpen verlaufen, wahrend sie bei dem Scorpion sich an dem sog. „præoral entosclerite" inseriren; bei diesem Letzteren fehlen auch die beiden unteren Duplicaturen oder Fortsätze der Pharyngealwand. Endlich steigen zum Pharynx noch mehrere Muskeln von oben, von dem Basaltheile des Rostrum ab, die dem Scorpion zu fehlen scheinen. Jedenfalls kann man nicht, wie *Mac Leod* **), von einem rudimentären Zustande des Saugapparats bei den Pseudoscorpionen sprechen, bei welchen derselbe, wie ich mich auch bei Obisium und Chelifer uberzeugt habe, durchaus nicht weniger entwickelt ist als bei Chernes.

Speicheldrüsen und überhaupt mit dem Ösophagus verbundene Drüsenapparate habe ich bei Chernes und Chelifer nicht gesehen.

Der sich dem Pharynx anschliessende Ösophagus bildet ein dünnes, zum grössten Theil im Centralnervensystem eingeschlossenes Rohr (Fig. 17 *oe*), welches in seinem vordersten Theile einen deutlichen Beleg von Ringmuskeln besitzt und im Verlaufe durch die Nervenmasse von einer dicken bindegewebigen Hülle umgeben ist. Das Epithel erscheint sehr flach, geht aber im hinteren trichterförmig verbreiterten Theile in ein höheres über. Dieser unmittelbar hinter dem Oberschlundganglion liegende, sehr kurze Ab-

*) *Beck*, l. c. pl. 79, fig. 11.

**) *Mac Leod*, La structure de l'intest. ant. d. Arachnides (Bull. Acad. Belg. Tom. 8, p. 377). Nach Zool. Jahresber. f. 1884, p. 78.

schnitt bildet die einzige Magen-ähnliche Erweiterung des Mitteldarmes, welche seitlich und nach unten in die drei mächtigen Leberaussackungen übergeht, während der hintere Theil derselben sich ebenso rasch in den langen, gewundenen Darm verschmälert (Fig. 21, 41). Die voluminösen Lebersäcke, welche bei unseren Thieren die Hauptmasse der Eingeweide darstellen, bilden erstens zwei vollkommen symmetrische obere Abtheilungen (Fig. 20 *l*), welche in der Medianlinie durch eine Furche getrennt sind, in deren Vordertheil das Herz liegt (*h*), und die sich seitlich in eine Anzahl (9) secundarer kleinerer Säcke theilen. In den Einschnitten dieser Leberlappen liegen die Dorso-ventralmuskeln des Abdomens. Die vordersten Ausstülpungen sind ihrerseits an der Spitze eingekerbt und überdecken theilweise das Brustganglion (Fig. 22), während sie selbst bei stärkerer Ausbildung der Cheliceren-Drüsen, von der hinteren Partie der Letzteren überlagert werden. Zieht man die beiden oberen Leberabtheilungen, die durch Bindegewebe ziemlich fest verkittet sind, von hinten behutsam auseinander, so erkennt man, dass sie auf der Dorsalseite in weiter Communication stehen und auch auf Schnitten sieht man das eigenthümliche Epithel beider Sacke ohne Unterbrechung in einander übergehen (Fig. 41). Weiter bildet aber dieselbe centrale Vereinigung der Lebersäcke eine Ausstülpung nach unten (*l'*), und diese geht allmählig in einen unpaaren dritten Lebersack über, welcher auf der Fig. 21 an seiner Basis abgelöst ist, um den Darm zu zeigen, im unversehrten Zustande aber bis an das letzte Drittel des Abdomens reicht und oft schon mit der Lupe unter den Bauchdecken durchschimmernd gesehen werden kann, auch auf jedem Querschnitte durch diese Region getroffen wird (Fig. 31, 42). Abweichend von den oberen Abtheilungen der Leber bietet diese untere keine seitlichen Ausstülpungen, sondern nur leicht wellenförmige Contouren und scheint auch kein für die Pseudoscorpione charakteristisches Merkmal zu sein, indem sie bei Chelifer fehlt. Sie ist aber in der Hinsicht interessant, als sie an ganz ahnliche Verhältnisse errinnert, die von *Bertkau* *) und *Schimkewitsch* **) bei Spinnen, sowohl Embryonen als ausgewachsenen Thieren, constatirt worden sind. In dem Raume zwischen dem unteren Lebersack und den beiden oberen liegen, verkittet

---

*) *Bertkau*, Vorläuf. Mitth. über den Bau und die Function der sog. Leber etc. (Zool. Anzeiger 1881, p. 543).

**) *Schimkewitsch*, Et. s. l'anatomie de l'Epeire, p 56. — *Jd.* Матеріалы къ познан. эмбр. разв. аранеипъ, стр. 73.

von dem Fettkörper-artigen Bindegewebe, die Genitalien und weiter nach oben der Darm (Fig. 31, 42), wobei die Ausführungsgange der Ersteren, um zur Genitalöffnung zu gelangen, den unteren Lebersack an seiner Ursprungsstelle von den Seiten umgreifen mussen.

Der centrale Theil des Verdauungscanals kann also höchstens nur in topographischer Hinsicht als Magen betrachtet werden, denn er steht nicht nur mit den drei grossen Ausstülpungen der Leber in offener Verbindung, sondern unterscheidet sich auch in seinem feineren Bau nicht von denselben. Es findet hier dasselbe Verhältniss statt, auf welches ich schon früher bei Hydrachniden und Trombididen aufmerksam gemacht habe, dass nämlich hier kein fundamentaler Unterschied zwischen Magen und sog. Leber besteht und die Nahrung, die bei diesen Thieren wohl nur aus flüssigen Stoffen bestehen mag, in alle Theile des Lumens der Ausstülpungen gelangen und dort verdaut und aufgesogen werden kann. Für die genannten Acariden, bei denen ich den Mitteldarm vollständig geschlossen, d. h. ohne Communication mit der Analöffnung fand *), ist mir die Aufsaugung der Nahrung in den Ausstülpungen unzweifelhaft, aber auch bei den Pseudoscorpionen, in deren schmächtigem Darme ich immer nur die weissen Excretionsmassen allein beobachten konnte, ist mir eine solche Function der sog. Lebersäcke sehr wahrscheinlich.

Was deren feineren Bau anbetrifft, so werden sie von einer sehr feinen Membran gebildet, die innen von einem grosszelligen dunklen Epithel bekleidet wird, wie es bereits bei verschiedenen Arachniden beschrieben worden ist. Doch konnte ich darin nicht mit Sicherheit eine verschiedene Form der Zellen unterscheiden, wie sie von *Schimkewitsch* und *Bertkau* für die Araneiden angegeben worden ist; auch *Rössler* **) hat in den Blindsäcken des Magens der Opilioniden keinen anderen Unterschied zwischen den Epithelzellen, als den der relativen Ausbildung, finden können. Die Zellen sind meist von langgestreckter Form, haben eine Lange von ungefahr 0,06 mm. und sind dergestalt von braunlichen und gelblichen, grösseren und kleineren Körnchen und Tröpfchen angefüllt, dass die 0,008 mm. grossen, runden Kerne oft nur schwer sicht-

*) Die Zweifel, welche über die Richtigkeit dieser Angabe bestehen, wurden sich durch eine Untersuchung eines Vertreters der Gattung Hydrachna am leichtesten beseitigen lassen. Vgl. meine Schrift uber Eylais, p. 25.

**) *Rossler*, Beitrage z. Anatomie d. Phalangiden (Zeitschr. f. wiss. Zool. Bd. 36, p. 677).

bar sind. Ausser dem braunen Inhalt enthalten die Zellen auch Anhäufungen einer weissen, feinkörnigen Substanz, welche darin meist einseitig, mitunter auch an ihrer freien Spitze angehäuft ist (die im durchfallenden Lichte dunklen Massen auf Fig. 31, 41 und 42) und der bräunlichen Leber bereits unter der Lupe ein weissgesprenkeltes Ansehen verleiht. Mitunter scheinen diese Zellen in Auflösung begriffen und ihr Inhalt in das Lumen der Blindsäcke ausgetreten. Derselbe Zellenbeleg findet sich auch in der centralen Partie und es war ein Irrthum meinerseits, wenn ich in meiner vorläufigen Mittheilung *) diese Letztere als von einem kleinzelligen Epithel ausgekleidet angab, welches nur an dem Anfangstheile des Darmes beginnt.

Der Darm bildet ein langes, circa 0,05 mm. weites, übrigens in seinem Durchmesser etwas variirendes Rohr, welches hinter der Basis des unteren unpaaren Lebersacks beginnend, zuerst nach hinten zieht, um dann zurückzukehren und abermals mit einer doppelten Biegung nach hinten zu verlaufen (Fig. 21). Gleich den übrigen Theilen des Verdauungsapparates ist die Darmschlinge sammt den darunter liegenden Genitalien in das die Eingeweide umschliessende Zwischengewebe eingebettet und wird von diesem in ihrer Lage erhalten. Das Lumen des Darmes ist sehr eng (Fig. 31, 42 *i*), wo es nicht zufällig von Anhäufungen des weissen Excretes etwas erweitert wird, und ist von einem helleren, feinkörnigen Cylinderepithel ausgekleidet, dessen Zellen eine ziemlich kurze Form und eine Höhe von 0,02 mm. haben mit relativ grossen Kernen von 0,006 mm.

Das hintere, etwas verschmälerte Ende des Darmes mündet in einen kurzen Enddarm, der meistens so stark von den Excretionsmassen angefüllt ist, dass er als weisser Fleck unter den Hautdecken am Ende des Bauches durchschimmert; er hat in diesem Falle eine ovale, gegen den After verschmälerte Form. Der Darm mündet nicht in das vordere Ende des Rectum selbst, sondern eine kleine Strecke hinter derselben auf der dorsalen Seite. Das ganze Gebilde ist von einer dicken Schicht des Fettkörpers umgeben, welche die Erkenntniss des feineren Baues sehr erschwert, doch lasst sich an Exemplaren, wo das Rectum weniger ausgedehnt ist, ein Epithel erkennen, welches dem des Darmes sehr ähnlich ist, und äusserlich ein Beleg von Längsmuskeln. Kreisformige Fasern konnte ich weder hier, noch an dem Darme fin-

*) Zool. Anzeiger 1887, p. 148.

den. Die Vorstülpung des Afters, die man gelegentlich bei diesen Thieren sieht, wird von einigen schragen Muskelfasern bewirkt, welche an der Unterseite des Körpers vom Rectum zur Umgebung des Afters ziehen. Der Letztere bildet eine schmale Querspalte auf einer ovalen Analplatte, deren beide Lippen je ein paar kleine Borsten tragen.

An der Einmündung des Mitteldarmes und in der Umgebung dieser Gegend habe ich wenigstens bei Chernes (anderes Material steht mir zur Zeit nicht zur Verfügung) vergebens nach Malpighi'schen Gefässen gesucht und weder bei directer Praeparation, noch an Schnitten jemals eine Spur davon bemerkt.

Es mögen hier auch anhangsweise einige Bemerkungen über das schon merhmals erwähnte Bindegewebe gemacht werden, welches sich bei Chernes in bedeutender Ausbildung zwischen den inneren Organen vorfindet. Obgleich die meisten derselben in Berührung mit diesem Gewebe stehen, möchte ich doch annehmen, wie es *Bertkau* *) für die Spinnen gethan, dass dieses Zwischengewebe doch mehr zu dem Verdauungsapparat gehört, dessen Propria es überall dicht anliegt, während zwischen demselben und den übrigen Organen sich meist keine so innige Verbindung nachweisen lässt. Dieses Gewebe, welches ich bereits früher bei Acariden als Fettkörper beschrieben habe, enthalt auch wirklich bei Chernes eine Menge runder heller Fetttröpfchen und bildet besonders an der Aussenseite der Lebersäcke eine sehr mächtige Schicht (Fig. 31, 41 u. 42) die an manchen Stellen Zacken und Spitzen bildet (Fig. 21 *l*) und bei Sommer-Individuen vorzugsweise stark entwickelt ist. Es besteht aus hellen, unregelmässig polygonalen oder auch abgerundeten Zellen von ziemlich wechselnder Grösse, die durchschnittlich bis 0,03 mm. betragen mag, mit rundlichen Kernen von 0,006 mm., die sich stark mit Carmin tingiren, während das Protoplasma selbst sich nur wenig färbt.

5. Das Herz.

Das Herz der Chernetiden ist eines der wenigen Organe dieser Thiere, welche seit *Menge*, der dasselbe nicht gefunden, von anderen Forschern untersucht worden sind. *Daday*, dessen Arbeit

---

*) *Bertkau*, Über den Bau u. die Function d. sog. Leber bei den Spinnen (Arch. f. mikr. Anatomie, Bd. 23. p. 214). Nach Zool. Jahresber. f. 1884, p. 76.

mir leider nur aus *Bertkau's* Jahresbericht für 1880 bekannt ist, beschreibt ebenso wie *Winkler* *) das Herz der Chernetiden als einen langgestreckten, hinten verbreiterten Schlauch, der an der Rückenseite des Thieres sich aus dem Cephalothorax bis in das 4-te oder 5-te Abdominalsegment erstreckt; der letztere Unterschied mag wohl nur von der Verschiedenheit der untersuchten Arten abhangen. Wahrend aber *Daday* je zwei Spaltöffnungen in den vier ersten Hinterleibssegmenten und ausserdem an den 4 Paaren rosettenartiger Endanhänge des Herzens noch ebenso viel Spaltöffnungen annimmt, findet *Winkler* am Herzen von Obisium jederseits nur ein einziges Ostium, welches seitlich am Hinterrande des Herzens gelegen ist, und hinter welchem dasselbe noch einen kleinen Zipfel bildet. Nach meinen Erfahrungen an Ch. Hahnli sowie an einer grösseren unbestimmten Art derselben Gattung kann ich hinsichtlich der äusseren Umrisse des Herzens vollkommen mit *Winkler* übereinstimmen. Es reicht bei beiden Arten vom Gehirn (Oberschlundganglion) bis in das 4-te Abdominalsegment und liegt in einer Furche zwischen den beiden grossen Lebersacken (Fig. 20 *h*). In jedem Abdominalsegment bildet der Schlauch eine schwache Erweiterung, welche nur im 4-ten etwas breiter, aber nicht rosettenartig erscheint, sondern nur eine kurz dreispitzige Form hat, indem zwischen beiden scharf abgesetzen Seitentheilen ein kleiner ovaler Fortsatz nach hinten vorspringt (Fig. 23). Gegenüber *Winkler* finde ich, dass das Herz im Bereich des Abdomens mit einer sehr deutlichen Lage quergestreifter Muskeln bekleidet ist, welche jedoch nicht bis zur Mitte reichen und hier einen ziemlich breiten Raum frei lassen. Zwischen diesen Bündeln ist von den von *Daday* angegebenen Spaltöffnungen nichts zu sehen. An der hinteren Erweiterung bemerkt man aber eine Änderung in der Richtung der Muskelfasern, welche um so schräger verlaufen, je weiter sie nach hinten gelegen sind, und zwischen dem letzten Bündel und dem medianen Zipfel lässt sich leicht das schon von *Winkler* gesehene weite Ostium erkennen. Allein noch vor demselben sehe ich jederseits zwei enge, aber doch deutliche Spaltöffnungen, wie dies übrigens auch auf der Figur hervortritt, die *Winkler* vom Herzen des jungen Obisium giebt, wo er die betreffenden Bildungen nicht für Ostien, sondern für Muskelfasern hält. Für Chernes muss ich mithin für die Gesammtzahl der Spaltöffnungen 3

---

*) *Winkler*, Das Herz d. Acariden (Separatabdr. aus Arb. aus d. Zool. Inst. Wien. 1886).

Paare annehmen, denn ein vorderes Paar, welches ich in meiner vorlaufigen Mittheilung erwähnte, ist mir indessen doch zweifelhaft geworden. Der hintere Zipfel des Herzens ist ebenfalls von Muskeln bekleidet, die hier eine fast longitudinale Richtung haben.

An den die Spaltöffnungen tragenden Theil des Herzens setzt sich jederseits ein Flügelmuskel an, der aus einer einzigen Faser besteht, welche sich gegen das Herz zu in mehrere feine Fortsätze spaltet, die sich zwischen den schrägen Muskeln inseriren (Fig. 23). Ob an dem vorderen Theil des Herzens noch weitere derartige Bildungen vorkommen, konnte ich nicht entscheiden, obgleich an Querschnitten (Fig. 23a) deutlich Fasern zu sehen sind, die das Herz in der Furche, in welcher es liegt, befestigen helfen. Von oben ist es in einem dreieckigen Raume eingeschlossen, der von den Rückendecken einerseits und einer feinen Membran gebildet wird, die von den Seiten des Herzens bis zu den Längsmuskeln *(lm)* der Ruckenhaut zieht, um sich dort wahrscheinlich mit dem Bindegewebe der Haut zu vereinigen; sie scheint übrigens auch die nach unten vorragende Fläche des Herzens zu überziehen. Ich halte diese Membran *(pe)* für das Pericardium und finde, dass innerhalb derselben der Herzschlauch noch durch einzelne Zellen *(b)* an der Rückenhaut festgeheftet ist, während die das Herz von unten aufnehmende Furche im Fettkörper ein Aequivalent jener Lacune darstellt, die nach *Schimkewitsch* *) das Pericardium bei Epeira umgiebt.

Nach vorn verschmälert sich das Herz allmählig, die Quermuskeln werden undeutlicher und es bleibt nur ein enges, von einer doppelt contourirten Membran gebildetes Rohr, welches bis zum Oberschlundganglion verläuft und die Aorta repräsentirt. Eine dieselbe vom eigentlichen Herzen abtheilende Klappenvorrichtung existirt nicht, dagegen bemerkte ich unmittelbar hinter dem Gehirn eine gabelförmige Theilung des Vorderendes der Aorta.

6. Athemorgane

Wie bereits oben bemerkt, finden sich die paarigen Stigmen von Chernes und Chelifer jederseits in dem Winkel zwischen 3-ter und 4-ter resp. 4-ter und 5-ter Bauchschiene. Bei den von mir untersuchten Chernes-Arten haben sie genau dieselbe Beschaffenheit und unterscheiden sich nur etwas in der Grösse. Jede liegt zwischen zwei

*) *Schimkewitsch,* Anat. de l'Epeire, p. 69.

stärker chitinisirten langlichen Platten (Fig. 24 *pp'*), von denen die innere breiter und am vorderen Stigmenpaar mit 3 Borsten ausgestattet ist, während sie am hinteren Paar nur eine trägt. Das Stigma *(o)* von schmal spaltformiger Gestalt hat bei der grösseren Art eine Länge von 0,024 mm. und führt zunächst in eine ovale Luftkammer von 0,036 grösster Lange, deren Cuticula eine zur Richtung der Spaltoffnung senkrechte Streifung zeigt. Am ausseren Ende geht diese Kammer in einen geraden, conischen Fortsatz *(r)* über, der direct unter der Haut verläuft und in seinem Bau wie ein rudimentarer Tracheenstamm aussieht, wahrend das innere Ende der Kammer in den eigentlichen Hauptstamm sich fortsetzt, der sich leicht nach innen erweiternd ins Innere des Cephalothorax zieht (Fig. 25). Hier wird er kurz vor seinem Ende von den Ausführungsgängen der Genitalien (Vasa deferentia oder Oviducte) umgriffen (Fig. 32, 44 *tr*). Das Ende jedes vorderen Stammes ist in zwei kleine Anschwellungen getheilt (Fig. 25), welche unmittelbar in ein dichtes Bündel feiner Tracheenröhren übergehen. Der am hinteren Stigma entspringende Tracheenstamm hat bei Chernes nur etwa $^1/_4$ der Lange des vorderen und ist an seinem inneren Ende nur leicht keulenformig verdickt. Unter der inneren breiten Stützplatte des Stigma (Fig. 24) sieht man kräftige Quermuskeln zur äusseren Chitinspange verlaufen, deren Contraction die beiden Platten aneinander ziehen und einen Verschluss der Spaltöffnung bewirken muss.

Die Intima des Hauptstammes zeigt zwar jene für die Tracheen längst bekannten inneren Cuticularverdickungen, die denselben ihr fein quergestreiftes Ansehen verleihen, ich finde aber bei unserem Thiere, dass diese Verdickungen durchaus nicht in Gestalt eines continuirlichen Spiralfadens auftreten, sondern ofters sich theilen und miteinander anastomosiren, wie das bereits bei verschiedenen Insecten, auch bei Spinnen vorkommen kann *). Auch zieht sich langs der ausseren Seite des Stammes eine schmale Zone hin, in welcher die Cuticularverdickung unterbrochen erscheint. Es ist diese Seite der Intima, welche an Querschnitten scharf ins Innere des Stammes eingebogen erscheint (Fig. 41 *tr*), so dass das Lumen desselben eine nierenformige Gestalt erhalt. Ich sehe an solchen Stellen sehr deutlich in das Lumen vorspringende conische, radial gerichtete Fortsatze der Intima, von der convexen Seite nach innen vorragen,

*) *Mac Leod*, La structure des Trachées et la circ. peritrach. Brux. 1880. p. 23; auch *Id.* Recherches s. la structure et la signif. de l'appar. respir. d. Arachnides (Extr. des Bull. Acad. R. de Belgique, 3-me ser. tom. 3. 1882).

ohne jedoch, wie es *Mac Leod* *) an den Tracheenstämmen sowie Lungen bei Spinnen beobachtete, mit ihren Spitzen verbunden zu sein. Die Matrix bildet an dem Hauptstamme nur eine sehr dünne granulirte Schicht von 0,004 mm. Dicke, während sie an den circa 0,003 mm. weiten Tracheen selbst (Fig. 24A) verhältnissmässig viel dicker ist und um dieselben eine Scheide bildet, in welcher man nur spärliche Kerne findet. Eine äussere bindegewebige Umhüllung des Tracheenstammes **) ist mir wohl in Folge ihrer grossen Feinheit entgangen, wie auch diese Membran unter der Matrix der Hautdecken sich nur ausnahmsweise deutlich sehen lasst.

Über die Vertheilung der Tracheen im Körper kann ich dem schon seit *Menge* Bekannten nicht viel Neues hinzufügen. Die beiden vorderen Hauptstämme gehen an der hinteren Grenze des Brustganglion, wo sie die vom Plastron abgehenden Muskeln kreuzen, je in ein langliches Tracheenbündel über (Fig. 25), dessen Elemente vorwiegend nach vorn ziehen und dann seitwärts in kleinen, parallelen Bündeln in die Extremitäten abbiegen, wobei das vorderste, die Maxillarpalpen versorgende, das starkste ist; doch sieht man auch zahlreiche Tracheen vom inneren Ende der Hauptstamme gegen das Brustganglion ziehen ***). Der hintere kürzere Stamm zerfällt dagegen in eine grosse Anzahl nach allen Seiten auseinander fahrender Tracheen, die sich an die Baucheingeweide vertheilen. Eine so innige Aneinanderlagerung der vorderen Hauptstämme, wie es *Menge* für Chelifer und Chthonius, sowie *Stecker* für Gibbocellum angiebt, wo die Tracheen sich auch verzweigen sollen, habe ich bei Chernes nicht beobachtet.

Im Vergleich mit den übrigen Arachniden zeigen die Tracheen von Chernes, wie man sieht, nichts wesentlich Abweichendes; der Bau der Hauptstämme und der von diesen ausgehenden Tracheen ist fast genau derselbe, wie er schon für verschiedene Araneiden und Acariden constatirt worden ist. Allein auch die Lungensäcke der Spinnen können wohl kaum anders als eine Modification derselben Bildungen betrachtet werden, wobei die Lungenfächer den vom Hauptstamme abgehenden Tracheenröhren entsprechen ****),

*) *Id.* p. 47, 49.

**) *Graber.* Uber eine Art fibrill. Bindegew. d. Insectenhaut etc. (Arch. f. micr. Anat. Bd. X, p. 124.

***) Bei Obisium fand ich, dass aus dem vorderen Tracheenstamm, unweit seines Endes, noch ein zweites Tracheenbüschel entspringt.

****) *Schimkewitsch* (Et. sur l'anat. de l'Epeire, p. 64) hat zwar die Bemerkung gemacht, dass die Chitinogenschichten zweier anliegender Facher durch keine distincte Membran getrennt sind und dass die sog. Cuticula externa derselben wahr-

und dasselbe ist auch von den Lungen der Scorpione zu halten, die sich in nichts Wesentlichem von denen der Araneiden unterscheiden und selbst von *Ray Lankester* **) nur als „weniger modificirt" betrachtet werden. Diese Organe werden nun von letzterem Forscher für Homologa der Kiemen von Limulus angesehen, welche nach Art eines Handschuhes umgestülpt, die Lungen liefern sollen, und der Grund dieses Einwartswachsen liegt nach *Lankester* in dem Drucke, den der Embryo im Ovarium ausgesetzt ist. So einfach auch diese Überlegung ist, so wenig wahrscheinlich ist eine derartige mechanische Begründung eines embryologischen Vorganges, welcher weit eher, wie so viele seinesgleichen, auf eine Recapitulation früherer ausgebildeter Zustande zurückzuführen wäre, deren Athmungsmodus ebenfalls zu berücksichtigen wäre. Diese Ansicht über den Ursprung der Lungen des Scorpions würde aber auch dazu führen, die ihnen offenbar entsprechenden Tracheenstamme und Lungen der übrigen Arachniden als weitere Modificationen der Kiemen eines gemeinsamen Vorfahrs zu betrachten, wie das auch von *Mac Leod* ***) geschehen ist. Wir kennen aber bei gewissen Acariden, wie z. B. Hydrachniden, Trombididen, Bdelliden und sogar bei Galeoden ganz ahnliche Tracheen, die nicht nur dem Abdomen, sondern auch den verschiedensten Regionen des Cephalothorax angehoren, folglich schwerlich dieselbe Abstammung haben können, wie die Lungen des Scorpions nach *Lankester*. Die zwischen den Kieferfuhlern mündenden Tracheenstämme jener Acariden gleichen in ihrem Bau sowie in den davon abgehenden Tracheenbüscheln sehr denen der Chernetiden und die eigenthümliche, an die Insecten erinnernde Gestaltung der Tracheenverästelungen von Galeodes wiederholt sich so gleichmässig an den Thoracal- und Abdominalstämmen dieser Thiere, dass ein verschiedener Ursprung derselben sehr unwahrscheinlich wird. Ich bin daher uber die Athemorgane der Arachniden derselben Ansicht wie *Weissenborn*, und halte die Lungen der Scorpione und Araneiden für eine secundare Modification der Tracheen, wobei ich auch aus anderen Gründen (vgl. oben) keine nähere Verwandtschaft zwischen Limulus und den Arachniden annehmen kann.

---

scheinlich die Membran der Lacune um die Lunge darstellt; doch ist mir die Lage der Zellen selbst auf seiner Fig. 5, tab. III nicht ganz verstandlich.

*) *Lankester*, On the musc. and endoskelet. Syst. of Limulus and Scorpio (Trans. Zool. Soc. Vol. XI, p. 367).

**) *Mac Leod*, Rech. s. la struct. et la signif. de l'appar. resp. d. Arachnides (Bull. Acad. Belg. ser. III, T. 3).

7. Geschlechtsorgane.

Es ist durchaus nicht schwer, die beiden Geschlechter bei Chernes und Chelifer (und wahrscheinlich auch bei den anderen Pseudoscorpionen) schon ausserlich und bei geringer Vergrösserung zu unterscheiden. Von der Unterseite erkennt man die Männchen von Chernes sofort an dem dunklen, durch die vordere Genitalplatte durchschimmernden Endabschnitt der Genitalien, während sie bei Chelifer an zwei, zwischen den Genitalplatten mehr oder weniger hervorragenden Fortsätzen zu erkennen sind. Auch die beiden Genitalplatten verhalten sich je nach dem Geschlechte verschieden. Bei den Männchen von Chernes ist die vordere, bei den Weibchen die hintere am grössten.

Die Genitalöffnungen liegen bei beiden Geschlechtern in der die Genitalplatten verbindenden Haut, dicht am Vorderrande der hinteren Platte. Sie sind aber so klein und unscheinbar, dass bei der Praeparation unter der Lupe kaum etwas davon gesehen werden kann und erst bei stärkerer Vergrösserung kann man sich überzeugen, dass die Thiere keine doppelten, wie *Menge* glaubte, sondern einfache, in der Medianlinie gelegene Geschlechtsöffnungen haben. Die weibliche (Fig. 26 *o*) bildet eine kleine, von keinen Chitinlippen umgebene Querspalte, während sich die männliche (Fig. 39 *o*) in Gestalt eines Langsspaltes zwischen zwei starker verdickten, fast dreieckigen Lippen öffnet. Vor der weiblichen Öffnung liegt bei Chernes eine ziemlich dichte Gruppe feiner Haare, an welche wahrscheinlich die Eier befestigt werden, welche die Pseudoscorpione bekanntlich am Bauche mit sich herumtragen.

Was zunächst die *weiblichen* Genitalien betrifft, so bestehen sie bei Chernes aus einem langen und plattgedrückten Ovarialschlauche (Fig. 26) welcher in dem Raume zwischen Darm und unterem Lebersacke liegt (Fig. 31) und sich vorn in die beiden Oviducte fortsetzt. Das Lumen des Ovariums erscheint auf Querschnitten nur als schmaler Spalt und es ist mir niemals begegnet, reife Eier darin zu finden. Das Epithel, welches seine Auskleidung bildet, besteht aus kleinen Zellen von 0,004 mm. ganz ahnlich denjenigen, welche den Inhalt der Stiele der Eifollikel bilden (Fig. 27). Die Dorsalseite des Ovariums ist immer frei von Eiern, die Letzteren finden sich nur an der Unterseite und den Rändern. Hier, aber auch an dem Anfangstheil der Oviducte, findet sich bei Chernes jederseits eine Reihe von 10—12 auf langen Stielen sitzender, fast reifer Eier, von runder Form und 0,036 mm. Durchmesser, in welchen das grosse Keimbläschen bereits mehr oder weniger von den sich anhäufenden Dotterkörnchen und hellen runden Bläschen verdeckt wird; es hat eine Grösse von 0,015 mm. Ein Dotterkern, wie er von einigen Arachniden bekannt ist, fehlt bei Chernes. Die Eier scheinen in diesem Stadium bereits eine feine Dotterhaut zu haben und werden äusserlich noch von einer feinen Membran umgeben, die an der Basis des Eies sich in die Hülle des Follikelstieles fortsetzt. Zwischen dieser Membran und dem Eie bleibt ein enger heller Raum, der dasselbe von allen Seiten umgicbt, aber ohne dass sich um das Ei eine Spur einer epithelialen Auskleidung des Follikells sehen liesse. Es scheint übrigens dieser Umstand von keiner grossen physiologischen Wichtigkeit zu sein, denn dass Follikelepithel, welches auch bei Chelifer nach *Metschnikoff* *) fehlt, fand ich bei einer Art Obisium sehr deutlich entwickelt und habe auch in meiner Arbeit über Eylaïs einige Fälle angeführt, wo dasselbe bei nahestehenden Formen fehlen oder vorhanden sein kann. Das Ei ist jedenfalls an einer Seite mit den Zellen des Follikelstiels in Contact, welche seine Ernährung besorgen. Dieser Stiel, welcher immer beträchtlich enger als das Ei ist und sich gegen die Basis noch mehr verengert, ist mit kleinen Zellen ausgekleidet, die, wie gesagt, denen der Eierstockswand ganz ähnlich sind. Diese sind übrigens an der Unterseite des Ovariums nur wenig sichtbar, denn hier sitzen ziemlich dicht die jungen Eier, die von sehr verschiedener Grösse sind, immer aber an dem hellen Protoplasma und dem grossen Keimbläschen mit zwei oder drei Keimflecken zu erkennen sind. Deutliche Follikelstiele waren an diesen jungen Eiern nicht zu sehen, dagegen erkannte ich in einigen Fällen (Fig. 27), dass dieselben auch von der äusseren Seite unter der Membran des Follikels von kleinen Zellen umgeben waren.

Die beschriebene Bildung des Eierstockes scheint übrigens nicht bei allen Arten der Gattung Chernes die gleiche zu sein. Bei einem Weibchen einer grösseren unbestimmten Art, das ich Ende Mai gefangen, zeigte das Ovarium jederseits eine grössere Anzahl (15—16) von Ausstülpungen, die von demselben Epithel, wie auch die Eierstockswand, allseitig ausgekleidet waren und beim ersten Anblick vollständig entleerten Eifollikeln gleichen (Fig. 28). Dass sie aber kaum diese Bedeutung haben können, beweisen die an ihrer Basis

*) *Metschnikoff*, Entwicklungsgesch. d. Chelifer (Zeitschr. f. w. Zool. Bd. 21, p. 514).

hervorsprossenden jungen Eier, die ebensowenig, wie bei Ch. Hahnii, an ihrer Aussenseite von einem Epithel umgeben sind; in ihren Stielen aber finden sich Zellen, die etwas kleiner als das Ovarialepithel selbst sind. Ich glaube übrigens die Vermuthung nicht ganz abweisen zu können, dass doch vielleicht die Eier schliesslich in die erwähnten Ausstülpungen zu liegen kommen, obgleich ich sie bei dem betreffenden Exemplar alle leer gefunden habe.

Die beiden Oviducte, welche ungefähr dieselbe Breite wie der Eierstock haben, gehen von seinem Vorderende zunächst nach vorn und unten auseinander und umgreifen von beiden Seiten den unpaaren Lebersack, krümmen sich aber dann, indem sie noch die vorderen Tracheenstämme umfassen, an dieser Stelle scharf nach innen zur Vagina. Die Wandung der Eileiter zeigt ein Epithel, welches aus eben solchen kleinen Zellen, wie am Ovarium besteht und über der Propria eine feine Längsstreifung, die wohl von Längsmuskeln herrührt, welche sich bis an die Vagina (Fig. 29 *m*) verfolgen lassen. Hier scheinen die Eileiter sich ziemlich stark zu verengern, die Einmündung selbst ist aber nicht deutlich zu erkennen, denn die Vagina wird von allen Seiten von einer lappigen Drüsenmasse bedeckt, die aus kleinen, radial gelagerten Zellen besteht (Fig. 29 *dr*) und in welche die Eileiter sich einsenken. Aus derselben ragen nach vorn zwei lange und unregelmässig verknäuelte, cylindrische und blindgeschlossene Schläuche hervor (*dr'*), die eine stark lichtbrechende Intima besitzen und von Kernen begleitet werden, die in einer, dieselbe bedeckenden Protoplasma - Schicht liegen. Entfernt man die Weichtheile durch Kali, so erscheint die chitinige Intima der Vagina als ein breiter, platter, gegen die Ausmündung etwas verengerter Sack (Fig. 30), der mit einem engen Querspalt, der eigentlichen Geschlechtsöffnung, nach aussen mündet und sich an seinem Grunde in jene zwei ebenfalls chitinisirten Röhren fortsetzt. Diese stellen offenbar zwei in den Grund der Vagina einmündende Anhangsdrüsen vor und finden sich auch bei Chelifer, wo sie aber eine kurze keulenförmige Gestalt besitzen.

Die *männlichen* Genitalien bieten bei Chernes und Chelifer einen bedeutenden Grad der Ausbildung, und errinnern namentlich im Bau des complicirten Endtheils an die Verhältnisse, die ich schon vor Jahren bei Hydrachniden beschrieben habe. Selbst die äussere Form des Hodens gleicht bei Chernes demjenigen von Eylaïs. Öffnet man das Thier von der Oberseite (Fig. 20), so bemerkt man in der hinteren Hälfte des Abdomens, über den seitlichen Ausstülpungen der Lebersäcke, zwei Längsschläuche von etwas wechselnder

Breite, welche die oberen Partien des Hoden vorstellen (*t*). Vorn und hinten, sowie auch in ihrer Mitte, senken sie sich nach unten, und entfernt man die Leber ganz, so sieht man, dass die beiden seitlichen Hodenschläuche je durch drei Queräste von demselben Bau mit einer unteren medianen Partie zusammenhängen (Fig. 32), welche ganz wie der Eierstock zwischen Darmschleife und unterem Lebersack liegt. Dieser mittlere Theil wird hauptsächlich durch die stark erweiterten inneren Enden der sechs Quercanäle gebildet, die in der Mitte verbunden sind und vorn unter spitzem Winkel die beiden Samenleiter entsenden, welche, analog den Oviducten, den unteren Lebersack an seiner Basis umgreifen. Eine ganz ähnliche Gestaltung habe ich (nach früheren Beobachtungen) auch bei Obisium gefunden, für Chelifer aber (Fig. 44) kann ich die Angabe *Menge's* vollkommen bestätigen, dass bei diesem der Hoden nur aus einem unpaaren Schlauche besteht, dem jegliche Verästelungen fehlen. Schon aus diesem Umstande kann geschlossen werden, dass den allgemeinen Umrissen des Hodens bei diesen Thieren, ebenso wie bei anderen Arachniden, kein grosser morphologischer Werth beizulegen ist. Auch individuelle Variationen scheinen bei Chernes nicht selten zu sein. So fand ich in zwei Fällen die oberen Hodenschläuche um ein Segment weiter nach vorn gelagert, als in Fig. 20 dargestellt ist, so dass das vordere Ende derselben sich auf der Höhe des Herzendes einsenkte und auch das hintere entsprechend nach vorn gerückt war.

Die Wandung des Hodens besteht bei Chernes aus einer Membran, unter welcher sich an frischen, mit schwacher Salzlösung behandelten Objecten ein blasses, aber deutliches Epithel erkennen lässt, dessen flache abgerundete Zellen einen Durchmesser von ungefähr 0,02 mm., ein sehr feinkörniges Protoplasma und runde Kerne von 0,007 mm. mit einem oder zwei Kernkörperchen besitzen. Zwischen diesen Zellen (Fig. 33) finden sich häufig Formen (*a, a*), in welchen man statt eines Kernes 2—3 findet, die ein helleres Ansehen bekommen haben und je ein Kernkörperchen enthalten. Es stellen wohl diese Formen den Ausgangspunct in der Entwickelung der Zoospermien dar, deren verschiedenste Entwickelungsstufen durch einander gemischt den Inhalt der Hodenschläuche bilden. Er besteht zum grössten Theile aus Ballen von verschiedener Form und Grösse, die eine wechselnde Zahl kleiner Zellen enthalten und von feinen Hüllen umgeben sind (Fig. 35). Unter ihnen glaube ich als das jüngste Stadium diejenigen betrachten zu können, die aus polygonalen, gegenseitig abgeflachten Elementen bestehen, in deren körnigem Inhalt sich kein deutlicher Kern erkennen lässt (*a*); in anderen wird eine innere Körnchenansammlung deutlicher (*b*), während die Zellen selbst noch ihre polygonale Form behalten, aber etwas kleiner werden. Später werden die Zellen oval und es lässt sich in ihnen ein länglicher, fast stäbchenförmiger Kern erkennen (*c*); derartige Formen trifft man auch in grosser Anzahl frei zwischen den Ballen. Ferner lässt sich verfolgen, wie in anderen Anhäufungen der innere stäbchenartige Körper sich noch stärker verlängert und verschiedenartig zusammengebogen hat (*dd*, auch Fig. 36 *a*, *b*), wobei an dem einen Rande der ziemlich stark abgeflachten Zelle ein kleines, glänzendes Körperchen (Nebenkern?) zu sehen ist, über dessen Ursprung ich leider nichts Sicheres sagen kann; andere Kern-artige Gebilde waren weder an frischen Objecten, noch nach Behandlung mit Reagentien in der Zelle nachzuweisen, in welcher nur der spiral gewundene Faden sichtbar war (Fig. 36 *a*). Unweit der Stelle, wo das glänzende Körperchen liegt, sieht man später auch das blasse Endstück des Fadens horvortreten, welches constant an seiner Basis von einem Theil des Plasma umgeben wird, in welchem das erwähnte Körperchen liegt. Dann sieht man auch den übrigen Theil sich allmählig aus der Zelle hervorstrecken, wobei das Plasma derselben sich bis zur hinteren Anhäufung längs des Axenfadens in Gestalt eines feinen Saumes fortsetzt (Fig. 36 *b*); nur der Endtheil des Fadens schien mir frei davon. Allmählig rücken das sich fortwährend verkleinernde Kopfstück und die hintere Anschwellung immer weiter auseinander, während das Endstück dieselbe Länge behält. Ganz ähnliche Formen, wie die in Fig. 36 *b* abgebildeten, fand ich auch immer bei Isolirung der wirbelartig oder parallel angeordneten Samenfäden (Fig. 35 *e*), die die Länge von circa 0,08 mm. erreichen, aber wohl noch nicht die definitive Form darstellen; in dem ovalen Kopfstück konnte ich nur eine mitunter schlingenförmig gebogene Verlängerung des Axenfadens erkennen, und auch die hintere Plasma-Anhäufung war immer vorhanden, obgleich der glänzende Körper darin in den reiferen Stadien nicht mehr erkannt werden konnte. Die Fig. 36 *a b* stellt die Objecte dar, wie sie in der *Bütschli*'schen indifferenten Flüssigkeit (1 Vol. Eiweiss, 1 Vol. Salzlösung von 5°/₀, 8 Vol. dist. Wasser) erscheinen; Zusatz der gebräuchlichen Tinctionsmittel bewirkt sehr bald entstellende Veränderung der ausserst zarten Objecte.

Von anderen Vertretern der Ordnung stehen mir nur einige ältere Beobachtungen an einer Obisium-Art zu Gebot, wo die definitive

Ausbildung der Zoospermien etwas anders zu verlaufen scheint (Fig. 36, *c*, *d*, *e*). Der Hodeninhalt bestand bei diesem Thiere zwar ebenfalls aus ganz ahnlichen Ballen, wie sie von Chernes beschrieben worden sind, zwischen denen auch ebensolche Paquete reiferer Zoospermien lagen. In den jüngeren Stadien (*c*) liessen sich auch stäbchenförmige Gebilde erkennen, allein das eine Ende derselben war etwas zugespitzt und ragte ein wenig über die Zelle hervor, eine Krümmung desselben war aber hier nicht zu sehen. In weiteren Paqueten nahm dieser Fortsatz eine grössere Länge und deutlich schwanzförmige Gestalt an, während zugleich der Zellkorper sich allmählig verschmälerte und zuletzt nur eine feine Bekleidung des vorderen, verdickten Endes bildete.

Die beiden Samenleiter treten aus der medianen unteren Partie des Hodens hervor und begeben sich an den Seiten des unteren Lebersackes nach der Ventralseite. In ihrem Verlaufe zeigen sie bei Chernes constant drei Anschwellungen, von denen die erste in ihrem Anfangstheil, die zweite aber an der Stelle sich befindet, wo die Samenleiter, den vorderen Tracheenstamm umgreifend, sich nach innen zum unpaaren Ductus ejaculatorius wenden (Fig. 32), um an seiner Unterseite einzumünden. Hier endigt jeder ebenfalls mit einer starken Anschwellung (Fig. 37 *vd'*), allein diese ist in ihrem feineren Bau von dem eigentlichen Samenleiter verschieden. Dieser (Fig. 34) besitzt unter einer Propria mit Kernen ein Epithel, welches dem des Hodens nicht unähnlich ist, hat aber keinen Muskelbeleg, während die Endanschwellung eine dicke musculöse Wandung und ein hohes Cylinderepithel zeigt (Fig. 41 *vd'*). Auf Schnitten lässt sich verfolgen, wie die Lumina beider Endabschnitte zu einem medianen, mit demselben Epithel ausgekleideten Lumen sich vereinigen, welches den Übergang zum Ductus ejaculatorius bildet.

Der Bau dieses Letzteren ist sehr verwickelt und mühsam zu studiren. Die Samenleiter gehen zunächst in einen stark musculösen Bulbusartigen Abschnitt über (Fig. 37, 38, *b*), welcher das Vorderende des D. ejaculatorius bildet und sich dann nach hinten in ein stark chitinisirtes Rohr fortsetzt, welches mit S-förmiger Schwingung und durch ein complicirtes Gerüst mit starker Musculatur gestützt, zur Genitalöffnung verläuft. Entfernt man die Weichtheile durch Kochen mit Kali, so erscheint die Chitinhaut des Bulbus in Gestalt eines weiten plattgedrückten Sackes, welcher mit der abgerundeten Seite nach vorn, mit der concaven Basis nach hinten gewendet ist (Fig. 39, *B*). In der Mitte der Basis befindet sich an der Unterseite eine runde Öffnung, die Einmündungsstelle der Samenleiter (*vd'*) und hart hinter derselben geht der Bulbus durch eine andere Öffnung (*dej'*) in den chitinisirten Abschnitt über. Dieser (*dej*) besitzt an seiner anfänglich nach oben gerichteten Krümmung zwei seitliche, Löffel-artige Chitinfortsätze (*L*) und geht an seinem Ende in zwei andere, flügelförmige Fortsätze (*p*) über, zwischen denen das Rohr mit zwei kleinen Spitzen endigt. Dieser Abschnitt stellt wahrscheinlich das Copulationsorgan vor und bewegt sich in einem flachgedrückten Chitinringe (*R*), dessen ventrale Seite durch eine Spange (*pr*) mit dem Ductus verbunden wird, auf dessen Unterfläche sie gleiten kann, während auf der Dorsalseite des Ringes ein gabelförmig getheilter Chitinfortsatz (*pr'*) steht (vgl. auch Fig. 40). An seinen Seiten ist ferner der Ring mit zwei grösseren, innen hohlen, fast halbkreisförmig nach aussen gekrümmten Spangen (*H*) verbunden, die an ihrer Aussenseite sich je in einen fingerförmigen, gleichfalls hohlen Auswuchs fortsetzen (*F*), der den ersten Tracheenstamm von aussen umgreift und mit seiner feinen Querstreifung selbst einem solchen nicht unahnlich sieht (Fig. 38 *h*, Fig. 41 *h*). Von aussen wird derselbe von einem Epithel aus kleinen Zellen von 0,008 mm. Höhe umgeben, während die innere Fläche der Cuticula sehr feine Erhöhungen sehen lässt. Das Lumen communicirt mit der auf dem Durchschnitte dreieckigen Höhlung der Spangen (Fig. 41 *h'*), aber eine Ausfuhrungsöffnung dieser Letzteren, welche sich unweit der Genitalöffnung finden muss, konnte ich nicht mit Sicherheit auffinden. Die hinteren Enden der Spangen *H* liegen frei unter der Haut und zwischen ihnen befindet sich die Genitalöffnung (*o*) in Form eines langlichen, von zwei kleinen Chitinplatten umgebenen Schlitzes, der sich übrigens bedeutend erweitern kann (Fig. 40); die spitzen Enden dieser Platten tragen einen feinen Borstenbesatz.

Auf der Anschwellung des Bulbus bildet die stark entwickelte Musculatur zwei deutlich unterscheidbare Systeme, indem der vordere Rand von meridionalen Fasern umgriffen wird, während nach innen von diesen sowie um den basalen Theil eine Ringmuskelschicht liegt. Sie bildet offenbar einen Saugapparat, der die Samenflüssigkeit aus den Samenleitern zu pumpen und in den D. ejaculatorius einzuspritzen hat. Die anderen Muskeln, von denen ich im Ganzen drei Paare zahle, die symmetrisch an den Seiten des Organes liegen, gehören wahrscheinlich zu dem Copulationsapparat. Von dem vorderen Ende der Spangen *H* gehen zwei Muskeln (Fig. 37 *mr*) schräg nach innen, um sich an die flügelförmigen Fortsätze *p* zu inseriren und wirken wohl als Retractoren des

Copulationsorganes. Ein anderes Paar (Fig. 38 *mf*) entspringt von den beiden Armen des gabelförmigen Fortsatzes *pr'*, um sich an die hinteren Enden der Spangen *H* anzusetzen. Da der Ring *R*, der diesen Fortsatz trägt, dem Copulationsorgane nur lose verbunden ist, so werden diese Muskeln wohl nicht direct als Protractoren des Letzteren wirken, sondern eher nur zum Fixiren des Ringes selbst dienen müssen, während diese Rolle wahrscheinlich den Muskeln *mp* zufällt, die beiderseits von den Löffel-förmigen Fortsätzen *L* sich zu dem hinteren Rande des Ringes *R* begeben und bei gleichzeitiger Wirkung der Muskeln *mf* das Copulationsorgan der Genitalöffnung nähern können. Aus der Gestalt desselben ist ersichtlich, dass wohl nur die doppelte Spitze als solches fungiren kann, was auch mit der Kleinheit der weiblichen Öffnung in Einklang steht.

Es ist bereits erwähnt worden, dass ich bei Chernes und Chelifer umsonst in der Umgebung der Genitalöffnungen nach den von *Menge* angegebenen Spinndrüsen gesucht habe. Die um die Genitalöffnungen gelegenen Drüsen, wie sie wirklich bei beiden Geschlechtern, freilich in verschiedener Gestalt, existiren, glaube ich als Anhangsorgane der Genitalien betrachten zu müssen. Bei den Weibchen bilden dieselben, wie wir gesehen haben, erstens die gelappte, die Scheide umgebende Drüsenmasse und dann die beiden, in den Grund derselben einmündenden verknäuelten Canäle. Bei den Männchen haben die Anhangsdrüsen einen anderen und sehr eigenthümlichen Bau. Jederseits der Genitalöffnung finden wir zwei an ihrer inneren Seite verbundene Säcke (Fig. 32 *d*), deren Wandung von einem platten polygonalen Epithel ausgekleidet wird (Fig. 38 *s*, *s'*), dessen Zellen einen hellen feinkörnigen Inhalt und eine Grösse von 0,03 mm. besitzen; an dem vorderen, kleineren Sack sind übrigens die Zellen durchschnittlich etwas kleiner. Den Inhalt des vorderen, sowie des Endtheiles des hinteren Sackes bildet eine gelbliche, stark lichtbrechende, bei conservirten Exemplaren sehr fein granulirte Substanz, an der weiter keine Bestandtheile zu erkennen sind. Der vordere grössere Theil des hinteren Sackes wird aber von einem dichten Paquete langgestreckter einzelliger Drüsen ausgefüllt, die in radialer Anordnung mit ihren peripherischen Enden der Wandung desselben zugekehrt und von der körnigen Substanz durch eine feine Membran getrennt sind (Fig. 42 *gl*). Die Ausführungsgänge (Fig. 38 *g*, 42 *g*) bilden im Inneren der Drüsenmasse ein leicht geschlängeltes Bündel paralleler Röhren, deren Verlauf deutlich zeigt, dass beide Säcke eigentlich nur Abtheilungen eines und desselben sind; ihre Wandung lässt sich auf Schnitten (Fig. 42) fast bis zur Geschlechtsöffnung verfolgen. Die beiden Bündel convergiren nach vorn, durchsetzen das Lumen beider Säcke und münden mit ihren chitinisitren Endtheilen je in eine kleine conische Spitze aus, die sich an dem hinteren Ende der Genitalöffnung befindet. Die Drüsenzellen selbst (Fig. 43) sind bündelartig an dem Ende der Ausführungsgänge befestigt, von langgestreckter Form und an ihren äusseren abgestutzten Ende 0,006 mm. breit; sie umschliessen ein körniges Protoplasma mit einem kleinen Kern. Was die zelligen Säcke anbetrifft, die mir die Drüsen von allen Seiten zu umschliessen scheinen, so konnte ihr Epithel deutlich bis gegen das Ende der beiden Paquete der Ausführungsgänge verfolgt werden, ohne dass ich im Stande wäre, über die Art ihrer eigenen Ausmündung ins Klare zu kommen.

Ich möchte mir noch eine Vermuthung über die Bedeutung der beiden quergestreiften Ausstulpungen (Fig. 38 *h*) erlauben, die von *Menge* unter dem Namen von Hörnchen oder Überträgern erwähnt werden und auch bei anderen Gattungen vorkommen. Obgleich dieselben bei Chernes unzweifelhaft einen sexuellen Character haben, scheinen sie mir doch in Anbetracht ihres Baues und ihrer Lagerung einem vorderen Tracheenpaare, freilich in sehr modificirtem Zustande, zu entsprechen. Aber auch bei den Weibchen scheint ein solches vorhanden zu sein, wenn wir nämlich die beiden chitinisirten Canäle, die in den Grund der Scheide einmünden, als Aequivalente der betreffenden Organe des Männchens erkennen.

Über den Bau der Genitalien bei anderen Gattungen besitze ich ausser den schon angeführten Beobachtungen an Obisium nur noch einige Untersuchungen über Chelifer. Die männlichen Genitalplatten von Ch. granulatus (Fig. 45) unterscheiden sich dadurch, dass die hintere eine breit schildförmige Gestalt besitzt, wahrend von der vorderen nur das schmale Rand von aussen sichtbar ist (vgl. auch Fig. 4). In dem Raume zwischen beiden liegen die tracheenähnlichen Fortsätze (*h*) die bei dieser Gattung nach aussen umgestülpt sind und sich beim Kochen mit Kali um das dreifache ausdehnen können, so dass sie weit von der Unterseite abstehen und eine zierliche rhombishe Faltenbildung der Cuticula zeigen (Fig. 47). Durch die Unterseite der hinteren Genitalplatte sieht man die Ausmündung der Drüsen, die bereits von *Menge* als Spinnorgane erwähnt werden; statt aber mit Spinnröhren auf dem Rande der Platte zu münden, convergiren die Ausführungsgänge, wie bei Chernes, gegen die Mitte und offnen sich an der inneren Seite der Platte in eine

Spitze, die von einem Chitingerüst (Fig. 45) gestützt wird. Die Drüsen selbst haben eine keulenförmige Gestalt und bilden zwei dicht einander anliegende Paquete, welche von einem dichten Zellenbeleg umgeben werden, den zu ausserst eine feine Haut umgiebt. Leider erlaubte mir die Seltenheit des Materials nicht, diese Organe näher zu untersuchen, doch ist eine Aehnlichkeit mit den Anhangsdrüsen von Chernes unverkennbar. Die Stelle, wo die Drüsen ausmünden, steht mit dem Gerüste des Ductus ejaculatorius in Verbindung (Fig. 46 *dj*), der von den Seiten die beiden Samenleiter (*vd* Fig. 44) aufnimmt, hinten aber von einem dichten Muskelbeleg bedeckt ist, welcher der Musculatur am Anfangstheil desselben bei Chernes entspricht. Die freie Spitze des Ductus aber, welche das Copulationsorgan vorstellt, ist bei Chelifer nach vorn gerichtet und endigt mit eigenthümlich ausgeschnittenem Rande (Fig. 46 *c*) dicht hinter der vorderen Genitalplatte, zwichen zwei, von der Innenfläche derselben entspringenden breiten Falten *(f)*. Mit dem Gerüste des Ausführungsganges der Genitalien sind endlich noch zwei blasige oder hohle Reservoire *(d)* verbunden, die, nach ihrer Lage zu urtheilen, wohl den die tracheenartigen Fortsätze bei Chernes tragenden Spangen entsprechen mögen.

Überblicken wir nun die Ergebnisse der vorliegenden Untersuchung in Bezug auf die systematische Stellung der Pseudoscorpione, so scheinen schon die Verhältnisse bei Chernes und Chelifer darauf hinzuweisen, dass wir es in dieser Gruppe nicht mit näheren Verwandten der Scorpione zu thun haben. Die Athmung durch Tracheen, die Concentration des Nervensystems, die Lagerung der Geschlechtsöffnungen entfernen die Chernetiden von den Scorpionen und dafür sprechen auch die Eigenthümlichkeiten ihrer Entwickelung, welche jedenfalls auf ein hohes Alter dieser Thiergruppe hinweisen, aus welchem sich auch manche andere Merkmale, wie die Vollständigkeit der Körpersegmentirung, die relative Entwickelung des Rostrum, die Quermuskulatur am Abdomen, bis in die Gegenwart erhalten haben mögen. Näher dürften sich die Pseudoscorpione der Ordnung der Opilioniden anschliessen, zumal den einfacheren Formen, wie es die Sironoiden sind, allein auch bei diesen ist ein sehr wichtiger äusserer Character mit den Chernetiden unvereinbar, nämlich die Umgrenzung der Mundöffnung durch die zwei ersten Beinpaare, wie es auch den Scorpionen eigenthümlich ist. Halte ich nun auch die Sironoiden fur Opilioniden, so ist doch meiner Meinung nach die Gattung Gibbocellum von *Thorell* mit vollem Recht nicht nur aus dieser Familie, sondern auch aus der Ordnung der Opilioniden entfernt und den Pseudoscorpionen zugerechnet worden. Der Einwand, den *Sörensen* *) gegen *Thorell's* Auffassung gemacht, dass *Stecker* irrthümlich die Maxillarlappen des ersten Beinpaares als Maxillen beschrieben habe, scheint mir bei Ansicht der betreffenden Abbildung unbegründet, obgleich ich selbst oben auf das Unwahrscheinliche in der Darstellung der Mundöffnung hingewiesen habe. Gibbocellum ist aber auch die einzige Form unter den in letzter Zeit beschriebenen abweichenden Arachnidenformen, die sich den Pseudoscorpionen wirklich zu nähern scheint und wahrscheinlich von denselben abzuleiten ist, nicht umgekehrt; mit den Sironoiden scheint sie nur eine oberflächliche Ähnlichkeit zu haben. Indem ich demnach die Frage nach der Verwandtschaft der Pseudoscorpione unentschieden lassen muss, glaube ich doch darauf hinweisen zu können, dass das Studium ihrer Organisation uns nur noch deutlicher die grossen Lücken zeigt, die gegenwärtig die Vertreter der Arachnidenclasse trennen und noch ausgefüllt werden müssen, ehe man die Verwandtschaftsverhältnisse derselben mit Sicherheit beurtheilen können wird.

---

*) Zool. Jahresber. f. 1884. p. 125.

Erklarung der Abbildungen.

Tafel X.

Fig. 1. Chernes Hahnii ♂, von unten.

„ 2. Id. ♀, von unten.

„ 3. Id. ♀, von der Seite. *g*,*g′* — Genitalplatten.

„ 4. Chelifer granulatus ♂, von unten.

„ 5. Rostrum von Chernes von oben. *mx* — Grundglieder der Maxillen; *r* — Vordertheil, *rb* — Basis des Rostrum, *l*,*l′* — Stutzlamellen, *ph* — Pharynx.

„ 6. Dasselbe von der Seite. *o* — Mundöffnung, *u* — untere Lamellen des Rostrum, *g* — Stützleiste.

„ 7 u. 8. Kieferfühler von unten und schräg von oben. *a* und *b* — Scheerenfinger, *c* — Kiel des einen, *dr* — Ausführungsgänge der Spinndrüsen, *f* — Fortsatz, durch welchen sie ausmünden, *m* — Hautanhang.

„ 9. Ausmündung der Spinndrüsen von Chernes, stark vergröss. (Zeiss F).

„ 10. Dieselbe von Chelifer sp.

„ 11. Scheere des Palpus. *dr* — Drüse, *gg* — Ganglien, *t* — Tasthaare.

„ 12. Einzelnes Tasthaar (Zeiss, F).

„ 13. Bein von Chernes. III — VII — Glieder des Beines, *b* — bindegewebige Membran unter der Hypodermis. Muskelbezeichnungen im Text.

„ 13A. Krallenglied von Chernes.

„ 14. Plastron von Chernes (aus einem Querschnitt) mit den davon ausgehenden Muskeln; *p* — Chitinlamelle des Plastron.

„ 15. Integument und Musculatur des Abdomens, von innen, ausgebreitet. D — dorsale, L — laterale, V — ventrale Seite; *mv* — Dorso-ventral-Muskeln, *ml*, *ml′* — Längsmuskeln, *mc* — laterale Quermuskeln, *n* — Kerne der Hypodermis.

Tafel XI.

„ 16. Centralnervensystem von Chernes. Erklärung im Text.

„ 17 u. 18. Schnitte durch das Nervencentrum. *a* — Neurilemm, *b* — inneres Neurilemm, *c* — Punctsubstanz, *n* — Ganglienzellen. *ph* — Pharynx.

Fig. 19. Querschnitt durch den Pharynx; *rb* — basaler Theil des Rostrum, *mx* — Grundglieder der Maxillen, *n* — Ganglion der Palpen.

„ 20. Gesammtansicht der inneren Organe von Chernes ♂, von oben; *dr* — Spinndrüsen, *l* — Leber, *h* — Herz, *t* — Hoden.

„ 21. Verdauungsorgane dess. von unten; *oe* — Oesophagus, *l* — seitlicher Theil der Leber, *l'* — unterer Theil, an der Basis abgelöst, *d* — Darm, *l* — Rectum.

„ 22. Querschnitt durch den Thorax. *gl* — Spinndrüsen, *n* — hinterer Theil des Oberschlundganglions, *n'* — Brustknoten, *oe* — Oesophagus, *ca* — Fettkörper, *h* — Leber, *tr* — Tracheen, *mm* — seitliche Muskeln.

„ 23. Herz von Chernes sp.

„ 23A. Durschschnitt des Herzens von Chernes (Zeiss, F.) *ml* — Langsmuskeln des Rückens, *pe* — Pericardium, *f,b* — Scuspensorien des Herzens.

„ 24. Rechtes vorderes Stigma von Chernes sp. *pp'* — Shutzplatten, *m* — Muskeln, *o* — Öffnung des Stigma, *r* — Fortsatz der Luftkammer, *tr* — Tracheenstamm.

„ 24A. Trachee mit Matrix.

„ 25. Tracheenvertheilung von Chernes sp.

„ 26. Weibliche Genitalien von Chernes, von unten. *ov* — Ovarium *od* — Oviducte, *g,g'* — Genitalplatten, *o* — Geschlechtsöffnung.

„ 27. Partie aus demselben Ovarium (Hartn. 8) *ee* — junge Eier.

„ 28. Ausstülpungen des Ovariums von Chernes sp.

„ 29. Drüsen der Vagina von Chernes sp. *dr,dr'* — Drüsen. *m* — Muskulatur der Oviducte.

„ 30. Intima der Vagina von demselben.

Tafel XI a.

„ 31. Querschnitt durch das Abdomen von Chernes ♀; *l,l'* — Leber, *i* — Darm, *ov* — ovarium, *ca* — Fettkörper, *mv* — Dorso-ventrale Muskeln.

„ 32. Mannliche Genitalien von Chernes Hahnii, von oben, *t* — Hoden, *vd* — Samenleiter, *b* — musculöser Anfang des D. ejaculatorius, *d* — Anhangsdrüsen.

„ 33. Hodenepithel von Chernes (Zeiss, F)

„ 34. Stück des Samenleiters von dems.

„ 35. Theil des Hodens. *a* — *e* — Stadien der Entwickelung der Zoospermien (Zeiss, DD).

„ 36. Reifere Stadien, *a*, *b* — von Chernes (Zeiss, F), *c*, *d*, *e* — von Obisium. (Hartnack 8).

Fig. 37. Endtheil der mannlichen Genitalien von unten. *vd* — Samenleiter, *vd'* — ihre Einmündung, *mp*, *mr* — Muskeln, *p* — Anhange des Copulationsorganes, *o* — Genitalöffnung.

„ 38. Dieselben Theile von oben, mit den Anhangsdrüsen.

„ 39. Chitingerüst der männlichen Genitalien, schräg von unten. Erklarung im Text.

„ 40. Unterer Theil desselben.

„ 41. Querschnitt durch die Basis des Abdomens, *l*,*l'* — Leber, *ca* — Fettkörper, *vd*—Samenleiter, *dej*—D. ejaculatorius, *h*—Anhänge der Seitenspangen, *h'* — Höhlung der Letzteren, *tr* — Tracheenstamm.

„ 42. Querschnitt durch die Anhangsdrüsen. *g*, *gl* — Drüsen und Ausführungsgange, *s*, *s'* — granulirte Substanz in den zelligen Sacken.

„ 43. Zellen der Anhangsdrüse (Zeiss, F).

„ 44. Mannliche Genitalien von Chelifer granulatus, von oben. *h* — Tracheen-ahnliche Anhange, durch die vordere Genitalplatte durchscheinend, *dr* — Anhangsdrüsen, *t* — Hoden, *vd* — Samenleiter, *tr* — Tracheenstamm.

„ 45. Genitalplatten und Anhangsdrüsen von unten.

„ 46. Gerüst an der Innenseite der vorderen Genitalplatte, nach Ablösung der hinteren. Erklärung im Text.

„ 47. Ein Stück des tracheenartigen Anhangs von Chelifer. sp.

RÉVISION DES ARMURES COPULATRICES DES MÂLES DE LA FAMILLE POMPILIDAE.

par

le Général Radoszkowski.

Avec 4 planches.

L'examen des formes de l'armure copulatrice des genres appartenant à la famille *Pompilidae*, m'a prouvé qu'elle est générale pour cette famille et que dans plusieurs de ces genres elle présente aussi des formes stables dans les parties composantes.

L'armure de cette famille se compose:

I. *D'appareil préparatif.*
II. *De forceps.*
III. *De la pièce basilaire.*
IV. *Du couvercle génital.*
V. *Des palpes génitales.*

I. *L'appareil préparatif* se compose de deux crochets, qui sont réunis par une membrane très difficile à détacher. Il parait que cette membrane remplace le *fourreau.*

Ces crochets sont plus ou moins allongés, vus en face plus ou moins larges; leur extrémité est arrondie, ou coupée en ligne droite, déchirée, ou entière.

Par la forme des crochets on peut reconnaître les genres suivants:

Wesmaelinius Cost.: les crochets à l'extrémité non déchirée et coupée en ligne droite.

Salius F.: les crochets à l'extrémité non déchirée et arrondie.

Ferreola Lep.: les crochets à l'extrémité non dechirée et fourchue.

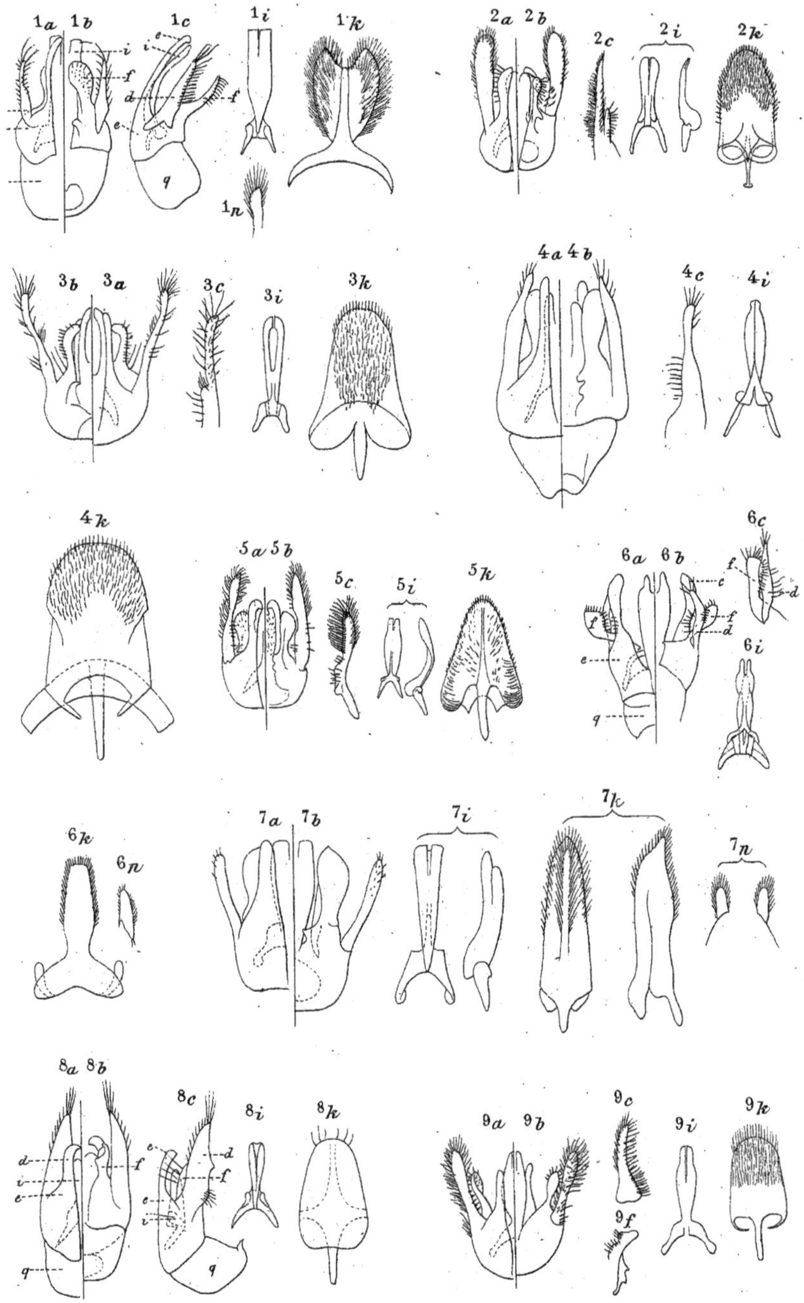
1a 1b
1c
1i
1k
1n
2a 2b
2c
2i
2k
3b 3a
3c
3i
3k
4a 4b
4c
4i
4k
5a 5b
5c
5i
5k
6a 6b
6c
6i
6k
6n
7a 7b
7i
7k
7n
8a 8b
8c
8i
8k
9a 9b
9c
9f
9i
9k

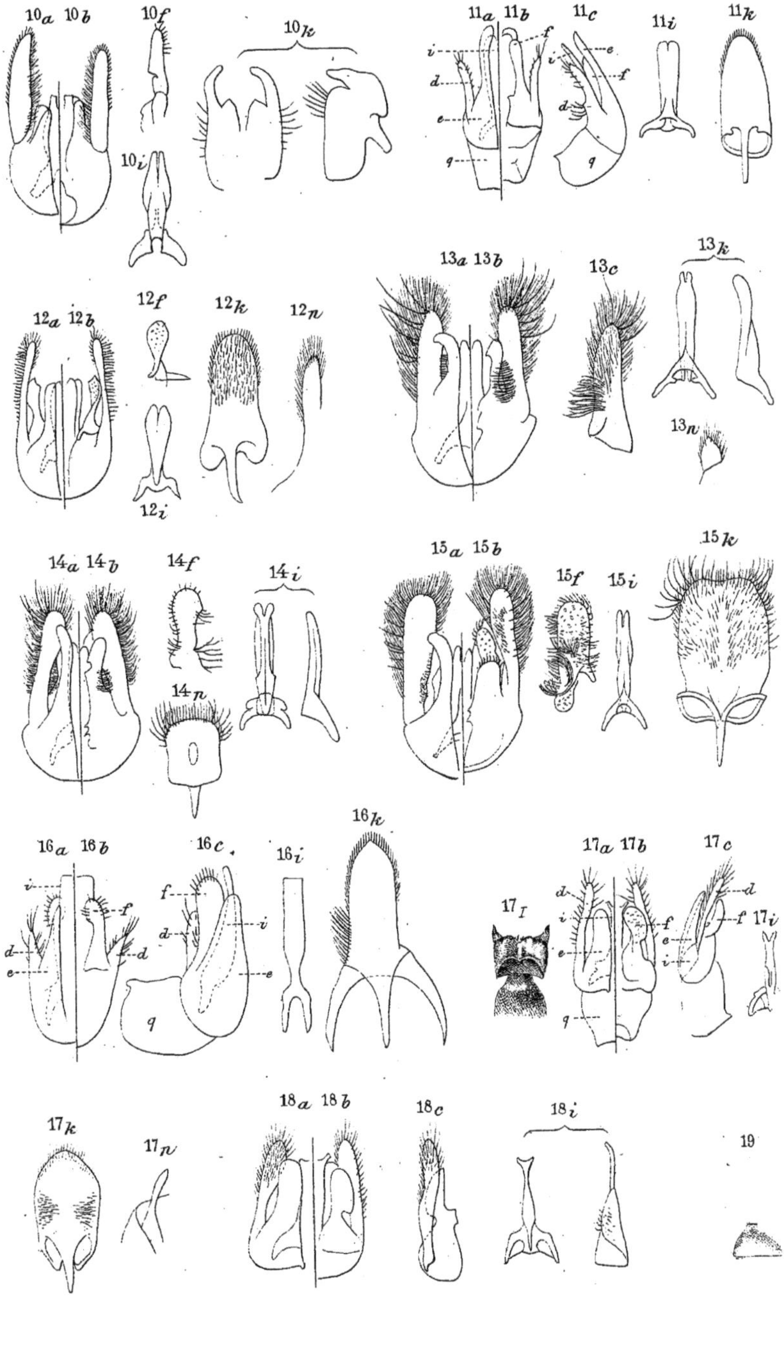
10a 10b
10f
10k
10i
11a 11b
11c
11i
11k
12a 12b
12f
12k
12n
12i
13a 13b
13c
13k
13n
14a 14b
14f
14i
14n
15a 15b
15f
15i
15k
16a 16b
16c
16i
16k
17a 17b
17c
17I
17i
17k
17n
18a 18b
18c
18i
19

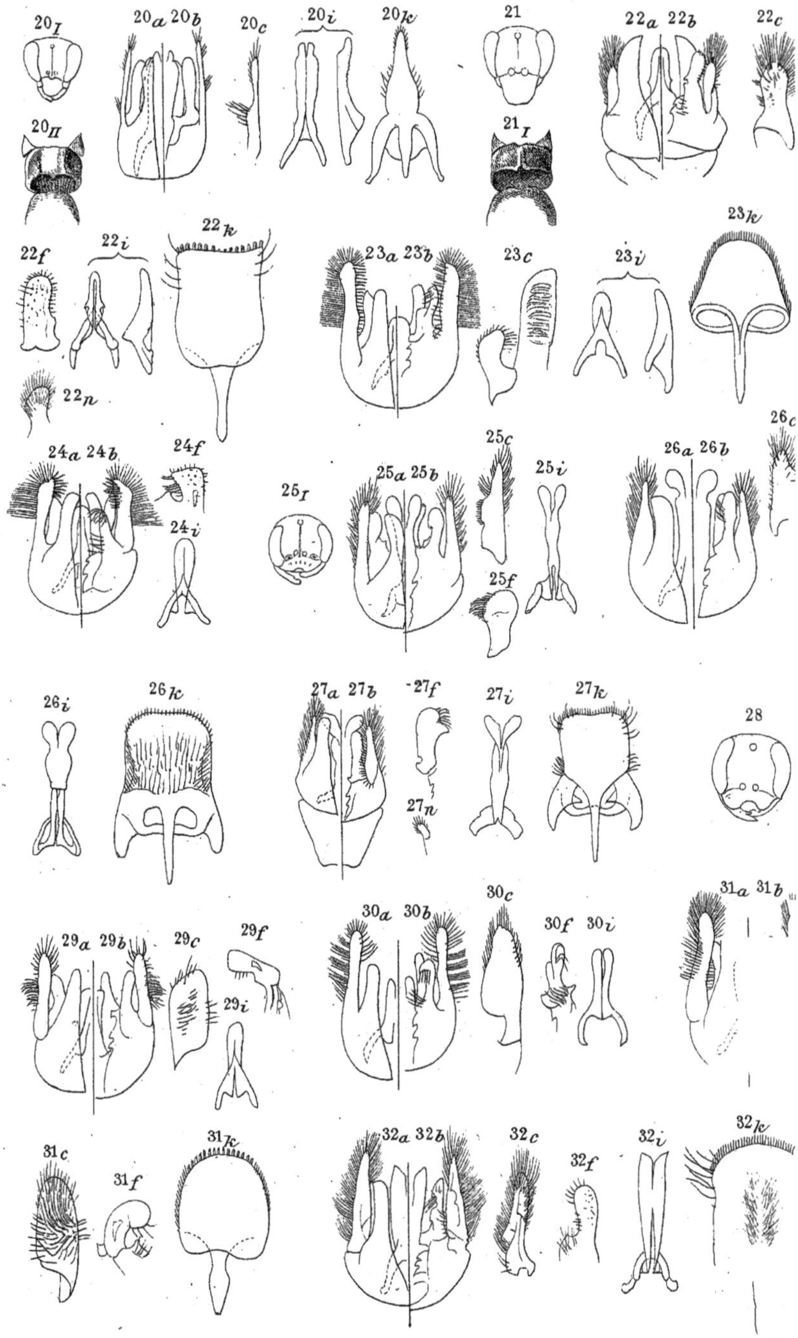
20I
20a 20b
20c
20i
20k
21
22a 22b
22c
20II
21I
22f
22i
22k
23a 23b
23c
23i
23k
22n
26c
24a 24b
24f
25c
25i
26a 26b
25I
24i
25a 25b
25f
26i
26k
27a 27b
27f
27i
27k
28
27n
29a 29b
29c
29f
29i
30a 30b
30c
30f
30i
31a 31b
31c
31f
31k
32a 32b
32c
32f
32i
32k

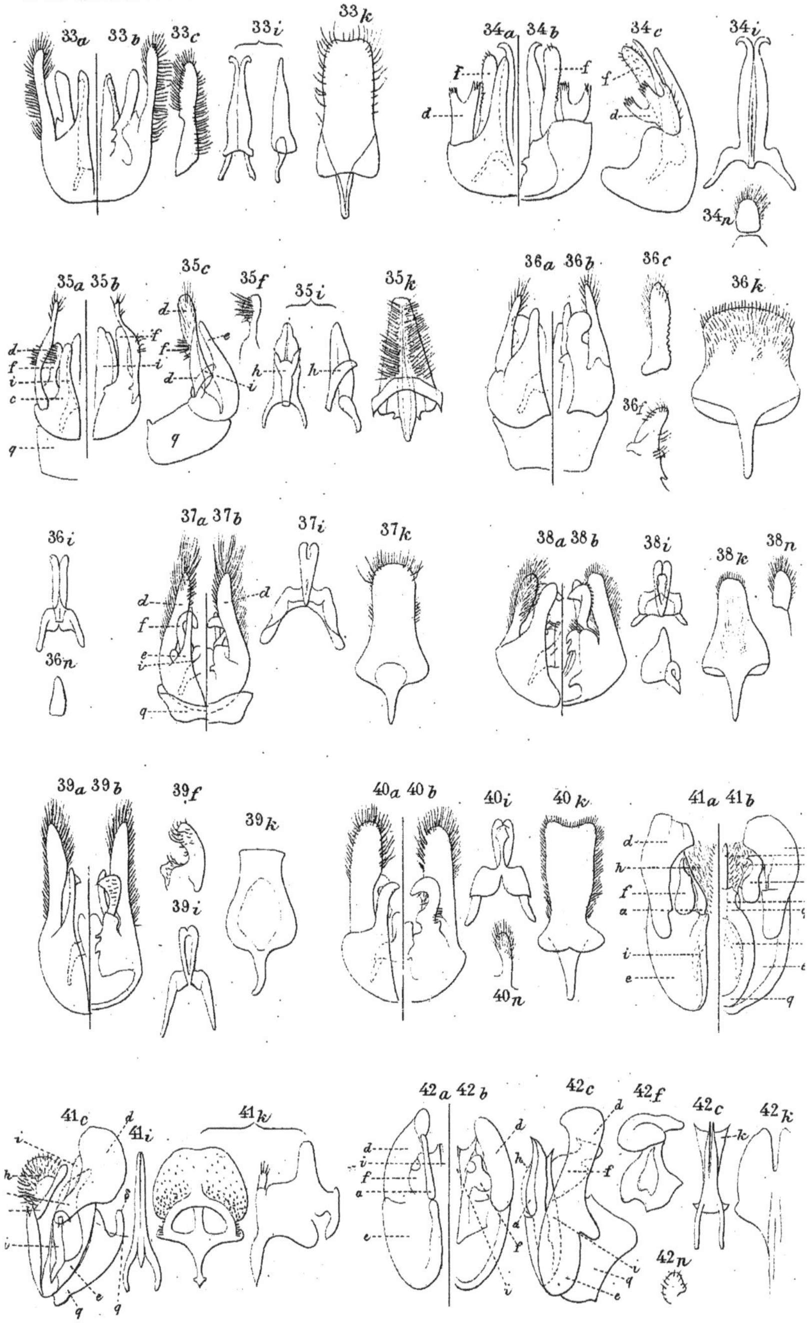
33a 33b 33c 33i 33k
34a 34b 34c 34i 34n
35a 35b 35c 35f 35i 35k
36a 36b 36c 36f 36k
36i 36n
37a 37b 37i 37k
38a 38b 38i 38k 38n
39a 39b 39f 39i 39k
40a 40b 40i 40k 40n
41a 41b
41c 41i 41k
42a 42b 42c 42f 42c 42k 42n

Pepsis T.: les crochets à l'extrémité arrondie et placés très bas.

Priocnemioides n. g.: les crochets à l'extrémité déchirée en forme de feuilles.

Le veritable *fourreau* ne se rencontre que dans le genre *Ceropaleoides* n. g.

II. *Le forceps* se compose des pièces suivantes:

a) *de la branche*, qui est longue, large, quelquefois cylindrique, toujours garnie de poils; ces poils sont fins, parfois très longs et melés avec de poils forts, comme dans les genres *Cyphonomyx* et *Pepsis*.

b) *de la base*; cette base est allongée dans sa partie supérieure et parallèle à sa branche, étroite ou large, quelquefois plus longue que la branche.

Cet allongement de la base du forceps forme un caractère spécial, pour toute la famille Pompilidae.

c) *de volsella;* sa forme est simple comme dans le genre *Pompilus*, ou plus ou moins compliquée, avec des parties saillantes.

Plus bas de la base de volsella, vers son extrémité du côté interne, on remarque toujours deux ou trois dents.

III. *La pièce basilaire* est toujours plus ou moins grande.

IV. *Le couvercle génital* se compose de deux parties, elles présentent des formes differentes.

V. *Les palpes génitales* sont d'une forme allongée ou ronde, toujours garnies de poils.

J'ai examiné les genres suivants: *Pompilus* F., *Agenia* Dahlb. *Pogonius* Dahlb., *Aporus* Spin., *Cyphononyx* Dahlb., *Wesmaelinius* Cost., *Ferreola* Lep., *Pseudoferreola* n. g., *Salius* F., *Priocnemioides* n. g., *Priocnemis*, *Ceropaleoides* n. g., *Hemipepsis* Dahlb., *Pepsis* F.

L'armure copulatrice du genre *Ceropales* Lat. n'a rien de commun avec la Famille Pompilidae excepté la présence des palpes génitales.

15 Janvier 1888.
Varsovie.

FAMILLE POMPILIDAE.

Genre Pompilus Fab.

J'ajouterai quelques caractères nouveaux à ceux qui ont été donnés par Achille Costa et Dr Magretti, savoir: partie postérieure du metathorax plus ou moins arrondie, jamais tronquée ou rarement tronquée-concave.

L'armure copulatrice présente les caractères suivants:

la branche du forceps est plus ou moins large, longue, garnie de poils; la base du forceps est toujours droite; la tête de volsella est simple, sans parties saillantes;

les crochets sont à l'extrémité arrondie ou coupée en ligne droite, mais toujours déchirée ou découpée au milieu.

Pompilus pulcher Fab.

Ent. Sys. Sup. p. 249.

Andalousie, Bogdo, Crimée, Tachkend, Algérie.

Armure copulatrice Fig 1_a, 1_b, 1_c.

La branche du forceps (d) est epaisse vers sa base, assez courte, garnie de poils du côté externe; la base du forceps (e) est mince, plus longue que la branche.—Volsella (f), vu du côté, est aplati.

Les crochets (i), Fig 1_i vus en face sont larges, l'extrémité est coupée en ligne droite.

Les formes du palpe et du couvercle génital sont représentées sur la fig. 1_n. fig 1_k. La piece basilaire (q) est assez forte.

Pompilus cingulatus Ross.

Fau. Etr. II p.

Bannat, Andalousie, Caucase, Perse.

Armure copulatrice Fig. 2_a, 2_b, 2_c.

La branche du forceps, vue en face, est longue, large, de deux côtés garnie de poils, ces poils sont plus forts vers l'extrémité; la base du forceps est étranglée au milieu et beaucoup plus courte que sa branche. Volsella, vue de côté, aplatie et du côté externe garnie de poils assez longs.

Crochets, fig. 2_i, assez larges, à l'extrémité arrondie.

La forme du couvercle génital est représentée sur la fig. 2_k.

Pompilus spissus Schdt.

Pom. disp. p. 21.

France, Petropol, Crimée, Astrakhan, Caucase.

Armure copulatrice Fig. 3_a, 3_b, 3_c.

La branche du forceps est longue, mince, ronde, irrégulièrement garnie de poils; la base du forceps est étroite, plus courte que la branche.—La tête de la volsella est étroite, garnie de poils.

La forme des crochets est représentée sur la Fig. 3_i, ils sont étroits et arrondis à l'extrémité.

La forme du couvercle génital est représentée sur la Fig. 3_k.

Pompilus rufipes Lin.

Fau. Suec. n. 1659.

France, Petropol, Sibérie, Astrakhan.

Armure copulatrice Fig. 4_a, 4_b, 4_c.

La branche du forceps est irrégulièrement conique et faiblement garnie de poils; la base du forceps passablement étroite et presque de la longeur de la branche. La tête de la volsella est grande.

Les crochets, Fig. 4_i, sont de largeur mediocre, arrondis à l'extrémité.

Le couvercle génital est représenté sur la Fig. 4_k.

Pompilus quadripunctatus Fab.

Ent. Sys. II, p. 219.

France, Kharkow, Caucase, Sibérie, Astrabad, Wernoy, Perse, Chine.

Armure copulatrice Fig. 5_a, 5_b, 5_c.

La branche du forceps est presque cylindrique, vue de côté, Fig. 5_c, elle est grossie vers le bout, richement garnie de poils longs et fins. Volsella assez large.

Les crochets, Fig. 5_i, sont assez larges, arrondis à l'extrémité, vus de côté ils sont très recourbés.

La forme du couvercle génital, Fig. 5_k, est assez caractéristique.

Pompilus Kohlii Rad.

Ater; capite, antennis, thorace ex parte pedibusque lutescentibus; alis lutescentibus. apice fusco-violaceo ♀, ♂.

H. S. E. R. T. XXII, p. 7.

Askhabad.

Armure copulatrice Fig. 6a, 6b, 6c.

La branche du forceps (d) est étroite, faiblement conique, pauvrement garnie de poils; la base du forceps (e) est plus forte et plus longue que la branche. La tête de la volsella (f) est forte, intérieurement garnie de poils.

La forme des crochets, Fig. 6i, est très caractéristique. Les formes du palpe et du couvercle génital sont représentées sur les Fig. 6n, 6k.

Cette espèce a été prise en copulation; donc la disposition des parties composantes de l'armure est représentée après la copulation.

La branche du forceps (d) et la base (e) forment deux pincettes, avec lesquelles le mâle s'attache d'en haut et d'en bas, et la volsella (f) saisit de chaque côté l'extrémité de l'abdomen de la femelle.

Pompilus peranceps n. sp.

Niger; alis brunneis.

Femelle. Noire, opaque, nue; ressemble au *Ferreola grandis*, Rad., mais sa taille est plus petite; chaperon plat, couvrant le labre, son bord coupé en ligne droite. Ocelles peu développées. La tête plus large que le prothorax, mais moins large que le mésothorax.

Prothorax long, le bord coupé en ligne droite; metathorax long, plat, sa tranche évidée, rappelle par sa forme le mâle de Ferreola, mais les côtés sont arrondis et ne forment pas des dents.

Abdomen allongé; les ongles des tarses fourchus.

Ailes fortement enfumées, à faible nuance violacée; deuxième et troisième cubitales égales et rétrécies vers la base. Long. 13 mill.

Mâle. Ressemble à la femelle, mais sa taille est plus petite, le dernier segment abdominal (septième) est comprimé. Long. 11 mill.

Andalousie.

Armure copulatrice Fig. 7a, 7b, 7c.

La branche du forceps est mince, cylindrique, on voit à peine quelques poils à l'extrémité; la base du forceps est forte, de la longeur de la branche. Volsella forte, nue.

Les crochets, Fig. 7i, sont plus larges vers l'extrémité, le bout est coupé presque en ligne droite, vus de côté ils sont presque droits.

Couvercle génital, Fig. 7k, vu en face et de côté, est assez caractéristique.

Pompilus binotatus n. sp.

Niger; capite, facie, thorace ex parte cano-sericeis, abdominis maculis eburneis binis, pedibus ex parte rufis; alis hyalinis apice fumato.

Femelle. Noire. La face de la tête et le chaperon recouverts d'une poussière blanchâtre; le bord du chaperon coupé en ligne droite; une ligne enfoncée longitudinalement entre les antennes.

Le prothorax, l'écusson en partie, et la partie postérieure du metathorax sont garnis de poils longs, blanchâtres, couchés; partie postérieure du metathorax coupée obliquement.

Abdomen allongé, moins large que le thorax; troisième ségment porte deux taches d'un blanc d'ivoire, l'extrémité de l'anus rousse, faiblement garnie de poils noirs.

Les pieds antérieurs fortement pectinés, les tarses et les épines foncés, roussâtres; les hanches et les jambes des pieds intermédiaires et postérieures sont roussâtres, recouvertes d'une poussière blanchâtre, les tarses foncés.

Ailes transparentes, à l'extrémité foncée; troisième cubitale trapezoïdale, un peu plus petite que la deuxième. Long. 11 mil.

Tachkend.

Pompilus sexnotatus Eversm. nédite.

Niger; clypeo, metathorace ex parte. fasciis tribus interruptis abdominalibus cano-sericeis.

Femelle. Noire. Tête plus large que le thorax, arrondie par devant; chaperon plat, couvert d'une poussière blanche, le bord coupé en ligne droite.

Prothorax plus large que le metathorax, qui est garni d'une poussière blanchâtre, ainsi que les épimères et les bases des hanches; partie postérieure du metathorax coupée obliquement.

Abdomen de la largeur du thorax; les trois premiers segments portent des bandes assez larges interrompues au milieu; l'anus est pourvu de poils noirs.

Les pieds antérieurs ne sont pas pectinés; les jambes intermédiaires sont épineues du côté externe.

Ailes faiblement enfumées, plus fortes vers l'extrémité; troisième cubitale presque carrée, à moitié plus petite que la deuxième. Long. 9 mil.

Orenbourg.

Genre Agenia Dahlb.

Les caractères de l'armure copulatrice sont ceux du genre *Pompilus*

Agenia punctum F.

Dahl. Hym. Europ. I, p. 455.

France, Italie, Kazan, Sarepta, Sibérie.

Armure copulatrice Fig. 8a, 8b, 8c.

Branche du forceps (d) forte, conique, garnie du côté externe de poils; base du forceps (e) étroite; volsella (f) nue; crochets, Fig. 8i, fortement déchirés à l'extrémité. Couvercle génital, Fig. 8k, nu.

Agenia. fallax Eversm.

Bull. de Moscou (1849), p. 381.

Orenbourg.

Armure copulatrice Fig. 9a, 9b, 9c.

Branche du forceps presque cylindrique, entourrée densement de poils, plus large que la base; base du forceps étroite; tête de la volsella grossie; crochets, Fig. 9i, élargis au milieu, fortement déchirés à l'extrémité. La forme du couvercle génital est représentée sur la Fig. 9k.

Genre Pogonius Dahlb.

Les caractères de l'armure copulatrice sont ceux du genre *Pompilus.*

Pogonius hircanus F.

Pompilus hircanus Fab. Ent. Sys. Sup. p. 251.
Pogonius „ Dahl. Hym. Eur. I, p. 454.

France, Italie, Suisse, Crimée, Ural, Sibérie.

Armure copulatrice Fig. 10a, 10b, 10c.

Branche du forceps forte, très longue, garnie de poils minces; base du forceps très courte; la volsella, vue de côté, Fig. 10f, est échancrée intérieurement; crochets, Fig. 10i, élargis au milieu, déchirés à l'extrémité. Couvercle génital, vu en face et de côté, Fig. 10k, présente une forme spéciale.

Genre Aporus Spin.

Les caractères de l'armure copulatrice sont ceux du genre *Pompilus*.

Aporus bicolor Spin.

Ins. Lingr. p. 34.

France, Italie.

Armure copulatrice Fig. 11a, 11b, 11c.

Branche du forceps (d) cylindrique, faiblement garnie de poils; base du forceps (e) très longue; volsella (f) nue, sa forme ressemble à celle du genre *Pompilus;* crochets, Fig. 11i, larges, arrondis, faiblement échancrés à l'extrémité.

La forme du couvercle génital est représentée sur la Fig. 11k, il est allongé et bordé de poils courts.

Aporus nigritulus Klug.

Pompilus nigritulus Klug. Sym. Phys. IV. 20. Tab. 39, fig. 8.

Orenbourg, Tachkend, Askhabad.

Armure copulatrice Fig. 12a, 12b, 12c.

La branche du forceps est très longue, densement garnie de poils; la base du forceps est à moitié plus courte que la branche; la volsella est parsemée de poils très courts, Fig. 12f, les crochets, Fig. 12i, sont larges et ressemblent d'après la forme générale aux espèces précédentes. Couvercle génital allongé, densement couvert de poils; il est représenté, ainsi que la palpe génitale, sur la Fig 12k, 12u.

Genre Cyphononyx Dahlb.

L'armure copulatrice de ce genre présente les caractères suivants: la branche du forceps est richement garnie de poils longs de deux formes, de poils fins et de poils larges et forts. La base du forceps est toujours plus ou moins recourbée extérieurement, les crochets sont élancés.

Cyphononyx flavicornis Dahlb.

Hym. Europ. I, p. 462.

Cette espèce est conforme dans tous ses détails à la déscription de *C. croceiventris*, L. Duf., donné par le Prof. A. Costa (Prosp. d. imenot. Itali, P. H, p. 18) excepté, que l'abdomen de l'espèce (décrite par Dahlbom) est d'une couleur d'un bleu-noir. J'ai reçu un pareil exemplaire du Dr. Magretti, qui le cite dans son ouvrage, Resultati di raccolte imenotterologiche nell'Africa orientale, 1884, p. 47.

Espagne, Afrique.

Armure copulatrice Fig. 13a, 13b, 13c.

La branche du forceps est large, densement entourrée de deux côtés de poils longs et minces; du côté externe on voit aussi des poils longs et forts. La base du forceps est fortement recourbée du côté extérieur. La volsella est nue, échancrée du côté intérieur.

Les crochets, Fig. 13i, sont allongés à l'extrémité, échancrés au milieu.

Cyphononyx dorsalis Lep.

Caligurgus dorsalis Lep. Hym. III, p. 407.

Japonie.

Armure copulatrice Fig. 14a, 14b, 14f.

La branche du forceps est plus large vers l'extrémité et garnie de deux formes de poils, comme dans l'espèce précédente; la base du forceps est moins recourbée; la volsella est nue, découpée vers l'extrémité; les crochets, Fig. 14i, sont allongés, la partie dechirée est plus large.

La forme du couvercle génital est représentée sur la Fig. 14k.

Cyphononyx tuberculatus n. sp.

Atro-coeruleus, infra capite bituberculata; alis atro-violascentibus.

Femelle. Colorée d'un bleu foncé, noirâtre, parsemée de poils noirâtres. Chaperon grand, bombé, le bord coupé en ligne droite; mandibules et antennes noires, leur premier article très court, le deuxième très long. En dessous de la tête, au milieu de la partie inférieure, on voit deux tubercules en forme de dent émoussée.

Thorax mat, metathorax strié transversalement.

Abdomen mat, son dernier ségment garni de poils noirs.

Pieds noirs, à hanches bleuâtres. Ailes très foncées, violacées, à reflet vif, passant au verdâtre. Long. 17 ½ mill.

Mâle. En tout identique, mais le chaperon est noir. Long. 18 ½ mill.

Nepaul.

Armure copulatrice Fig. 15a, 15b.

La branche du forceps est très large, densement bordée de poils de deux formes, mais ces poils sont moins longs que dans les deux espèces précédentes; la base du forceps est très recourbée.

La volsella, Fig. 15f, vue de côté, est très caractéristique par la disposition de ses poils; elle est bordée de poils minces, la surface est ornée de touffes, formées de poils forts, longs, disposés symétriquement. Les crochets et le couvercle génital sont représentés sur les Fig. 15i et 15k.

Genre Wesmaelinius Cost.

Salius Fab., Latr., Dahl., Lep.

M. le Professeur A. Costa dans son ouvrage: Prosp. d. Imenot. Italiani, P. II. 1887, p. 46, à bien défini les caractères de ce genre.

Dr. Magretti dans le Sugli imenotti della Lombardia, III, 1887, p. 89 donne les caractères suivants:

Caput occipite sublaminari, pronoto arcte eoque sublatius.

Thorax subcylindricus, elongatus, metanoto postice excavato-bidentato vel angulato, abdomen intra angulos posticos metanoti procedentes accurate impositum.

Tibiae posticae sparse spinulosae.

Alae anticae cellulis ut in Pompilus; *posticae*, venis mediana et anali a venula transversa seu perpendiculari, ante initium venae cubitalis sita, conjunctis.

Il faut ajouter ce qui suit aux caractères donnés: chez les mâles le dernier segment abdominal est toujours conique ou légerement comprimé de deux côtés.

Les espèces suivantes appartiennent à ce genre:

Wesmaelinius sanguinolentus Fab.

Pompilus sanguinolentus F. Sys. Pier p. 192.
Anoplius „ Lep. Hym. III, p. 455.
Salius Dlhb. Hym. Europ., p. 34.
Wesmaelinius „ Icon. Cost. Fn. T. VIII, fig. 6.

Suisse.

Wesmaelinius albo-calcaratus Evers.

(inédite collect. Eversm.).

Niger; calcaribus pedum albis.

Femelle. Noire, luisante. Les trois premièrs articles des antennes sont égaux. Chaperon grand, luisaut, son bord faiblement échancré. Prothorax et metathorax grands.

Epines des jambes (excepté les pieds antérieurs) grandes, d'un blanc d'ivoire.

Ailes enfumées, deuxième cubitale carrée, deux fois plus grande que la troisième. Long. 9 mill.

Mâle. Ne diffère point de la femelle. Long. 7—8 mill.

Orenbourg, Caucase, Sibérie.

Armure copulatrice Fig. 16_a, 16_b, 16_c.

La branche du forceps (d), vue en face, est conique et pourvue de poils; la base du forceps (e) est beaucoup plus longue que la branche; la volsella (f), vue de côté, est large, garnie vers l'extrémité de poils, plus longue que la branche du forceps; les crochets (i) sont allongés, non déchirés à l'extrémité Fig. 16_i, et beaucoup plus longs que toutes les parties de l'armure.

Le couvercle génital est représenté sur la Fig. 16_k.

Nota. Quoique je n'aie examiné que l'armure d'une seule espèce appartenant a ce genre, je suppose, que l'extrémité coupée en ligne droite, non déchirée des crochets, et leur longueur, dépassant le reste des parties qui composent l'armure, présentent le caractère spécial de ce genre.

Wesmaelinius caucasicus n. sp.

Niger; apice antennarum thoraceque rufis.

Femelle. Taille petite, noire. Les bouts des antennes et les mandibules sont roussâtres. Thorax roux, cylindrique; prothorax et metathorax longs, abdomen nu, luisant.

Pieds noirs, tarses roussâtres, épines blanches.

Ailes transparentes, leurs bouts enfumés. Long. $5 \frac{1}{2}$ mill.

Caucase.

Ressemble à *W. sanguinolentus*, mais la taille est beaucoup plus petite et le corps est fortement luisant.

Wesmaelinius aegyptiacus n. sp.

Ater; antennis, 3^0—5^0 segmentis abdominalibus pedibusque ex parte rufis.

Mâle. Taille petite, noire. Antennes rousses. Chaperon plat, bord roux et arrondi.

Abdomen luisant, coloré de roux, excepté les deux premiers segments, qui sont noirs. Pieds noirs, cuisses et tarses roux.

Ailes transparentes vers le bont, à nuance d'un brun clair. Long. $6 \frac{1}{2}$ mill.

Egypt.

Genre Ferreola Lep.

Smith. Costa.

La tète égale la largeur du prothorax ou la surpasse; chez le mâle elle est toujours plus large et aplatie vers la base. La largeur du chaperon dépasse sa longueur. Prothorax large.

Metathorax de la femelle postérieurement tronqué, Fig. 19, la surface de la tranche plane, plissée sur les côtés en forme de deux dents.

Metathorax du mâle postérieurement tronqué, Fig. 17_1, son bord concave se prolonge en forme de dents; la surface de la tranche plus ou moins concave.

Le dernier segment abdominal du mâle est toujours plat; d'après ce caractère le genre étudié se distingue au premier coup d'oeil du genre *Wesmaelinius*.

La cellule radiale est grande; la troisième cellule cubitale est presque égale à la troisième, carrée; la troisième fortement rétrécie vers la base.

La forme de l'armure copulatrice se distingue de celle des autres genres du Pompilides par la largeur de la base du forceps, par la grandeur de la tête de la volsella, et avant tout par la forme de la tête des crochets, qui n'étant pas déchirée, est fourchue à son extrémité.

Le type de ce genre présente:

Ferreola algira Lep. Hym. Eur. III, p. 468 ♀ ♂.

Algérie.

Ferreola syraensis n. sp.

Atra, robusta; metathorace rufo-testaceo.

Femelle. Noire. Tête de la largeur du prothorax; chaperon velouté, son bord arrondi.

Metathorax rougeâtre, porte au milieu une ligne profondement enfoncée, son bord postérieur émoussé, sa tranche presque verticalement coupée.

Abdomen mat, plus large que le corselet.

Ailes fortement enfumées, sans reflet violacé, portant à l'extrémité une bande plus foncée. Long. 20 mill.

Syra.

Je possède un cocon, dont provient cet exemplaire; il est d'une couleur janne-roussâtre et rappelle par la structure celle des vers à soie.

Ferreola nigra Rad.

Ater, opacus; alis fusco-violascentibus, apice nigro.

Salius niger Rad. Voy. Fedtch. au Turques. Sphg., p. 12.

Femelle. Noire. La tête plus large que le prothorax; les antennes brunes, à nuance rousse, premier article deux fois plus long que les suivants; chaperon plat, son bord faiblement échancré; front de la tête bombé, on remarque entre les antennes une fine ligne longitudinale, enfoncée.

Prothorax long, metathorax court, porte sur le dos une ligne enfoncée.

Abdomen nu, opaque.

Ailes enfumées. Long. $10\frac{1}{2}$—11 mill.

Askhabad.

Ferreola caucasica n. sp.

Atra; metathorace rufo-testaceo.

Femelle. Noire. Tête nue, entre les antennes une ligne enfoncée; le bord du chaperon droit. Metathorax roussâtre, porte au milieu une ligne longitudinale, enfoncée, son bord postérieur faiblement émoussé.

Abdomen mat; les jambes intermédiaires et leurs metatarses portent deux rangs d'épines du côté externe.

Ailes fortement enfumées, à faible nuance violacée; deuxième cubitale faiblement rétrécie vers la base. Long. 14—17 mili.

Caucase.

Ferreola rossica n. sp.

Atra; prothorace metathoraceque rufo-testaceis.

Femelle. Noire. Tête plus bombée que dans l'espèce précédente, pas de ligne entre des antennes; le bord du chaperon faiblement échancré au milieu.

Prothorax et metathorax roussâtres; le bord postérieur de ce dernier aigu.

Abdomen mat.

Ailes médiocrement enfumées, plus fortes vers l'extrémité; deuxième cubitale rétrécie vers la base. Long. 9—12 mill.

Saratow, Orenbourg.

Ferreola Hellmani Ever.

Salius Hellmani Evers. Bull. d. Mosc. 1849, p. 379.

Niger, facie argenteo-sericea; thorace abdomineque aequi longis.

Mâle Noir. Tête plus large que le thorax; chaperon bombé, son bord arrondi; la face est garnie d'un duvet argenté.

Prothorax plus large que chez *F. grandis*, son bord plus arrondi, sur le mesothorax on voit une ligne longitudinale enfoncée, cette ligne se prolonge sur le postécusson et le metathorax; le metathorax médiocrement pourvu de poils très courts, blanchâtres; sa tranche est découpée et faiblement échancrée de chaque côté.

Abdomen d'un noir mat, le reflet d'un brun-roussâtre, septième segment d'un blanc sale. Deuxième, troisième et quatrième segments ventraux d'un blanc micacé.

Ailes transparentes, troisième cubitale rétrécie vers la base. Long. 11 mill.

Sarepta (type).

Armure copulatrice Fig. 17a, 17b, 17c.

La branche du forceps (d) est cylindrique, plus longue que la base, garnie de poils; la base du forceps (e) est large.

Volsella (f) large, parsemée de poils très courts.

La forme des crochets est représentée sur la Fig. 17i, l'extrémité est fourchue et très développée.

Le couvercle et les palpes génitales sont représentés sur les fig. 17n et 17k.

Ferreola sirdariensis n. sp.

Niger; metathorace argenteo-sericeo, abdomine nigro-rufescente.

Male. Noir. Tête luisante, garnie de poils noirs; le bord du chaperon un peu relevé; les trois premièrs articles des antennes sont presque égaux. Thorax luisant; le metathorax, couvert de poils courts blanchâtres, porte au milieu une forte carène longitudinale, sa tranche découpée forme de chaque côté une petite dent.

Abdomen mat, d'une couleur à nuance brune-rougeâtre; le septième segment d'un blanc sale; les segments ventraux d'un brun rouge.

Ailes enfumées, plus claires à la place des cellules cubitales; deuxième cubitale carrée, troisième rétrécie vers la base. Long. 15 mill.

Syr-Daria.

Armure copulatrice Fig. 18a, 18b, 18c.

La branche du forceps, vue en face et de côté, est beaucoup plus large que dans l'espèce précédente, l'extrémité est garnie de tous les côtés de poils longs et fins; la base du forceps est plus large et plus longue.

Volsella large, nue.

Les crochets, vus en face et de côté, sont représentés sur la fig. 18i.

Ferreola Komarowii n. sp.

Nigra; abdomine rufescente; capite, prothorace, pedibusque niveo-pulverulentibus, supra metathorace tomento argenteo; alis fuscis, violascentibus.

Femelle. Noire. Chaperon faiblement echancré; la tête et les bases des antennes recouvertes de poils minces, courts (semblables à la poussiere), argentés.

Thorax mat; partie antérieure du prothorax recouverte de poils blanchâtres, très fins; le dos du metathorax couvert de poils soyeux argentés; les dents latérales de la tranche sont très développées.

Les premiers cinq segments abdominaux sont roussâtres; le dos du premier est en grande partie noirâtre; la base et les côtés sont garnis de poils blanchâtres; le quatrième et le cinquième sont colorés de roux-brunâtre.

Pieds noirs, garnis de fins poils blanchâtres, nacrés.

Ailes fortement enfumées, à reflet violacé. transparentes vers la base; la troisième cubitale plus petite que la deuxième, la nervure extérieure porte au milieu le comméncement d'une nervure cubitale. Long. 13 mill.

Transcaspia.

A ce genre appartiennent:

Ferreola thoracica *) Rossi.

Costa. Fau. Neap. p. 49. Tab. VIII fig. 3 ♀.

Pompilus variabilis Evers. Bull. de Mosc. 1849 p. 377 var ♂.

Italie, France, Orenbourg, Astrakhan, Irkutsk.

Ferreola fuscipennis **) V. d. L.

Pompilus fuscipennis V. d. Lind. Obs. 1 p. 321.
Salius „ Rad. H. S. E. R. T. XXI, p. 50. Tab. HI fig. 6.

Bannat, Syra, Caucase.

Ferreola micans Rad.

Salius micans Rad. Voy Fedch en Turq. Sphg. p. ♀; H. S. E. R. T. XX p. 26 Tab. V, fig. 20 ♂.

Ferreola grandis Rad.

Salius grandis Rad. H. S. Er. Ross. T. XXI p. 95. Tab. V. fig 6.

Genre Pseudoferreola n. g.

La tête de la femelle égale la largeur du thorax et la tête du mâle est plus petite que ce dernier.

---

*) Dans le H. S. E. R. T. XXI p. 49. Tab. II fig. 4 se basant sur la description de V. d. Linden j'ai commis une faute, en présentant sous le nom de *Pompilus thoracicus* Ross. une autre espèce, qui est probablement *Pompilus tropicus* Lin. Les quatre femelles et les quatre mâles que je possède du Caucase, sont conformes aux descriptions de Lep. Hym. III p. 434 ♀ ♂ et de Dahlbom, Hym. Europ., p. 62. Je possède une femelle provenant de l'Amerique (Laplatte), elle est aussi conforme à ces dernières, mais il lui manque une ligne enfoncée entre les antennes.

**) Il faut ajouter à la description de V. d. Linden que le dernier segment abdominal du mâle est blanc en dessus.

Chaperon plat, grand, couvre en partie ou en entier les mandibules.

Prothorax long, d'une forme conique chez le mâle.

Metathorax plat, tronqué, à tranche fortement concave, bord postérieur tranchant.

Septième segment abdominal du mâle inseré dans le sixième, presque invisible.

Ongles des tarses fourchus.

Deuxième cubitale presque trapezoïdale; troisième rétrécie vers la base.

L'armure copulatrice de ce genre présente les caractères suivants: la branche du forceps, la base et la volsella ressemblent à celles de *Pompilus*, mais sont très distinctes de *Ferreola*; la forme des crochets se rapproche de *Priomemioides*, mais diffère de celle de *Ferreola*.

Pseudoferreola striata n. sp.

Nigra; prothorace mandibulisque ferrugineis, truncatura metathoracis striata; alis brunneis.

Femelle. Noire, nue, chaperon aplati, son bord arrondi, mandibules roussâtres.

Prothorax roux, long, le bord postérieur coupé en ligne droite.

Le dos du metathorax plat, avec un faible enfoncement longitudinal au milieu, les parties latérales plissées en forme de dents émoussés; le bord postérieur tranchant, ayant au milieu une partie sailliante; tranche concave striée verticalement.

Abdomen de la largeur du thorax, mat; les deux premiers segment grands, le dernier faiblement garni de poils noirs. Les jambes faiblement épineuses.

Ailes brunes, écailles petites, roux. Long. 16 mill.

Mâle. Semblable à la femelle; tête petite, Fig. 20I, verten roux; prothorax conique; le milieu du dos du metathorax n'ayaxt pas d'enfoncement. Fig. 20II. Long. 15 mill.

Andalousie.

Armure copulatrice. Fig 20a, 20b, 20c.

Branche du forceps mince, médiocrement pourvue de poils; base du forceps droite. Volsella nue, à tête pas grande, l'extrémité des crochets, Fig 20i, se termine par une pièce en forme de deux petites feuilles.

La forme du couvercle génital est représentée sur la Fig. 20 k.

Pseudoferreola incisa n. sp.

Nigra; capite, prothorace, mesothorace ferrugineis; alis brunneis.

Femelle. Noire. Tête rousse, chaperon grand et plat, son bord coupé en ligne droite. Fig. 21.

Prothorax long, le bord postérieur faiblement arrondi, coloré de roux ainsi que le mesothorax et les écailles.

Le bord postérieur du metathorax est tranchant, avec une incision au milieu. Fig 21I, la surface de la tranche matte.

Abdomen mat.

Ailes brunes, à faible nuance violacée.

Var. α devant de la tête avee chaperon noir. Long. 13 mill.

Andalousie, Algérie.

Genre Salius F.

Homonotus, Dahlb.

On avait longtemps des doutes sur les femelles de ce genre. Le Professeur Achille Costa fut le premier à donner dans son excellent ouvrage „Osservationi intorno al genere Salius di Fabricio (1886)" les caractères complets des femelles et des mâles, en présentant la description des cinq espèces suivantes: *S. bicolor* F., *S. Grohmani* Spi., *S. dimidiatipenis* Cost., *S. unicolor* F., *S. sexpunctatus* F.

Aux caractères de ce genre exposés par le Professeur A. Costa, je puis ajouter ceux de l'armure copulatrice: la branche du forceps est toujours garnie de poils forts, les crochets forment une pièce entière arrondie et non déchirée à l'extrémité. Cette pièce est très caractéristique.

Salius Costae n. sp.

Fem. Nigra; antennis ferrugineis, orbitis partim, prothoracis linea postica interrupta, mesothorace macula, postscutello, abdominisque maculis binis in segmentis secundo, tertio, quarto et quinto albidoluteis; pedibus rufo-ferrugineis, basi nigris; alis flavo-ferrugineis nigro violascente, nervuris rufescentibus; metathorace transverso-striato.

Mas. Niger; politus; antennis ferrugineis, orbitis partim, mesothorace macula postica, abdominisque maculis binis in segmentis secundo, tertio et quarto albido-luteis; pedibus alisque uti in femine pictis; mesothorace transverso-striato.

Femelle. Noire. Antennes rousses, chaperon fortement bombé, portant deux taches blanchâtres; deux lignes de la même couleur sur le bord interne et derrière les yeux.

Une ligne interrompue vers le bord du prothorax, une tache sur le mesothorax et les postécussons d'un blanc-jaunâtre.

Metathorax, strié transversalement, portant au milieu une ligne longitudinale.

Deuxième, troisième, quatrième et cinquième segments abdominaux, portant chacun deux taches d'un blanc-jaunâtre.

Pieds ferrugineux, trochanteurs noirs.

Ailes transparentes, roussâtres, à reflet violace sur l'extrémité, nervures d'un roux clair. Long. 13—16 mill.

La femelle présente les variétés suivantes:

a) les bases des antennes, parfois les antennes entières, sont noires.

b) pas de taches sur le chaperon.

c) pas de taches sur le cinquième segment.

Le Mâle ressemble à la femelle; base des antennes, prothorax et postécusson noirs, les taches sont absentes sur le cinquième segment; hanches noires. Long. 14 mill.

Syra ♂, ♀, Saratow, Orenbourg, Crimée, Caucase, Perse.

Cette espèce est facile à être confondue avec le *S. sexpunctatus* F. dont il diffère principalement: par la taille plus grande; par les lignes blanchâtres des orbites des yeux, qui sont plus larges et jamais interrompues; par les antennes rousses, par la couleur des ailes roussâtres, leur bout tirant au violet et les nervures colorées de roux, tandis que les ailes de *S. sexpunctatus*, comme a bien défini le Professeur Costa, sont d'une couleur *cinerascenti melinis*, avec des nervures d'un brun foncé; la forme de l'armure dissipe toutes les doutes.

Armure copulatrice. Fig 22a, 22b, 22c.

La branche du forceps (d), vue de côté, est large, Fig 22c, herissée vers l'extrémité de poils forts et longs; la base du forceps (e) est large et beaucoup plus longue que la branche; le bord de la volsella (l) est échancré vers la base, denté, le bord extérieur entouré de poils. Les crochets (i) forment une seule pièce, Fig 22i, arrondie et non déchirée à l'extrémité, au milieu de chaque côté ou voit une dent. Palpe génitale courte et globuleuse, fig 22n; le bord supérieur du couvercle génital, fig 22k., irrégulièrement crénelé.

Salius bicolor F.

Sys. Piez. p. 124.

Costa. Osser. gen. Salius, p. 4, Fig 1, 2.

Andalousie, Algérie, Caucase.

Armure copulatrice (voir H. S. E. R. T. XXII, p. 236, fig 22a, 22b, 22c.).

D'après la forme elle se rapproche beaucoup de l'espèce précédente, mais diffère par la longeur de la branche du forceps, presque aussi longne que la base, par les poils de l'extrémité, qui sont plus longs et plus larges; par la base du forceps, plus large, dès l'extrémité; par la forme des crochets vus de côté et les dents plus émoussées.

Salius sexpunctatus F.

Sys. Piez. p. 125.

Costa. Osser. gen. Salius, p. 8, Fig 8, 9.

— prosp. imenot. Italiani (1887) II. p. 16, T. I. fig. 1.

Aux caractères présentés par le Prof. Costa j'ajouterai ce qui suit:

♀. deux taches sur le quatrième segment abdominal; il manque deux taches sur le deuxième segment; thorax entièrement noir. Long 10—13 mill.

♂. abdomen noir; thorax entièrement noir. Long 8—12 mill.

Italie, France, Caucase, Tachkend.

Armure copulatrice. Fig. 23a, 23b, 23c.

La branche du forceps est garnie du côté externe de poils qui ne sont par disposés symétriquement; du côté intérieur, vers l'extrémité, de poils forts raides; la base du forceps est assez large; la tête de la volsella est penchée en avant et son extrémité est pourvue de poils assez longs. Les crochets et le couvercle génital sont représentés sur la Fig. 23i, Fig. 23k.

Salius binotatus Lep.

Calicurgus binotatus. Lep. III, p. 402 ♂.

J'ai reçu cette espèce de M. Fr. Chevrier de Nyon, ♀ et ♂, sous le nom de *C. binotatus* Lp. Le mâle est conforme à la description de Lepelletier, le metathorax excepté, qui n'est pas strié transversalement. Long. 8—9 mill.

La femelle est conforme au mâle.

Noire, deux taches blanchâtres sur le deuxième segment abdominal, l'anus garni de poils roussâtres. Long. 8 mill.

var. le ♂, deux points blanchâtres sur le deuxième segment abdominal.

Suisse, France (Vichy).

Armure copulatrice. Fig. 24_a 24_b.

La branche du forceps est longue, son bord externe est garni de poils longs, fins, disposés parallélement et régulièrement; le bord interne garni dans toute sa longeur de poils forts; la base du forceps est plus courte que dans l'espèce précédente; la volsella, vue de côté, fig 24_f, est arrondie à l'extrémité et garnie de poils.

Les crochets sont représentés sur la fig. 24_i.

Genre Priocnemioides n. g.

Les caractères de ce genre ressemblent à ceux du genre *Priocnemis*, excepté:

Les articles des antennes dès le deuxième sont presque égales, tandis que chez le *Priocnemis*, le deuxième est toujours plus long que chacun des suivants.

Chaperon étroit, bombé, échancré au milieu. Fig. 25_I. *).

Les mandibules à l'extrémité ne sont pas effilées, mais émoussées.

Les jambes des femelles, postérieures et intérieures, sont pourvues du côté externe de deux rangées de fortes épines, semblables aux dents; chez les mâles elles sont beaucoup plus courtes et pas fortes.

Deuxième cubitale des ailes obliquement carrée, troisième rétrécie vers la base et plus grande que la deuxième.

L'armure copulatrice se distingue beaucoup de l'armure des antres genres par la forme de ses crochets, dont l'extrémité a la forme de deux feuilles, plus ou moins grandes.

---

*) Le genre *Lophopompilus* Rad. H. E. S. R. T. XXI, p. 42 a aussi le chaperon échancré: mais cette échancrure est plus forte, Fig. 28, le chaperon est plus grand, plus large et pas bombé; les tarses antérieurs sont toujours pectinés et les jambes ne sont pas dentées.

Priocnemioides fulvicornis Cress.

Priocnemis fulvicornis, Cress. Trans. Ent. Soc. Philad. I, p. 112, 1867.

J'ai possède le ♀ et ♂ provenant du Texas, donnés par M. Cresson.

Armure copulatrice Fig. 25a, 25b, 25c.

La branche du forceps, vue de côté, est large, plus étroite vers l'extrémité, elle est garnie de poils assez longs; la base du forceps étroite et recourbée en dedans; la tête de la volsella, fig. 25f, est grosse, pourvue du côté externe d'une touffe de poils; les crochets, fig. 25i, présentent une forme spéciale, leur extrémité se termine par deux pièces larges, ovalaires, ces pièces sont séparées l'une de l'autre.

Priocnemioides flammipennis Smt.

Pompilus flammipennis Smt. Cat. Brit. Mus. III, p. 155.

Texas.

Armure copulatrice Fig. 26a, 26b, 26c.

La branche du forceps est aussi large que dans l'espèce précédente, mais vue de côté elle présente un autre contour; la base du forceps est plus large et moins recourbée en dedans; la volsella, fig. 26f, est pourvue d'une touffe de poils; la forme des crochets, fig. 26i, ressemble à celle de l'espèce précédente, mais les pièces de l'extrémité sont moins longues, quoique plus larges.

Le couvercle génital, fig. 26k, est doucement convert de poils longs, sa forme ne varie point.

Priocnemioides andalusiensis n. sp.

Ater; metathorace transverse-striato, antennis luteis; alis lutescentibus.

Femelle. Antennes d'un janne-orange, à bases noires; une ligne enfoncée entre les antennes jusqu'aux ocelles; chaperon bombé, faiblement échancré au milieu.

Thorax finement rugeux; une ligne enfoncée sur le dos du prothorax; metathorax arrondi avec la base, strié transversalement, portant au milieu une ligne longitudinale enfoncée.

Abdomen mat, l'anus garni de poils noirs.

Pieds noirs, pieds antérieurs ne sont pas pectinés.

Ailes avec des nervures roussâtres, à bout foncé; deuxième

cubitale presque carrée, troisième un peu plus grande et rétrécie vers la base. Long. 15 mill.

Mâle semblable. Long. 12 mill.

Andalousie.

Armure copulatrice Fig. 27_a, 27_b.

La branche du forceps est large vers la base et mince vers l'extrémité, pourvue de poils; la base du forceps est droite, de moyenne largeur; la tête de la volsella, vue de côté, fig. 27_f, est forte. Les crochets et le couvercle génital sont représentés sur la Fig. 27_i, 27_k.

Genre Priocnemis.

L'armure copulatrice des espèces appartenantes à ce genre n'a pas de caractères stables. Je pense que M. le Prof. Smith avait raison de réunir ce genre avec le genre *Pompilus* dans son Catalogue des Hymenoptères du Musée Britanique.

Priocnemis ophtalmicus Cost.

Prosp. d. imenot. Ital. 1887, p. 25.

Andalousie.

Armure copulatrice Fig. 31_a, 31_b, 31_c.

Par sa forme générale elle se rapproche de *Salius sexpunctatus*.

La branche du forceps, vue de côté, est large et garnie de poils fins, qui sont plus forts vers l'extrémité; la base du forceps est plus courte que la branche. La tête de la volsella, Fig. 31_f, est garnie de poils.

Crochets arrondis et déchirés à l'extrémité.

Le couvercle génital est représenté sur la Fig. 31_k.

Priocnemis variabilis Ross.

Sphex variabilis Ross. Fau. Etrus. II, n. 821.

Calicurgus Fabricii Lep. Hym. III, p. 403.

France, Suisse, Orenbourg, Sarepta, Caucase.

Armure copulatrice Fig. 29_a, 29_b, 29_c.

Elle se rapproche d'après sa forme de celle *Salius binotatus*.

La branche du forceps, vue de côté, est large et garnie de poils, qui ne sont ni fins, ni disposés symétriquement, comme c'est le cas chez le *Salius binotatus*; la base du forceps est plus étroite. La forme de la volsella, Fig. 29f, diffère aussi.

Les crochets, Fig. 29i, sont arrondis et non déchirés *) à l'extrémité.

Priocnemis bidecoratus Cost.

Prosp. d. immi. Ital. 1887, p. 30; Jun. T. II, fig. 6.

Italie.

Armure copulatrice Fig. 30a, 30b, 30c.

La branche du forceps est plus longue que la base et garnie de poils longs, la base du forceps est assez étroite.

Volsella, Fig. 30f, à tête garnie de poils. Crochets, Fig. 30i, arrondis et déchirés à l'extrémité.

Priocnemis annulatus Fab.

Ent. Sys. Supp., p. 245.

Costa. Fn. Nap. T. IV, fig. 2.

Caucase.

Armure copulatrice Fig. 32a, 32b, 32c.

Elle se rapproche d'après sa forme d'*Hemipepsis luteipennis*.

La branche du forceps est conique et garnie de poils longs, vue de côté elle est très caractéristique; la base du forceps est assez large.

La tête de la volsella, Fig. 32f, est garnie de poils. Crochets longs, Fig. 32i, déchirés à l'extrémité.

Le couvercle génital est représenté sur la Fig. 32k.

Priocnemis trifurcus n. sp.

Parvulus, niger, opacus; abdominis segmento secundo, femore, tibia rufis.

Mâle Noir. Tête densement et finément coriacée; le bord du chaperon coupé en ligne droite.

Corselet mat, prothorax assez grand, son bord postérieur fortemant échancré; metathorax arrondi et garni d'un duvet blanchâtre.

Abdomen allongé, son deuxième segment roussâtre, dernier segment aplati; les cuisses et les jambes roussâtres.

Ailes faiblement enfumées; deuxième cubitale plus grande que la troisième, toutes les deux rétrécies vers la base

Feailles rousses. Long. $7^1/_2$ mill.

France (Vichy).

---

*) Caractère du genre *Salius*.

Armure copulatrice Fig. 34_a, 34_b, 34_c.

La branche du forceps, plus courte que la base (d), est nue, vue de côté, Fig. 34_c, elle se présente sous la forme d'une fourche à longues dents, l'extrémité de chaque dent a la forme d'un peigne; la base de la branche est allongée comme chez toutes les Pompilides. Volsella (f) très longue, son bord extérieur crenelé.

La forme des crochets, Fig. 34_i, pareille à celle de *Priocnemis fuscus*, mais les crochets sont plus longs que la base du forceps.

Le palpe génital est représenté sur la Fig. 34_n.

Je donne à cette espèce le nom *trifurcus* à cause de la forme de la branche du forceps.

Par la forme et la structure de la branche du forceps cette espèce diffère de toutes les Pompilides, et elle appartient visiblement à un nouveau genre; mais comme je ne connais pas la femelle, et le mâle ne présente aucun caractère spécial, je place cette espèce pour le moment parmi les *Priocnemis*, où sont réunies les espèces présentant les formes différentes des armures copulatrices.

Priocnemis fuscus Fab.

Sphex fusca Fab. Sys. Ent.. p. 349.

France, Italie, Astrabad.

Armure copulatrice Fig. 33_a, 33_b, 33_c.

La branche du forceps presque cylindrique, densement garnie de poils longs; la base du forceps de longeur médiocre et plus courte que la branche. Volsella assez longue, nue.

Les crochets, Fig. 33_i, sont larges vers la base, étréciés et déchirés vers l'extrémité; parties déchirées recourbées en dehors.

La forme du couvercle génital est représentée sur la Fig. 33_k.

Genre Ceropaleoides n. g.

Chaperon arrondi; les anténnes placées sur le bord supérieur du chaperon, leur scapa de la largeur du troisième article; le dos du metathorax est presque plane, sa tranche faiblement arrondie (chez le *Ceropales* elle est obliquement coupée); le reste des caractères du genre *Ceropales*.

La forme de l'armure copulatrice diffère de celle des antres espèces de cette tribue.

Ceropaleoides Komarowii Rad.

Ceropales Komarowii, H. S. E. R. T. XX, p. 25.

Armure copulatrice Fig. 35a, 35b, 35c.

Branche du forceps (d) longue, vue de côté large, tordue, garnie de poils fins; base du forceps (e), recourbée en dedans. Volsella (f) grande, une partie de la tête bombée et hérissée de poils forts et rigides. Fig. 35f.

Les crochets i i, sont larges, arrondis et déchirés à l'extrémité; ils portent sur dos le fourreau (h), dont la forme, ainsi que celle des crochets, est représentée sur la Fig. 35i. D'après la disposition et la forme du fourreau ce genre se distingue visiblement des antres genres et se rapproche de *Ceropales*.

La forme du couvercle génital est représentée sur la Fig. 35k.

Genre Hemipepsis Dahl. Kohl.

Pallosoma, Lep.

Les caractères de l'armure copulatrice sont ceux du genre *Pompilus*.

Hemipepsis luteipennis Dahlb.

Hym. Eurp. I, p. 462.

Callosoma barbara Lep. Hym. III, p. 495.

Andalousie, Askhabad.

Armure copulatrice Fig. 36a, 36b, 36c.

La branche du forceps, vue en face, se rétrécie vers l'extrémité, où elle est pourvue de deux côtés de poils; la base du forceps se rétrécie fortement vers l'extrémité; la volsella est large et arrondie. Crochets fortement déchirés à l'extrémité. Fig. 36i.

Le palpe et le couvercle génital sont représentés sur la Fig. 36n, 36k.

Genre Pepsis F.

La forme de l'armure copulatrice de ce genre, quoique elle soit caractéristique, ne conserve pas toutes les formes propres aux Pompilides.

Elle se distingue de la forme des antres genres des Pompilides par la grandeur de la branche du forceps; par la forme de la tête de la volsella, qui est grande et fortement recourbée du côté interne; par la petitesse des crochets, ronds et déchirés à l'extrémité, par leur placement très bas sur la ligne de jonction de la branche du forceps et de la base.

Pepsis chrysobapta Smith.

Cat. Brit. Mus. T. III, p. 191 ♀.

Mocs. Spec. nov. gen. Pepsis (terme füre, Vol. IX, 1885, Mus. nat. Hongr.), p. 239 ♀ ♂.

Armure copulatrice Fig. 37_a, 37_b.

Branche du forceps (d) conique, densement garnie de poils qui sont plus longs vers l'extrémité; base du forceps (e) très étroite, plus courte que la branche. Volsella grande, en forme d'un point d'interrogation.

Crochets i i très bas placés, petits, arrondis et déchirés à l'extrémité, Fig. 37_i *).

La forme du couvercle génital est représentée sur la Fig. 37_k.

Pepsis pan Mocs.

Spec. nov. gen. Pepsis (terme füre, Vol. IX, 1885, Mus. nat. Hong.), p. 240.

Armure copulatrice Fig. 38_a, 38_b.

Branche du forceps large, densement garnie de poils fins et longs; base du forceps large, presque de la longueur de la branche. Volsella grande, la tête en forme d'un coln, bord extérieur crénelé.

Crochets placés très bas, leur forme, vue en face et de côté, est représentée sur la fig. 38_i.

La palpe et le couvercle génital sont représentés sur la Fig. 38_n, 38_k.

Pepsis marginata Palis de Beauv.

Insect. Afriq. et Ameriq., p. 94.

Mocs. Spec. nov. gen. Pepsis, p. 264.

Armure copulatrice Fig. 39_a, 39_b.

Branche du forceps longue, assez large, densement garnie de poils assez forts; base du forceps très étroite et droite.

La tête de la volsella, vue en face, est grande, anguleuse, garnie de poils.

Les crochets et le couvercle génital sont représentés sur la Fig. 40_i, 40_k.

---

*) L'échelle des figures 37_i, 39_i et 40_i est plus fort que celui des figures, représentant les armures *in toto*.

Pepsis grossa Fab.

Sys. Piez., p. 214.

Armure copulatrice Fig. 40_a, 40_b.

Branche du forceps très large, densément garnie de poils forts; base du forceps mince, son extrémité recourbée en dedans. Volsella grande, en forme d'un point d'interrogation.

Crochets placés très bas, à l'extrémité, Fig. 40_i, arrondie et déchirée.

La palpe et le couvercle génital sont représentés sur la Fig. 40_n, 40_k.

FAMILLE CEROPALIDAE.

Genre Ceropales Latr.

Ce genre qui a été rapporté par Lepelletier à la tribue de *Pepsites*, et par d'autres auteurs à la tribue de *Pompilides*, d'après la forme de l'armure copulatrice n'a rien de commun avec le *Pompilides*. La branche du forceps est grande, grosse, plissée, complètement nue; la base du forceps dans sa partie supérieure n'est pas allongée verticalement, c'est qui forme le caractère général pour le *Pompilides*; une pièce qui remplie le fourreau est d'une structure spéciale; la forme des crochets, le placement de la pièce basilaire, la forme du couvercle génital prouvent que ce genre appartient à une antre famille; probablement à la famille *Ceropalidae*.

Ceropales maculata Fab.

Evania maculata Fab. Ent. Sys. II, p. 193.

France, Italie, Suisse, Caucase, Sibérie.

Armure copulatrice Fig. 41_a, 41_b, 41_c.

La branche du forceps (d) est grande, irrégulièrement plissée, nue; la base du forceps (e) n'est pas allongée. La volsella (f) est nue, vue de côté—plus large. Au point (α) on voit une pièce additionelle mince, articulée; ces deux pièces sont réunies par une membrane (h), densement garnie de poils assez longs, mais délicats. Cette pièce remplace, probablement, le fourreau.

Les crochets (i, i) sont représentés sur la Fig. 41_i.

Pièce basilaire (q, q), qui est placée sur la partie inférieure de l'armure, se termine par un crochet (δ).

La forme du couvercle génital, vue en face et de côté, est représentée sur la Fig. 41k

Ceropales histrio Fab.

Evania histri. Fab. Ent. Sys. Suppl., p. 241.

Armure copulatrice Fig. 42a, 42b, 42c.

La branche du forceps (d) est grande, irrégulière, nue; la base du forceps (e) n'est pas allongée, comme chez le *Pompilides*. Volsella (f) nue, vue de côté, fig. 42f, elle est large, ayant les parties sailliantes. Au point (α) on voit une pièce additionelle, articulée; ces deux pièces sont réunies par une membrane (h) nue.

Les crochets (i, i) sont représentés sur la Fig. 42i.

La pièce basilaire (q) est placée sur la partie inférieure de l'armure.

La palpe et le couvercle génital sont représentés sur la fig. 42n, 42k.

Ceropales sibirica n. sp.

Nigra; clypeo, labro, orbitis oculorum, antennis basi, pronoto, maculis humeralibus, postscutello, fasciis abdominalibus lutescentibus; tegulis pedibusque rufis; alis hyalinis.

Femelle. Noire. La tête finement coriacée, les deux premiers articles des antennes en dessous, orbites des yeux extérieures et intérieures (cette dernière plus large, se prolongeant sur le chaperon) et labre d'une couleur jaune pâle.

Une large bande traverse le prothorax, les points humeraux, le postécusson; une tache de jaune pâle de chaque côté de l'extrémité du metathorax; écailles rousses; metathorax transversalement strié, garni d'un duvet blanchâtre. Poitrine et corselet garnis en dessous de poils courts, serrés, blanchâtres.

Premier segment abdominal porte deux taches, tous les segments suivants sont bordés de larges bandes échancrées d'un jaune pâle; les bords des segments ventraux sont un peu pâles. Les pieds roussâtres, hanches jaunâtres en dessous.

Ailes transparentes à teinte jaunâtre, à nervures roussâtres. Long. 8 mill.

Mâle. Ne diffère point de la femelle; une tache janne à l'extrémité de l'écusson, les bandes abdominales sont moins larges. Long. 7 ½ mill.

Sibérie (Kultuk, Minousinsk).

Ceropales Mlokosewitzi n. sp.

Nigra; clypeo, labro, orbitis oculorum, antennis basi, apice abdominis pedibusque ex parte eburneis; alis hyalinis.

Mâle. Noir. Tête finement rugeuse, vertex, où se trouvent les ocelles, relevé en forme trapézoidale; la face du chaperon, labre, orbites intérieures des yeux, les deux premiers articles des antennes d'un blanc d'ivoire.

Thorax irrégulièrement coriacé, noir sans taches.

Abdomen nu, luisant, la tranche du septième segment abdominal et le bont d'huitième segment ventral d'un blanc d'ivoire. Les taches sur les cuisses, les tarses des pieds antérieurs et intermédiairs, ainsi que les hanches des pieds intermédiairs et postérieurs, sont d'un blanc d'ivoire.

Ailes transparentes, faiblement enfumées vers le bont. Long. 6 $^1/_2$ mill.

Envoyés par M. Mlokosewitz de Lagodechi (Caucase).

Explication des figures. (Pl. XII, XIII, XIV, XV).

Les chiffres, accompagnés de lettres suivantes, représentent:

de lettre *a* le côté supérieure de l'armure copulatrice.
" " *b* le côté inférieure " " "
" " *c* l'armure, vue de côté,
" " *d* la branche du forceps,
" " *e* la base " "
" " *f* la volsella,
" " *h* le fourreau,
" " *i* le crochet,
" " *k* le couvercle génital,
" " *n* la palpe "
" " *q* la pièce basilaire (cardo).

Fig.	1a, 1b, 1c, 1i, 1k, 1n.	Pompilus pulcher.
"	2a, 2b, 2c, 2i, 2k.	" cingulatus.
"	3a, 3b, 3c, 3i, 3k.	" spissus.
"	4a, 4b, 4c, 4i, 4k.	" rufipes.
"	5a, 5b, 5c, 5i, 5k.	" quadripunctatus.
"	6a, 6b, 6c, 6i, 6k, 6n.	" Kohlii.
"	7a, 7b, 7i, 7k, 7n.	" peranceps.
"	8a, 8b, 8c, 8i, 8k.	Agenia punctum.
"	9a, 9b, 9c, 9f, 9i, 9k.	" fallax.
"	10a, 10b, 10f, 10i, 10k.	Pogonius hircanus.
"	11a, 11b, 11c, 11i, 11k.	Aporus bicolor.
"	12a, 12b, 12f, 12i, 12k, 12n.	" nigritulus.
"	13a, 13b, 13c, 13i, 13n.	Cyphononyx flavicornis.
"	14a, 14b, 14f, 14i, 14k.	" dorsalis.
"	15a, 15b, 15f, 15i, 15k.	" tuberculatus.
"	16a, 16b, 16c, 16i, 16k.	Wesmaelinius albo calcaratus.
"	17a, 17b, 17c, 17i, 17k, 17n.	Ferreola Hellmani.
"	17l, metathorax du mâle de	" "
"	18a, 18b, 18c, 18i.	" Sirdariensis.
"	19, metathorax de la femelle de	" algira, Lep.

Fig. 20a, 20b, 20c, 20i, 20k.	Pseudoferreola striata.
„ 20I, la tête du mâle de	„ „
„ 20II, metathoras de mâle de	„ „
„ 21, la tête de femelle de	„ incisa.
„ 21I, metathorax de femelle de	„ „
„ 22a, 22b, 22c, 22f, 22 i, 22k, 22n.	Salius Costae.
„ 23a, 23b, 23c, 23i, 23k.	„ sexpunctatus.
„ 24a, 24b, 24f, 24i.	„ binotatus
„ 25a, 25b, 25c, 25f, 25i.	Priocnemioides fulvicornis.
„ 25I, la tête de	„ „
„ 26a, 26b, 26c, 26f, 26i, 26h.	„ flammipennis.
„ 27a, 27b, 27f, 27i, 27k, 27n.	„ andalusiensis.
„ 28, la tête de	Lophopompilus Przewalski.
„ 29a, 29b, 29c, 29f, 29i,	Priocnemis variabilis.
„ 30a, 30b, 30c, 30f, 30i.	„ bidecoratus.
„ 31a, 31b, 31c, 31f, 31 k.	„ ophtalmicus.
„ 32a, 32b, 32c, 32f, 32i, 32k.	„ annulatus.
„ 33a, 33b, 33c, 33i, 33k.	„ fuscus.
„ 34a, 34b, 34c, 34i, 34n.	„ trifurcus.
„ 35a, 35b, 35c, 35f, 35i, 35k.	Ceropaleoides Komarowii.
„ 36a, 36b, 36c, 36f, 36i, 36k, 36n.	Hemipepsis luteipennis.
„ 37a, 37b, 37i, 37k.	Pepsis chrysobapta.
„ 38a, 38b, 38i, 38k, 38n.	„ pan.
„ 39a, 39b, 39f, 39i, 39k.	„ marginata.
„ 40a, 40b, 40i, 40k, 40n.	„ grossa.
„ 41a, 41b, 41c, 41i, 41k.	Ceropales maculata.
„ 42a, 42b, 42c, 42f, 42i, 42k, 42n.	„ histrio.

МАТЕРІАЛЫ КЪ ПОЗНАНІЮ СТРОЕНІЯ ЛЖЕСКОРПІОНОВЪ

(CHERNETIDAE).

А. Кронсберга.

Небольшой порядокъ лжескорпіоповъ (Chernetidae, Mng., Chelonethi, Thor.) занимаетъ между естественными группами паукообразныхъ довольно неопредѣленное и изолированное положеніе. Въ самомъ дѣлѣ, трудно указать па какую-нибудь изъ существующихъ или вымершихъ группъ этого класса, къ которой лжескорпіоны стояли бы ближе, чѣмъ къ остальнымъ. Сходство ихъ съ настоящими скорпіонами выражается, какъ извѣстно, лишь въ немногихъ чисто внѣшнихъ признакахъ, которымъ мало соотвѣтствуютъ значительныя различія какъ во внутренней организаціи, насколько она намъ до сихъ поръ извѣстна, такъ и въ исторіи развитія лжескорпіоновъ. Болѣе основанія имѣетъ, повидимому, воззрѣніе, сближающее послѣднихъ съ такими формами порядка фалангидъ, какъ сем. Sironoidae или Cyphophthalmidae; но и здѣсь необходимо замѣтить, что наши свѣдѣнія именно относительно этихъ формъ ограничиваются въ сущности лишь однимъ знакомствомъ съ ихъ внѣшнею организаціею; намъ даже мало извѣстны столь важныя части, какъ наружные ротовые придатки этихъ животныхъ. Анатомически изслѣдованъ одинъ только интересный родъ Gibbocellum, дѣйствительно настолько близкій къ лжескорпіонамъ, что *Торелль* прямо присоединилъ его къ нимъ, какъ представителя особой группы Haplochelonethi.

Но если сравненіе лжескорпіоновъ съ названными формами паукообразныхъ все еще затрудняется недостаточнымъ знакомствомъ съ этими послѣдними, то съ другой стороны нельзя не обратить вниманія на то, что наши свѣдѣнія о строеніи самихъ лжескорпіоновъ также еще далеко не отличаются полнотою. Главнымъ источникомъ нашимъ въ этомъ отношеніи являются до сихъ поръ извѣстныя изслѣдованія *Менге* *), которому многія частности, по его собственнымъ словамъ, остались недоступными. Съ тѣхъ поръ, впродолженіе тридцати слишкомъ лѣтъ, мы находимъ въ литературѣ только немногія, болѣе или менѣе отрывочныя замѣтки, касающіяся лишь отдѣльныхъ органовъ лжескорпіоновъ и затрогивающія ихъ анатомію большею частью мимоходомъ, сравнительно съ строеніемъ другихъ паукообразныхъ. Такъ *Штеккеръ* **) въ своихъ статьяхъ о нѣкоторыхъ индійскихъ видахъ и о Gibbocellum помѣстилъ нѣсколько замѣчаній о придаткахъ, которые онъ считаетъ за органы обонянія, и о нервной системѣ этихъ животныхъ, но обѣщанная имъ подробная монографія лжескорпіоновъ до сихъ поръ еще не выходила въ свѣтъ. Въ 1880 г. появилась работа *Дадая* ***) о строеніи ихъ сердца и моя статья ****) о ротовыхъ частяхъ паукообразныхъ вообще, гдѣ описаны эти органы и у Chelifer. Работы послѣднихъ годовъ имѣютъ такой же характеръ по отношенію къ нашему предмету. Сюда относятся замѣтки *Даля* *****) о слуховыхъ волоскахъ у арахнидъ, *Макъ Леода* *†) о строеніи ихъ пищеварительнаго аппарата и *Винклера* **†) о сердцѣ у Obisium, сравнительно съ строеніемъ этого органа у нѣкоторыхъ клещей. При такихъ обстоятельствахъ, новое анатомическое изслѣдованіе лжескорпіоновъ становится желательнымъ не менѣе подобныхъ же изысканій надъ формами какъ Trogulus, Siro и Leptopsalis. Я постарался поэтому воспользоваться открытіемъ, что въ окрестностяхъ Москвы нерѣдко встрѣчается небольшой видъ, опредѣленный мною какъ Chernes Hahnii, C. Koch. Чаще всего я находилъ его раннею весною или осенью подъ корою деревьевъ въ небольшихъ, чечевицеобразныхъ коконахъ, въ которыхъ онъ проводитъ зиму. Изъ другихъ представителей этой группы, вообще очень

*) *Menge*, Über die Scheerenspinnen (N. Schrift. d. naturf. Gesellsch. zu Danzig, Bd. V. 1855).

**) *Stecker*, Über neue ind. Chernetiden (Sitzungsber. Acad. Wien. Bd. 72, p. 512) и также: Anatomisches u. Histiolog. über Gibbocellum (Arch. f. Naturgesch. 1876. p. 293).

***) *Daday*, Über den Circulationsapp. d. Pseudoscorpione (Termesz. Füzet. Bd. 4). Эта работа знакома только по рефератамъ *Берткау* и *П. Майера* за 1880 г.

****) *Croneberg*, Über die Mundtheile d. Arachniden (Arch. f. Naturg. 1880, p. 285).

*****) *Dahl*, Über die Hörhaare bei d. Arachniden (Zool. Anz. 1883, p. 267).

*†) *Mac-Leod*, Structure de l'intestin anter. des Arachnides (Bull. Acad. Belg. T. 8. p. 377). По Zool. Jahresber. f. 1884.

**†) *Winkler*, Das Herz der Acariden. Wien, 1886.

рѣдкихъ около Москвы, я имѣлъ въ своемъ распоряженіи лишь нѣсколько экземпляровъ Chelifer granulatus, C. Koch, и другаго болѣе крупнаго вида Chernes; я могъ кромѣ того воспользоваться и нѣкоторыми прежними наблюденіями надъ однимъ видомъ Obisium, найденнымъ мною въ окрестностяхъ Лейпцига.

Изслѣдованіе строенія лжескорпіоновъ затрудняется болѣе всего твердостью и хрупкостью ихъ кутикулярныхъ покрововъ, особенно въ передней части тѣла, а также и ихъ непроницаемостью для окрашивающихъ веществъ. Изъ размягчающихъ хитинъ средствъ я испытывалъ дѣйствіе eau de Javelle, но безъ особаго успѣха. Внутренніе органы также весьма трудно принимаютъ окраску, проникающую даже на разрѣзанныхъ животныхъ лишь на небольшое разстояніе отъ мѣста разрѣза. Хорошую окраску клѣточныхъ ядеръ я сталъ получать только послѣ того, какъ примѣнилъ употребленный *Генкингомъ* при изслѣдованіи Trombidium пріемъ, состоящій въ медленномъ дѣйствіи эѳира на уплотненныхъ въ алкоголѣ животныхъ, фиксированныхъ также алкоголемъ, горячей водою или Клейненберговскою жидкостью; въ такихъ случаяхъ окраска (борный карминъ Гренахера) легко проникала во всѣ органы тѣла и при извлеченіи слабо подкисленнымъ спиртомъ сосредоточивалась въ ядрахъ. Животныя, просвѣтленныя въ гвоздичномъ маслѣ, заливались въ параффинъ и разрѣзы, легко распадающіеся безъ помощи коллодія, сохранялись въ бальзамѣ или растворѣ канифоли. Для оріентировки при вскрытіяхъ подъ лупою я часто употреблялъ такой способъ: животныя, у которыхъ тщательно были сняты покровы спины или брюшка, погружались на 2—3 минуты въ карминъ или гематоксилинъ, причемъ различные органы, напр. железы головогруди, сѣмянники и придаточныя железы половаго аппарата, послѣ промыванія въ спиртѣ, оказывались окрашенными хотя и равномѣрно, но значительно сильнѣе другихъ внутренностей.

I. Общая форма тѣла. Накожные покровы.

Какъ у большинства паукообразныхъ, тѣло у Chernes дѣлится на двѣ главныя части, головогрудь съ ея конечностями и брюшко.

Головогрудь, спереди довольно сильно съуженная у этихъ животныхъ, покрыта сверху слегка выпуклымъ, твердымъ спиннымъ щиткомъ, который двумя поперечными бороздками дѣлится на три другъ за другомъ лежащіе отдѣла (фиг. 3). Эта сегментація головогруди, повидимому, появляется въ индивидуальной жизни довольно поздно и во всякомъ случаѣ выражена несравненно слабѣе, чѣмъ напр. у Galeodes, гдѣ кромѣ головной части мы находимъ три явственныхъ грудныхъ сегмента, изъ которыхъ каждый несомнѣнно соотвѣтствуетъ одной изъ трехъ заднихъ паръ ногъ. У лжескорпіоновъ подобнаго соотношенія между отдѣлами головогруди и ея конечностями вообще не замѣчается, а у нѣкоторыхъ родовъ (Obisium, даже нѣкоторые виды Chelifer) самыя борозды спиннаго щитка становятся очень неясными. Съ боковъ головогрудь покрыта болѣе мягкою кожею также безъ всякихъ признаковъ сегментаціи; только задняя граница груди обозначена косвенной бороздою, направляющеюся къ основанію послѣдней пары ногъ. Нижняя сторона не представляетъ ни малѣйшаго слѣда грудной (стернальной) пластинки и вся занята сходящимися въ срединной линіи основными члениками челюстей и четырехъ паръ ногъ; изъ нихъ только первыя приближены къ ротовому выступу и вмѣстѣ къ боковому краю спиннаго щитка, основные же членики ногъ отстоятъ отъ этого послѣдняго тѣмъ далѣе, чѣмъ болѣе они приближены къ заднему концу груди.

Брюшко, прилегающее къ головогруди во всю ея ширину, состоитъ у Chernes, какъ и у большинства лжескорпіоновъ, сверху изъ 11-ти сегментовъ (только у Cheiridium ихъ 10). Сильно хитинизированныя спинныя дужки ихъ представляются на всѣхъ сегментахъ, кромѣ послѣдняго, раздѣленными на двѣ боковыя половины; нерѣдки впрочемъ экземпляры, у которыхъ это продольное дѣленіе замѣтно и на послѣднемъ сегментѣ. Съ боковъ брюшко покрыто, какъ и головогрудь, мягкою кожею, которая, растягиваясь соотвѣтственно объему внутреннихъ органовъ, соединяетъ спинныя дужки съ брюшными. Послѣднія также раздѣлены въ срединной линіи и, повидимому, у всѣхъ лжескорпіоновъ существуютъ въ числѣ 8-ми, соотвѣтствуя безспорно, какъ это видно на фиг. 3., послѣднимъ 8-ми сегментамъ брюшка. Въ кожѣ, соединяющей двѣ самыя переднія изъ этихъ брюшныхъ дужекъ, лежатъ нѣсколько выше ихъ оба отверстія заднихъ трахейныхъ стволовъ, расположенныя слѣд. между 4-мъ и 5-мъ сегментомъ брюшка. Далѣе впередъ слѣдуютъ у самцовъ и самокъ двѣ довольно широкія непарныя пластинки, которыя я назову переднею и заднею генитальною пластинкою, такъ какъ въ срединной линіи между ними находятся половыя отверстія, которыя *Menge* считалъ расположенными по бокамъ. Пойложеніе переднихъ дыхательныхъ отверстій относительно заднегенитальной пластинки и переднихъ брюшныхъ дужекъ не оставляетъ, повидимому, сомнѣнія, что эта пластинка также соотвѣтствуетъ брюшной дужкѣ, а именно 3-го сегмента. Но и передняя генитальная пластинка, по сторонамъ которой, какъ мы увидимъ ниже при описаніи половаго аппарата, расположены органы, напоминающіе своимъ строеніемъ пару сильно измѣненныхъ трахейныхъ стволовъ, также можетъ считаться за эквивалентъ брюшной дужки 2-го сегмента (фиг. 1, 2, 4). Для перваго сегмента брюшка останется въ такомъ случаѣ небольшое треугольное пространство между основными члениками заднихъ ногъ и первою генитальною пластинкою, гдѣ, по крайней мѣрѣ у Chelifer (фиг. 4), существуетъ небольшое поперечное утолщеніе кутикулы. Во всякомъ случаѣ не трудно убѣдиться, что обѣ пары дыхательныхъ отверстій принадлежатъ не 2-му и 3-му сегменту брюшка, какъ думалъ *Менге* (стр. 15), но по крайней мѣрѣ 3-му и 4-му, и что расположеніе наружныхъ половыхъ отверстій у лжескорпіоновъ весьма существенно отличается отъ расположенія этихъ частей у настоящихъ скорпіоновъ, гдѣ половые органы открываются на первомъ сегментѣ брюшка. На это обстоятельство не обращено вниманія даже и въ послѣднее время. Такъ напр. *Вейссенборнъ* *) еще утверждаетъ, что половыя отверстія лжескорпіоновъ лежатъ на слитыхъ брюшныхъ дужкахъ 1-го и 2-го сегмента брюшка, а дыхальца открываются на 2-мъ и 3-мъ сегментѣ.

Переходя къ описанію различныхъ придатковъ тѣла, я предварительно долженъ замѣтить, что мнѣ ни у Chernes, ни у Chelifer не удалось найти ни малѣйшаго слѣда тѣхъ прядильныхъ трубокъ или паутино-отдѣлительныхъ органовъ, которые по *Менге* расположены спереди или сзади половыхъ отверстій. Мнѣ кажется, что онъ принялъ за такіе органы обыкновенные волоски, сидящіе надъ болѣе крупными поровыми каналами, но не имѣющіе никакого отношенія къ какимъ бы то ни было железамъ. По моимъ прежнимъ наблюденіямъ я сомнѣваюсь и въ присутствіи подобныхъ органовъ у Obisium, а тѣ железы, которыя у Chelifer и Chernes дѣйствительно лежатъ въ этой области, устроены у самцовъ и самокъ совершенно различно и должны считаться придаточными органами половаго аппарата. Мы встрѣтимъ кромѣ того въ головогруди другаго рода железы, которыя по всѣмъ признакамъ могутъ дѣйствительно считаться органами для выдѣленія паутины.

Между придатками головогруди мы остановимся прежде всего на

*) *Weissenborn*, Beiträge zur Philogenie der Arachniden (Jen. Zeitschr. f. Naturwiss. Bd. 20, p. 67, 68, 107, 1887).

органѣ, который, не смотря на его присутствіе у всѣхъ ближе изслѣдованныхъ паукообразныхъ, до сихъ поръ еще мало обращалъ на себя вниманіе морфологовъ, именно на такъ назыв. rostrum. Онъ имѣетъ видъ небольшаго выступа, составляющаго собственно передній конецъ головы и помѣщеннаго между основными члениками нижнихъ челюстей, подъ клешнеобразными щупальце-жвалами (фиг. 5). Я описалъ этотъ органъ лжескорпіоновъ въ моей статьѣ о ротовыхъ придаткахъ паукообразныхъ и до сихъ поръ не вижу причинъ отказаться отъ высказаннаго мною предположенія о его значеніи. Его образованіе изъ явственно парныхъ зачатковъ у зародыша (Dendryphantes, паукъ изъ сем. Attidae) и слѣды этого состава у нѣкоторыхъ взрослыхъ формъ дали мнѣ основаніе предположить, что мы имѣемъ здѣсь дѣло не съ непарнымъ образованіемъ, а съ парными, только болѣе или менѣе слитыми, конечностями, а несомнѣнно предротовое положеніе этихъ зачатковъ заставило меня видѣть въ нихъ гомологи первыхъ усиковъ ракообразныхъ, такъ какъ за вторые усики я считалъ щупальце-жвалы пауковъ. Я говорю при этомъ только о тѣхъ парныхъ зачаткахъ, изъ которыхъ составляется *верхняя* половина rostrum, лежащая спереди ротоваго отверстія, позади его *Заленскій* *) наблюдалъ у Clubiona такое же симметричное раздѣленіе ограничивающаго ротъ валика, но это послѣднее, вмѣстѣ съ ротовымъ отверстіемъ, скоро закрывается перегибающимися на брюшную сторону верхними зачатками rostrum. Воззрѣніе на щупальце-жвалы, какъ на усики, должно конечно быть до извѣстной степени измѣнено (см. ниже), такъ какъ этимъ придаткамъ соотвѣтствуютъ у зародыша гангліи, явственно лежащіе позади рта, но это обстоятельство нисколько не касается моего толкованія самого rostrum, какъ пары первыхъ усиковъ. Если *Шимкевичъ* **) считаетъ rostrum пауковъ за гомологъ верхней губы насѣкомыхъ и указываетъ по этому поводу на извѣстныя изслѣдованія *Фр. Мюллера* надъ Calotermes и *Бючли* надъ пчелою, какъ бы противорѣчащія моему взгляду на значеніе rostrum, то это мнѣ кажется, напротивъ, скорѣе подтвержденіемъ моей догадки, причемъ я только долженъ добавить, что считаю rostrum паукообразныхъ и верхнюю губу насѣкомыхъ не только гомологичными другъ другу, но и первой парѣ усиковъ ракообразныхъ. Упомянутые изслѣдователи нашли, что верхняя губа этихъ насѣко-

*) *Заленскій,* Исторія развитія аранеинъ (Записки Кіевск. Общ. Естествоисп. т. 2, стр. 30).

**) *Schimkewitsch,* Etude sur l'anat. de l'Epeire (Ann. Sc. Natur. 1884, p. 26).

мыхъ образуется изъ срощенія пары предротовыхъ придатковъ зародыша и въ тѣхъ случаяхъ, гдѣ эти зачатки расположены впереди настоящихъ усиковъ, какъ это видно напр. у Hydrophilus *) и Gryllotalpa **), нѣтъ основанія не считать ихъ за пару подобныхъ же конечностей. *Бальфуръ* ***) также допускаетъ возможность, что означенные придатки термитовъ и пчелъ соотвѣтствуютъ первой парѣ усиковъ ракообразныхъ. Если такое предположеніе вѣрно, то отсюда вытекаетъ какъ естественное послѣдствіе, что сяжки насѣкомыхъ могутъ быть гомологичны только второй парѣ усиковъ ракообразныхъ, и далѣе, что верхняя губа этихъ послѣднихъ, въ образованіи которой не было дѣйствительно наблюдаемо никакого двойнаго зачатка, составляетъ образованіе особаго рода, не имѣющее ничего общаго съ губою насѣкомыхъ.

Мнѣніе, что послѣдняя соотвѣтствуетъ парѣ слившихся головныхъ придатковъ, было уже высказано *Брюллэ* ****), который въ своей статьѣ о придаткахъ тѣла членистоногихъ собралъ довольно много примѣровъ, гдѣ у взрослыхъ насѣкомыхъ еще болѣе или менѣе ясно сохраняется парный характеръ этого образованія. Правда, что другихъ мотивовъ, кромѣ сравненія верхней губы съ другими, явственно парными ротовыми органами, у *Брюллэ* не было, и что вопросы объ иннерваціи придатковъ и объ ихъ положеніи у зародыша имъ совершенно не были затронуты; онъ указывалъ только на то, что въ губѣ насѣкомыхъ можно замѣтить расчлененіе, напоминающее то, какое онъ нашелъ для ихъ жвалъ (mandibulae) и ограничился лишь ея сравненіемъ съ этими послѣдними. Въ настоящее время, какъ мнѣ кажется, вопросъ этотъ можетъ быть поставленъ болѣе опредѣленнымъ образомъ. Я уже указалъ на тѣ факты изъ исторіи развитія насѣкомыхъ, которые говорятъ въ пользу образованія верхней губы изъ одной пары предротовыхъ придатковъ и перейду теперь къ вопросу объ ея иннерваціи. Сколько мнѣ извѣстно, она всегда получаетъ свои нервы изъ надгло-

*) *Kowalevski*, Embryol. Studien an Würm. u. Arthropoden. (Mém. Ac. Pétersh. T. XVI, № 12, 1871, p. 38, tab. 8, fig. 10).

**) *Korotneff*, Embryologie d. Gryllotalpa (Zeitschr. f. w. Zool. Bd. 41, 1885, tab. 29, fig. 6).

***) *Balfour*, Handbuch d. Vergl. Embryologie. Bd. 1, p. 387.

****) *Brullé*, Rech. s. les transformations d. appendices d. l. articulés (Ann. Sc. Nat. 1844, T. 2, p. 271).—Гомологію первой пары придатковъ у Epeira съ вторыми усиками ракообразныхъ признаетъ и *Лендль* (по отчету въ Journ. Roy. Microsc. Soc. 1887); rostrum пауковъ онъ считаетъ эквивалентомъ жвалъ насѣкомыхъ. *Берткау* (Zool. Anz. 1886, p. 431) также считаетъ челюстные усики пауковъ за гомологи второй пары усиковъ ракообразныхъ, но не признаетъ у первыхъ существованія органовъ, гомологичныхъ жваламъ ракообразныхъ.

точнаго узла, въ видѣ двухъ тонкихъ стволовъ, отходящихъ отъ нижней его поверхности болѣе или менѣе близко къ глоточнымъ коммисурамъ и къ нервамъ сяжекъ. Такъ описываютъ ихъ для жужжелицъ *Брандтъ* *), для Oryctes—*Михельсъ* **) и для Volucella—*Кюнкель д'Эркюлэ* ***). У осъ, по *Брандту* ****), они отходятъ отъ самыхъ коммисуръ. Но всего интереснѣе то отношеніе, въ которомъ эти нервы находятся, повидимому, къ такъ наз. ganglion frontale, лежащему впереди надглоточнаго узла на верхней сторонѣ глотки. *Михельсъ* рисуетъ эти нервы у личинки Oryctes и у взрослаго жука такимъ образомъ, что каждый изъ нихъ на полупути отъ надглоточнаго узла къ верхней губѣ даетъ внутрь вѣтвь, которая и соединяется съ gangl. frontale; первую половину каждаго нерва вмѣстѣ съ вѣтвью къ лобному узелку онъ считаетъ, какъ это и принято, за парное начало nerv. recurrentis, а за губной нервъ — только периферическую вѣтвь. Нѣчто очень похожее видно и на рисункѣ, который даетъ *Ліонэ* *****) для нервной системы Cossus, съ тѣмъ только различіемъ, что периферическая вѣтвь, по его словамъ, соединяется (?) съ первымъ нервомъ подглоточнаго узла и не прослѣжена до губы. Лобный узелокъ, какъ извѣстно, всегда соединенъ съ надглоточнымъ узломъ двумя болѣе или менѣе длинными корешками; но въ тѣхъ случаяхъ, когда, какъ у Oryctes, на продолженіи ихъ находятся нервы, идущіе къ верхней губѣ, мнѣ кажется естественнѣе предположить, что эти нервы начинаются отъ самаго надглоточнаго узла и только одной вѣтвью соединены съ n. recurrens, имѣющимъ, кромѣ лобнаго узелка, еще и другіе центры на протяженіи пищеварительнаго канала. Къ сожалѣнію, литература по этому вопросу такъ разсѣяна, что трудно сказать, на сколько распространено между насѣкомыми это отношеніе губныхъ нервовъ къ лобному узелку ******).

---

*) *Брандтъ,* О нервной системѣ жужжелицъ (Прот. трудовъ Р. Энт. Общ. Т. I, 1878).

**) *Michels*, Beschreib. d. Nervensyst. v. Or. nasicornis (Zeitschr. f. w. Zool. Bd. 34, p. 644, tab. 33, fig. 1, 4 u. 13).

***) *Kunckel d'Herculais*, Rech. sur l'organisation etc. des Diptères, 2 part. 1881, tab. 14, fig. 5 u. tab. 24, fig. 1.

****) *Брандтъ,* Нервная система осъ (Прот. С.-П. Общества Естеств. Т. 7, стр. 93). Это мнѣніе *Брандтъ* распространяетъ и на остальныхъ насѣкомыхъ (Общій сравнит. анатом. очеркъ нервн. сист. насѣкомыхъ. Прот. Труд. Р. Энт. Общества, Т. 10. 1878).

*****) *Lyonet*, Traité anat. de la Chenille etc. p. 577, tab. 18, fig. 1.

******) Оно существуетъ повидимому и у пчелъ, но работа *Брандта* по этому предмету (Труд. С.-П. Общ. Ест. т. 7, 1876) была мнѣ недоступна. *Koestler* (Z. f. wiss. Zool. Bd. 39, p. 589) замѣтилъ, что нервы, соединяющіе лобный

Относительно иннервацiи rostrum у паукообразныхъ я могу указать на то, что *Вейссенборнъ* *) нашелъ у Galeodes два тонкихъ нерва, выходящихъ изъ надглоточнаго узла между глазными нервами и входящихъ въ этотъ органъ, а *Шимкевичъ* **) даже описалъ у зародышей пауковъ пару небольшихъ гангліевъ, расположенныхъ впереди гангліевъ мандибулярныхъ (т.-е. челюстныхъ усиковъ), и названныхъ имъ *ростральными* гангліями; они чрезвычайно сближены между собою и по его мнѣнію по всей вѣроятности иннервируютъ rostrum. Подобное же значеніе имѣютъ можетъ быть и тѣ, правда непарные нервы, которые я нашелъ ***) у нѣкоторыхъ клещей (Trombidium, Rhyncholophus), а также и у *Chernes* (Fig. 16), отходящими отъ передней поверхности надглоточнаго узла; у Chernes, гдѣ rostrum и примыкающая къ нему глотка лежатъ почти непосредственно передъ надглоточнымъ узломъ, прохожденіе этого нерва къ rostrum становится несомнѣннымъ уже по топографическимъ условіямъ.

Послѣ этого отступленія возвратимся снова къ rostrum ложескорпіоновъ. *Menge*, сдѣлавшій первую попытку подробнѣе ознакомиться съ ихъ внутреннею анатоміею, повидимому смѣшалъ верхнюю сторону rostrum съ нижнею, такъ какъ онъ говоритъ о нижней губѣ, но не упоминаетъ о верхней, за которую онъ всего естественнѣе могъ бы принять выдающуюся часть rostrum (Fig. 5, 6); при этомъ ему осталось неяснымъ расположеніе самаго ротоваго отверстія, которое онъ, повидимому, принимаетъ за щелеобразную скважину на самой глоткѣ. По моимъ наблюденіямъ устройство rostrum у Chernes и Chelifer почти совершенно сходно и различается только въ мелкихъ деталяхъ; тоже можно сказать и объ Obisium. Основная часть его (Fig. 5 *rb*) заключается въ томъ пространствѣ, которое съ верхней стороны раздѣляетъ основные членики нижнихъ челюстей, и составляетъ между ними какъ бы поперечный мостикъ изъ двухъ слитыхъ между собою треугольныхъ пластинокъ, подъ которымъ помѣщается глотка *(ph)*. Передняя часть *(r)* свободно выдается между заостренными концами максиллярныхъ основныхъ

узелъ съ надглоточнымъ у Periplaneta строеніемъ отличаются отъ срединнаго симпатическаго нерва, но находитъ, что они даютъ вѣтви къ верхнимъ челюстамъ (?).

*) *Weissenborn*. l. c. p. 46.

**) *Шимкевичъ*. Матеріалы къ позн. эмбріол. развитія Araneina (Прил. къ LII тому Зап. Имп. Акад. Наукъ, № 5 1886).

***) *Croneberg*, Über den Bau von Trombidium (Bull. Soc. d. Nat. de Moscou, 1879).

члениковъ, снабженныхъ на внутренней поверхности, прилегающей къ rostrum, прозрачнымъ хитиновымъ придаткомъ въ видѣ овальнаго листика (*s*). Она имѣетъ также видъ продолговатой, полупрозрачной хитиновой пластинки, поддерживаемой съ боковъ двумя длинными, спереди сходящимися, хитиновыми подпорками (*l*). Загнутые внизъ края этой пластинки поддерживаются кромѣ того еще другою парою подпорокъ (Fig. 6 *l'*) и спереди, подъ самымъ концомъ rostrum, срослись между собою, но далѣе назадъ понемногу расходятся. Отъ мѣста расхожденія ихъ до задняго конца близь глотки края эти имѣютъ слегка выдающійся контуръ и покрыты массою мелкихъ зубчиковъ, а въ глубинѣ между обѣими зубчатыми пластинками тянется утолщеніе (*g*), которое составляетъ продолженіе верхней стѣнки глотки. Нижняя стѣнка ея также продолжается впередъ, образуя подобныя же двѣ зазубренныя пластинки, сросшіяся вдоль нижняго края (*u*); онѣ почти такой же длины, какъ и верхнія и могутъ вдвигаться между ними, какъ нижняя челюсть позвоночныхъ въ верхнюю. *Менге* видѣлъ эти образованія и называетъ ихъ язычкомъ, а небольшое плоское утолщеніе, которое по его словамъ лежитъ сзади этого язычка, есть ничто иное какъ глотка, о механизмѣ которой при всасываніи пищи онъ высказывается довольно вѣрно. Тѣмъ болѣе странно, что онъ не замѣтилъ настоящаго ротоваго отверстія, за которое очевидно можно считать только болѣе или менѣе широко открытый входъ между верхними и нижними зубчатыми пластинками, или же то мѣсто, гдѣ онѣ съ обѣихъ сторонъ переходятъ въ полость глотки.

Главныя части, составляющія rostrum лжескорпіоновъ, т.-е. парныя основныя пластинки и концевая часть, а также ограничивающія ротъ образованія, могутъ быть обнаружены съ достаточною ясностью и у другихъ естественныхъ группъ паукообразныхъ, какъ я показалъ въ упомянутой уже статьѣ моей о ротовыхъ частяхъ этихъ животныхъ *). Необходимо однако признаться, что rostrum вообще вездѣ имѣетъ довольно рудиментарный видъ, что конечно нисколько не уменьшаетъ важности его въ морфологическомъ отношеніи. Во многихъ случаяхъ незначительная величина этого органа можетъ быть скрыла его отъ наблюденія. Такъ для интересной группы

*) Найденныя мною у нѣкоторыхъ водныхъ клещей образованія, которыя я назвалъ надглоточными и трахеальными пластинками (О строеніи Eylais, стр. 12), я и теперь еще считаю, какъ и прежде, за гомологи rostrum высшихъ паукообразныхъ. *Haller* (Zool. Anzeiger, 1881, p. 380) изслѣдовалъ эти органы безъ всякаго отношенія къ положенію глотки и принимаетъ ихъ за 2-ю и 3-ю пару челюстей.

Sironoidæ, во многихъ отношеніяхъ напоминающей лжескорпіоновъ, мы имѣемъ только довольно неясное описаніе *Іозефа* **), изслѣдовавшаго ротовыя части у Cyphophthalmus, а для Gibbocellum — только рисунокъ *Штеккера* ***), на которомъ ротъ изображенъ въ видѣ круглаго отверстія *сзади* сходящихся между собою основныхъ члениковъ челюстей (maxillæ); такое необыкновенное положеніе не обратило, повидимому, на себя вниманія этого автора, который даже находитъ сходство въ устройствѣ рта у Gibbocellum и лжескорпіоновъ. Я не сомнѣваюсь, впрочемъ, что при общемъ сходствѣ этихъ животныхъ болѣе точное изслѣдованіе Gibbocellum обнаружитъ и у этой формы подобное же строеніе rostrum, и вообще считаю этотъ послѣдній типичнымъ для паукообразныхъ органомъ. Тѣмъ болѣе я долженъ указать на то, что у мечехвостовъ (Limulus) ни въ эмбріональномъ, ни во взросломъ состояніи до сихъ поръ не наблюдалось ничего, что можно было бы сравнить съ rostrum'омъ паукообразныхъ. Если даже принять за таковое непарную пластинку, поддерживающую переднія конечности, то во всякомъ случаѣ приходится признать, что она не имѣетъ ни парныхъ предротовыхъ зачатковъ у зародыша, ни соотвѣтствующихъ нервныхъ гангліевъ.

Слѣдующую пару конечностей головнаго отдѣла составляютъ *щупальце-жвалы* или *челюстные усики*. Эти придатки, относительно которыхъ доказано вполнѣ происхожденіе изъ зачатковъ, расположенныхъ за ротовымъ отверстіемъ, должны конечно считаться у паукообразныхъ, не смотря на позднѣйшую иннервацію изъ надглоточнаго узла, за конечности, не принадлежащія въ сущности головѣ или вѣрнѣе предротовому ея отдѣлу. Но изъ этого, по моему мнѣнію, вовсе не слѣдуетъ, чтобы они представляли гомологи жвалъ (mandibulæ) ракообразныхъ или насѣкомыхъ. Если признать справедливость предположенія, что вторые усики ракообразныхъ, получающіе свои нервы также не изъ надглоточнаго узла (по крайней мѣрѣ у нѣкоторыхъ низшихъ раковъ), пріобрѣли свое настоящее положеніе и иннервацію у высшихъ формъ этого класса путемъ постепеннаго перемѣщенія впередъ рта и сдѣлались такимъ образомъ предротовыми придатками, то именно въ этихъ органахъ

---

*) *Joseph*, Cyphophthalmus duricorius (Berl. Entom. Zeitschr. 12 Jahrg. 1868, p. 241).

**) *Stecker*. Anatom. und Histiolog. über Gibbocellum (Arch. f. Naturg. 42 Jahrg. 1876, Bd. 2, p. 308, tab. XVII, fig. 2).—*Thorell* (Descriz. d. alc. Aracn. infer. del Arcip. Malese, въ Annal. del Mus. Civ. Genov. 1882) значительно уяснилъ строеніе этихъ органовъ у Sironoidæ, но и онъ ничего не говоритъ о ближайшихъ къ ротовому отверстію частяхъ.

слѣдуетъ, какъ мнѣ кажется, видѣть настоящіе гомологи щупальцежвалъ паукообразныхъ, а не въ жвалахъ (mandibulæ), относительно иннерваціи которыхъ изъ подглоточнаго узла никогда не было сомнѣнія. Названіе челюстныхъ усиковъ я считаю поэтому возможнымъ сохранить для паукообразныхъ въ такомъ же смыслѣ, какъ это дѣлается и для второй пары усиковъ у ракообразныхъ.

По этому поводу я возвращусь еще разъ къ rostrum паукообразныхъ. Какъ уже было показано, въ составъ его входятъ и части, лежащія позади ротоваго отверстія и, повидимому, также образующіяся изъ парныхъ зачатковъ. Кромѣ приведенныхъ уже наблюденій *Заленскаго* я могу указать и на изслѣдованія *Мечникова* *), который у скорпіона нашелъ, что нижняя губа образуется изъ пары зачатковъ, имѣющихъ форму пластинокъ и отстоящихъ другъ отъ друга на довольно значительное разстояніе. *Шимкевичъ* **) также наблюдалъ у пауковъ образованіе нижней губы изъ двухъ небольшихъ зачатковъ. О принадлежности же нижней губы къ rostrum я сужу по тому, что она существуетъ именно въ тѣхъ случаяхъ, когда на выступѣ самаго rostrum, какъ у пауковъ или фалангидъ, не наблюдается тѣхъ придатковъ, которые у лжескорпіоновъ или у Galeodes снизу и съ боковъ окружаютъ ротовое отверстіе. Основываясь на этихъ данныхъ, я считаю возможнымъ предположить, что эти первые слѣдующіе за ртомъ придатки (Chelifer, Galeodes, Scorpio) или нижняя губа (Opilionidæ, Araneæ) соотвѣтствуютъ жваламъ (mandibulæ) насѣкомыхъ и раковъ. Взглядъ мой на гомологіи переднихъ придатковъ тѣла у означенныхъ трехъ классовъ суставчатыхъ животныхъ выразится слѣд. такимъ образомъ:

Insecta	—	Labr.	Anten.	Mandib.	Maxill. 1	Labium (Maxill. 2)
Arachnida	—	Верхн. ч. rostr.	Chelicer	Нижн ч. rostrum, (н. губа.)	Maxillæ	Pes 1.
Crustacea	Labrum	Ant. 1.	Ant. 2.	Mandib.	Maxill. 1.	Maxill. 2.

Челюстные усики лжескорпіоновъ имѣютъ, какъ извѣстно, форму небольшихъ клешней, въ которыхъ я, по крайней мѣрѣ у Chernes, Chelifer и Obisium, вижу только два членика. То, что *Menge* склоненъ признать за третій, т.-е. зубчатый полупрозрачный придатокъ

---

*) *Metschnikoff,* Embryologie des Scorpions (Zeitschr. f w. Zool. Bd. 21, p. 222).

**) *Schimkewitsch,* Zur Entwickelungsgesch. d. Araneen (Zool. Anzeiger 1884, p. 451).

на подвижномъ пальцѣ клешни (фиг. 7, 8), я считаю за простой кутикулярный придатокъ, не имѣющій ничего общаго съ лишнимъ членикомъ челюстныхъ усиковъ скорпіоновъ и фалангидъ, предшествующимъ клешнѣ. Число члениковъ этой конечности у разныхъ группъ паукообразныхъ не представляетъ повидимому признака первостепенной важности, такъ какъ есть указаніе, что они напр. у пауковъ, имѣющихъ во взросломъ видѣ только два членика, существуютъ нѣкоторое время у зародыша въ числѣ трехъ *). Утолщенный основной членикъ (фиг. 7, 8) на своей внутренней и верхней сторонѣ продолжается въ длинный, зубовидный отростокъ (*a*), а снаружи и снизу съ нимъ сочленяется подвижной палецъ клешни (*b*). Вооруженіе этого органа уже описано довольно подробно у *Menge*. На неподвижномъ пальцѣ оно состоитъ у Chernes Hahnii изъ двойнаго, пилообразно зазубреннаго, прозрачнаго кожистаго края, прилегающаго къ нему съ внутренней стороны и лишь у верхняго конца нѣсколько отставленнаго отъ клешни. Книзу онъ продолжается въ видѣ такой же прозрачной, покрытой вѣерообразными складочками перепонки (*m*) почти до мѣста сочлененія съ подвижнымъ пальцемъ, между тѣмъ какъ неподвижный снабженъ еще на наружной сторонѣ острымъ, выдающимся гребнемъ или килемъ (*c*). Вдоль подвижнаго пальца тянется почти до его основанія описанный уже *Менге* подъ именемъ пилы (serrula) придатокъ, который у Chernes (*s*) во всю свою длину прикрѣпленъ къ клешнѣ, но у другихъ формъ болѣе или менѣе свободенъ. Этотъ органъ состоитъ у самцовъ и самокъ изъ 16—17 длинныхъ, округленныхъ на концѣ и очень прозрачныхъ зубцовъ, изъ которыхъ задній значительно длиннѣе остальныхъ. Но особаго интереса заслуживаетъ небольшой, прозрачный и мягкій придатокъ (*f*), поднимающійся на концѣ подвижнаго пальца надъ парою сильныхъ зубцовъ, которыми оканчивается послѣдній. Придатокъ этотъ, упоминающійся въ систематикѣ какъ «стебелекъ» (Stielchen), какъ кажется, существуетъ у всѣхъ лжескорпіоновъ въ болѣе или менѣе развитой формѣ и имѣетъ для нихъ большое значеніе, такъ какъ содержитъ въ себѣ выводящіе каналы (*dr*) большихъ железъ, расположенныхъ въ передней части головогруди (фиг. 20, *dr*). Каналы эти вступаютъ въ челюстные усики, проходятъ по всей длинѣ ихъ подвижнаго пальца и кончаются въ упомянутомъ придаткѣ. У Chernes эти железы представляютъ на поперечномъ разрѣзѣ черезъ головогрудь (фиг. 22 *gl*) двѣ симметричныя массы, лежащія подъ спиннымъ

---

*) *Schimkewitsch*, Z. Entwickelungsg. d. Araneen (Zool. Anzeig. 1884, p. 451).

щиткомъ и прикрывающія сверху не только грудной нервный узелъ, но и переднія доли печени; объемъ ихъ, впрочемъ, не всегда одинаковъ и бываетъ, какъ кажется, всего значительнѣе у экземпляровъ, собранныхъ лѣтомъ. Каждая половина состоитъ изъ 4 или 5 длинныхъ каналовъ, разрѣзы которыхъ отъ взаимнаго давленія имѣютъ нѣсколько неправильный видъ; ширина ихъ составляетъ приблизительно 0,05 мм. Въ центрѣ каждаго изъ нихъ замѣтно очень маленькое (въ 0,004 мм.) круглое отверстіе — просвѣтъ выводящаго канала, вокругъ котораго лежатъ въ радіальномъ расположеніи самыя клѣточки железы, границы которыхъ мѣстами трудно видимы, также какъ и ихъ ядра (въ 0,003 м.) въ зернистомъ содержимомъ. Въ направленіи кпереди діаметръ этихъ железистыхъ трубокъ съуживается и выводящіе каналы, окруженные только тонкимъ слоемъ зернистаго вещества, вступаютъ въ основной членикъ челюстнаго усика. Прослѣдить ихъ здѣсь между мускулами — дѣло почти невозможное, но послѣ прибавленія щелочи они выступаютъ очень ясно въ видѣ пучка хитинизированныхъ, параллельныхъ и очень узкихъ каналовъ (фиг. 7, 8 *dr*) идущихъ вдоль подвижнаго пальца клешни. Они вступаютъ въ придатокъ и здѣсь, въ видѣ трубочекъ, имѣющихъ только 0,0015 мм. въ ширину, распредѣляются по тѣмъ 5 коническимъ остріямъ, которыми оканчивается онъ у Chernes (фиг. 9). Выводныхъ отверстій я здѣсь не былъ въ состояніи разглядѣть, но они яснѣе у Chelifer (фиг. 10), гдѣ эти каналы передъ вступленіемъ въ придатокъ нѣсколько закручены и гдѣ послѣдній самъ имѣетъ простую коническую форму. У другихъ формъ, которыхъ я не имѣлъ случая изслѣдовать, напр. у Cheiridium, Ectoceras, придатокъ челюстныхъ усиковъ также представляетъ весьма значительное развитіе, между тѣмъ какъ у Chthonius или Obisium онъ представляется только въ видѣ небольшаго, но все же явственнаго бугорка.

Что касается физіологическаго значенія этихъ железъ, то я почти не сомнѣваюсь, что именно онѣ представляютъ собою паутиноотдѣлительные органы лжескорпіоновъ. Я убѣдился, во-первыхъ, въ томъ, что принимаемые авторами при основаніи брюшка прядильные органы у Chernes и Chelifer въ дѣйствительности не существуютъ и что расположенныя въ этой области железы относятся къ половому аппарату. Съ другой стороны мнѣ случалось одинаково часто находить самцовъ и самокъ Chernes въ ихъ коконахъ, слѣд. констатировать, что способность дѣлать ихъ принадлежитъ обоимъ поламъ равномѣрно. Самое вооруженіе челюстныхъ усиковъ, напоминающее гребни на когтяхъ пауковъ, мягкость и нѣжность ихъ придатковъ, кажутся мнѣ болѣе приспособленными къ тканью коконовъ, чѣмъ къ цѣлямъ нападенія или обороны, и наконецъ, нельзя не согласиться, что для органа, выдѣляющаго нити паутины, трудно выбрать менѣе подходящаго положенія, чѣмъ при основаніи брюшка, гдѣ онъ могъ бы служить только самкамъ для прикрѣпленія яицъ. Въ морфологическомъ отношеніи можно бы скорѣе всего сравнить эти органы съ ядоотдѣлительными железами настоящихъ пауковъ (Araneina), отъ которыхъ они у Chernes однако отличаются отсутствіемъ мускульнаго слоя. Въ головогруди различныхъ формъ паукообразныхъ извѣстны также железы, выводные каналы которыхъ имѣютъ, впрочемъ, другое расположеніе: я напомню здѣсь объ описанныхъ *Крономъ* *) железистыхъ мѣшкахъ фалангидъ, открывающихся съ боковъ головогруди а также и о длинныхъ, закрученныхъ железахъ у Galeodes, выводящіе каналы которыхъ, по моимъ наблюденіямъ **), открываются при основаніи челюстей (maxillæ).

Основные членики *челюстей* (фиг. 1, 2, 4) имѣютъ широко-треугольную форму и снизу раздѣляются между собою только узкимъ промежуткомъ, въ глубинѣ котораго расположены прижатыя другъ къ другу пластинки rostrum. Передніе концы ихъ вытянуты впередъ и снабжены съ внутренней стороны овальною, прозрачною хитиновою пластинкою (фиг. 5*s*), болѣе или менѣе близко прилегающею къ rostrum. Сильно развитые щупальцы состоятъ только изъ 5-ти члениковъ, такъ какъ бедренный членикъ здѣсь не распадается, какъ на ногахъ, на вертлугъ и собств. бедро. Не вдаваясь въ описаніе этихъ частей, относительно которыхъ можно найти много подробностей въ сочиненіяхъ систематическаго характера, я остановлюсь только на клешнѣ, которою оканчивается щупальце. Обѣ вѣтви ея (фиг. 11) вооружены на внутренней сторонѣ длиннымъ рядомъ мелкихъ зубчиковъ, концы которыхъ снабжены каждый какъ бы мельчайшимъ утолщеніемъ; въ каждомъ ряду передній зубецъ нѣсколько крупнѣе другихъ, въ особенности на подвижномъ членикѣ, и при сильномъ увеличеніи въ немъ можно видѣть тонкій каналъ, открывающійся не далеко отъ острія. Этотъ каналъ можно прослѣдить приблизительно до половины членика; контуры его очень рѣзки и какъ показываетъ дѣйствіе щелочей, стѣнка его состоитъ изъ хитина. На внутреннемъ концѣ онъ нѣсколько расширяется и переходитъ въ продолговатый мѣшечекъ (*dr*), представляющій очевидно железу. Клѣточекъ, выстилающихъ тонкую обо-

---

*) *Krohn*, Üb. die Anwesenheit zweier Drüsensäcke im Cephaloth. d. Phalang. (Arch. f. Naturg. Jahrg. 33. Bd. 1, p. 79).

**) Zool. Anzeig. 1879, p. 450.

лочку ея, я не былъ въ состояніи различить, но могъ замѣтить только ядра на ней. Самая железа покрыта отчасти нервными ганглiями (*g*, *g*), снабжающими осязательные волоски, и задняя граница ея совпадаетъ приблизительно съ основаніемъ подвижнаго членика клешни. Принимая во вниманіе все устройство послѣдней и расположеніе конца выводящаго протока, я считаю наиболѣе вѣроятнымъ, что мы имѣемъ здѣсь дѣло съ ядоотдѣлительною железою, выдѣленіе которой можетъ изливаться въ ранку, сдѣланную зубомъ. Я самъ никогда не имѣлъ случая наблюдать, какъ лжескорпіоны схватываютъ свою добычу, но не сомнѣваюсь, что она состоитъ, какъ и у другихъ паукообразныхъ, изъ мелкихъ животныхъ, напр. подуръ, клещей и т. п.

Относительно четырехъ паръ *ногъ* лжескорпіоновъ я прежде всего долженъ обратить вниманіе на то, что ни одна изъ нихъ не приближена своимъ основнымъ членикомъ къ ротовому отверстію, какъ это мы видимъ на первыхъ двухъ парахъ ногъ у скорпіоновъ и фалангидъ и въ еще большей мѣрѣ у мечехвостовъ. Мнѣ кажется, что подобное привлеченіе ко рту конечностей, принадлежащихъ сегментамъ тѣла, въ сущности далеко отстоящимъ отъ головы, само по себѣ есть уже значительное уклоненіе отъ первобытнаго типа и я считаю поэтому тѣ формы, у которыхъ мы не наблюдаемъ этого явленія, какъ напр. лжескорпіоновъ, Gibbocellum, аранеинъ, или встрѣчаемъ его въ меньшей степени, какъ у нѣкоторыхъ Trogulus,— въ этомъ отношеніи болѣе примитивными, и вообще, по высказаннымъ уже по поводу rostrum соображеніямъ, не думаю, чтобы паукообразныя происходили отъ формъ, близкихъ къ мечехвостамъ.

Въ ногахъ Chernes бедро отдѣляется отъ втораго вертлуга только наружной бороздою, такъ что между ними нѣтъ настоящаго сочлененія (фиг. 13); сгибающія и разгибающія мышцы голени (*V*) непрерывно проходятъ чрезъ оба членика. Мускулы внутри голени любопытны въ томъ отношеніи, что всѣ принадлежатъ къ сгибающимъ; изъ нихъ наиболѣе сильный, подкрѣпленный еще нѣсколькими волокнами изъ бедра (*f*) представляетъ сгибающую мышцу перваго членика лапки (VI), у которой нѣтъ вовсе разгибающихъ мышцъ. Другой мускулъ, также начинающійся въ голени (*f'*), переходитъ въ длинное сухожиліе (*t*), которое тянется черезъ всю лапку и прикрѣпляется къ нижней сторонѣ послѣдняго, когтеваго гленика (VII), такъ что служитъ для опусканія или пригибанія когтей *). Этотъ членикъ имѣетъ также довольно сильную мышцу (*e*),

*) Подобное расположеніе мускуловъ нашелъ *Генкингъ* и у Trombidium. (*Henking*, Beitr. zur Anat., Entwickelungsgesch. u. Biol. von Tr. fuliginosum, въ Zeitschr f. wiss. Zool. Bd. 37, Taf. 34, fig. 3).

поднимающую коготь. Изъ сопоставленія его мускулатуры становится яснымъ, что онъ представляетъ дѣйствительно маленькій седьмой членикъ ноги. Основаніе его сильно хитинизировано и на немъ поднимается стройный, въ формѣ бокала, присасывательный придатокъ и два сильныхъ, серпообразно загнутыхъ, гладкихъ коготка, которые могутъ втягиваться въ вырѣзку на первомъ членикѣ лапки. Въ концевой части послѣдней видно скопленіе довольно крупныхъ клѣточекъ кругловатой формы и до 0,01 мм. въ поперечникѣ, можетъ быть представляющихъ железу, выдѣленіе которой предназначается для смачиванія присоски, но выводящаго протока ея я никогда не видалъ.

Накожные покровы. Въ своемъ микроскопическомъ строеніи кожа Chernes не представляетъ никакихъ существенныхъ отклоненій отъ общаго для суставчатыхъ плана. Объ этомъ предметѣ существуютъ до сихъ поръ только изслѣдованія *Менге*, который въ кожѣ лжескорпіоновъ отличаетъ два слоя, которые онъ назвалъ надкожицею (Oberhaut) и собственно кожею. Первая есть очевидно кутикула, отличающаяся своею хрупкостью и непроницаемостью для окрашивающихъ реактивовъ; но труднѣе сказать, что представляетъ собою второй слой или собств. кожа по *Менге*. По его словамъ, она распадается въ свою очередь на два тонкихъ слоя, которые составлены оба изъ перекрещивающихся подъ прямымъ угломъ продольныхъ и поперечныхъ волоконъ, растворимыхъ въ кали и уксусной кислотѣ; о ядрахъ или клѣточкахъ въ этихъ слояхъ ничего не говорится, но въ точкахъ пересѣченія волоконъ нижняго слоя *Менге* описываетъ небольшія круглыя отверстія. Можетъ быть онъ принялъ за такія отверстія ядра гиподермическихъ клѣтокъ. Подобный гиподермическій слой существуетъ по *Генкингу* *) и у Trombidium, но строеніе его здѣсь несравненно менѣе правильно и ядра или похожія на нихъ образованія встрѣчаются въ узлахъ этой сѣтки гораздо рѣже.

Что касается верхняго слоя съ его квадратными полями, то онъ можетъ-быть и относится къ кутикулѣ, какъ это наблюдали уже *Пагенштехеръ*, а затѣмъ я и *Генкингъ* у краснотѣлки. Хотя такимъ образомъ описаніе *Менге* и можетъ быть до извѣстной степени согласовано съ тѣмъ, что уже извѣстно относительно другихъ паукообразныхъ, но тѣмъ не менѣе у Chernes я не нашелъ ничего подобнаго. Кутикула состоитъ и здѣсь явственно изъ двухъ

---

*) *Henking*, l. c. p. 562.

слоевъ, но они плотно слиты между собою и никогда не отдѣляются другъ отъ друга. Въ тѣхъ мѣстахъ, гдѣ она развита наиболѣе сильно, напр. на спинномъ щиткѣ головогруди и на ногахъ (фиг. 12, 22) ясно можно различить эти два слоя, сверху болѣе тонкій и темный, снизу болѣе толстый и свѣтлый. Общая толщина обоихъ слоевъ измѣняется отъ 0,004 мм. на конечностяхъ до 0,012 мм. на головогруди. На мягкой кожѣ съ боковъ груди (фиг. 22) можно различить такой же составъ кутикулы, только верхній слой здѣсь поднимается въ видѣ многочисленныхъ, густо стоящихъ выступовъ, которые вѣроятно отчасти сглаживаются при растяженіи. На мѣстахъ, хитинизированныхъ сильнѣе, верхній слой кутикулы имѣетъ лишь бугорчатую поверхность, а вокругъ отверстій поровыхъ каналовъ, надъ которыми стоятъ волоски, онъ приподнятъ въ видѣ круглаго валика. Скульптура верхней поверхности кутикулы между спинными и брюшными щитками представляетъ, какъ видно на фиг. 15, различныя системы то небольшихъ, болѣе или менѣе правильно расположенныхъ выступовъ, то волнообразно изогнутыхъ складокъ.

Гиподермическій слой, выдѣляющій эту кутикулу, нигдѣ не образуетъ у Chernes явственнаго слоя клѣточекъ, но состоитъ только изъ тонкаго протоплазматическаго слоя съ разсѣянными въ немъ ядрами, которыя на конечностяхъ (фиг. 11, 13) бываютъ иногда сгруппированы въ довольно большомъ числѣ, на туловищѣ же мѣстами встрѣчаются рѣже. Они имѣютъ овальную или округленную форму, достигаютъ до 0,005 мм. въ поперечникѣ и сильно окрашиваются карминомъ. Подъ этими ядрами мнѣ иногда удавалось видѣть (фиг. 13*b*) чрезвычайно тонкую перепонку, которая есть вѣроятно ничто иное, какъ найденный уже у нѣкоторыхъ суставчатыхъ соединительно-тканный подкожный слой. Оболочка эта мѣстами отстаетъ отъ кожи и увлекаетъ за собою ея ядра.

Между придатками кутикулы я упомяну о болѣе крупныхъ волоскахъ, имѣющихъ подъ лупою булавовидную форму и разсыпанныхъ въ большомъ числѣ по верхней сторонѣ тѣла и конечностей. При болѣе сильномъ увеличеніи видно, что каждый волосокъ образуетъ въ сущности пластинку, сидящую своимъ съуженнымъ концемъ на кутикулѣ и сложенную въ нѣсколько (3—4) складокъ, которыя при вершинѣ образуютъ столько же остріевъ. Каждый волосокъ помѣщается надъ довольно широкимъ поровымъ каналомъ, вокругъ котораго верхій слой кутикулы приподнятъ въ видѣ валика. На головогруди они разсыпаны довольно неправильно, а на спинныхъ дужкахъ брюшка расположены рядами вдоль ихъ заднихъ краевъ. Нижняя сторона тѣла покрыта простыми, острыми волосками, сидящими надъ поровыми каналами нѣсколько меньшаго размѣра.

На клешняхъ челюстныхъ щупальцевъ (фиг. 11) находится еще нѣсколько болѣе длинныхъ волосковъ, о которыхъ уже говорилъ *Даль* *) и строеніе которыхъ очевидно указываетъ на органъ какого-то чувства. Въ общемъ они совершенно похожи на тѣ волоски, которые онъ встрѣтилъ у пауковъ и считаетъ слуховыми. Мнѣ кажется однако, что принимая во вниманіе ихъ положеніе у лжескорпіоновъ, а также обыкновеніе этихъ животныхъ раздвигать свои щупальцы возможно шире и отскакивать назадъ при малѣйшемъ прикосновеніи къ нимъ, можно видѣть въ этихъ волоскахъ только органы осязанія. Они сидятъ обыкновенно въ числѣ 4—5 на каждой вѣтви клешни, но встрѣчаются и экземпляры, у которыхъ на одной изъ вѣтвей вовсе нѣтъ этихъ волосковъ. Длина ихъ весьма значительна и едва ли меньше длины самыхъ вѣтвей; у Chernes они очень тонки, прозрачны и совершенно гладки. Углубленіе кутикулы, въ которомъ помѣщается основаніе волоска, имѣетъ видъ широкой воронки (фиг. 12), вдающейся почти во всю глубину кутикулярнаго слоя; на днѣ ея находится круглое отверстіе, составляющее входъ въ нижнее отдѣленіе, окруженное лишь очень тонкою стѣнкою. Въ глубинѣ его поднимается на небольшомъ бугоркѣ стебелекъ, сверху расширенный и повидимому полый, къ которому прикрѣпляется волосокъ. Чрезъ этотъ стебель несомнѣнно подходитъ къ волоску одинъ изъ нервовъ, которые отходятъ отъ обоихъ, расположенныхъ при основаніи пальцевъ узелковъ (фиг. 11, g). Ширина отверстія, изъ котораго выдается волосокъ, вполнѣ допускаетъ свободное движеніе его во всѣ стороны, такъ что и звуковыя волны могутъ легко производить колебанія волосковъ; но я не встрѣтилъ въ ихъ относительной длинѣ такой правильности, какую нашелъ *Даль* у настоящихъ пауковъ и долженъ кромѣ того замѣтить, что незначительное число ихъ на клешняхъ говоритъ тоже не въ пользу слуховаго органа. Отъ нервныхъ узелковъ отходятъ также нервы къ болѣе мелкимъ волоскамъ обыкновенной формы, сидящимъ на концахъ клешни.

На челюстныхъ усикахъ (фиг. 7, 8) также находится нѣсколько болѣе крупныхъ волосковъ, между которыми особенно выдается группа, расположенная на нижней сторонѣ и состоящая изъ четырехъ волосковъ, окруженныхъ общимъ кутикулярнымъ кольцомъ. Изъ нихъ наиболѣе крупный имѣетъ плоскую форму и съ одной

*) *Dahl*, Üb. die Hörhaare bei d. Arachniden (Zool. Anz. 1883, p. 267).

стороны зазубренъ, по своему положенію онъ несомнѣнно соотвѣтствуетъ тому развѣтвленному придатку, который *Штеккеръ* *) нашелъ у Chernes cimicoides и у нѣкоторыхъ другихъ формъ и принимаетъ за органъ обонянія. Я не знаю причинъ, побудившихъ его приписать этому образованію такое спеціальное значеніе, но у Chernes Hahnii рѣзкость контуровъ этихъ волосковъ и ихъ общій видъ даютъ мнѣ скорѣе поводъ думать, что они, подобно остальнымъ придаткамъ челюстныхъ усиковъ, служатъ вспомогательными аппаратами при распредѣленіи нитей паутины.

2. Мускулы.

Обстоятельное изслѣдованіе всей мускульной системы у такого небольшаго животнаго, какъ Chernes Hahnii, сопряжено съ почти непреодолимыми затрудненіями; я ограничусь здѣсь поэтому только нѣсколькими замѣчаніями о тѣхъ мускулахъ, которые мнѣ кажутся особенно важными для сравненія лжескорпіоновъ съ другими паукообразными, изъ которыхъ въ послѣднее время были особенно подробно изучены скорпіоны **). Мускулы конечностей были уже отчасти упомянуты при описаніи этихъ послѣднихъ, а о мышцахъ глотки, половаго аппарата и т. п. я еще буду имѣть случай говорить при обозрѣніи этихъ органовъ.

Въ головогруди главную массу мускуловъ составляютъ сгибающія и разгибающія мышцы первыхъ члениковъ пяти главныхъ паръ конечностей, помѣщающіяся внутри коксальныхъ члениковъ ихъ (фиг. 14, 22), но и эти послѣдніе повидимому не совсѣмъ неподвижны, такъ какъ къ верхней сторонѣ ихъ периферической части спускаются съ боковъ спиннаго щитка довольно сильные мускулы (фиг. 22 *m*), дѣйствіемъ которыхъ должно быть съуженіе грудной полости и образованіе складокъ на мягкой кожѣ по бокамъ ея; они соотвѣтствуютъ вѣроятно такъ называемымъ дорсо-коксальнымъ мускуламъ скорпіона. Къ передней части спиннаго щитка прикрѣпляются, надъ протоками паутинныхъ железъ, мускулы челюстныхъ усиковъ, а въ задней части груди мы находимъ и у Chernes столь характерный для паукообразныхъ сухожильный мускульный центръ, такъ-наз. plastron *Ланкестера*. Сравнительно со скорпіономъ,

---

*) *Stecker*, l. c. p. 514, tab. II, fig. 3, 4, 7, 8, 9, 11.

**) *Ray Lankester*, On the Musk. and. Endoskelet Syst. of Limulus and Scorpio (Trans. Zool. Soc. London, Vol. XI, p. 311). Изслѣдованіе относительно скорпіона принадлежитъ Miss. *E. Beek*.

этотъ органъ у Chernes имѣетъ гораздо болѣе простое устройство. Онъ состоитъ изъ очень небольшой поперечной пластинки, имѣющей слегка серповидную форму, выпуклостью назадъ, и достигающей въ продольномъ (къ животному) направленіи 0,06 мм., а въ поперечномъ—0,12 мм. Пластинка эта расположена непосредственно назади груднаго нервнаго узла, а не подъ нимъ, какъ у фалангидъ. На поперечномъ разрѣзѣ (фиг. 14) видно, что съ нижней поверхности plastron берутъ начало мускулы, направляющіеся къ ногамъ и прикрѣпленные къ верхнему краю коксальнаго членика, но я не могъ рѣшить, идутъ ли эти мускулы (которыхъ я съ каждой стороны насчитываю отъ 3—4) къ переднимъ конечностямъ и къ челюстямъ. *Менге* говоритъ, что изъ средины plastron у Obisium поднимается вертикальный мускулъ къ срединѣ спиннаго щитка; у Chernes, какъ я убѣдился, такого мускула не существуетъ, также какъ и у скорпіоновъ. Но отъ боковыхъ краевъ plastron у Chernes отходятъ еще нѣсколько мышцъ, изъ которыхъ двѣ направляются косвенно вверхъ и внутрь, прикрѣпляясь къ заднему краю послѣдняго отдѣла головогруднаго щитка; они всего болѣе соотвѣтствуютъ мускуламъ скорпіона, обозначеннымъ №№ 63, 64 и 65. Другіе два мускула съ каждой стороны plastron направляются внизъ къ коксальному членику послѣдней пары ногъ, одинъ къ внутреннему, другой къ наружному его краю. Что касается мускуловъ, идущихъ отъ нижней поверхности plastron, то они по всей вѣроятности соотвѣтствуютъ тѣмъ, которые у скорпіона проходятъ отъ этого органа къ основнымъ členикамъ послѣднихъ трехъ паръ ногъ.

Подъ накожными покровами брюшка мы находимъ систему продольныхъ мышцъ (фиг. 15 *ml*, *ml'*), проходящихъ по спинной и брюшной сторонѣ всѣхъ сегментовъ, причемъ, какъ уже замѣтилъ *Менге*, средина спинной поверхности свободна отъ нихъ; я могу добавить, что у Chernes и на брюшной сторонѣ въ срединной линіи ихъ также не имѣется и что непокрытое мускулами пространство у Chernes какъ сверху такъ и снизу значительно шире, чѣмъ у Chelifer по *Менге*; равнымъ образомъ я не нашелъ никакихъ признаковъ непарнаго продольнаго мускула брюшка, о которомъ упоминаетъ *Менге*, а также и сопровождающихъ его косвенныхъ мышцъ. Послѣднихъ нѣтъ и у скорпіона, хотя у него мы находимъ вдоль всей поверхности брюшка продольную мышцу, впрочемъ не непрерывную, а раздѣленную на участки соотвѣтственно всѣмъ сегментамъ, кромѣ послѣдняго. Между продольными волокнами у Chernes наибольшую ширину имѣютъ спинныя; подобно брюшнымъ, они идутъ отъ передняго края каждой дужки, къ которой прикрѣплены множествомъ тончайшихъ сухожильныхъ нитей, къ заднему краю мягкой кожи, соединяющей дужки между собою. Не трудно замѣтить, что на нѣкоторомъ разстояніи отъ края дужекъ параллельныя волокна этихъ мышцъ нѣсколько разступаются, оставляя мѣсто для прикрѣпленія вертикальныхъ мышцъ (*mv*), проходящихъ чрезъ всю полость тѣла и также очень характерныхъ для паукообразныхъ. Мѣста ихъ прикрѣпленія видны уже подъ лупою на спинной и брюшной сторонѣ животнаго въ видѣ небольшихъ темныхъ пятенъ или точекъ. *Менге*, повидимому, не обратилъ особеннаго вниманія на ихъ расположеніе. У Chernes и Chelifer я нахожу, что они встрѣчаются не на всѣхъ сегментахъ, и именно съ верхней стороны ихъ никогда не бываетъ на первомъ, третьемъ и послѣднемъ сегментѣ, а съ нижней—только на послѣднемъ; на брюшкѣ мы находимъ только 7 паръ этихъ точекъ, а на спинѣ—8. Изъ послѣднихъ передняя пара принадлежитъ двумъ мускуламъ, прикрѣпляющимся на нижней сторонѣ по бокамъ генитальныхъ пластинокъ, а остальныя—вертикальнымъ мускуламъ каждаго изъ сегментовъ брюшка. Мускулы эти значительно толще продольныхъ, имѣютъ ясную поперечную полосатость и продолговатыя ядра сарколеммы.

Независимо отъ этихъ мускуловъ у Chernes существуетъ подъ кожею еще система поперечныхъ волоконъ, явленіе весьма рѣдкое для животнаго изъ отдѣла суставчатыхъ (фиг. 15 *mc*). У скорпіона, по мнѣнію *Ланкестера*, единственными остатками такого поперечнаго слоя могли бы быть небольшія мышцы, обозначенныя на его таблицахъ подъ № 15—20, подъ именемъ latero-dorsal muscles. Они занимаютъ однако только заднюю часть боковой стѣнки каждаго сегмента, тогда какъ у Chernes они образуютъ подъ боковыми покровами брюшка сплошной слой довольно тонкихъ, параллельныхъ волоконъ, занимающихъ все пространство между продольными мышцами верхней и нижней стороны; въ тѣхъ мѣстахъ, гдѣ эти волокна подходятъ къ краю спинныхъ дужекъ, они сходятся вѣерообразными пучками, но на остальномъ протяженіи они сохраняютъ свою параллельность.

3. Нервная система.

По общему виду своей центральной нервной системы Chernes, не смотря на столь рѣзко выраженную сегментацію брюшка, гораздо менѣе напоминаетъ скорпіоновъ и даже фалангидъ, нежели настоящихъ пауковъ (Araneina); какъ и у послѣднихъ (за исключеніемъ Mygale), нервная система составляется только изъ одной центральной массы, расположенной въ головогруди; непарнаго брюшнаго узелка, лежащаго по *Штеккеру* *) въ седьмомъ брюшномъ сегментѣ у Chthonius, я не могъ найти ни на одномъ изъ моихъ препаратовъ, хотя видѣлъ небольшіе гангліи на кишечномъ каналѣ, который впрочемъ у этихъ животныхъ, какъ мы увидимъ, лежитъ на весьма значительномъ разстояніи отъ накожныхъ покрововъ брюшка. Утвержденіе того же автора, что у Chthonius надглоточный узелъ соединяется съ груднымъ «довольно длинными коммисурами», кажется мнѣ не совсѣмъ правдоподобнымъ, такъ какъ оно противорѣчило бы нашимъ свѣдѣніямъ о всѣхъ остальныхъ паукообразныхъ, съ которыми и Chernes въ этомъ отношеніи представляетъ полное сходство.

Центральная нервная система у Chernes составляется изъ надглоточнаго узла, отоль тѣсно слитаго съ груднымъ, что коммисуръ, соединяющихъ ихъ между собою, совершенно нельзя замѣтить. Оба они составляютъ вмѣстѣ продолговатую массу (фиг. 16) длиною почти въ 0,5 мм., при 0,4 мм. наибольшей ширины. Надглоточный узелъ занимаетъ почти половину этой массы и поднимается надъ нею въ видѣ округленнаго возвышенія, которое спереди круто обрывается къ непосредственно лежащей передъ нимъ глоткѣ. Грудной узелъ имѣетъ также значительную толщину и вслѣдствіе отходящихъ отъ него нервовъ, многоугольную, сзади нѣсколько расширенную форму.

Вся нервная масса покрыта снаружи неврилеммою въ видѣ очень тонкой оболочки, на которой мѣстами замѣтны небольшія продолговатыя ядра (фиг. 18) и которая продолжается и на отходящіе нервы. Подъ неврилеммою какъ надглоточный узелъ, такъ и грудной представляютъ толстый слой очень мелкихъ, съ неясными контурами, нервныхъ клѣточекъ, ядра которыхъ окрашиваются сильно и имѣютъ лишь около 0,006 мм. въ поперечникѣ. Слой этотъ окружаетъ центральную массу со всѣхъ сторонъ, но на верхней поверхности груднаго узла онъ становится значительно тоньше. Клѣточекъ болѣе крупнаго размѣра я никогда не наблюдалъ у Chernes, ни отдѣльно, ни въ видѣ скопленій. Что касается центральной фибриллярной массы, то въ области груднаго узла она очень явственно распадается на шесть паръ продолговатыхъ скопленій, соотвѣтствующихъ нервамъ пяти главныхъ конечностей и еще одной шестой задней парѣ нервовъ. Эти отдѣлы центральной массы окру-

*) *Stecker*, Anat. u. Histiol. üb. Gibbocellum (Arch. f. Naturg. 1876, p 318).

жены оболочками, которыя исходятъ повидиму отъ соединительной ткани, окружающей пищеводъ. Послѣдняя образуетъ вокругъ пищевода очень толстый слой съ многочисленными продолговатыми ядрами и продолжается не только въ видѣ перегородки между груднымъ и надглоточнымъ узломъ, но и вертикально кверху, такъ что центральная масса его также распадается на два боковые отдѣла; она продолжается, наконецъ, въ видѣ тонкой перепонки вокругъ всей центральной массы груднаго узла, отдѣляя ее отъ лежащаго надъ ней клѣточнаго слоя. На продольныхъ разрѣзахъ (фиг. 17) видно кромѣ того, что въ передней чаети надглоточнаго узла надъ самымъ пищеводомъ, лежитъ еще небольшой выступъ центральнаго вещества, который въ свою очередь составляется изъ двухъ неравныхъ частей (*b* и *c*); эти скопленія фибриллярной массы соотвѣтствуютъ по всей вѣроятности гангліямъ челюстныхъ усиковъ и rostrum. Въ задней части надглоточнаго узла замѣтно кромѣ того небольшое, но рѣзко ограниченное отдѣленіе центральнаго вещества (*d*); оно напоминаетъ выступъ, найденный *Шимкевичемъ* *) въ этой же области нервной системы у зародышей пауковъ и принимаемый имъ за зачатокъ симпатической системы. У Chernes здѣсь дѣйствительно отходитъ нервъ, направляющійся назадъ въ сторону сердца. передній конецъ котораго (*a*) подходитъ къ краю надглоточнаго узла. Такимъ образомъ мы въ общемъ находимъ у Chernes почти такое же расчлененіе нервнаго центра, какое описано и для высшихъ паукообразныхъ, причемъ брюшная цѣпочка гангліевъ, еще сохранившаяся до извѣстной степени у нѣкоторыхъ формъ, здѣсь представлена лишь однимъ парнымъ узломъ, совершенно слившимся съ грудною массою и составляющимъ ея задній отдѣлъ.

Относительно нервныхъ стволовъ, выходящихъ изъ общей головогрудной массы, я по сравненіи нѣсколькихъ препаратовъ могъ убѣдиться въ слѣдующемъ. Отъ передней поверхности надглоточнаго узла отходятъ впередъ два довольно тонкіе нерва (фиг. 16 *nc*) къ челюстнымъ усикамъ и между ними непарный нервъ (*n*), идущій къ глоткѣ. По наблюденіямъ *Сенъ-Реми*, съ которыми я, впрочемъ, знакомъ только по отчетамъ въ Journ. Roy. Micr. Soc. за 1886 г. подобный нервъ существуетъ и у скорпіоновъ, гдѣ однако онъ проходитъ по нижней сторонѣ пищевода, между тѣмъ какъ у Chernes, а также и у Trombidium, я видѣлъ его съ верхней стороны, ганглій, отъ котораго повидимому отходятъ нервы челюстныхъ усиковъ, также расположенъ выше пищевода. Передняя часть надглоточнаго

*) *Шимкевичъ*, Матеріалы и т. д. стр. 68, фиг. 37 В.

узла даетъ кромѣ того еще пару очень тонкихъ нервовъ *(n o)*, отходящихъ значительно выше первыхъ трехъ; эти нервы, судя по ихъ положенію, я склоненъ считать за сильно атрофированные зрительные нервы; Chernes, какъ извѣстно, не имѣетъ глазъ, но несомнѣнно только утратилъ ихъ съ теченіемъ времени, вслѣдствіе постоянной жизни подъ корою деревьевъ, и поэтому рудиментарное состояніе зрительныхъ нервовъ легко можетъ быть объяснено; къ сожалѣнію, недостатокъ матеріала для формъ зрячихъ (напр. Chelifer) не позволилъ мнѣ до сихъ поръ провѣрить это предположеніе.—Между нервами груднаго узла особенно выдѣляются по своей толщинѣ стволы, снабжающіе клешнеобразныя челюстныя щупальцы; близь основанія своего *(n m)* они даютъ небольшую вѣтвь съ дальнѣйшими развѣтвленіями. Затѣмъ слѣдуютъ нервы ногъ, которые не сопровождаются у Chernes, какъ у нѣкоторыхъ паукообразныхъ (напр. Galeodes, водные клещи или Trombidium) параллельнымъ тонкимъ стволомъ. Изъ задней части груднаго узла выходятъ, наконецъ, нѣсколько выше ножныхъ нервовъ, еще два довольно толстыхъ ствола, которые вскорѣ дѣлятся каждый на двѣ вѣтви, идущія къ пищеварительнымъ и половымъ органамъ *(n v)*; соединенія внутренней пары въ одинъ нервъ или образованія непарнаго брюшнаго ганглія я у Chernes, какъ уже сказано, никогда не наблюдалъ.

4. Органы пищеваренія.

Устройство ротоваго отверстія на нижней сторонѣ rostrum было уже описано при разсмотрѣніи послѣдняго. Зазубренные края, ограничивающіе его (фиг. 6), переходятъ сзади непосредственно въ верхнюю и нижнюю стѣнку сильно хитинизированной глотки *(ph)*, прилегающей почти прямо къ передней сторонѣ центральной нервной массы и выдѣляющейся между сосѣдними органами своимъ темнымъ цвѣтомъ. Кверху и книзу стѣнка даетъ длинные отростки почти треугольной формы, между которыми лежитъ узкій просвѣтъ глотки. На поперечномъ разрѣзѣ (фиг. 19) можно замѣтить, что этотъ просвѣтъ въ видѣ четырехъ узкихъ щелей продолжается въ выступы стѣнки, или другими словами, стѣнка глотки сдавлена со всѣхъ сторонъ такимъ образомъ, что вытягивается вверхъ и внизъ въ четыре длинныхъ выступа. На другихъ разрѣзахъ случается встрѣчать и болѣе широкое, почти звѣздообразное очертаніе глотки, представляющей очевидно весьма развитой сосательный аппаратъ, очень напоминающій подобный же органъ у скорпіоновъ *); разница состоитъ только

*) *Ray Lankester*, l. c. pl. 79, fig. 11.

въ томъ, что у послѣднихъ оба нижніе выроста глотки едва обозначены. Какъ и у скорпіона, глотка окружена небольшими мускулами, которые прикрѣпляются между самыми выступами съ верхней стороны и съ боковъ и при одновременномъ сжатіи могутъ вызвать расширеніе полости глотки; но главное дѣйствіе въ этомъ смыслѣ производится болѣе сильными мускулами, которые отъ боковой стѣнки глотки идутъ въ горизонтальномъ направленіи къ внутренней сторонѣ основнаго членика нижнихъ челюстей, между тѣмъ какъ у скорпіона такіе же мускулы прикрѣплены къ такъ наз. „praeoral entosklerite". Наконецъ, къ глоткѣ же прикрѣпляются и нѣсколько мускуловъ, которые спускаются къ ней отъ основной части rostrum и которыхъ нѣтъ у скорпіона. Всѣ указанныя мышцы могутъ имѣть своимъ дѣйствіемъ лишь расширеніе глотки, сжатіе же зависитъ вѣроятно отъ упругости самыхъ стѣнокъ. Во всякомъ случаѣ, у ложноскорпіоновъ едва ли можно назвать сосательный органъ неразвитымъ, такъ какъ и у другихъ формъ, напр. Chelifer и Obisium, онъ представляетъ не менѣе сложное строеніе, чѣмъ у скорпіона.

Въ связи съ переднимъ отдѣломъ пищеварительнаго канала я не нашелъ у Chernes никакихъ железъ, которыя бы можно было принять за слюнныя.

Слѣдующій за глоткою пищеводъ (фиг. 17 *oe*) представляетъ тонкую трубку, со всѣхъ сторонъ замкнутую въ массѣ центральнаго нервнаго узла; на передней части его, непосредственно впереди надглоточнаго узла, на немъ замѣтны кольцевыя мышечныя волокна, а на остальномъ протяженіи онъ окруженъ довольно толстымъ слоемъ соединительной ткани; эпителій его состоитъ изъ очень плоскихъ клѣточекъ, яснѣе видимыхъ въ концевомъ, сильно расширенномъ отдѣлѣ (фиг. 22), и покрытъ изнутри тонкой, но явственной кутикулярною перепонкою. На концѣ пищевода эпителій внезапно измѣняетъ свой видъ, клѣточки становятся болѣе крупными и въ нихъ замѣчаются скопленія зернышекъ, имѣющихъ при падающемъ свѣтѣ бѣлый цвѣтъ. Этотъ желудочный отдѣлъ имѣетъ въ длину лишь очень ограниченный размѣръ (фиг. 21), такъ какъ непосредственно за нимъ начинается кишка, но тѣмъ значительнѣе его боковыя продолженія, представляющія совершенно такое же строеніе *) какъ и центральная часть, съ которой они имѣютъ широкое сообщеніе. Этихъ слѣпыхъ мѣшковъ мы у Chernes находимъ

*) Въ моемъ предварительномъ сообщеніи (Zool. Anz. 1887, стр. 147) я ошибочно приписалъ желудку такой же эпителій, какъ и кишкѣ.

три, два боковыхъ и одинъ нижній, непарный, и если я обозначу ихъ именемъ печени, то во всякомъ случаѣ оговорюсь, что подъ этимъ названіемъ я не разумѣю здѣсь органа, существенно отличающагося отъ желудка, а лишь такія же продолженія его, какія намъ знакомы и у нѣкоторыхъ другихъ паукообразныхъ, напр. фалангидъ и клещей. У лжескорпіоновъ отдѣлы этой печени образуютъ главную массу внутренностей животнаго. Два боковые мѣшка (фиг. 20 *l*) раздѣлены въ срединѣ бороздою, въ которой спереди помѣщается сердце (*h*), и на своей периферіи дѣлятся еще на 8 вторичныхъ выступовъ, между которыми проходятъ вертикальные мускулы тѣла; изъ нихъ передняя пара, покрывающая сверху нервный узелъ, представляетъ при своемъ концѣ легкое раздвоеніе и сама иногда бываетъ закрыта сверху концами паутинныхъ железъ. Если осторожно раздвинуть два главные боковые отдѣла печени, довольно плотно соединенные жировымъ тѣломъ (описаніе котораго будетъ ниже), то можно удостовѣриться, что они спереди соединены широкимъ проходомъ съ центральною частью желудка (фиг. 21), а на разрѣзахъ черезъ это мѣсто можно видѣть (фиг. 41), что ихъ эпителій непрерывно продолжается и на стѣнки желудка, которыя онъ покрываетъ со всѣхъ сторонъ. Нѣсколько далѣе назадъ, на нижней стѣнкѣ послѣдняго появляется выступъ, одѣтый тѣмъ же эпителіемъ, и переходящій постепенно въ третій, непарный отдѣлъ печени (фиг. 31, 42), расположенный на брюшной сторонѣ животнаго непосредственно подъ накожными покровами и доходящій до послѣдней трети брюшка, сквозь стѣнку котораго онъ нерѣдко видѣнъ въ лупу, благодаря бѣлому содержимому его эпителіальныхъ клѣточекъ. Второстепенныхъ развѣтвленій этотъ нижній мѣшокъ не образуетъ и имѣетъ только нѣсколько извилистые контуры. Подобные же непарные отдѣлы печени были найдены *Берткау* *) и *Шимкевичемъ* **) у пауковъ, какъ у взрослыхъ, такъ и у зародышей. Однакоже это образованіе существуетъ не у всѣхъ лжескорпіоновъ, такъ напр. у Chelifer, гдѣ я нашелъ только два печеночныхъ мѣшка. Надъ нижнимъ мѣшкомъ у Chernes помѣщаются яичники или сѣменники и выше ихъ кишка, причемъ выводящіе каналы половыхъ органовъ, спускаясь къ генитальному отверстію, обхватываютъ основаніе мѣшка съ обѣихъ сторонъ.

---

*) *Bertkau*. Vorläuf. Mittheil. üb. d. Bau etc. d. sogen. Leber bei den Spinnen (Zool. Anzeig. 1881, p. 543).

**) *Шимкевичъ*, Матеріалы стр. 73 и также Etude sur l'anatomie de l'Epeire, стр. 56.

Центральное соединеніе этихъ трехъ главныхъ выступовъ можетъ слѣд. быть названо желудкомъ только въ топографическомъ смыслѣ. Несомнѣнно, что составныя части пищи, которая въ нашемъ случаѣ можетъ быть только жидкою, равномѣрно проникають во всѣ выступы этихъ органовъ и тамъ не только перевариваются, но и всасываются. На это указываетъ и относительный объемъ самыхъ желудочныхъ выступовъ, и узость кишечной трубки, въ которой я никогда не встрѣчалъ другаго содержимаго, кромѣ комковъ той бѣлой массы, которая скопляется въ концевомъ отдѣлѣ кишечнаго канала въ видѣ экскрементовъ Но и самый видъ эпителіальныхъ клѣточекъ выступовъ желудка, въ содержимомъ которыхъ эта бѣлая масса начинаетъ появляться отдѣльными островками, также указываетъ по моему мнѣнію на то, что въ этихъ клѣточкахъ происходитъ главная работа по части измѣненія принятыхъ внутрь веществъ и ихъ всасыванія. У лжескорпіоновъ, имѣющихъ хотя довольно длинную, но очень узкую кишку, функція всасыванія можетъ конечно принадлежать и послѣдней; но относительно формъ, гдѣ я убѣдился въ томъ, что желудокъ совершенно не имѣетъ сообщенія съ анальнымъ отверстіемъ, въ которое открывается только одинъ выдѣлительный органъ (гидрахниды, Trombidium) я считаю несомнѣннымъ, что всѣ процессы пищеваренія совершаются въ желудкѣ и его объемистыхъ придаткахъ *).

Подъ микроскопомъ стѣнка этой части пищеварительнаго аппарата оказывается состоящею изъ очень тонкой оболочки, выстланной крупнымъ, темнымъ эпителіемъ, который по своему характеру очень напоминаетъ соотвѣтствующія образованія у пауковъ, фалангидъ и клещей. У Chernes я однако не былъ въ состояніи найти между этими клѣточками такихъ различій, какія были замѣчены *Берткау* и *Шимкевичемъ* у пауковъ; впрочемъ и у фалангидъ *Рэслеръ* **) нашелъ эпителіальныя клѣточки, по крайней мѣрѣ въ выступахъ желудка, однородными. Форма ихъ у Chernes (фиг. 22, 41, 42) большею частью удлиненная, болѣе или менѣе булавообразная, а величина доходитъ до 0,06 мм. Содержимое клѣточекъ бываетъ иногда до такой степени переполнено крупными и болѣе мелкими, желтоватыми и бурыми зернышками, что трудно разглядѣть круглыя ядра ихъ, имѣющія до 0,008 мм. въ діаметрѣ. Кромѣ

---

*) См. мои статьи объ Eylaïs и Trombidium Лучшимъ способомъ удостовѣриться въ справедливости сообщенныхъ тамъ фактовъ было бы вскрытіе какого-нибудь вида Hydrachna или Nesaea.

**) *Rossler*, Beitr. z. Anatomie der Phalangiden (Zeitschr. f. wiss. Zool. Bd. 36, p. 677).

буроватаго содержимаго въ нихъ замѣтны и скопленія чисто-бѣлаго вещества, по всей вѣроятности тождественнаго съ тѣмъ, которое мы находимъ и въ кишкѣ; оно сосредоточивается большею частью на какой-нибудь одной сторонѣ клѣточки, иногда при ея вершинѣ, и уже подъ лупою придаетъ всему органу испещренный бѣлыми точками видъ. Мѣстами клѣточки являются разрушенными и содержимое ихъ лежащимъ въ полости мѣшковъ.

Кишка начинается небольшимъ расширеніемъ позади нижняго печеночнаго мѣшка (который снятъ на фиг. 12) и имѣетъ видъ длинной изогнутой трубки, шириною около 0,05 мм., но вообще нѣсколько измѣнчиваго калибра, смотря по степени своего наполненія. Двойной изгибъ, который этотъ каналъ представляетъ у Chernes, существуетъ также и у Chelifer, какъ уже замѣтилъ и *Менге*. Подобно лопастямъ печени, кишка со всѣхъ сторонъ окружена клѣточками жироваго тѣла, которымъ она удерживается въ своемъ положеніи. Просвѣтъ кишки чрезвычайно узокъ тамъ, гдѣ она случайно не растянута бѣлыми выдѣленіями, и ограничивается свѣтлымъ, мелкозернистымъ эпителіемъ (фиг. 31, 42 *i*), клѣточки котораго имѣютъ довольно короткую форму (0,02 мм. вышины), но очень ясныя круглыя ядра сравнительно крупной величины (0,006 мм.).

Нѣсколько съуженный задній конецъ кишки открывается въ широкій концевой отдѣлъ пищеварительнаго канала, имѣющій видъ мѣшка, иногда до такой степени растянутаго своимъ содержимымъ, что онъ просвѣчиваетъ бѣлымъ пятномъ сквозь стѣнку брюшка. Форма его въ этихъ случаяхъ овальная, съуженная къ анальному отверстію. Кишка впадаетъ не въ самый передній конецъ этого отдѣла, но нѣсколько позади его съ верхней стороны. Изнутри онъ выстланъ эпителіемъ, очень похожимъ на эпителій кишки, но нѣсколько болѣе высокимъ, съ кутикулярнымъ покровомъ, продолжающимся черезъ порошицу на общіе покровы тѣла; снаружи оболочка прямой кишки покрыта тонкимъ, но явственнымъ слоемъ продольныхъ мышечныхъ волоконъ, но кольцеобразныхъ мышцъ я не нашелъ ни здѣсь, ни на собств. кишкѣ. Замѣчено, что у ложноскорпіоновъ порошица иногда нѣсколько выпячивается наружу, образуя какъ бы небольшой придатокъ брюшка; это выпячиваніе производится нѣсколькими мышечными волокнами, которыя въ косвенномъ направленіи идутъ отъ конечной части ректальнаго мѣшка къ сторонамъ порошицы, а можетъ быть и сокращеніемъ вертикальныхъ мышцъ тѣла, съуживающимъ брюшную полость. Порошица образуетъ небольшую поперечную щель, ограниченную двумя маленькими хитиновыми пластинками, несущими по два волоска.

Не смотря на всѣ старанія, я никогда не могъ найти у Chernes въ связи съ заднею кишкою ничего похожаго на мальпигіевы сосуды. *Менге* изображаетъ, правда, у Chelifer на поверхности печени множество какъ прямыхъ, такъ и развѣтвленныхъ сосудовъ (Gefasse), изъ которыхъ первые онъ считаетъ за выдѣлительные каналы, вторые за выводные протоки печени. Ничего подобнаго я не видалъ ни на одномъ изъ моихъ препаратовъ. Вопросъ относительно выводныхъ протоковъ печени мнѣ кажется уже рѣшеннымъ фактическимъ сліяніемъ боковыхъ выступовъ желудка съ его центральною частью, что же касается прямыхъ каналовъ, о которыхъ упоминаетъ *Менге*, то это вѣроятно ничто иное, какъ трахейныя трубки, дѣйствительно часто находимыя на поверхности выступовъ желудка.

Остается еще сказать нѣсколько словъ объ упомянутой уже ткани жироваго тѣла, которое у Chernes имѣетъ весьма значительное развитіе въ промежуткахъ между внутренними органами. Ткань эта дѣйствительно содержитъ довольно много жира въ видѣ свѣтлыхъ капелекъ, выступающихъ особенно при препарированіи свѣжихъ экземпляровъ. Хотя большинство внутреннихъ органовъ находится въ соприкосновеніи съ этою тканью, но тѣмъ не менѣе нельзя не замѣтить, какъ это сдѣлалъ уже *Бертκау* *) относительно пауковъ, что она прилегаетъ непосредственно только къ оболочкамъ пищеварительнаго канала и его придатковъ, тогда какъ между нею и накожными покровами, паутинными железами и половыми органами большею частью незамѣтно такого тѣснаго соединенія (фиг. 31, 41, 42). Ткань эта, описанная мною также у нѣкоторыхъ клещей, образуетъ особенно толстый слой на наружной поверхности выступовъ желудка (фиг. 21), поднимающійся мѣстами въ видѣ зубцовъ и лопастей, а также и вокругъ изгибовъ кишки и до самой порошицы. Она составляется изъ довольно свѣтлыхъ, неправильно многоугольныхъ клѣточекъ, около 0,03 мм. средней величины, съ круглыми ядрами въ 0,006 мм., которыя сильно окрашиваются карминомъ, тогда какъ самая протоплазма очень мало принимаетъ окраску. Особой оболочки на поверхности жироваго тѣла я не нашелъ у Chernes, также какъ и тѣхъ слоистыхъ конкрементовъ, которые

---

*) *Bertkau*, Uber den Bau u. die Function d. sog. Leber bei den Spinnen (Arch. f. micr. Anatomie, Bd. 23. стр. 214) и Üb. den Verdanungsappar d. Spinnen (ibid Bd. 24, стр. 398).

Бертказ встрѣчалъ у пауковъ въ значительномъ количествѣ. Подобно *Берткау*, я могъ замѣтить, что эта ткань, которую и я считалъ всегда за эквивалентъ соединительной ткани, называемой у насѣкомыхъ жировымъ тѣломъ, бываетъ несравненно менѣе развита у экземпляровъ, найденныхъ въ своихъ коконахъ раннею весною, чѣмъ у лѣтнихъ или осеннихъ.

5. Сердце.

Сердце ложескорпіоновъ есть единственный органъ этихъ животныхъ, который послѣ появленія труда *Менге* (почти ничего не говорящаго о немъ) былъ изслѣдованъ другими наблюдателями. *Дадай*, съ работою котораго я знакомъ только по отчетамъ, описываетъ, какъ и *Винклеръ*, сердце этихъ животныхъ какъ удлиненный, трубчатый, сзади нѣсколько расширенный органъ, который тянется вдоль серединной линіи отъ головогруди до 4-го или 5-го сегмента брюшка. Но въ то время какъ *Дадай* принимаетъ въ сердцѣ Chernes Hahnii и Chelifer по парѣ щелевидныхъ отверстій въ каждомъ изъ брюшныхъ сегментовъ и кромѣ того 8 такихъ же отверстій на концевой розеткѣ сердца, состоящей изъ 4 паръ небольшихъ придатковъ, *Винклеръ* находитъ у Obisium лишь одну пару ихъ, лежащую съ боковъ задняго конца сердца, по обѣимъ сторонамъ маленькаго непарнаго выступа его. По моимъ наблюденіямъ надъ Ch. Hahnii и другимъ, болѣе крупнымъ, но неопредѣленнымъ видомъ этого же рода, я могу относительно очертаній сердца вполнѣ согласиться съ *Винклеромъ*. Оно лежитъ въ желобкѣ между обоими боковыми отдѣлами печени, покрытыми слоемъ жироваго тѣла и тянется отъ задней части надглоточнаго узла до четвертаго сегмента брюшка. Въ каждомъ изъ предшествующихъ сегментовъ оно представляетъ едва замѣтное расширеніе и только въ четвертомъ это расширеніе болѣе значительно, причемъ оно имѣетъ форму вовсе не розетки, а представляется только трехлопастнымъ, такъ какъ между боковыми концами сердца выступаетъ назадъ еще небольшой овальный придатокъ (фиг. 23). *Винклеръ*, повидимому, не замѣтилъ мускулатуры сердца, по крайней мѣрѣ выражается объ этомъ очень неопредѣленно. Я нахожу, что на всемъ протяженіи вдоль брюшка стѣнка сердца покрыта очень ясными поперечными мышцами, не доходящими однако до срединной линіи, вдоль которой остается свободная отъ нихъ полоса. Но между этими волокнами, всюду тѣсно прилегающими другъ къ другу и совершенно параллельными, нигдѣ не видно тѣхъ переднихъ щелевидныхъ отверстій, о которыхъ говоритъ *Дадай*. Лишь у задняго расширенія сердца замѣчается постепенное измѣненіе въ направленіи мышечныхъ волоконъ, которыя, чѣмъ дальше назадъ, тѣмъ болѣе становятся косвенными. Между крайними волокнами боковыхъ выступовъ и непарнымъ придаткомъ легко видѣть замѣченное уже *Винклеромъ* щелевидное отверстіе, но и на самыхъ выступахъ сердца я съ каждой стороны вижу еще явственно два подобныхъ же, хотя и болѣе узкихъ отверстія. Они замѣтны, впрочемъ, и на рисункѣ, который *Винклеръ* даетъ для сердца молодаго Obisium, принимая ихъ однако не за таковыя, а за мускулы. Къ той части сердца, на которой расположены щелевидныя отверстія, подходитъ съ каждой стороны въ видѣ крыловиднаго мускула одно довольно длинное волокно, которое при приближеніи къ сердцу распадается на нѣсколько вѣтокъ, прикрѣпляющихся къ боковымъ выступамъ (фиг. 23). Далѣе кпереди я не видалъ подобныхъ образованій. На поперечномъ разрѣзѣ (фиг. 23А) сердце имѣетъ поперечно-овальное, почти четырехугольное очертаніе и оказывается прикрѣпленнымъ къ покровамъ спины тонкою перепонкою *(p)*, которая отъ боковъ сердца тянется въ обѣ стороны къ продольнымъ мышцамъ спины и тамъ сливается съ ихъ сарколеммою; на протяженіи ея видны рѣдкія продолговатыя ядра. Кверху отъ этой перепонки находится небольшое треугольное пространство, въ которое сердце вдается своею верхнею частью и которое по моему мнѣнію соотвѣтствуетъ полости перикардія, между тѣмъ какъ нижняя сторона сердца обращена къ желобковидному углубленію на верхней сторонѣ жироваго тѣла. Околосердечная полость является здѣсь слѣд. только небольшимъ отдѣленіемъ общей полости тѣла, ограниченнымъ отъ послѣдней перепонкою *(p)*, которая по всей вѣроятности не составляетъ сплошной перегородки, но имѣетъ отверстія для притока крови изъ полости тѣла; небольшія, неправильной формы клѣточки, около 0,005 мм. величины, разбросанныя въ ней съ боковъ сердца и видимыя также въ его полости, я считаю за кровяныя тѣльца. Но кромѣ перикардія, сердце удерживается въ своемъ положеніи еще другими скрѣпленіями. Отъ верхнихъ угловъ его, лежащихъ въ околосердечной полости, отходятъ съ каждой стороны вытянутыя въ длинный отростокъ клѣточки, прикрѣпляющія его къ покровамъ спины *(b)*, а отъ нижнихъ угловъ подобные же парные тяжи удерживаютъ его въ углубленіи жироваго тѣла *(f)*. Прикрѣпляясь своими широкими концами къ тонкой оболочкѣ, окружающей мышечный слой сердца, они придаютъ его разрѣзу уже упомянутое четырехугольное очертаніе.

Поперечныя мышцы ясно видны на всемъ протяженіи сердца въ сегментахъ брюшка, но въ передней части, проходящей въ головогруди, ихъ оптическіе разрѣзы становятся все уже и вскорѣ совершенно исчезаютъ; здѣсь стѣнка сердца, еще довольно широкаго, ограничена, явственно двойнымъ контуромъ и составлена повидимому только изъ внутренней и наружной оболочки его безъ промежуточнаго мышечнаго слоя. Клапана, который отдѣлялъ бы эту часть, соотвѣтствующую аортѣ, отъ сильно мускулистаго задняго отдѣла или сердца собственно, о которомъ упоминаетъ *Винклеръ*, я никогда не встрѣчалъ у Chernes. Далѣе впередъ аорта быстро съуживается и подходитъ къ задней части надглоточнаго узла, гдѣ она дѣлится на двѣ вѣтви, расходящіяся кпереди и теряющіяся по сторонамъ пищевода (фиг. 17a).

6. Органы дыханія.

Какъ уже было замѣчено, парныя дыхальца Chernes и Chelifer расположены съ каждой стороны близь наружныхъ концевъ брюшныхъ дужекъ, такъ что передняя пара лежитъ въ мягкой кожѣ между 3-мъ и 4-мъ, а задняя — между 4-мъ и 5-мъ сегментомъ. У обоихъ видовъ Chernes они имѣютъ совершенно одинакое устройство, только у Ch. Hahnii они нѣсколько меньше. Каждое дыхальце лежитъ между двумя сильнѣе хитинизированными пластинками (фиг. 24 *pp'*), изъ которыхъ внутренняя или передняя шире задней, и на передней парѣ дыхалецъ снабжена 3 волосками, на задней только однимъ. Отверстіе дыхальца имѣетъ видъ косвенной, узкой щели въ 0,024 мм. длиною, ведущей въ овальную камеру, хитиновая стѣнка которой представляетъ поперечныя полосы въ направленіи, перпендикулярномъ къ отверстію. На своемъ наружномъ концѣ эта камера продолжается въ прямой коническій выступъ *(r)*, лежащій непосредственно подъ кожею и напоминающій по своему виду недоразвившійся трахейный стволъ, внутренній же конецъ переходитъ въ главный стволъ, направляющійся косвенно впередъ во внутренность головогруди (фиг. 25), гдѣ онъ недалеко отъ своего конца обхватывается снаружи выводящими протоками половыхъ органовъ (фиг. 32, 44). Нѣсколько расширенный конецъ ствола раздѣленъ на два небольшихъ выступа, дающихъ начало густому пучку тонкихъ, неразвѣтвляющихся трахей. Трахейный стволъ, отходящій отъ задняго дыхальца, въ 4 раза короче передняго, къ концу расширенъ булавообразно и здѣсь также даетъ начало пучку трахей.

Главные трахейные стволы показываютъ уже при небольшомъ увеличеніи характерныя для этихъ образованій утолщенія кутикулы, въ видѣ тонкихъ поперечныхъ полосокъ. У Chernes эти утолщенія имѣютъ, впрочемъ, видъ не спирали, а неполныхъ колецъ, къ тому же часто дѣлящихся и анастомозирующихся. Съ наружной стороны трахейнаго ствола проходитъ кромѣ того узкая полоса, въ которой они совершенно прерваны. На разрѣзахъ (фиг. 41 *tr*) эта сторона ствола является сильно вогнутой, такъ что просвѣтъ его получаетъ почковидное очертаніе. Въ такихъ случаяхъ ясно видны выдающіеся въ полость трахеи, съ выпуклой ея стороны, коническіе, радіально расположенные выступы кутикулы, которые однако никогда не сливаются своими вершинами, какъ *Макъ Леодъ* *) это наблюдалъ на трахейныхъ стволахъ и легкихъ нѣкоторыхъ пауковъ. Снаружи этой кутикулярной оболочки на главныхъ стволахъ лежитъ очень тонкій (въ 0,004 мм.) слой съ ядрами, который на трахеяхъ, имѣющихъ 0,003 мм. ширины и никогда не развѣтвляющихся, образуетъ сравнительно болѣе ясную и толстую оболочку (фиг. 24А). Наружной, перитонеальной оболочки трахей я не замѣтилъ вѣроятно вслѣдствіе ея большой тонкости.

Дыхальца Chernes имѣютъ замыкательный аппаратъ, до нѣкоторой степени напоминающій подобныя образованія у насѣкомыхъ. Съ нижней стороны обѣихъ пластинокъ, между которыми лежитъ отверстіе дыхальца, проходятъ между ними мускульныя волокна (фиг. 24), дѣйствіе которыхъ должно состоять не въ сжатіи самого ствола, а только въ сближеніи краевъ отверстія.

Къ тому, что уже извѣстно о распредѣленіи трахей въ тѣлѣ, я могу прибавить только немногое. Оба передніе ствола (фиг. 25) переходятъ близь задней части груднаго нервнаго узла, гдѣ они перекрещиваются съ отходящими отъ plastron мускулами, въ два пучка трахей, идущихъ по преимуществу впередъ и раздѣляющихся на болѣе тонкіе второстепенные пучки, которые направляются къ конечностямъ; множество трахей входитъ и въ нервный узелъ, сопровождая пищеводъ и пересѣкаясь на поверхности подглоточной массы. Трахеи задняго ствола направляются большею частью къ внутренностямъ брюшка.

Трахеи Chernes не представляютъ слѣд. никакихъ особенныхъ различій въ сравненіи съ трахеями пауковъ, относительно которыхъ и новѣйшими изслѣдованіями только подтверждается воззрѣніе, что эти органы гомологичны такъ наз. легкимъ или вѣернымъ трахеямъ

---

*) *Mac Leod*, Sur la structure des Trachées. Brux. 1880.

этихъ же животныхъ, за исключеніемъ только того обстоятельства, что между обѣими пластинками, составляющими каждый листикъ легкаго, лежатъ однѣ клѣточки гиподермическаго слоя, но незамѣтно двойной перитонеальной оболочки, которая должна была бы раздѣлять ихъ. Но въ этомъ отношеніи мнѣніе *Шимкевича* *), что эта оболочка, дѣйствительно окружающая дыхательный органъ въ цѣломъ, только какъ бы отступила отъ его второстепенныхъ развѣтвленій, кажется мнѣ вполнѣ вѣрнымъ. Въ пространствѣ между обѣими пластинками каждаго листка обращается кровь и для обмѣна ея газовъ всякая лишняя оболочка была бы только стѣсненіемъ. Этимъ же объясняется, какъ я думаю, и строеніе гиподермическаго промежуточнаго слоя, который собственно не заслуживаетъ этого названія, такъ какъ образуетъ только болѣе или менѣе частыя перекладины (изъ 2 клѣточекъ каждая) между кутикулярными пластинками листа. Совершенно таково же, по изслѣдованіямъ *Макъ-Леода* и *Ланкестера*, строеніе легкихъ и у скорпіоновъ, которыя послѣдній считаетъ, какъ извѣстно, видоизмѣненіемъ жаберъ у первоначальной формы, имѣвшей сходство съ нынѣшними мечехвостами. Хотя гипотеза *Ланкестера* (въ ея позднѣйшемъ видѣ) гораздо проще предположенія, высказаннаго съ тою же цѣлью *Макъ-Леодомъ* **), тѣмъ не менѣе слѣдствіе, вытекающее изъ нея, что легкія филогенетически предшествовали трахеямъ, говоритъ, по моему мнѣнію, не въ пользу этого взгляда. Мы знаемъ, что у нѣкоторыхъ формъ, какъ напр. у Galeodes и извѣстныхъ клещей, существуютъ трахейные стволы, открывающіеся на головогруди и слѣд. едва ли имѣющіе то происхожденіе, какое *Ланкестеръ* приписываетъ легочнымъ мѣшкамъ скорпіоновъ. Трахейные стволы гидрахнидъ, открывающіеся, какъ и у Trombidium, между челюстными усиками, не представляютъ помимо мѣста своего выхода никакихъ существенныхъ отличій отъ трахей другихъ паукообразныхъ, съ которыми они сходны и по виду отходящихъ отъ нихъ мелкихъ каналовъ, а своеобразное развѣтвленіе дыхательныхъ трубокъ у Galeodes, напоминающее насѣкомыхъ ***), одинаково свойственно какъ груднымъ, такъ и брюшнымъ стволамъ, такъ что различное

---

*) *Schimkewitsch*, Et. sur l'anat. de l'Epeire, p. 64. Авторъ считаетъ эту оболочку за стѣнку синуса, окружающаго снизу легкое.

**) *Mac Leod*, Rech. s. la structure et la signification de l'app. respir. des Arachn. (Отд. оттискъ изъ Bull. Acad. Belg. T. III, 1882).

***) *По Берткау* (Ub. die Respirations.-Org. d. Aran. въ Arch. f. Naturg. 1872, tab. VII, fig. 10. 11) у нѣкоторыхъ пауковъ существуютъ также значительныя развѣтвленія главныхъ трахейныхъ стволовъ.

происхожденіе ихъ становится невѣроятнымъ. Нѣтъ также основанія предполагать, что эти передніе стволы съ теченіемъ времени подверглись перемѣщенію изъ брюшнаго отдѣла въ головогрудь; для Trombidium существуютъ напротивъ указанія, что у личинокъ *) самостоятельно образуются на передней части головогруди временные органы, соотвѣтствующіе по своему положенію передней парѣ дыхалецъ у Galeodes. Считая поэтому трахеи за основную форму органовъ дыханія у паукообразныхъ, а легкія ихъ за позднѣйшее измѣненіе трахей, я не могу присоединиться къ мнѣнію *Ланкестера* и другихъ изслѣдователей о родствѣ между паукообразными и мечехвостами, противъ котораго, какъ мнѣ кажется, особенно говоритъ недостатокъ у послѣдней формы столь распространеннаго между паукообразными rostrum, образованія безспорно весьма древняго характера, и вообще отсутствіе всякихъ предротовыхъ придатковъ у его зародыша.

7. Половые органы.

У Chernes и Chelifer очень не трудно отличить самцовъ и самокъ уже по внѣшнему виду при небольшомъ увеличеніи. Верхняя сторона тѣла не представляетъ правда никакихъ различій, но съ нижней стороны очень легко узнать самцовъ по темному цвѣту копуляціоннаго органа, просвѣчивающаго сквозь генитальныя пластинки. Самая форма послѣднихъ различна у обоихъ половъ; у самцовъ Chernes передняя генитальная пластинка значительно больше задней, у самокъ наоборотъ. Такія же различія нетрудно замѣтить и у Chelifer, гдѣ у самца тотчасъ бросается въ глаза сильное развитіе задней генитальной пластинки (фиг. 4) и двухъ просвѣчивающихъ черезъ нее придатковъ, которые иногда выставляются изъ-подъ нея на болѣе или менѣе значительное разстояніе, тогда какъ у самки обѣ пластинки отличаются очень небольшими размѣрами и свѣтлымъ цвѣтомъ.

Половыя отверстія лежатъ у самцовъ и самокъ въ промежуткѣ между генитальными пластинками и до такой степени невелики, что почти незамѣтны при препарированіи подъ лупою; только съ помощью микроскопа можно убѣдиться, что у лжескорпіоновъ существуютъ, какъ и слѣдовало ожидать, непарныя, расположенныя въ срединной линіи выходныя отверстія половыхъ органовъ, а не двойныя, какъ принималъ *Менге*. Женское имѣетъ видъ небольшой

---

*) *Henking*, l. c. p. 620.

поперечной скважины (фиг. 26. *o*), не окруженной никакими хитиновыми утолщеніями и вслѣдствіе этого вѣроятно очень растяжимой а мужское образуетъ продольное отверстіе, открывающееся между двумя маленькими почти треугольными пластинками (фиг. 39 *o*), края которыхъ усажены волосками. Передъ женскимъ половымъ отверстіемъ лежитъ у Chernes густая группа волосковъ, къ которымъ вѣроятно прикрѣпляются яйца, которыя самки, какъ извѣстно, носятъ съ собою на брюшкѣ.

Яичникъ у Chernes имѣетъ видъ длиннаго, непарнаго, плоскаго мѣшка, расположеннаго въ пространствѣ между кишкою и нижнимъ выступомъ печени и продолжающагося спереди въ два также довольно длинныхъ яйцевода (фиг. 26, 31). Полость яичника на разрѣзахъ является только въ видѣ узкой щели, въ которой мнѣ никогда не удавалось застать зрѣлыя яйца. Эпителій, выстилающій тонкую оболочку яичника, состоитъ изъ мелкихъ клѣточекъ (0,0045 мм.), совершенно похожихъ на клѣточки, составляющія содержимое стебельковъ яичныхъ мѣшечковъ. Верхняя сторона яичника никогда не представляетъ яицъ, которыя сидятъ только снизу и по краямъ его. Здѣсь, а также и при основаніи яйцеводовъ, съ каждой стороны находится рядъ изъ 10—12 почти зрѣлыхъ яицъ, сидящихъ на длинныхъ, наполненныхъ мелкими клѣточками стебелькахъ. Форма этихъ яицъ не всегда совершенно правильная, сферическая; средняя величина ихъ поперечника составляетъ 0,036 мм., а діаметръ крупнаго зародышеваго пузырька, болѣе или менѣе скрытаго крупно-зернистыми скопленіями питательнаго желтка, доходитъ до 0,015 мм. Желточнаго ядра (Dotterkern), какое встрѣчается въ яйцахъ нѣкоторыхъ паукообразныхъ, я никогда не видалъ у Chernes. Яйцо, занимающее вершину стебелька, покрыто очень нѣжной желточной оболочкою и между этой послѣдней и безструктурной перепонкою яичнаго мѣшечка окружено еще со всѣхъ сторонъ свѣтлымъ пространствомъ, въ которомъ я однако у Chernes не замѣтилъ ничего похожаго на эпителіальный слой. Питаніе яйца происходитъ здѣсь очевидно на счетъ клѣточекъ, составляющихъ содержаніе стебелька и прикасающихся къ яйцу только съ нижней стороны, также какъ и у Chelifer по наблюденіямъ *Мечникова* *), между тѣмъ какъ у Obisium я явственно видѣлъ слой клѣточекъ, окружавшій яйца и съ наружной стороны. На болѣе молодыхъ яицахъ Chernes (фиг. 27), гдѣ еще не было замѣтно стебелька, мнѣ, впрочемъ, иногда приходилось видѣть, что выступъ оболочки

---

* *Metschnikoff.* Entwickelungsgesch. d. Chelifer (Z. f. w. Zool. Bd. 21, p. 514).

яичника, въ которомъ они заключены, выстланъ и съ наружной стороны мелкими клѣточками. Нижняя поверхность яичника почти вся покрыта этими молодыми яйцами, болѣе или менѣе крупными, но всегда легко узнаваемыми по мелкозернистой протоплазмѣ и большому свѣтлому ядру съ двумя или тремя ядрышками.

У одной самки болѣе крупнаго (неопредѣленнаго) вида Chernes, найденной въ маѣ, строеніе яичника представляло замѣчательную особенность въ томъ отношеніи, что яичникъ имѣлъ съ каждой стороны 15—16 длинныхъ выступовъ, выстланныхъ со всѣхъ сторонъ тѣмъ же эпителіемъ и имѣвшихъ съ перваго взгляда большое сходство съ пустыми яичными мѣшечками (фиг. 28). Я не знаю, имѣютъ ли они дѣйствительно такое значеніе, такъ какъ при основаніи ихъ я видѣлъ и молодыя яйца на короткихъ стебелькахъ обыкновенной формы, т. е. безъ эпителіальнаго слоя на свободной сторонѣ яйца. Но въ виду того, что на самыхъ выступахъ не было замѣтно образованія яицъ, я не думаю, чтобы они представляли собою подобія того развѣтвленія половыхъ железъ, которое часто встрѣчается у паукообразныхъ и которое мы найдемъ и въ очертаніяхъ сѣменника у Chernes, и считаю поэтому возможнымъ, что описанные выступы служатъ для временнаго помѣщенія болѣе зрѣлыхъ яицъ до ихъ откладки.

Яйцеводы, имѣющіе почти такую же ширину какъ самый яичникъ, расходятся отъ его передняго конца въ направленіи кпереди и книзу, обхватывая при этомъ съ обѣихъ сторонъ нижній выступъ печени и оба переднихъ трахейныхъ ствола, и затѣмъ круто поворачиваютъ внутрь къ влагалищу. Они имѣютъ довольно толстую стѣнку, выстланную мелкимъ эпителіемъ и сверху покрытую слоемъ тонкихъ продольныхъ мышечныхъ волоконъ, которыя можно прослѣдить и въ ихъ нѣсколько съуженной концевой части, но самое сляніе яйцеводовъ съ влагалищемъ очень трудно видѣть вслѣдствіе того, что послѣднее окружено со всѣхъ сторонъ железистымъ слоемъ въ видѣ лопастной массы (фиг. 29 *dr*), составленной изъ радіально расположенныхъ, продолговатыхъ клѣточекъ, окружающихъ и концы яйцеводовъ. Изъ этой общей массы выдаются спереди два длинныхъ и разнообразно изогнутыхъ, цилиндрическихъ канала, состоящихъ изъ темной трубки, которая имѣетъ слѣпой конецъ и сопровождается протоплазматической оболочкою съ ядрами. По удаленіи мягкихъ частей посредствомъ щелочи обнаруживается кутикулярная внутренняя оболочка влагалища въ видѣ широкаго и плоскаго, очень тонкостѣннаго мѣшка, открывающагося наружу узкою щелью, и вытягивающагося при вершинѣ въ два уже упомянутые, также хитинизированные канала (фиг. 30). Послѣдніе представляютъ внутреннюю оболочку двухъ железъ, впадающихъ въ вершину влагалища, и встрѣчены мною также у Chelifer, гдѣ они впрочемъ развиты гораздо менѣе и имѣютъ форму двухъ небольшихъ, булавовидныхъ придатковъ.

Мужскіе половые органы ложноскорпіоновъ, изслѣдованные мною у Chernes, Obisium и Chelifer, напоминаютъ во многихъ отношеніяхъ, особенно строеніемъ своего сложнаго концеваго отдѣла, соотвѣтствующіе органы нѣкоторыхъ клещей (гидрахниды, Trombidium), съ которыми они имѣютъ болѣе сходства, чѣмъ съ половыми органами фалангидъ. Даже въ очертаніяхъ сѣменника Chernes замѣтна нѣкоторая аналогія съ Eylaïs. Если вскрыть животное съ спинной стороны (фиг. 20), то надъ задними выступами печени открываются два продольныхъ канала (*t*), представляющіе верхнія части сѣменника. Отдѣливши выступы печени, мы находимъ, что эти два канала соединены каждый тремя подобными же поперечными вѣтвями съ болѣе широкой срединной частью (фиг. 32), которая, подобно яичнику, расположена между кишкою и непарнымъ выступомъ печени. Срединный отдѣлъ сѣменника составляется главнымъ образомъ изъ сильно расширенныхъ и слитыхъ между собою внутреннихъ концовъ шести поперечныхъ каналовъ и спереди продолжается въ два выводные протока, расходящіеся подъ угломъ и обхватывающіе нижній выступъ печени. Почти такую же форму имѣетъ сѣменникъ и у Obisium, у котораго встрѣчаются однако не три, а 4 поперечныхъ канала, но для Chelifer я могу вполнѣ подтвердить показаніе *Менге*, что у этой формы (фиг. 44) сѣменникъ состоитъ только изъ одного срединнаго канала безъ всякихъ развѣтвленій. Въ виду такихъ различій у несомнѣнно близкихъ другъ къ другу формъ, какія мы встрѣчаемъ во внѣшнихъ очертаніяхъ сѣменниковъ у разныхъ ложноскорпіоновъ или гидрахнидъ, нельзя признать и въ развѣтвленной формѣ половыхъ органовъ у Limulus характернаго указанія на родство съ паукообразными.

Нерѣдко встрѣчаемъ у Chernes и нѣкоторыя неправильности въ расположеніи сѣменника. Такъ, у двухъ экземпляровъ я нашелъ его отодвинутымъ впередъ на одинъ сегментъ, причемъ переднія части его приходились на одной линіи съ концемъ сердца; у третьяго одинъ изъ боковыхъ каналовъ не былъ сзади соединенъ поперечнымъ ходомъ съ срединною частью.

Эпителій, выстилающій тонкую оболочку сѣменника, наблюдается лучше всего на кускахъ свѣжаго органа, разсматриваемыхъ въ слабомъ соляномъ растворѣ; при этомъ замѣтны и рѣдкія продолговатыя ядра, сопровождающія оболочку. Эпителій состоитъ изъ слоя плоскихъ, свѣтлыхъ клѣточекъ съ округленнымъ контуромъ (фиг. 33), около 0,02 мм. въ поперечникѣ, имѣющихъ свѣтлую, почти однородную протоплазму и круглыя мелкозернистыя ядра въ 0,007 мм. Между этими клѣточками нерѣдко видны формы, въ которыхъ вмѣсто одного ядра находятся два или три, очень свѣтлыя, съ однимъ ядрышкомъ въ каждомъ. Такія формы я считаю исходными пунктами въ развитіи сперматобластовъ, различныя стадіи которыхъ составляютъ главную массу содержимаго въ каналахъ сѣменника. Оно состоитъ б. ч. изъ кругловатыхъ или неправильной формы и различной величины скопленій этихъ сперматобластовъ, одѣтыхъ каждое общей тонкой оболочкой, но мѣстами можно видѣть между этими скопленіями и массы свободныхъ сперматобластовъ, вѣроятно выступившихъ изъ своихъ оболочекъ вслѣдствіе давленія при препарированіи. Наиболѣе молодыми я считаю тѣ стадіи, гдѣ подъ оболочкою находится сравнительно небольшое число элементовъ болѣе крупныхъ размѣровъ и нѣсколько сжатыхъ отъ взаимнаго давленія (фиг. 35 *a*); ядро въ нихъ имѣетъ неясное очертаніе и состоитъ какъ бы изъ скопленія зернистой массы; въ другихъ (*b*) это зернистое скопленіе становится опредѣленнѣе, но клѣточки еще сохраняютъ свою многоугольную форму. Затѣмъ онѣ принимаютъ овальное очертаніе (*c*) и болѣе свѣтлый видъ, и въ нихъ становится ясно замѣтнымъ продолговатое тѣльце, которое вѣроятно образуется изъ вещества самаго ядра; подобныя формы являются также въ большомъ числѣ разбросанными между скопленіями сперматобластовъ. Въ другихъ пакетахъ (*dd*, также фиг. 36 *a*, *b*), можно затѣмъ ясно видѣть, какъ это внутреннее, палочкообразное тѣльце принимаетъ еще болѣе длинную форму и складывается разнообразно внутри сперматобласта, причемъ на одномъ краю этихъ довольно плоскихъ клѣточекъ появляется небольшое, свѣтлое тѣльце (фиг. 36 *a*), происхожденіе котораго осталось мнѣ неизвѣстнымъ; другихъ образованій, похожихъ на ядро, мнѣ никогда не удавалось видѣть въ этихъ клѣточкахъ, въ которыхъ замѣтна только сложенная въ спиральные обороты нить. При разсматриваніи содержимаго сѣменника въ индефферентной жидкости можно найти стадіи, гдѣ изъ клѣточекъ, вблизи того мѣста, въ которомъ лежитъ свѣтлое тѣльце, выступаетъ очень тонкая концевая часть хвостовой нити; при основаніи она всегда бываетъ окружена небольшимъ скопленіемъ протоплазмы, въ которомъ лежитъ упомянутое тѣльце; въ дальнѣйшихъ стадіяхъ выдвигается изъ клѣточки и остальная часть осевой нити живчика, сопровождаемая узкою коймою протоплазмы, которая тянется вдоль нея до заднего скопленія, но которой незамѣтно на концевой части (фиг. 36 *b*). Затѣмъ головная часть все болѣе уменьшается, становится продолговатой и отдаляется отъ задняго скопленія протоплазмы, въ которой исчезаетъ и свѣтлое тѣльце. Совершенно такой же видъ имѣютъ и элементы, изолированные изъ пучковъ (фиг. 35 *c*), въ которыхъ они располагаются спирально или параллельно; длина этихъ повидимому еще не вполнѣ развитыхъ живчиковъ доходитъ до 0,08 мм.; въ продолговатой головкѣ ихъ я могъ замѣтить ясно только болѣе или менѣе изогнутое продолженіе осевой нити живчика. Одно мнѣ впрочемъ кажется несомнѣннымъ: свѣтлое палочкообразное тѣльце, въ высшей степени напоминающее образованіе, найденное *Бючли* *) въ сперматобластахъ нѣкоторыхъ насѣкомыхъ и переходящее по его наблюденіямъ въ центральную часть хвоста будущаго сперматозоида, въ которой оно продолжается на извѣстное разстояніе, образуетъ внутри сперматобластовъ у Chernes болѣе или менѣе значительные изгибы, которые я не имѣю основанія считать явленіемъ искусственнымъ, вызваннымъ дѣйствіемъ жидкости, въ которой разсматривалось содержимое сѣменника **); во время наблюденія мнѣ никогда не приходилось замѣчать, чтобы почти прямыя формы извѣстной группы принимали изогнутый видъ, замѣчавшійся въ элементахъ другаго, сосѣдняго скопленія, и по крайней мѣрѣ для Chernes я долженъ принять, что центральная нить живчика остается нѣкоторое время заключенною въ массѣ сперматобласта ***). У одного вида Obisium я, впрочемъ, наблюдалъ нѣсколько иной способъ ихъ образованія. Сѣменники этого животнаго, также какъ и ихъ содержимое, въ общемъ очень напоминаютъ Chernes. Болѣе молодыя стадіи сперматобластовъ состояли также изъ зернистыхъ, многоугольныхъ клѣточекъ, въ которыхъ еще можно было обнаружить ядро; въ другихъ скопленіяхъ они принимали овальную форму и въ срединѣ ихъ замѣчалось продолговатое свѣтлое тѣльце, заостренный конецъ

---

*) *Bütschli*, Verl. Mittheil. uber Bau u. Entw. d. Samenfäden bei Insecten u. Crustac. (Z. f. w. Zool. Bd. 21. p. 402) u Nahere Mittheil. ub. die Entw. u. Bau der Samenfaden (тамъ же, стр. 526).

**) Я изслѣдовалъ его въ жидкости, рекомендованной *Бючли*: 8 объем. дистилл. воды, 1 об. желтка и 1 об. солянаго раствора въ 5%.

***) Въ описанной формѣ живчика нельзя не замѣтить сходства съ рисунками, которые даетъ *Gilson* (Etude comp. de sa spermatogén. chez l. Arthropodes. La Cellule, I, fig. 250, 251) для Tetragnatha. — Образованія нѣсколькихъ живчиковъ изъ одной сѣменной клѣточки, какое онъ описываетъ у пауковъ, я никогда не видалъ у Chernes.

котораго нѣсколько выступалъ на одной сторонѣ сперматобласта (фиг. 36 *c*); въ слѣдующихъ стадіяхъ, освобожденныхъ давленіемъ отъ общей оболочки, замѣчалось постепенное удлиненіе этого выступа, принимавшаго по немногу форму хвостика (*d*,*e*), причемъ самая протоплазма клѣточки все болѣе суживалась, продолжаясь явственно на хвостообразный придатокъ. Свѣтлаго тѣльца, какъ у Chernes, я никогда не видалъ у Obisium въ связи съ палочкообразнымъ тѣльцемъ въ сперматобластѣ, и точно также не могъ прослѣдить окончательнаго перехода живчиковъ въ зрѣлую форму, хотя послѣдняя изъ изображенныхъ стадій къ ней очевидно уже очень близка.

Сѣменные протоки Chernes, выходящіе изъ срединной части сѣменника, представляютъ къ своемъ направленіи и отношеніяхъ къ непарному выступу печени и трахейнымъ стволамъ совершенную аналогію съ яйцеводами. На своемъ протяженіи они постоянно образуютъ расширенія въ трехъ мѣстахъ: первое въ начальной части, второе въ томъ мѣстѣ, гдѣ они огибаютъ передніе трахейные стволы (фиг. 32) и круто загибаются внутрь къ непарному концевому отдѣлу (duct. ejaculatorius) и послѣднее на нижней сторонѣ его, гдѣ они оканчиваются почти рядомъ (фиг. 37 *vd'*). По своему строенію эти послѣднія расширенія однако отличаются отъ остальной части сѣменныхъ протоковъ, въ которыхъ эпителій, выстилающій тонкую оболочку съ ядрами (фиг. 34), по виду своихъ плоскихъ клѣточекъ напоминаетъ эпителій сѣменника и на которыхъ никогда не замѣтно мускульныхъ волоконъ, тогда какъ концевая часть имѣетъ высокій цилиндрическій эпителій и окружена слоемъ мускуловъ. На разрѣзахъ можно прослѣдить, какъ эти части сѣменныхъ протоковъ сливаются въ одинъ общій короткій резервуаръ съ такимъ же эпителіемъ, составляющій переходъ къ концевому выводящему протоку. У Chelifer сѣменные протоки (фиг. 44) представляютъ только небольшое расширеніе въ своей послѣдней части и имѣютъ видъ двухъ узкихъ каналовъ, также огибающихъ передніе трахейные стволы.

Строеніе непарнаго сѣменнаго канала лжескорпіоновъ, переходящаго на своемъ концѣ въ копуляціонный аппаратъ, довольно запутанно и трудно поддается изученію; кромѣ того, у изслѣдованныхъ мною формъ оно представляетъ и значительныя различія. У Chernes сѣменные протоки переходятъ въ мускулистый отдѣлъ сѣменнаго канала (фиг. 37, 38 *b*), который образуетъ передній слѣпой выступъ его и продолжается затѣмъ назадъ въ видѣ изогнутой хитинизированной трубки, поддерживаемой цѣлой системой твердыхъ частей и окруженной мускулами; конецъ этой трубки доходитъ до наружнаго половаго отверстія и представляетъ копуляціонный органъ. Для уясненія этого аппарата я считаю за лучшее описать сначала его хитиновый скелетъ. Удаливъ мускулатуру, мы находимъ кутикулярную оболочку передней части въ видѣ объемистаго, тонкостѣннаго и плоскаго мѣшка, обращеннаго выпуклой стороною впередъ, а вогнутымъ основаніемъ назадъ (фиг. 39 *B*). Въ срединѣ сильнѣе хитинизированнаго основанія находится на нижней сторонѣ кругловатое отверстіе *(vd')*, общій входъ для обоихъ сѣменныхъ протоковъ и непосредственно позади его другое *(dj')*, черезъ которое мускулистый отдѣлъ переходитъ въ хитиновую трубку сѣменнаго канала. Послѣдняя *(dej)* представляетъ сначала изгибъ кверху и въ этомъ мѣстѣ имѣетъ съ боковъ два широкіе, закругленные придатка *(L)*, а ближе къ заднему концу — два боковыхъ крыловидныхъ отростка *(p)*, позади которыхъ она оканчивается двумя небольшими остріями. Этотъ задній отдѣлъ сѣменнаго канала проходитъ черезъ кольце *(R)*, котораго нижняя сторона представляетъ выростъ *(pr)*, слабо соединенный съ стѣнкою канала и скользящій вдоль его поверхности, а на противоположной сторонѣ кольцо снабжено другимъ придаткомъ, раздѣленнымъ вилкообразно *(pr')*. При препарированіи этихъ частей, кольцо съ его придатками можно вполнѣ отдѣлить отъ сѣменнаго канала (фиг. 40). Съ боковъ оно слабо связано съ двумя довольно большими хитиновыми дугами *(H)*, выгнутыми въ видѣ полукруга и лежащими по бокамъ всего аппарата подъ накожными покровами. Въ нихъ видна внутренняя полость, продолжающаяся съ боку въ длинный придатокъ дуги *(F)*, который снаружи загибается вокругъ перваго трахейнаго ствола и своею тонкою кутикулярною оболочкою съ мелкими поперечными полосами самъ напоминаетъ трахею. Задніе концы обѣихъ дугъ оканчиваются свободно и между ними, тотчасъ позади кольца *(R)*, расположено половое отверстіе *(o)* въ видѣ продольной щели, съ каждой стороны усаженной мелкими волосками.

Сильная мускулатура передней части сѣменнаго канала образуется изъ двухъ системъ волоконъ. Передній выпуклый край обхватывается волокнами, имѣющими меридіональное направленіе (фиг. 37, 38), а внутри послѣднихъ, и также въ задней части близь мѣста впаденія сѣменныхъ протоковъ волокна имѣютъ кольцеобразное расположеніе. Строеніе этой части сѣменнаго канала ясно указываетъ на его назначеніе служить какъ бы аппаратомъ для выкачиванія сѣменной жидкости изъ протоковъ, не имѣющихъ собственной мускулатуры, въ полость концеваго отдѣла. Труднѣе опредѣлить значеніе остальныхъ мышцъ, сопровождающихъ непарный каналъ съ боковъ и симметрично расположенныхъ по три съ каждой стороны. Отъ переднихъ концевъ дугъ *H* два мускула *mr* идутъ косвенно внутрь къ крыловиднымъ придаткамъ *p* и вѣроятно дѣйствуютъ какъ втягивающія мышцы копуляціоннаго органа, какимъ я считаю раздвоенный конецъ. Другая пара мускуловъ *mf* отходитъ отъ вѣтвей вилкообразнаго придатка *pr'* къ заднимъ концамъ дугъ *H*, къ которымъ должна приближать кольцо. Роль выдвигающихъ мускуловъ копуляціоннаго органа принадлежитъ вѣроятно мышцамъ *mp*, которыя идутъ съ обѣихъ сторонъ сѣменнаго канала отъ его широкихъ придатковъ *L* и прикрѣпляются, какъ мнѣ казалось, къ задней сторонѣ кольца; въ случаѣ одновременнаго сокращенія мускуловъ *mf* и *mp*, должно, какъ я думаю, произойти приближеніе конца сѣменнаго канала къ внѣшнему половому отверстію.

Относительно назначенія трахеевидныхъ придатковъ обѣихъ дугъ *H*, о которыхъ была уже рѣчь, трудно сказать что нибудь опредѣленное. Въ полости ихъ я никогда не встрѣчалъ сѣменныхъ массъ. На разрѣзахъ (фиг. 41 *h*) они являются окруженными очень яснымъ эпителіемъ изъ небольшихъ (0,008 мм.) клѣточекъ, а на внутренней сторонѣ кутикулы можно различить, какъ и на трахеяхъ, небольшія возвышенія. Полость ихъ сообщается съ полостью самихъ дугъ (*h'*), имѣющей въ разрѣзѣ почти трехугольное очертаніе, но наружнаго выхода, лежащаго по всей вѣроятности вблизи отъ половаго отверстія, я не могъ различить съ достовѣрностью. Тѣмъ не менѣе, я позволю себѣ высказать предположеніе, что эти органы можетъ быть соотвѣтствуютъ дѣйствительно одной передней парѣ трахейныхъ стволовъ, съ теченіемъ времени обратившейся въ вспомогательный органъ половаго аппарата. Ихъ положеніе на второмъ сегментѣ брюшка нисколько не противорѣчило бы такому взгляду, такъ какъ дыхательные органы имѣются на этомъ сегментѣ у многихъ паукообразныхъ. У самокъ Chernes нѣтъ правда этихъ образованій, если не считать эквивалентомъ ихъ тѣ два длинныхъ и также хитинизированныхъ канала, которые, какъ мы видѣли, впадаютъ въ верхнюю часть влагалища.

Выше было уже упомянуто, что я тщетно искалъ у Chernes и Chelifer въ сосѣдствѣ генитальныхъ отверстій прядильныхъ органовъ, о которыхъ говоритъ *Менге*; судя по тому, что я и у Obisium не нашелъ ничего подобнаго, я считаю вообще ихъ существованіе въ этой части тѣла у лжескорпіоновъ сомнительнымъ и думаю, что *Менге* вѣроятно принялъ за нихъ придаточныя железы мужскаго половаго аппарата. У Chernes мы находимъ съ каждой стороны половаго отверстія, прямо подъ покровами брюшка, два довольно объемистыхъ мѣшкообразныхъ органа (фиг. 32, 38), изъ которыхъ задній значительно крупнѣе передняго и въ своей периферической чаети наполненъ желтоватымъ, сильно блестящимъ веществомъ; между тѣмъ какъ внутри его передняго отдѣла лежитъ темная клѣточная масса. Дальнѣйшее изслѣдованіе показываетъ, что стѣнка обоихъ мѣшковъ (фиг. 38 *ss'*) выстлана плоскимъ эпителіемъ изъ многоугольныхъ, свѣтлыхъ клѣточекъ, имѣющихъ въ поперечникѣ около 0,03 мм.; на переднемъ мѣшкѣ онѣ впрочемъ въ общемъ немного меньше. Содержимое передняго мѣшка состоитъ изъ того же блестящаго вещества, какое заключено въ концевой чаети задняго и которое у сохраненныхъ въ спирту экземпляровъ имѣетъ видъ сплошной мелкозернистой, сильно окрашивающейся массы. Передняя, большая часть наполнена массою длинныхъ одноклѣточныхъ железъ, расположенныхъ въ радіальномъ направленіи, своими перефирическими концами наружу, причемъ отъ мелкозернистой массы онѣ были, какъ мнѣ казалось, отдѣлены тонкой, безструктурной перепонкою (фиг. 42 *gl*). Клѣточки этихъ железъ, изолированныя изъ мѣшка (фиг. 43), соединены небольшими группами, которыя даютъ начало выводящему каналу; онѣ имѣютъ очень удлиненную, кнаружи расширенную форму, но ширина ихъ и здѣсь не превосходитъ 0,006 мм.; вблизи этого мѣста лежитъ въ ихъ зернистомъ содержимомъ небольшое овальное ядро. Въ передней части железистой массы тонкіе выводные протоки, занимающіе средину ея, образуютъ пучекъ параллельныхъ трубокъ, направляющійся косвенно впередъ, на встрѣчу такому же пучку другой стороны. Прохожденіе этихъ выводныхъ каналовъ ясно показываетъ, что оба мѣшка каждой стороны (фиг. 38, *ss'*) составляютъ въ сущности только отдѣленія одного резервуара, стѣнки котораго можно прослѣдить на разрѣзахъ (фиг. 42) почти непосредственно до половаго отверстія, но вмѣстѣ съ тѣмъ я убѣдился и въ томъ, что на всемъ своемъ протяженіи оба пучка выводныхъ каналовъ несомнѣнно проходятъ въ полости этихъ мѣшковъ, эпителій которыхъ окружаетъ ихъ со всѣхъ сторонъ. Какъ ни невѣроятно мнѣ казалось это расположеніе придаточныхъ железъ внутри выстланнаго другимъ эпителіемъ мѣшка, тѣмъ не менѣе я всегда видѣлъ этотъ эпителій съ наружной стороны выводныхъ каналовъ. Оба пучка этихъ послѣднихъ проходятъ полость мѣшковъ и въ концѣ, гдѣ выводящіе каналы хитинизированы, они слегка расширены и сходятся затѣмъ съ обѣихъ сторонъ у задняго края половаго отверстія; здѣсь они снова сильно съуживаются и открываются каждый на одномъ небольшомъ возвышеніи. Что касается окружающихъ ихъ мѣшковъ, то передніе края послѣднихъ я могъ прослѣдить до основанія тѣхъ двухъ хитиновыхъ дугъ, которыя лежатъ по бокамъ непарнаго сѣменнаго канала и поддерживаютъ трахеевидные придатки; они оканчиваются несомнѣнно въ окружности выводящихъ протоковъ придаточныхъ железъ, но я не могъ рѣшить, какимъ именно образомъ.

Недостатокъ матеріала по другимъ формамъ лжескорпіоновъ позволяетъ мнѣ сдѣлать еще только нѣсколько замѣчаній о половыхъ органахъ Chelifer. Какъ уже было сказано, нижній выступъ печени совершенно не развитъ у этой формы и вслѣдствіе этого какъ яичникъ, такъ и сѣменникъ лежатъ непосредственно подъ брюшными покровами. Самцы легко узнаются не только по значительной величинѣ своей задней генитальной пластинки (фиг. 4), но и по просвѣчивающимъ сквозь нее двумъ темнымъ придаткамъ, которые обыкновенно лежатъ въ пространствѣ между обѣими пластинками, но иногда болѣе или менѣе выдаются наружу (фиг. 45, 46 *h*) изъ щели, которая ихъ раздѣляетъ и впереди которой, если смотрѣть съ брюшной стороны (фиг. 45) видѣнъ только край передней генитальной пластинки, покрытый волосками. При кипяченіи этихъ органовъ въ щелочи, съ цѣлью получить ихъ хитиновый скелетъ, оба темныхъ придатка начинаютъ быстро вытягиваться и выступать наружу, причемъ тѣсныя складки принимаютъ правильную, ромбическую форму и вся длина придатка увеличивается по крайней мѣрѣ вчетверо (фиг. 47). На нижней сторонѣ передней генитальной пластинки (фиг. 46) оказывается довольно сложное хитиновое образованіе, соотоящее изъ непарнаго резервуара *(b, d)*, который спереди оканчивается сильно хитинизированнымъ, какъ бы расщепленнымъ на двое краемъ *(c)*, а съ боковъ переходитъ въ оба упомянутые полые придатка *(h)*, поддерживаемые при основаніи еще хитиновыми утолщеніями *(l)*. Они продолжаются, какъ мнѣ казалось, въ два небольшіе придатка *(d)*, лежащіе позади нихъ и заключающіе полость, въ которую кутикулярная стѣнка вдается острыми выступами (фиг. 44). По всей вѣроятности, растяжимые складчатые придатки Chelifer соотвѣтствуютъ вывернутымъ наружу трахеевиднымъ выступамъ у Chernes (фиг. 38 *h*), полость которыхъ несомнѣнно открывается наружу вблизи половаго отверстія. Конецъ непарнаго сѣменнаго канала у Chelifer обращенъ не назадъ, какъ у Chernes, а впередъ (фиг. 46 *c*) и съ боковъ его внутренняя поверхность передней генитальной пластинки поднимается въ видѣ двухъ мягкихъ складокъ *(f)*. Всѣ эти части становятся видимыми только по удаленіи задней генитальной пластинки (фиг. 45), которая скрѣплена съ переднею въ срединной линіи, непосредственно надъ непарнымъ каналомъ. Въ этомъ мѣстѣ кончаются выводные протоки придаточныхъ железъ, которые съ обѣихъ сторонъ собираются къ небольшому коническому выступу съ продольнымъ отверстіемъ въ видѣ узкой щели, помѣщающемуся на внутренней поверхности пластинки.

Довольно узкіе сѣменные протоки (фиг. 44 *vd*) впадаютъ въ непарный сѣменной каналъ повидимому въ томъ мѣстѣ, гдѣ начинаются пластинки, поддерживающія складчатые выступы (фиг. 46 *l*). Отсюда отходятъ поперечныя мускульныя волокна, покрывающія среднюю часть резервуара; задняя, болѣе тонкостѣнная часть его также покрыта поперечными мускулами, между тѣмъ какъ выдвиганіе всего аппарата впередъ производится вѣроятно продольными волокнами, идущими къ переднему краю пластинки *(m)*. Относительно придаточныхъ железъ нельзя не замѣтить нѣкоторой аналогіи съ Chernes, хотя обстоятельства и не позволили мнѣ изучить ихъ подробнѣе. Они состоятъ и здѣсь изъ двухъ пучковъ колбовидныхъ одноклѣточныхъ железъ, направленныхъ своими широкими концами назадъ, и сходящихся спереди своими съуженными выводными каналами. Вся масса ихъ покрыта слоемъ небольшихъ, кругловатыхъ клѣточекъ, которыя занимаютъ только периферію пучка и въ свою очередь одѣты снаружи тонкою, но явственною перепонкою.

Хотя предшествующій очеркъ и составленъ по наблюденіямъ надъ сравнительно очень ограниченнымъ числомъ формъ, тѣмъ не менѣе я думаю, что результаты, добытые этими изслѣдованіями, могутъ по большей части быть примѣнены безъ особеннаго опасенія ко всему составу столь обособленной и однородной группы какъ ложескорпіоны. Едва ли можно разсчитывать, чтобы у небольшаго числа формъ, на столько близкихъ между собою по внѣшней организаціи, какъ нынѣ извѣстные представители этого порядка, нашлись существенныя различія и во внутреннемъ строеніи. Дальнѣйшія изслѣдованія несомнѣнно обнаружатъ разнообразныя видоизмѣненія въ устройствѣ половаго аппарата, расчлененіи желудочныхъ придатковъ, распредѣленіи трахей и т. п. и по всей вѣроятности дополнятъ наши свѣдѣнія открытіемъ мальпигіевыхъ сосудовъ и коксальныхъ железъ *), но нѣтъ основанія ожидать, чтобы они обнаружили

*) Такія железы существуютъ несомнѣнно у Chelifer, гдѣ я до сихъ поръ нашелъ ихъ только у самцовъ. Я отлагаю ихъ описаніе до времени, пока буду

значительныя уклоненія въ сегментаціи тѣла, расположеніи дыхательныхъ и половыхъ отверстій, устройствѣ ротовыхъ частей, паутинныхъ железъ и другихъ признакахъ первостепенной важности. Всѣ эти особенности только подтверждаютъ мнѣніе, что между этою группою и настоящими скорпіонами дѣйствительно не существуетъ никакого ближайшаго сродства. Я хотѣлъ бы указать здѣсь въ особенности на одинъ, какъ мнѣ кажется, весьма характерный признакъ, котораго совершенно не представляютъ лжескорпіоны, именно на участіе основныхъ члениковъ переднихъ двухъ паръ ногъ въ ограниченіи того углубленія, въ которомъ помѣщается ротовой выступъ у скорпіоновъ. Въ этомъ отношеніи лжескорпіоны отличаются существенно и отъ фалангидъ, у которыхъ коксальные придатки (lob. maxillares) двухъ или по крайней мѣрѣ, какъ у Trogulus, хоть одной первой пары ногъ приближены ко рту. Этотъ чуждый лжескорпіонамъ признакъ мы находимъ и у Cyphophthalmus или Siro, формы, которая была по моему мнѣнію, по всей справедливости присоединена *Тореллемъ* *) къ фалангидамъ и помѣщена въ сосѣдство Trogulidæ. Остается до сихъ поръ лишь одна форма, именно Gibbocellum, не представляющая въ строеніи своихъ ногъ этой характерной особенности скорпіоновъ и фалангидъ; возраженіе *Серенсена* *) будто бы *Штеккеръ* принялъ за нижнія челюсти коксальные придатки первой пары ногъ, кажется мнѣ, судя по рисунку послѣдняго, совершенно несправедливымъ и я присоединяюсь вполнѣ къ воззрѣнію *Торелля*, что Gibbocellum дѣйствительно ближе всѣхъ другихъ паукообразныхъ стоитъ къ лжескорпіонамъ. При нѣкоторомъ внѣшнемъ сходствѣ съ извѣстными группами фалангидъ, Gibbocellum представляетъ до сихъ поръ единственную форму, которая, не смотря на многочисленные пробѣлы въ нашемъ знакомствѣ съ ея организаціею, можетъ считаться боковою вѣтвью той въ высшей степени древней группы, представителями которой являются нынѣшніе лжескорпіоны. Дѣйствительно, если признать справедливость воззрѣнія, что трахеи филогенетически предшествовали легкимъ у пауковъ и скорпіоновъ, намъ придется по необходимости отнести происхожденіе такой группы, какъ Chernetidæ, къ періоду еще болѣе древнему, чѣмъ силурійская эпоха, когда скор-

---

въ состояніи изслѣдовать ихъ на свѣжихъ экземплярахъ, а покамѣсть замѣчу только, что онѣ имѣютъ видъ небольшихъ мѣшковъ, лежащихъ въ основномъ членикѣ задней пары ногъ и открывающихся на внутреннемъ его концѣ.

*) *Thorell*, Descriz. d. alcuni araen. infer. (Отд. оттискъ изъ Ann. Mus Civ. Genova, vol. XVIII, 1882, p. 17).

**) Zool. Jahresber. fur 1884, p. 125.

піоны уже являются въ формахъ, весьма близкихъ къ нынѣшнимъ. Въ этой отдаленности времени возникновенія лжескорпіоновъ вѣроятно и заключается причина того изолированнаго положенія, какое въ настоящее время занимаетъ эта группа между остальными паукообразными.

Объясненіе рисунковъ.

Таблица X.

Фиг. 1. Chernes ♂, снизу.
„ 2. Chernes ♀, снизу.
„ 3. Она же, сбоку *g*,*g'*—генитальныя пластинки.
„ 4. Chelifer granulatus ♂, снизу.
„ 5. Rostrum Chernes, сверху. *mx*—основные членики челюстей, *s*—перепончатый придатокъ ихъ, *r*—передн. *r*. rostrum, *l*,*l'*—подпирающія пластинки, *rb*—основная *r*. rostrum, *ph*—глотка.
„ 6. Часть rostrum сбоку, *o*—ротовое отверстіе, *u*—нижнія пластинки, *g*—подпорка между верхними пластинками.
„ 7. и 8. Челюстной усикъ прав. стороны снизу и косвенно съ боку. *a*, *b*—вѣтви клешни, *c*—наружный килевидный выступъ, *dr*—выводные протоки железъ, *f*—придатокъ, на которомъ они кончаются, *m*—перепонка.
„ 9. Выводные каналы паутинныхъ железъ у Chernes (Zeiss, F.).
„ 10. Тоже у Chelifer.
„ 11. Клешня челюстныхъ щупальцевъ Chernes. *dr*—железа (ядоотдѣлительная?), *g*,*g*—гангліи, *t*—осязательные волоски.
„ 12. Осязательный волосокъ (Zeiss, F.).
„ 13. Нога Chernes. III—VII—членики ноги *b*—оболочка подъ гиподермическими клѣточками. Объясненіе мускуловъ въ текстѣ.
„ 14. Поперечный разрѣзъ plastron у Chernes; *a*—основн. членикъ 4-й пары ногъ, *p*—plastron.
„ 15. Накожные покровы и мускулы двухъ сегментовъ брюшка. *D*—спинная, *L*—боковая, *V*—брюшная сторона, *mv*—вертикальные мускулы, проходящіе чрезъ полость тѣла, *ml*, *ml'*—продольные мускулы, *mc*—боковые мускулы, *n*—ядра гиподермическаго слоя.

Таблица XI.

Фиг. 16. Центральная нервная система Chernes съ отходящими нервами. Объясненіе въ текстѣ.

„ 17. Продольный разрѣзъ нервнаго узла: *ph*—глотка, *oe*—пищеводъ, *n*—нервныя клѣточки, *a*—конецъ аорты, *c*—внутреннее вещество узла, *b*, *c*, *d*—его отдѣлы.

„ 18. Поперечный разрѣзъ нервной массы: *a*—наружная, *b*—внутренняя неврилемма, *n*—нервныя клѣточки.

„ 19. Поперечный разрѣзъ чрезъ глотку съ ея мускулами: *mx*—основн. членики челюстей, *rb*—основаніе rostrum, *n*—гангліи челюстей.

„ 20. Внутренности самца Chernes, сверху: *dr*—паутинныя железы, *l*—печень, *h*—сердце, *t*—сѣменникъ.

„ 21. Пищеварительный каналъ Chernes: *oe*—пищеводъ, *l*—боковыя части печени, *l'*—основаніе нижняго выступа, *d*—кишка, *r*—концевая часть ея.

„ 22. Поперечный разрѣзъ чрезъ грудь: *gl*—разрѣзъ паутинныхъ железъ, *n*—задняя часть надглоточной массы, *n'*—подглоточный узелъ, *oe*—пищеводъ, *ca*—жировое тѣло, *h*—печень, *tr*—трахеи, *mm*—боковые мускулы головогруди.

„ 23. Сердце Chernes sp.

„ 23A. Поперечный разрѣзъ сердца Chernes: *ml*—продольныя мышцы спины, *pe*—перикардій.

„ 24. Переднее дыхальце Chernes sp.: *pp'*—наружныя пластинки, *m*—ихъ мускулъ, *o*—дыхальце, *r*—придатокъ начальной камеры, *tr*—трахейный стволъ.

„ 24A. Трахея Chernes.

„ 25. Распредѣленіе трахей у Chernes.

„ 26. Яичникъ Chernes снизу: *ov*—яичникъ, *od*—яйцеводы, *g*,*g'*—генитальныя пластинки, *o*—половое отверстіе.

„ 27. Часть того же яичника (Hartn. Syst. 8), *ee*—молодыя яйца.

„ 28. Выступы яичника Chernes sp.

„ 29. Железы влагалища Chernes sp. *dr*, *dr'*—железы, *m*—мускулы яйцеводовъ.

„ 30. Кутикулярная оболочка влагалища (кали).

Таблица XI a.

„ 31. Поперечный разрѣзъ чрезъ брюшко самки Chernes: *ll*—верхніе отдѣлы печени, *l'*—непарный нижній отдѣлъ, *i*—кишка, *ov*—яичникъ, *ca*—жировое тѣло, *mv*—вертикальные мускулы.

Фиг. 32. Мужскіе половые органы Chernes, сверху: *t*—сѣменникъ *vd*—сѣменные протоки, *b*—мускулистая часть сѣм. канала, *d*—придаточныя железы, *tr*—передн. трах. стволъ.

„ 33. Клѣточки изъ эпителія сѣменника (Zeiss, F).

„ 34. Часть сѣменнаго протока.

„ 35. Часть сѣменника съ содержимымъ (Zeiss, DD).

„ 36. Стадіи сперматобластовъ: *a*. *b*—отъ Chernes, *c*, *d*, *e*—отъ Obisium sp. Zeiss, F. и Hartn. 8).

„ 37. Часть половыхъ орг. самца снизу: *vd*, *vd'*—сѣменные протоки, *mp*, *mr*—мускулы, *p*—крыловидные придатки при концѣ сѣменн. канала, *o*—половое отверстіе.

„ 38. Тѣ же части сверху: *g*—выводные протоки придаточныхъ железъ, *ss'*—окружающіе ихъ мѣшки, *h*—придатки боковыхъ дужекъ.

„ 39. Хитиновый скелетъ этихъ частей (объясненіе въ текстѣ).

„ 40. Кольцеобразная часть этого скелета.

„ 41. Поперечный разрѣзъ чрезъ основаніе брюшка, *l*,*l'*—выступы печени, *ca*—жировое тѣло, *hh'*—разрѣзы боковыхъ дужекъ и ихъ придатковъ, *b*, *dej*—сѣменной каналъ, *vd*, *vd'*—сѣменные протоки, *tr*—передній стволъ трахей.

„ 42. Поперечный разрѣзъ нѣсколько дальше назадъ: *o*—половое отверстіе, *gl*,*g*—придат. железы и ихъ протоки, *s*,*s'*—окружающіе ихъ мѣшки, *vd*—сѣменные протоки, *i*—изгибы кишки въ разрѣзѣ.

„ 43. Группы клѣточекъ изъ придаточной железы (Zeiss, F).

„ 44. Мужскіе половые органы Chelifer, сверху. *t*—сѣменникъ, *vd*—сѣменные протоки, *tr*—передн. трах. стволъ, *dr*—придаточныя железы, *m*—мускулы.

„ 45. Генитальныя пластинки съ придат. железами: *h*—полые складчатые выступы.

„ 46. Нижняя поверхность передн. генит. пластинки Chelifer (объясненіе въ текстѣ).

„ 47. Часть растянутаго (при кипяченіи) складчатаго придатка.

NOTE SUPPLÉMENTAIRE SUR LA GRANDE COMÈTE DE 1887, I.

Par

Th. Bredichin.

Dans mon article concernant cette comète, j'ai réduit les observations de sa come au plan de l'orbite, puis j'ai calculé les coordonnées rectangulaires des points observés, je les ai portées sur une planche et je vins à la conclusion que sa come appartient au III type, la force répulsive $1-\mu$ ne surpassant pas ici 0.1.

Dans la suite, comparant la come de notre comète aux autres comes du même type, je me suis aperçu que cette come est digne d'une attention particulière sous deux rapports suivants. Premièrement, elle est beaucoup plus longue ($\xi=0.34$) que les comes jusqu'à présent observées du III type; dans la seule comète de 1865, I ξ monte à 0.26. Secondement, les comes du III type ont en général une largeur considérable, ce qui d'après ma théorie montre dans ces comes la présence de plusieurs éléments chimiques, à poids différents. Dans notre comète, la come se présentait toujours très mince sur toute sa longueur. Ces circonstances m'ont décidé à entreprendre le calcul rigoureux (à l'aide de mes formules exactes: Annales de l'Observ. de Moscou, X, 1, pg. 1 sqq.) de la force $1-\mu$ présentant le mieux possible l'ensemble des observations; car les formules approximatives ne valent presque rien pour ce genre des comes. Les épreuves préliminaires m'ont montré que la force doit se trouver non loin de 0.1, et c'est pour cette force que j'ai calculé une série des points correspondants aux différents moments M_1 d'émission, pris arbitrairemeut.

Pour le temps de l'observation j'ai adopté la moyenne des deux moments de la plus grande longueur de la come (№№ 6 et 9) laquelle est M = janvier 23.93965; pour ce temps l'anomalie vraie $v = 169°48'32''$ et log $r = 9.9696400$. Pour $\mu = 0.9$ on a log.m = 0.3467875 et log. P = 8.0127875.

Les moments fondementaux du calcul sont:

	M_1	v_1			log. r_1	log. E
	d					
Janvier	11.41470	0°	0′	0″	7.6660000	0.0871502
	11.47694	110	0	0	8.1488174	0.0326898
	11.50456	120	0	0	8.2680600	0.0252783
	11.66540	140	0	0	8.5978966	0.0121953
	11.96091	150	0	0	8.8400076	0.0070670
	15.39988	165	0	0	9.4346046	0.0018193

V_1			F_1			T_1	t
						d	d
0°	0′	0″	0°	0′	0″	0.00000	23.93965
104	26	34	28	5	52	0.06291	12.52561
114	47	29	29	51	48	0.09158	12.52667
136	1	5	32	42	12	0.25734	12.53159
146	52	0	33	44	11	0.56068	12.53942
163	21	32	34	45	12	0.07764	12.61741

F			V			log. R	φ	
89°	2′	10″	144°	20′	43″	0.1744604	40°	10′.7
86	11	42	156	34	45	9.9852330	19	14 .9
84	45	57	158	49	33	9.9473361	16	55 .3
78	22	54	163	27	45	9.8646034	11	54 .8
71	7	16	165	37	3	9.8238817	8	50 .5
47	33	2	168	8	17	9.7760875	2	2 .6

et finalement

ξ	η
0.76086	0.64249
0.36957	0.12905
0.29295	0.08913
0.14318	0.03021
0.07819	0.01231
0.00883	0.00032

En traçant à l'aide de ces coordonnées la courbe sur la planche de notre article cité, on voit que cette courbe représente très bien l'ensemble de toutes les 16 observations.

On peut encore calculer la petite correction de $1-\mu$ à l'aide de la formule connue (Annales, X, 2; pg. 137):

$$\delta(1-\mu) = -(1-\mu)\delta\eta : \eta$$

où $1-\mu = 0.10$ et $\delta\eta$ nous sont fournis par la planche, où l'on trouve les η calculés à côté des η tirés des observations.

Ainsi, en écrivant séparément les valeurs positives et négatives de $\delta(1-\mu)$ on aura:

$\delta(1-\mu)$	$\delta(1-\mu)$
+ 0.0090	— 0.0177
0.0134	0.0087
0.0038	0.0032
0.0020	0.0078
0.0055	0.0116
0.0022	0.0219
+ 0.0027	0.0243
—	0.0622
—	— 0.0744

La moyenne arithmétique de 16 corrections nous donne

$$\delta(1-\mu) = -0.012$$

et par conséquent la valeur corrigée de la force sera

$$1-\mu = 0.088 \text{ ou simplement } 0.09.$$

Même en rejetant les trois derniers points peu éloignés de la tête, et par cela défavorables au calcul de la force, on obtient en moyenne des 13 observations

$$\delta(1-\mu) = -0.0025$$

d'où $1-\mu = 0.098$, ou simplement 0.10.

Ce qui revient presque au même, vu le degré d'exactitude dans les observations des comes en général.

Les rapports entre les forces $1-\mu$ et les poids atomiques des différents éléments (voir notre mémoire: Révision des valeurs numériques de la force répulsive) nous indiquent déjà que la come de la comète 1887, I a dû consister en molécules des éléments très lourds. Prenons en effet les éléments qui en étant très pesants sont en même temps plus répendus, comme *or* (poids atomique 196.2), *mercure* (poids atomique 199.8) et *plomb* (poids atomique 206.4). Leurs poids moléculaires nous fournissent les valeurs suivantes respectives de la force de répulsion:

$$1 - \mu = 0.087$$
$$0.085$$
$$0.089$$

ou en général 0.09.

Il m'est agréable de voir que l'étude approfondie de la comète 1887, I nous présente encore un fait qui va se joindre à l'ensemble des données formant un appui de mes speculations sur la constitution physico-chimique des comètes.

L'examen des valeurs des ξ correspondantes aux différents moments de l'épanchement de la matière du noyau, nous donne l'idée de l'intensité prodigieuse avec laquelle,—dans les comètes qui s'approchent excessivement du soleil,—les molécules émises en voisinage de l'astre central se dispersent dans l'espace. Ainsi, par exemple, la matière émise au périhélie même, au temps de l'observation se trouve à la distance de 0.76 du noyau; la matière émise une heure et demi après le passage au périhélie, au moment de l'observation n'est éloignée du noyau que de 0.37; la matière épanchée 13 heures après le périhélie n'est qu'à 0.08 du noyau, et ainsi de suite. Pour les autres types, et surtout pour le premier, cette progression est encore plus rapide. Ainsi dans le cas de la quantité égale de différentes matières, c'est à dire des matières des différents types, celle des types supérieurs dans le même intervalle de temps sera plus distendue, plus dispersée et pourra devenir invisible à cause de sa ténuité, tant plus que par sa grande volatilité son épanchement peut tarir plus tôt que celui du III type. La cessation de l'effluve du III type devint remarquable vers le 27 janvier, d'après l'observation citée de M. *Todd*.

Voilà pourquoi je dis dans mon article sur la comète 1887, I que les molécules plus volatiles de l'hydrogène (I type) et des hydrocarbures (II type) ont pu être dispersées dans l'espace sans être vues, dans le cas même qu'elles existaient dans le noyau.

D'ailleurs, cette existence n'est point nécessaire, et nous avons indiqué déjà plus d'une comète n'ayant que la seule come du III type et passant au périhélie à une distance du soleil assez considérable.

1888, août 9.

НѢКОТОРЫЯ ДОПОЛНЕНІЯ КЪ ФЛОРѢ МОСКОВСКОЙ ГУБЕРНІИ.

С. Н. Милютина.

Московская губернія въ флористическомъ отношеніи принадлежитъ безспорно къ одной изъ наиболѣе полно изученныхъ мѣстностей Россіи; тѣмъ не менѣе, какъ показало позднѣйшее изученіе, и до настоящаго времени далеко еще не исключена возможность нахожденія въ ней новыхъ формъ. Такъ за послѣднія двадцать лѣтъ было указано до сотни новыхъ видовъ, не вошедшихъ въ составъ «Московской флоры» Н. Н. Кауфмана. Перечень этихъ растеній былъ напечатанъ проф. Н. Н. Горожанкинымъ весною 1888 года подъ заглавіемъ: «Матеріалы для флоры Московской губерніи» *). Не прошло съ тѣхъ поръ и полгода, какъ явилась возможность пополнить этотъ списокъ, чѣмъ я и воспользовался въ настоящее время, считая это вполнѣ умѣстнымъ, такъ какъ мы находимся наканунѣ новаго изданія извѣстнаго труда покойнаго проф. Н. Н. Кауфмана. Матеріаломъ для даннаго списка послужили, главнымъ образомъ, результаты экскурсій предпринятыхъ лѣтомъ 1888 года какъ отъ Лабораторіи Ботаническаго Сада, такъ и многими частными лицами, заинтересованными изученіемъ мѣстной флоры. Предлагаемый списокъ, подобно предшествовавшему, подраздѣленъ мною на двѣ части: къ первой отнесены растенія, которыя или вновь найдены въ Московской губерніи, или нахожденіе ихъ здѣсь считалось Кауфманомъ сомнительнымъ. Въ составъ второй части вошли рѣдкія формы съ указаніемъ новыхъ мѣстонахожденій.

---

*) См. Bulletin de la Soc. Impériale des Naturalistes de Moscou 1888, № 2.

I.

I. PLANTAE PHANEROGAMAE.

1. Angiospermae.

A. CL. DYCOTYLEDONEAE.

a. SUBCL. DIALYPETALAE.

1. Fam. Cruciferae, Juss.

I. Sisymbrium, L.

1. *S. pannonicum* Jacq. Это растеніе было найдено въ Московской губ. въ 1814 г. Гольдбахомъ, въ 1827 г. Борхманомъ и около того же времени Максимовичемъ, послѣ чего, по мнѣнію Н. Н. Кауфмана исчезло. Въ 1874 г. это растеніе нашелъ Торнеусъ близъ Люберцъ (По сообщенію Н. Н. Мельгунова).

2. Alyssum, L.

2. *A. minimum* Willd. Найдено впервые въ Бѣлыхъ Колодезяхъ Коломенск. у., на крутомъ известковомъ берегу Оки во множествѣ экземпляровъ въ цвѣту и въ плодахъ 9 мая 1886 г. (Экск. Бот. Лаб.).

2. Fam. Cistineae, DC.

3. Helianthemum, Tournef.

3. *H. vulgare* Gaertn. Близъ Берлюкова Богородск. у., одинъ кустъ. (Вѣроятно случайно занесено) 12 іюня 1888 года. (Е. Е. Армандъ).

3. Fam. Violarieae, DC.

4. Viola, L.

4. *V. uliginosa* Schrad. Найдено впервые 10 мая 1888 г. на Московскомъ берегу Оки противъ Каширы, по торфянистому болоту во множествѣ экземпляровъ въ полномъ цвѣту (Экск. Бот. Лаб.).

4. Fam. Papilionaceae, L.

5. Vicia, L.

5. *V. cassubica* L. Указывалась въ Останкинѣ Марціусомъ, но Кауфманомъ исключена изъ Московской флоры. Въ новѣйшее время найдена Д. П. Сырейщиковымъ по дорогѣ изъ Быкова въ Михнево (въ лѣсу, на песчаномъ мѣстѣ). 1 іюля 1888 г.

5. Fam. Rosaceae, Endl.

6. Prunus, L.

6. *P. spinosa* L. Найдено въ большомъ числѣ экземпляровъ на известковомъ склонѣ берега Оки подъ Бѣлыми Колодезями во $^{1}/_{2}$ мая 1887 г. (Экск. Бот. Лаб.) и въ 1888 г. тамъ же въ началѣ мая въ цвѣту, и въ іюлѣ въ плодахъ (Экск. Бот. Лаб. и А. Н. Петунниковъ).

b. SUBCL. GAMOPETALAE.

6. Fam. Scrophularineae, R. Br.

7. Veronica, L.

7. *V. agrestis* L. v. opaca Fr. (sp.). Крылатское, на паровомъ полѣ. 16 мая 1888 г. (Экск. Бот. Лоб.).

7. Fam. Labiatae, Juss.

8. Scutellaria, L.

8. *S. hastifolia* L. Лѣсистый склонъ берега Оки верстахъ въ трехъ отъ Соколовой Пустыни Серпуховск. у. (по направленію къ д. Кошелевкѣ) 23 іюня 1888 г.; въ кустарникахъ по дорогѣ изъ Кошелевки къ Прилукамъ 24 іюня 1888 г. (Экск. Бот. Лаб.); Бѣлые Колодези 5 Іюля 1888 г. (А. Н. Петунниковъ); по кустарникамъ близъ берега Оки за Лужками 13 августа 1888 г. (Экск. Бот. Лаб.).

8. Fam. Urticaceae, DC.

9. Urtica, L.

9. *U. cannabina* L. Нескучный Садъ (Д. И. Литвиновъ и Г. Ѳ. Вобстъ). Растеніе занесенное.

B. CL. MONOCOTYLEDONEAE

9. Fam. Gramineae, Juss.

10. Festuca, L.

10. *F. sylvatica* Vill. Найдено Д. П. Сырейщиковымъ на опушкѣ Лосинаго Острова близъ Большихъ Мытищъ въ іюлѣ 1888 г.

10. Fam. Najadaceae, Benth.

11. Caulinia, Willd.

11. *C. fragilis* Willd. (A forma Germanica caulibus flexilibus differre videtur). Найдено А. Н. Петунниковымъ и Д. П. Сырейщиковымъ по берегу Клязьмы противъ д. Каргашина (влѣво отъ полустанка Тарасовки Ярославской желѣзной дороги) во $^{2}/_{2}$ іюля 1888 г. и вторично Д. П. Сырейщиковымъ на островѣ, образуемомъ Окою противъ Бачманова (близъ Коломны, въ августѣ 1888 г.).

II.

PLANTAE PHANEROGAMAE.

1. Angiospermae.

CL. DYCOTYLEDONEAE.

a. SUBCL. DIALYPETALAE.

1. Fam. Ranunculaceae, Juss.

1. Ranunculus, Hall.

1. *R. flaccidus* Pers. Въ Можайск. у. по теченію рѣкъ Войны, Колочи и Москвы въ огромномъ количествѣ, а также близъ Борисова на Протвѣ Можайск. у. 1882 г. (П. П. Мельгуновъ).

2. Fam. Cruciferae, Juss.

2. Chorispora, DC.

2. *Ch. tenella* DC. Ваганьковское кладбище. $^{1}/_{2}$ мая 1888 г. Занесено. (К. А. Космовскій).

3. Fam. Violarieae, DC.

3. Viola, L.

3. *V. odorata* L. По паркамъ и садамъ: садъ Занѣгина въ Красномъ Селѣ; садъ въ Ивакинѣ близъ Химокъ. Одичалое (Н. Н. Мельгуновъ).

4. *V. silvestris* Lam. Звенигородъ. Саввинъ-Сторожевскій монастырь. 16 мая 1888 г. (П. П. Мельгуновъ).

4. Fam. Caryophylleae, Juss.

4. Cucubalus, L.

5. *C. baccifer* L. Близъ Семенкова Можайск. у. на берегахъ Протвы (П. П. Мельгуновъ). Воробьевы Горы 1884 г. (С. Н. Милютинъ).

5. Fam. Elatineae, Cambess.

5. Elatine, L.

6. *E. triandra Schk.* Илистая лѣсная дорога близъ Большева (недалеко отъ Большихъ Мытищъ); $^1/_2$ іюля 1886 г. (П. П. Мельгуновъ).

7. *E. callitrichoides* Rupr. Звенигородъ, илистая дорога; $^1/_2$ іюля 1888 г. (П. П. Мельгуновъ).

6. Fam. Papilionaceae, L.

6. Anthyllis L.

8. *A. Vulneraria* L. Заливной лугъ по берегу Москвы близъ Мячкова (Д. П. Сырейщиковъ).

7. Onobrychis, Tournef.

9. *O. sativa* Lam. По заливнымъ лугамъ близъ Софьина Бронницкаго у.; $^2/_1$ іюня 1887 г. (А. Н. Петунниковъ): Дубровицы Подольскаго у. на луговинѣ среди березняка на южномъ склонѣ во $^2/_2$ іюня 1888 г. (И. Н. Горожанкинъ).

7. Fam. Rosaceae, Endl.

8. Spiraea, L.

10. *S. Filipendula* L. Пастбища и поемные луга по берегу Пахры близъ Подольска. 22 іюня 1867 г. (Герб. Краузе); Дубро-

вицы Подольск. у. очень часто по известковымъ склонамъ и на лугахъ; ¹/₂ іюня 1888 г. (Н. Н. Горожанкинъ).

9. Potentilla, L.

11. *P. alba* L. Встрѣчается очень часто по лѣвому берегу Пахры отъ Подольска до Данилова въ лѣсахъ, на лѣсныхъ опушкахъ и по кустарникамъ. Іюнь 1888 г. (Н. Н. Горожанкинъ). Срубленный лѣсъ на пескахъ по берегу Оки между Прилуками Серп. у. и устьемъ Лопасни, въ большомъ количествѣ. 24 іюня 1888 г. (Экск. Бот. Лаб.).

12. *P. collina* Wib. По пескамъ на берегахъ Оки между Бѣлопесоцкой слободой и Прилуками. 23 іюня 1888 г. (Экск. Бот. Лаб.).

8. Fam. Portulaceae, Juss.

10. Montia, L.

13. *M. rivularis* Gm. Богородское на торфяномъ болотѣ съ желѣзистою почвою. 14 іюня 1870 г. въ полномъ цвѣту, и 5 іюля съ зрѣлыми плодами (П. П. Мельгуновъ).

9. Fam. Saxifrageae, Vent.

11. Saxifraga, L.

14. *S. Hirculus* L. По торфяникамъ близъ Рѣшетникова (недалеко отъ станціи Николаевской желѣзной дороги). 15 іюля 1886 г. (С. Г. Навашинъ).

10. Fam. Grossularieae, DC.

12. Ribes, L.

15. *R. rubrum* L. Звенигородъ, близъ Саввина монастыря на лѣсистомъ обрывѣ, нѣсколько кустовъ (повидимому дико). 6 Іюня 1888 г. съ незрѣлыми плодами (По сообщенію Н. Н. Мельгунова).

11. Fam. Umbelliferae, Juss.

13. Daucus, L.

16. *D. Carota* L. Дубровицы Подольск. у. близъ Даниловской фабрики на известнякахъ по берегу Пахры; часто. 1888 г. (Н. Н. Горожанкинъ).

b. SUBCL. GAMOPETALAE.

12. Fam. Rubiaceae, Juss.

14. Galium, L.

17. *G. triflorum* Michx. Серпуховъ, на крѣпости. 20 іюня 1870 года (П. Н. Мельгуновъ).

13. Fam. Compositae, Adans.

15. Inula, L.

18. *I. hirta* L. Въ кустарникахъ на берегу Оки за Лужками, нѣсколько экземпляровъ. 13 августа 1888 г. (Экск. Бот. Лаб.).

16. Matricaria, L.

19. *M. discoidea* DC. Москва, по сорнымъ мѣстамъ, всюду; Ростокино, Останкино и др. м.; цвѣтетъ въ іюлѣ и августѣ (С. Н. Милютинъ).

17. Senecio, L.

20. *S. silvaticus* L. Найдено А. Н. Петунниковымъ и Д. Н. Сырейщиковымъ въ Красниковскомъ болотѣ на истокахъ Яузы въ августѣ 1888 г., въ большомъ количествѣ.

21. *S. saracenicus* L. Близъ Болшева на берегу Клязьмы и близъ Романцева Можайск. у. на берегу Войны (Н. Н. Мельгуновъ). На берегу Истры близъ Екатериновскаго Звенигородск. у. 27 іюля 1881 г. (Н. Ѳ. Дубровинъ). Берегъ Лопасни близъ села того же наименованія. 29 іюля 1888 г. (Экск. Бот. Лаб.).

18. Crepis, L.

22. *C. praemorsa* Tausch. Бѣлые Колодези на Окѣ. 12 іюня 1888 г. (А. Н. Петунниковъ).

14. Fam. Pyrolaceae, W. K.

19 Pyrola, L.

23. *P. uniflora* L. Найдена въ массѣ экземпляровъ во $^2/_5$ мая 1888 г. въ Дубровицахъ Подольск. у., въ лѣсу по правому берегу Десны (Н. Н. Горожанкинъ).

15. Fam. Scrophularineae, R. Br.

20. Melampyrum. L.

24. *M. cristatum* L. Лугъ по берегу Оки близъ устья Лопасни Серп. у. (массами). 24 іюня 1888 г. (Экск. Бот. Лаб.).

16. Fam. Labiatae, Juss.

21. Salvia, L.

25. *S. verticillata* L. По Троицкому шоссе въ двухъ верстахъ отъ Большихъ Мытищъ въ 1887 г. (Д. П. Сырейщиковъ). Известняки по берегу Пахры близъ Подольска. 12 іюля 1888 г. (С. Н. Милютинъ).

22. Thymus, L.

26. *Th. Serpyllum* L. Фаустово по Рязанской желѣзной дорогѣ. 1887 г. (А. Н. Петунниковъ).

17. Fam. Borragineae, Juss.

23. Lithospermum, L.

27. *L. officinale* L. Красный станъ Рузск. у.; $^{2}/_{2}$ іюня 1868 года. (Герб. Н. Д. Чистякова). Серпуховъ близъ Борисова 20 іюня 1869 г. и близъ Семенкова Можайск. у. на известнякахъ по берегу Протвы 6 іюня 1882 г. (Н. П. Мельгуновъ). Бѣлые Колодези на Окѣ 5 августа 1886 г. (Экск. Бот. Лаб.). Лѣвый берегъ Пахры между Дубровицами и Подольскомъ (на известнякѣ). $^{1}/_{2}$ іюня 1888 года (П. Н. Горожанкинъ).

24. Omphalodes, Trin.

28. *scorpioides* Lehm. Въ лѣсу близъ Акатьева Коломенскаго у. 9 мая 1888 г. въ цвѣту (Экск. Бот. Лаб.).

18. Fam. Primulaceae, Vent.

25. Androsace, L.

29. *A. filiformis* Retz. По плоъатымъ лѣснымъ дорогамъ. (По сообщенію Н. Н. Мелгунова).

c. SUBCL. MONOCHLAMYDEAE.

19. Fam. Salicineae, A. Rich.

26. Salix, L.

30. *S. myrtilloides* L. Красниковское болото на истокахъ Яузы. Августъ 1888 г. (А. Н. Петунниковъ).

B. CL. MONOCOTYLEDONEAE.

20. Fam. Orchideae, Juss.

27. Orchis, L.

31. *O. militaris* L. Близъ Семенкова Можайск. у., на возвышенномъ лугу съ глинистой почвой и известковой подпочвой, въ огромномъ количествѣ. 6 іюня 1882 г. (Н. Н. Мельгуновъ). Дубровицы Подольск. у. 1888 г. (Н. Н. Горожанкинъ).

21. Fam. Irideae, Juss.

28. Iris, L.

32. *I. Sibirica* L. Между полустанкомъ Кунцево и Нѣмчиновскимъ Постомъ по лѣвой сторонѣ полотна желѣзной дороги. 1873 г. (Н. Н. Горожанкинъ). По болотамъ между Рупосовымъ и Чиркизовымъ на Клязьмѣ (Д. Н. Сырейщиковъ). Близъ ст. Пушкино. Массами. 1887 г. (Е. Е. Армандъ).

22. Fam. Colchicaceae, DC.

29. Veratrum, L.

33. *V. nigrum* L. Берегъ Оки за Лужками (Экск. Бот. Лаб.) и подъ Бѣлыми Колодезями (А. Н. Петунниковъ); въ обоихъ мѣстахъ въ большомъ количествѣ. $^1/_2$ августа 1888 г.

23. Fam. Liliaceae, DC.

30. Allium, L.

34. *A. angulosum* L. v. typicum. Болотистый лугъ на берегу Оки близъ Никифорова Серпуховск. у. 24 Іюня 1888 г. въ большомъ изобиліи. (Экск. Бот. Лаб.).

24. Fam. Cyperaceae, Juss.

31. Scirpus, L.

35. *S. maritimus* L. Быково, по озерамъ (Д. Н. Сырейщиковъ).

32. Carex, L.

36. *C. chordorrhiza* Ehrh. Большія Мытищи. 22 мая 1888 г. (А. Н. Петунниковъ и М. Н. Голенкинъ).

37. *C. paradoxa* Willd. Богородское. 10 мая 1870 г. (Н. Н. Мельгуновъ). Большія Мытищи (Неклюдовъ Рукавъ). 22 мая 1888 г. (А Н. Петунниковъ и М. Н Голенкинъ).

38. *C. limosa* L. Торфяное болото близъ Большихъ Мытищъ (отъ стараго села къ Яузѣ). $^{2}/_{2}$ мая 1888 г. (А. Н. Петунниковъ и М. Н. Голенкинъ).

39. *C. tomentosa* L. Болото близъ Бѣлопесоцкой слободы противъ Каширы. 9 мая 1888 г. (Экск. Бот. Лаб.).

40. *C. montana* L. Бѣлые Колодези на Окѣ. 9 мая 1888 г. и известковый склонъ берега Десны близъ сліянія ея съ Пахрою подъ Дубровицами Подольск. у. 4 Іюня 1888 г. (Экск. Бот. Лаб.).

41. *C praecox* Jacq. Бѣлые Колодези на Окѣ. 8 мая 1888 г. (Экск. Бот. Лаб.).

25. Fam. Gramineae, Juss.

33. Avena, L.

42. *A. flavescens* L. Болотистый лугъ на берегу Оки близъ Никифорова. 24 іюня 1888 г. (Экск. Бот. Лаб.). Большія Мытищи. $^{1}/_{2}$ іюля 1888 г. (А. Н. Петунниковъ).

34. Glyceria, R. Br.

43. *G. distans* Wahl. Найдена въ 1870 г. Торнеусомъ близъ Ильинскихъ Воротъ. (По сообщенію Н. Н. Мельгунова).

35. Molinia, Schrank.

44. *M. coerulea* Moench. Болотистый берегъ Сосенки близъ Черкизова. 20 іюля 1869 г. и сырой кустарникъ за Лужками на Окѣ. 15 іюля 1870 г. (Н. Н. Мельгуновъ).

36. Brachypodium, P. de B.

45. *B. pinnatum* P. de B. По кустарникамъ близъ Кошелевки Серп. у. на Окѣ. 24 іюня 1888 г. (Экск. Бот. Лаб.).

37. Triticum, L.

46. *T. rigidum* Schrad. Коропчеево на Окѣ. 13 іюня 1888 г. (А. Н. Петунниковъ).

26. Fam. Typhaceae, Juss.

38. Sparganium, L.

47. *S. minimum* Fr. (S. natans Kaufm. et S. affine aut. Fl. Mosq.) Болото среди Рупосовскаго удѣльнаго лѣса (А. Н. Петунниковъ и Д. Н. Сырейщиковъ).

II PLANTAE CRYPTOGAMAE.

27. Fam. Filices, L.

39. Ophioglossum, L.

48. *O. vulgatum* L. По берегу Сосенки и въ Богородскомъ. 1870 г. (Н. Н. Мельгуновъ).

40. Botrychium, Swartz.

49. *B. Lunaria* Swartz. Близъ села Сѣтуни 20 іюля 1869 г. со спорангіями; въ Ромашковѣ и Романцевѣ Можайск. уѣзда, близъ Бородина (Н. Н. Мельгуновъ). Въ окрестностяхъ Дубровицъ Подольскаго у., на лѣсной полянѣ близъ Пахры противъ цементнаго завода. 1/2 іюня 1888 г. (Н. Н. Горожанкинъ). Чиркизово и Тарасовка на Клязьмѣ. 1885 г. (С. Н. Никитинъ).

50. *B. rutaefolium* All. Голышкино Можайск. у. (Варженевскій) и близъ Тарасовки (А. Н. Петунниковъ).

Въ предшествовавшемъ спискѣ «Матеріалы для флоры Московской губерніи» необходимо сдѣлать слѣдующія исправленія:

Стр.	№№ видовъ.	
352.	10.	*Lepidium Draba* L. найдено В. Я. Цингеромъ, а не Д. И.Литвиновымъ.
353.	16.	Показаніе г. Казанскаго относится не къ *Silene Otites* Sm., а къ *S. noctiflora* L.
357.	50.	Найдено близъ села Озёра Кол у. на Окѣ, а не близъ Озерковъ.
359.	65.	Найдено не въ Протопоповѣ, а на лѣвомъ известковомъ берегу Оки въ Калужской губерніи въ двухъ верстахъ отъ границы ея съ Московской. (Экск. Бот. Лаб. 1886 года).

Стр.	№№ видовъ.	
11.	66.	Найдена также Д. Н. Литвиновымъ по болотистому лугу близъ Николо-Угрѣшскаго монастыря и Н. Н. Мельгуновымъ близъ Измайлова (1870 г.).
359.	98.	Форма, найденная Д. Н. Сырейщиковымъ въ Б. Мытищахъ, есть *Sparganium minimum* Fries, а не *S. affine* Schnizl.
364.	29.	Найдено также Д. Н. Литвиновымъ близъ села Никольскаго-Прозоровскаго Дмитр. у. на торфяномъ болотѣ.
371.	51.	Найдено на берегахъ Сосенки Н. Н. Мельгуновымъ, а въ Сокольникахъ Торнеусомъ.

Москва.
Сентябрь 1888 г.

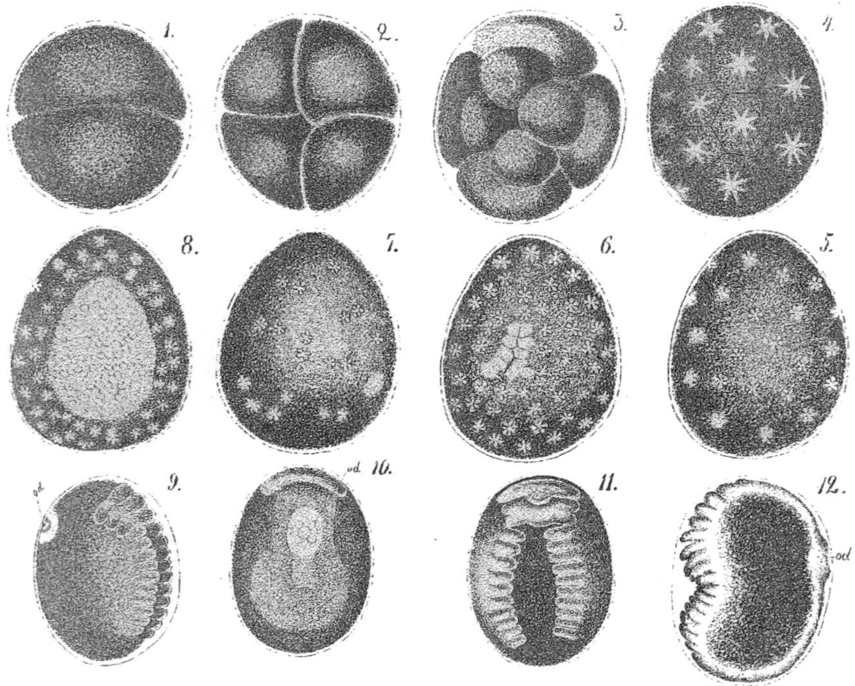

Москва. Универс. литогр.

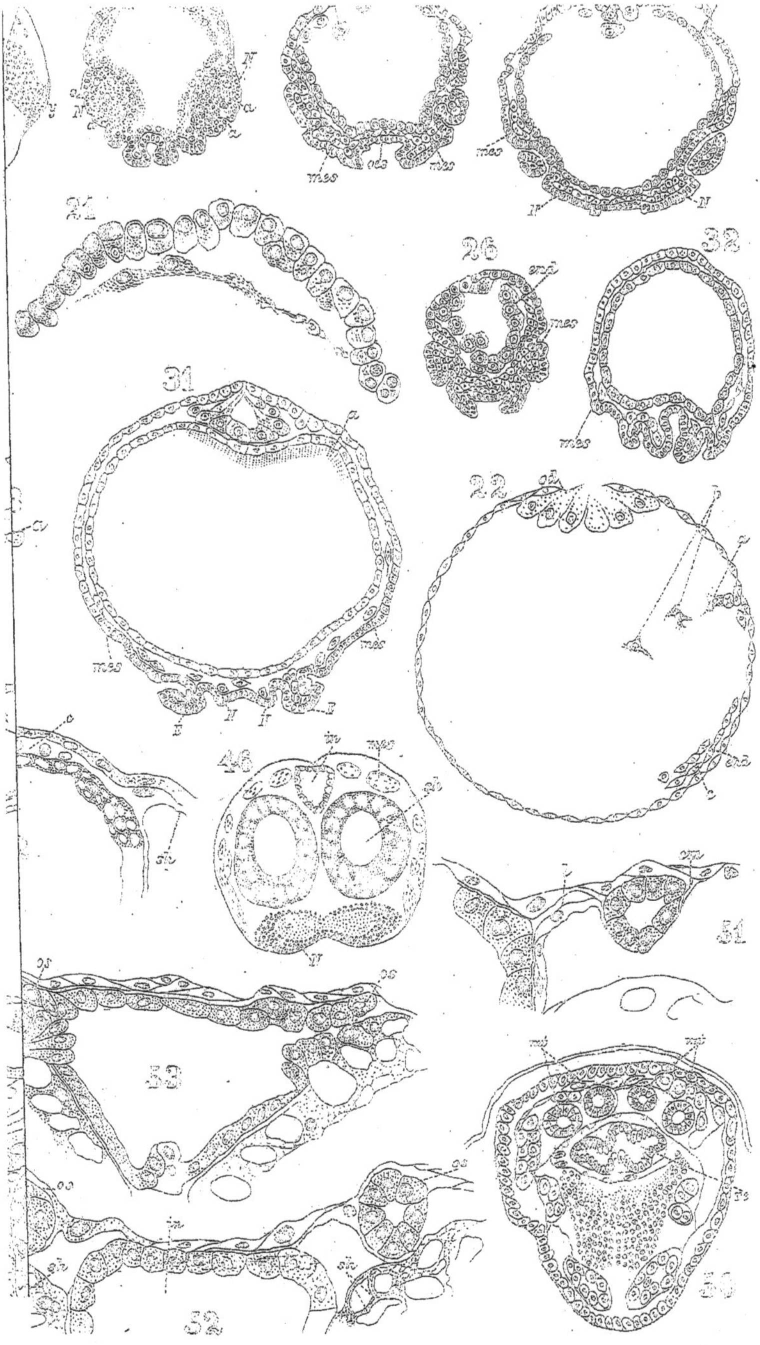

Gravirt, J. Schilde.

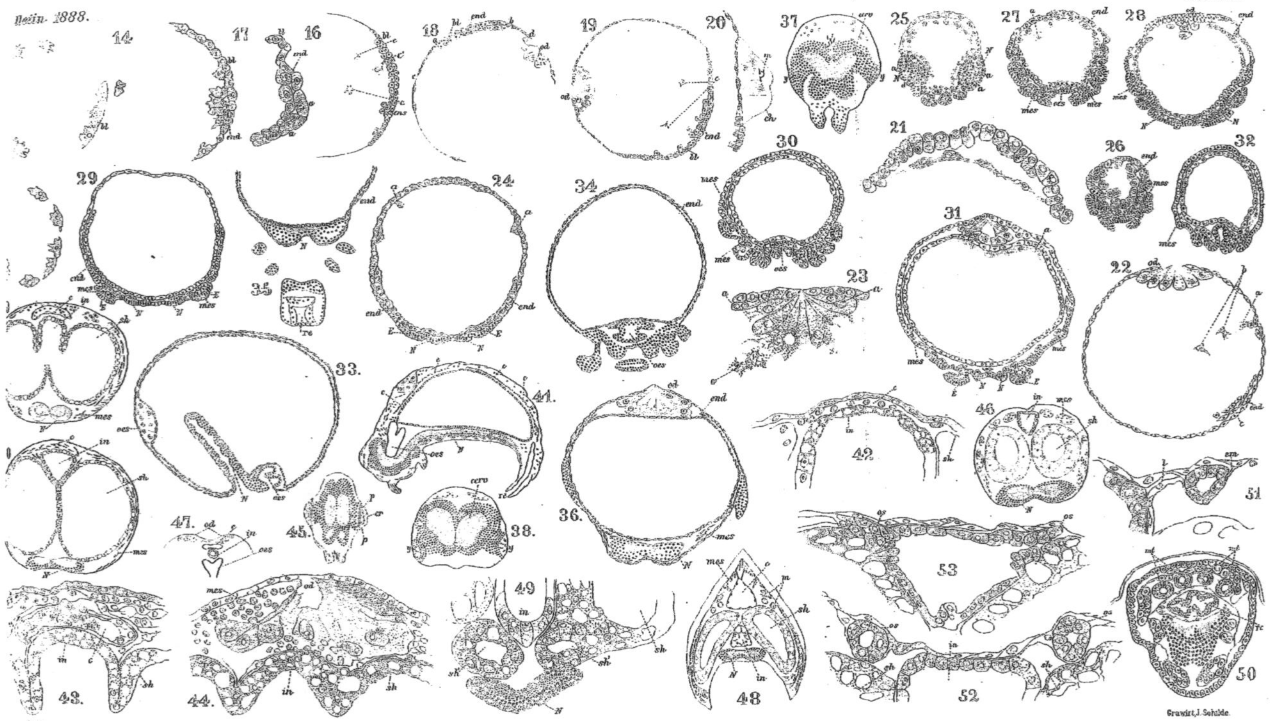

Grawirt, J. Schilde.

ÉTUDES SUR LE DÉVELOPPEMENT DES AMPHIPODES.

DEUXIÈME PARTIE.

LE DÉVELOPPEMENT D'ORCHESTIA LITTOREA, SPENCE BATE.

Par

M-lle Marie Rossiiskaya.

Avec 2 planches.

Mon ouvrage n'est que la continuation de celui de M. Oulianine *), qui avait exploré les espèces d'Orchestia mediterranea, bottae et Montagui, habitants de la baie de Sébastopol. Ces espèces lui ont servi dans ses observations sur la segmentation, la formation du blastoderme et du mesoderme et l'apparition de l'organe dorsal. Il avait avancé quelques suppositions sur la manière du développement de l'entoderme, mais ayant trouvé toutes sortes de difficultés, il n'a pas pu réussir à résoudre la question.

Durant l'été de l'an 1886 j'ai eu l'occasion de travailler à la même station biologique, à Sébastopol, qui jadis avait accueilli M. Oulianine. M-elle le docteur S. Perejaslawzewa, directrice de la station, me proposa à défricher la question, qui n'était pas résolue par M. Oulianine.

Afin de parvenir à confectionner des coupes des oeufs de Caprella, je me suis servie d'abord du liquide de Kleinenberg, recommandé par M. Oulianine, pour la préparation de ces dernières, mais ayant bientôt reçu la conviction de son inutilité, je l'ai remplacé, d'après le conseil de M-elle Perejaslawzewa, par l'eau bouillante, qui couvrait les oeufs pendant quelques secondes ou durant

*) *Ulianine.* Zur Entwickelungsgeschichte der Amphipoden. Zeitschr. f. W. Z. B. 35. 1881.

une minute tout au plus. Ensuite je les transportais dans l'alcool faible et à l'aide des aiguilles j'enlevais le chorion. Un quart d'heure après je les mettais dans l'alcool 96%. Les préparations que j'ai obtenu démontrent parfaitement bien la formation des couches et offrent la possibilité de suivre la marche du développement de l'embryon jusqu'à sa sortie de l'oeuf.

Les Orchesties littorea, bottae, montagui et mediterranea sont très proches et liées par des formes intérmédiaires, comme celà à été démontré par V. Czerniavski *). J'ai passé en revue les oeufs de toutes ces espèces et je n'ai trouvé aucune différence dans leur développement. Quant aux coupes, je les ai préparées exclusivement des oeufs de l'Orchestie littorale.

La bienveillance de M-elle Perejaslawzewa, qui a voulu me venir en aide et me guider dans mon premier étude, rendit ma tâche facile à éxécuter. J'ai profité non seulement de ses bons conseils et de ses indications, mais elle a eu aussi la bonté de faire plusieurs dessins. Aussi je m'empresse à exprimer la plus profonde et la plus sincère reconnaissance à M-elle Perejaslawzewa.

Le fractionnement.

L'oeuf de l'Orchestie est couvert d'une seule membrane—le chorion. L'oeuf a une forme ovale, est coloré de violet foncé et n'est point transparent. Quoique l'Orchestie supporte assez facilement la captivité et ne perd pas la capacité de s'apparier, il est cependant bien difficile à surprendre le moment de la ponte, parce qu'elle a l'habitude de s'enfouir dans les feuilles pourries de Zostera. Par conséquent, je n'ai pu réussir à voir la vésicule germinative ni sur les coupes, ni dans les oeufs colorés et éclaircis dans l'huile d'oeillet „in toto“. On arrive rarement à découvrir la vésicule germinative dans les oeufs opaques des crustacés. De même v. Beneden ne l'a pas vu dans les oeufs d'Asellus aquaticus, de Mysis et des Lérnéens, qu'il a explorés, Korotneff dans ceux de Gryllotalpa **), Oulianine dans ceux de l'Orchestie.

---

*) Travaux de la première assemblée des naturalistes russes (en russe). St. Pétersbourg. 1867—68.

**) *E. van Beneden* et *E. Bessels.* Mémoire sur la formation du blastoderme chez les Amphipodes, les Lérnéens et los Copépodes. Mémoires couronnés de l'Acad roy. de Belgique. T. XXIV, 1869.

Korotneff. Die Embryologie der Gryllotalpa. Zeitsch. f. W. Z. B. 41. 1885.

E. van Beneden. Recherches sur l'embryogénie des crustacés. Bull. de l'Acad Roy. de Belgique, tom. XXVIII—IX, 1869—70.

A l'aide d'un petit pinceau j'enlevais les oeufs, suspendus entre les pattes de devant de la femelle, et j'observais la segmentation dans l'eau salée, que je changeais dans dix minutes. Comme les oeufs sont assez grands et tout à fait opaques, il est plus commode de se servir de la loupe que du microscope. Au microscope on voit une petite partie de la surface de l'oeuf et encore peu éclairée, tandis que la loupe montre plus de la moitié de la surface. En soumettant les oeufs à un bon éclairage, on réussit à faire les observations sans aucune difficulté.

Dans les oeufs, que j'ai observés, le fractionnement commençait 2—6 heures après leur prise. L'oeuf se divise en deux portions quelque peu inégales par un sillon qui se forme à la fois sur tout le pourtour de la petite section de l'oeuf (fig. 1). Quelquefois le plan du sillon fait avec la petite section de l'oeuf un angle pointu. Pendant quelque temps le sillon s'avance de la périphérie vers le centre, mais ensuite les deux parties de l'oeuf s'affaissent, s'accolent d'une telle manière, que le sillon ne présente plus qu'une ligne, tracée suivant la petite section de l'oeuf. Ce phénomène a lieu chaque fois qu'une nouvelle division vient de se produire. Dans l'oeuf divisé en deux je n'ai pas pu trouver les noyaux, de même que dans les oeufs non divisés.

Dans une heure à peu prés un second sillon se forme simultanément sur tout le pourtour de la grande section de l'oeuf, perpendiculairement au premier (fig. 2). Par conséquent, si le premier sillon ne se confondait pas avec la petite section de l'oeuf, le second ferait le même angle avec la grande section. A la fin de ce procès nous avons l'oeuf composé de quatre globes, d'abord bien distincts, s'accolant peu à peu et se déplaçant en même temps. En ce moment, à travers le violet du vitellus, se fait apercevoir une grande tache blanche, ayant l'aspect d'amibe avec de longs pseudopodes, dirigés dans toutes les directions. Les coupes montrent que ce sont des noyaux, entourés du protoplasme granuleux.

Chaque fractionnement se passe à peu prés dans une heure.

Chacun des quatre globes se divise en deux parties très inégales. Conformément à la division inégale des globes, les taches blanches se subdivisent aussi inégalement et leur division précède celle des globes. A ce moment la face ventrale et la face dorsale de l'embryon se font connaître. La face ventrale correspond aux quatre petits globes et la face dorsale aux quatre grands (fig. 3).

Pour faciliter la description des phénomènes je donnerai la dénomination de l'équateur au plan idéal séparant la face ventrale de la face dorsale et celle du plan méridien au plan perpendiculaire à l'équateur, passant par le centre de l'oeuf.

Après un laps de temps les quatre petits globes se divisent d'après un plan méridien en huit globes d'une grandeur égale. Très peu de temps après les huit grands globes se subdivisent exactement de la même façon. Dans ce stade l'oeuf est composé de deux rangées de globes: une rangée de huit petits globes et une rangée de huit grands. Conformément à la grandeur différente des globes vitellins les taches blanches amiboïdes, qu'on aperçoit à travers le vitellus, sont aussi d'une différente grandeur: celles des huit petits globes sont de moindres dimensions, que celles des huit grands.

L'oeuf arrive au stade suivant par l'apparition presque simultanée de deux sillons parallèles à l'équateur, dont l'un divise chacun des petits globes en deux portions égales et l'autre—chacun des grands de la même façon.

A ce moment l'oeuf est composé de quatre rangées superposées: deux rangées de petits globes et deux rangées de grands globes, huit globes dans chacune, trente deux en tout.

Une tache blanche, amiboïde, dont la grandeur est conforme à celle du globe, est visible dans chaque globe. Par conséquent, nous avons trente deux taches blanches, disposées dans quatre cercles: deux cercles de petites taches, et deux cercles de grandes, à huit taches dans chaque cercle. Dans ce stade elles sont plus avancées vers la surface de l'oeuf et leur couleur blanche contraste vivement avec le violet du vitellus, devenu en même temps plus foncé (fig. 4).

Au stade énoncé le fractionnement s'achève; dès ce moment les globes se confondent et les sillons disparaissent. Les taches blanches qui se voyaient à travers le vitellus et qui, comme je l'ai dit plus haut, sont des noyaux entourés du protoplasme, sortent à présent sur la surface de l'oeuf et peuvent se nommer dès ce moment—cellules, puisqu'elles deviennent tout-à-fait indépendantes du vitellus.

Les trente deux cellules se subdivisent presque simultanément, s'allongeant en forme de biscuit dans un plan méridien. Immédiatement après la division elles se déplacent et continuent à se subdiviser sans aucun ordre apparent. A mesure de leur multiplication la différence de grandeur diminue toujours, ce qui nous permet de conclure, que les grandes cellules se multiplient avec plus d'énérgie que les petites. En se déplaçant sur la surface de l'oeuf, elles passent en grand nombre sur la face ventrale; pour cette raison elles y sont plus reserrées.

Définitivement nous avons l'oeuf presque sans traces de sillons, consistant d'un vitellus violet, dont la surface est parsemée de cellules blanches amiboïdes, à peu près d'une égale grandeur, surpassant en nombre soixante quatre, concentrées sur la face ventrale, dispersées sur la face dorsale et se subdivisant successivement.

L'oeuf en équilibre, à cause de sa forme aplatie, est toujours couché sur la face ventrale.

La formation des sillons chez l'Orchestie est exactement semblable, d'après v. Beneden et Bessels *), à celle de Gammarus locuste jusqu'au stade de 32 globes. Après ce dernier le fractionnement continue chez le Gammarus locuste jusqu'au nombre de 112 globes, mais dans une espèce indéterminée, que v. Beneden avait aussi observée, il s'arrête comme chez l'Orchestie au nombre de 32 globes.

A la fin de la segmentation, l'oeuf de Gammarus locuste se couvre simultanément d'une conche unie de protoplasme, qui se détache du vitellus sur toute la surface de l'oeuf, tandis que chez l'Orchestie le protoplasme se détache du vitellus en forme de cellules amiboïdes, dispersées par toute la surface de l'oeuf et formant peu à peu le blastoderme.

Formation des feuillets embryonnaires et de l'organe dorsal.

Sept ou huit heures après le commencement du fractionnement, on voit les premiers phénomènes de la formation du blastoderme, sur la face ventrale de l'oeuf, où les cellules sont plus nombreuses. De quatre à dix cellules se rapprochent en contractant leurs pseudopodes, se touchent, deviennent polyédriques et forment une petite tache blanche irrégulière, qui est le commencement du blastoderme (fig. 6). Autour de la tache blastodermique les cellules s'allongent en forme de biscuit et se subdivisent dans la direction des rayons du cercle, dont le centre est dans la tache blastodermique (fig. 8). Sur la face dorsale leur division se fait dans toutes les directions. Malgré la multiplication continuelle des cellules sur la face dorsale de l'embryon, leur nombre n'y aug-

*) *E. v. Beneden* et *E. Bessels.* Mémoire sur la formation du blastoderme chez les Amphipodes, les Lérnéens et les Copépodes. Mém. cour. de l'Acad. Roy. de Belgique. XXIV. 1869.

mente pas; ce qui prouve qu'elles émigrent successivement sur la face ventrale et contribuent à agrandir la tache blastodermique (fig. 5, fig. 7).

L'agrandissement de la tache blastodermique se produit de deux façons: premièrement par la division des cellules qui la constituent et deuxièmement par l'approchement des cellules voisines.

La figure 13 nous représente la coupe d'un oeuf appartenant au stade représenté fig. 5 et 6. On y voit des cellules (bl) rapprochées pour former le blastoderme sur la face ventrale de l'oeuf et des cellules dispersées, dont une (d) est en voie de division. Celles de la tache blastodermique ne gardent leurs pseudopodes, que du côté du vitellus. La fig. 14 représente une coupe, qui correspond au stade fig. 7 et 8; la tache blastodermique est notablement agrandie.

Le blastoderme, après avoir complètement recouvert la face ventrale, s'allonge d'abord sur l'un des pôles et beaucoup plus tard sur l'autre. Dès ce moment la position de l'embryon se détermine complètement, puisque le pôle qui se couvre du blastoderme plus tôt est le pôle oral, et l'autre est le pôle aboral. Bientôt après il ne reste qu'un petit espace sur la face dorsale, contenant des cellules amiboïdes dispersées, qui continuent de se diviser et de s'unir au blastoderme. Enfin toute la surface de l'oeuf se couvre du blastoderme, et la couleur de l'oeuf devient plus pâle par cette raison, que le violet du vitellus se voit à travers la conche transparente du blastoderme. Les oeufs de ce stade sont absolument de la même couleur, que les oeufs non segmentés *), et l'on ne peut les distinguer les uns des antres qu'à l'aide du microscope.

Ma description des phénomènes du développement de l'Orchestie s'accorde avec celle d'Oulianine jusqu'au stade de trente deux globes. A partir de ce moment, d'après ses observations, le développement de l'oeuf continue de la manière suivante:

„Gleich nachdem die Zahl der amöboiden Zellen bis zwei und dreissig gewachsen ist, beginnt ein ausserordentlich reges Leben am unteren Pole des Eies in dem Gebiete der Kleinen Zellen. Die-

---

*) D'après les recherches de M-elle Pereyaslawzewa sur les oeufs non segmentés des Gammarus, on comprend parfaitement, que la couleur des oeufs non segmentés doit être plus pâle, parce que dans ce stade le vitellus nutritif, qui contient toute la matière colorante, s'enfonce au centre et recouvre la vésicule germinative, tandis que le protoplasme ou le vitellus formatif, incolore et transparent, se répand sur toute la périphérie du vitellus nutritif, et rend sa couleur plus claire.

se Zellen, besonders die Zellen der inneren Reihe, zeigen zu dieser Zeit viel stärkere amöboide Bewegungen. Vermittels dieser Bewegungen nähern sich diese Zellen an einander noch mehr; einige von ihnen theilen sich, andere scheinen im Gegentheil mit den nahestehenden zusammenzufliessen. Endlich ziehen einige von diesen Zellen ihre Pseudopodien in den Körper zurück und wandeln sich zu ruhenden Zellen um, die eine mehr oder minder ausgeprägte polygonale Form haben und die ersten Zellen des Blastoderms bilden. Die Zahl dieser ersten Zellen des Blastoderms ist sehr variabel: in der fig. 6 ist ein Ei abgebildet, in dem sechs solche eben gebildete Zellen des Blastoderms sich finden; nicht selten aber beobachtete ich solcher aus der inneren Reihe der kleinen amöboiden Zellen neugebildeter Zellen acht, in einigen Fällen sogar zehn.

„Nachdem die kleinen amöboiden Zellen der inneren Reihe in ruhende Zellen des Blastoderms umgewandelt sind, treten auch in den kleinen Zellen der äusseren Reihe Vorbereitungen zum Uebergange in die Blastodermzellen auf. Sie verlangern sich, wie das aus der fig. 6 ersichtlich ist, in der Richtung der ersten schon angelegten Zellen des Blastoderms und nehmen die für in Theilung begriffene Zellen characteristische biskuitförmige Form an. Die von diesen Zellen durch Theilung abstammenden neuen kleineren amöboiden Zellen wandern in die Nähe der ruhenden Zellen des Blastoderms, ziehen die fadenförmigen Fortsätze ein und wandeln sich in ruhende Zellen um, die ganz ahnlich den zuerst angelegten Blastodermzellen sind. Nach mehrfacher Theilung Anfangs der kleinen Zellen der äusseren Reihe, dann der grossen Zellen der inneren und endlich der ausseren (oberen) Reihe und nach allmählicher Umwandlung der durch diese Theilungen neu entstandenen Zellen in ruhende polygonale Zellen erscheint das Blastoderm in Form einer grossen Scheibe, die ungefähr zwei Drittel der ganzen Eioberflache einnimmt“.

Ayant vérifié avec le plus grand soin mes observations sur les espèces de l'Ochestia littorea, bottae et montagui, j'affirme que chez toutes ces espèces, la formation du blastoderme est telle, que je l'ai décrite. Le blastoderme commence toujours à se former, après que plus de soixante quatre cellules aient apparu sur la surface de l'oeuf, pendant tout le temps de l'agrandissement du blastoderme, la division des cellules se produit simultanément sur toute la surface de l'oeuf; mais à cause de l'émigration elles sont plus amassées à la face ventrale. La partie dorsale de l'oeuf non recouverte du blastoderme, jusqu'à la fin de ce procédé, reste parsemée de cellules amiboïdes, qui en se multipliant, s'unissent peu à peu au blastoderme.

Evidemment M. Oulianine est tombé dans l'erreur, parce qu'il a eu recours au microscope. En observant les oeufs à l'aide du microscope, j'ai pu me persuader, qu'il n'est possible de voir avec précision que les premiers phénomènes du fractionnement. N'ayant la possibilité de voir à la fois qu'une petite portion de la surface de l'oeuf peu éclairée, il devient extrêmement difficile de s'orienter dans les phénomènes plus composés des stades suivants. Or, la loupe en montrant plus de la moitié de la surface de l'oeuf bien éclairée, rend la tâche plus facile. On observe avec une parfaite netteté tout le procédé de la formation de la conche blanche du blastoderme sur le violet du vitellus.

La formation de l'entoderme commence au stade représenté figures 7 et 8, quand les dimensions de la tache blastodermique sont encore insignifiantes. Dans les coupes des oeufs de ce stade, que j'ai reçues en grand nombre, on remarque deux ou trois conches cellulaires (figures 14—17).

Les cellules de la conche externe (bl) appartiennent au blastoderme, toutes les autres (end) sont celles de l'entoderme. Les cellules blastodermiques se trouvent très souvent en voie de division et tandis qu'à la péripherie du blastoderme leur division s'opère dans la direction du rayon, au centre elles se subdivisent dans la direction tangente. Au moyen des coupes il est très facile de suivre toutes les phases de la division des cellules blastodermiques: on y voit les cellules blastodermiques allongées dans la direction qui est conforme à celle de la division; d'autres cellules allongées avec des figures kariokinétiques et encore d'autres contenant chacune deux noyaux. Enfin on aperçoit des cellules dont la position ne laisse aucun donte de ce que la division est tout récemment accomplie. Il arrive parfois à découvrir dans les coupes une rangée interrompue de cellules divisées en direction radiale (fig. 17a), tandis que d'autres coupes contiennent des rangées, dont les cellules se subdivisent en direction tangente. Le plus souvent la même coupe contient les unes et les autres dispersées.

Il est certain que l'accroissement de la tache blastodermique est en dépendance de la division radiale des cellules, tandis que les cellules provenant de la subdivision tangente se rangent en une ou deux conches sous le blastoderme et représentent l'entoderme en voie de formation.

Aussitôt formées les cellules entodermiques se subdivisent (fig. 14, 17 end), et comme leur formation aux dépens du blastoderme continue toujours, leur nombre augmente rapidement. Sur la coupe du stade un peu plus avancé on voit deux couches des cellules entodermiques: la conche appliquée contre le blastoderme est continue et composée de cellules polyédriques. La couche interne, avoisinant le vitellus est composée de cellules dispersées d'une forme irrégulière, qui émigrent successivement dans le fond du vitellus. Les cellules, qui sont en voie de l'émigration, allongent leurs pseudopodes vers le vitellus; celles qui sont déjà dans le fond du vitellus ont une forme amiboïde, les pseudopodes sont dirigés dans tous les sens (fig. 16, c).

Les œufs, en voie de formation de l'entoderme, me fournirent des coupes très intéressantes (fig. 21). On y voit, que chaque cellule blastodermique de la face ventrale présente deux parties différentes: la partie externe est d'un protoplasme condensé, se colorant vivement; la partie interne se colore très peu et semble imbibée de vitellus. Dans plusieurs de ces cellules on voit deux noyaux.

Ces coupes nous montrent parfaitement la manière d'engloutissement de la matière nutritive, par suite de quoi leur volume augmente de beaucoup, ce qui précède toujours au phénomène de la multiplication.

Quand le blastoderme recouvre les deux tiers, à peu près, de la surface de l'œuf, on voit se former l'organe dorsal sur un des côtés de l'œuf, ayant l'aspect d'un entonnoir (fig. 18, od). En faisant des coupes il est facile de voir, qu'il est composé de cellules volumineuses en forme de poire, munies conformément à leur grandeur de grands noyaux, contenant un nucléole.

Les cellules du blastoderme n'ont la forme prismatique que sur la face ventrale de l'œuf, où elles donnent l'origine à l'entoderme (fig. 18, ab). Sur tout le reste de la surface de l'œuf le blastoderme est composé de cellules aplaties (fig. 18, ac, bd). Grâce à cette différence de la forme des cellules dorsales et ventrales du blastoderme, il est facile de suivre le déplacement graduel de l'organe dorsal de la face latérale de l'œuf à la face dorsale. D'abord la tache blastodermique est composée seulement de cellules prismatiques et quand elle atteint la grandeur de deux tiers à peu près de la surface de l'œuf, apparait sur son bord l'organe dorsal.

A mesure, que le blastoderme s'étend sur la surface, entre l'organe dorsal et le blastoderme prismatique se font apercevoir les cellules aplaties, dont le nombre augmente peu à peu. Celà cause l'éloignement de l'organe dorsal du blastoderme ventral prismatique et son approchement vers la face dorsale. Quand le blastoderme eut recouvert complétent toute la surface de l'œuf, la position de l'organe dorsal reste encore quelque temps latérale (fig. 19), car elle ne correspond pas à la ligne médiane du blastoderme prismatique. L'œuf ne devient symétrique que peu de temps avant l'apparition des appendices, mais on rencontre des avortons, ayant les appendices déjà formés, mais l'organe dorsal, gardant encore sa position latérale.

Quand le blastoderme ait complétement enveloppé le vitellus nutritif, il secrète la tunique larvaire, qui est très mince, transparente et sans aucune structure. Entre le chorion et cette tunique apparait un liquide, que les réactifs font coaguler.

La formation de l'entoderme de l'Orchestie se fait de la même façon, que celui d'Oniscus murarius selon Bobretzky. D'après ses observations les cellules entodermiques proviennent d'une petite partie du blastoderme, ainsi que cela est pour l'Orchestie. De même, les cellules entodermiques d'Oniscus émigrent dans le vitellus, mais tandis que celles de l'Orchestie restent toujours amiboides, celles d'Oniscus s'imbibent tellement du vitellus, qu'elles perdent leur aspect cellulaire et ressemblent plus tôt à des globes vitellins. D'après les récentes recherches de Morine, l'entoderme se forme de la même façon chez l'Astacus fluviatilis *).

D'après Oulianine, les cellules provenant du blastoderme, que j'ai distingué comme entodermiques, appartiennent au mésoderme. Quant à l'entoderme, M. Oulianine suppose que celui-ci provient des cellules de l'organe dorsal, pour la raison qu'il avait vu des cellules dans le vitellus avoisinant l'organe dorsal. La quantité restreinte des coupes, que M. Oulianine avait en sa disposition, expliquent parfaitement son erreur. La série complète des coupes des stades les plus rapprochés ne me donne aucun donte là-dessus. Sur mes coupes il est facile d'examiner toutes les phases de la séparation des cellules entodermiques du blastoderme, de même que leur dispersion dans le vitellus nutritif. Or, en se dispersant

---

*) *Morine.* Recherches sur l'embryologie d'Astacus fluviatilis. Mém. de la Société des Naturalistes d'Odessa. T. XI. 1886.

Bobretzky. Zur Embryologie des Oniscus murarius. Zeitsch. f. w. Z. B. 24 1874.

dans tout le vitellus, elles se rencontrent aussi près de l'organe dorsal. Quand aux globes vitellins, qui d'après Oulianine, enferment ces cellules, je ne les ai pas vu et je les crois provenir des réactifs.

Ce qui concerne l'organe dorsal, M. Oulianine a parfaitement raison, quand il décrit l'apparition de cet organe du côté latéral de l'œuf et au moment où les deux tiers de la surface de ce dernier sont recouverts du blastoderme, mais il se trompe, en affirmant l'apparition de l'organe dorsal sur l'une des huit saillies du blastoderme, correspondant aux huit grandes cellules du dernier cercle. Cette opininion se trouve en rapport avec sa description de la croissance du blastoderme, moyennant l'annexion successive des cellules de chaque cercle à la tache blastodermique. Mais comme avant la formation du blastoderme, les cellules sont disposées sur la surface de l'œuf en grand nombre et sans aucun ordre, il est évident, qu'il n'éxiste aucun rapport entre la position de l'organe dorsal et la position des cellules embryonnaires. Le bord de la tache blastodermique est sinueux, mais ces sinuosités sont absolument irrégulières.

M. Oulianine regarde l'organe dorsal, comme étant homologue de la glande coquillaire des mollusques, et il lui attribue l'origine de l'entoderme. La première supposition est peu probable quoiqu'on soit trop peu avancé dans les connaissances du développement des amphipodes pour lui faire des objections serieuses. Quant à la seconde, elle est fausse, comme je l'ai démontré plus haut.

Les recherches de M. Oulianine finissent par le stade d'apparition de l'organe dorsal et je ne le citerai plus dans mon exposition des phénomènes du dévelloppement postérieurs.

L'entoderme.

Lorsque l'organe dorsal aura pris sa position définitive sur la ligne médiane de la face dorsale, les cellules entodermiques, qui se multipliaient jusqu'alors dans l'intérieur du vitellus, émigrent de nouveau vers la surface de ce dernier et forment deux bandes latérales, appliquées contre le blastoderme. Ces bandes apparaissent d'abord dans la région de la tête et s'étendent peu à peu dans celle de l'abdomen. Les cellules amiboïdes, émigrées du vitellus et entrées dans la constitution des bandes latérales, prennent une forme aplatie. Les coupes donnent le moyen de suivre pas à pas le procédé de la formation de ces bandes, qui sont les parois de l'intestin moyen. La fig. 22 nous présente une coupe de ce stade, où nous voyons toute une chainette de cellules entodermiques, dont la dernière (a) garde encore les pseudopodes, dirigés vers le vitellus. Les deux autres cellules (b), placées dans le vitellus, sont évidemment prêtes à s'unir aux précédentes. Sur la même coupe (c) on voit deux rangées de cellules entodermiques. Des pareilles coupes nous démontrent, que les cellules entodermiques, venant du fond du vitellus à sa surface, ne prennent pas tout de suite leur position définitive: elles peuvent se mettre en deux couches ou former un plan perpendiculaire à la surface de l'œuf et ce n'est qu'à la suite du développement qu'elles se disposent en deux bandes unicellulaires, contigües à l'éctoderme.

A mesure du développement, les bandes entodermiques se joignent et forment un tube complétement fermé, qui est l'intestin moyen. La paroi ventrale de l'intestin moyen se forme plus tôt que sa paroi dorsale. Tout le procédé de la formation de l'intestin moyen s'opère successivement du pôle céphalique de l'embryon jusqu'à son pôle anal.

La fig. 24 représente la coupe, prise de la région médiane de l'embryon. On voit la paroi ventrale de l'intestin moyen formée, mais sur la face dorsale de l'embryon il n'y a que quelques cellules dispersées (a) de l'entoderme. Les fig. 26—29 nous représentent une série successive des coupes du stade plus avancé à partir du pôle céphalique. Sur la coupe fig. 26, la plus voisine du pôle, le tube entodermique est complétement formé, sur la coupe suivante fig. 27 le tube sera fermé, quand la cellule (a) prendra sa position définitive. Les coupes fig. 28, 29, correspondant à la région médiane de l'embryon, représentent les stades successifs de la formation de l'intestin moyen.

Le tube entodermique se ferme le plus tard à l'endroit où il touche à l'organe dorsal. Sur les coupes de ce stade on voit l'intestin complétement fermé au dessous et au dessus de l'organe dorsal, tandis que dans sa région même il reste ouvert.

Les fig. 30—32 nous représentent les coupes succesives à partir du pôle oral, correspondant au stade, où le tube entodermique est complétement formé tout le long de l'embryon. Sur la coupe médiane on voit (fig. 31, a) entre l'entoderme et le vitellus une suite de lignes très fines. A l'aide d'un microscope on peut se persuader, que ces lignes sont formées du protoplasme finement granulé, qui a l'air de couler de vitellus dans les cellules de l'endoderme. Il parait, que les œufs étaient conservés juste dans le moment de la nutrition énergique des cellules entodermiques.

Peu après que le tube intestinal se soit complétement fermé, les cellules qui le constituent changent leur aspect: de cellules aplaties et solides qu'elles étaient, elles deviennent volumineuses, prismatiques et tellement surchargées de vacuoles, que le protoplasme ne forme qu'une mince couche sur leurs parois. Ensuite, sur le sac intestinal dans toute sa longueur apparaissent trois enfoncements en forme de gouttières, dont deux se trouvent sur la face dorsale de l'embryon et une sur celle du ventre. Ces gouttières apparaissent d'abord dans la partie abdominale du corps et montent peu à peu vers la tête. Les deux gouttières dorsales, s'enfonçant peu à peu dans l'intérieur, découpent, pour ainsi dire, l'intestin proprement dit du sac intestinal. La gouttière ventrale partage le reste du tube intestinal en deux sacs hépatiques. Les coupes d'un seul embryon de ce stade donnent la possibilité de suivre graduellement tout le procédé de la division du tube intestinal en trois parties — deux sacs hépatiques et l'intestin moyen: dans les coupes de la partie céphalique du corps, le tube intestinal est encore sans aucun pli, dans les coupes suivantes, on voit le tube intestinal plié en trois (fig. 39), et ces plis deviennent de plus en plus grands; enfin, dans la partie abdominale (fig. 40) on voit les sacs hépatiques et l'intestin complétement séparés.

L'intestin à peine séparé des sacs hépatiques, les cellules qui le constituent, de grandes et riches en vacuoles qu'elles étaient, deviennent petites et solides. Les cellules des sacs hépatiques restent sans changement.

Mes coupes des embryons presque formés, me prêtèrent l'occasion d'observer la formation des organes sexuels, ce qui se produit de la manière suivante: dans la paroi dorsale de l'intestin, aux deux endroits latéraux, où elle touche les sacs hépatiques, les cellules épitheliales de l'intestin obtiennent une forme cylindrique. En même temps il se produit une multiplication rapide de ces cellules. Simultanément les cellules des sacs hépatiques manifestent les mêmes changements dans les endroits où ils touchent l'intestin. Il en résulte, que toutes ces cellules sortent des parois de l'intestin de même que de celles des sacs hépatiques et forment deux amas solides des cellules, disposés de deux côtés de l'intestin. Ensuite ces deux amas de cellules deviennent caves, en se détachant complétement de l'intestin et des sacs hépatiques. Ainsi formés, les organes sexuels s'éloignent peu à peu de l'intestin, mais restent pourtant liés d'un côté à ce dernier, de l'autre aux parois du corps à l'aide des ligaments, qui se forment du mésoderme.

Vu que les organes sexuels n'apparaissent pas simultanément, dans toute leur longueur mais se forment successivement, on peut observer leur développement sur une série ininterrompue des coupes d'un seul et même embryon, comme celà a aussi lieu pour la formation des sacs hépatiques. Une pareille série des coupes est représentée sur les figures 51—53 à partir du pôle oral. Sur la fig. 53 on voit aux endroits (os) des cellules allongées de l'intestin et des sacs hépatiques. Encore plus loin les organes sexuels représentent deux tubes, contigus aux parois de l'intestin et des sacs hépatiques. Sur la coupe suivante ils sont éloignés de l'intestin moyen, mais encore appliqués aux parois des sacs hépatiques (fig. 52, os). La coupe représentée sur la fig. 51 nous montre l'un des deux organes sexuels dans sa position définitive, attaché à l'intestin par le lien mésodermique (l), et au dos de l'embryon par le lien mésodermique (lm).

A la suite du développement, chacun des sacs hépatiques reçoit un cœcum, qui se forme par le procédé pareil au bourgeonnement. Dans les endroits du bourgeonnement des cœcums, les cellules des sacs hépatiques deviennent solides, hautes et se colorent très vivement, ce qui donne le moyen d'apercevoir facilement le commencement même du procédé du bourgeonnement. Les cœcums complétement formés, gardent leur constitution de cellules solides et se colorant vivement, diffèrent d'une manière tranchante des sacs hépatiques primaires. Le protoplasme dans les cellules de ces derniers reste toujours vacuolé et par cette raison se colore très faiblement.

La fig. 49 nous montre une coupe qui a passé obliquement à travers l'embryon; le cœcum (sh') gauche est complétement formé, tandis qu'on aperçoit le cœcum (sh') droit en voie de sa séparation des parois des sacs hépatiques.

Dans la partie abdominale des Orchesties tout récemment sorties de l'œuf, j'ai trouvé quatre petits tubes (fig. 50, mt). Ces quatre tubes se forment de deux tubes primaires par la subdivision de ces derniers. Il me fût impossible d'observer l'origine des deux tubes primaires, mais M-elle Pereyaslawzewa a distingué dans les Gammarus, qu'ils se forment des parois de l'intestin moyen. Quant à la fonction de ces tubes, je ne puis rien dire. Dans les travaux embryogéniques je n'ai trouvé aucun indice sur ces organes. Claus *) indique parmi les organes des amphipodes „les

*) *Claus*. Grundzüge der Zoologie. Dritte Auflage. 1876. S. 512.

glandes de Malpigui", placées dans la partie abdominale. Il est possible, que les tubes en question soient justement ces glandes.

Le mésoderme.

Une fois que l'organe dorsal eut pris sa position définitive et que l'œuf soit devenu symétrique, les appendices apparaissent tous simultanément en forme de bourrelets éctodermiques pairs. Dans ce temps on ne remarque dans l'embryon aucune courbure, aucun indice de la formation de l'abdomen (fig. 9, 10, 11). La courbure pour la formation de l'abdomen se forme bien plus tard, après la formation du système nerveux (fig. 12). Chez tous les crustacés, explorés jusqu'à présent, la formation de l'abdomen précède celle des appendices. L'Orchestie, présentant une exception, ce rapproche en ce cas des insectes.

Le stade le plus jenne de la formation des appendices est représenté sur la figure 24, E. Dans les endroits (E) de l'apparition des appendices, on voit les cellules éctodermiques, devenues très hautes. Ensuite, elles se divisent dans la direction tangente, et la coupe nous démontre deux conches dans chaque bourrelet (E). La couche interne (mes) donne naissance au mésoderme.

Le fait suivant nous démontre que le mésoderme se forme en même temps que les appendices et non pas avant; sur toutes les coupes, faites en grand nombre, il a été impossible de surprendre quelque trace du mésoderme, jusqu'au commencement de la formation des appendices; sur toutes ces coupes on ne voit nettement que deux feuillets embryonnaires—l'éctoderme et l'entoderme. Le mésòderme apparait dans les appendices, et à partir de ce moment il n'y a pas moyen de ne pas le remarquer (fig. 27—32 mes).

Une partie du mésoderme reste dans les appendices, tandis que d'autres cellules mésodermiques pénétrent entre l'éctoderme et l'endoderme et restent dispersées (fig. 31 mes) jusqu'au moment de la formation du cœur et des muscles. Peu à peu elles deviennent allongées (fig. 36 mes) de prismatiques qu'elles étaient au début de leur formation et s'amassent entre l'intestin moyen et la paroi dorsale de l'embryon dans toute la longueur de son corps (fig. 41 c; 42 c). Cet amas de cellules mésodermiques donne l'origine au cœur. Les cellules mésodermiques se rapprochent, leurs éxtrémités se touchent et forment deux bandes latérales unicellulaires, ou ce qui est plus exact, deux demi-tubes latéraux, qui apparaissent presque simultanément aux deux pôles de l'embryon et s'avancent vers l'organe dorsal; dans la région de ce dernier ils restent longtemps sans se joindre. Les parois des demi-tubes, d'abord unicellulaires, reçoivent ensuite une seconde couche mésodermique, qui s'unit à la première de façon que les corps des cellules d'une couche correspondent aux éxtrémités jointes des cellules de l'autre. Les demi-tubes se joignent en se croissant d'abord sur la face ventrale, ensuite sur la face dorsale. Sur la figure 43 on voit le cœur, dont la paroi dorsale n'est pas encore formée, et sur les fig. 39, 48 il présente un tube complétement formé. Vu que la formation du cœur commence aux deux pôles et s'effectue successivement dans toute la longueur du corps, un seul et même embryon montre toutes les phases du développement de cet organe.

Les figures 42—44 nous réprésentent une série successive des coupes d'un embryon au stade de la formation du cœur. La coupe la plus voisine du pôle cephalique nous montre le cœur complétement formé; dans la coupe suivante la paroi dorsale du cœur n'est pas encore fermée; dans les coupes médianes, appartenant à la région de l'organe dorsal, le cœur ne représente qu'un amas de cellules mésodermiques (fig. 44). Nous le voyons de nouveau presque formé dans les coupes fig. 43; plus près du pôle aboral à la place du cœur on voit encore des cellules dispersées (fig. 42).

Une partie des cellules mésodermiques reste dans la cavité du cœur, après qu'il se soit formé, et sert à la formation des éléments du sang. En même temps dans toute la cavité du corps apparait le plasme du sang, qu'on aperçoit sur les coupes en forme d'une masse très-finement granulée.

Tout le procédé de la formation du cœur se passe parallèlement à la formation des sacs hépatiques et de l'intestin (fig. 39, 40). Ces deux procédés commencent et se terminent presque en même temps.

Dans le cours du développement, les éléments mésodermiques dispersés se joignent en groupes pour la formation des muscles (fig. 49, m) et de la tunique musculaire de l'intestin. Outre celà, ils forment des liens pour les organes sexuels, en se jognant à leurs éxtrémités allongées en plaques unicellulaires (fig. 51, l, lm).

L'éctoderme.

Au stade de l'apparition de la tunique larvaire et du liquide entre celle-ci et le chorion, les œufs se prêtent difficilement à la préparation. Ils peuvent rester plusieurs heures dans le liquide de

Kleinenberg et l'acide picrique sans aucun changement: ces réactifs ne s'infiltrent pas à travers les deux membranes et il est tout à fait impossible d'enlever le chorion des œufs non durcis. L'eau bouillante agit très-vite sur les œufs de ce stade, elle fait jaunir l'œuf presque instantanément, fait éclater et sauter le chorion, mais en même temps elle durcit tellement le vitellus, que les coupes réussissent avec difficulté. Ces difficultés sont propres à tous les stades, jusqu'au moment de la formation des sacs hépatiques. Dès ce moment l'eau bouillante réagit d'une manière excellente et l'on reçoit facilement des coupes. Mais comme dans l'éspace du temps entre l'apparition de la tunique larvaire et la formation des sacs hépatiques s'effectue la formation du système nerveux, j'ai eu beaucoup de peine à l'étudier, à cause des difficultés, qui se présentent à la confection des coupes.

Le système nerveux commence à se former par les ganglions céphaliques. Ces ganglions apparaissent comme deux bourrelets éctodermiques, tout à fait séparés, disposés de deux côtés de la cavité œsophagienne. Ensuite, dans chacun d'eux se forment deux invaginations (fig. 25 NNaa), qui s'enfonçent peu à peu et divisent le cerveau en lobes.

Les ganglions de la chaîne ganglionnaire ventrale apparaissent, comme des bourrelets éctodermiques pairs (fig. 24, NN). Au début de leur formation ces bourrelets ne diffèrent de ceux des appendices, avec lesquels ils coincident dans le temps d'apparition, que par leur position plus voisine de la ligne médiane du corps et par les dimensions (fig. 24). Peu à peu l'éctoderme cylindrique des bourrelets détache en dedans des cellules, qui se rangent en masses solides, représentant les ganglions. Plus tard dans leur intérieur apparait le tissu fibrillaire qui a sur les coupes l'aspect d'une masse très-finement granulée (fig. 36, N). A cause de la formation successive des ganglions ventraux, on peut se servir d'un seul embryon pour suivre toutes les phases de la formation de la chaîne ganglionnaire. Dans la partie céphalique du corps on voit les ganglions complétement formés, dans la partie abdominale on n'aperçoit que les bourrelets pairs, dont les cellules ne différent nullement de celles de l'éctoderme; les coupes moyennes représentent toutes les phases intermédiaires entre ces deux extrêmes.

Les yeux au début de leur formation, présentent deux épaississements éctodermiques latéraux, qui se joignent aux lobes céphaliques, durant l'évolution (fig. 37, y). Au stade de la formation du cœur et des sacs hépatiques apparaissent les corps réfringents des yeux (fig. 38, y), d'abord dispersés sans ordre et formant peu à peu une couche périphérique. Ensuite autour des corps réfringents apparait le pigment noir (fig. 45, p).

L'œsophage se forme plus tôt que le rectum par l'invagination de l'éctoderme, qui sur les coupes a une forme quadrangulaire (figures 27, 30, 34 oes). Bientôt après sa formation, au bout de l'abdomen se montre une invagination éctodermique en forme d'une gouttière, qui se ferme en canal successivement, en commençant par son bont antérieur—c'est le rectum. Au début de sa formation, sa section transversale est quadrangulaire (fig. 35, re); aux stades plus avancés, on l'aperçoit sur les coupes en forme d'une figure astérisque (fig. 50, re).

L'organe dorsal dès son apparition sur la face latérale de l'oeuf, jusqu'à sa transposition sur le dos, conserve la forme d'un entonnoir, constitué de cellules pyriformes (figures 18, 19, 22 od). Une fois placé sur la ligne médiane dorsale, il s'agrandit notablement et reçoit une cavité centrale. Les cellules éctodermiques qui l'entourent, prennent une forme cylindrique, très différente de la forme aplatie des cellules éctodermiques voisines et représentent une plaque ronde, ayant l'entonnoir dans le centre. Cette plaque est tout-à-fait analogue à la plaque dorsale de Moina et de Gryllotalpa *) (fig. 28. od). Par conséquent, on peut la compter comme appartenant à l'organe dorsal, qui dans ce stade se trouve formé d'une plaque de cellules cylindriques et d'un entonnoir de cellules pyriformes, placé au centre de la plaque.

A ce stade on remarque à côté de la subdivision radiale des cellules de l'organe dorsal, la subdivision tangente. La première sert à son agrandissement. Par suite de la seconde les cellules s'en séparent et vont dans le vitellus. Sur la fig. 23 on voit deux cellules en voie de division dans la direction de la tangente: la première cellule (fig. 23, a) a un nucleus avec deux nucléols; la seconde (fig. 23) a deux nucleus; il est évident, que ces cellules se préparent à la division. Sur la fig. 23, on voit la cellule *c* se détacher de l'organe dorsal. Je n'ai pas eu la chance de suivre le sort postérieur de ces cellules; il est possible, qu'elles se dèsorganisent dans le fond du vitellus, comme cela est le cas pour Gryllotalpa, selon Korotneff.

---

*) *Grobben*. Die Entwickelungsgeschichte der Moina rectirostris. Wien. 1879.
Korotneff. Die Embryologie der Gryllotalpa Zeitschr. f. W. Z. B. 41. 1885.

Vers et temps de la formation du coeur, la plaque dorsale disparait complétement.

Les cellules autour de l'entonnoir reprennent leur forme aplatie, pareille à celle des autres cellules éctodermiques.

Après que le coeur se soit formé, les cellules mésodermiques s'accumulent peu à peu non seulement entre l'entonnoir de l'organe dorsal et les parois du corps, mais aussi entre les cellules de l'organe même: les cellules de ce dernier deviennent pâles et déliquescentes; il devient impossible de distinguer leurs limites. La même suite successive des coupes, qui nous a servi à démontrer la formation du coeur, peut aussi démontrer les phases différentes de la désorganisation de l'organe dorsal. Sur la coupe fig. 44, on voit les cellules pâles et soudées de l'organe dorsal (od) et le mésoderme (mes), amassé entre lui et la paroi dorsale du corps. Sur quelques coupes les cellules mésodermiques se trouvent parmi les cellules de l'organe dorsal. Ce dernier ne disparait complétement que vers la sortie de l'oeuf de l'embryon.

Comme le procédé de la désorganisation de l'organe dorsal coïncide avec celui de la formation des muscles, il est possible que ses débris servent de nourriture à ces derniers.

Les oeufs, où l'organe dorsal a encore une position latérale, me fournirent quelques coupes, propres à démontrer la position du micropyle. La figure 20 nous représente une des coupes de ce stade. Je l'ai reçu au commencement de mes recherches, quand j'employais le liquide de Kleinenberg et je n'ôtais pas le chorion. Par l'effet de la préparation l'organe dorsal a sauté du blastoderme, mais il est resté lié au micropyle (m), dont la position correspond exactement à celle de la cavité de l'organe dorsal. M. La Valette *) a fait la même observation, en étudiant les embryons vivants de Gammarus pulex.

Pétersbourg. 1887.

---

*) *La Vallete St George.* Studien uber die Entwickelung der Amphipoden. Abh. der natur. Gesell. zu Halle. V, 1860.

Explication des planches.

Planche XVI.

Fig. 1. L'oeuf montrant la division en 2.

" 2. L'oeuf montrant la division en 4; on reconnait dans chacun des globes le noyau qui apparait comme une tache plus pâle.

" 3. L'oeuf montrant la division en 8; les taches pâles dans les globes représentent les noyaux.

" 4. L'oeuf, montrant la division en 32, vu de côté; on voit les noyaux distinctement.

" 5. La face dorsale, fig. 6 — la face ventrale de l'oeuf au stade de l'apparition du blastoderme.

" 7. La face dorsale, fig. 8 — la face ventrale de l'oeuf au stade plus avancé de la formation du blastoderme. On aperçoit les cellules amiboïdes en voie de division.

" 9. La face latérale, fig. 10 — la face dorsale.

" 11. La face ventrale de l'embryon au stade de l'apparition des appendices; *od* l'organe dorsal; on ne voit encore aucune courbure dans l'embryon.

" 12. L'embryon vu de côté au stade de l'apparition de la courbure, formant l'abdomen.

Planche XVII.

bl—blastoderme, *end*—entoderme, *mes*—mésoderme, *od*—organe dorsal, *EE*—appendices, *NN*—système nerveux, *oes*—oesophage, *re*—rectum.

Fig. 13. Coupe transversale de l'oeuf au stade fig. 5—6. *d* cellule en voie de division.

" 14, 16, 17. Coupes transversales de l'oeuf au stade fig. 7—8, correspondant à la région médiane de l'embryon; *a*—cellules en voie de division dans la direction du rayon, *b*—dans la direction de la tangente; *cc'*— cellules en voie d'émigration dans le fond du vitellus.

" 15. Coupe de l'oeuf au même stade, voisine du pôle oral. *d*—cellules se touchant pour la formation du blastoderme.

" 18 Coupe transversale de l'oeuf au stade de l'apparition de l'organe dorsal; *ab* blastoderme prismatique, donnant l'origine à l'entoderme; *ac*, *bd* le blastoderme aplati.

" 19. Coupe transversale de l'oeuf complètement recouvert du blastoderme, mais ayant encore l'organe dorsal posé latéralement; *cc*—cellules entodermiques.

" 20. Coupe transversale montrant la position du micropyle *m*; *ch*—chorion.

Fig. 21. Coupe transversale de l'oeuf au stade de la formation de l'entoderme; on voit les cellules blastodermiques consistant de deux parties différentes.

„ 22. Emigration des cellules entodermiques du fond de vitellus vers la périphérie; *a* cellule, gardant les pseudopodes dirigés vers le vitellus; *b* cellules au fond du vitellus, *c* cellules entodermiques disposées en deux couches.

„ 23. L'organe dorsal au stade fig. 9, 10, 11. *aa'*—cellules en voie de division dans la direction de la tangente; *c*—cellule séparée de l'organe dorsal.

„ 24 et 25. Deux coupes successives de l'embryon au stade fig. 9; formation des ganglions céphaliques fig. 25 N; *a*—invaginations, fig. 24 formation de la chaîne ventrale *NN* et du mésoderme dans les appendices *EE*; fig. 24, *a*—cellules entodermiques dispersées.

„ 26—29. Suite successive des coupes transversales à partir du pôle céphalique au stade plus avancé.

„ 30—32. Suite successive des coupes transversales à partir du pôle céphalique; formation de l'oesophage.

„ 33. Coupe longitudinale montrant la formation de l'oesophage.

„ 34. Coupe transversale de l'oesophage au stade plus avancé.

„ 35 et 36. Coupes transversales successives, montrant la formation du rectum et le développement du système nerveux.

„ 37 et 38. Coupe transversale montrant le développement des yeux; y—yeux, *cerv*—cerveau.

„ 39 et 40. Suite successive des coupes transversales à partir du pôle céphalique, montrant la séparation des sacs hépatiques (*sh*) de l'intestin (*in*); *c* coeur.

„ 41. Coupe longitudinale de l'embryon, au stade de la formation du coeur.

„ 42—44. Suite successive des coupes transversales montrant le développement du coeur (c) et la désorganisation graduelle de l'organe dorsal.

„ 45—47. Suite successive des coupes transversales au stade de la formation des muscles; *p*—pigment; *cr*—corps réfringents; *mes*—muscles; 47—la paroi dorsale de l'embryon montrant les restes de l'organe dorsal—*od*; *c*—coeur, *in*—intestin moyen, *oes*—oesophage.

„ 48. Coupe transversale de l'embryon, prêt à éclore.

„ 49. Formation des coecoums (sh') des sacs hépatiques.

„ 50. Coupe transversale de l'embryon récemment sorti de l'oeuf, montrant 4 glandes de Malpighi (mt).

„ 51—53. Suite successive des coupes transversales au stade de la formation des organes sexuels (os) à partir du pôle céphalique; *l*,*lm*—liens mésodermiques.

TROISIÈME PARTIE.

LE DÉVELOPPEMENT DE CAPRELLA FEROX, CHRNW.

Par

M-lle le Dr. S. Pereyaslawzewa.

Avec 2 planches.

Etude de l'oeuf vivant.

Les œufs de Caprella ont une forme ovalaire et sont revêtus par un chorion transparent, mais très compacte, qui ne laisse passer que très peu les matières colorantes et les liquides conservateurs. A la lumière directe on voit l'œuf colorié de jaune; à la lumière transmise la couleur change en gris-foncé; la masse de l'œuf n'est point transparente. La transparence du chorion nous permet de suivre sur un œuf vivant toutes les phases de la segmentation ainsi que la formation des organes externes de l'embryon. Mais c'est aux coupes que nous devons avoir recours, afin d'exposer toutes les modifications, que subit la masse centrale de l'œuf et ce sont les coupes de même, qui nous expliquent la formation des feuillets embryonnaires et des organes internes.

Il faut bien noter, que la confection des coupes des œufs de Caprella présente beaucoup de difficultés serieuses, de manière à faire renoncer M. Mayer *) à continuer ses recherches sur les Caprelles et à l'obliger d'abandonner son ouvrage à moitié fait. Dans sa Monographie des Caprelles du golfe de Naples il dit, qu'après avoir suivi toutes les modifications sur l'œuf vivant, il n'avait pas pû parvenir à confectionner des coupes, qui lui donneraient des

*) D-r M. Mayer „Die Caprelliden des Golfes von Neapel" etc. Fauna und Flora des Golfes von Neapel. VI Monographie.

1.

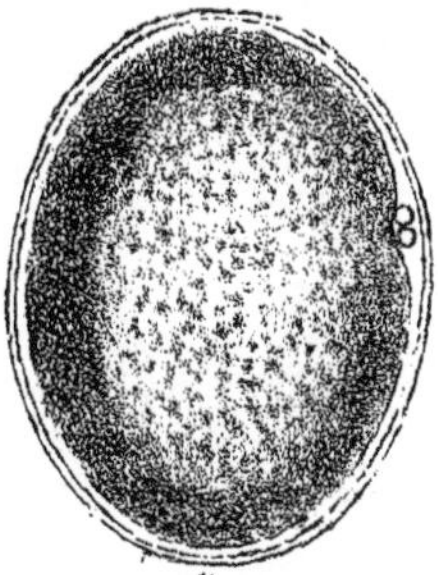

2.

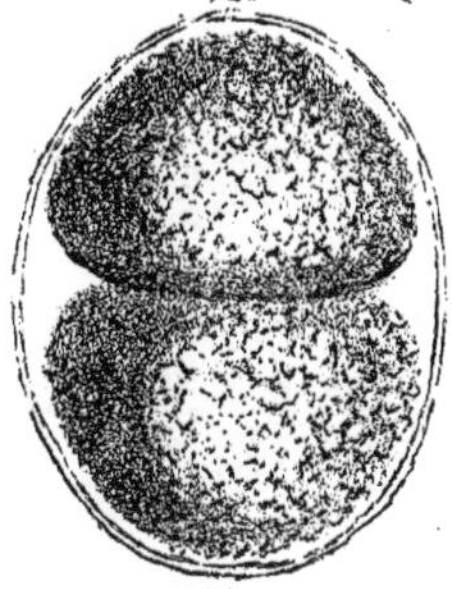

8.

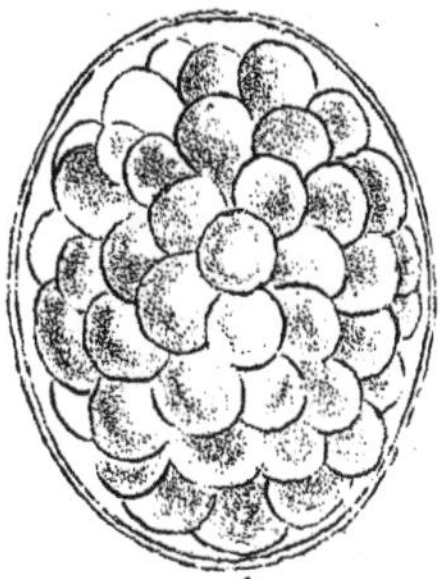

7.

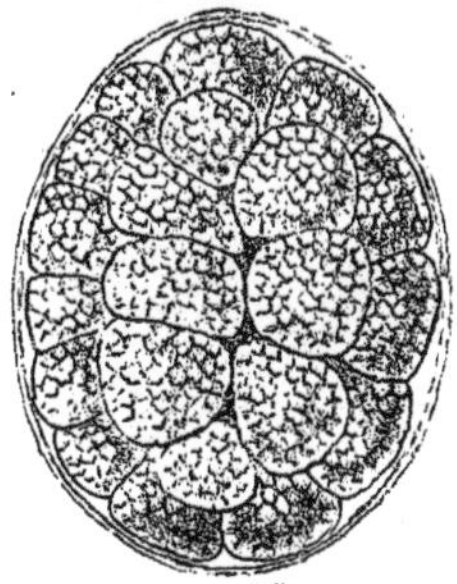

9.

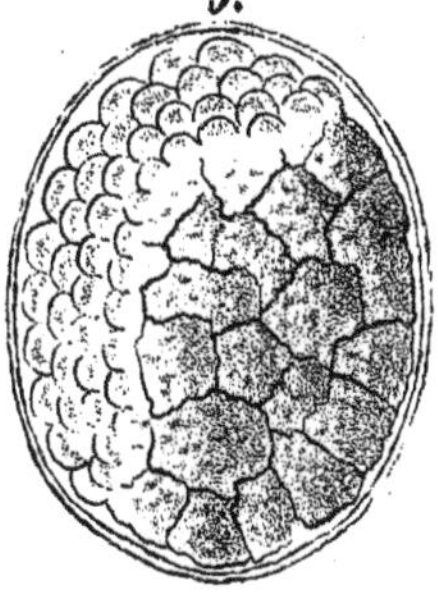

10.

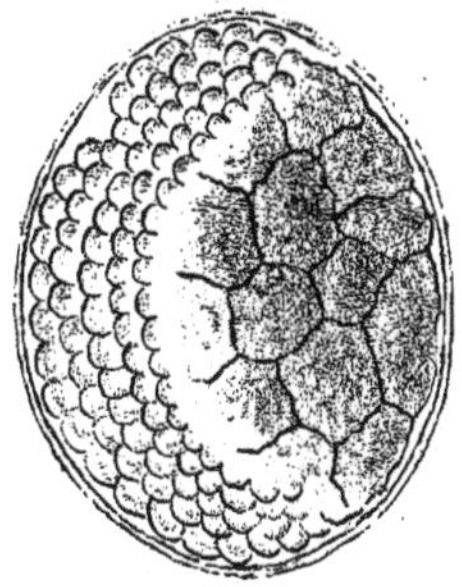

16.

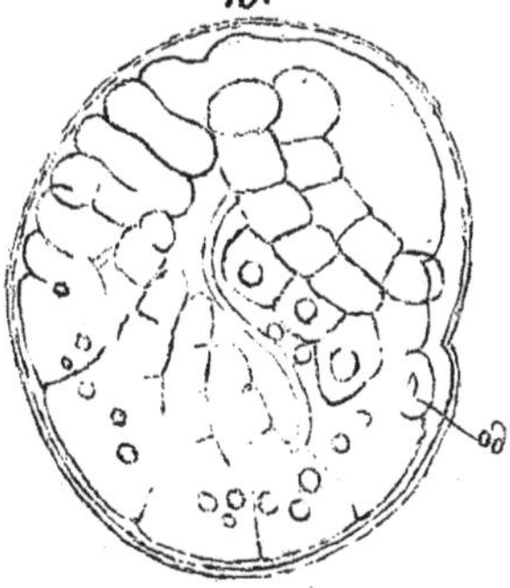

15.

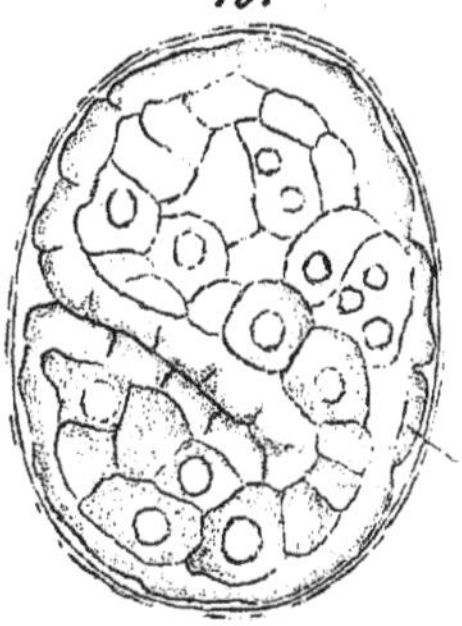

Bulletin 1888.

Pl. XVIII.

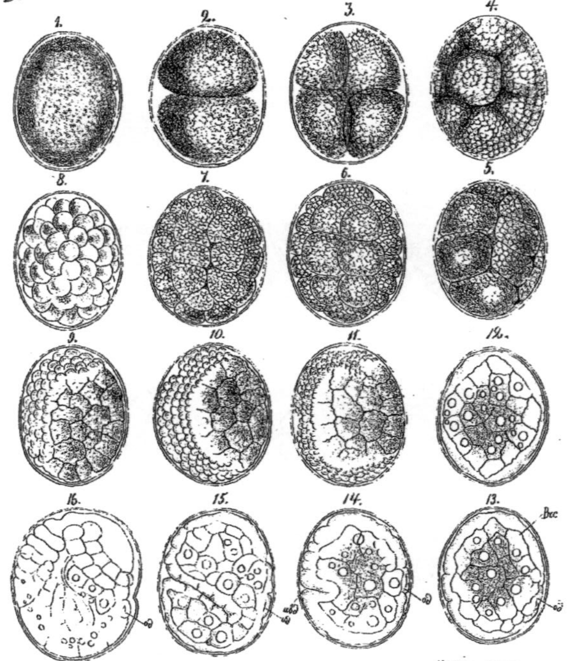

Москва. Универс. литог.

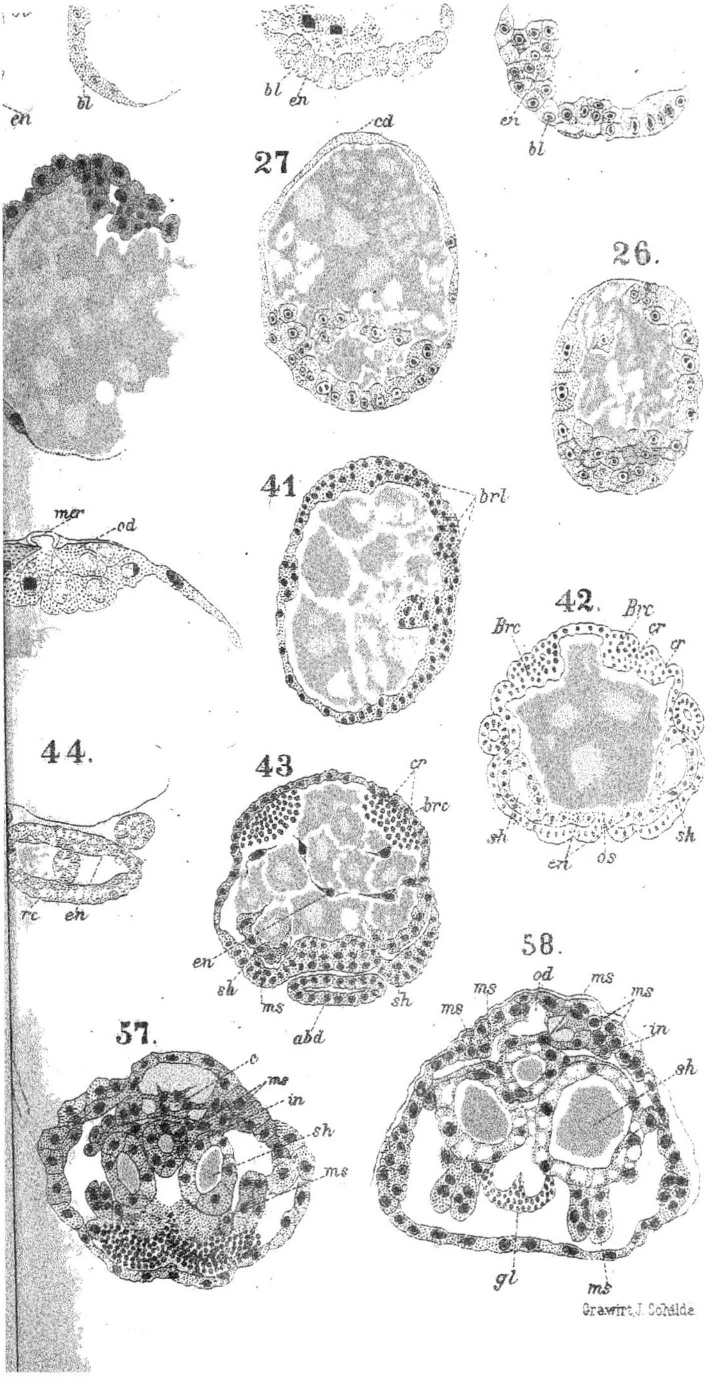

en
bl
bl
en
en
bl
cd
27
26.
41
brl
mer
od
42.
Brc
Brc
cr
cr
sh
sh
en
os
44.
43
cr
brc
rc
en
en
sh
ms
sh
abd
58.
od
ms
ms
ms
ms
in
sh
57.
c
ms
in
sh
ms
gl
ms
Grawirt J. Schalde

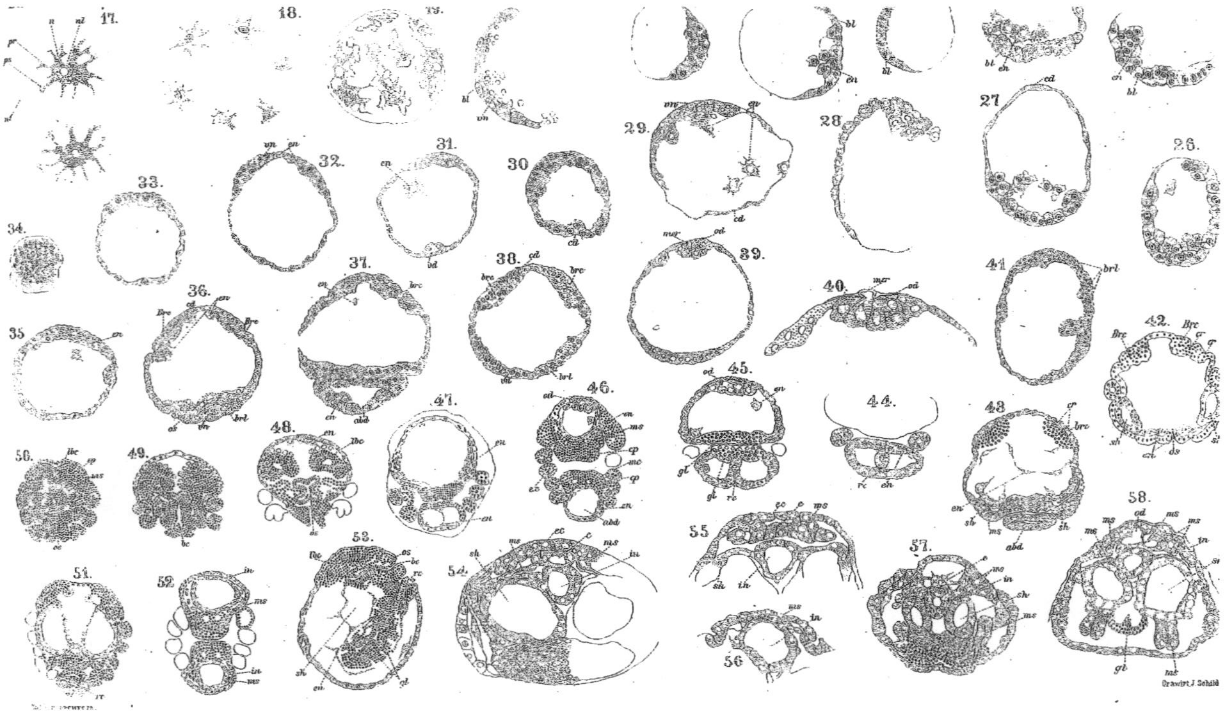
17.
18.
19.
26.
27
28
29.
30
31.
32.
33.
34.
35
36.
37.
38.
39.
40.
41
42.
43
44.
45.
46.
47.
48.
49.
50.
51.
52.
53.
54.
55
56
57.
58.
Gravirt J. Schild

résultats désirés, et il ne s'est pas décidé d'exposer le développement des Caprelles étudié exclusivement d'après des œufs vivants, parce que une déscription aussi incomplête, bien qu'elle manquât à la littérature des Amphipodes, ne répond pas à l'état actuel de nos connaissances sur l'embryologie comparée.

De ma part je dois affirmer, que la confection des coupes des œufs de Caprelles, revêtus du chorion, présentent des obstacles insurmontables et peut faire renoncer à l'ouvrage. Mais comme c'est le chorion, qui en est la cause principale, je me vis obligée à renoncer, après quelques non-réussites, à avoir des coupes des œufs revêtus de ce dernier, et je me suis décidée à éloigner le chorion, qui du reste ne laisse pas passer les matières colorantes. Après quelques nouvelles non-réussites je parvins à gonfler le chorion et à l'enlever à l'aide des aiguilles.

A mesure, que l'œuf grandit progrèssivement, l'embryon prend des dimensions plus fortes, ce qui fait dilater le chorion; on parvint aux mêmes résultats, quand on soumet le chorion à une action durable du liquide de Kleinenberg, de l'acide picrique d'une faible consistence et surtout quand on emploie l'eau douce bouillante. Il est à remarquer que le chorion soumis à l'action des réactifs, se gonfle dans les mêmes proportions, qu'il en est le cas pendant le développement de l'embryon; à l'appui de mon observation, je puis mentionner, que le chorion se gonflait bien moins à mesure que l'embryon prenait des dimensions plus fortes et dans les stades aux embryons, prêts à faire éclosion, il ne se gonflait plus. Aussi dois je noter qu'à mesure de la croissance de l'embryon, le chorion se détache avec bien plus de difficulté.

Voici la manière dont on se sert pour détacher le chorion: on met les œufs dans un verre à montre, en observant qu'il y reste le moins d'eau de mer possible (il faut pourtant que les œufs soient humides), on y verse l'eau bouillante, on enleve le chorion et on transporte l'œuf pour 3—5 heures dans l'ésprit de vin d'une faible consistence; ensuite on le place dans l'alcool absolu pour 12 heures. Les œufs préparés de cette manière se colorient parfaitement bien (le borax-carmin est à préférer) et imbibés dans du paraphin ils donnent d'excellentes coupes.

Les œufs fraichement pondus ne se rencontrent que très rarement. Afin de les avoir on choisit quelques femelles adultes, on les sépare et on surveille attentivement le moment de la ponte. Autant, que j'ai pû remarquer cette dernière a lieu le soir, ce qui explique parfaitement l'absence des œufs non ségmentés chez les exemplaires étudiés immédiatement après l'excursion. Le noyau, qui siège au centre de l'œuf, est entouré d'une couche épaisse du protoplasme (vitellus formatif) transparent, recouvert d'une couche de matières nutritives (le „deutoplasme“ de Van Beneden); cette dernière contient beaucoup de gouttes de graisse, ce qui rend l'œuf peu transparent. Malgré l'obstacle présenté par la densité de l'œuf, les limites du protoplasme qu'il en contient et la vésicule germinative sont assez nettement tracés, et se dessinent sous l'aspect d'une substence claire, qui occupe une position centrale. Les axes de l'œuf, grâce à la forme ovoïde de ce dernier, sont inégaux, l'un plus long, va donner naissance à l'axe longitudinal de l'embryon, l'autre plus court est l'axe transversal, dont le plan sera perpendiculaire au premier.

Les œufs des Caprelles parcourent avant la segmentation toutes les phases décrites pour les Gammarus. Par conséquent je supprime leur discription pour ne pas se répeter.

Le premier sillon a une direction equatoriale et divise l'oeuf en deux segments qui généralement sont égaux; je dis, généralement, parce que il y a des cas contraires. Au commencement les deux globes gardent leur forme arrondie, mais à cause de pression qu'ils exercent l'un sur l'autre, ils affectent une forme aplatie (fig. 2).

Le second sillon divise l'oeuf suivant sa longueur. Après la formation de quatre ségments ces derniers se divisent tous dans la direction longitudinale (fig. 3), nous apercevons quatre à l'hémisphère antérieure et autant à l'hémisphère inférieure; ils ne diffèrent pas dans leur volume, si les deux premiers segments étaient égaux, et ils en diffèrent en cas contraire. Après la formation de huit segments nous observons moins de régularité dans le processus du fractionnement des segments (fig. 4, 5); les uns se divisent plus rapidement, chez les autres la multiplication est plus lente.

Quelques stades plus tard les segments, dont le nombre est augmenté, changent de position et constituent des rangées longitudinales tout à fait regulières (fig. 6 et 7).

Après le stade fig. 7 la segmentation continue perdant dans sa régularité et devenant de plus en plus difficile à étudier. A mésure que la fraction avance on remarque la séparation d'un petit nombre de cellules d'avec les éléments nutritifs et nous les voyons s'accumuler sur la ligne médiane prés d'un des pôles (fig. 8). C'est la face ventrale et le pôle oral qui se sont accusés. Les cellules blanches et transparentes sont parfaitement distinctes sur le janne foncé. Il est facile de suivre leur augmentation en nombre.

Bien que pendant la segmentation nous avions affaire à un nombre considérable de globes, les cellules qui se présentent au moment de la formation du blastoderme ne suffiraient pas à le constituer dans son entier (fig. 8). Aussi à mésure qu'elles s'accusent à la face ventrale de l'embryon, elles continuent de ce multiplier; la couche blastodermique s'étend progréssivement de façon à recouvrir les parties environantes de la ligne médiane de l'embryon.

Bien avant la formation du blastoderme dans son entier, un petit enfoncement se fait reconnaître prés du pôle oral sur la face ventrale, sans atteindre sa complète invagination dans aucun exemplaire des Caprelles. Cet enfoncement disparaît dans un court laps de temps sans y laisser aucune trace de son existence passagère— c'est l'ébauche du premier enfoncement, qui s'est dessinée (fig. 10). Aux stades suivants le nombre de cellules accroit visiblement et la couche blastodermique enveloppe de plus en plus le jaune. Lorsque les deux pôles sont recouverts, un second enfoncement prend naissance à la face ventrale bien au delà du premier; la période de son existence est de la même durée que celle du premier et il disparaît complètement avant que ses bords se soient repliés (fig. 11).

Dans le cours de mon article je parlerai plus amplement sur le rôle de ces enfoncements et maintenant je poursuivrai l'étude de la formation du blastoderme tout en notant que les stades énoncés se rencontrent très rarement; pour les voir il faut suivre le développement sur le même oeuf depuis le commencement jusqu'au stade décrit.

Pendant que la formation du blastoderme s'accomplit, il s'epaissit à la face ventrale de la ligne mediane, tout en restant beaucoup plus mince sur la face dorsale et sur les faces latérales de l'embryon. Cependant la multiplication continue très énérgiquement, le nombre de cellules augmente visiblement et leurs dimmensions en deviennent plus petites. Aussi, quand le blastoderme eût recouvert la face dorsale de l'embryon, les limites des cellules, d'abord distinctes, ne sont plus reconnaissables, et la couche blastodermique apparaît sous forme d'un amas de matières transparentes tout-à-fait claires, qui enveloppent et ferment le jaune.

Ce dernier semble être constitué de globules de différents volumes, mais en effet sa surface seule est onduleuse, la masse reste compacte.

Immédiatement après que le blastoderme se soit replié sur la face dorsale, il s'épaissit dans un point, donnant naissance à l'organe dorsal (fig. 13). En même temps un sillon transversal apparait à la face ventrale, plus près du pôle aboral; il refoule le blastoderme au milieu des masses vitellines. C'est l'ébauche de l'abdomen (fig. 13 et 14). Simultanément deux proéminences laterales se dessinent au dessus de l'organe dorsal. Elles représentent les deux moitiés de la tête qui à leur début sont séparées. Après les lobes céphaliques viennent les tubercules des anténnes, ceux des parties buccales et tous ceux qui s'ensuivent et recouvrent en quatre rangées la face ventrale de l'embryon présentent les germes des pattes et des ganglions de la chaine ventrale.

Dès ce moment les contours de l'organe dorsal deviennent plus nets (fig. 14 et 15). Son accroissement est très distinct dans les stades subséquents et à mésure du dévéloppement de l'embryon les contours de l'organe dorsal sont très prononcés (fig. 16). Les phénomènes exposés s'en suivent jusqu'à la formation complète du coeur, quand la désorganisation de l'organe dorsal est très rapide.

Après que les germes de tous les organes externes se soient accusés, leur dévéloppement ne consiste que dans l'agrandissement. Plus tard vient l'articulation (fig. 16).

En même temps il est facile d'observer dans les parties intérieures de l'embryon, que le vitellus nutritif devient moins abondant et il affecte la forme du tube digestif, très large dès son début, dans la partie supérieure de l'embryon. Ce sont les appendices hépatiques qui se différencient ensuite et nous les voyons se retrécir de même que le tube digestif.

Le volume du corps diminue de plus en plus et simultanément les extrêmités accroissent visiblement; on dirait que leur agrandissement s'opère aux dépens de la décroissance du corps.

Les parties céphaliques de l'embryon revêtent leur aspect normal et quand les anténnes sont ramenées sur le dos, les yeux débutent sous forme de plusieurs points bruns, placés de deux côtés de la tête.

Les pulsations du coeur et les mouvements du tube digestif précèdent de beaucoup l'éclosion de la petite Caprelle, qui ressemble en tout aux adultes.

Le processus de l'évolution compend quinze jours.

Segmentation et formation du blastoderme d'après les coupes. Ectoderme et ses derivés.

Les coupes des premiers stades de la segmentation des oeufs de Caprelle sont très difficiles à obtenir et je n'ai réussi à me procurer que quelques unes d'elles. Mais les phases les plus intéressantes y sont. Les coupes des oeufs divisés en deux segments (fig. 17) nous convainquent parfaitement que non seulement la vèsicule germinative et le vitellus formatif qui l'entoure se fractionnent, mais les élements nutritifs qui entourent le protoplasme, se divisent ensemble.

Après la division en deux segments, le vitellus nutritif enveloppe chaque globe séparement, y constituant une couche épaisse. La coupe représentée par la fig. 18, nous démontre que le fractionnement du jaune continue parallèlement à celui des noyaux et du protoplasme. Tous les segments sont disposés en forme d'un cercle, et chacun d'eux affecte la forme d'une pyramide, dont la base constitue la périphérie de l'oeuf et les sommets se dirigent vers le centre. La base de chaque pyramide est occupée par une cellule d'une forme étoilée.

Mais les coupes d'un stade ultérieur (fig. 91) nous montrent les cellules en voie de déplacement et bientôt après la régularité dans la disposition des masses vitellines, constituées en des pyramides, est annulée; les cellules, commençant à se dégager du jaune, ce dernier ne prend plus part dans la division et les premières se disposent sans aucune régularité.

Evidemment ces cellules ont été traité d'eau chaude juste au moment de leur déplacement très actif. Au moment donné (fig. 20) le développement du blastoderme est incontestable, il en résulte que la face ventrale et le pôle oral de l'embryon se sont accusés. Sur la face dorsale et sur le pôle aboral la couche blastodermique n'est point manifeste.

A mésure que cette dernière se développe, les cellules constituantes se fractionnent dans deux diréctions, radiale et tangente; le premier mode produit l'agrandissement des dimensions de la couche blastodermique qui enveloppe de plus en plus le vitellus nutritif et ce dernier en est à la fin complètement fermé; les bords du blastoderme se replient sur le dos de l'embryon. Les cellules, produits de la division, qui a suivi la diréction tangente, sont refoulées dans les matières nutritives; nous en parlerons plus tard.

Depuis que le blastoderme s'est accusé les cellules de la face ventrale et du pôle oral se serrent plus étroitement les unes contre les autres, et y constituent une couche épaisse (fig. 27). Par contre, elles sont si fortement aplaties et étendues sur la face dorsale, sur les parties latérales et au pôle aboral qu'elles sont à peine à distinguer sur les coupes. Les noyaux y sont très éloignés les uns des autres (fig 29).

Cependant les coupes représentées fig. 30, 31, correspondantes aux stades fig. 13, nous laissent voir la couche blastodermique épaissie de même dans un point de la ligne médiane de la face dorsale et constituée, par conséquent, des cellules d'une forme cylindrique.

Les coupes du stade suivant nous démontrent, que dans ce point même débute l'organe dorsal, en forme d'un petit tubercule éctodermique, constitué de trois cellules cylindriques. Dans le cours de son dévéloppement la quantité de cellules constituantes augmente, mais cet organe ne présente dans aucune phase un volume aussi considérable, comme c'est le cas chez les Orchesties et les Gammarus. De même, aucune des coupes obtenues ne me permit de distinguer le creux; jusqu'au moment de sa complète déstruction l'organe dorsal garde son aspect tel qu'il est représenté.

Dès que l'organe dorsal se soit formé, deux épaississements éctodermiques se manifestent au dessus de lui. Ils sont à une petite distance l'un de l'autre. Ce sont les lobes céphaliques qui s'accusent. En même temps, tout le long de la face ventrale, apparaissent quatre rangées de bourrelets, qui s'accusent progréssivement; dans chaque rangée n'apparait simultanément qu'un seul tubercule. Les bourrelets du milieu représentent les ganglions de la chaîne ventrale; les deux rangées laterales—les pattes, les antennes et les parties buccales, selon leur position.

Au premier abord on est enclin d'envisager les bourrelets des lobes céphaliques comme des produits de simple épaississement de l'éctoderme, qui donne naissance, par endroits, à une séconde rangée de cellules; mais l'analyse plus attentive des coupes du stade en question (fig. 36) nous met en évidence que chaque bourrelet, qui n'est autre chose que le germe d'un ganglion céphalique, est formé de deux enfoncements et de trois tubercules éctodermiques d'un volume insignifiant. Plus tard les bouts de ces enfoncement se soudent et alors commence la multiplication des cellules refoulées; elle est très active et les cellules qui en dérivent, vont se ranger conformément à la disposition des lobes du cerveau.

La disposition des germes des ganglions céphaliques nous indique qu'aux stades antérieurs de l'évolution embryonnaire, la tête de l'embryon est renversée en arrière comme chez les Gammarus (fig. 36, 42, 43).

A mésure que les ganglions céphaliques grandissent, la quantité des cellules constituantes augmente et bientôt dans l'intérieur de chacun d'eux apparait la masse centrale à l'aide de laquelle se produit la jonction des lobes du cerveau.

L'éctoderme des bourrelets des extremités et des ganglions de la chaîne ventrale présente les cellules les plus épaisses; bientôt après l'ébauche des tubercules mentionnés, les cellules de l'éctoderme commencent à se diviser dans la direction tangente. Celles qui se détachent du bourrelet des extremités présentent le mésoderme. Les cellules qui apparaissent dans les tubercules de la chaîne ventrale serviront à la formation des ganglions de cette dernière. Dans le cours de leur développement le nombre de cellules constituantes augmente visiblement et dans l'intérieur de chacun apparait la masse centrale. C'est à l'aide de cette dernière que les ganglions se soudent par paires transversales. Chaque paire est liée avec la paire suivante à l'aide de deux commissures, qui ne sont formées que de la masse centrale des ganglions.

Le développement des extremités ne consiste d'abord que dans l agrandissement de leurs dimensions; plus tard vient l'articulation (fig. 16).

La formation de l'œsophage précède très peu celle du rectum, comme le prouve la fig. 48. Tous les deux se développent absolument de la même manière, comme c'est le cas chez les Gammarus.

H est à nôter, que chez les Caprelles et chez les Gammarus, l'organe dorsal se trouve ordinairement dès son début sur la ligne mediane du dos. Mais les monstruosités ne sont par rares et alors il se présente à côté (fig. 50—52 et fig. 78 chez les Gammarus).

Mésoderme. Formation du coeur et des muscles.

Comme nous venons de l'éxposer plus haut, la formation du mésoderme coincide avec celle des extrêmités. Au début, les éléments mésodermiques s'accumulent dans les bourrelets éctodermiques, qui lui ont donné naissance. Dans les phases, qui correspondent à cette période du développement, le mésoderme n'apparaît nulle part sous forme d'une couche intermédiaire entre l'éctoderme et l'entoderme. La fragmentation des cellules mésodermiques devenant très active, les cellules dépassent les limites des cavités des bourrelets et viennent s'agglomerer dans les endroits, où doit se produire la formation des muscles.

Mais avant, que les différents muscles se soient formés, le coeur s'accuse. Une accumulation considérable des cellules mésodermiques de deux côtés de la ligne médiane du dos precède le développement du coeur, en y formant une couche épaisse d'éléments fusiformes, située entre l'éctoderme et l'entoderme. Cette couche mésodermique est interrompue dans un endroit de la ligne médiane, les cellules extrêmes de cette coushe interrompue détachent des pseudopodes fourchus qui s'allongissant de plus en plus vont au devant les uns des autres; puis ils se rapprochent et donnent naissance au tube qui est le premier indice du vaisseau sanguin (fig. 55—57). Les pseudopodes avoisinants les parois de l'intestin moyen, se réunissent plus vite que ceux qui confinent l'éctoderme.

D'autres cellules, qui font partie de la rangée mésodermique, enveloppent de deux côtés le tube nouvellement formé et s'y appliquent étroitement. D'autres encore se glissent entre le vaisseau et la paroi de l'intestin y formant le tissu musculaire de ce dernier (fig. 58).

Le vaisseau prend sa naissance au dessous de l'organe dorsal, se dirige vers ce dernier et s'arrête tout près de lui; simultanément un autre, en tout semblable à celui, qui s'est formé, s'accuse au dessus de l'organe dorsal, descend vers ce dernier et vient au devant du vaisseau formé antérieurement. L'organe dorsal semble présenter un obstacle à leur jonction et cette dernière ne s'accomplit qu'au moment de la déstruction du premier (fig. 58).

A mésure du développement du coeur, l'organe dorsal se détruit. Non seulement les éléments mésodermiques s'introduisent entre l'organe dorsal et les conches éctodermiques et entodermiques, mais ils pénétrent simultanément entre les cellules de l'organe dorsal, qui en est fractionné. En observant le procèssus décrit on se convainc parfaitement que la paroi du vaisseau, qui adhère à l'intestin s'est formé beaucoup plus tôt, que celle, qui confine l'éctoderme (fig. 54—58). Le développement du tissu musculaire qui revêt les parois du tube digestif, ainsi que la formation des muscles du corps, marchent de pair avec les phénomènes évolutifs, que nous venons d'exposer.

Entoderme et ses dérivés.

La couche entodermique s'accuse bien avant que le blastoderme ait enveloppé définitivement le vitellus nutritif (fig. 9—15); il est évident que la couche blastodermique détache les éléments entodermiques dès son début et la formation de ces derniers est surtout énergique dans la partie supérieure de la face ventrale. Au pôle oral l'entoderme constitue une rangée continue de cellules, disposée sous la couche blastodermique qu'elles confinent très étroitement (fig. 21—33). Un peu au dessous, cette couche est interrompue et les éléments sont écartés de deux côtés de la ligne médiane (fig. 25); dans la région plus inférieure de la partie médiaire de l'oeuf, le nombre de celulles est bien diminué et elles se joignent par une ou par deux celulles avant-dernières du demi-cercle blastodermique; à l'aide de ces bandelettes latérales, l'entoderme descend jusqu'à un certain point dans la partie inférieure du corps; ainsi sur les coupes du même oeuf des régions plus inférieures, les bandelettes ne se voient pas et la face ventrale du pôle aboral est recouverte exclusivement d'une couche blastodermique (fig. 23, 33).

Dans l'aperçu de l'aspect extérieur de la segmentation et de la formation de la couche blastodermique, que j'ai exposé plus haut, il fut noté, qu'après que cette dernière ait enveloppé la plus grande partie de l'oeuf, sur la face ventrale de l'embryon, plus près du pôle aboral, apparaît un enfoncement parfaitement distinct dans tous les oeufs, que j'ai étudiés (fig. 10 et 11).

Les coupes du stade en question (fig. 24) qui se rapportent à la région qui comprend l'enfoncement mentionné, nous démontrent clairement, que ce dernier est parfaitement distinct dans les préparations. Sous l'enfoncement blastodermique, les celulles entodermiques sont disposées dans toutes les préparations sans aucune symétrie; la coupe rendue par la figure 16, nous permet de distinguer qu'une certaine partie de celulles blastodermiques sont refoulées dans l'intérieur; une mince couche du protoplasme est restée à la surface, séparée des celulles par de petits fragments du jaune, qui se sont enfoncés.

Le nombre peu considérable des coupes, que j'ai réussi à confectionner et l'aspect original de cet enfoncement ne me permettent pas d'affirmer qu'il y ait une analogie avec l'invagination, qui contribue à la formation de l'entoderme chez les Palémons.

Cependant je dois noter, que l'étude des oeufs vivants des Caprelles m'a donné la possibilité d'admettre, que la formation de la couche entodermique suit une voie en tout semblable à celle du dévéloppement de l'entoderme chez le Palémon et chez l'Astacus. Mais les coupes, dont je dispose, tout en donnant quelques indices de ce genre, ne nous présentent que très peu de preuves indubitables. C'est surtout l'analyse du stade subséquent (fig. 11) qui me fit renoncer à ma supposition: nous y distinguons un second enfoncement (situé au dessous du premier enfoncement mentionné) qui, étant parfaitement visible sur les oeufs vivants, n'est point reconnaissable sur les coupes.

Les coupes du stade en question nous convinquent parfaitement que la couche blastodermique s'est soudée, tandis qu'elle ne s'accuse pas sur la face dorsale dans les oeufs vivants.

Au moment donné, l'entoderme, à en juger d'après les coupes représentées (fig. 26, 42), affecte au pôle oral la forme d'un cercle à peu prés fermé, disposé sous la couche éctodermique de l'oeuf, mais constitué d'éléments encore séparés; dans la région plus inférieure il forme deux chaînettes (fig. 32), qui se détachent des parties latérales plus épaissies de l'éctoderme et qui sont en voie de se joindre sur la ligne mediane du vitellus nutritif. Plus bas encore nous ne distinguons que l'éctoderme de la face ventrale considérablement épaissi, une couche très mince sur la face dorsale et des celulles entodermiques qui sont en voie de chevaucher. Au stade plus avancé du développement, les cellules entodermiques, qui constituent les deux chaînettes, se logent des deux côtés de la ligne médiane, immédiatement au dessous de la couche éctodermique (fig. 18 et 19). Par conséquent, l'entoderme y forme deux bandelettes, qui se dirigent des deux côtés de la ligne médiane, depuis le pôle oral vers le pôle aboral; les bandelettes, assez larges au pôle oral. se retrécient vers le milieu de l'embryon et se terminent au milieu de l'axe transversal par une cellule (fig. 32).

A mésure du dévéloppement, ces bandelettes s'élargissent et descendent jusqu'au pôle aboral. Simultanément le nombre des cellules entodermiques, qui sont en voie de chevaucher, et qui s'élancent vers le pôle aboral, accroit considérablement. L'enfoncement éctodermique, qui sépare l'abdomen, commence à se dessiner bientôt après, et tandis que ce dernier se détache, les cellules, qui sont en voie de chevaucher, s'accumulent de plus en plus en dedans (fig. 37 et 44). Les coupes nous démontrent, que la partie supérieure du corps et la partie inférieure de l'abdomen, contiennent le plus grand nombre des cellules entodermiques, qui y constituent une rangée continue de cellules du côtés de la face ventrale, tandis qu'elles sont dispersées du côté opposé (fig. 43). Le nombre de cellules entodermiques est le plus insignifiant dans la partie médiane de l'embryon (fig. 38).

Jusqu'au moment donné, la formation de l'entoderme, et la distribution de ses éléments dans les différentes régions de l'embryon étaient en tous points complétement analogues aux phénomènes évolutifs chez les Gammarus. Mais après le stade énoncé quelques particularités y sont très distinctes.

La différenciation des appendices hépatiques précède chez les Caprella la formation de l'intestin moyen, par conséquent nous y avons affaire non à un résultat de différenciation, mais à une formation indépendante, qui se produit aux dépens des éléments entodermiques; chez les Gammarus le fait exposé n'est que très faiblement indiqué dans les coupes représentées (fig. 43 et 51).

Il est à noter de même que le développement des sacs hépathiques se produit chez les Caprella de bas en haut et non pas dans la direction opposée, comme c'est le cas chez les Gammarus.

Dans la fig. 51 qui nous reproduit la coupe de l'embryon au stade représenté fig. 15, nous ne remarquons pas, que les éléments de l'entoderme soient intimement liés; cependant deux tubes aveugles se sont formés simultanément des deux côtés de l'ocsophage: c'est le germe des appendices hépathiques. Au stade précédent, où ces organes commencent à s'arrondir dans la partie supérieure de l'embryon, on distingue, que le procèssus décrit, débute par la face ventrale (fig. 43). Le phénomène exposé s'accomplit ainsi, que suit: des deux côtés de la ligne médiane se dessinent deux bandelettes, formées de cellules entodermiques très étroitement serrées les unes contre les autres; les bords de ces bandelettes se replient en formant des demi-cercles et les cellules extrêmes commencent à émettre de longs pseudopodes, qui sont en voie de se joindre; simultanément se produit la multiplication des cellules, et les demi-cercles sont accrus graduellement, et à la fin la jonction des pseudopodes des cellules extrêmes amène la formation de deux cercles fermés (ce n'est que sur les coupes, que nous voyons deux cercles, dans les oeufs entiers nous observons deux poches). La paroi intérieure, c'est à dire celle qui confine le vitellus nutritif, est toujours formé à l'aide des pseudopodes, qui se sont joints; tandis que la paroi extérieure (c'est à dire, celle qui confine l'éctoderme) est consituée ordinairement de cellules, qui s'appliquent très étroitement les unes contre les autres (fig. 51).

Par conséquent, tandis que chez les Gammarus et chez les Orchesties nous assistons à l'incurvation et à la différenciation des parois de l'intestin, chez les Caprelles la formation des appendices hépatiques se produit aux dépens des éléments entodermiques, qui se rangent pour y former deux tubes indépendants.

D'après les coupes représentées fig. 48 et 51 il est facile de se convaincre qu'au moment donné, nous ne remarquons sur la face ventrale, ainsi que sur la face dorsale de l'embryon, que des cellules entodermiques dispersées, qui semblent délimiter les parois de l'intestin, prêtes à se former; mais nulle part nous n'observons aucun vestige d'une paroi continue. Mais après que les parois du chaque tube se soient soudées pour former les appendices hépatiques, la formation de la paroi ventrale de l'intestin commence dans la partie supérieure de l'embryon et le développement des organes mentionnés marche de pair.

Dans les fig. 51 et 52 nous voyons, que la formation des appendices hépatiques ne s'est pas accomplie dans leur partie inférieure et déjà la paroi ventrale de l'intestin s'est accusée tout le long de l'embryon.

Les coupes longitudinales d'un stade plus âgé, nous permetent de distinguer mieux encore le fait énoncé (fig. 53). Le développement de l'intestin est complêté d'abord sur les deux pôles et sur la face ventrale; il se replie ensuite, après la différenciation des appendices hépatiques, sur la face dorsale de la région de l'organe dorsal. Il en résulte, que bien que les saçs hépatiques soient déjà formés dans la partie supérieure du corps, au moment où l'intestin n'est représenté que par des éléments entodermiques dispersés, la formation complète de ce dernier dévance celle des appendices hépatiques dans leurs parties inférieures.

La jonction de l'intestin au rectum et à l'oesophage est très tardive, après que la tunique musculaire se soit formée, ce qui a lieu bientôt après la formation du coeur, par conséquent au stade reproduit dans la fig. 16. Les appendices hépatiques ne se divisent en deux, pas même dans les embryons éxpulsés et restent uniques.

J'ai réussi à obtenir des préparations, qui se rapportent aux stades très âgés, où les embryons sont prêts à faire éclosion, et dans aucun exemplaire, je n'ai point distingué les tubes de Malpighi et les organes génitaux. Evidemment que les organes génitaux ne se développent, que beaucoup plus tard *).

25 Decembre 1886.
Station biologique.
Sebastopol.

Explication des planches.

vnt—vitellus nutritif.
ps—pseudopodes.
vg—vésicule germinative.
pr—protoplasme.
nl—nucleole.
n—noyau.
bl—blastoderme.
vn—côté ventral.
en—entoderme.
od—organe dorsal.
lm—ligne mediane.
os—oesophage.
brc—bourrelet céphalique.
ex—extremité, organe externe.
gl—ganglion de la chaîne ventrale.
bc—bouche.
ms—mésoderme.
abd—abdomen.
cr—crénaux.
mc—masse centrale.
cp—couche périphérique.
sh—sac hépatique.
og—organes sexueles.
c—coeur.
in—intestin.
rc—rectum.
lbc—lobes céphaliques.
cd—côté dorsal.
ec—éctoderme.
brl—bourrelets.

Planche XVIII.

Fig. 1. L'oeuf avant la division, les deux cellules polaires se sont accusées.
„ 2. La division en deux segments.
„ 3. „ „ „ 4 „
„ 4. „ „ „ 8 „
„ 5. „ „ „ 16 „
„ 6. „ „ „ 32 „

---

*) La description du développement des organes internes des Caprella que je viens d'éxposer, est moins detaillée, que celle, que j'ai donnée pour les Gammarus; la cause unique en est, que le présent ouvrage a été fait immédiatement après que j'avais terminé mon exposé des phénomènes évolutifs chez les Gammarus (bien que les coupes des oeufs de Caprella ont été confectionnées deux ans de celà); vu que le procèssus du développement chez ces deux représentants des Crustacés, à peu d'exceptions, suit la même voie, les répétitions n'étant pas à éviter, j'ai tâché d'être plus brève en cas pareil.

Fig. 7. Le stade au nombre de segments indéfini.
„ 8. L'apparition des cellules blastodermiques.
„ 9. Le blastoderme occupe tout le côté ventral et le pôle oral.
„ 10. Le premier enfoncement du blastoderme.
„ 11. Le blastoderme recouvre toute la surface de l'oeuf; le second enfoncement du blastoderme.
„ 12. } Le même stade presenté de différents côtés. La formation de
„ 13. } l'organe dorsal et l'apparition des bourrelets éctodermiques.
„ 14. La formation de l'abdomen.
„ 15. Le stade plus avancé.
„ 16. Le commencement de l'articulation des organes externes.

Planche XIX.

„ 17. La coupe longitudinale de l'oeuf divisé en deux segments.
„ 18. La coupe transversale de l'oeuf divisé en 16 segments.
„ 19. Coupes transversales de même oeuf au stade, où la quantité de segment n'est plus définissable.
„ 20. Coupes transversales de l'oeuf au stade fig. 8.
„ 21—23. Coupes transversales de l'oeuf au commencement de formation de l'entoderme; au pôle oral (21) il présente la couche, dans les parties moyennes il est représenté par deux bandes longitudinales (22); au pôle aboral il n'y a point de cellules entodermiques (fig. 23).
„ 24, 25. Coupes transversales de l'oeuf dans le même stade; les bandelettes entodermiques ne sont pas encore aussi régulières, que sur les coupes précédentes.
„ 26, 27. Coupes transversales de l'oeuf au stades un peu plus avancés. L'éctoderme présente une multiplication très active de cellules constituantes.
„ 28. Coupe longitudinale de l'oeuf au même stade. Elle n'est pas aussi instructive, que les coupes transversales.
„ 29. Coupes transversales présentant les bandelettes et la migration de cellules entodermiques.
„ 30—33 Coupes transversales de l'oeuf au stade de la formation de l'organe dorsal; les bandelettes entodermique s'élargissent.
„ 34. Coupe transversale de l'oeuf au stade plus avancé, ou peut remarquer une symetrie parfaite dans la disposition de cellules éctodermiques.
„ 35. Coupe de l'oeuf au stade de la formation de l'organe dorsal; il présente le cas de difformité dans la position latérale de ce dernier.
„ 36—39. Coupes transversales de l'oeuf au stade de la formation des bourrelets des extremités et des ganglions de la chaîne ventrale; la formation des lobes céphaliques et de l'abdomen.

Fig. 40. La même coupe que présente la fig. 39, elle est faite au plus fort grossisement pour faire voir la structure de l'organe dorsal et du micropile.

„ 41. Coupe longitudinale de l'embryon au stade de la formation de l'abdomen.

„ 42—45. Coupes transversales de l'embryon au stade de la formation des sacs hépatiques, de l'oesophage et du rectum.

„ 46—49. Coupes transversales de l'embryon au stade très avancé.

„ 50—52. Coupes transversales de l'embryon au stade de la jonction des lobes céphaliques. L'intestin est déjà formé dans toute sa longueur.

„ 53. Coupe longitudinale de l'embryon au même stade que les fig. 46—49.

„ 54—58. Coupes transversales de l'embryon au stade de la formation du coeur et de la tunique musculaire de l'intestin.

ILLUSIONS, SCEPTICISME, ASPIRATIONS DES NATURALISTES. FLUCTUATION DES IDÉES SCIENTIFIQUES. IDÉES COSMIQUES.

Discours prononcé par le Vice-Président de la Société

Mr. le Professeur *Tolstopiatow.*

à la Séance Solennelle de la Société Impériale des Naturalistes de Moscou le 3 octobre 1888.

Mesdames et Messieurs!

Felix, qui potuit rerum cognoscere causas.
Vergilius.

Nous célébrons aujourd'hui le 84 anniversaire de la fondation pe notre Société des Naturalistes, qui nous est si précieuse. Les travaux de la Société ont eu jusqu'à présent un caractère intime; son but tendait spécialement à l'étude des sciences naturelles expérimentales et descriptives. Ses séances ordinaires ainsi que les articles insérés dans ses bulletins ont eu pour objet des investigations scientifiques. Il est hors de donte que ces dernières ne sont pas toujours à la portée du public.

Ce fait motiva, il y a vingt ans à peu prés à consacrer au public le jour du 3 octobre, jour si important de la fondation de la Société. L'admission du public à cette séance anniversaire tendait à faire participer aux progrès des sciences les personnes qui s'y intéressaient, par des discours prononcés par les membres de la Société et ayant une signification générale et à la portée de tout le monde. L'honneur insigne de débuter dans cette série de discours m'est échu en partage. Me conformant au but de la Société je prendrai la liberté de vous entretenir aujourd'hui de la marche progressive des investigations des savants et de la fluctuation des idées scientifiques. Je présume que le titre même de notre entretien vous a intéressé. Quelles illusions, quel scepticisme—cette force destructive, peuvent s'abriter sous l'égide de la science? Quelles aspirations particulières peuvent attirer le naturaliste en dehors des progrès de ses études spéciales? Ces aspirations constituent cependant les facteurs principaux des recherches scientifiques et font partie du domaine de l'histoire de chaque science. Portons avant tout notre attention sur ces facteurs et représentons nous un savant mû par l'un d'eux, suivant la mesure de ses capacités, ou tout autre cause.

Il est hors de donte que pour édifier il faut des matériaux. Bien, souvent l'élaboration de ces matériaux se fait d'une manière entièrement automatique. On profite d'un travail terminé, même imprimé, qui se rapporte à tel ou tel autre fait. Ce travail contient l'exposé de la méthode admise, la description des instruments et même l'histoire de l'objet en question. On n'a qu'à appliquer ce procédé à tout autre fait analogue et voici un nouveau mémoire tout trouvé; pourvu de posseder la capacité et le savoir nécessaire pour manier les instruments donnés.

Le travail va vite, les mémoires se suivent, le nom du savant grandit. Tels sont les travaux qui s'exécutent sans intervention d'idée originale. Tels sont les analyses chimiques, le calcul des angles des formes cristallines, la description de toutes les observations faites à l'aide du microscope, etc. Ces travaux n'exigent que du savoir faire.

Parmi ces derniers il y a beaucoup que l'on oublie, il y en a d'autres qui font partie du materiel de la science. Les faits acquis à l'aide de cette méthode ressemblent à des morts nouveau-nés tant qu'une faculté supérieure ne vienne à les animer, une de ces facultés créatrices qui groupe les faits d'une manière systématique, détermine les conditions et les effets des phénomenes étudiés, enrichit la science de nouvelles lois, de théories et d'hypothèses. Vous serez peut être étonnés d'entendre que les éléments de cette faculté sont constitués par l'imagination ou la fantaisie qui amène souvent le savant à des illusions, à des chimères. Il y a des êtres essentiellement portés, grâce à leur imagination vivace et inquiète, à découvrir les traces d'une idée dans un fait particulier; souvent même sans briller par l'érudition et se basant uniquement sur quelques observations, ils créent des hypothèses, des théories, des lois nouvelles: souvenons-nous du poète Goethe qui sans être naturaliste, a émis cependant de grandes idées concernant le domaine des sciences naturelles. Il est vrai que certaines de ces hypothèses disparaissent souvent avec leur auteur; en revanche il y en a qui devancent leur siècle.

Ce sont les poètes de la science. Ils l'animent, grâce à cette faculté créatrice qui la spiritualise, lui donent de l'intérêt, créent cette force vivifiante qui donne de l'énergie et de la patience pour classer la masse incohérante des faits déclassés, entassés pêle-mêle, à la suite des travaux des piocheurs dénués d'idées. Leurs erreurs même, parfois très grossières, sont d'une grande utilité pour la science; grâce à elles, nous arrivons à la vérité; leurs pensées sont à tel point suggestives, si frappantes, qu'elles ne peuvent jamais passer inaperçues.

Outre ces deux formes d'investigation: l'observation et la création, il en existe une troisième: la critique. Il y a des hommes qui s'y vouent spécialement. Non contents de vérifier les hypothèses et les lois, ils examinent même les méthodes d'investigation, s'attachent aux faits isolés, ils les scrutent d'un oeil sceptique, ils ne croient pas, il leur semble apercevoir partout un désaccord et leur esprit n'est pas satisfait vu leur manière de voir si positive. Ces hommes sont pour la plupart d'éminents érudits, mais qui ne veulent pas se laisser entraîner par leurs facultés créatrices, par crainte d'erreur, tant ils se défient des autres et d'eux-mêmes. Ce sont les régulateurs de la science, parfois de grands pédagogues, ils nous laissent d'énormes traités, nous y trouvons les doctrines et l'histoire de la science sous leur aspect critique. Sans ces précieux travaux, il serait impossible, ou du moins très difficile, d'étudier les sciences.

J'ai exposé ici comment un quelconque de ces facteurs mentals de l'investigation prédomine, en faisant abstraction des autres capacités du savant. Chaque groupe de savants se distingue par des aspirations particulières. L'expérimentateur ou l'observateur vise à assujetir tous les faits acquis à quelque idée préconçue; souvent il devient à jamais l'esclave des fais observés qui paralysent ses facultés créatrices. Le naturaliste poète est sans cesse à la recherche de nouvelles conceptions. Le sceptique voué à la critique ne désire que l'infaillibilité de la science, qu'elle soit inaccessible à tout entrainement. Heureux le savant qui réunit toutes ces qualités diverses qui agissent dans son for intime en complête harmonie. Une grande érudition, une vive imagination, une frappante mobilité d'esprit, le talent de l'observation soumis à un esprit critique, vivifient et régularisent ses travaux assidues et persevérants. Il y a parmi ces savants des hommes de grande intelligence. Ce sont des talents, des génies, des créateurs d'idées, de théories, d'hypothèses; leur passage signale les grandes époques de l'histoire des science.

Tâchons de préciser l'ordre des procédés de n'importe quelle investigation scientifique. Une simple analyse des matériaux se rapportant à quelques notions scientifiques ne peut conduire tout au plus qu'aux généralités. La science ne débute pas ainsi, des recherches de ce genre n'ont aucun résultat pour ses progrès. Les précieuses découvertes scientifiques ne s'obtiennent que grâce à des recherches, soumises à une idée préconçue. Comment naissent ces idées, quelle est leur source? Vous serez peut-être surpris lorsque je dirai que ces idées arrivent subitement, toutes inattendues, comme un pressentiment produit par une sensation. Pour me faire comprendre, je citerai deux exemples de notre existence quotidienne.

Il vous est sans donte arrivé de subir une émotion fugitive de frayeur, de chagrin, de dépit; une autre fois c'en est une de contentement de quiétude, d'aise. Cette émotion vous absorbe à tel point que vous ne recherchez même pas la cause qui l'a produite. Vous ne vous souvenez guère de ce qui.l'a précédée. Votre système nerveux a subi un choc assez grave et, suivant sa force il en est résulté telle ou telle autre situation mentale. Nous n'avons à noter ici qu'une émotion, indépendante des matériaux qui s'y rattachent. Voici un autre exemple. Lorsque nous faisons la connaissance de quelqu'un, nous observons avec étonnement sa physionomie, elle nous semble familière, nous l'avons vue quelque part. Vous l'avez réellement vue ou quelqu'un lui ressemblant, vous avez conscience d'une sensation perçue par votre système nerveux, votre mémoire vous retrace la cause de cette sensation. De sensation cela devient persuation. Les mêmes procédés, quoique beaucoup plus complexes se répètent dans l'esprit de l'observateur. Ainsi la lecture d'un mémoire, un fait de valeur secondaire, parfois une phrase, un mot éveille en vous une série d'idées, qui semblent n'avoir eu rien de commun avec l'idée fondamentale du mémoire. Ici la sentation franchit le domaine de la fantaisie, la mémoire retrace différents faits et l'imagination se représente des faits hypothétiques, inconnus aux savants. Les pensées se suivent, se groupent, en une idée dominante quoique encore vague. D'où viennent ces faits hypothétiques, quelle est leur source? Ce sont des phénomènes que nous avons vus, mais non conçus. On peut nommer cette opération mentale une observation inconsciente; nous la percevons grâce à une forte impréssionabilité. Analysons sa marche et tâchons d'expliquer à quelle conclusion elle aboutit. L'observateur entraîné par son idée dominante entreprend une série d'observations. Pendant leur cours son attention ne se concentre que sur les faits qui confirment son hypothèse ou la contredisent nettement. Il ne fait aucune attention aux pensées subséquentes, mais elles provoquent cependant dans son système nerveux certaine excitation, et sans devenir conscientes elles se groupent peut-être en un ensemble qui à son tour peut provoquer une nouvelle conception. Il suffit parfois d'une phrase, d'un mot, d'un phénomène observé, qui excite le système nerveux d'une façon analogue, et voilà cette nouvelle idée née comme un préssentiment. Dominé par elle l'observateur commence ses recherches, se heurte à des phénomènes possibles entièrement neufs, mais qui lui semblent déjà connus réels. Ainsi le célèbre Faraday prédisait le résultat d'une expérience à son début. Rien de plus précieux que cette nouvelle idée pour le savant, elle concorde en tout avec les faits qu'il vient d'observer. Il est heureux d'avoir trouvé une vérité, mais voilà qu'il se souvient des observations faites par des grands prédécesseurs, observations analogues aux siennes, mais quelque peu contradictoires; le voilà dans le donte. Tourmenté par la crainte de se compromettre, ébranlé dans ses convictions, il donne un autre tour à son idée et se laisse dominer par le paradoxe. Il s'ensuit dualité de l'idée elle est ou une vérité ou bien un paradoxe.

Cette dissociation de la pensée a été exprimée d'une manière poétique par notre fameux poète Alexis Tolstoy. Dans son poème „Don Juan“ satan définit la duplicité de la verité en ces vers:

«Что есть истина? Вы знаете ли это?
«Пилатъ на свой вопросъ остался безъ отвѣта,
«А разрѣшить загадку сущій вздоръ:
«Представьте выпуклый узоръ
«На бляхѣ жестяной. Со стороны обратной
Онъ въ глубину изображенъ;
«Двоякимъ образомъ выходитъ съ двухъ сторонъ
«Одно и то же аккуратно.
«Узоръ есть истина» *).

*) Et qu'est-ce la vérité? Pouvez vous bien le dire?
Pilate à sa question ne put rien obtenir,

Dans ces vers la duplicité contradictoire de la pensée est rendue par deux idées: le relief et la cavité. Mais je veux citer un exemple qui malgré sa simplicité exprime plusieurs idées à la fois. Figurez-vous une plaque très mince en fer-blanc, limitée des deux côtés par des surfaces sphériques parallèles. Supposons les polies comme un miroir. La vue de cette plaque n'éveille aucune idée de dualité dans l'esprit du géomètre; les deux surfaces, la convexe et la concave, pour lui sont identiques; ayant le même rayon elles sont égales. Cette plaque présente cependant au physicien deux sortes de miroirs: l'un est convexe, l'autre concave. Chacun a une fonction spéciale, donc il y a deux idées différentes. Remplaçons la figure par la lune à son croissant. Ce sera le profil de ce miroir. Le côté droit de ce croissant représente un miroir convexe, le gauche un miroir concave. Les rayons lumineux et colorifiques du soleil tombent sur le miroir concave et après la réflexion vont concourir en un même point fixe devant le miroir. Ce point se nomme foyer réel (principal).

Un morceau d'amadou placé dans ce foyer prendra feu. Les mêmes rayons tombés sur la surface convexe après leur réflexion prendront des directions divergentes, qui prolongées concoureront derrière le miroir dans le même point que le foyer réel. Mais maintenant ce point prendra le nom de foyer virtuel et un morceau d'amadou ne pourra s'y enflammer. Si nous mettons devant la surface concave du miroir un objet quelconque, soit une fleur, son image s'y réfléchi renversée et se nomme cependant image réelle. La surface convexe réfléchira au même point une image redressée et cependant ce sera une image virtuelle. C'est ainsi que ce double miroir réunit plusieurs idées différentes. Le géomètre n'y voit qu'une unité, le physicien une dualité, le penseur étranger à la physique y voit un contre sens, car il ne comprend guère comment le même point peut-être à la fois foyer vrai et faux, pour quoi une image renversée est vraie, et une image redressée est fausse etc. Le penseur, grâce à ce manque de connaissance de la cause et de ses effets, arrive indubitablement à l'erreur.

Les grandes idées évoquent de plus diverses fluctuations de la

---

Et cependant c'est simple; je vais le démontrer:
Sur une plaque de fer blanc pouvez vous figurer
Un dessin haut-relief; tournez la à l'envers,
Elle va vous présenter sur des côtés divers
Toujours le même dessin, quoiqu'enfoncé dedans
Et de la vérité voiçi le vrai pendant.

vérité à l'erreur, au paradoxe. Comme exemple j'indiquerai deux doctrines où la vérité et le paradoxe ont prévalu alternativement pendant prés de deux mille ans et cette lutte a fini par amener la science à des idées d'un ordre plus élevé.

Je commence par un phénomène que chacun de nous a plus ou moins observé. Lorsque de nuit nous considérons la voûte céleste, nous voyons quelquefois apparaitre une étoile brillante qui parcourt rapidement le ciel, et laisse après elle une trainée lumineuse qui s'évanouit en même temps qu'elle. C'est une étoile filante, un méteore d'après la nomenclature des astronomes contemporains. Nous sommes à tel point habitués à ce phénomène que nous n'y prêtons pas grande attention. Il n'en est pas de même si, au lieu d'une étoile, nous apercevons un globe de feu de la grandeur du disque lunaire suivi d'une queue lumineuse. Ce phénomène nous fera méditer. Mais on l'oublie aussi s'il s'est produit loin de nous et a passé tranquillement.

Mais un observateur qui apercevra un globe enflammé au dessus de sa tête n'y restera pas indifférent. Il n'a pas le temps d'observer ni de réfléchir. Il est en proie à une terreur panique, à une frayeur voisine de la folie. Quelquefois il ne voit pas de globe enflammé, mais il aperçoit de sombres nuages, il entend retentir des éclats de tonnerre, des salves d'artillerie, il veit tomber autour de lui des pierres parfois de grande dimension. C'est une pluie de pierres; leur chûte couvre quelquefois une surface de plusieurs lieues carrées; ces pierres causent des incendies, tuent les hommes et les animaux. Il est hors de donte que ces globes de feu qui tombent des cieux ne sont que des pierres qui brûlent dans l'air, éclatent et couvrent la terre de leurs débris. On leur a donné le nom inexacte de pierres aériennes ou bien d'aérolithes, de météorites. Leur chûte est accompagnée de phénomènes si grandioses, si menacants qu'on en a eu connaissance dès l'antiquité la plus reculée et que l'homme les considérait avec une terreur respectueuse. Supposant que ces pierres manifestaient la colére ou la grâce des dieux, il en fit des idoles et cela dura en Grèce et à Rome jusqu'à l'ère chrétienne. Le plus remarquable de ces météorites tomba à Aegos-Potamos 462 a. a. J. C.

On cessa d'adorer ces pierres, mais le peuple y attache jusqu'à présent des idées superstitieuses. M. Elisséew s'exprime admirablement à leur sujet dans son ouvrage „Les nuits léonines“. Les étoiles filantes sont des esprits qui échappent à l'épée d'Allah, disent les arabes; c'est un ange qui expire, croient les Lapons; c'est un présage de mort, chante le tartare; une brillante étoile a filé, encore un être humain de passé à la mort, pense le russe.

Les philosophes naturalistes à peu prés 500 ans avant J. C. ont envisagé ces phénomènes d'une manière sensée, exempte de superstition. Ils disaient que ces pierres étaient des messagers d'un antre monde et ils nous ont donné l'idée de rechercher leur patrie primitive. Diogène Apollonius disait 470 ans avant J. C. que parmi les astres visibles il y en a d'invisibles, que nous apercevons seulement lorsqu'ils s'approchent de la terre et s'y éteignent. Cent ans plus tard on essaya de prouver que l'étoile filante et l'aérolithe nous représentent le même corps à différents moments de sa chûte. Les contemporains de Lysandre précisent ainsi cette hypothèse: les étoiles filantes ne proviennent pas des parcelles d'éther qui s'enflamment dans les airs et s'y éteignent, elles ne proviennent pas non plus de la combustion du gaz qui est répandu en grande quantité dans les conches supérieures de l'athmosphère. Ce sont plutôt des corps célèstes qui se sont soustraits à la gravitation universelle et viennent tomber non-seulement au milieu des terres habitées, mais même dans l'immensité de l'océan.

Il se passa deux mille années. Les sciences naturelles s'étaient entièrement organisées, on avait écarté l'explication mystique des idées et des phénomènes, on ne se basait plus que sur l'expérience et l'observation. On traita les hypothèses hardies des anciens d'illusions, d'absurdités dignes seulement d'oubli. On continua à ne voir dans les étoiles filantes que des phénomènes athmosphériques, des météores. Quant aux pierres qui tombaient des cieux, on traita (et cela dans notre siècle) d'illusions et de fables toutes les nouvelles que l'on en publiait. La description d'une pluie de pierres, arrivée en 1790 dans un endroit de la France occidentale, description attestée par un procès verbal des magistrats, fut prise pour un conte capable de faire rire non seulement des savants, mais tout homme de sens. L'académie des sciences de Paris même l'envisagea d'un oeil seeptique. Le météorologue Deluc, essaya de prouver l'impossibilité de la chûte des pierres vennes des espaces aériens sur la terre; il annonça même solennellement qu'il ne pourrait croire à un pareil phénomène même si une pierre de ce genre tombait à ses pieds.

Mais en 1803, près de la ville d'Aigle, département de l'Orne, tomba en France une pluie de pierres remarquable par d'effrayants phénomènes. Le célébre Biot présenta à ce sujet à l'Académie des sciences un mémoire détaillé; il fut impossible de douter dorénavant du phénomène de la chûte des pierres vennes de l'atmosphère. Les savants se mirent activement à rechercher les causes de ce phénomène. Mais l'idée que la terre ne perdait rien de sa substance et n'empruntait rien aux antres corps célestes mit des obstacles à ces investigations. Il se forma nombre d'hypothèses que l'on nommait telluriques. Gassendi, Musschenbrock, Lalande, Deine, Hamilton et d'autres prétendaient que les météorites étaient les produits d'éruptions volcaniques. Cette erreur se basait sur l'ignorance de la substance chimique des aérolithes qui n'a rien de commun avec les produits volcaniques. On avança de nouvelles hypothèses, soi-disant rationnelles parce qu'elles se basaient sur les principes immuables de la science. Le grand Humboldt se trouva à la tête des promoteurs de ces hypothèses. Ils admettaient que ces pierres se formaient au sein de l'atmosphère terrestre, ce qui leur fit donner le nom d'aérolithes ou de pierres aériennes. D'après l'opinion des savants de ce groupe, les parcelles métalliques et minérales en s'évaporant des usines et en s'élevant dans les airs y formaient des nuages, puis grâce à une étincelle éléctrique s'y condensaient instantanément en pierres qui retombaient sur la terre. Il serait curieux de se figurer un nnage raréfié qui se transforme, par exemple, en un météorite du genre de celui trouvé à Olumbo au Pérou. Il pèse plus de trente mille livres. Quelles doivent être les dimensions d'un tel nnage? Combien de temps a dû durer sa formation? Comment une étincelle électrique a-t-elle pu condenser en un clin d'oeil ces vapeurs en une pierre d'énorme dimension, tout en lui communiquant le caractère minéralogique propre aux aérolithes.

Voici encore une hypothèse tellurique qui se distingue par sa naïveté. Un auteur anonyme dit que des éléments inconnus s'élèvent dans l'air à une hauteur inconnue, s'y condensent en un senl bloc qui retombe sur la terre en forme d'aérolithe. Est-ce une fantaisie, une illusion ou une mordante satire des hypothèses telluriques. Nous penchons pour la dernière version.

Le peu de valeur des hypothèses telluriques fut bien vite reconnu. Il fallut se souvenir de Diogène et convenir que son hypothèse n'était pas une chimère, mais une verité exprimée d'une manière imparfaitement précise. On vit alors apparaître une série d'hypothèses cosmiques, qui reconnaissaient l'origine célèste des météorites. Ainsi pour finir par reconnaître une vérité reconnue depuis plus de deux mille années il fallut passer par tout un faisceau d'absurdités.

Une de ces hypothèses cosmiques émane de Olbers qui supposait que les météorites sont les produits des éruptions volcaniques de la lune. Cette hypothèse cependant souleva de sérieuses objections. L'hypothèse de Laplace mérite plus de probabilité. Il admet dans les espaces célèstes l'existence d'un anneau entier de météorites tout formés, qui coupent l'orbite terrestre en deux points en août et novembre. Ces mois se distinguent par une abondante apparition d'étoiles filantes et de bolides. Mais ce n'est pas pour tous les cas que cette hypothèse peut être admise.

Il y a encore une hypothèse très prônée par les astronomes; elle se rapporte aux comètes. Je crois que le minéralogiste Reichenbach, spécialement voué à l'étude des météorites, a le premier expliqué la condensation de la substance des comètes en météorites. Des recherches sur la structure complexe des météorites, quelques combinaisons astronomiques et une expérience sur le graphite l'amenèrent à cette hypothèse. Plus tard des astronomes s'en saisirent et la développèrent plus circonstancieusement. D'après cette hypothèse les météorites procèdent des comètes. L'une de ces dernières, après avoir longtemps errée dans l'espace, finit par atteindre notre système solaire. Pendant sa marche elle sème sur son passage des météorites. Ces derniers suivent en masse son orbite jusqu'à ce qu'elle se croise avec l'orbite terrestre en différents points. Dans ces mêmes points ils rencontrent la terre où ils tombent.

Voilà où nous mena la fantaisie créée par le grand esprit de Diogène et réalisée deux mille années après lui grâce à des preuves scientifiques positives. L'analyse minéralogique des météorites démontra que ces pierres contiennent des minéraux entièrement identiques à ceux de la terre. Nous y trouvons les mêmes éléments chimiques, les mêmes lois de composition, les mêmes formes cristallines que dans les minéraux de notre planète.

Que les météorites proviennent de l'anneau de Laplace ou des comètes qui se sont formées hors de notre système solaire, loin, bien loin, au sein d'autres systèmes solaires, ou même d'étoiles, l'identité des météorites et des minéraux terrestres nous amène à une grande idée cosmique, à l'uniformité de la matière non seulement du système solaire mais de l'univers entier. Grandiose et incomensurable est cette idée et cependant l'esprit humain ne s'y arrête pas. Il va plus loin, nous en parlerons plus tard.

Maintenant j'attirerai votre attention sur l'alchimie, science négligée de nos jours. Le premier soin de l'homme a toujours été son bien-être, qui se base sur l'état de sa santé. Voilà pourquoi la médecine fut pour lui la science la plus indispensable. Le sauvage ne connait pas les sciences, mais il a une médicine à lui. Son origine se perd dans l'antiquité. Nous avons en vue l'époque où les Grecs supposaient que la santé de l'homme tenait à la bienveillance d'Archée, dieu particulier qui préside aux fonctions de l'estomac. Si Archée est mécontent, son client tombe malade; pour obvier à ce mal il faut fléchir le dieu. Voilà une bienheureuse chimère, elle a cependant une base raisonnable. Archée représente ici la cause première de toute santé qui est concentrée dans la plus importante fonction de l'estomac—la digestion; cette dernière influe sur tous les autres phénomènes physiologiques de l'organisme; donc lors d'un traitement, il faut commencer par agir sur lui et par lui. Ici nous voyons un des premiers principes de la médecine, quoique Archée ne fut qu'un simulacre créé par l'imagination. Passons maintenant à la brillante époque de l'alchimie, dont le problème principal était la découverte de la pierre philosophale. Les personnes étrangères à cette science s'en moquent et n'y voient que du charlatanisme bien qu'elle fut l'aïeule de la chimie moderne et qu'elle nous ait légué beaucoup de savoir. Nous omettons les charlatans, nons ne faisons mention que des fervents adeptes de l'alchimie. Qu'entendait on sous le nom de pierre phylosophale? La personnification des deux causes premières du bien-être de l'homme: la santé et la fortune. Ces dons lui procurent la possibilité de jouir de tous les trésors de la nature.

Trouver la pierre philosophale voulait dire résoudre deux questions: composer un élixir de longue vie, capable de soutenir et de rétablir les forces de l'homme et trouver le moyen de transmuer les métaux vils en métaux précieux. Archée était mort, on le transforma en cause première de la santé, on indiqua sa localisation dans la région de l'estomac. Ainsi disparut la personnification, mais le principe resta. Le moyen d'apaiser l'Archée se trouva dans l'élixir de longue vie. Le médecin alchimiste raisonnait en magicien de la façon suivante: il doit y avoir un remède universel pour toutes les maladies. Quelle audacieuse chimère. Que les médecins ne se formalisent pas de ce qu'en parlant de médecine, je me permets de citer les empiriques qui prennent vivement part à l'art de guérir. Chaque science a des adeptes et des amateurs. Ces derniers mûs par le bon sens et la persévérance, lui rendent quelquefois des services selon leurs moyens et leurs capacités. Tous les experts en remèdes ne sont pas des charlatans. Quelques uns se consacrent à la médecine gratuitement, ils obéissent à des convictions religieuses en vue de faire du bien. Ce ne sont pas toujours des ignorants, souvent ce sont des hommes très sensés, grands observateurs, des travailleurs qui persévèrent à chercher des remèdes empiriques parce qu'ils ignorent la science médicale. Je sous-entends les créateurs des formules de ces remèdes secrets qui très souvent par amitié ou parenté passent dans les mains d'individus stupides ou peu consciencieux, qui nuisent à toute oeuvre. Il est remarquable qu'on ne peut acquérir ces formules à prix d'argent. Cependant quelques unes sont connues et se nomment remèdes populaires. Leur effet dans quelques maladies est parfois miraculeux. Je l'ai entendu dire par les autorités médicales. Le médecin improvisé traite les malades avec des herbes; il sait par expérience qu'ils seront soulagés. Il donne ces herbes ou séparément, ou il les mêle et compose une panacée universelle. On ne peut nier qu'il agit d'une manière rationnelle, car il s'est convaincu par expérience de l'influence de cette herbe sur telle partie de l'organisme. Il dit même au malade d'avance qu'après cette potion la transpiration se rétablira, qu'il aura de l'appétit, qu'il pourra dormir et que ses souffrances se calmeront, etc. Il va sans dire qu'il ignore la maladie qu'il traite, il n'a pas l'idée des changements pathologiques qui surviennent pendant son cours, ni de sa cause déterminante, mais néanmoins souvent il traite efficacement. Ainsi ses herbes composent un remède universel. L'alchimiste médecin préparait à l'aide de ces herbes une décoction, une tincture et l'appelait élixir de longue vie. Ce n'est qu'une autre forme du même remède universel.

Les alchimistes postérieurs reconnurent cependant que l'élixir de longue vie n'était qu'une chimère, que chaque espèce de maladie exigeait un remède différent plus ou moins complexe. Ces remèdes complexes représentés par d'énormes formules pharmaceutiques ont prévalu jusqu'au milieu de notre siècle. Mais les médecins, versés dans la connaissance de la physiologie, de la pathologie et des autres sciences médicales, en ont fait un emploi plus judicieux. Les médecins contemporains ont même failli à cette tendance; ils tachent autant que possible de simplifier les remèdes et de limiter leur nombre au minimum. Au lieu d'un remède complexe on ne prescrit qu'une senle sorte d'alcaloïde. Est ce rationnel ou non? Est ce une chimère? Que les médecins y pensent et nous fassent savoir leur conclusion dans la suite.

Maintenant passons à l'autre question celle de la pierre philosophale, à ce problème qui tend a transformer les métaux vils en métaux précieux. N'est-il pas vrai qu'il est agréable et avantageux de transmuer le cuivre en or, mais si tout le monde le fait, l'or perdra de sa valeur et l'obtention du but est un contresens. Mais là n'est pas la question. Est-ce une chose possible? Vous direz que c'est absurde, que c'est une chimère! Moi, comme le sceptique de Molière, je dirai peut-être oui, peut-être non. Je me souviens du rêve favori du grand chimiste Dumas qui répétait souvent à ses leçons: „Peut-être que nous sommes à la veille du temps où nous solidifierons l'hydrogène de façon à former un corps solide et qu'il nous apparaitra aussi blanc, aussi brillant, aussi beau que l'argent". Nous ne sommes pas encore parvenus à transmuer l'hydrogène en argent, mais nous avons transformé l'hydrogène et d'autres gaz constants en corps solides, ce qui était réputé impossible jusqu'à notre époque. Donc l'aspiration de Dumas se trouve du moins en partie réalisée. L'aspiration peut nous porter plus loin; elle est sans borne. Mais la fantaisie du naturaliste a toujours plus ou moins pour base des données positives.

Les chimistes de notre temps énumèrent prés de 70 corps simples, non résolubles en parties composantes et qu'on qualifie d'éléments. C'est beaucoup trop. L'idée de leur décomposition s'éveille déjà dans la pensée des physiciens, des chimistes et des astronomes les plus autorisés, tels que Faraday, Spencer, Brodi, Lockyer et d'autres. „Nous commençons à devenir impatients, dit Faraday, nous aspirons à une nouvelle série d'éléments chimiques. Il y eut un temps ou l'on désirait ajouter à cette liste de métaux, maintenant ou voudrait la restreindre. Décomposer les métaux, les transformer vice versa et réaliser l'idéc jadis absurde de leur transmutation, tels sont les problèmes que se pose maintenant un chimiste".

En effet permettons nous de juger avec liberté et impartialité la disposition des éléments en groupes, tout en faisant abstraction des méthodes établies. Arrêtons nous au groupe des alcalis. Tous les métaux, qui en font partie, ont la même couleur, un poids spécifique assez rapproché, fonctionnent identiquement et ne présentent des différences que dans quelques propriétés. Nous nous faisons involontairement cette question: sont-ce véritablement des éléments différents, ne sont-ce pas plutôt différents états ou des variations du même élément? Nous savons que quelques éléments peuvent se présenter sous différents aspects.

Nous appelons ce phénomène: allotropie. Le souffre nous en offre un parfait exemple. Suivant les degrés de sa température suivant qu'il se dégage de diverses combinaisons, il prend une couleur jaune ou brune, devient cassant ou visqueux, pesant ou léger. Il se cristallise en forme rhombique ou monoclinique et possède différents degrés de solubilité. Il est hors de donte que les Alchimistes étaient nantis de ces notions, donc ils se basaient dans leurs recherches sur des données positives, mais non fantastiques.

Voici encore un autre exemple remarquable de l'allotropie d'un élément. Nous voyons tous les jours le carbone que nons appelons simplement. charbon. Il se présente ainsi dans son état amorphe, lorsque ses molécules n'ont pu encore se disposer d'une manière régulière. Mais au sein de la terre nous le trouvons en tablettes régulières, hexagones, couleur gris de plomb, à éclat métallique. C'est du graphite. Il ressemble plus à un métal qu'à du charbon. Enfin quelques roches secondaires nous fournissent un carbone que nons appelons diamant. Cette pierre précieuse se cristallise en formes d'une symétrie supérieure, elle est entièrement transparente, souvent de la plus belle eau, incolore avec un indice de réfraction supérieure et surpasse tous les minéraux en dureté. Grâce à ces qualités, la taille lui communique un aspect magique.

Ainsi le charbon, le graphite et le diamant, ne sont que du carbone sous différents aspects. Nous pouvons même le prouver par expéricnce en le transformant d'un état à l'autre sans modifier son caractère chimique. Prenons un ballon en verre à deux ouvertures bouchées avec du liège qui est traversé par les fils des électrodes d'une forte batterie galvanique. Que l'un de ces électrodes se termine par une bagnette de charbon et l'autre par une houppe en fils de platine. Quelques moments après, l'action du courant de la batterie galvanique donnera les résultats suivants: les parois du ballon se recouvriront d'une poussière fine. Si nons l'examinons au microscope nous verrons que les parcelles de cette poussière sont des octaèdres de diamant noirs ou décolorés. Que ce sont véritablement des diamants nous le voyons par la dureté de ces cristaux et par leur poids spécifique. C'est ainsi que Despretz est parvenu à transformer un charbon en diamant. Jacquelain au contraire, en brûlant un diamant à l'aide d'une forte batterie de Bunsen dont le courant a subit des interruptions, est parvenu a transformer le diamant en coke à poids spécifique de 2,67 au lieu de 3,33, poids spécifique du diamant. Le coke est donc aussi du charbon qui ne diffère du diamant que par sa structure.

A part le souffre et le carbone nombre d'antres éléments se présentent à nous dans un état allotropique. Essayons de le découvrir dans les autres éléments. Disposons ces éléments avec toutes leurs métamorphoses allotropiques en une série continue, suivant leurs degrés d'affinité, expliquons les lacunes qui existent entre eux et essayons de compléter ces dernières par des données qui les lient; enfin, abstraction faite de toute soumission à un pédantisme servile, examinons d'une manière simple et raisonnée cette rangée de substances diverses, étroitement unies entre elles pour ne former qu'un ensemble et nous arriverons sûrement à penser que tous les éléments chimiques connus sont des corps composés, engendrés par une seule matière primitive; que leur variété ne tient qu'au nombre et à la combinaison des atomes de cette matière. Il importe peu que ce soit l'hydrogène ou cette matière primitive si deliée—le protyle, tant prônée par les chimistes et les astronomes de notre époque.

Telle est la grande idée cosmique pressentie des Alchimistes, et recueillie par les sciences naturelles expérimentales lors de leur entière organisation et de la complète harmonie de leurs travaux. Nous constatons ici non seulement l'identité de la matière de tous les corps cosmiques, mais aussi l'unité de l'élément le plus simple qui a servi de base à sa structure.

En terminant cette conférence je donne un aperçu des corps qui contribuent à former et habitent notre planète. Ces corps se divisent en deux grands groupes: le monde organique—les plantes et les animaux, et l'inorganique—les minéraux. En mettant pour le moment de côté la force vitale qui semble séparer ces deux groupes prenons en considération la signification du facteur géométrique propre à chacun de ces deux règnes. Dans les plantes et les animaux le facteur géométrique n'a pas la signification aussi fondamentale que dans les minéraux. La forme géométrique régulière d'un cristal constitue l'expression résultante visible de sa constitution fondamentale. On se demande involontairement pourquoi le naturaliste ne donne la préférence qu'aux polyèdres en mettant de côté l'étude des antres formes géométriques, limitées par des surfaces courbes qui appartiennent aux plantes et aux animaux.

Etant minéralogiste, donc en partie géomètre, j'ai souvent pensé là dessus et tout en admirant les beautés de la végétation j'ai souvent cherché à verifier mes suppositions. Quelle variété interessante de lignes courbes et régulières présentent au géomètre les contours des feuilles, les pétales des fleurs, les parties du calice et d'autres organes des plantes. Je trouve encore plus intéréssante les surfaces courbes qui limitent les contours des fruits, des racines et des tiges des végétaux. Souvent un végétal avec ses branches nous suggère de loin l'apparence d'une sphère, d'un ellipsoïde, d'un sphéroïde, d'une pyramide ou d'un cône. Ce qui m'a surtout frappé, c'est la projection conique de quelques arbres sur le fond du ciel. Je suppose que l'angle qui résulte de cette projection est caractéristique et constant pour chacune des espèces végétales. Ainsi j'ai observé que l'angle de projection d'un pin est de grande dimension, celui du sapin est juste moindre du double, celui du bouleau forme une grandeur d'angle intermédiaire. J'ai observé de même que ces formes se modifient, suivant qu'un arbre croît isolé ou qu'il est entouré d'autres arbres de la même espèce, ou d'espèces différentes, juste ce que nous observons dans la formation des cristaux.

Dans le règne animal on peut aussi observer la signification sérieuse du facteur géométrique. La carapace du hérisson de mer par exemple rappelle souvent les figures soi-disant de rotation: l'elipsoide, le paraboloïde et l'hyperboloïde. Plus loin les coquilles des mollusques prennent la forme d'une spirale qui dans tel sujet se dispose sur le même plan, dans tel autre s'élève vers le haut et prend un aspect conique. La relation entre la hauteur et la base de ces cônes est variée à l'infini. Pourquoi ne pourrait on pas mesurer dans ces cônes, au moyen d'un goniomètre, les angles d'inclinaison de leurs axes à la génératrice et ne pourrait on rattacher ce genre d'études aux processus physiologiques qui ont influé sur l'animal en question et lui ont fait prendre une forme conique. C'est une illusion dira le zoologiste. Je reconnais son autorité, mais j'ajouterai que même à présent il prend en considération ces angles, quoique d'une manière inconsciente, et sans se servir du goniomètre; il se fie à son coup d'oeil, car cet angle lui sert à reconnaître d'abord le caractère distinctif d'un genre.

J'ai dit plus haut que la forme polyédrique est un indice général et caractéristique du minéral. Elle a un caractère essentiellement géométrique; elle peut-être calculée étant donné la grandeur de ses dièdres, qui peuvent se mesurer jusqu'à concurrence de quelques secondes. La substance qui a pris la forme polyédrique se nomme cristal, que l'on considère comme un ensemble indivisible entièrement organisé, parce que ses propriétés chimiques et physiques sont intimement solidaires avec sa forme géométrique. Cette solidarité, vu sa précision a un caractère mathématique, de façon que l'idéc d'une espèce minérale peut-être exprimée par une fonction mathématique générale. En variant d'une manière déterminée les dérivés de cette fonction nous arrivons à différentes espèces de minéraux.

Ainsi le minéral se présente en même temps comme quelque chose d'abstrait dans l'esprit de l'observateur, et de réel dans la nature. Donnez au minéralogiste la relation entre ces axes de l'élasticité de l'éther et le caractère de la dispersion des bissectrices ou seulement des axes optiques et il pourra calculer toutes les autres propriétés du minéral, même s'il lui a été inconnu. Cette généralisation est l'aspiration du minéralogiste qui s'occupe exclusivement de recherches cristallophysiques et cristallochimiques. C'est un désir qui ne peut se formuler qu'avec des restrictions, c'est même un rêve, mais espérons qu'il pourra se réaliser prochainement. Pour cela il faut expliquer les anomalies supposées du cristal et donner plus d'extension à la fonction cristallogénique qui nous fait connaitre la marche du dévéloppement de tout individu minéral.

Lorsqu'on observe l'organisation complexe et variée d'un cristal, dont toutes les parties sont en complète harmonie entre elle et avec l'ensemble, mathématiquement si régulier, surtout prenant en considération la marche successive de sa formation, nous concluons involontairement que ce système complexe résulte des forces cristallogéniques spontanées dont la combinaison est tout aussi merveilleuse dans ses résultats et tout aussi énigmatique que la force vitale. Il n'est guère étonnant que quelques naturalistes aient essayé de trouver de l'analogie entre ces deux forces et d'assigner au minéral une place convenable parmi les corps organisés de la nature; en rejetant le rôle d'inanimé qu'il est convenu d'assigner au minéral, Holger a écrit dans sa „Pathologie des minéraux:“ „maintenant personne ne prend les minéraux pour des corps dénués de vie et ne les oppose aux corps organiques“. Ehrenberg va plus loin; il suppose que le même principe vital domine dans toute la nature, y compris le minéral. Liebig afin d'expliquer différents phénoménes de la nature inorganique en appelle à la force vitale. Folger prétend que la cristallisation est un processus vital du troisième règne de la nature.

Laissons de côté la comparaison de la force cristallogénique avec la force vitale et portons notre attention sur la première. Il est difficile de comparer des choses dont on a une idée confuse, il est hasardé de les identifier. On ne peut admettre de l'analogie entre la force vitale et la force cristallogénique que dans le sens d'une activité intérieure destinée à former et à conserver un ensemble individualisé ainsi que de l'espèce et du genre consolidé. Ces deux propriétés sont effectivement communes à la force cristallogénique. On peut facilement s'en persuader en observant la marche de la cristallisation. Prenons un cristal assez complexe, triturons le en une pondre fine, dissolvons le dans un liquide convenable, faisons évaporer la dissolution pour la filtrer, la refroidir lentement et la laisser en repos. Quelque temps après nous verrons apparaître dans cette dissolution le même genre de cristaux, que nons avions pris pour notre expérience. Nous aurons bean recommencer cette opération, la forme des cristaux sera identique. Donc les cristaux conservent la forme caractéristique qui leur est propre à chacune des cristallisations successives. Cependant pour que cette forme ne change pas il faut admettre quelques conditions. Il n'y a qu'a ajouter à cette dissolution un acide étranger à leur composition chimique et la forme des nouveaux cristaux se modifiera malgré que cet acide ne fera pas partie de la composition chimique du cristal. Donc sa senle présence modifie le caractère du cristal. Il en sera de même si dans une dissolution qui donne des cubes à arêtes et angles obtus, en un mot des cubes à surfaces complexes nous ajoutons une substance quelconque en forme de pondre qui se précipite au fond du vase. Nous verrons apparaître dans cette dissolution des cristaux à cubes simples sans surfaces complicatrices. Dans ce dernier cas le cristal, se trouvant influencé par les parcelles de la substance étrangère, ne peut se dévélopper avec la perfection qui lui est propre, troublé qu'il est par l'intrusion d'un objet étranger. Il s'efforce du moins à conserver son caractère morphologique fondamental. On n'a qu'a le recristalliser, en éliminant le corps étranger et les cristaux reprendront leur forme antérieure complexe. Cette expérience dénote la tendance constante d'un cristal à conserver son caractère spécifique et pour ainsi dire se reproduire dans sa postérité.

On observe encore dans les cristaux une tendance propre à tous les corps organisés, celle de conserver la forme spéciale de l'individu. Un cristal avec des angles et des arêtes émoussés, en un mot tout déformé est à peine plongé dans sa dissolution que quelques heures après il a repris sa régularité et sa forme antérieures. La substance dissoute se consolide de préférence sur les parties mutilées; la raison en est évidente: c'est là que se concentre le travail intérieur de la cristallisation.

Dès que l'ensemble du cristal s'est reproduit la force cristallogénique se distribue également sur la surface du cristal et augmentant en volume il tend à conserver sa forme. Cet individu minéral a un commencement, une fin et différentes phases de croissance entre ces deux limites; il existe et agit suivant le caractère de son énergie intérieure, qui se révèle dans l'activité incessante de chaque molécule, cette cellule minérale qui fait partie de l'organisme du cristal. Il lutte sans cesse pour son existence avec les autres, si il se cristallise dans le même milieu, il lutte avec les agents extérieurs qui peuvent compromettre son individualité. D'abord il triomphe de ses ennemis, puis il s'affaiblit, il se dissout et reste en masse informe; il fait partie du réservoir général où les objets des trois règnes de la nature puisent leur matière sans distinction.

Le temps me manque pour développer convenablement cette doctrine; j'ajouterai cependant que les pressentiments de Holger, d'Ehrenberg, de Liebig, de Folger et d'autres initiateurs scientifiques se sont réalisés. On est plus ou moins parvenu à rapprocher deux grands ordres de faits: le facteur vital et le facteur cristallogénique. Si nous rattachons les fonctions spéciales du minéral à des principes mécaniques et si nons aspirons à les exprimer au moyen d'une fonction mathématique pourquoi ne pourrions-nous pas appliquer le même procédé d'investigation aux autres organismes. On a commencé à s' y appliquer. Pasteur dit que le cristal est l'élément primitif de la cellule.

En rapprochant un minéral d'un organisme vivant on doit commencer par l'élément primitif de leur organisation; tel est la cellule de l'animal, de la plante et le globulite—cet équivalent d'une cellule du minéral. Puis passant du minéral aux organismes vivants les plus simples et de ceux là aux plus élevés, nous disposerons tous ces corps organisés en une série continue d'après le degré de complication progressive de leurs fonctions.

Voilà encore une idée cosmique qui groupe la matière en organismes, non seulement dans notre planète, mais dans tous les autres corps de l'univers qui peuvent agir suivant ces procédés.

Ainsi nous avons trois grandes idées cosmiques, l'une nous montre l'unité de la substance qui a servi à la création de l'univers, l'autre réduit toutes ces substances à un élément materiel primitif, enfin la troisième idée combine les atomes de cette matière en organismes.

Quel tableau grandiose s'offre à nos yeux! L'imagination nous transporte aux temps éloignés qui confinent à l'éternité et dans l'espace incommensurable qui évanouit dans l'idée de l'infini. Tont cet espace n'avait été rempli que par une matière infiniment ténue, simple et primitive que l'on appelle le protyle. Les atomes de cette matière sont peut être restés longtemps dans un état de repos et d'équilibre; plus tard quelques atomes sont devenus des centres d'attraction, et ont contribué à déranger cet équilibre; d'autres atomes voisins se sont énergiquement portés vers ces centres, condensant l'éther entre eux et devant soi, et en lui imprimant diverses oscillations ils ont évoqué de puissantes forces résultantes telles que la lumière, la chaleur, l'électricité et le magnétisme. Ces forces, éléments dynamiques, résultats de la matière, se sont mis à leur tour à grouper les atomes du protyle en corps simples ou éléments chimiques classiques et ces derniers, obéissant à differentes circonstances, se sont à leur tour groupés en composés complexes ou bien ont conservés leur structure jusqu' à un nouvel ordre de choses. Enfin les uns et les autres ont pris différentes formes et se sont constitués en organismes tels que le minéral, la plante, l'animal.

A partir de là commence le monde psychique dont l'examen n'entre pas dans mon programme. Avec l'apparition de la matière surgissent corrélativement les forces, et ainsi se manifesta la diversité de tout ce qui existe. Donc la matière est la condition fondamentale de tonte existence, scientifiquement déterminable.

Voiçi la dernière grande idée cosmique qui domine toutes celles que j'ai énoncées précédemment. Il est vrai, que nous sommes insuffisamment préparés à développer dans le détail explicite convenable les idées fondamentales que j'ai esquissées et un Hamlet contemporain pourrait dire à son ami:

There are more things in heaven and earth, Horatio,
Than are dreamt of in your philosophy *).

Mais depuis le temps de Shakspeare il s'est passé 300 ans et nous avons beaucoup appris depuis. Avançons donc courageusement en levant la bannière où sont gravées les paroles de l'immortel Vergile: „Heureux celui qui peut connaître la cause de toute chose“. La connaissance de cette cause formera la couronne des aspirations finales du naturaliste penseur.

---

*) Il y a beaucoup de choses au ciel et sur la terre, Horace. Que n'a pas rêvé votre philosophie.

DER BESÄNFTIGENDE EINFLUSS

DES OELS AUF WASSERWELLEN *).

Von

J. Weinberg.

I.

Es ist in neuester Zeit vielfach ein schon längst bekanntes Factum besprochen worden, ein Factum, das nicht nur ein sehr interessantes Problem für theoretische Forschungen darbietet, sondern sich auch als äusserst wichtig in praktischer Hinsicht erweist. Es ist dieses—die Besanftigung der Meereswellen mittelst Oel, allgemeiner—mittelst auf Wasser schwimmender und mit demselben unvermengbarer Substanzen, mögen dieselben flüssiger oder fester Natur sein.

Nicht zum ersten Male steht dieses Factum vor uns; es ist auch nicht das erste Mal, dass der Mensch seine Rettung von dem rasenden Wasserelement dem fast magisch schnell wirkendem, in winzig--kleiner Quantität ausgegossenem Oele zu verdanken hat. Darauf verweisen schon sehr viele Schifffahrer, die solches als ein unzweifelhaftes Ergebniss bezeichneten; andererseits wurde es auch von Theoretikern besprochen. Und dennoch blieb die Frage hinsichtlich der Besänftigung der Wasserwellen durch Oel bis in die neueste Zeit ganz in Vergessenheit: es fanden sich sogar Skeptiker, welche die ihnen vorgelegten zahlreichen Facta bezweifelten,

*) Mitgetheilt der physik. Section der Kais. Moskauer Gesellschaft der Naturkunde, Anthropologie und Ethnographie am 5 April 1888.

bis endlich, Dank den in grosser Menge gesammelten Zeugnissen vieler Seefahrer und Schiffscapitäne, die Sache sich ausser Zweifel erwies und somit die allgemeine Aufmerksamkeit auf sich lenkte. Es zeigt uns die Geschichte der Wissenschaft gar viele Beispiele, wie eine theoretisch und auch practisch äusserst wichtige Frage bisweilen ganz in Vergessenheit geräth und anscheinend in der Masse anderer Facta ganz verschwindet. Und so bleibt die Frage *bis ihre Stunde geschlagen hat*; dann kommt sie plötzlich zum Vorschein, von verschiedenen Seiten angeregt, zu gleichzeitigen, ganz von einander unabhängigen, Forschungen verschiedener Gelehrter und Practiker Anlass gebend. Mit einem Male ist die Aufmerksamkeit aller eben auf dieses Factum gerichtet, es wird darüber vielfach gesprochen, geschrieben und debattirt. Nun werden so manche sich darauf beziehende Erscheinungen citirt; längst vergessene, staubbedeckte Documente kommen zum Vorschein; man schreitet zu Versuchen um die Frage ganz ausser Zweifel zu setzen und die nun sehr schüchternen Skeptiker ganz zum Schweigen zu bringen. Mitweilen wird auch die Theorie herbeigezogen; dieselbe geht Hand in Hand mit der Practik und plötzlich erscheint die Sache hell und zweifellos, wie der helle Tag. Ganz erstaunt fragt man sich: wie kommt es denn, dass wir das vorher nicht erforscht, ja nicht einmal besprechen wollten? Wie ist es möglich, dass ein so leicht zu producirendes, und dennoch äusserst wichtiges Factum ganz im Schatten lag, ja mitleidiges Lächeln erregte? Steht denn die Sache jetzt anders, als sie vor tausend Jahren stand? Warum blieb sie so lange Zeit vergessen, warum wird sie jetzt so lebhaft besprochen, so vielseitig debattirt?.....

Die Frage hinsichtlich der Besänftigung der Wellen mittelst Oel hat zwei Phasen, zwei historische Perioden erlebt: viele Jahrhunderte hindurch war sie vergessen, doch die drei letzten Jahrzehnte bestreben sich das Vergessene einzuholen, das Unrecht gut zu machen; zahlreiche Opfer an Mann und Gut, die vielleicht gerettet wären, sind nun ein für allemal verloren; unser Jahrzehnt bemüht sich besonders den Seefahrern ein mächtiges und doch sehr einfaches Mittel zur Rettung aus Sturm und Wogen in die Hände zu geben und so sein Schärflein zum allgemeinen Wohle beizutragen.

Wir wollen hier nicht umständlich erwägen, in wiefern der Mythos hinsichtlich des Streites Minervens mit Poseidon begründet sei; dennoch erscheint uns der Sieg der erstern mittelst des Oelbaumes als ein Symbol der beschwichtigenden Wirkung des Oels auf die wüthenden Meereswogen und dass demnach diese Wirkung schon im tiefen Alterthume bekannt gewesen sei. Aristoteles erwähnt, das Meereswasser werde durch aufgegossenes Oel dursichtig und dass die Fischer sich dieses Mittels bedienen, um durch die geebnete Oberfläche besser sehen zu können *). Aristoteles Erklärung dieser Erscheinung finden wir bei Plutarch: „Warum entsteht beim Traüfeln von Oel aufs Wasser Durchsichtigkeit und Ruhe? Kann etwa, wie Aristoteles sagt, der Wind, von der glatten Oberfläche zurückprallend, weder Stoss noch Wogen mehr verursachen? Oder ist dieses nur hinsichtlich der Oberfläche gesagt? Aber weil man erzählt dass auch die Taucher, wenn sie in den Mund genommenes Oel ausspeien, sich dadurch in der Tiefe Licht und Durchsichtigkeit verschaffen, so kann wohl die Ursache nicht dem Abprallen des Windes beigemessen werden" **). Letzteres sucht Plutarch folgendermassen zu erklären: Das Oel zerstaübt und theilt durch seine Härte (Zähigkeit) die Wassertheilchen von einander, welche mehr Unebenheiten besitzen und erdiger (?) sind. Selbst nachdem diese zerstäubten Theilchen sich mit einander wieder vereinigt haben, bleiben doch zwischen denselben kanalförmige Oeffnungen zurück, die mit Oel gefüllt sind und demnach das Licht gut durchlassen.—Plinius, der bloss Aristoteles Ansicht citirt, glaubt seinerseits auch dem Essige eine die Wasserhosen besänftigende Kraft beimessen zu dürfen ***).

Es unterliegt keinem Zweifel, dass besagter Einfluss des Oels auf Wasserwellen schon vor langer Zeit den im Mittelmeer kreuzenden Seefahrern bewusst war, da doch dieses Mittel auch an den Küsten Syriens, so wie auch im Persischen Meerbusen gebräuchlich ist. Die portugiesischen, spanischen und italienischen Matrosen pflegten nach der Malzeit die Reste der fetten Speisen in's Meer zu schütten „als ein Opfer auf die Lampe *del Nostra Senhora*", um die Wellen zu besänftigen. Die Küstenbewohner der Provence, die vom Meeresgrunde verschiedene Muscheln und Seethiere hervorbringen, gebrauchen dabei ein mit Oelgefülltes Fläschchen, durch dessen Stöpsel ein kleiner Pinsel oder Federkiel hervorragt. Beim Tauchen braucht man nur das Fläschchen ein wenig zu schütteln, auf dass die sich erhebenden Oeltropfen die Meeresfläche sofort ebnen und das Wasser durchsichtiger machen. Dasselbe Mittel und zu demselben Zwecke wird auch von den Insel-

*) Problem, XLI. Sect. XXII, XXIII.
**) Quest. Nat. Cap. XII.
***) Hist. Nat. lib. II, cap. 43, 103, 106.

bewohnern der Bermuden, wie auch im Stillen Ocean angewandt. Die schottländischen Fischer werfen in die See Fischleber, worauf nach Verlauf schon einiger Secunden die See auf einer gewissen Strecke hin („*tioûme*" genannt) geebnet wird *).

Eine merkwürdige Erzählung aus dem XIII Jahrhundert finden wir in der „*Ecclesiastical History of the English Nation, by Rev. Bede*" (lib. III, cap. 15). „Ein Pfarrer, heisst es, namens Utta stand, dank seinem ehrlichem und gutem Character, in grossem Ansehen nicht nur bei seinen Pfarrgenossen, sondern auch bei vielen hochgestellten Personen. Einst erhielt er den Auftrag, von Kent aus die Prinzessin Eeanfleda, Tochter der Königs Edwin, auf der Reise zum König Oswy, mit welchem dieselbe sich verheirathen sollte, zu begleiten. Utta reiste nach Kent zu Lande, sollte aber mit seiner jungen Reisegefahrtin zur See die Ruckreise machen. Er wandte sich an den Bischof Aidan mit der Bitte, ihn auf die bevorstehende Reise zu segnen. Aidan betete zu Gott die Reisenden in Schütz zu nehmen, ertheilte denselben seinen Segen und gab dem Pfarrer ein bischen geweihtes Oel auf die Reise, mit den Worten: „Wohl weiss ich, dass Ihr auf dem Wege widrigen Win„den und Sturm begegnen werdet. Vergesst dann nicht, dieses Oel „in's Wasser zu giessen; dann werden Wind und Wogen ihre Kraft „verlieren und Ihr beide werdet gesund und wohlbehalten an's „Ziel gelangen". Alles geschah genau so, wie der Bischof vorrausgesagt hatte: anfangs entstand ein starker Wind, und obgleich die Matrosen sich bestrebten Anker zu werfen, so gelang dieses ihnen wegen der starken Brandung nicht und das Schiff stand in Gefahr überschwemmt zu werden. Alle am Bord sahen schon ihrem Untergange entgegen, als plözlich der Pfarrer sich des ihm vom Bischof gegebenen Rathes errinnerte, das Fläschchen ergriff und ein bischen Oel in die See goss. Und siehe! Die Wellen wurden besänftigt, genau wie der Bischof es prophezeiet hatte" **).

Nach Linné nehmen die grönländischen Fischer immer einige Fässchen Oel mit sich; derselbe erzählt auch, dass man einst während einer grossen Feuersbrunst in London in den Fluss Oel goss, um dasselbe vor Entzündung zu bewahren, wobei man bemerkte, dass die Wellen sich sofort beruhigten. Linné erinnert an ein altes Gesetz, nach welchem, im Falle eines Sturmes die See-

---

*) Vice-Amiral Cloué: *le filage de l'huile et son action sur les brisants de la mer*, etc., Paris 1887, pg. 3. Auf dieses Werk werden wir öfters zuruckkommen.

**) *Nature*, 1888, 15 March, № 959.

fahrer genöthigt waren, alles über Bord zu werfen und wobei man das auf dem Schiff befindliche Oel zuerst auszugiessen verpflichtet war *).

Mittels der Wirkung des Oels oder sonstiger fetten Substanzen auf Wasser lassen sich auch folgende Facta erklären: wie bekannt, erkennen die schottischen Fischer genau die Stelle, wo Meerkälber sich aufhalten; es geschieht dieses deswegen, weil diese Thiere sich von Fischen ernähren und der sich auf der See verbreitende Fischthrau dieselbe spiegelglatt macht. „Alle Seefahrer, sagt Cloué, und ich selbst hatten mehrfache Gelegenheit auf der See todten Wallfischen zu begegnen, an deren Fleische sich Seevögel und Haifische labten. Sehr sonderbar pflegte uns die ganz glatte Meeroberfläche rund herum zu erscheinen, sogar dann wann die See sehr hohl zu gehen pflegte“ **).

Viele Jahrhunderte vergehen und kein einziger Gelehrter, geschweige denn eine gelehrte Gesellschaft erwähnt dieser wunderbarer Eigenschaft des Oels. Nicht nur theoretisch wird dieses Factum nicht untersucht, ja sogar bei Seefahrern findet sich darüber keine Erwähnung. Die Frage kommt auf's Tapet bloss in der letzten Hälfte des vorigen Jahrhunderts und zwar spricht sich darüber zuerst der beruhmte Franklin aus. In seinem ausführlichen, der Londoner Königlichen Societät unterbreiteten Memoire (gedruckt 1774), berichtet Franklin seine eigenen Versuche und theoretischen Schlüsse, sowie auch die vorerst an ihn gekommene Kunde, die ihn bewog, sich mit dieser Frage umständlich zu befassen: „Noch in meiner Jugend, erzählt Franklin ***), las ich die Erzählung des Plinius (at Pliny's account), es könnten Schiffer die Meereswellen zur Zeit eines Sturmes mittelst Oel beschwichtigen. Diese Erzählung erregte in mir ein ungläubiges Lächeln.“ Weiter wird erzählt, er hätte zuerst in Brawnriggh vernommen, dass man beim Austerfange in Gibraltar Oel zur Nivellirung der Seeoberfläche verwende, und dass auch die Seefahrer im Mittelländischen Meere bei Sturm und Wind dasselbe gebrauchten. Im Jahre 1757 befand sich Franklin auf einem aus 96 Schiffen bestehenden Geschwader, das auf Louisburg zusteuerte. Er bemerkte, dass zwei ausgeworfene Loge ganz ruhig verblieben, während an den übrigen Schiffen alle Loge sehr stark wackelten. Darüber verwundert,

---

*) Gehler's phys. Wörterb. Bd. VI, p. 1751. sqq.

**) Cloué, l. c. pg. 49; Gehler, l. c. pg. 1752.

***) Philos. Trans. T. LXIV, P. II. pg. 445.

wandte er sich an den Kapitän um Erklärung dieser sonderbaren Erscheinung; dieser erklärte einfach die Sache dadurch, dass die Köche besagter zweier Schiffe wahrscheinlich die fetten Küchenreste ins Meer geworfen hätten, die sofort die Wände der Fahrzeuge beölt und dadurch die Wellen dort geebnet hätten. Als er 1762 sich zur See befand, bemerkte er zum ersten Mal die wunderbare Unbeweglichkeit und Starrheit des Oels in der Schiffslampe, während unter dem Oele dass Wasser in der Lampe stark aufwallte. Diese Erscheinung zog Franklin's Aufmerksamkeit auf sich und sonderbar schien es ihm, warum diese Erscheinug so wenig bekannt wäre. Einst befand er sich in Claphant, einem Dorfe bei London, am Ufer eines Teiches, dessen Oberfläche vom Winde stark gepeitscht ward. Er goss in's Wasser einen Löffel Olivenöl, wobei er zu seiner grossen Verwunderung sogleich bemerkte, dass das Oel sich allwärts mit enormer Schnelle auf's Wasser verbreitete und dass sofort auf einer Strecke von 150 Toisen die Oberfläche spiegelglatt wurde. Seit jener Zeit pflegte Franklin bei Spaziergängen immer in einer im Stocke gemachten Vertiefung Oel bei sich zu tragen; er wiederholte oft den Versuch und immer mit gleichem Erfolge. Er wollte auch den Einflus des Oels auf die Brandung versuchen, da er schon früher vernommen die Fischer in Lissabon gebrauchten Oel, um ihre Kähne ruhig in den Hafen zu bringen. In Gegenwart von Banks, Solander und Blagden, liess Franklin zur Zeit einer starken Brandung einen Oelstrahl ins Wasser spritzen. Obgleich die Brandung nicht kleiner wurde, so verminderten sich dennoch die Wellen uberall, wohin sich das Oel verbreitet hatte; es entstand eine glatte Flache, welche ein unfern segelndes Schiff sich auch zu Nutzen machte. In seinem erwähnten Memoire betont Franklin das schnelle Verbreiten des Oeles auf der Wasserfläche. „Es verbreitet sich in einer so dünnen Schicht, dass dieselbe in allen Regenbogenfarben schimmert; in grosser Ferne ist diese Oelschicht wegen ihrer Dünne gar nicht mehr zu sehen, und dennoch bemerkt man ihre Gegenwart durch ihre Wirkung auf's Wasser" *).

Auf besagten Aufsatz Franklin's folgte 1775 eine Broschüre von Lelyveld, in welcher der Einfluss des Oeles auf Meereswogen besprochen wird **). „Ich lenke die Aufmerksamkeit meiner Lands-

---

*) Gehler, l. c. pg. 1752—53; La Nature. 1887, № 738.

**) Diese Broschure ist 1770 in franzosicher Sprache von Marc Michel Rey übersetzt worden und unter folgendem Titel in Amsterdam gedruckt: „Essai sur les

leute, sagt der Verfasser, auf ein sehr wichtiges Factum, namlich auf die Besänftigung der Meereswellen mittelst Oel oder Theer. Dieses Mittel erschien bis jetz den Physikern als etwas ganz unwahrscheinliches, oder blieb denselben ganz unbekannt; es ist aber einer vollständigen theoretischen und practischen Untersuchung werth, damit es nicht nur bei Philosophen, sondern auch bei Seefahrern mehr Glauben fände". Nachdem Lelyveld eine Menge Beispiele von Beschwichtigung der Wellen mittelst Oel citirt hatte, wendet er sich an alle seine gelehrten Zeitgenossen mit 17 Fragen hinsichtlich der Wirkung des Oeles. Er stellt die Fragen auf: in welchem Falle die Anwendung des Oeles besonders von Nutzen sei; von welcher Seite des Schiffes es ins Meer gegossen werden soll; welche Apparate dazu nöthig seien; wie lange die Wirkung des Oeles auf's Wasser dauere; ob diese Wirkung beim gewöhnlichen Wellenschlage und bei Sturm die gleiche sei und endlich—ob es wahr sei, dass ins Meer gegossenes Oel für die in der Ferne segelnden Schiffe Gefahr bringe, und auch, ob wirklich Oel dem Fischfange nachtheilig ware?—Als Termin für die Einsendung der Antwort auf alle diese Fragen setzte Lelyveld den 1 Mai 1777 fest; als Preis für die, auf unzweifelhafte Facta, so wie auch auf Versuche sich stützende Beantwortung aller, oder auch eines Theiles der von ihm vorgelegten Fragen bestimmte Lelyveld 50 Ducaten oder eine goldene Medaille desselben Preises. Es ist uns nicht bewusst, ob dieser Concurs zu Stande gekommen sei und ob überhaupt Antworten auf alle diese Fragen eingetroffen waren *).

Am Schlusse des vorigen Saeculum's werden der französischen Academie, so wie auch dem französischen Marine-Ministerium verschiedene, benannte Frage betreffende Memoire, unterbreitet, doch ohne allen Erfolg und ohne die Aufmerksamkeit der Fachmänner auf sich zu lenken. So, z. B. schlug ein gewisser Deshayes ein leichtes Mittel zur Wellenbezähmung mittelst Oel und Stroh vor; auch der Brüsseler Academie wurde vom Abbé Mann ein Memoire vorgelegt, worin der Verfasser den Gebrauch des Oels 1) auf offener See, 2) als Mittel bei Schiffbruch glücklich den Hafen zu erreichen und 3) zur gefahrlosen Einfahrt in den Hafen vorschlug.

„moyens de diminuer les dangers de la mer par l'effusion de l'huile, du goudron „ou de toute autre matière flottante, avec les questions proposées sur ce sujet". Es scheint demnach, dass schon in vorigem Jahrhunderte Lelyveld die Besanftigung der Wellen nicht nur allein oligen Substanzen, sondern auch überhaupt schwimmenden Korpern zuschrieb.

*) La Nature, l. c., pg. 121.

Es ist nicht zu ersehen, ob die Academie ihr Augenmerk auf dieses Memoire lenkte und eben so fruchtlos erwiesen sich mehrere 1798 und 1799 in den „Ephémerides géographiques" abgedruckte Arbeiten, denselben Gegenstand betreffend.

Auf diesem Zeitpunkt bezieht sich eine Arbeit des russischen Akademikers Oseretzkowsky, gelegentlich eines von ihm an der Mündung des Wolchow in den Ladoga-See angestellten Versuches: „Die Wellen auf dem See, schreibt Oseretzkowsky, waren nicht gross und ich hatte mit Fleiss diesen Zeitpunkt gewählt, um mich genau hinsichtlich der Wirkung des Leinöls auf's Wasser zu vergewissern. Ich segelte von der Mündung des Wolchow weit in den See hinaus und warf Anker. Am Vordertheile des Schiffes goss ich gegen die Wellen in vier gleichen nicht langen Zeiträumen 41 Pfund Oel aus, womit eine hinlängliche Wasserstrecke bedeckt wurde, dermassen dass mein drei Faden langes Schiff in der Mitte stand. Die ganze mit Oel bedeckte Fläche wurde spiegelglatt und ruhig und obgleich in der Ferne Wellen zu sehen waren, waren dieselben doch nicht gross und wühlten das Wasser nicht auf. Als ich die kleine Wellenhöhe der mit Oel bedeckten Wasserfläche mit derjenigen verglich, wohin das Oel nicht gereicht hatte, so schien es als würde das Wasser unter's Oel von irgend einem Gewichte niedergebeugt, oder durch irgend eine Kraft gebunden, denn die Bewegung des Wassers wühlte die Flüssigkeit nicht auf, verursachte nicht einmal kreisende Wellen, sondern schob nur das Wasser ganz gelind nach der Windrichtung hin. Obgleich das Oel schon ganz weit vom Schiffe zu sehen war, so konnte man dennoch auch dort eine viel grössere Ruhe der Wasserfläche im Vergleiche mit der übrigen See bemerken. Ich schliesse also aus diesem meinem Versuch, dass der Gebrauch von Oel bei gefährlichem Wellenschlage von Nutzen sein könne. Den Seefahrern aus Archangelsk, die alljählich das Eismeer, Spitzbergen und Novaja-Zemlia besuchen, ist schon längst die Besänftigung der Meereswellen durch Oel bekannt und desswegen giessen dieselben bei holer See und starken Wellenbergen Fischthran oder Stokfischöl in's Wasser. Auf dem Verdecke befindet sich gewöhnlich ein Kessel mit Oel oder Thran und daraus wird, zur Sturmzeit, mit einem Gefässe Oel geschöpft und in die See gegossen, wodurch dieselbe ruhig und glatt wird".

II.

Bevor wir zu den in neuester Zeit gemachten Versuchen und zahlreichen Beobachtungen hinsichtlich der Wirkung des Oels auf

Wasser schreiten, wollen wir sehen, auf welche Art verschiedene Gelehrte dieses scheinbar ganz sonderbare ja räthselhafte Factum zu erklaren suchten.

Nach Aristoteles vermag der Wind wegen der glatten mit Oel bedeckten Wasserfläche dieselbe nicht zu zertheilen, gleitet dagegen hinweg, kann also die Wassertheilchen von einander nicht trennen und aufwühlen, um daraus Wellen zu bilden. Franklin aber betont die überauss dünne Oelschicht, wie auch die kleine Quantitat Oel, die zur Besanftigung der Wellen hinlänglich ist. Nach seiner Meinung, verhindert anfänglich das Oel durch seine Zähigkeit die Entstehung der ganz kleinen Wellen, welche, wie bekannt, einander verstärkend und sich summirend, zuletzt enorme, bergähnliche, der Schiffahrt äusserst gefährliche Wogen bilden. Ebenso, bemerkt Franklin, wie kleine, kaum merkbare Schlage auf die Glokenwände, mehrfach wiederholt, am Ende eine starke Vibration hervorbringen, können auch die anfänglich kaum merkbaren, kleinen kreisenden Wellen, sich gegenseitig verstärkend, zuletzt einen grossen Wellenberg erzeugen. Letzteren aber können wir zuvorkommen, wenn wir anfänglich beflissen sind, das Entstehen ganz kleiner Wellen zu verhindern, und das erzielen wir durch die Zähigkeit des Oels, wodurch die Wasserfläche geebnet wird und der Wind dieselbe nicht mehr aufzuwühlen vermag. Franklin's Erklärung theilen auch die berühmten Gebrüder Weber in ihrer bekannten „Wellenlehre“. Der Wind, heisst es dort, gleitet auf der Oelfläche und treibt dieselbe immer weiter fort, da die Wasserfläche sich mit der Oelschicht nicht vermengt und also leichtbeweglich ist. Der Wind trifft das Wasser unter einem spitzigen Winkel, kann aber die mit der zähen Flüssigkeit bedeckte Wasserschicht nicht zerstaüben, nicht aufwühlen. Die horizontale Composante wird unansehnlich, die Vertikale aber bestrebt sich das Wellenthal grösser, den Wellenberg hingegen kleiner zu machen.

Dass wirklich die grössten Wellen, ja berghohe Wogen, welche in einem Augenblike in grössten und festesten Hafenbau zerstören oder die grössten Schiffe in den Grund bohren können, anfänglich aus ganz kleinen, kaum bemerkbaren Wellen entstehen und nur allmahlig ihre enorme Grösse, Masse und Stärke erreichen—dieses unterliegt keinem Zweifel. Die französischen Seefahrer unterscheiden drei Arten Wellen: ganz kleine, unansehnliche Wellen (vaguelettes) vereinigen sich zu einer grösseren (vague); letztere vereinigen und verstarken sich ihrerseits und bilden dann die so schrecklichen, den Seefahrern äusserst gefährlichen Wogen (paquet de mer). Während die ganz kleinen Wellen eine unansehnliche Länge und kaum 10 bis 30 centimètres im Durchmesser haben, so begegnet man schon im Canal La Manche Wellen von 3 mètre Höhe, 10 Breite und 25 m. Länge. Wellen von dieser Dimension sind noch grossen Schiffen nicht gefährlich, doch schon den kleineren, wirken öfters auch zerstörend auf Hafenbauten. Schrecklich aber sind die hohen Wogen (paquet de mer), sowohl wegen ihrer enormen Masse (mehr als 100,000 Fass), als auch wegen ihrer Höhe und Schlagkraft. Ihre Höhe ist nicht unter 8—10 Meter; sie brechen sich an der Küste ähnlich einem Widderschlag; alles muss ihnen weichen und wird augenbliklich zerbrochen und zerstört. Schiffe, welche die Communication zwischen Europa und Amerika unterhalten, werden von ähnlichen Wogen ereilt und mit einem Schlage in den Meeres-Abgrund geschleudert.

Es versteht sich von selbst, dass solche eine enorme Wassermenge nicht auf einmal gehoben werden konnte; dieselbe muss als Resultat der Interferenz kleiner Wellen, als Resultat der Coincidenz gleichnamiger Wellenphasen (d. i. zweier Wellenberge oder Wellenthäler) betrachtet werden können, die durch ihre Vereinigung sich gegenseitig verstärken. Die Wellenbildung aber hängt überhaupt, bei gleicher Windstärke, von der Meerestiefe, wie auch von dem zurückgelegten Wege ab; letzterer trägt im Englischen den Namen *„fetch“*. Nach Thomas Stephenson's Rechnung kann eine Welle, wenn die Länge des *fetch* 300 Seemeilen beträgt, eine Höhe von 26 Fuss, also beinahe 8 Meter erreichen. Im Indischen Ocean sind Wellen von 33, im Atlantischen—von 43 Meter Höhe beobachtet worden und dennoch ist letztere Grösse, wie aus folgendem ersichtlich, noch nicht das maximum. Die Geschwindigkeit der Fortpflanzung der Welle hängt von der Höhe derselben, so wie auch von der Meerestiefe ob; nach Ross kann diese Geschwindigkeit 165 Kilometer per Stunde betragen. So eine Welle kann selbstverständlich das Schiff nicht auf sich heben, sondern muss es zu Grunde bohren. Von vielen solchen Beispielen wollen wir nur ein paar anführen:

Vor einigen Jahren begegnete das Dampfschiff *Pereire* (3000 Tonnen fassend), zwischen Havre und New-York, einer enormen Welle, die es in zwei Hälften brach; viele Menschen verloren dabei das Leben. Im April 1883 wurde der Dampfer *Aquila*, auf dem Wege von Weymouth nach Guernsey, bei *vollkommen-stillem* Wetter und ruhiger See, unweit des Leuchtthurms Shambes von zwei enormen Bergwellen erreicht, die den Rangaut gänzlich zerbrachen;

das Wasser stürzte auf's Verdeck, alles ihm im Wege stehende in Stücke brechend und mit sich fortreissend. Fünf Minuten nachher war die See wieder ganz ruhig, als ob nichts geschehen wäre.

Den 25 Juli 1887 begegnete der Dampfer „*Martello*" (4000 Tonnen) im Atlantischen Ocean einer enormen Welle die ihn augenblicklich in den Grund bohrte; dieselbe Welle erreichte ferner den Dampfer „*Umbria*", nach New-York steuernd, und demselben stand wahrscheinlich dasselbe Schiksal bevor; glücklicherweise aber bemerkte der wachehabender Officier frühzeitig die enorme, schwarze, dem Schiffe schnell sich nàherende Wassermasse und gab dem Schiffe einen andere Lage, wobeï zugleich dessen Geschwindigkeit wermindert wurde. Es gelang den 500 Fuss langen Dampfer senkrecht der Welle zu legen. Ein furchtbarer Stoss erschütterte das Schiff von oben bis unten; das Wasser schlug über Bord und das Verdeck verschwand hinter einer 15 Fuss dicken Wasserschicht; das kupferne, 1 Zoll dicke Geländer brach in Stücke und einzelne Theile davon wurden wie Bindfaden gebogen. Eine enorme Wassermenge ergoss sich auf's Schiff, zum grossen Schrecken der Mannschaft, die schon ihrem Untergange entgegensah; glücklicherweise besass aber das Schiff wasserdichte Wände, die dasselbe in mehrer, von einander unabhängige Theile theilten und wohin das Wasser nicht gelangen konnte. Ein auf der Spitze des 60 Fuss messenden Fokmastes angezündetes Feuer erlosch, was zur Genüge von der Höhe der Welle spricht *).

Am 25 Januar 1840, im Golfe Stora, erhob ein ähnliches paquet de mer ein Schiff, trag dasselbe *über* die gescheiterte Corvette „*La Marne*" fort und setzte es zwischen zwei gegenüber stehende Klippen fest.

Im August 1888 meldete der Aufseher des Leuchtthurms „*Tillamok-Rock*" (Orégon), dass eine Welle von 160 Fuss (48^m,76) über der Fluth-Höhe den Thurm erreicht habe; derselbe befindet sich auf einem 96 Fuss (29^m,26) die Fluthhöhe überragenden Felsen, die Laterne ist noch 38′ (11^m,58) höher angelegt. Und doch erhob sich eine Welle 25′ (7^m,61) *über den Leuchtthurm*, zerbrach alle Fenster der Laterne und losch das Feuer aus *).

Von Achard besitzen wir eine andere theoretische Erklärung, die auch von mehreren andern Gelehrten getheilt wird. Die Ursache der Basänftigung der Wellen durch Oel sucht diese Theorie an die

---

*) E. Sorel, les grandes vagues de l'Océan, La Nature 1883, № 520; 1884, № 747

**) La Nature, 1888, № 795.

verschiedene Densität des Oels und des Wassers anzuknüpfen, in Folge deren beide genannte Flüssigkeiten bei der Wellenbewegung verschiedene Phasen haben und demnach bei der Interferenz derselben die Wellen-Amplitude vermindert wird. Nach dieser Theorie, wirken nicht blos fette Substanzen, sondern auch andere mit Wasser nicht vermengbare Flüssigkeiten, ja sogar feste, schwimmende Korper, wie Bretter, leere Fässer, Stroh, sogar Staub auf Verminderung der Wellenbewegung. So, z. B. erblickte Scoresby den mit schwimmenden Eisplatten (sogenannten Sledge) bedeckten Theil des Meeres ganz ruhig, während rund herum die See schaumte; derselbe Seefahrer schreibt auch den Regentropfen eine die Wellen beschwichtigende Wirkung zu *).

Betrachten wir die Zähigkeit des Oels, die dem Bestreben des Windes die Wasseroberfläche aufzuwühlen und zu zerstäuben entgegenwirckt, sowie auch, andererseits, das Bestreben jedes festen Körpers über den schiefen Wellenberg zu gleiten, so finden wir darin einen Leitfaden zur Erklärung der Wirkung des Oels auf's Wasser.

1) Es wurde schon oben gesagt, dass jede Welle uns gleichwie die Summe anfänglich sehr kleiner, fast unbedeutender Bewegungen der Wassertheilchen darstellt. Wenn wir also auf irgend eine Weise diese Bewegungen gleich bei ihrem Entstehen beschwichtigen, so hindern wir eben dadurch die Enstehung grösserer Wellen, die ihrerseits ungehindert die besagten enormen Wogen hervorzubringen vermögen. Es mögen (Fig. 1 und 2) ABCDF zwei

Рис. 1.

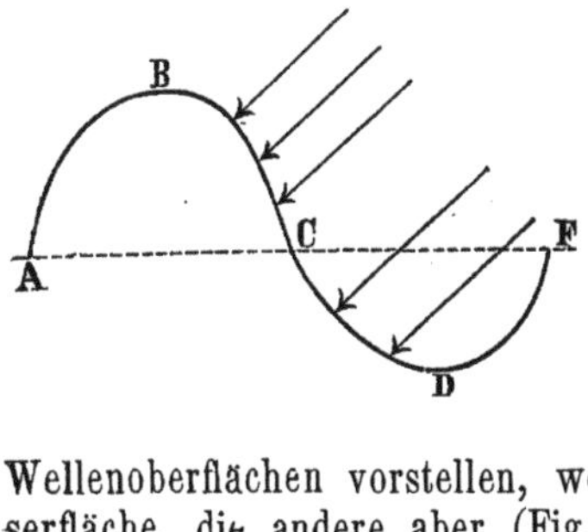

Фиг. 2.

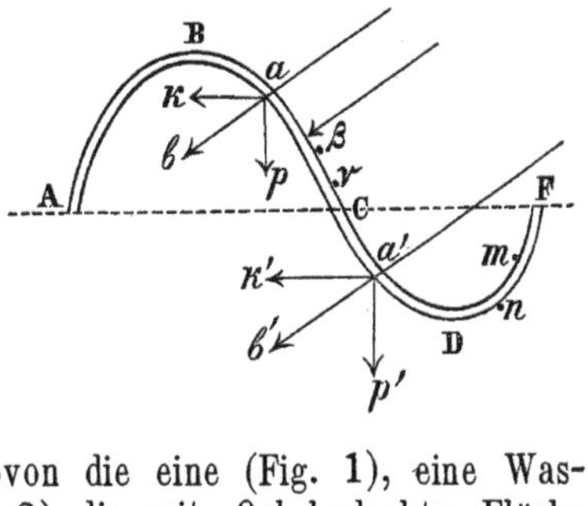

Wellenoberflächen vorstellen, wovon die eine (Fig. 1), eine Wasserfläche, die andere aber (Fig. 2) die mit Oel bedeckte Fläche sein mag. Obgleich, wie bekannt, der Wind die Fläche unter

*) Arago, Oeuvres, T. IX, pg. 325; La Nature, l. c.

einem gewissen Winkel trifft, so wird die Wirkung seines Stosses auf beide Wellen dennoch verschieden sein. In Fig. 1 schneidet der Wind sich tief ins Wasser ein (Wellenberg ABC, Wellenthal CDF), zertheilt und zerstäubt die Wellenfläche und jeder Tropfen gestaltet sich zum Centrum einer neuen, obgleich sehr kleinen Welle. Anders sehen wir in Fig. 2, wo der Stoss wegen der Zähigkeit des Oels die Fläche nicht zerstäuben kann. Am Wellenberge wird der Stoss ab in zwei Composanten zerlegt, wovon die eine (ak) sich bestrebt, den Wellenberg zu brechen und denselben der Wasserfläche gleich zu machen, während die andere Composante (ap) auf Erniederung der Welle wirkt. Seinerseits kann auch das Wellenthal CDF nicht lange bestehen, da die Composante a'k' sich bestrebt, das Thal der übrigen Wasserfläche gleich zu machen, während die andere (a'p') das Wellenthal noch mehr zu vertiefen strebt und eben dadurch die Theilchen β, γ von oben nach unten zieht, demnach also die Erhöhung vermindert und die Concavität mit Flüssigkeit füllt, also die Welle ebnet.

2) Es ist leicht einzusehen, dass auch jeder schwimmende feste Körper gleichfalls das Bestreben hat die Welle niederzubeugen und dieselbe mit der übrigen Wasserfläche zu nivelliren. Dermassen gleitet der leichte Körper a (Fig. 3) die schiefe Ebene herunter, mit sich auch die an ihn anklebenden Theilchen β, γ herunteziehend, in Folge dessen einerseits die Erhöhung vermindert, andererseits aber das Wellenthal sich mit Wasser füllt und demnach die ganze Welle geebnet wird.

Фиг. 3.

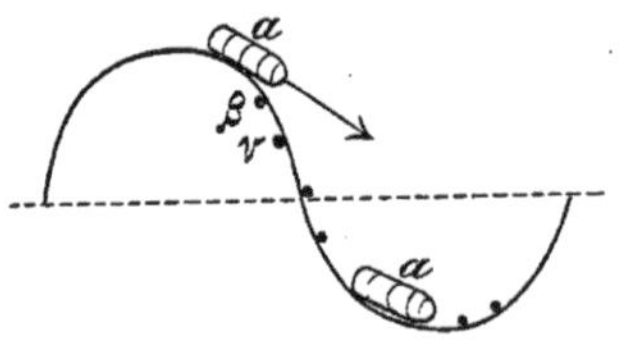

Фиг. 4.

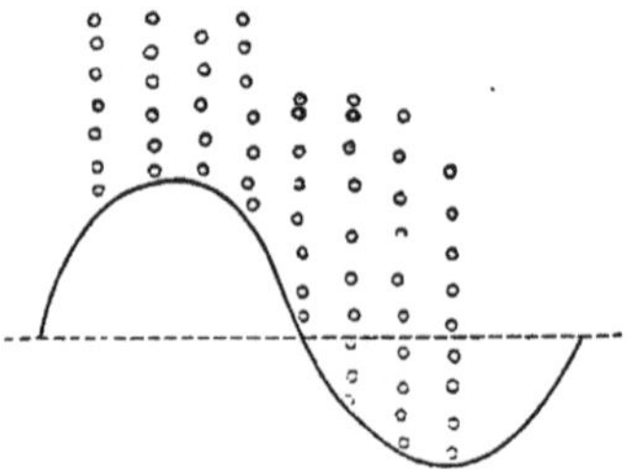

3) Leicht verständlich ist es auch, warum auch Regentropfen (und sogar noch stärker) dieselbe Wirkung erzeugen. Wie in Fig. 4 ersichtlich, bestreben sich die auf die erhöhete Wellenhälfte fallenden Tropfen durch ihren Schlag diese Erhöhung zu glätten; von derselben gleiten Theilchen in die Niederung und letztere wird schnell mit Wassertheilchen gefüllt, da auch die auf sie direct fallenden Regentropfen ihr Contingent dazu beitragen.

Dass wirklich feste schwimmende Körper das Wasser verhindern Wellen zu bilden und dessen Bewegung hemmen,—ist ein längst bekanntes Factum. So pflegten Wasserträger auf der Oberfläche der Flüssigkeit kleine Bretter, sogar Strohbündel zu legen „damit das Wasser nicht überfliesse". Wir finden auch im *Journal d'Agriculture* (Novemberheft 1782) einen Artikel eines unbekannten Autors, worin zur Besänftigung der Seewellen leere Bleischachteln empfohlen werden. „Dieselben, heisst es, beschwichtigen die Wellen dreimal besser, als Oel, deswegen weil, erstens, Oeltropfen schneller auf dem Wasser sich verbreiten, also dass Schiff nicht mehr schützen, während die Schachteln oder leere Fässer an dasselbe angebunden sind, und zweitens berühren dieselben die Wasserfläche mit viel mehr Punkten. Es wird gerathen, leere blos mit Luft gefüllte Schachteln von 6′—8′ Breite und 1′—2′ zu diesem Zwecke anzuwenden. Um das Schiff vor Wellenschlag zu schützen, genügt es ein Duzend solcher Schachteln mittelst Stricke an's Schiff zu binden. In kleinem Maasstabe veranstaltete Versuche hatten vollkommen allen Erwartungen entsprochen" *).

Vice-Admiral Cloué erzahlt unter anderem folgendes:

„Zur Zeit, als ich mit hydrographischen Arbeiten bei New-Fundland beschäftigt war, brach bei der Insel Belle-Isle ein enormer Eisberg (iceberg) in viel tausend Stücke, jedes von Gewicht einer Tonne, und diese wurden von der Fluthwelle fortgerissen. Der Wind war ziemlich frisch und die See unruhig (la mer montonnait). Nachdem meine Arbeit beendigt war, kehrte ich auf's Bord zurück, kam aber auf eine Stelle, wo die See ruhig war. Ich konnte leicht bemerken, dass eben hier das Wasser mit einer Menge sehr kleiner, an einander klebender Eispartikeln, eine Art crême bildend, überall bedeckt war. Dieses genügte zu bewirken dass eben auf dieser Stelle keine einzige Welle sich bildete, während rund herum die See stark aufwallte".

Derselbe citirt auch ein anderes Beispiel:

„Als ich, dreissig Jahre früher, auf New-Fundland einen kleinen Schooner befehligte, erreichte derselbe bei starkem Winde die Buchte Saint-Georges, eine der grossten am West-Ufer. Die See schäumte stark und demungeachtet trafen wir in der Mitte der Bucht eine ganz ruhige Strecke, im Durchmesser ungefähr eine Seemeile. Eine Bank Heringe schwamm gleich uns, der Bucht zu;

---

*) La Nature, 1883, № 532.

ihrer waren so viel, dass wir eine Menge mit Eimern fangen konnten. Aber eben diese enorme Quantität Heringe, die wegen ihrer Dichtigkeit uns hinderte, die Dicke der Bank abzuschätzen, trag dazu bei, dass die See ganz ruhig war, während rund herum dieselbe stark aufwallte".—„Das Besänftigen des Meeres mittelst einer dicken Bank Heringe oder Sardinen, sagt Cloué, ist eine längst bekannte Thatsache und alle Fischer versicherten mich, dass eine ganz ebene Meeresfläche ihnen zum Zeichen diene, es wären auf dieser Stelle zahlreiche Fische anzutreffen, und dass sich dieses immer bewährt habe. Neuerer Zeit, als die Frage hinsichtlich der Wirkung des Oeles mehrfach besprochen war, waren mehere Seefahrer der Meinung, dass Heringe die See mittels ihres Fettes beruhigen. Diese Ansicht scheint mir aber unbegründet, da doch in diesem Falle die See noch eine gewisse Zeit nach dem Vorübergange der Herings-Bank ruhig verbleiben müsste, während dieselbe sich nur auf der mit Heringen gefüllten Strecke ruhig verhält".

In der Sitzung der Pariser Akademie der Wissenschaften (24 November und 4 December 1882, wie auch 2 Januar 1883) erkannte der belgische Gelehrte Van der Mensbrugghe, wie auch Admiral Bourgois die besänftigende Wirkung des Oels, überhaupt auf die Brandung (brisants). Bourgois erwähnte, unter anderem, dass auf denjenigen Stellen, wo die See phosphorartig leuchtet, keine mit Schaum bedeckten Wellenkämme zu sehen wären; er schreibt dieses den im Wasser schwimmenden Organismen zu, die dasselbe condensiren und demnach der Disgregation der Wassertheilchen entgegenstehen (ces substances donnent à ces eaux une cohésion plus grande et s'opposent ainsi à la disgrégation des particules de leur surface). Doch, meint Van der Mensbrugghe, sei dieses nicht der Cohésion der Wassertheichen zuzuschreiben, sondern der enormen Menge der schwimmenden Organismen; diese Menge wirke auf die Oberflache der See, wie jeder andere schwimmende Körper *).

In einem unlängst erschienem Artikel erklärt Van der Mensbrugghe die Wirkung des Oels durch die Spannung oder den Druck, den die an der Oberfläche sich befindenden Wassermolecule auf die tiefer liegende erzeugt. Diese oberflächliche Spannung (tension à la surface du liquide) ist als Folge der zwischen den Wassermoleculen stattfindenden gegenseitigen Attraction zu betrachten. Sich

*) Comptes rendus, l. c. 1882 et 1883.

darauf stützend, erklärt der Autor die Wirkung des Oels folgender Art:

Hat ein gewisser Theil der Seeoberfläche vom Winde eine Geschwindigkeit bekommen, die grösser ist als diejenige des ihn umgebenden Theils, so bewegt sich ersterer schneller als der letztere, bedeckt denselben und wird seinerseits von einer sich noch schneller bewegenden Masse bedeckt. Dermassen gleitet eine Wasserschicht über die andere hinweg, da sie eine schnellere Geschwindigkeit als die tiefer liegende, von ihr bedeckte Schicht, besitzt. In Folge dessen haben die die Welle bildenden Wassertheilchen die grösste progressive Geschwindigkeit auf der Oberfläche derselben und desswegen auch bildet sich daselbst ein Kamm, der mehr und mehr sich vergrösserend und in Brechseen übergehend, den Schiffen so gefährlich wird. Selbstverständlich wird jede Ursache, die das Gleiten der Wasserschichten auf einander vermindert, auch dazu beitragen, das Entstehen genannter Brechseen zu erschweren, ja denselben ganz vorzubeugen. Da Oel sich äusserst schnell auf der Wasserfläche verbreitet (wegen seiner mindern oberflächlichen Spannung), specifisch leichter ist und darum sich beständig bestrebt auf die Oberfläche des Wassers zu gelangen, so wird die fortschreitende und gleitende Wasserschicht, wenn dieselbe einen mit Oel bedeckten anderen Schicht begegnet, den Impuls der sich in derselben befindenden, zur Oberfläche strebenden und auftauchenden Oeltheilchen empfinden. Dadurch wird das Gleiten der obern Wasserschicht erschwert und in Folge dessen wird der Kamm wegen der Stagnation der Wasserpartikel dicker, doch aber kann diese Masse keine Brechseen mehr bilden, sondern fällt vom Kamme mit grossem Getöse nieder und dadurch lässt sich die von Aristoteles, Plutarch und Plinius erwähnte Erscheinung erklären, nach welcher eine sogar unansehnliche Quantität Oel mächtige Brechseen in schwache, ungefährliche Wellen verwandle. „Wie kommt es, fragt Van der Mensbrugghe, dass bis jetzt die belgischen Seefahrer so wenig ihr Augenmerk auf besagte Wirkung des Oels gewendet haben?—Es geschah weil dieselben dem gewöhnlichen Vorurtheile Glauben beimessen: „„Was vermag ein Litre Oel gegen einen ganzen Berg Meerwasser?!““—Dennoch, was mich anbetrifft, so hatte ich schon Gelegenheit mich vor der Pariser Academie der Wissenschaften anzusprechen, behaupte auch jetzt und bin überzeigt, dass eine kleine Quantität Oel die Meereswellen zu vermindern und zu besänftigen vermag. Es scheint dieses zwar sehr sonderbar, ist aber dennoch ein unstreitbares Factum (absolument incontestable), das übrigens sich als unmittelbare Folge meiner Theorie bezüglich der Veranderung der oberflachlichen Spannung in Flüssigkeiten erweist. Ich schliesse meinen Artikel mit dem Wunsche, dass kein einziges Schiff, kein einziges Fischer- oder Rettungsbot den Hafen verlasse, ohne ein gehöriges Quantum Oel nebst Nebenapparaten bei sich zu führen." *).

III.

Wir wenden uns jetzt den in neuester Zeit gemachten Beobachtungen, Versuchen und Forschungen zu, die den Einfluss des Oels auf die Besänftigung der Wellen ausser allen Zweifel setzen.

Es sind schon oben die im vorigen Jahrhunderte stattgefundenen wichtigsten Beobachtungen, so wie auch die theoretische Erklärung derselben erwähnt werden. Im ersten Viertel unseres Jahrhunderts berichtete Richter folgende Thatsache: „Einst stand ich auf Porto Santo am Ufer und sah, wie ein Schiff von den Ankern losgerissen in den Wellen zu Grunde ging. Bald zeigte sich in der Mitte der Bucht ein Boot, welches dem Strande zugetrieben wurde, und als es ihn eben erreichte, schien das Meer um dasselbe still zu werden, denn es hatte ein Ansehen völliger Ruhe. Die Wellen erhoben sich aber bald wieder und schleuderten, jedoch ohne zu branden, das Boot hoch auf den Strand; die Menschen sprangen heraus und eilten der Höhe zu, um nicht von den nachfolgenden Wellen eingeholt zu werden. Die Ursache dieses günstigen Ausganges war ein Fässchen mit Oel, dessen Boden im Augenblicke des Landens eingeschlagen wurde, so dass der Inhalt sich über das Wasser ausbreitete und die tobenden Wellen auf einen Augenblick besänftigte" **).

Es vergeht wieder ein halbes Saeculum, ohne dass besagte Frage einen Schritt weiter thäte, obgleich mehrere Berichte aus den 30 und 40 — Jahren, dieses als eines auf viele Beobachtungen sich stützenden Factums Erwähnung thun. Erst unlängst, im jetzigen Jahrzehnt, werden in England viele Versuche gemacht, welche die allgemeine Aufmerksamkeit auf sich lenken. Zu Versuchen wurden die Ports: Peterhead, Aberdeen, Dundee, North Schield und Folk-

*) La Nature, 1888, № 791.

**) Reisen zu Wasser und zu Lande, Dresden 1821, T. II, pg. 66, sqq. Gehler, l. c. Bd. VI, pg. 1754.

stone erkoren. Am 4 December 1882 wurden in Aberdeen, bei starkem SO Winde, Versuche angestellt. Zwei Fässer Wallfischthran wurden in die See gegossen und nach Verlauf von zwanzig Minuten war die Brandung ganz verschwunden und die Fahrzeuge konnten ruhig dem Hafen zusteuern. Denselben December Monat benutzte auch dasselbe Mittel Kapitän Beacher, um sein 50 Passagiere und eine kostspielige Ladung an Bord führendes Schiff ruhig in Hafen von Newcastle einlaufen zu lassen. Auf jeder Seite des Dampfers befand sich ein Matrose mit einer Giesskanne, die zwei Gallonen (ungefähr $^3/_4$ Eimer) Lampenöl fasste. Mehrere Stunden hindurch gelang es damit die See zu beruhigen, zur grossen Verwunderung der zahlreichen am Ufer des Tyne versammelten Zuschauer; der Dampfer lief ruhig in den Hafen ein, und doch kam der Versuch nur 4—5 Gallonen Oel zu stehen.

Andere Versuche wurden 1882—1883 vom Ingenieur Schields in Peterhead, Aberdeen und Folkstone angestellt. Ersterer Hafen (Peterhead) ist am meisten Winden und starker Brandung ausgesetzt. Angefangen vom Strande bis zum Hafen-Eingange wurde auf den Meeresboden eine metallene Röhre gelegt, an deren verschlossenes Ende viele Löcher angebracht waren; am andern Ende wurde mittelst einer kleinen Pumpe in die Röhre Oel hineingepumpt, das sich sofort auf der Wasserfläche verbreitete. An einem sehr stürmischen Tage, als mehrere Fischerboote vergebens dem Hafen zusteuernd ihr Mögliches thaten, wurden in die Röhre 700 Litres Oel gepumpt; die See wurde plötzlich ganz besänftigt und alle Boote landeten ruhig.

Ein ähnlicher Versuch wurde auch in Aberdeen veranstaltet: auf den Meeresboden wurde eine 153 Meter lange Bleiröhre gelegt, deren ein Ende geschlossen, das andere aber mit einer eisernen Pumpe (1′ im Durchmesser) vereinigt war. Von 15 zu 15 Meter erhoben sich aus der Bleiröhre vertikale, mit zahlreichen an ihrem geschlossenen breiten Ende versehenen Löchern, einer Garten-Kanne ahnlich. Zu Versuchen wurde Seehunds- und Stokfischthran, wie auch Bergöl verwendet; ersteres Oel erwies sich als das zweckmässigste. Doch befand die Kommission diesen Versuch für zu theuer und demnach in praktischer Hinsicht für untauglich.

Anderwarige Versuche wurden abermals 1883—84 von Shields in Folkstone angestellt. Die Bleiröhre mass 1000 Fuss Länge und an derselben waren je 70′ vertikale 2′ hohe Röhren mit Löchern angebracht. Im December 1883, bei starkem Ostwinde, wodurch alle Boote verhindert waren den Hafen zu verlassen, wurde mit dem Einpumpen 68 — 90 Litres des wohlfeilsten und schlechtesten Bergöls begonnen. „Die Wirkung *war magisch*; nach Verlauf einer halben Stunde waren Wellen nicht mehr zu sehen und alle Boote steuerten ruhig in die offene See. Sehr sonderbar war die langdauernde Wirkung des Oels: der Fluthwellen ungeachtet, verblieb eine gewisse Quantität Oel auf der Oberfläche binnen zwei voller Stunden“.—Gleichen Erfolg hatten auch die im December folgenden Jahres angestellten Versuche: Wenige Minuten nachdem das Oel in die Röhre gepumpt war, wurde der Hafen wie ein Teich ruhig und blieb dermassen im Verlauf einer ganzen Stunde, was die im Hafen zu Folkstone stattfindenden Arbeiten betrachtlich erleichterte. Ebenso günstig erwiesen sich Shield's Versuche im Februar 1884 ebendaselbst, in Gegenwart einiger Lords der Englischen Admiralität, Admiräle und Schiffskapitäne: 25 Gallonen (ungefähr 114 Litres) genügten um schon nach Verlauf von 10 Minuten die Wellen ganz zu besänftigen und den Stoss ihrer Kämme zu schwächen. Nachdem wurden mittels Mörser ins Meer einige Bomben geworfen, wovon jede eine Gallone Oel enthielt; letzteres ergoss sich in die See und beschwichtigte die Wellen *).

Am Ende Juli 1888 veranstaltete Warpachowski *(г. Варпаховскій)* zu demselben Zwecke Versuche am Asowschen Meere *(Безымянная Коса)*. Ein Achtel Pfund Oel wurde in einen Beutel von Leinwand gegossen, welcher an einem in's Wasser 20′ weit hineinragenden Brette befestigt war. Die Wallung war stark, und die Brandung warf schäumende Kamme an die vor Anker liegenden Fischerboote. Das Oel verbreitete sich ungemein schnell auf die schäumende Meeresfläche und schon nach kurzer Zeit war sein Einfluss ersichtlich. Nach Verlauf von ungefahr 10 Minuten verbreitete sich das Oel nach dem Winde auf einer Strecke von $^1/_4$ Werst Länge und 15 Faden Breite und bildete eine Fläche, die sich durch ihre Ruhe grell von der übrigen Seefläche unterschied. Auf der ganzen Strecke wurde die Wallung merklich ruhiger und obgleich die Wellen nicht total verschwanden, so ward dennoch die Form jeder einzelnen Welle eine ganz andere: dieselben wurden kleiner, fast länger; die Kämme runder und weniger schroff; es war keine einzige Woge mit schäumenden Kamme mehr zu sehen und obgleich vom Wind gepeitscht rund herum die Brandung sehr stark wogte, so wurde dieselbe beim Eintritt in die

*) Cloué, l. c. pg. 77—79.

geölte Fläche doch ruhiger. Die sonderbare Wirkung des Oels zeigte sich noch augenscheinlicher, als in besagte Strecke ein Fischerboot hineingebracht wurde. Dieselbe wurde ganz ruhig, der Wellenschlag am Back hörte ganz auf, die Wellen glitten sanft unter 's Boot, welches nur sanft hin und her geschaukelt wurde *).

Wir besitzen zwei 1887 und 1888 ershienene Arbeiten, in welchen die Wirkung des Oels auf Wasser, auf nautische Anzeigen sich stützend, besprochen wird. Die eine, schon oben angeführte Arbeit, gehört dem Vice-Admiral Cloué, die andere — Kapitän Karlowa; letztere ist eine vom Hamburger Nautischen Verein gekrönte Preisschrift **). Wir entnehmen den vielen in beiden Schriften enthaltenen Beispielen einige, in denen Oel besonders nutzbringend sich erwiesen hatte:

A) Beim **Lenzen** (Kurs bei vollem Winde).

Фиг. 5.

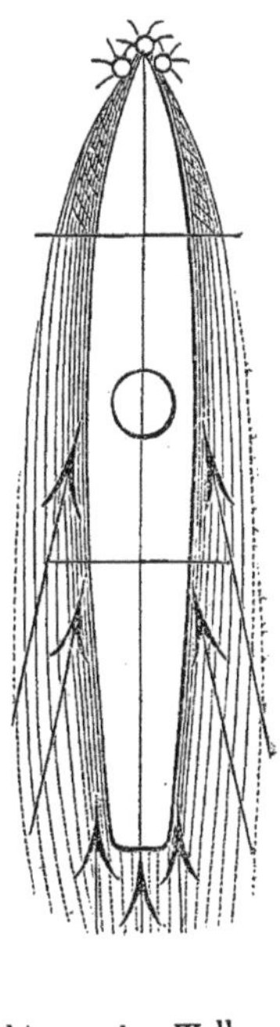

Da bei solchen Fällen das Oel vor dem Schiffe sich verbreiten soll, um demselben gleichwie die Bahn zu ebnen, so ist es am zweckmässigsten, das Oel mittelst Oelbeutel oder Abflussröhren *am Bug* austreten zu lassen; alsdann, wie auf *Fig. 5.* zu ersehen, bestreicht das Oel auf beiden Seiten die ganze Länge des Fahrzeugs ***).

1) Der englische Dampfer „*Chillingham*", von Philadelphia nach Queenstown, wurde im Marz 1883 von einem SW Sturme binnen 24 Stunden fortgetrieben, wobei das Schiff überschwemmt und mehrere Menschen vom Verdeck fortgespült wurden. Nachdem aber am Bug (vom Krahnbalken) zu beiden Seiten Oelbeutel ausgehängt wurden, nahm das Schiff nur noch Spritzwasser an.

2) Am 4 December 1885 begegnete der Dampfer „*Stockholm City*" (von Boston nach London) einem Sturm aus W, der immer stärker wurde und enorme Wogen erhob. Das Fahrzeug war schwer befrachtet und führte auf dem Decke noch 200 Kopf Rindvieh. Beilegen war unmöglich; es blieb

---

*) „*Свѣтъ*", 1888, № 190.

**) Kap. K. Karlowa, die Verwendung von Oel zur Beruhigung der Wellen. Hamburg 1888

***) In dieser, so auch in folgenden Figuren bezeichnen die Pfeile die Richtung des Windes, die Schraffirung—das ausgetretene Oel; die ausgehängten Oelbeutel sind n Projection ersichtlich.

nur übrig mit dem Winde zu fliehen, aber auch dieses erwies sich als sehr gefährlich, wegen des starken Wellenschlags. Alsdann befahl der Kapitän hinten am Schiff, wie auch zu beiden Seiten in der Mitte, mit Werg gefüllte und mit Leinöl begossene Säcke aus Leinwand auszuhängen. Die Wirkung war erstaunlich: fast momental besänftigte sich die Brandung und die grossen Wogen legten sich. In Verlauf von 170 Seemeilen wurde 17 Gallonen Leinöl ($4^1/_2$ per Stunde) ausgegossen, und während dieser Zeit kam kein einziger Tropfen an Bord.

3) Kapitän Bailey, auf *„Nehemiah-Gibson“*, um einem starken Sturme vorzubeugen, befahl am Krahnbalken, zu beiden Seiten des Schiffes, zwei Säcke, jeder 4 Pinten (4,30 Litres) Oel fassend, auszuhängen. Beide Säcke, aus Segelleinwand verfertigt, enthielten Delphinthran und hatten Löcher, die fast auf die Seefläche reichten. Die Wirkung des Fettes liess nicht lang auf sich warten: enorme Wasserberge, die zuvor mit ihren furchtbaren Kämmen ans Schiff schlugen und dasselbe in den Grund zu bohren droheten, wurden plötzlich ruhiger; Kämme waren nicht mehr zu sehen und die Wogen tauchten unter's Schiff wie lange, gefahrlose Wellen (longues lames de houle). Kapitän Bailey machte viele derartige Versuche und überzeugte sich, dass Fischthran am wirksamsten sei.

4) Kapitän Paulsen befehligte *„Herman Lehmkuhl“* (1310 Tonnen), von St. J'ohn (Neu-Braunschweig) nach London. Das Schiff begegnete einem starken aus ONO kommenden Sturm. Das Schiff wurde überschwemmt und schon stand das Wasser am Bord 3 Meter tief; alles manövriren erwies sich als ganz nutzlos. In solcher Noth wurden zu beiden Seiten des Schiffes Oelbeutel ausgehängt, und sogleich besänftigten sich die Wogen und keine einzige kam mehr über Bord. Kapitän Paulsen gesteht, er habe vorher nie glauben wollen, dass so eine winzige Quantität Oel eine so grosse Wirkung hervorzubringen im Stande sei.

5) Dasselbe bezeugt auch Kap. Wale, der den Dampfer *„New-Guinea“* (von Baltimore nach Antwerpen) befehligte und einem starken Sturm, aus W, begegnete. Die hohen Wellen verursachten dem Decke starke Avarien, so auch den am Schiffe befestigten Kähnen. „Nachdem aber Oelsäcke angebracht wurden, erzählt Kapitan Wale, sahen wir etwas ganz wunderbares: dieselben Wogen, welche zuvor rasend mit ihren weissen Kämmen an Bord schlugen und das Fahrzeug zu verschlingen drohten, wurden, als sie die mit Oel bedeckte Strecke erreichten, plötzlich in die kleinsten Tropfen zerstäubt (poussière liquide); das Schiff wurde zwar geschau-

kelt, doch kam kein einziger Tropfen mehr am Bord. Binnen 24 Stunden wurden 31½ Litre Oel ausgegossen und während dieser Zeit blieb das Deck ganz trocken, da auf demselben nur Wasserstaub aus den vom Oel *zerstäubten* Wellen herabfiel".

Läuft aber ein schlechtlenzendes Schiff vor einer schweren See, wobei es zwei, drei oder mehr Striche gieren kann, haben also Wind und See das Bestreben das Hinterende des Schiffes nach der einen oder andern Seite herumzuwerfen,—„Alsdann, sagt Kap. Karlowa, können vorne angehangte Oelbeutel nur ungnügenden Schutz gewähren. Das gierende Schiff, seine Richtung in wenigen Sekunden zwei, drei oder vier Strich ändernd, wird mit seinem Vorderende scharf an das ausgetretene Oel sich drangen, wahrend das hintere Ende eben so schnell sich davon abdreht, dadurch ein grösseres oder geringeres Stück der hinteren Schiffshälfte durch Oel unbeschützt lassend (Fig. 6). Zwei Oelbeutel an jeder Seite,

Фиг. 6.

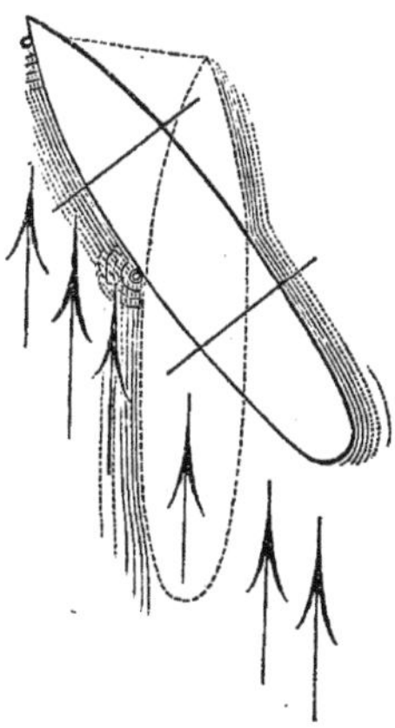

Фиг. 7.

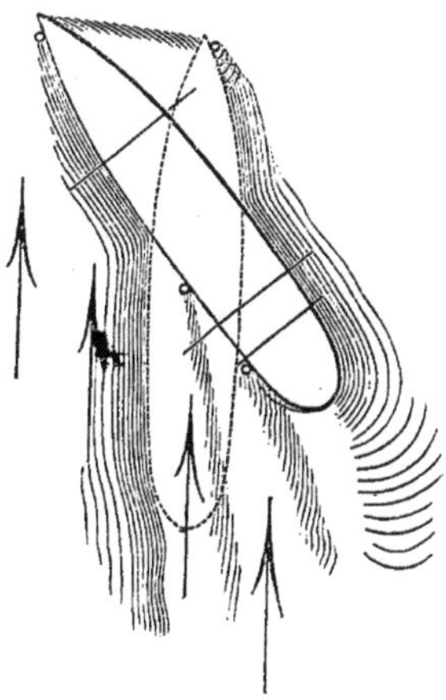

einer hinter dem Grossmasst und einer hinter dem Besanmast, ist das einzige, was sich thun lässt, um diesen Schutz herzustellen (Fig. 7). Schiffe, die auch dann noch zu viel gieren, müssen beidrehen".

B) Bei Gegenwind.

Besonders merkwürdig und sogar unbegreiflich ist der Einfluss des Oels auf die Wellen zur Zeit des Gegenwindes, da, ungeachtet der ungemein schnellen Verbreitung des Oels auf der Wasserfläche, die geölte Strecke doch das Schiff nicht überjagen kann. Cloué citirt zwei solcher Fälle:

1) Der englische Dampfer „*Concordia*“ (Kap. Mac-Lean) begegnete auf seiner Fahrt von Glasgow nach Halifax einem ziemlich starken West-Wind, der die Wogen über Bord warf und grosse Avarien verursachte. Der Dampfer legte 10 Knoten zurück. Es wurden am Bug zwei Oelbeutel mit Leinöl ausgehängt, die aber vom Winde oft aufgehoben wurden und darum vermochte das Oel nicht beständig zu wirken; ausserdem machte es die Kälte sehr dicht und verhinderte demnach seine schnelle Verbreitung auf der See. Aller dieser ungünstigen Umstände aber ungeachtet zeigte sich dennoch alsbald die Wirkung des Oels dermassen, dass während der ganzen Zeit keine Woge mehr über Bord gelangte. Der Kapitän ist der Meinung, dass das Oel eine noch bessere Wirkung erzielt hätte, wäre die Schnelligkeit des Dampfers weniger gross gewesen; ausserdem, wie es scheint, hatten die Oelbeutel kein Gegenwicht, wurden also leicht vom Wind gehoben, wodurch ihre Wirkung natürlich beeinträchtigt wurde.

2) Ein anderer Fall ereignete sich im Juli 1887 und wird von Kap. Kuhlmann citirt, der sich am Bord des, dem Nord-Deutschen Lloyd gehörigen, Paketbootes „*Main*“ (von Bremen nach New-York) befand. Wahrend eines starken Gegenwindes aus W. wollte der Kapitän die Wirkung des Oels versuchen. Das Schiff schwankte sehr stark lang und quer, so dass die Passagiere auf dem Decke nicht bleiben konnten und die Wogen jede Secunde die am Schiffe befestigten Boote fortzureissen drohten. Alsdann befahl der Kapitän auf jeder Seite des Schiffes einen mit Werg gefüllten und mit Oel begossenen Beutel auszuhängen, aus welchen das Fett durch die am Ende angebrachte Löcher tröpfelte. „Die Wirkung, sagt der Kapitän, war dermassen augenscheinlich, dass ich, im Interesse aller Seefahrer, mich verpflichtet fühle, dieselbe zu veröffentlichen. Kaum hatte das Oel angefangen in die See zu tröpfeln, so verkündigte sich seine Wirkung: die Wellen hörten auf das Deck zu überschwemmen, auch verloren sie ihre vorige Kraft. Es war nun möglich alle Lücken zn öffnen und die Passagiere waren im Stande auf dem Decke zu stehen. Und doch verbrauchten wir binnen sieben Stunden nur 5 Pfund Oel“.

C) Beim Beidrehen, Beilegen und Halsen.

Wenn bei zunehmendem Sturm und bedrohlich hoher See es nicht mehr möglich ist das Schiff am Winde oder das Dampfschiff auf Wind und See zu halten, so schaffe man sich, räth Kap. Karlowa, einen künstlichen Wellenbrecher (breakwater) an, indem man (bei Dampfern) die Maschine gänzlich stoppt und an der Luvseite Oelbeutel in Abständen von 40′—50′ derartig überhängt, dass sie im Wasser nachschleppen (Fig. 8). Bei orkanartigem Sturme wurde an der Brigg „*Hyperion*“ (von Havanna nach New-York) ein Oelbeutel am Bug zu Luward und einer im Lee vom Grasswant überhängt; die Brandung wurde innerhalb der dünnen Oelschicht in eine Dünung verwandelt und das Schiff nahm kein Wasser mehr über.

Фиг. 8.

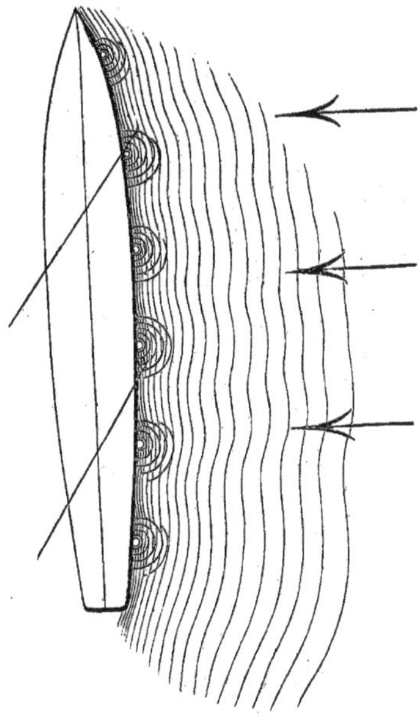

1) „Vor 20 Jahren, schreibt Alexander Inglis, Befehlshaber des Port-Adelaïde (Australien), befehligte ich den Dreimaster „*Planter*“ der in schlechtem Rufe stand, er sei beim Beilegen sehr gefährlich, da die Wogen über ihn wegschlagen und alles mit sich fortreissen sollen, wobei schon mehrere Menschen umgekommen seien. Bei erster bester Gelegenheit, als beigelegt wurde, entschloss ich mich Oel zu versuchen. Die Wirkung war erstaunlich: die Wellenkämme verschwanden mit einem Male und, so lange man sehen konnte, stellte die See eine ganz ebene Fläche dar. Während meines vierjährigen Commandos, ging das Beilegen immer glücklich von statten, was ich einzig und allein der Wirkung des Oels zuschreibe; dasselbe Mittel pflegte ich auch nachdem mit Erfolge anzuwenden“.

2) Folgendes wird vom Commandeur des nordamerikanischen Schiffes „*Palos*“ berichtet: „Auf der Reise von Nagasaki nach

Iokahama traf ich unweit der Bucht Suraga auf Sturm, der die See stark aufwühlte. Da kam mir die Instruction des Geographischen Bureau's in Washington, hinsichtlich des Gebrauches von Oel oder Fett, ins Gedächtniss. Ich liess sofort drei Beutel von Segeltuch nähen, jeder $2\frac{1}{4}$ Litre Oel fassend. Diese Beutel wurden mit Theeoel (tea oil) gefüllt und mit kleinen Löchern durchbohrt. Das Oel verbreitete sich auf dem Wasser mit wunderbarer Schnelligkeit, so dass nach Verlauf von zehn Minuten es einen Raum von ungefähr zwanzig Quadratfuss bedeckte, in welchem keine einzige Welle mehr zu sehen war. Anfangs zählte ich zu den Ungläubigen, bin aber gegenwärtig fest überzeugt, dass eine hohe und sehr gefährliche See mittelst Oel ganz unschädlich gemacht werden könne".

3) Das englische Schiff „*Aristomene*" (34° N. B, 71° 30′ W. L) trieb am 30 Sept. 1886 im Orkan bei furchtbarer Kreuzsee aus NO und SO. Oelbeutel wurden vorn und hinten an der Luvseite übergehängt und auf diese Weise lag das Schiff hinter seinem Wellenbrecher von Oel 16 Stunden lang beigedreht. Die schwersten Brechseen verwandelten sich in eine unschädliche Dünung, sobald sie die dünne Oelschicht erreicht hatten.

4) Das Schiff „*Witney*" wurde am 25 August 1886 von einem von Ost durch Nord nach West gehenden Orkan erreicht. Drei Oelbeutel wurden zu Luward übergehängt, einer vor dem Fockwant, einer von dem Grosswant und der dritte hinter dem Grosswant, auch wurde das Closet vorne mit Oel zum Durchsickern versehen. Sobald das Oel zur Wirkung kam, schien alle Gefahr verschwunden, die höchsten Brechseen wurden in eine ganz unschädliche Dünung verwandelt und während der 12 Stunden, da Oel gebraucht wurde, kam kein Wasser an Deck.

D) Bei Orkan.

Von vielen Beispielen wollen wir eins wählen; es ist dieses die Erzählung des Kap. Greenbank, an Bord der von New-York nach Europa begriffenen „*Martha Cobb*".

„Zur Zeit eines der starksten Orkane, die ich diesen Winter erlebt hatte, begegnete mir ein Schiff, dessen Kapitän mich mittelst Signale um schleunigste Hülfe anflehte, da die Boote bereits gebrochen und das Fahrzeug seinem Untergange nahe sei. Mein eigenes Schiff stand aber auch in Gefahr: die Rettungsboote waren fortgerissen, Wellen schlugen über Bord und es blieb mir nur eines kleines, etwa 5 Meter langes, Boot übrig. Ich war unentschlossen, was da zu machen wäre, da ich sicher wusste, dass mein kleines Boot keineswegs den rasenden Wogen widerstehen könne. Am Ende entschloss ich mich ein paar Stunden zu warten, in der Hoffnung, dass der Orkan sich legen und die See sich einigermassen beruhigen werde. Dennoch wurde es Nacht und keine Besserung war abzusehen. Alsdann beschloss ich die unglückliche Mannschaft des gefährdeten Schiffes zu retten.

„Mein Schiff war mit Bergöl beladen, welches in den Schiffboden herunterrann; ich hatte aber bemerkt, dass beim Ausschöpfen des Oels die See jedesmal sich beruhigte. Ich wollte dieses Mittel probiren, stieg ins Boot, richtete dasselbe senkrecht zum gefährdeten Schiffe und fing an Oel in die See zu pumpen. Da das Schiff schneller lief, als das Oel, so war anfänglich dessen Einfluss nicht bemerkbar. Ich bestrebte mich mein Boot so nahe als möglich dem Schiffe zu lenken, liess stärker Oel pumpen und in die See ein Fässchen mit Fischthran werfen. Die Wirkung war fast magisch: nach Verlauf von 20 Minuten wurde die See zwischen beiden Fahrzeugen ganz eben; die Wellenkämme waren nicht mehr zu sehen, die Brandung legte sich und wir waren im Stande zweimal das Schiff zu erreichen und die Mannschaft zu retten. Zur selben Zeit hatte das gefährdete Schiff Zeit sein Boot auszubessern und die Lücken mit Segeltuch zu kalfatern, worauf dasselbe die Officiere und der Kapitän bestiegen. Ich beobachtete aufmerksam beide Boote: obgleich dieselben schwer beladen waren und das Meer rund herum stark wallte, so schöpften dieselben doch kein Wasser und befanden sich wie in einem bezauberten Kreise; beide erlitten nicht die mindeste Avarie, weder während des Weges, noch als sie auf's Bord gehisst wurden. Ich überzeugte mich, dass es keinen so furchtbaren Orkan, keine so rasende See gebe, dass nicht zwei Fahrzeuge sich einander nähern und Mannschaft aufnehmen könnten, vorausgesetzt, dass das unter Wind gehende Schiff das Oel rationel gebrauche (sait faire un judicieux emploi de l'huile)".

E) Bei Schiffuntergange.

Ein einziger sich darauf beziehender Fall mag genügen: Im Juni 1885 brach auf dem englischen Schiffe „*Slieve More*" (aus Schield nach Bombay) Feuer aus und die Mannschaft war genöthigt das Schiff zu verlassen. Dieses geschah 800 Seemeilen nordöstlich von den Seyschellen. Die ganze Mannschaft bestieg ein Boot und steuerte damit dem genannten Archipel zu. Doch nach drei Tagen begegnete ihnen ein Cyclon, dem, nach Meinung aller, zu widerstehen nicht die mindeste Hoffnung war. Zum Glück aber hatte Kapitän Conby, als er das Schiff verlassen wollte, ein bischen Bergöl mitgenommen. Er liess nun aus Mast und Segeltuch ein Art Floss machen, band denselben an's Boot und befahl einen mit Werggefallten Strumpf am Floss auszuhängen und denselben mit Bergöl zu begiessen. Bis dieses alles fertig wurde schlugen die Wellen oft über Bord und alle Passagire sahen dem Tode entgegen; als aber Oel gegossen wurde, entstand plötzlich eine grosse Veränderung: rund herum war eine ganz glatte Oberfläche zu sehen und das Boot konnte ruhig seinen Weg fortsetzen; die kurz vorher furchtbare Brechseen wurden mit einem Mal in unschädliche kleine Wellen verwandelt. Die Wirkung war ganz merkwürdig; das Boot schöpfte so wenig Wasser, dass, trotz der schweren Beladung, man schlafen konnte. So ging es 60 volle Stunden, bis endlich die Mannschaft landete und so seine Rettung der Wirkung des Fettes zu verdanken hatte.

F) Beim Schleppen eines andern Schiffes und Ankerliegen auf einer Seerehde.

Zwei oder mehrere Oelbeutel zu beiden Seiten vorn am schleppenden Schiffe übergehängt, werden sowohl diesem, als dem geschleppten Schiffe verhältnismassig ruhiges Wasser verschaffen. Kap. Karlova berichtet zwei Fälle, in welchen sich Oel äusserst zweckmässig erwiesen hatte.

Sehr nützlich erweist sich das Oel auch in ungeschützten Rheden, wo Schiffe vor Anker liegen und Stürmen ausgesetzt sind. Ein oder zwei Oelbeutel von der Spitze des Klüverbaumes ins Wasser gelassen, genügen das Oel sich ausbreiten zu lassen und Brechseen zu stillen.

G) Beim Passiren der Brandung einer Barre vor Flussmündungen oder eines Aussenriffes.

Auch beim Passiren eines Riffes (wie dieses so oft mit Rettungsboten gescheht) beweist sich Oel als sehr nützlich und mildert die Brandung. Wir entnehmen dem Werkchen des Kap. Karlowa ein paar Beispiele, nach den Berichten des Hafenmeisters in Port Mac-Donnel (Australien): „Nachdem das Riffpassirt, gingen wir dahin zurück, wo wir das Oel ausgegossen hatten und fanden, dass die See zu beiden Seiten von uns sich brach, aber keine das Boot berührte".—Beim Exerziren mit dem Rettungsboot passirten wir das Riff und gossen während dem Oel aus. Draussen angekommen, sah ich zurück und fand, dass das Oel einen förmlichen Weg durch die Brandung bildete".

Der Hafenmeister zu Beachport, Rivoly Bay (Australien) berichtet seinerseits unter anderm: „Wir brachten das Boot durch die Brandung des Riffes, Oelbeutel nachschleppend. Die Wirkung auf die Brandung war erstaunlich und es kann nicht zu viel zu ihren Gunsten gesagt werden. Bei mässigem Sturme und sehr hoher See brandete es heftig auf dem Mole Riff. Viermal kamen wir darüber hin, liefen dann durch das geolte Wasser und fanden es verhältnissmässig ruhig" *).

Die Ergebnisse aller besagten Fälle stellt Kap. Karlowa folgenderweis kurz zusammen, mit Angabe des Platzes am Schiffe, von dem aus das Oelen der See am zweckmässigsten geschehen kann:

1) *Beim Lenzen*: Vorn an jeder Seite, resp. wenn schlecht lenzend, auch mitschiffs und hinten.

2) *Beim Beidrehen und Beilegen*: Vorn an der Luvseite.

3) *Beim Halsen*: Vorn an jeder Seite.

4) *Vor Top und Takel treibend*: An der Luvseite in Abständen von 40—50 Fuss.

5) *Beim Segeln in hoher Quersee*: Vorn zu Luward.

6) *Beim Schleppen eines andern Schiffes*: Vorn an jeder Seite vom schleppenden Sehi .

7) *Beim Zu-Anker-liegen auf einer Seerehde*: Von der aussersten Spitze des Klüverbaumes, resp. von der ausgesteckten Ankerkette aus.

8) *Beim Aus- oder Einsetzen der Boote*: Vor und hinter dem aus- oder einzusetzenden Boote.

9) *Beim Passiren einer Barre oder eines Riffs*: Flaschen mit Oel gefullt, unverkorkt in die Brandung geworfen vor dem Passiren. *Mit* der Fluth oder *mit* der Ebbe eine Barre passirend, wird Oel, dem Boote vorantreibend, Schutz gewähren; *gegen* Fluth oder *gegen* Ebbe wird das Oel vom Boote aus zwecklos sein.

---

*) Cloué, l. c. pgg. 33, 34, 38, 40, 42, 57, 58, 60, 61, 65.
Karlowa, l c. pgg. 9—28.

IV.

Im bekannten nord-amerikanischen *„Hydrographic Office“* sind 300 Rapporte verschiedener Schiffskapitäne eingelaufen, hinsichtlich der in der zweiten Hälfte August und Anfang September 1887 überstandenen Stürme. Es wird darin betont, dass viele, äusserst gefährdete Fahrzeuge einzig und allein dem Oele ihre Rettung zu verdanken hatten. In seinem résumé drückt sich der Rapporteur folgendermassen aus: „Aeusserst sonderbari st es zu sehen, wie eine unansehnliche Quantität Oel die rasende See beschwichtigen kann; doch aber unterliegt dieses keinem Zweifel und demnach besitzen gegenwärtig die Seefahrer ein sehr wohlfeiles Mittel der drohenden Gefahr zu entkommen“ *).

Es wurden schon oben die in einigen englischen Häfen veranstalteten Versuche besprochen; ähnliche Versuche wurden auch in Frankreich (in Havre im Juli und in Dunkerque im October 1887) gemacht. Bei Sturmzeit wagte man sich in's offene Meer auf einem Rettungsboote, an dessen Kiel ein mit Werg gefüllter Beutel angebracht war; das Werg wurde mit Oel begossen, das durch kleine Oeffnungen in's Wasser abtröpfelte. Der holen See ungeachtet, die den nahe stehenden Schiffen starke Schwankungen verursachte, vermochte das Boot dennoch dieselben zu erreichen, und dabei schlug keine einzige Welle über Bord.

Seinerseits wollte der Redacteur der *„Revue Scientifique“*, Charles Richet, im Jahre 1887 Versuche hinsichtlich der Wirkung des Oels anstellen. Er bestieg ein Boot an einer Stelle, wo zwischen Riffen die Brandung sehr stark war und die Wogen mit ihren gebogenen Kämmen (crêtes recourbées) stark an's Boot schlugen. Als aber Oel ausgegossen wurde, änderte sich die Form der Kämme und die Wogen schlugen weniger stark an die Wände des Bootes. Die Kämme hatten sich abgestumpft (s'étaient émoussées), gerundet, obgleich die Höhe der Wellen dieselbe blieb. Während rund um die Stelle, wo das Oel sich verbreitete, die Wogen spitzige, scharfe Kämme bildeten (crêtes pointues et tranchantes), hatten dieselben auf der 10 Quadratmeter messenden, geölten Wasserflache bloss abgerundete Kämme. „Dieses Mittel, sagt Richet, wird von den Fischern am Mittelmeere angewendet, um in die Tiefe von 3,

---

*) Revue scientif. 1887, № 19, pg. 607.

4, ja 5 Meter sehen zu können. Einige Tropfen Oel genügen um die kräuselnde See (frisure de l'eau) ganz eben und den Meeresgrund sichtbar zu machen; *zwei Tropfen Oel* ebnen eine Strecke von 10 bis 15 Meter im Durchmesser. Oft, an einer gewissen Stelle, bleibt das Wasser ganz ruhig und kein Kräuseln ist zu sehen; die Fischer schreiben diese Erscheinung dem Seefette (crasse de la mer) zu. Das Meergras (varech), bemerkt ferner Richet, wirkt auch auf die Rundung der Wellenkämme, so wie auch auf die Minderung des Wellenschlages" *).

„Als ich mich (erzählt Kap. Christy) vor 14 Jahren als Lieutenant auf einem kleinem, unweit Neu-Seeland kreuzendem Schiffe befand, pflegte ich jedesmal dann Oel zu gebrauchen, wenn das Landen wegen starker Brandung sehr erschwert war. Wir pflegten mit uns auf's Boot ein paar Oelflaschen zu nehmen, die wir in der Nähe der Küste vor dem Boote in's Meer warfen; das Oel erhob sich auf's Wasser und machte es bis an die Küste ganz eben. Jedesmal, wann ich Oel ausgoss, ging die Landung ganz glücklich von statten" **).

Bei dieser Gelegenheit wollen wir ein ziemlich verbreitetes, obgleich sehr sonderbares Vorurtheil besprechen. Viele hatten geglaubt, andere sind auch gegenwärtig der Meinung, dass wenn Oel an einem Orte die Wellen besänftigt, dasselbe rund herum die See noch stärker aufwühle, und sollen desswegen die Schiffe daselbst noch stärker gefährdet werden, ja ihrem Untergange nahe sein. Schon Lelyveld spricht davon: „Die Seefahrer bezweifeln nicht die Wirkung des Oels, glauben aber, dass dieses Mittel für die in der Ferne sich befindende Fahrzeuge desto gefährlicher sei und das ist die Ursache, warum dieses Mittel wenig bekannt ist, obgleich es von Seefahrern angewendet und erprobt zu sein wohl verdiene".— Unter den von Lelyveld gestellten Preisfragen findet sich auch folgende: „In wiefern ist die Meinung begründet, nach welcher das an einer Stelle die Wellen besänftigende Oel eben dadurch rund herum die stärksten Wogen verursache?"—Besagte Meinung finden wir noch gegenwärtig und Cloué hat selbst Seefahrer erzählen hören, es unterliege dieses keinem Zweifel und es existere sogar von Seiten der französischen Regierung ein strenger Befehl, wonach Oel nicht bei jedem Sturm zu gebrauchen sei, sondern nur *im aüssersten Fall*, wenn das Verderben des Schiffes unausbleib-

*) Revue scient. 1887, № 22.
**) Cloué, l. e. pg. 70.

lich und kein anderes Mittel zur Rettung mehr übrig bleibt. Und dennoch, sagt Cloué, existirt besagter Befehl nur in der Einbildung, keineswegs aber in der Wirklichkeit: solcher war nie gewesen, existirt auch jetzt nicht, auch beweisen eine Menge Thatsachen die volle Unhaltbarkeit dieses Vorurtheils.

Unlängst lasen wir folgendes: „Die „*Gazette Géographique*" berichtet, die Wirkung des Oels sei den Seefahrern der Nord-Küste Frankreichs schon längst bekannt; es ist denselben aber auch bewusst, dass die Boote, welche der Fährte derjenigen Fahrzeuge folgen, welche Oel ausgegossen hatten, in grosser Gefahr gerathen, da eben auf dieser Färthe die See am stärksten aufwallt. Diesen höchst gefährlichen Umstand sollte man doch in Betrachtung ziehen. Den 20 September 1887 ging aus Calais ein Rettungsboot in's offene Meer, um die Wirkung des Oels zu versuchen. Wahr ist es, dass dasselbe augenblicklich und gänzlich (radicalement) die Wogen besänftigte und das Boot auf einer, freilich kleinen Strecke sich ganz ruhig verhielt; hingegen aber wurden rund um diese geölte Strecke die Wogen noch wüthender, als ob dieselben sich dadurch entschädigen wollten. Es unterliegt keinem Zweifel, dass wenn dort gelegentlich ein Schiff hineingekommen wäre, es schwerlich der Gefahr hätte entrinnen können. Dieses geschah auch mit dem Boote, nachdem mit dem Ausgiessen des Oels eingestellt wurde: einem Matrosen wurde das Ruder aus den Händen gerissen und er selbst wurde ins Meer geschleudert, ist aber glücklicherweise gerettet worden" *).

Wir haben hier offenbar mit einem Aberglauben zu thun, der, wie alle derart, nicht nur vollkommen unbegründet ist, sondern auch nicht einmal seine Existenzberechtigung für sich hat. Sind einmal die Wogen besänftigt und ihre Kämme verändert worden, warum sollen denn die Wellen rund herum, *und eben dadurch*, stärker, und die See noch rasender werden? Aus voriger Erzählung ist bloss zu ersehen, dass nachdem man mit Ausgiessen des Oels aufgehört hatte, die Wallung sich verstärkte, was doch anders nicht zu erwarten war; nichts beweist aber, dass die Wellen *grösser* geworden und die See *noch hohler* als zuvor gegangen wäre. Höchst wahrscheinlich trägt hier die Schuld *der Contrast* zwischen der geölten, ebenen und der ungeölten schäumender Strecke; schon der Vergleich des Wellenschlages hier und dort vermochte

*) Revue scient. 1887. № 17.

die ganz irrige Idee einzuflössen, als wären rund um die geölte Stelle die Wogen starker geworden als zuvor. Dieselbe Ansicht theilt auch Cloué: „Meiner Meinung nach, sagt er, liegt die Ursache benannter *Reaction* (die auch einige ernsthafte Forscher annehmen) blos *im Vergleiche* der geölten, ruhigen Fläche mit der ringsum strürmischen See".

„Die Kämme der Brechseen, sagt Kap. Karlowa, sobald sie die dünne Oelschicht berühren, werden durch dieselbe unterdrückt, erscheinen jedoch ausserhalb des Oelbereichs wieder, sofern die ihnen innewohnende, durch den Sturm verliehene lebendige Kraft, ausserhalb des Oelbereiches noch vorhalt. Die Oelschicht zerstört nicht die Kämme, sie unterdrückt sie nur, allerdings bei grösseren Oberflächen genügend lange, um diese Kraft zu erschöpfen und dadurch unschadlich zu machen" *).

Es ist uns kein einziges Gesetz bekannt, das den Gebrauch des Oels bloss *in äusserst gefährlichen Fällen* vorschriebe. Hingegen bezeugt Linné, dass Seefahrer verpflichtet wären, im Falle des Schiffbruchs und der Nothwendigkeit, alle Ladung über Bord zu werfen, *zuvor das Oel auszugiessen.* Wir besitzen auch viele Beispiele, wo bei Sturm Oel, vom schleppenden Schiffe gegossen, sich dem vom ersteren buksirten Fahrzeuge sehr nützlich erwies. So, z. B. traf der Schooner „*Elisabeth*" auf dem Wege von New-York nach New-Berne, nicht weit vom Cap. Hatteras, auf eine sehr hohle See, die den Kapitän um das Wohl seines Schiffes besorgt machte. Doch erwies das Oel seine gewöhnliche Wirkung und der Schooner konnte ruhig seinen Weg fortsetzen. Eine in der Nähe fahrende Brigg bemerkte die ruhige, gleich wie geebnete Fahrte des Schooner's, hielt gleichen Gang, folgte ihm *ganz ruhig* auf die Spur, obgleich etwas ganz anderes zu erwarten stände, hätte sich die obenerwahnte Meinung als wahr erwiesen ***).

In Folge zahlreicher Beispiele, die unstreitig den Einfluss des Oels auf die Besanftigung der Meereswellen beweisen; in Folge auch der in neuerster Zeit angestellten Versuche, veröffentlichte am 16 Juni 1886 die Englische Admiralität zur Belehrung der Seefahrer folgendes Circular **).

„Es beweisen neuere Beobachtungen, dass in einigen Fällen der Gebrauch des Oels von grossem Nutzen und sehr leicht sei. Des-

---

*) l. c. pg. 32.
**) Cloué, l. c. pgg. 30—32.
***) *Nature*, XXXV, pg. 63.

wegen veröffentlichen die Lords der Admiralität, zur Belehrung der Schiffs-Kapitane, folgende Massregeln, welche beweisen, dass sogar eine ganz kleine Quantitat Oel, zur rechten Zeit verwendet, beträchtlichen Avarien vorbeuge und den Schiffen (überhaupt kleinern) durch Minderung der Brechseen sich sehr nützlich erweisen könne.

„Die wesentlichen Thatsachen sind folgende:

„Auf freien Wellen, d. h. auf Wellen in tiefem Wasser, ist die Wirkung am stärksten.

„In einer Brandung, oder wo die Wellen sich an einem Riff brechen, wo eine flüssige Masse sich im seichten Wasser in Bewegung befindet, ist die Bewegung des Oels unsicher, da unter solchen Umständen nichts das Brechen grösserer Wellen hindern kann; doch ist selbst hier die Anwendung von einigem Nutzen.

„Die schwersten und dicksten Oele sind die wirksamsten; raffinirtes Kerosin ist ohne Nutzen; rohes Petroleum kann in Ermanglung eines zäheren Oels verwendet werden; alle thierischen und pflanzlichen Oele aber, selbst gebrauchtes Maschinen—Schmieröl, äussern eine starke Wirkung.

„Eine geringe Menge Oel reicht aus, wenn sie so zu Verwendung kommt, dass sie gegen den Wind ausgebreitet wird.

„Der Gebrauch ist für Schiff und Boot zu empfehlen, sowohl auf der Fahrt, wie beim Beilegen und vor Anker liegen.

„Noch sind keine Versuche bekannt über die Verwendung beim Aufnehmen von Booten auf der See *); aber es ist sehr wahrscheinlich dass die Anwendung von Oel auch hier Zeit sparen und das Boot schonen wurde.

„In kaltem Wasser, welches durch seine niedrige Temperatur das Oel derart verdickt, dass es sich nicht mehr frei ausbreiten kann, wird die Wirkung bedeutend vermindert. Dieses hängt indessen von der Art des Oels ab.

„Die beste Art der Verwendung bei einem Schiffe auf der See scheint im Aushängen von Säcken aus Segeltuch zu bestehn, die 1 bis 2 Gallonen (5$^1/_2$ bis 11 Litre) Oel fassen, die aber mit Segelnadeln durchstochen sind, damit das Oel durchsickern kann.

„Das Aushangen der Oelbeutel richtet sich nach den Umständen: Hat das Fahrzeug vollen Wind, so werden dieselben zu beiden

---

*) Drei solcher Fälle finden wir in der 1888 erschienen Schrift von Kap. Karlowa, pg. 24—26.

Seiten des Bugs angebracht, so dass dle Löcher fast die Meeresfläche berühren.

„Bei widrigem Winde ist die Wirkung des Oels schwächer, da dasselbe beim Wellenschlage sich auf der dem Curse des Schiffes entgegengesetzter Seite ausbreitet.

„Der beste Ort zum Aushängen der Oelbeutel ist, wie es scheint: der Bug, der Ankerbalken und der Hintertheil; das Seil zum Anbinden muss eine solche Länge haben, dass die Oelbeutel unmittelbar dem Schiffe folgen können.

„Passirt das Schiff wahrend der Fluthwelle ein Riff, so wird der Oelbeutel vorn aufgehängt; obgleich dieser Ort dann am besten sich erweist, so ist doch die Wirkung des Oels in diesem Falle nicht ganz sicher, wie schon oben erwähnt wurde.

„Beim Passiren des Riffes während der Ebbe, bleibt das Oel unwirksam.

„Will man sich einem Fahrzeuge, welches Schiffbruch erlitten, nähern, so muss Oel auf derjenigen Seite ausgegossen werden, auf welcher der Wind gerade zum Schiffe bläst. Die Wirkung des Oels hängt in solchem Falle einerseits von der Richtung der Strömung, andererseits aber von der Tiefe der See ab.

„Ist das Schiff mittelst des dazu behülflichen Ankers beigelegt worden, so muss man den Oelbeutel so aufhängen, dass derselbe beim Balanciren in einer Linie verbleibe, die mit einem der Balken dieses Ankers zusammenfällt. Dann verbreitet sich das Oel in kurzer Zeit vor's Schiff und der Beutel kann, wenn es nöthig ist, leicht gehisst werden“.

V.

Schlüsslich wollen wir die verschiedenen Methoden des Oelgebrauchs besprechen.

Es ist schon erwähnt worden, dass überhaupt alle fette Substanzen zur Besänftigung der Meereswellen dienen können, und dass zu diesem Zwecke *vornehmlich die gröbsten, untauglichsten*, wie z. B. Küchenreste, wie auch Schmieröl, sich *am wirksamsten* erweisen. Schon oft lasen wir vom Gebrauch des Leinöls; am besten aber, wie es scheint, wirken Seehund- auch Delphinthran, uberhaupt Fett der Seesaügethiere. Was Mineralöl, Petroleum (besonders gereinigtes), anbetrifft, so erweisen sich dieselben, *wegen ihres unansehnlichen specifischen Gewichts*, weniger gut, obgleich auch diese in mehreren Fällen gut gewirkt haben. Vegetabile Oele scheinen zweckmässiger, doch erstarren mehrere, z. B. Cocosöl, leicht bei niedriger Temperatur, können sich also nicht gehörig schnell auf der Meeresfläche verbreiten.

Besagte Ursache, dass nämlich Petroleum, besonderes *besserer Sorte* oder gereinigtes, zur Beschwichtigung der Wellen wenig beiträgt, vermag uns einen Umstand erklären, der seinerseits Zweifel an die Wirksamkeit der fetten Substanzen erregen könnte. Wenn letzteres wirklich wahr ist, fragt man, warum begegnet man auf dem Kaspischen Meere so starken Wellen, die oft Schiffe zu Grunde gehen lassen? Man sollte doch glauben, das eben benanntes Meer immer ruhig verbleibe, da, wie bekannt, an seinen Ufern unerschöpfliche Quellen von Petroleum sich befinden, so dass letzteres sogar an einigen Stellen, von Niemanden aufgefangen, gerade in's Meer fliesst und seine Oberflache mit einer Petroleumschicht bedeckt ist?—Doch genügt das obengesagte diesen scheinbaren Widerspruch vollständig zu erklären: eben weil unser russisches Petroleum von *ausgezeichneter* Qualität ist, *wirkt es wenig* auf die Besänftigung der Wellen. Wäre dasselbe weniger gut, wäre es dicker, schwerer, enthielte es viele untaugliche Beimengsel, die es specifisch schwerer machten, dann wäre wahrscheinlich die Wirkung des Bergöls auf die Wogen des Kaspischen Meeres ganz eine

Фиг. 9.

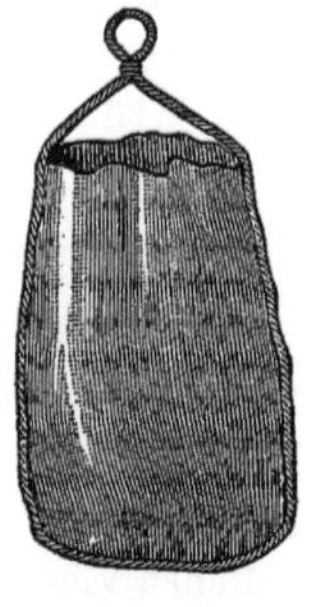

Фиг. 10.

andere als gegenwärtig, wie dieses anderwärts ersichtlich. So, z. B. hatte der französische Geolog Virlet d'Aoust Gelegenheit dieses unweit Veracruz zu beobachten. Ein sich unmittelbar in die Bucht ergiessender Naphtastrom macht die See ruhig, so dass bei Sturm die Schiffe eben dort Zuflucht suchen.

Was das Ausgiessen des Oels selbst betrifft, so haben wir schon mehrfach gesehen, dass zu diesem Zwecke mit Werg gefüllte, aus

Segeltuch verfertigte und durchlöcherte Beutel am tauglichsten sind. Auf Fig. 9, 10 ist ein solcher Beutel zu sehen, zuerst geöffnet, dann ganz fertig zum Aushängen. Fig. 11 zeigt uns, wie letzteres von Statten geht.

Фиг. 11.

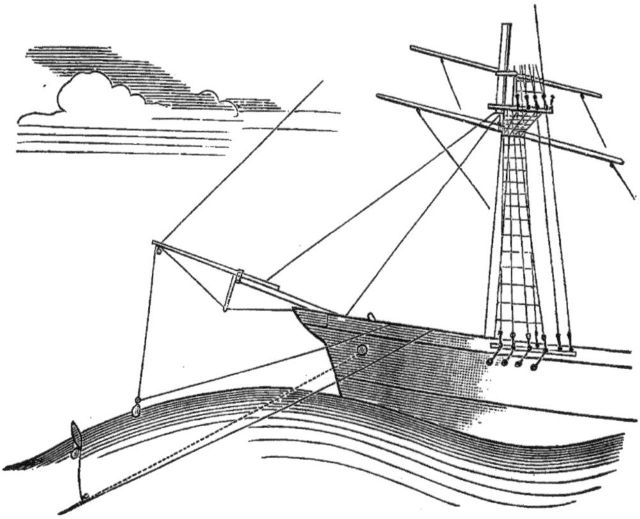

Cloué empfiehlt die Beutel folgendermassen auszuhängen: ein cigarrenförmiges Holzstück AC (Fig. 12) trägt den Oelbeutel S,

Фиг. 12.

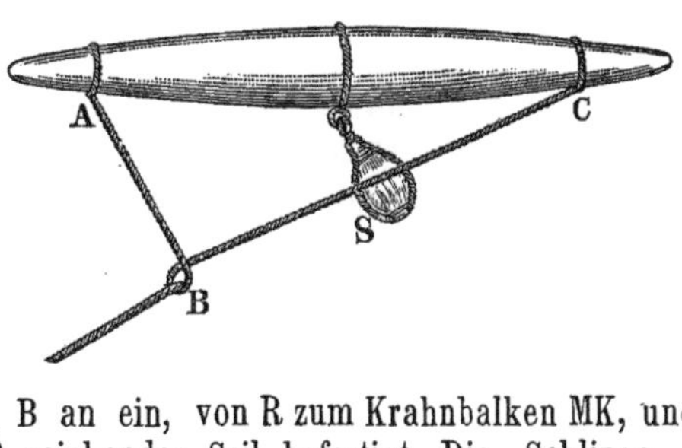

und wird in B an ein, von R zum Krahnbalken MK, und von da zum Bugspriet OP reichendes Seil befestigt. Die Schlinge ABC ist so berechnet, dass BC = 2AB. Auf unserer Figur ist die horizontale Projection des nach der Richtung des Pfeiles N segelnden Schiffes, wie auch die Richtung des Windes angegeben. Bei solcher Windrichtung wird das Holzstück nebst Oelbeutel, anfänglich vom Schiffe bei B_2 ausgesetzt, allmählig sich nach B_3 und B_4 gelangen, also sich mehr und mehr vom Schiffe entfernen und bei B_4 eine demselben parallele Strecke beölen und es vorm Wellenschlage bewahren.

Um die im Hafen vor Anker liegenden Schiffe vor Wellenschlag zu schützen, schlägt Cloué eine eiserne, auf den Meeresgrund gelegte und mit einer Rolle P versehene Halbkugel CP vor (Fig. 13). Um die Rolle geht ein Seil mit dem Oelbeutel B und der Boje S zur Küste, wo das Seil vermittelst der Winden A und K dermassen gespannt wird, bis der Beutel B seine gehörige Lage und Höhe einnimmt. Ist derselbe nicht mehr nöthig, oder soll er abermals mit Oel gefüllt werden, so kann er sehr leicht mittelst beider Winden bis zu A gebracht werden.

Фиг. 13.

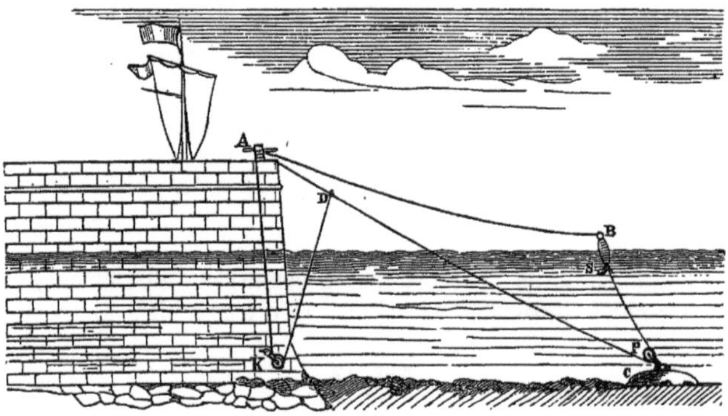

Wir wollen uns nicht lang mit Beschreibung aller in neuester Zeit vorgeschlagenen Apparate aufhalten, da dieselben sich als unpraktisch erwiesen haben. So, z. B. schlug 1888 der Amerikaner Townsend eine metallene 25 centimètre im Durchmesser zählende, hohle Kugel vor, die mit Oel zur Hälfte gefüllt und in die See geworfen wird. Die mit Oel gefüllte Hälfte ist von der andern durch eine mit zwei Klappen versehene Wand getrennt. Durch die untere Klappe fliesst das Seewasser in die Kugel, durch die zweite ergiesst sich das vom Wasser verdrängte Oel in's Meer und dergestalt regulirt sich das Herausfliessen des Oels von selbst.

Vor ein paar Monaten brachten uns die Journäle Nachricht über einen Apparat, der zum schnellen Ausspritzen des Oels dienen soll.

Ein mit Oel gefüllter Cylinder wird von Bord in's Meer geschleudert, bricht beim Berühren des Wassers und das Oel ergiesst sich. Zufolge auf einem von Bremen nach New-York steuernden Schiffe veranstalteten Versuche, kann der Cylinder 450 Meter weit geschleudert werden; fünf solcher Cylinder, 360 bis 450 Meter weit geworfen, sollen die Meeresfläche mit einer 140 bis 185 Quadratmeter Oelschicht bedeckt und die Wellen schnell besänftigt haben. Es heisst, es habe der Nord-deutsche Lloyd das Privilegium diesen Apparat anzuwenden dem Erfinder abgekauft *).

Wie schnell breitet sich das Oel auf der Meeresfläche aus und wie dick muss die Schicht sein, um die Wellen besänftigen zu können?—Diese Fragen können wir, laut den von Cloué gesammelten Thatsachen, wie folgt beantworten:

Die Mehrzahl der im Washingtoner Hydrographischen Departement eingelaufenen Rapporte von Seiten der Schiffskapitäne spricht sich einstimmig über *die erstaunlich-schnelle* Verbreitung des Oels auf der See aus; die Breite der geölten Fläche wird mehr als 100 Meter angegeben. Weiter sprechen sich mehrere Rapporte darüber aus, dass die Wirkung des Oels desto minder ist, je *grössere* Quantitat desselben ausgegossen worden, da die Schnelligkeit der Verbreitung zu der Quantität im *umgekehrten Verhältnisse* steht **). Diese Ansicht wird auch durch Van der Mensbrugghe's theoretische Schlüsse bekräftigt. Besagter Gelehrter drückt sich folgendermassen hierüber aus: „Schon vor zwölf Jahren, als ich mit der Untersuchung hinsichtlich der Ausbreitung zweier Flüssigkeiten übereinander beschäftigt war, ersah ich, dass wenn Oel auf eine schon vorläufig mit demselben bedeckte Fläche ausgegossen wird, ersteres sich nicht ausbreite, sondern seine linsenartige Form behalte (conserve la forme lenticulaire). Daraus schliesse ich, dass wenn man mit einer gewissen Quantität Oel die beste Wirkung erzielen will (also dessen Ausbreitung auf der Wasserfläche möglich gross machen will), es durchaus nöthig sei, dasselbe auf verschiedenen Punkten und jedesmal in unansehnlicher Quantität auszugiessen. Zu diesem Zwecke könnte ein Pulverisations-Apparat dienen, der das Oel auf verschiedene Punkte werfe. Soll aber Oel strahlförmig fliessen, so muss wenigstens der Strahl möglichst dünn sein" ***).

*) Revue scient. 1888, № 6

**) Cloué, pgg. 18, 22.

***) V. d. Mensbrugghe, sur les moyens proposés pour calmer les vagues de la mer, Bruxelles, 1882.

Von 199 Schiffen und Booten, die bei Sturm Oel angewandt haben, findet sich nur in 40 Fällen die Quantität des per Stunde verbrauchten Oels. Daraus ist zu ersehen:

1) 22 Schiffe hatten (im Durchschnitt) 1 Litre Oel per Stunde verbraucht,

2) 18, bei vollem Winde—1,83 Litre, und 10 beigelegte Schiffe—2,30 L. per Stunde.

3) 2 Dampfer, bei widrigem Winde—0,76 L.; ein Fahrzeug, buksirt - 0,25 L. p. S.

4) 2 Rettungsboote—2,25 L. p. S.

Also im Durchschnitt: 40 Schiffe—2,20 Litre, und 14—0,66 L. per Stunde.

Nach Kap. Karlowa ist der Oelverbrauch von der Grösse des Schiffes, resp. von dessen Länge abhängig. Ein Oelbeutel schafft beim dwars wegtreibenden Schiffe einen Oelkreis von circa 50 Fuss Durchmesser, so dass also ein treibendes Schiff von 350 Fuss Länge ungefähr 7 Oelbeutel nöthig hätte; für jeden Beutel ist etwa 1 Pfund per Stunde (also insgesammt ungefähr 3 Litre) zu rechnen. Beim Lenzen werden 2 Beutel vorn an jeder Seite genügend sein, doch dürfte sich der Verbrauch für jeden Beutel auf 2 Pfund per Stunde belaufen, da durch das heftige Hin- und Herschleudern der Beutel, an der Schiffsseite das Oel rascher austritt.

Cloué nimmt den Oelverbrauch=2,20 Litre per Stunde an, und macht folgende Rechnung: Geht ein Schiff mit dem Winde 10 Knoten, legt also in Verlauf einer Stunde 18520 Meter (17,36 Werst) zurück, so wird, wenn die Breite der Oelschicht 10 Meter beträgt, die Dicke derselben nur $\frac{1}{90000}$ *millimètre* sein,—eine Grösse, die Cloué kaum zu nennen wagt (c'est un chiffre que j'ose à peine énoncer, tant il est extraordinaire)! Nehmen wir aber den Oelverbrauch 1,83 Litre per Stunde (mittlere Grösse des Verbrauches von 18 Schiffen), so erweist sich die Dicke der Oelschicht= 0,00001 *millim.*

Wie erstaunlich solch ein Resultat auch erscheinen mag, hat dasselbe doch der bekannte Professor der Academie zu Lausann, *A. Forel*, bestatigt. Noch im 1873 erschien von demselben eine Arbeit hinsichtlich der Fettflecken, die oft auf der Oberfläche des Genfersees bemerkt und von den Küstenbewohnern „Fontaines“ genannt werden. Es wird bewiesen, dass diese Flecken ihren Ursprung den von Fabriken und auch als Kuchenreste in den See geworfenen fetten Substanzen verdanken. Forel pflegte selbst ähnliche Flecken mittelst einiger Tropfen Oel hervorzubringen, wobei er sich mehrfach, sogar bei schwachem Winde, von der erstaunlich-schnellen Ausbreitung des Oels auf dem Wasser überzeugen konnte. Es genügten 20 Cub. centimètre Oel, um eine Fläche von 4000 Quadratmètre total zu bedecken, folglich betrag die Dicke der Oelschicht blos $\frac{1}{200000}$ millimètre *). Wir haben aber anderwärts gesehen, dass eben die *schlechtesten Sorten* Oel die besten Wirkungen erzeugen; demnach ist der Verbrauch per Stunde von ein paar Flaschen Oel, die einige Pfennige zu stehen kommen, genügend, um viele Menschen vom Tode zu retten, ihre Baarschaft vor Untergang und so manche Familie vor unsäglichem Kummer zu bewahren!

Moscau, 8 (20) Dec. 1888.

---

*) F. A. Forel, les taches d'huile, connues sous le nom de „Fontaines".

ДОПОЛНИТЕЛЬНЫЯ ЗАМѢТКИ КЪ ПОЗНАНІЮ ОРНИТОЛОГИЧЕСКОЙ ФАУНЫ ОРЕНБУРГСКАГО КРАЯ.

Н. Заруднаго.

Въ апрѣлѣ 1884 года мною была передана въ руки, нынѣ покойнаго, профессора С.-Петербургскаго Университета М. Н. Богданова рукопись, заключавшая въ себѣ сводъ нѣкоторыхъ изъ моихъ орнитологическихъ наблюденій, сдѣланныхъ до того времени въ Оренбургскомъ краѣ. Но разнымъ причинамъ эта рукопись могла быть напечатана только въ нынѣшнемъ 1888 г. (Орнитологическая фауна Оренбургскаго края). Съ тѣхъ поръ мнѣ посчастливилось сдѣлать нѣсколько новыхъ находокъ и наблюденій, касающихся той-же мѣстности и тѣмъ болѣе заслуживающихъ вниманія, что издающееся въ настоящее время сочиненіе гг. Сѣверцова и Мензбира «Ornithologie du Turkestan et des pays adjacents» во многихъ отношеніяхъ обнимаетъ и нашъ край. Одни изъ этихъ данныхъ совершенно новы, другія не нашли себѣ мѣста въ «Орнитологической фаунѣ Оренбургскаго края», третьи, наконецъ, дополняютъ и исправляютъ тѣ, которыя въ ней приведены.

* Larus fuscus, Linn. *).

Это рѣдкая залетно-пролетная птица въ долинѣ средняго теченія Урала.—12.IV.87. добытъ одинъ экз. изъ числа трехъ, летѣвшихъ вдоль урѣза разлива Урала, въ 12 верстахъ вверхъ отъ Оренбурга.—28.III.88. наблюдался одинъ экз. въ стаѣ L. canus около станицы Каменно-озерной.

---

*) Звѣздочкой обозначены виды и подвиды, не упоминаемые въ моей „Орнитол. фаунѣ Оренб. края“.

Larus minutus, Pall.

Очень многочисленна (1888) на гнѣздовьи у озера Акъ-Куль (близь станицы Линевской и подлѣ озера Тузъ-Куль).

Hydrochelidon hybrida, Pall.

Въ послѣдніе три года случаи гнѣздованія этого вида по Илеку, среднему теченію Урала и на низовьяхъ Сакмары были пе слишкомъ рѣдкими. Гнѣздившаяся парочка найдена въ 1887 г. на низовьяхъ Чингурлау. Въ томъ-же году парочка-же найдена въ колоніи Hydr. nigra, на озерѣ, въ луговой степи около Уральска. Во всякомъ случаѣ не подлежитъ сомнѣнію фактъ движенія этой птицы на сѣверъ.

Stercorarius crepidatus, Banks.

19.X.87. замѣченъ одинъ экз. около Оренбурга (Путоловскій оврагъ) въ стаѣ L. ridibundus.

Podiceps fluviatilis, Tunstall.

Въ 1888 г. нѣсколько штукъ замѣчено 5—6.VII на озерѣ Акъ-Куль (около Линевской станицы).

Limicola platyrhyncha, Temm.

Въ 1888 г. найдено гнѣздовье этого вида на камышистыхъ сорахъ, около Акъ-Куля и Тузъ-Куля.

Въ 1887 г. этотъ, прежде столь рѣдкій подъ Оренбургомъ видъ, встрѣчался на осеннемъ пролетѣ въ громадномъ числѣ. 10.VII—появились перво-прилетныя и сразу въ значительномъ количествѣ; въ этотъ день наблюдалось 5 стай, до 50 штукъ въ каждой; до 14-го—не часто и большею частью одиночками; съ 14 и по 31 часто, но небольшими обществами (штукъ до 7 въ каждомъ); съ 1 и по 20.VIII—очень часто, штукъ по 15 вмѣстѣ; съ 20.VIII и по 2.IX, когда замѣченъ послѣдній одиночный экземпляръ, не часто. Летѣли исключительно долиной Урала, садились отдыхать и жировать большею частью на топкіе, грязные, пологіе берега озеръ и дождевыхъ лужъ; много рѣже на отмели рѣки. Перелёты совершали въ различные часы дня, особенно по утрамъ и по вечерамъ.

Phalaropus cinereus, Briss.

Изъ числа плавунчиковъ, проводящихъ лѣтніе мѣсяцы въ степяхъ на югъ отъ средняго теченія Урала, гнѣздится по большей мѣрѣ лишь только $^{1}/_{10}$ ихъ часть. Какъ показали наблюденія послѣднихъ лѣтъ, изъ остальныхъ $^{9}/_{10}$ громадное большинство оказывается ♀♀; вотъ для примѣра нѣсколько наиболѣе рельефныхъ выписокъ изъ моего дневника.

a) На Косъ-Кулѣ (около Илека, 1888, начало іюля).
Добыто 10 экз., изъ которыхъ 8♀♀ и 2♂♂.

b) На Тузъ-Кулѣ (тогда же).
Добыто 15 экз., изъ которыхъ 14♀♀ и 1♂.

c) На Акъ-Кулѣ (около Тузъ-Куля, тогда же).
Добыто 22 экз., изъ которыхъ 20♀♀ и 2♂♂.

d) На Соръ-Кулѣ (1883 г., середина іюля).
Добыто 42 экз., изъ которыхъ 39♀♀ и 6♂♂.

Въ концѣ іюня и въ началѣ іюля наблюдается сильный пролетъ внизъ по долинѣ средняго теченія Урала, вверхъ по Илеку и по Хобдамъ, причемъ летятъ почти исключительно одни ♀♀ (вышеприложенная табличка основывается на добычѣ изъ этихъ пролетныхъ стай). На позднемъ пролетѣ (конецъ іюля, августъ) летятъ большею частію молодыя птицы (и ♂♂ и ♀♀) и старые ♂♂. Рано улетающія ♀♀ уже въ послѣдней трети іюня попадаются въ такихъ южныхъ странахъ, каковъ Ахалъ-Текинскій оазисъ. Единственнымъ объясненіемъ этого страннаго явленія, какъ мнѣ кажется, могутъ служить слѣдующія обстоятельства:

1) Яйца у плавунчика насиживаются только одними ♂♂-ми, какъ замѣтилъ это Гольболль (цит. Брэмомъ въ его «Иллюстр. Жизни Жив.») *).

2) По окончаніи кладки яицъ ♀♀, (по крайней мѣрѣ въ нѣкоторыхъ мѣстахъ сѣверной части области распространенія этого вида), предоставивъ ♂♂ всѣ семейныя заботы, собираются въ большія и малыя стаи и улетаютъ на югъ, въ большомъ числѣ и надолго останавливаясь въ Каспійскихъ степяхъ. Это явленіе совер-

---

*) Самъ Брэмъ держится мнѣнія о совмѣстномъ, обоими полами, насиживанія яицъ.

шенно аналогично тому, которое мы видимъ у Machetes pugnax' Pelidna cinclus, P. subarquata, P. minuta, P. Temminckii etc. У этихъ видовъ ♂♂ по окончаніи брачной поры возвращаются на югъ, какъ ♀♀ у плавунчика. Лѣтомъ 1883 г. мнѣ удалось найти гнѣздовье плавунчика въ нѣсколькихъ мѣстахъ Киргизской степи. Большая часть добытыхъ у гнѣздъ экземпляровъ оказалась самцами. Такъ какъ ♀♀, хотя и въ значительно меньшемъ числѣ, были все же мною получены, то я и заключилъ, что труды насиживанія раздѣляются обоими полами (см. «Орнит. фауна Оренб. края», стр. 291). Теперь я увѣренъ, что заключеніе это ошибочно и что насиживаютъ только одни ♂♂; найденныя же мною ♀♀, по всей вѣроятности, не покидали гнѣздовья потому, что занятая имъ мѣстность была удобна для ихъ жизни: здѣсь же обитало и много пролетныхъ сѣверныхъ самокъ.

Не имѣетъ ли описанное явленіе нѣкоторой, хотя бы и очень отдаленной, связи съ другимъ, которое весьма часто наблюдается въ Оренбургскомъ краѣ *) и которое заключается въ томъ, что ♀♀ многихъ видовъ, какъ будто болѣе чувствительныя къ холоду, уходятъ въ своихъ миграціяхъ дальше на югъ, чѣмъ ♂♂. Въ нашемъ краѣ у Aegolius brachyotus, напр., ♀♀ почти всѣ улетаютъ, ♂♂ же зимуютъ не рѣдко; въ годы, когда появляются у насъ въ особенно большомъ количествѣ дятлы, Surnia nisoria, Syrnium uralensis и др. сѣверныя птицы, ♀♀ встрѣчаются положительно гораздо чаще, чѣмъ ♂♂, которыя не залетаютъ такъ далеко. Можно было бы составить длинный списокъ видовъ птицъ, для которыхъ это вполнѣ справедливо.

Grus virgo, Linn.

Также принадлежитъ къ птицамъ, постепенно двигающимся на сѣверъ. Въ послѣднія 5 лѣтъ, напр., она сдѣлалась нерѣдкою гнѣздящеюся птицею въ степяхъ на низовьяхъ Илека и въ глинистой степи около Тузъ-Куля. Гнѣздящаяся пара наблюдалась въ 1888 г. въ Донгузской степи, верстахъ въ 15 отъ Оренбурга.

Porzana pusilla, Pall.

Въ 1888 г. въ небольшомъ числѣ (пары двѣ или три) найдена лѣтомъ на «Лиманѣ» около форпоста Затоннаго (Илекъ) и на «Ка-

*) И навѣрное во многихъ другихъ странахъ.

мышевомъ» озерѣ, въ долинѣ Сакмары (9—10 верстъ отъ Оренбурга).

Syrrhaptes paradoxus, Pall

Въ 1886 г., лѣтомъ нѣкоторыми охотниками были добыты рѣдкіе экземпляры туртушки въ различныхъ мѣстахъ долины средняго теченія Урала. Въ 1887 г. парочка замѣчена была мною 30.VI въ степи около р. Барбестау; одинъ экземпляръ добытъ въ началѣ іюля около станицы Каменно-озерной; онъ держался въ стаѣ Glareola melanoptera.

Указанные случаи рѣдкаго появленія этой птицы въ нашей странѣ предшествовали массовому ея движенію чорезъ Оренбургскій край въ 1888 году.

Въ окрестностяхъ Оренбурга первый разъ замѣчена туртушка 18 марта, стаей штукъ въ 10, летѣвшей шагахъ въ 200 отъ поверхности земли прямо съ S на N. 20.III—мы видѣли нѣсколько стай (отъ 5 до 10 экземпляровъ въ каждой) и при тѣхъ-же условіяхъ. До 25.III пролетъ былъ слабъ и замѣчался не каждый день. Съ 26.III и до 12.IV туртушка летѣла въ громадномъ числѣ, хотя и не особенно большими стаями (штукъ до 80); за то эти послѣднія иногда втеченіе 3—4 часовъ безпрерывно слѣдовали одна за другою; главное направленіе пролета съ S на N и съ SO на NW; птицы летѣли, бо̀льшею частью, на высотѣ гораздо бо̀льшей той, на которую хватаетъ ружейный выстрѣлъ. Стаи, летѣвшія въ указанныхъ направленіяхъ, наблюдались до 19.IV включительно.—Съ 9.IV на встрѣчу стаямъ, летѣвшимъ съ S на N, стали двигаться очень многочисленные табуны съ N на S и съ NW на SO; ихъ видѣли особенно часто до 15.IV, потомъ все рѣже и рѣже до 1.V, послѣ чего до 5.VII наблюдались лишь небольшіе косячки, летѣвшіе на S. На осеннемъ пролетѣ нигдѣ въ долинѣ Средняго теченія Урала, по крайней мѣрѣ между Уральскомъ и Губерлинскимъ поселкомъ, не замѣчена.

Отъ 8.IV получено извѣстіе о добычѣ туртушки близь Исянгуловой, отъ того-же числа—близь Темясовой, отъ 10.IV—въ окрестностяхъ Челябы.

По свидѣтельству знакомыхъ казаковъ-охотниковъ изъ различныхъ станицъ въ долинѣ средняго теченія Урала, а также и разныхъ лицъ съ Илека (отъ Илецкаго городка до Акъ-Тюбы), туртушка въ періодъ времени съ 15.III и до 15.IV въ указанныхъ мѣстахъ встрѣчалась въ громадномъ количествѣ (будто бы по нѣскольку сотъ въ стаѣ).

По свидѣтельству изъ нѣкоторыхъ мѣстъ долины нижняго теченія Урала (Гурьевъ, Индеры, Калмыково, Сахарный, Уральскъ) въ концѣ марта и въ началѣ апрѣля многочисленные табуны туртушекъ летѣли съ O на W и съ SO на NW. Въ началѣ-же апрѣля наблюдалось много такихъ, которые двигались въ обратную сторону. Относительно осенняго пролета извѣстій изъ этой мѣстности мною еще не получено.

По устнымъ свѣдѣніямъ, туртушка будто бы около Самары не встрѣчалась; въ среднихъ числахъ апрѣля наблюдалась довольно часто въ окрестностяхъ Бузулука; приблизительно въ тоже время нѣсколько стаекъ замѣчено около Екатериненштата.

Что касается до гнѣздованія туртушки въ нашей странѣ, то въ этомъ отношеніи я не могъ собрать желаемыхъ подробностей. Около Оренбурга она гнѣздилась въ двухъ мѣстахъ; небольшой колоніей въ степи между Донгусомъ и Ураломъ и въ степи имѣнія князя Долгорукаго (на р. Бердянкѣ); поселеніе въ послѣдней мѣстности было безъ видимыхъ причинъ внезапно брошено и птицы исчезли; крестьяне часто находили стухнувшія яйца.

Въ большомъ числѣ гнѣздилась въ пескахъ около станицы Буранной, въ пескахъ около впаденія р. Кара-Бутакъ въ Илекъ, около Соръ-Куля, въ песчаной мѣстности, отдѣляющей это озеро отъ урочища Куагачъ-Калдачайты, въ солонцевато-глинистыхъ мѣстностяхъ близь Акъ-Тюбы, и въ пескахъ, окружающихъ съ сѣверной стороны Бишъ-Копу на р. Улу-Хобдѣ. Справедливость показанія относительно гнѣздованія туртушки по солонцеватымъ и глинисто-солонцеватымъ урочищамъ по р. Сары-Хобдѣ весьма возможна, хотя это показаніе и получено отъ лица, не особенно достойнаго довѣрія.

Мнѣ кажется весьма вѣроятнымъ, что изъ туртушекъ, перелетѣвшихъ на N и NW долину средняго теченія Урала, громадное большинство вернулось обратно въ степь по южную ея сторону, частью осталось гнѣздиться въ степяхъ по сѣверному побережью Каспійскаго моря, частью пролетѣло черезъ долину нижняго теченія Урала далѣе на Западъ, въ Букеевскія, Ногайскія и Калмыцкія степи.

Не было ли вызвано переселеніе туртушекъ въ нынѣшнемъ году (такъ же какъ и въ началѣ 60-хъ годовъ), чрезмѣрнымъ размноженіемъ ихъ въ коренныхъ мѣстахъ гнѣздованія?

Pterocles arenarius, Pall.

15.V.87 видѣлъ въ степи подъ Оренбургомъ одну парочку.

*Harelda histrionica, Linn.

20.X.88 г. убитъ не вполнѣ еще перелинявшій селезень моимъ помощникомъ С. Н. Краснoярцевымъ (станица Нѣженка).

Haliaetos albicilla, Linn.

Пользуюсь случаемъ, чтобы сдѣлать исправленіе статьи о бѣлохвостикѣ въ книгѣ своей «Орнитологическая фауна Оренбургскаго края». Въ рукописи, составленной мною на скорую руку въ виду отъѣзда въ Закаспійскій край, была пропущена цѣлая фраза, что исказило смыслъ рѣчи.

Напечатано: «Бѣлохвостъ, насколько мнѣ извѣстно, нигдѣ не гнѣздится въ нашей странѣ и тѣ экземпляры, которые видишь у насъ лѣтомъ, всѣ холостые».

Слѣдуетъ читать: «Бѣлохвостъ, насколько мнѣ извѣстно, нигдѣ не гнѣздится въ нашей странѣ на югъ отъ средняго теченія Урала и тѣ экземпляры, которые видишь тамъ лѣтомъ, всѣ холостые».

Въ долинѣ же средняго теченія Урала бѣлохвостъ гнѣздится, но довольно рѣдко.

Syrnium lapponicum, Sparrm.

6.XII.88 добыта эта сова въ лѣсу, около поселка Благословенка.

Caprimulgus europaeus, Linn.

*var. pallidus, Sev.

Въ 1887—1888 гг. первый разъ стала наблюдаться въ долинѣ средняго теченія Урала блѣдная порода козодоя, представители которой ничѣмъ не отличаются отъ сѣверо-персидскихъ и закаспійскихъ моего сбора (1884, 1885 и 1886 гг.). Наблюдается только на пролетѣ (преимущественно осеннемъ) и притомъ довольно рѣдко. За недостаткомъ болѣе подробныхъ наблюденій трудно рѣшить, встрѣчается ли она залетомъ или правильнымъ пролетомъ. Въ послѣднемъ случаѣ въ долинѣ средняго теченія Урала (и вѣроятно нижняго) должна идти побочная, западная вѣтвь одного изъ большихъ пролетныхъ путей козодоя, лежащихъ далеко восточнѣе, за Орскомъ.

* Pica leucoptera, Gould.

Изрѣдка зимуетъ подъ Оренбургомъ. Въ 1887 г. найдена на гнѣздовьи въ сосновомъ лѣсу, около Колтубанки (станція Оренб. желѣзной дороги).

* Sturnus Poltoratzkii, Finsch.

Очень обыкновенная пролетная птица въ долинѣ средняго теченія Урала вообще и подъ Оренбургомъ въ частности. На гнѣздовьѣ въ этой мѣстности типичная ея форма попадается много рѣже, чѣмъ переходная къ S. vulgaris.

Типичный S. Poltoratzkii гнѣздится около Тастубы (Уфимской губерніи), изъ подъ которой привезено моимъ товарищемъ С. С. Моллесономъ нѣсколько экземпляровъ.

* Cyanistes Pleskei, Cab.

Только въ нынѣшнемъ 1888 г. мнѣ удалось найти эту птицу въ предѣлахъ нашего края, именно въ окрестностяхъ Оренбурга. Ранѣе C. Pleskei не была найдена восточнѣе окрестностей Москвы.

Мои экземпляры добыты въ промежуткѣ времени отъ 28.X.88 до 10.XI.88.—Вотъ подробное ихъ описаніе:

№ 5160. ♀ 28.X.88.—Нижняя сторона тѣла бѣлая, но болѣе грязная, чѣмъ у C. cyanus; по бокамъ передней части груди ясно замѣтный желтый цвѣтъ, образующій съ каждой стороны большое, не ясно очерченное пятно; между обоими пятнами замѣчается неясная, блѣдно-желтая поперечная полоса, отъ середины нижняго края которой идетъ такая же продольная полоса, какъ у C. coeruleus; черная окраска нижней и боковыхъ сторонъ головы, какъ у C. coeruleus, но всюду ўже и черныя поля съ болѣе широкими бѣлыми краями перьевъ; лазуревый цвѣтъ верхней стороны головы, какъ у C. coeruleus и даже болѣе интенсивный, чѣмъ это бываетъ у многихъ экземпляровъ этой послѣдней; темно-синій цвѣтъ шеи такой же, но полоса замѣтно ўже; остальная окраска головы точь-въ-точь, какъ у той же формы; свѣтлое пятно на передней части спины больше и свѣтлѣе; верхняя сторона тѣла темнаго голубовато-сѣраго цвѣта съ едва замѣтною зеленоватою примѣсью на внутреннихъ сторонахъ плечевыхъ птерилій; надхвостье и верхнія кроющія хвоста, какъ у C. coeruleus; крыло какъ у ♂ этой послѣдней, но: 1) безъ зеленыхъ коймъ по внутреннимъ опахаламъ малыхъ маховыхъ (они голубовато-сѣрыя), 2) бѣлыя отмѣтины на концахъ маховъ вообще больше, но не больше, чѣмъ бываетъ у нѣкоторыхъ экземпляровъ C. coeruleus, 3) все крыло сѣрѣе, 4) нижнія кроющія крыла сплошь бѣлыя; хвостъ такъ же вырѣзанъ, какъ у ♀ C. coeruleus и такого же цвѣта какъ у ея ♂♂ при наисильнѣйшемъ развитіи бѣлыхъ отмѣтинъ.

№ 5159 ♂. 6.XI.88.—Нижняя сторона, какъ у предыдущей, но: 1) вся передняя часть груди въ длину до 23 mm. блѣдно желтая, причемъ по бокамъ груди желтый цвѣтъ наиболѣе интенсивенъ, 2) на горлѣ большое черное треугольное пятно съ широкими бѣлыми краями перьевъ (верхній уголъ пятна на $4^1/_2$mm. отстоитъ отъ угла нижней челюсти); остальная окраска головы и шеи, какъ у C. cyanus, но верхушка головы сѣровато-лазуревая, почти какъ спина у C. cyanus; этотъ послѣдній цвѣтъ начинается на такомъ же разстояніи отъ основанія клюва, какъ у C. coeruleus, но назади примыкаетъ къ гораздо болѣе широкой бѣлой полосѣ (той самой, которая продолжается впередъ бѣлыми надглазными полосами къ бѣлому лбу); верхнія кроющія хвоста такого же темно-лазореваго цвѣта, какъ у C. coeruleus, но съ бѣлыми концами перьевъ, какъ у C. cyanus; свѣтлое пятно на передней части спины меньше, чѣмъ у C. coeruleus; спина и плечевыя птериліи сѣровато-лазуревыя, болѣе темнаго цвѣта, чѣмъ головная шапочка; нижнія кроющія крыла бѣлыя; основной фонъ окраски верхней стороны сложеннаго крыла такой-же, какъ у C. cyanus; кончики малыхъ кроющихъ крыла бѣловатые; бѣлые концы большихъ кроющихъ образуютъ перевязь до 6 mm. въ ширину; распространеніе бѣлаго цвѣта на большихъ маховыхъ, какъ у C. cyanus, на малыхъ гораздо больше, чѣмъ у C. coeruleus, и меньше, чѣмъ у C. cyanus; лазуревый цвѣтъ хвоста по напряженности такой же, какъ у C. cyanus; кончики рулей бѣлые *); наружныя опахала крайнихъ рулевыхъ сплошь бѣлыя, также и края наружныхъ опахалъ 2, 3, 4 и 5 перьевъ (считая съ края), причемъ болѣе внутреннія перья и съ болѣе узкими краями, которые вообще къ ихъ концамъ расширяются.

3494 ♂. 6.XI.88 г. Такой же, какъ и предыдущій, но: 1) желтый цвѣтъ только по бокамъ передней части груди и притомъ очень слабый, 2) горловое пятно почти отсутствуетъ, 3) бѣлыя отмѣтины

---

*) Особенно велики эти бѣлые концы на крайнихъ руляхъ и затѣмъ на самыхъ среднихъ.

на маховыхъ развиты сильнѣе, точно такъ же какъ и на верхнихъ кроющихъ крыла.

5340 ♂. 10.XI.88. Совершенно похожъ на предыдущій, но горловаго пятна совсѣмъ нѣтъ.

Размѣры и отношеніе маховыхъ.

	№ 5160	№ 5159	№ 3494	№ 5340
Длина клюва отъ передняго края ноздри =	7mm.	7mm.	7mm.	$7\frac{1}{2}$mm.
» крыла . . . . . . =	63	65	65	$66\frac{1}{2}$mm.
» хвоста . . . . . . =	53	57	58	59
» тарзовъ спереди. . =	16	17	17	16
	4=5>3>6>7>8 едва >2	5 едва >6=4>3>7>8>2	4=5=6 едва >3>7>8>2	4=5 едва >6>3>7>8>9=2

Хвостъ экз. 5159, 3494 и 5340 не вырѣзанъ, какъ у 5160, а закругленъ такимъ образомъ:

№ 5159. Крайнее рулевое < 2-го на 3 mm.
2-ое < 3-го » 1 mm.
3-ое < 4-го » $\frac{1}{2}$ mm.
4-ое = 5
5 едва < 6.

№ 5340.—1-ое<2 на 2 mm.
2-ое<3 » $\frac{1}{2}$mm.
3-ье=4
4-ое<5 едва замѣтно.
5-ое<6 на 1 mm.

№ 3494.—1-ое<2 на $\frac{3}{4}$ mm.
2-ое едва<3.
3-ье>4 на $\frac{1}{2}$ mm.
4-ое<5 » 1 mm.
5-ое<6 » $\frac{3}{4}$ mm.

По Мензбиру (Mémoires sur les Paridae въ Bull. de la Société Zoologique de France), форма подобная описанной подъ № 5160, есть настоящая C. Pleskei. Что же касается до №№ 3494, 5159 и 5340 — то имъ подобные описаны Мензбиромъ какъ гибриды между C. Pleskei и C. cyanus.

Cyanistes cyanus, Pall.

Гнѣздовье князька найдено мною въ 1887 г. во многихъ мѣстахъ уремы Урала, между Оренбургомъ и Уральскомъ.

Cyanistes coeruleus, Linn.

Гнѣздится тамъ же, гдѣ и предыдущій, но въ числѣ, какъ кажется, значительно меньшемъ.

Aegithalus castaneus, Sev. & pendulinus, Linn.

Относительно окраски и пластическихъ признаковъ ремеза нашей страны представляютъ полнѣйшій рядъ переходовъ отъ типичнаго Aeg. pendulinus, какъ онъ описанъ у Degland'а (Ornithologie Européene), къ типичному Aeg. castaneus, что въ связи съ нѣкоторыми біологическими данными никоимъ образомъ не позволяетъ, покрайней мѣрѣ для Оренбургскаго края, придавать обѣимъ формамъ видоваго значенія. Хотя съ возрастомъ птицы каштановые цвѣта дѣйствительно усиливаются въ своей напряженности и своихъ размѣрахъ (особенно у ♂♂), тѣмъ не менѣе для меня не подлежитъ сомнѣнію, что у нашихъ ремезовъ формы «pendulinus» и «castaneus» представляютъ также и типы личныхъ измѣненій. Изъ птицъ одного и того же возраста, напр., во второмъ перѣ, однѣ принадлежатъ къ формѣ «pendulinus», другія—къ «castaneus» и третьи, наконецъ, — къ переходной между ними. И тѣмъ болѣе интересенъ фактъ нахожденія въ Западной Европѣ исключительно только A. pendulinus.

Въ виду данныхъ географическаго распространенія видовъ всего вообще рода Aegithalus я сильно склоненъ видѣть въ нихъ если не прямыхъ представителей, то по крайней мѣрѣ, ближайшихъ потомковъ соотвѣтствующихъ видовъ міоценовой эпохи, видовъ, пережившихъ ледниковый вѣкъ, оттѣсненныхъ его условіями на Уралъ, Кавказъ и горныя массы у истоковъ Аму, Сыра и Мургъ-Аба, причемъ эти страны послужили имъ центрами распространенія въ послѣледниковый періодъ. И не слѣдуетъ ли видѣть въ лицѣ нашихъ оренбургскихъ ремезовъ двухъ, слившихся во время долгой совмѣстной жизни, видовъ, признаки которыхъ регрессировались на степень типовъ индивидуальныхъ измѣненій?

Въ дополненіе имѣющимся описаніямъ нашего ремеза можно замѣтить:

Иногда черный цвѣтъ на лбу отсутствуетъ вовсе, замѣщаясь здѣсь каштановымъ.

Нерѣдко черная лобная полоса прерывается по срединѣ бѣлыми или бѣловатыми перьями.

Иногда грудь, брюхо, подхвостье и боковыя стороны шеи имѣютъ сильный желтый налетъ.

Въ очень рѣдкихъ случаяхъ вся передняя половина верхней стороны головы сплошь черная, задняя-же — черно-каштановая; притомъ всегда бѣлый цвѣтъ на верхней сторонѣ шеи отсутствуетъ вовсе, замѣщаясь каштановымъ.

Въ періодъ изслѣдованій нашего края Эверсманомъ *), ремезъ вверхъ по Уралу распространялся только до крѣпости Индерской. Съ тѣхъ поръ и по настоящее время онъ успѣлъ распространиться въ долинѣ этой рѣки вплоть до ея истоковъ. По крайней мѣрѣ, по устнымъ свѣдѣніямъ, гнѣзда ремеза были нерѣдко находимы въ зимы 1885—1887 г. въ окрестностяхъ Верхне-Уральска, гдѣ раньше они составляли великую рѣдкость. Что касается района обычныхъ моихъ охотъ въ окрестностяхъ Оренбурга, то здѣсь съ каждымъ годомъ наша птичка становилась все болѣе и болѣе обыкновенной, какъ на гнѣздовьи, такъ и на пролетѣ, что указываетъ на ея движеніе вверхъ по р. Уралу. Кромѣ того, весною 1887 г. замѣченъ довольно сильный пролетъ и вверхъ по долинѣ Сакмары. Въ настоящее время ремезъ сдѣлался у насъ одною изъ самыхъ обыкновенныхъ птицъ. Въ виду рѣдкости пролетныхъ ремезовъ подъ Оренбургомъ, въ первые годы моего здѣсь пребыванія, слѣдуетъ заключить, что тѣ изъ нихъ, которые живутъ по словамъ Сабанѣева **) въ очень большомъ числѣ на восточныхъ склонахъ Пермскаго Урала, минуютъ во время пролета долину средняго теченія Урала. Весьма вѣроятно, что они направляютъ свою дорогу верхнимъ Ураломъ черезъ Орскъ на Сыръ-Дарью.

Accentor atrigularis, Brnd.

25.IX.87, добытъ мною одинъ экземпляръ въ «Рощѣ за Ураломъ», около самаго Оренбурга.

---

*) Ест. Истор. Оренб. края, ч. III.

**) Позвоночныя Средняго Урала.

Accentor modularis, Linn.

Втеченіе послѣднихъ трехъ лѣтъ мнѣ только одинъ разъ удалось встрѣтить лѣсную завирушку, именно: 27.X.87, въ лѣсу при устьѣ Сакмары.

*Galerita cristata, Linn.

3.VII.87 г. добытъ мною подъ Уральскомъ одинъ экз., несомнѣнно принадлежащій именно этому виду. По устнымъ свѣдѣніямъ хохлатый жаворонокъ (навѣрное G. cristata) попадается осенью около Самары.

Emberiza rustica, Pall.

15—20.IX.87 и 20—30.IX.88 гг. подъ Оренбургомъ наблюдались рѣдкія небольшія стайки этой овсянки.

Emberiza leucocephala, Gmel.

15.X.87 г. около Оренбурга поймана однимъ птицеловомъ ♀ этого вида. Ровно черезъ годъ на томъ же току и тѣмъ же птицеловомъ пойманъ другой экз., самка же.

Pyrrhula cineracea, Cab.

Сибирскій жуланъ въ довольно большомъ числѣ попадался подъ Оренбургомъ въ зиму съ 1887 на 1888 г.

Linota cannabina, Linn.

Въ послѣдніе 3 или 4 года коноплянка сдѣлалась очень обыкновенною и пролетною и гнѣздящеюся птицею въ окрестностяхъ Оренбурга.

*Linota Holboelli, Brehm?

Въ зимы 1886—1887, 1887—1888—изрѣдка попадались экземпляры крупнаго роста и съ очень большимъ клювомъ. Вѣроятно они принадлежатъ названному виду.

*Linota sibirica, Severtz.

Въ тѣ же зимы довольно часто наблюдалась сибирская чечотка въ стаяхъ обыкновенныхъ (окрестности Оренбурга и многія станицы въ долинѣ средняго теченія Урала).

Hirundo rustica, Linn.

Очень интереснаго альбиноса удалось мнѣ застрѣлить 13.VIII.88 въ окрестностяхъ Чебеняковъ на Сакмарѣ.

Это старая самка. Глаза розовые, клювъ и ноги розовато-бѣлые, когти бѣлые. Голова и шея очень свѣтлаго буланаго цвѣта, почти булано-бѣлаго; горловое пятно при нормальныхъ границахъ очень свѣтлаго ржавчатаго цвѣта, причемъ наиболѣе интенсивная окраска замѣчается по боковымъ его сторонамъ. Грудь и брюхо чисто-бѣлыя, по бокамъ съ слабымъ буланымъ оттѣнкомъ; нѣсколько перьевъ по срединѣ передней части груди съ свѣтло-ржавчатыми краями. Подхвостье бѣлое съ легкимъ едва замѣтнымъ буланымъ налетомъ. Нижнія кроющія крыльевъ очень блѣднаго ржавчатаго булано-бѣлаго цвѣта. Спина, подхвостье блѣдно-буланыя, болѣе темнаго цвѣта, чѣмъ голова. Верхнія кроющія крыльевъ еще болѣе темныя, особенно тѣ изъ нихъ, которыя лежатъ на крыловой перепонкѣ. Наружныя опахала и неприкрытые концы маховыхъ блѣдно-буланые; внутреннія опахала сѣро-буланыя, причемъ этотъ цвѣтъ наиболѣе напряженъ ближе къ стержнямъ и основаніямъ перьевъ. Рулевыя перья при вполнѣ нормальныхъ бѣлыхъ отмѣтинахъ сѣровато-буланыя съ почти бѣлыми наружными половинами (въ ширину) внѣшнихъ опахалъ.

Застрѣлить эту птичку стоило мнѣ очень большихъ трудовъ, такъ какъ нормально окрашенныя ласточки безпрерывно гонялись за нею и не давали ей ни отдыху, ни покою.

Anthus spinoletta, Linn.

15.IX.87 убитъ мною одинъ экземпляръ въ степи за Путоловскимъ оврагомъ, верстахъ въ двухъ отъ Оренбурга.

Anthus cervinus, Pall.

Въ послѣдніе три или четыре года краснозобая щеврица сдѣлалась чрезвычайно-обыкновенною птицею на осеннихъ пролетахъ. Весною же какъ и прежде она попадается не особенно часто. Окончаніе валоваго пролета осенью совпадаетъ обыкновенно съ началомъ пролета нижеслѣдующаго вида.

Въ 1886 г. осенью по наблюденіямъ Л. Калачева первыя прилетныя появились 15.VIII, валовой пролетъ былъ въ послѣдней трети этого мѣсяца.

Въ 1887 г. первая птица была мною замѣчена 21.VIII. Валовой пролетъ былъ 29.VIII—4.IX. Послѣдняя птица наблюдалась 27.IX.

Въ 1888 г. появились 8.VIII и сразу въ очень большомъ числѣ. Валовой пролетъ длился съ 20.VIII по 2.IX. Послѣдняя птица замѣчена 4.X.

Anthus pratensis, Linn.

Въ послѣднія пять лѣтъ съ каждымъ годомъ эта птица въ долинѣ средняго теченія Урала становилась все болѣе и болѣе рѣдкою на гнѣздовьи, которое въ 1888 г. подъ Оренбургомъ уже не было найдено. Въ окрестностяхъ нашего города она очень обыкновенна на пролетѣ, причемъ осенью попадается несравненно чаще, чѣмъ весною. Первыя пролетныя осенью появляются уже съ первыхъ чиселъ сентября, валовой пролетъ длился съ 15.IX по 15.X; одиночныхъ отсталыхъ находилъ до 27.X. Летитъ стаями, штукъ до 40 въ каждой; охотно жируетъ по огородамъ, сырымъ толокамъ, низменнолежащимъ степямъ и лугамъ съ вытравленною скотиною травою.

Самый лучшій отличительный признакъ между A. pratensis и A. cervinus для всѣхъ возрастовъ—присутствіе продолговатаго чернаго пятна на подхвостьѣ у послѣдняго вида.

Budytes viridis, Gmel.

На весеннихъ пролетахъ, какъ было это и раньше, B. viridis и въ послѣдніе годы встрѣчалась рѣдко. Нельзя однако сказать того же относительно пролета осенняго, такъ какъ и въ 1887 г. и въ 1888 г. эта птица была чрезвычайно многочисленна. Вѣрнѣе всего, что въ осени предыдущихъ лѣтъ я смѣшивалъ ее съ B. flavus, съ которой она обыкновенно летитъ вмѣстѣ, хотя и не совсѣмъ одновременно. О гибридахъ между B. viridis и B. flavus, между B. viridis и B. Rayi я сообщу со временемъ, въ отдѣльной статьѣ о видахъ рода Budytes.

Budytes citreola, Pall.

Въ 1887 г. найдена гнѣздящеюся въ луговой степи у лимановъ подъ Уральскомъ.

Budytes melanocephalus, Licht.

28.VIII.87 и 19.VIII.88 наблюдалось каждый разъ по одному экземпляру въ стаяхъ B. flavus подъ Оренбургомъ.

Вообще есть нѣкоторыя данныя думать, что этотъ видъ принадлежитъ къ птицамъ постепенно расширяющимъ къ сѣверу область своего гнѣздованія.

Budytes flavus, Linn.

12.VIII.88, въ окрестностяхъ селенія Уралка добытъ любопытный альбиносъ желтой трясогузки, ♂.

Глаза грязно-розовые; клювъ, тарзы и пальцы тѣлеснаго цвѣта; когти бѣлые съ буроватыми концами. Подхвостье и брюхо желтыя, нѣсколько болѣе блѣдныя, чѣмъ бываетъ это обыкновенно. Голова, шея, спина и вся грудь окрашены точно такъ же, какъ желто-бѣлыя канарейки, именно: мѣстами бѣлый цвѣтъ какъ бы просвѣчивается сквозь желтый, мѣстами—желтый сквозь бѣлый; всего бѣлѣе голова. Рулевыя перья (за исключеніемъ средняго лѣвой стороны, которое нормально окрашено) чисто-бѣлыя съ желтыми краями наружныхъ опахалъ. Маховыя перья (исключая 6, 7, 8 и 11 праваго крыла и 7, 8 и 9 лѣваго, которыя темно-сѣраго цвѣта) чисто-бѣлыя съ желтыми краями наружныхъ опахалъ, причемъ эти края особенно широки на самыхъ внутреннихъ махахъ; второе маховое праваго крыла съ чернымъ стержнемъ, темно-сѣрымъ основаніемъ, темно-сѣрою основною половиною наружнаго опахала и сѣрою стержневою половиною основной половины внутренняго опахала; на лѣвомъ же крылѣ темно-сѣрымъ цвѣтомъ окрашены: основныя двѣ трети и конецъ перваго пера, основаніе, наружное опахало и стержневая часть внутренняго опахала 5-го, пятно на концѣ наружнаго опахала 6-го. Нижнія и верхнія кроющія крыльевъ бѣлыя съ желтыми краями, причемъ нѣкоторыя изъ тѣхъ и другихъ цѣликомъ или отчасти окрашены въ нормальный цвѣтъ. Наконецъ, нѣсколько перьевъ на задней части спины, небольшой кучкой, сѣровато-зеленоваты. Эта птица добыта въ стаѣ обыкновенныхъ трясогузокъ и не было замѣтно, чтобы къ ней тѣ относились особеннымъ образомъ.

29.V.88 подъ поселкомъ Благословенкой добытъ альбиносъ, гнѣздившійся въ колоніи нормально окрашенныхъ B. flavus.

♂. Глаза буроватые, клювъ и ноги розовато-бѣлые, когти бурые съ черными концами. Окраска нормальная, но: 1) лобъ, передняя часть темени (немного дальше глазъ), надглазныя полоски, щеки, ушныя перья, нижняя часть головы, верхняя половина шеи (снизу и съ боковъ) ярко-бѣлые, 2) нижняя часть верхней стороны шеи ярко-желтая.

Кромѣ того у меня имѣются въ коллекціи гибриды между B. flavus и B. Rayi, между B. flavifrons и B. flavus, но о нихъ сообщу со временемъ.

Motacilla boarula, Pall.

31.VIII.87 добытъ одиночный экземпляръ въ Комендантскихъ лугахъ около Оренбурга.

20.IX.87 г. добыта парочка на Путоловскомъ оврагѣ, около Оренбурга же.

Troglodytes parvulus, Koch, et T. pallidus, Hume.

Изъ этихъ двухъ формъ только T. parvulus нормально встрѣчается въ нашей странѣ. Что же касается до T. pallidus, то случаи появленія его у насъ относятся къ высшей степени рѣдкимъ и исключительнымъ явленіямъ и я сильно сомнѣваюсь, чтобы онъ гнѣздился гдѣ бы то ни было въ предѣлахъ Оренбургскаго края. Со времени датъ нахожденія T. pallidus (см. «Орнитол. фауна Оренбургск. края»), онъ больше мнѣ не попадался. Вѣроятно появленіе его въ 1883 г. было отчасти вызвано тою же неизвѣстною причиною, которая двинула въ 1882—1883 гг. такъ много залетныхъ видовъ въ наши края.

Locustella fluviatilis, Wolf.

Послѣднія изслѣдованія мои показали, что рѣчная камышевка принадлежитъ къ очень обыкновеннымъ гнѣздящимся птицамъ всюду по среднему теченію Урала, низовьевъ Илека, по Чагану и по Сакмарѣ. Появляются въ послѣдней трети апрѣля и въ началѣ мая; валовой прилетъ и пролетъ длится иногда съ среднихъ чиселъ послѣдней трети апрѣля и числа до 5 мая, иногда 5—15.V.

Осенью сильное движеніе наблюдается съ среднихъ чиселъ іюля и до конца второй трети августа, послѣ чего камышевка попадается уже сравнительно очень рѣдко.

*Locustella straminea, Sev., et L. naevia, Bodd.

На основаніи своихъ послѣднихъ изслѣдованій я могу утвердительно сказать, что камышевка сверчокъ вовсе не рѣдкая птица въ нашей странѣ, какъ на пролетѣ, такъ и на гнѣздовьи. Она чрезвычайно многочисленна въ долинахъ средняго теченія Урала, низовьевъ Илека и Чингурлау, Чагана и низовьевъ Сакмары и въ иные годы (напр. 1887) на гнѣздовьи развѣ только немногимъ уступаетъ по своей численности столь обыкновенной у насъ Iduna caligata. Весною появляются 20—30.IV, валовой пролетъ 25.IV—1.V или 1—6.V. Осенью начинаетъ исчезать очень рано, какъ только окончательно разовьются птенцы. Послѣдняя птица замѣчена 10.IX.88.

Несравненно большая часть добытыхъ нами экземпляровъ принадлежитъ формѣ L. straminea по рѣзкой очерченности темныхъ пятенъ на спинѣ и по отношенію маховыхъ перьевъ, въ которыхъ въ громадномъ большинствѣ случаевъ второе короче четвертаго. L. naevia попадается весьма рѣдко, исключительно на весеннемъ пролетѣ (можетъ быть и на осеннемъ) и, какъ кажется, въ качествѣ случайно пролетно-залетныхъ экземпляровъ.

Cettia cetti, Marm.

Эта птица въ 1887 и 1888 г. была не особенно рѣдкою на гнѣздовьи въ окрестностяхъ Оренбурга.

* Acrocephalus agricolus.

3.V.88 г. добытъ въ талахъ около поселка Бёрды одинъ экземпляръ (♀). Этимъ ограничивается все, что я успѣлъ узнать относительно указаннаго вида, для нашей страны новаго.

Acrocephalus dumetorum, Blyth.

Acrocephalus palustris, Bechst.

Оба эти вида обыкновенны всюду по удобнымъ мѣстамъ въ долинѣ средняго теченія Урала, Илека и низовьевъ Чингурлау, Чагана и Сакмары.

Hypolais icterina, Vieill.

var. Mollessoni, Zarudnoi & Nasarov.

Изъ числа птицъ, собранныхъ С. С. Моллесономъ лѣтомъ 1887 г. на рр. Волгѣ, Камѣ, Бѣлой и Уфѣ, оказалось два экземпляра Hypolais (изъ окрестностей Тастубы), которые рѣзко отличались отъ типичнаго московскаго представителя H. icterina (коллекціи Н. С. Назарова). Различіе главнымъ образомъ касается величины и массивности клюва и ногъ у тастубинскихъ экземпляровъ, но оно настолько велико, что мы тогда же рѣшили описать ихъ въ качествѣ мѣстной породы H. icterina, присвоивъ ей названіе по имени лица, впервые ее нашедшаго. М. А. Мензбиръ, которому наши экземпляры были посланы для сравненія, отвѣчалъ, что по сравненіи имъ нашихъ экземпляровъ съ центрально-русскими и западно-европейскими относительно указанныхъ нами отличительныхъ признаковъ можно найти полный рядъ переходовъ по направленію съ запада на востокъ, но что описать Уфимскую форму H. icterina въ качествѣ мѣстной разновидности будетъ не безъинтересно.

Различіе H. Mollessoni и H. icterina typica хорошо выясняются на нижеслѣдующей таблицѣ измѣреній.

H. icterina typica ♂ 31/V. Москва.	H. Mollessoni ♀ 27/VI.87. Тастуба.	H. Mollessoni ♂ 29/VI.87. Тастуба.	РАЗМѢРЫ.
0,65″	0,71″	0,72″	Клювъ отъ лба до конца надклювья.
0,38	0,43	0,45	Клювъ отъ задняго края ноздри и до конца.
0,26	0,28	0,30	Ширина клюва у угловъ рта.
0,13	0,14	0,15	Высота клюва у подбородка.
0,3	0,33	0,33	Длина нижней челюсти отъ подбородка до конца.
0,14	0,16	0,18	Ширина клюва впереди ноздрей.
2,01	2,00	2,26	Длина хвоста отъ копчиковой железы и до конца.
3,04	3,00	3,14	Длина крыла.
0,78	0,83	0,81	Длина плюсны (tarsus) отъ голеннаго сочлененія и до основанія средняго пальца.
0,25	0,27	0,28	Длина задняго пальца сверху отъ основанія и до конца когтевой бородавки.
0,20	0,25	0,23	Длина его когтя по хордѣ отъ основанія и до конца.
0,47	0,53	0,51	Длина средняго пальца сверху отъ основанія и до конца когтевой бородавки.
0,17	0,21	0,20	Длина его когтя по хордѣ.

Кромѣ того толщина плюсны у H. Mollessoni почти на цѣлую треть больше, чѣмъ у H. icterina.

Такимъ образомъ даже самка нашего вида въ отношеніи размѣровъ клюва и ногъ гораздо крупнѣе и массивнѣе, чѣмъ самецъ типичной формы H. icterina. Хвостъ же и крыло самца этой последней правда нѣсколько болѣе длинны, чѣмъ у самки H. Mollessoni, но разница крайне незначительна. Что касается до сравнительныхъ размѣровъ маховыхъ перьевъ, то въ этомъ отношеніи никакихъ крупныхъ различій у сравниваемыхъ формъ не наблюдается. Не велики различія и въ цвѣтѣ, именно: наши птицы менѣе желты снизу и болѣе сѣроваты сверху, чѣмъ типичная H. icterina *). Цвѣтъ ногъ голубовато-свинцовый, а не бурый какъ у H. icterina.

Какая именно форма H. icterina попадается на пролетахъ подъ Оренбургомъ, я не могу сказать за недостаткомъ положительныхъ данныхъ. Одно лишь достовѣрно, что въ виду рѣдкости этого вида даже на пролетахъ въ долинѣ средняго теченія Урала и обилія его, по словамъ Моллесона, по рр. Уфѣ и Камѣ, онъ держится Волжскаго пути пролета, почти цѣликомъ минуя Уральскій.

Подробнѣе на отличительныхъ признакахъ H. icterina var. Mollessoni мы остановимся въ ближайшемъ будущемъ, когда получимъ большій матеріалъ для сравненія.

Phylloscopus sibilatrix, Bechst.

Въ послѣдніе два года эта пѣночка и на пролетахъ подъ Оренбургомъ вовсе не наблюдалась. Не подлежитъ сомнѣнію, что главная пролетная дорога ея для лѣсистой Башкиріи, Оренбургской, Уфимской, Пермской и Вятской губерній лежитъ по Камѣ и Волгѣ.

Phylloscopus trochilus, Linn.

Группа Ph. trochilus въ Оренбургскомъ краѣ заключаетъ три формы: P. trochilus болѣе или менѣе типичную, P. viridula, Ehrb., P. Eversmanni, Bnp., причемъ всѣ три такъ тѣсно связаны другъ съ другомъ, что скорѣе заслуживаютъ названія не разновидностей, а лишь типовъ личныхъ измѣненій.

---

*) Что, быть можетъ, зависитъ и отъ выгоранія перьевъ, т. к. оба экземпляра H. Mollessoni добыты въ концѣ іюня, экземпляръ же H. icterina мѣсяцемъ раньше.

? * Acanthopneuste viridanus, Blyth.

Ставлю вопросительный знакъ потому, что не убѣжденъ въ правильности опредѣленія и невозможности смѣшенія этого вида съ столь близкимъ къ нему A. plumbeitarsus, Swinh., который существенно отличается только двумя свѣтлыми полосками на верхнихъ кроющихъ крыла. У большинства моихъ экземпляровъ только одна полоска, какъ у A. viridanus; лишь у немногихъ есть намеки на вторую въ видѣ едва болѣе свѣтлыхъ, слегка желтоватыхъ кончиковъ послѣднихъ малыхъ кроющихъ крыла сверху. Съ другой стороны всѣ мои экземпляры были добыты весною, вслѣдствіе чего отсутствіе второй полоски могло зависѣть отъ обсѣканія перьевъ и ихъ выгоранія; осеннихъ же у меня въ настоящее время не имѣется.

До 1886 года появленіе этого вида въ окрестностяхъ Оренбурга носило характеръ залетовъ, но весною 1887—1888 гг. здѣсь наблюдался для этого вида настоящій и притомъ довольно сильный пролетъ (особенно въ 1887). Первыя птицы въ 1887 были замѣчены 9-го мая, когда уже окончился валовой пролетъ всѣхъ остальныхъ нашихъ пѣночекъ; всего чаще онѣ наблюдались во второй трети этого мѣсяца и въ первыхъ числахъ послѣдней; попадались одиночками, парочками и небольшими обществами, штукъ до 10 въ каждомъ; главная масса направлялась вверхъ по Сакмарѣ и сравнительно лишь небольшая часть—вверхъ по Уралу; во время остановокъ держались главнымъ образомъ по деревьямъ большой и средней величины, хотя и попадались какъ въ талахъ, такъ и по мелкимъ кустамъ; осенью 1887 г. эта птица встрѣчалась рѣдко, именно въ послѣднихъ числахъ августа въ «Рощѣ за Ураломъ». Въ 1888 г. первыя прилетныя показались 26.IV, осенью наблюдались съ 27.VII по 12.VIII.

С. С. Моллесонъ привезъ два экземпляра нашей птицы изъ окрестностей Тастубы, гдѣ она гнѣздится въ смѣшанныхъ лѣсахъ.

* Acanthopneuste borealis, Blas.

Единственный экземпляръ моей коллекціи былъ добытъ 2.X.87 въ лѣсу при устьѣ Сакмары.—Онъ перелеталъ съ дерева на дерево вмѣстѣ со стайкой черныхъ синицъ.

* Reguloides proregulus, Pall.

Осенью 1887 г. мнѣ снова *) пришлось встрѣтиться съ этимъ видомъ около Оренбурга и притомъ при такихъ условіяхъ, которыя заставляютъ предполагать что-то въ родѣ настоящаго пролета, именно: 3.X наблюдалась парочка въ «Протопоповской рощѣ», 4.X стайка штукъ изъ пятнадцати, въ которой кромѣ того было нѣсколько экземпляровъ королька; тогда же замѣченъ одинъ экземпляръ въ стаѣ Parus ater; судя по характерному писку этой птички, она нѣсколько разъ наблюдалась и въ «Рощѣ за Ураломъ», именно 28.IX—2.X. Жаль, что не удалось прослѣдить направленіе пролета.

Осенью 1888 г. снова появился подъ Оренбургомъ, но въ меньшемъ числѣ: 3.X добытъ одинъ экземпляръ въ «Рощѣ за Ураломъ»; 23.X добытъ одинъ изъ числа пяти въ тальниковой поросли подъ поселкомъ Нѣженка.

Reguloides Humei, Brooks et
* R. superciliosus, Gm.

Экземпляры: 11.X.85, 5.X.84 и 25.IX.85 въ статьѣ о R. Humei въ моей «Орнит. ф. Оренб. края», принадлежатъ виду R. superciliosus. Кромѣ того этотъ послѣдній былъ добытъ 29.IX.87 въ лѣсу Губернаторскихъ луговъ, гдѣ леталъ въ сообществѣ нѣсколькихъ корольковъ, которые вѣроятно и сманили его съ его настоящей пролетной дороги; затѣмъ еще одинъ разъ, именно 23.X.88 встрѣтился въ стаѣ Phyll. tristis въ рощѣ около Нѣженки.

Что касается до R. Humei, то эта птица мнѣ больше никогда не попадалась.

Sylvia affinis, Blyth et
* S. curruca, Linn.

Матеріалъ, которымъ пришлось Θ. Д. Плеске пользоваться для провѣрки моихъ экземпляровъ группы S. curruca, былъ крайне не достаточенъ для того, чтобы категорически рѣшить, какія именно формы этого вида живутъ въ нашей странѣ. По странному и случайному стеченію обстоятельствъ всѣ три находившіеся у него въ

---

*) Добытъ былъ въ 1879—1884 гг., но когда именно—не помню.

рукахъ образчика оказались принадлежащими S. affinis,—формѣ, которая у насъ встрѣчается довольно рѣдко какъ на гнѣздовьи, такъ и на пролетахъ. S. affinis отъ S. curruca существенно отличается крыловыми формулами, которыя для первой выражаются, какъ 6>2>7, а для второй—, какъ 5>2>6.—Крыловыя формулы экземпляровъ моей, Моллесона и Шукшинцева коллекцій выражаются слѣдующимъ образомъ *).

3=4>5=2>....... въ 5 случаяхъ.
3=4>5>2>6>.... въ 9 »
3>4>5>2>6>.... въ 21 »
3>4>2>5>. .... . въ 9 »
3=4>5>6>2>.... въ 6 »
3=4=5>6=2>.... въ 5 »
3>4>5>6=2>.... въ 4 »
4>3>5>6>2>.... въ 1 »
3>4>2=5>....... въ 2 »

Слѣдовательно въ числѣ 62 характерныя для S. curruca формулы (5>2>6>) или такія, которыя отдаляютъ ее отъ S. affinis (5=2, 4>2>5) повторяются 46 разъ; формулы, которыя приближаютъ S. curruca къ S. affinis (6=2)—9 разъ; наконецъ, формулы, характерныя для S. affinis (6>2>7)—7 разъ.

Если позволительно на основаніи столь незначительнаго матеріала выражать въ процентахъ численность каждой формулы, то мы получаемъ:

Вообще изъ группы S. curruca въ Оренб. краѣ живетъ:

типичныхъ............ 74,19%
переходныхъ.......... 14,52%
S. affinis............. 11,29%

Сравнительно частое нахожденіе въ нашей странѣ переходныхъ формъ (у которыхъ 2-е маховое=6) находится въ связи съ тѣмъ обстоятельствомъ, что именно въ ней находится одна изъ границъ между областями географическаго распространенія европейской S. curruca и азіятской S. affinis.

*) Въ разсчетъ приняты только экземпляры съ вполнѣ развитымъ опереніемъ и исключительно весенняго или лѣтняго сбора.

Nemura cyanura, Pall.

14.XI.87 г. добытъ одинъ экз. въ «Рощѣ за Ураломъ», около Оренбурга.

*Daulias Hafizi, Sew.

24.V.88 около Оренбурга добытъ соловей (♀) именно этого вида и безъ сомнѣнія въ качествѣ случайно залетнаго экземпляра.

Подъ именемъ D. luscinia въ рукописи былъ приведенъ одинъ изъ типовъ личныхъ измѣненій D. philomela, Bechst.

*Pratincola Hemprichi, Ehr.

18.VI.87 г. найдена парочка, гнѣздившаяся въ сухой луговой мѣстности по Уралу, невдалекѣ отъ устьевъ р. Чингурлау. Молодые были на взлетѣ.

Ruticilla erythronota, Eversm.

3.X.88 г. Добытъ старый ♂ въ тальниковой поросли въ урочищѣ Покосномъ за поселкомъ Благословенка.

BUPRESTIS NIKOLSKII, sp. n.

Par

André Sémenow.

Cette nouvelle espèce a peu de rapports avec celles, qui me sont connues dans ce genre.

Comparée à la *Buprestis flavopunctata* De G. (*flavomaculata* F.) dont elle a à peu près la forme et la grandeur, elle est moins large et un peu plus convexe. Les antennes sont encore plus longues et plus grêles. Les palpes maxillaires sont à dernier article moins cylindrique, sensiblement dilaté et un peu renflé au bout, nettement tronqué au sommet. Les mandibules sont noires, lisses, très luisantes et nullement pubescentes, comme c'est le cas dans la *flavopunctata*, avec une tache jaune assez grande qui est située à leur base vers le côté, se prolongeant un peu en dessous de chaque mandibule et formant un ovale transverse allongé; l'espace occupé par cette tache est sparsément ponctué. Le labre est noir, brunâtre à sa base, garni de poils assez longs antérieurement. La tête est bien moins large que dans la *flavopunctata*, un peu plus allongée, d'un vert métallique assez clair et un peu olivâtre, ornée de chaque côté du front d'une longue bande jaune très étroite, qui longe le bord intérieur de l'oeil et forme une forte courbe en dedant dans sa partie antérieure; en outre on remarque de chaque côté du dessous de la tête une grande tache jaune irrégulière qui atteint la partie inférieure de l'oeil et le bord antérieur du prosternum. La surface de la tête, ainsi que le dessous sont assez fortement ponctués, mais les points sont plus écartés au vertex que dans la *flavopunctata*; le sillon longitudinal du vertex est plus apparant, il atteint le bord antérieur du pronotum; l'épistome est coupé carrément, ne laissant point à découvert l'articulation membraneuse de la base du labre, comme c'est le cas dans la *flavopunctata*. Les yeux sont sensiblement plus grands, plus larges, en ovale régulier. Le pronotum est moins large, moins trapéziforme, quoique beaucoup plus étroit en avant qu'à sa base; les côtés sont sensiblement arrondis, ce qu'on ne remarque point dans la *flavopunctata*; la marge latérale est interrompue au milieu, complétement effacée vers les angles antérieurs; ceux-ci sont beaucoup moins avancés, le bord antérieur n'est presque pas sinué; la base l'est assez sensiblement de chaque côté et son milieu est un peu prolongé en arrière; les angles de la base ne sont point arrondis au sommet qui est aigu, mais nullement ressortant sur le côté. La surface du pronotum est tout aussi fortement ponctué comme dans la *flavopunctata*, sauf un assez large espace de la ligne médiane, qui est imponctué et parfaitement lisse; cet espace qui est à peine marqué dans la *flavopunctata*, est très nettement limité dans la *Nikolskii*; il longe le milieu du disque et atteint les deux extrémités du pronotum; la ponctuation du reste de la surface est composée de points un peu plus petits, beaucoup plus écartés, distribués plus régulièrement et plus uniformement que dans la *flavopunctata*. La couleur dominante du pronotum est celle de la tête, c'est à dire d'un vert bronzé plus vif et moins bleuâtre que chez la *flavopunctata*; la couleur jaune y est plus largement développée que dans cette dernière espèce, notamment outre une bordure latérale il y a encore une bande jaune assez large, parfaitement rectiligne au milieu du disque, où elle remplit l'espace lisse de la ligne médiane et atteint avec celui-ci les deux extrémités du pronotum; la bordure latérale est beaucoup plus large que dans la *flavopunctata*; elle atteint aussi les deux bords (antérieur et postérieur) du pronotum, enveloppe la partie postérieure de l'épipleure prothoracique et longe immédiatement le bord interne de celle-ci. L'écusson est deux fois plus petit que dans la *flavopunctata*, principalement plus court, fortement impressionné à sa base. Les élytres sont un peu plus larges et 3 fois $^{1}/_{2}$ plus longs que le pronotum, à peine dilatés sous l'épaule, légérement sinués au niveau des hanches postérieurs, un peu brusquement rétrécis vers l'extrémité, celle-ci est tronquée plus obliquement, munie d'une assez forte dent à l'angle externe, légérement arrondie vers l'angle sutural, qui est obtus, privé de dent terminale qu'on y trouve dans la *flavopunctata*; la partie arrondie de l'extrémité est pourvue de quelques petites dents à peine perceptibles. La surface des élytres est peu convexe; les stries sont bien marquées, tout aussi densément ponctuées comme dans la *flavopunctata*; les interstries sont un peu plus convexes que dans cette dernière espèce et leur ponctuation est moins apparente, notamment les points étant beaucoup plus petits et moins nombreux; la base de chaque élytre est pourvue d'un gros cal ou replie inégale et un peu ondulée, qui longe le bord basal dès l'écusson jusqu'à l'angle huméral. La couleur dominante des élytres dans l'unique individu de la *Nikolskii* que je possède est le jaune qui est ordinairement beaucoup moins développé dans la *flavopunctata*; ce n'est que l'espace entre la suture et la 2-ème strie, une tache allongée d'une forme irrégulière, située après l'épaule, une large bande transversale, située au milieu de l'élytre et fortement dilatée vers le bord latéral, une fascie transversale en zigzag au-delà du milieu et enfin le bout de l'élytre qui sont d'un vert bleuâtre plus foncé que sur la tête et le pronotum, mais bien plus clair et plus vif que dans la *flavopunctata*. Le dessous du corps est coloré conformément, mais le vert est encore plus éclatant que dans cette dernière; les segments abdominaux sont tachetés de jaune à peu près comme dans la *flavopunctata*, mais les 3 derniers segments ventraux n'ont de chaque côté qu'une petite tache, tandis que les deux autres en ont de chaque côté deux; la tache externe du 1-er segment est dilatée en une bande qui longe le bord latérale de ce segment; les parties de la poitrine et les coxes sont aussi çà et là tachetées de jaune; tous les fémurs ont une grande tache allongée de la même couleur à leur bord interne. Tout le dessous du corps est finement aciculé-ponctué, mais cette ponctuation est beaucoup plus faible que dans la *flavopunctata*, notamment les points sont beaucoup plus petits, moins profonds et bien moins denses; au milieu du 1-er segment abdominal ainsi que au milieu de la partie postérieure du prosternum les points sont si peu nombreux et si petits que ces parties se présentent presque lisses. Le 1-er segment abdominal est un peu aplati, mais nullement creusé dans son milieu; le dernier segment est sensiblement sinué, mais nullement denté au bout. L'abdomen, sauf le dernier segment, est dépourvu de pubescence. Le milieu du prosternum est assez convexe, sans trace d'un sillon longitudinal q'on y remarque ordinairement dans la *flavopunctata*; le sillon longitudinal du métasternum est raccourci postérieurement. Les épisternes postérieurs sont un peu plus étroits que ceux de la *flavopunctata*.

Long. 18, larg. 6 3/4 mm.

L'unique individu ♂ de cette belle espèce fut découvert en 1886 par **Mr. A. M. Nikolsky** pendant son voyage aux bords du lac Aral; il me manque malheureusement une indication plus précise sur l'habitat de cette intéressante espèce. Je me fais un vrai plaisir en la dédiant à notre infatigable voyageur et savant distingué.

St.-Pétersbourg,
Décembre 1888.

APERÇU

DES GENRES PALÉARCTIQUES DE LA TRIBU DES ANCHOMENIDES

(famille des Carabiques).

Par

André Sémenow.

Ayant décrit tout récemment *) quelques genres nouveaux de la tribu des *Anchoménides*, je crois utile de présenter ici un tableau synoptique de tous les genres de cette tribu, qui appartiennent à la faune paléarctique. Ce tableau n'aura pour but que de mieux trancher les principaux caractères de mes nouveaux genres et d'apprécier leurs affinités générales avec les genres déjà connus.

J'y ai dû introduire aussi quelques genres japonais qui me sont fort peu connus, mais qui présentent une grande affinité avec ceux du nord de la Chine et du Thibet oriental; je les considère comme appartenants aussi à la faune paléarctique, d'autant plus que la faune de l'archipel japonais se rattache étroitement à celle du littoral oriental du continent asiatique.

Ne connaissant la plupart des *Anchoménides* japonais que d'après les descriptions de Mr. **Bates**, il m'était assez difficile de s'en faire une idée complête et exacte; il s'en suit que les caractères différentiels que j'ai pu choisir pour ces genres sont parfois un peu obscurs ou superficiels.

Ayant adopté pour limites de la tribu en question les caractères exposés par **Lacordaire** dans son «Genera des Coléoptères»

---

*) Horae Soc. Ent. Ross. XXIII. (Sous presse).

(t. I, p. 338) j'ai dû en retirer les *Pogonides*, qu'introduit aussi dans cette tribu Mr. le Dr. **Seidlitz** dans la nouvelle édition de sa «Fauna Baltica», mais qu'il serait plus naturel de considérer comme formant une tribu spéciale, comme l'a fait déjà **Lacordaire.** Quant au genre *Omphreus* Dej., qu'on rangent dernièrement dans les Catalogues en tête des *Anchoménides*, ce genre me parait être trop aberrant pour être classé dans cette tribu comme aussi dans celle des *Pogonides*.

Tribus Anchomenidae (Lacord.).

CONSPECTUS

generum faunae palaearcticae.

1.—Corpus supra et subtus pubescens. Palpi articulo ultimo apice subacuminato. Tarsi antici ♂-ris articulis 3 vix dilatatis, subtus vix squamulosis. Unguiculi simplices.—Typus: *Chl. gracilicollis* Jak.—g. **Chlaeniomimus** m.

1.—Corpus glabrum.—2.

2.—Labrum profunde angulatim excisum, bilobatum. Mandibulae infra apicem dente magno acuto munitae. Antennae articulo 1° tertio ceterisque longiore, apicem versus subincrassato. Mentum dente medio nullo. Tarsi antici ♂-ris articulis 3 fortiter dilatatis.—Typ.: *Z. Schaumi* Woll.—g. **Zargus** Woll.

2.—Labrum aut recte truncatum, aut modice sinuatum, haud bilobum. Mandibulae apice simplices.—3.

3.—Tarsorum aut omnium, aut tantum anticorum articulus 4-us plus minusve bilobatus vel bifidus.—4.

3.—Tarsorum omnium articulus 4-us apice vel recte truncatus, vel simpliciter emarginatus.—8.

4.—Antennae articulis 2 basalibus glabris, 3° quarto distincte longiore—5.

4.—Antennae articulis 3 basalibus glabris.—6.

5.—Mandibulae et maxillae valde elongatae et curvatae. Facies gen. *Anchomenus* (ex **Bates**).—Typ. *O. sinensis* Bates—g. **Onycholabis** Bat.

5.—Mandibulae modice elongatae, apice tantum leniter curvatae. Tarsi supra medio profunde sulcati.—Typ. *C. Genei* Bassi.—

g. **Cardiomera** Bassi.

6.—Unguiculi basi fissi, longe spinoso-producti (ex **Lacordaire** et **Bates**)—Typ.: *D. femoralis* Chaud.—g. **Dicranoncus** Chaud.

6.—Unguiculi basi integri.—7.

7.—Tarsi antici articulo 4° apice plus minusve bifido vel bilobato, postici art. 4° saepissime simpliciter emarginato, interdum fere recte truncato.—Typ.: *C. splendens* Mor. etc.—g. **Colpodes** (Mac-Leay) Chaud.

7.—Tarsi omnes articulo 4° fortiter bilobato. Elytra apice integra, rotundata. Statura gen. *Lebia* (ex **Lacordaire** et **Bates**).—Typ.: *E. Batesi* Har.—g. **Euplynes** Schm.-Goeb.

8.—Antennae articulo 3° primo et quarto distincte longiore. Prosternum processu intercoxali apice haud declivi, saepissime tenuiter marginato.—9.

8.—Antennae articulo 3° primo et quarto haud vel vix longiore—13.

9.—Caput inclinatum, fere verticale. Forma corporis valde angusta, parallela, perfecte cylindrica. Tarsi omnes supra glabri, externe haud sulcati. Unguiculi simplices.—Typ. *St. cylindrica* m.—g. **Stenolepta** m.

9.—Caput parum vel non inclinatum. Forma latior, haud vel vix cylindrica.—10.

10.—Tarsi omnes supra glabri, postici externe interdum sulcati. Unguiculi intus laeves.—11.

10.—Tarsi omnes supra plus minusve pubescentes, externe haud sulcati. Unguiculi modo serrati, modo laeves.—12.

11.—Trochanteres postici acuminati, in ♂ valde spinoso-producti. Corpus alatum.—Typ.: *Sph. leucophthalmus* L.—g. **Sphodrus** (Clairv.) Schauf.

11.—Trochanteres postici obtusi. Corpus apterum—g. **Taphoxenus** Motsch. (nec Schauf.).

a.—Tarsi postici et intermedii supra medio profunde sulcati, utrinque carinulati sulculoque duplici instructi.—Typ.: *T. Ghilianii* Schaum—subg. Sphodropsis Seidl.

a.—Tarsi postici et intermedii externe plus minusve uni- vel bisulcati, medio vel omnino laeves, vel tenuiter striolati—b.

b.—Tarsi antici ♂-ris haud dilatati, subtus glabri, interdum singulis articulis interne dilatato-productis.—Typ.: *T. Goliath* Fald.—subg. Taphoxenus Schauf.

b.—Tarsi antici ♂-ris articulis 3 distincte dilatatis, subtus squamuligeris.—Typ.: *T. Tillesii* Fisch.—subg. Pseudotaphoxenus Schauf.

12.—Trochanteres postici acuminati—g. **Aechmites** Schauf. (sensu lat.).

a.—Tarsi antici ♂-ris subtus glabri.—Typ.: *Ae. conspicuus* Waltl.—subg. Aechmites Schauf. (in sp.).

a.—Tarsi antici ♂-ris subtus squamuligeri.—Typ.: *Ae. picicornis* Dej.—subg. Sphodroides Schauf.

12.—Trochanteres postici obtusi—g. **Laemosthenes** Bon.

a.—Tarsi antici ♂-ris subtus glabri.—Typ.: *L. cimmerius* Fisch.—subg. Pseudopristonychus Schauf.

a.—Tarsi antici ♂-ris subtus squamulosi.—b.

b.—Tarsi postici articulo basali subtus glabro. Corpus apterum. Unguiculi modo laeves, modo serrati.—Typ.: *L. alpinus* Dej.—subg. Cryptotrichus Schauf.

b.—Tarsi postici articulo basali subtus plus minusve pilosulo—c.

c.—Corpus alatum. Tarsi antici ♂-ris subtus squamulosi.—d.

c.—Corpus apterum.—e.

d.—Unguiculi pectinati. Tibiae anticae apicem versus nonnihil incrassatae.—Typ.: *L. caspius* Mén.—subg. Platynomerus Fald.

d.—Unguiculi tantum basi breviter serrati.—Typ.: *L. venustus* Dej.—subg. Laemosthenes Bon. (in sp.).

e.—Corpus nigrum, vel nigro-piceum; elytra modo caerulea, modo nigra.—Typ.: *L. terricola* Herbst.—subg. Pristonychus Dej.

e.—Corpus et elytra plus minusve piceo-testacea.—Typ.: *L. cavicula* Schaum.—subg. Antisphodrus Schauf. *).

13.—Unguiculi interne serrati aut pectinati.—14.

13.—Unguiculi simplices, interne laeves.—26.

14.—Palpi labiales articulo ultimo securiformi.—15.

14.—Palpi labiales articulo ultimo subovali vel subcylindrico.—16.

---

*) Je suis parfaitement de l'avis de Mr. E. Reitter (Deutsch. ent. Zeitschr. 1887, p. 254) que les différences entre les *Pristonychus* et les *Antisphodrus* sont trop faibles pour qu'on puisse considérer ces derniers comme formant un sous-genre spécial et je n'admet le nom *Antisphodrus* que pour le groupement des espèces qui sont assez nombreuseses dans le sous-genre *Pristonychus*.

15.—Tarsi postici et intermedii utrinque bisulcati (ex **Bates** et **Morawitz**).—Typ.: *Cr. nitida* Motsch.—g. **Crepidactyla** Motsch.

15.—Tarsi postici et intermedii externe tenuiter carinulati, sulculo fere nullo.—Typ.: *S. nivalis* Panz.—g. **Synuchus** Gyll. (Taphria auct.).

16.—Tarsi antici ♂-ris subtus haud squamulosi.—Typ.: *A. piceus* Marsh.—g. **Amphigynus** Halid.

16.—Tarsi antici ♂-ris subtus squamulosi.—17.

17.—Tarsi supra pubescentes. Trochanteres postici breves (ex **Putzeys**).—Typ.: *C. sphodroides* Woll.—g. **Calathidius** Putz.

17.—Tarsi supra glabri.—18.

18.—Tibiae posticae ♂-ris ante apicem intus excavatae, dense squamuloso-hirsutae.—Typ.: *Th. insignis* Chaud.—g. **Therscelis** Putz.

18.—Tibiae posticae in utroque sexu simplices.—19.

19.—Tarsi intermedii et posteriores utrinque aut externe plus minusve uni- vel bisulcati.—20.

19.—Tarsi intermedii et posteriores utrinque haud sulcati, laeves—25.

20.—Tarsi omnes longissimi, posteriores tibiis distincte longiores. Mentum dente medio obtuso, integro. Prosternum immarginatum. Unguiculi usque ad apicem longe pectinati.—Typ.: *M. Potanini* m.—g. **Morphodactyla** m.

20.—Tarsi minus elongati, postici tibiis breviores vel subaequales—21.

21.—Mentum dente medio integro, acuto.—22.

21.—Mentum dente medio plus minusve bifido vel emarginato.—23.

22.—Prosternum processu apice immarginato (?) Elytra postice non sinuata, late rotundata; stria scutellari abbreviata, indistincta. Forma brevis, fere gen. *Trechus* (ex **Heyden** et **Seidlitz**).—Typ.: *A. astur* Sharp.—g. **Anchomenidius** Heyd.

22.—Prosternum processu apice margine distinctissimo obducto. Elytra postice distincte sinuata, vix rotundata; stria scutellari elongata, omnino determinata. Tarsi antici ♂-ris articulis dilatatis elongato-quadratis. Forma elongata, gracilis.—Typ.: *D. hallensis* Schall.—g. **Dolichus** Bon.

23.—Genae productae, processum prominulum formantes. Oculi planulati, haud prominuli. Tarsi intermedii et posteriores externe unisulcati tenuiterque carinulati. Palpi articulo ultimo apice distincte truncato. Thorax angulis posticis late rotundatis. Corpus apterum. Forma elongata, gracilis. Statura gen. *Dolichus*, habitus fere subgen. *Antisphrodrus*.—Typ.: *P. Przewalskii* m.—g. **Paradolichus** m.

23.—Genae parum productae nec prominulae. Oculi plus minusve prominuli.—24.

24.—Tarsi 4 posteriores articulis 1° et 2° utrinque unisulcatis, supra glabri, subtus longe et dense pilosi. Palpi graciles, articulo terminali apice attenuato. Prosternum processu apice haud marginato. Metasternum episternis brevibus. Corpus elongatum, gracile, supra metallicum. Thorax elytris multo angustior (ex **Bates**).—Typ.: *E. aeneolus* Bat.—g. **Eucalathus** Bat.

24.—Tarsi 4 posteriores externe profunde bisulcati. Palpi articulo terminali apice subtruncato vel subrotundato. Corpus latius, minus gracile.—Typ.: *C. ambiguus* Payk. etc.—g. **Calathus** Bon. (incl.? *Pristodactyla* Bates).

25.—Mentum dente medio longitudinaliter sulcatulo, apice vix emarginato. Tarsi antici ♂-ris articulis dilatatis minus brevibus, 2° et 3° fere subquadratis, basi subrotundatis, vix transversis. Unguiculi basi tantum breviter serrati. Elytra subobsolete striato-punctulata. Corpus apterum. Statura gen. *Calathus*.—Typ.: *A. semirufescens* m.—g. **Acalathus** m.

25.—Mentum dente medio brevi, apice bifido. Tarsi antici ♂-ris articulis dilatatis brevibus et transversis, subcordatis. Unguiculi pectinati. Elytra profunde striata.—Typ.: *Pr. caucasica* Chd.—g. **Pristodactyla** Chaud. (species caucasicae).

26.—Mentum dente medio nullo vel breviter anguliformi. Palpi articulo ultimo apice acuminato.—Typ.: *O. rotundatus* Payk.—g. **Olisthopus** Dej.

26.—Mentum dente medio determinato.—27.

27.—Mentum dente medio apice emarginato. Tarsi postici et intermedii utrinque sulcati, supra subtiliter alutacei medioque excavati (ex **Bates**).—Typ.: *Tr. nikkoënsis* Bat.—g. **Trephionus** Bates.

27.—Mentum dente medio integro, acuto.—28.

28.—Tarsi antici ♂-ris articulis dilatatis brevibus, obliquis, apice intus productis. Prothorax planus, apice medio plus minusve lobiformi. Statura gen. *Calathus*.—Typ.: *Pl. ruficollis* Marsh.—g. **Platyderus** Steph.

28.—Tarsi antici ♂-ris articulis dilatatis oblongis, haud obliquis nec productis.—g. **Anchomenus** Bon.

a.—Caput vertice post oculos leviter transversim impresso. Antennae articulis 3 glabris.—b.

a.—Caput vertice haud impresso. Elytra humeris sensim prominulis.—d.

b.—Corpus apterum, valde deplanatum. Elytra humeris nullo modo prominulis, oblique rotundatis. Prothorax angustior, regulariter cordiformis, margine laterali reflexo, angulis basalibus acutis.—Typ.: *A. scrobiculatus* F.—subg. Platynus Bon.

b.—Corpus alatum. Elytra humeris latioribus, subprominulis.—c.

c.—Prothorax angulis posticis acutis.—Typ.: *A. assimilis* Payk.—subg. Limodromus Motsch.

c.—Prothorax angulis posticis obtusis, rotundatis.—Typ.: *A. livens* Gyll.—subg. Batenus Motsch.

d.—Corpus apterum. Tarsi postici laeves, articulo tantum basali externe obsoletissime vix sulcato. Prothorax postice omnino rotundatus, angulis basalibus nullis. Elytra humeris valde antrorsum prominulis, carinula basali ad scutellum valde obliquato-sinuata, ad humeros subangulata. Antennae articulis 3 glabris. Forma brevis.—Typ.: *A. humerosus* m.—subg. Agonopsis m.

d.—Corpus alatum. Elytra humeris sensim, at minus prominulis.—e.

e.—Tarsi omnes supra medio sulcati.—Typ.: *A. ruficornis* F.—subg. Anchomenus Bon. (in sp.).

e.—Tarsi omnes supra medio laeves.—f.

f.—Prothorax cordatus, angulis basalibus indicatis.—g.

f.—Prothorax angulis posticis omnino obtusis, plus minusve late rotundatis.—h.

g.—Antennae articulis 3 basalibus glabris.—Typ.: *A. cyaneus* Dej.—subg. Anchodemus Motsch.

g.—Antennae art. 2 basalibus glabris.—Typ.: *A. dorsalis* Pontopp.—subg. Clibanarius Gozis.

h.—Antennae art. 2 basalibus glabris.—Typ.: *A. piceus L.*—subg. Europhilus Chaud.

h.—Antennae art. 3 basalibus glabris.—Typ.: *A. marginatus* L.—subg. Agonum Bon. (incl. Tanystola Motsch.)

St. Pétersbourg,
Décembre 1888.

KURZE NOTIZEN

UEBER EINIGE RUSSISCHE BLAPS-ARTEN *).

von E. Ballion.

III. Artickel.

XL. *Blaps superstitiosa* Erichs. Die Beschreibung dieser Art bei Allard (Ann. d. Fr. 1881, pag. 166, № 28) stimmt nicht mit der Beschreibung von Küster (Käfer Eur. III, № 40 **). Allard schickte mir freundlichst zur Ansicht ein Männchen seiner *superstitiosa*, welches ihm zur Beschreibung gedient hatte. Auf dies Exemplar passt aber nicht Küsters Beschreibung; auch hat dasselbe gar keine Aehnlichkeit mit dem Exemplare, welches mir der verstorbene Harold als *Blaps superstitiosa* Er. mittheilte und auf welches Küsters Beschreibung vollkommen passt. Es unterscheidet sich scharf durch andere Sculptur der Flügeldecken und ganz andern Habitus. Das Allardische Exemplar (♂) hat einige Aehnlichkeit im Habitus mit *Bl. Requieni* Sol., ist aber plumper gebaut und die Flügeldecken enden mit zwei sehr kurzen Zähnchen; auch ist der Prosternal-Fortsatz gross und ganz anders gestaltet. Die Grösse giebt Allard auf 28 Millemeter Länge und 13 Mill. Breite an; nach Küster soll der Käfer aber 30 bis 36 Millm. lang und 13 bis 15½ Millm. breit sein. Mein von Harold erhaltenes Exemplar ist 31 Millm. lang und 14 Millm. breit. Ein ganz gleiches Exemplar schickte mir Allard zur Ansicht unter der Benennung *Rhizoblaps Strauchi* Reiche. Möglich dass Allard beim Ab-

---

*) V. Bulletin 1888, № 2, p. 276.

**) Die Original-Beschreibung von Erichson habe ich augenblicklich zum Vergleiche nicht zur Hand.

senden der Käfer eine unwillkürliche Verwechselung begangen; jedenfalls bin ich geneigt die *Rhizoblaps superstitiosa* Allards fur eine neue Art zu halten und nenne sie *Blaps algerica*.

XLI. *Blaps verrucosa* Adams. Wurde von Adams in den Mémoires d. l. Soc. Imp. d. Naturalistes d. Mosc. V (1817), pag. 305, № 23 beschrieben. Die Beschreibung ist ausführlich und in Betreff der Species dem Anscheine nach genau, jedoch in Betreff der Gattung räthselhaft. Gemminger und Harold setzen den Käfer in die Gattung *Blaps*, bemerken aber in Paranthesen—gen. dub.—Ich bezweifle auch sehr stark die Blapsnatur dieses Käfers und aus folgenden Gründen. Obgleich Adams sagt: „Magnitudine et habitu B. mortisagae simillima", so beweiset dies aber noch nicht im geringsten, dass seine *verrucosa* eine echte Blaps sei. Adams hat wenig oder zuweilen gar nicht die Gattungs-Merkmale in Betracht gezogen, was wir aus dem Umstande ersehen, dass er einen echten Carabiciden, namentlich *Pelobatus aurichalceus* auch als eine Blaps beschreibt. Von den Fühlhörnern der *verrucosa* sagt Adams: „Antennae.... nigri nigroque pilosi". Keine einzige Blaps hat schwarz behaarte Fühlhörner. Von dem Brustschilde sagt Adams: „Thorax... supraconvexus, disco elevatiore, tuberculis rotundis aequalibus dense adspersus"; eine solche Sculptur besitzt keine einzige Blaps-Art und ist überhaupt der Gattung nicht eigen. Von den Flügeldecken sagt Adams: „elytra.... singula striis viginti longitudinalibus e tuberculis rotundatis (verrucis) minoribus arcte dispositis exasperata, ad suturam majis distantibus, versus latera approximatis et halidioribus". Warzenförmige Höcker in Längsreihen auf den Flügeldecken finden sich auch nicht bei den Blaps. Endlich beschreibt Adams die Beine so: „Pedes elongati. Femora tibiaeque cylindrica verrucosa, pilis brevissimis rigidiusculi vestita; tarsis longius ciliatis." Aehnliche Beine finden sich hauptsachlich bei den Trigonoscelis-Arten. Ich bin daher geneigt die *Blaps verrucosa* Adams für eine Trigonoscelis zu halten. Von dieser Gattung besitze ich zwölf Arten, aber die Beschreibung der *verrucosa* passt auf keine von diesen.

XLII. *Blaps taeniolata* Ménét. Diese Art wurde von Ménétriés in seinem Catalogue raisonné, pag. 198, ziemlich nachlässig beschrieben. Es scheint dass Ménétriés nur auf die Sculptur der Flügeldecken Gewicht legt, denn er sagt: „elytris seriatimpunctatis, interstiis devatis costis utrinque duodecim." Weiter sagt er: „les elytres sont terminées par une pointe aigue, peu allongée." Von Geschlechts-Unterschieden und andern characteristischen Merkmalen kein Wort. Er vergleicht seine Art mit Bl. gages (gigas) Lin. und nicht mit gages Fisch., wie Allard sagt, was er schon deshalb nicht thun konnte, da sein Catalogue raisonné 1832 erschien, also zwölf Jahre früher als Fischers Spicilegium (1844). Später beschrieb Faldermann in seiner Fauna transcaucasica die Bl. taeniolata (Band II, pag. 44) viel ausführlicher. Von den Flügeldecken sagt er: „allenthalben fein, fast gereiht punktirt, Rippen breit, kaum erhaben, neun auf jeder Flügeldecke.“ Dies stimmt nicht ganz mit Ménétriés Worten—„costis utrinque duodecim“. Faldermann vergleicht seine *taeniolata* mit *Bl. ominosa* Mén. In den Horae Soc. entom. Ross. 1875 vergleicht Faust die *taeniolata* Mén. mit. *Bl. gigas* Lin. und spricht sich dahin aus dass die taeniolata nur Abanderung der gigas sei. Endlich erschien eine neue Beschreibung der *taeniolata* bei Allard (Ann. d. Fr. 1881, pag. 172). Diese Beschreibung stimmt im Wesentlichen mit der bei Faldermann, ergänzt sie sogar in mehreren Stücken, nur sagt er von den Flügeldecken: „paraissant lisses, mais offrant, à la loupe, des séries longitudinales de points fins et huit ou neuf cotes très légères, distinctes surtout dans la seconde moitié.“ Zu dieser Art setzt Allard als Synonym—*Blaps aegyptiaca* Sol. (Studi entom. I, pag. 330, № 26); wahrscheinlich nur auf Gemminger und Harolds Autorität, welche in ihrem Cataloge beide Arten vereinigen. Ob die *aegyptiaca* gute species oder nur Varietat einer andern Art ist, lasse ich unentschieden, da mir keine Exemplare aus Aegypten vorliegen. Solier sagt von seiner Art, dass sie sich sehr dem Weibchen der *Bl. gages* nähere und fuhrt nur die Unterschiede zwischen beiden Arten an. Diese Unterschiede können auch individuel sein und nicht specifisch. Solier besass nur ein defectes Weibchen.

XLIII. *Blaps producta* Brullé. Die Original-Beschreibung dieser Art bei Brullé in Exped. de Morée ist mir nicht bekannt und daher kann ich mich nur auf die Beschreibungen bei Küster, Solier und Mulsant stutzen. Diese drei Beschreibungen sind so ziemlich ubereinstimmend und man ersieht aus denselben, dass die *producta* eine selbstständige Art ist, obgleich sie grosse äusserliche Aehnlichkeit mit *Bl. gages* Lin. hat. Sie unterscheidet sich aber bestimmt von dieser Art durch den Mangel des Haarbüschels am Bauche des Mannchens. In den Ann. d. France, 1857, pag. 251 und 252 behauptet Reiche dass die *producta* Brullé weiter nichts ist als die *gigas* Lin. (gages, Fab.) sei und sagt, dass künftig als

Autor der *producta* nicht Brullé, sondern Castelneau genannt werden muss. In Folge dieser Behauptung setzen Gemminger und Harold in ihrem Cataloge die *producta* Brullé als Synonym zu *gages* Lin. Auch Allard vereinigt in seiner Monographie beide Arten. Ob Reiche in dieser Hinsicht recht hatte kann ich augenblicklich nicht beurtheilen, da mir das theure Werk—Exped. scient. de Morée nicht zur Hand ist. Solier erhielt die *producta* von Dejean selbst, welcher sie benannt, aber nicht beschrieben hatte. Solier kannte sehr gut auch die *gages*. Mulsant unterscheidet auch beide als selbstständige Arten. Bei der *Bl. producta* citirt Mulsant: „Casteln. Hist. nat. t. 2, pag. 200, 3.“ Dassebe Citat führt aber Allard bei seiner *Uroblaps lusitanica* (Ann. d. Fr. 1881, pag. 145, № 12) an. Die Beschreibungen der *producta* bei Solier, Mulsant und Küster ignorirt Allard vollständig, denn er citirt sie nirgends. Im Cataloge von Dejean (3-me Edition, pag. 209) steht: *producta* Dej. und als Fundort ist Süd-Frankreich angegeben. Marseul in seinem Catalogue des Coleoptères d'Europe, pag. 173, setzt zu *Bl. producta* als Auctor—Cast. und bezeichnet Süd-Frankreich, Spanien und Algier als Fundorte. Solier giebt Dejew als Auctor und die Provence, die Ost-Pyreneen und Spanien als Fundorte an. Eben so führt Küster Dejean als Autor an. Mulsant aber setzt Brullé zum Autor und giebt Süd-Frankreich als Vaterland an. Ob die *producta* Dej. auch in Griechenland vorkomme, ist mir nicht bekannt. Ich erhielt ein Päärchen, ♂ ♀, mit der Etiquette: „*Bl. gages, Andalusien*“. Auf diese beiden Käfer passt vollkommen die Beschreibung der *producta* bei Mulsant und noch mehr die Beschreibung bei Küster. Beide mir vorliegende Stucke haben grosse Aehnlichkeit mit *lusitanica* Hbrt., das Brustschild ist aber bedeutend breiter mit stärker gerundeten Seiten, die Naht ist hinter dem Schildchen auf kurzer Strecke eingedrückt, ganz so wie es Küster beschreibt u. s. w.

XLIV. *Blaps indagator* Reiche. Diese Art wurde von Reiche in den Ann. d. Fr. 1857, pag. 238, № 160, ziemlich ausführlich beschrieben, aber meiner Ansicht nach nicht genügend um mit Sicherheit darnach zu bestimmen. Gemminger und Harold führen in ihrem Cataloge diesen Käfer als selbstständige Art an. Dasselbe thut auch Marseul in seinem Cataloge, Allard hingegen setzt die *Bl. indagator* als Varietät zu *abbreviata* Mén.; ob mit Recht?—scheint mir zweifelhaft. Reiche giebt von seiner Art solche Merkmale an, welche auf *Bl. abbreviata* Ménét. nicht passen. Ich erhielt eine Blaps mit der Etiquette: „indagator Reiche, Appl. 1878, I. Beitmary". Dies Exemplar hat nur eine entfernte Aehnlichkeit mit *abbreviata* und passt nur theilweise zur Beschreibung von *indagator* bei Reiche. Ein ahnliches Päarchen, ♂ ♀, erhielt ich vor vielen Jahren vom verstorbenen Haag mit der Etiquette: „spec. nov. Libanon", und ein anderes ähnliche Päarchen fand ich in der Sammlung des Herrn Ed. Reitter, aus Syrien ohne Namen. Auch Dr. Krüper schickte mir ein Männchen aus Syrien.

XLV. *Blaps muricata* Fisch. Im vierten Hefte Seite 912 dieses Bulletins von 1887 gab ich eine kurze Notiz über *Bl. deplanata* Mén. und *Bl. muricata* Fisch. und bemerkte dass letztere Art aus der Zahl selbstständiger Arten zu streichen und als Synonym zu *Bl. deplanata* zu stellen sei. Als ich dieses niederschrieb, kannte ich die *muricata* nicht aus Autopsie und obgleich ich beim Vergleich der Beschreibungen der *deplanata* und *muricata* bei Ménétriés und Faldermann einige Verschiedenheiten fand, so legte ich wenig Gewicht auf diese Verschiedenheiten. Ich schenkte mein volles Zutrauen den Worten des H. Doctor Kraatz, welcher in der Deutschen entomol. Zeitschrift 1881, pag. 59, von diesen beiden Arten sagt: „*Blaps deplanata* Mén.*, Fald., Fisch. ist ein ♂ mit „langem mucro derselben Art wie: „*Blaps mucronata* Mén., Fald.*, „Fisch., ist ein ♀ mit ganz kurzem mucro.

„Beide Arten stammen von Baku und tragen die lfd. № 39 и 40".

Dies Zutrauen in die Zuverlassigkeit der Beobachtung konnte ich dem Herrn Dr. Kraatz nicht versagen, da ich ihn als einen ausgezeichneten Coleopterologen kenne, welcher viel über Blaptiden geschrieben und daher hielt ich ihn für eine competente Autorität in Bezug auf diese Käfer-Gruppe. Doctor Kraatz giebt mir aber in seinem Briefe vom 14 Februar dieses Jahres einen Fingerzeig nicht zu sehr seiner Autorität zu trauen, indem er mir folgendes schreibt: „Ich habe nie die Fischerschen Typen mit meiner Sammlung verglichen, sondern meine Notizen uber dieselben im Dresdener Museum (unvorbereitet) gemacht". Diese Äusserung bewog mich die beiden obengenannten Arten auf's Neue genauer zu untersuchen. Um sicher zu gehen wandte ich mich an Herrn A. Morawitz und dieser war so uberaus gefallig aus dem Museum der St. Peterbursger Academie der Wissenschaften mir ein typisches Exemplar der *deplanata* mit Ménétriés eigenhändiger Etiquette und ein anderes Exemplar mit der Etiquette—*muricata* Fisch. zur Ansicht zu schiken. Beide Exemplare sind Mannchen und beide vollkommen gleich in Grösse und

Habitus; der einzige Unterschied besteht nur darin dass die Flügeldecken bei der *deplanata* punktirt gestreift und bei der *muricata* gerunzelt sind und dass der Fortsatz bei *muricata* kaum etwas klaffend an der Spitze ist, bei *deplanata* aber bei ganz gleicher Lange bedeutend stärker klafft, was übrigens auch individuel sein kann. Beide Exemplare sind aus Baku und von Ménétriés selbst gesammelt. Vergleichen wir jetzt genauer die Beschreibungen dieser beiden Arten bei den Autoren. Die erste Beschreibung der *muricata* gab Ménétriés in Catalogue raisonné pag. 199, № 867 (1832). In der Diagnose heisst es: „Thorace subcylindrico, antico biimpresso, marginibus valde reflexis; elytris ovatis; antice deplanatis, muricatis, apice vix prominulis." In der kurzen nachfolgenden Beschreibung sagt Ménétriés, dass der Kafer „un peu moins dilatée" sei als *deplanata* und giebt seine Breite auf $6^1/_2$ Linien bei ein Zoll Länge an. Die *deplanata* (№ 866 a. a. O.) ist aber 5 bis $6^1/_2$ Linien breit bei ein Zoll bis 14 Linien Lange; folglich ist *muricata* nicht un peu moins sondern un peu plus dilatée als *deplanata*. Die Seiten des Brustschildes sollen bei *muricata*—valde reflexis—sein, bei *deplanata* aber nur—un peu relevés. Der Haupt-Unterschied liegt aber nach Ménétriés in den Flügeldecken; diese sind nämlich bei *deplanata*—seriatim punctatis, apice prominulis, bei *muricata* aber—muricatis, apicibus vix prominulis. In der kurzen französischen Beschreibung der ersten Art sagt Ménétriés: „les élytres sont couvertes de points dont la plupart est disposée en séries; leur pointe est assez saillante." Bei der *muricata* sagt er von den Flügeldecken: „les élytres sont recouvertes de rides assez serrées qui se croisent en tous sens." Von der *Bl. deplanata* hat Ménétriés wahrscheinlich ein Männchen beschrieben und von der *muricata* ein Weibchen.

Fünf Jahre später beschrieb Faldermann diese beiden Arten sehr ausfuhrlich in den Nouveaux Mémoires der Moskauischen naturforschenden Gesellschaft, Band V, pag. 45, № 316, *Bl. deplanata* und pag. 46, № 317, *Bl. muricata*. Diese Beschreibungen vervollständigen die Beschreibungen bei Ménétriés. Es finden sich aber auch einige Widersprüche. So z. B. sagt Ménétriés von der *muricata*: „thorace subcylindrico, marginibus valde reflexis." Faldermann aber: „thorace transverso, inaequali... lateribus explanato marginato." Auch Faldermann giebt die Sculptur der Flügeldecken als Haupt-Unterschied zwischen beiden Arten an. Es scheint, dass er von beiden Arten nur Weibchen vor sich gehabt habe, denn von dem Flügeldecken-Fortsatz bei *deplanata* sagt er—zugespitzt, kaum vorragend und von *muricata*—zugespitzt, wenig vorragend.

Im Spicilegium Entom. Rossicae (1844) giebt Fischer neue Diagnosen von *Bl. deplanata* (Pag. 75, № 76) und *Bl. muricata* (Pag. 76, № 78). Diese Diagnosen aber haben keinen reellen Werth, sind zu allgemein gehalten und können ebenso gut auch auf andere Arten angewandt werden: ausserdem finden sich bei ihm auch Widersprüche. So z. B. sagt er von Flügeldecken der *deplanata*—brevi mucronatis—und in der Ratio partium: long. mucronis 1³/₄ lin., lat. 1¹/₂ lin. Mucrones von 1³/₄ Linien können gewiss nicht kurz genannt werden und die angegebene Breite von 1¹/₂ Linien ist mehr als zweifelhaft. Bei *muricata* giebt Fischer die Länge des Flügeldecken-Fortsatzes auf nur ¹/₂ Lin., die Breite aber auf eine ganze Linie an. Die Grösse der *deplanata* giebt Fischer auf 13 Linien Länge und 6¹/₂ lin. Breite an, die der *muricata* auf 13 und 7. Der Haupt-Unterschied zwischen den beiden Arten besteht auch bei Fischer in der Sculptur Flügeldecken. Das Vaterland der *muricata* ist nach Fischer Ost-Sibirien und der Caucasus. Ich glaube, dass die Fischerschen Diagnosen können ganz unberücksicht bleiben.

Allard in seiner Monographie der Blaptiden der alten Welt (Ann. Soc. ent. d. France, 1881, pag. 516 und 517) führt auch diese beiden Arten an. Die *deplanata* beschreibt Allard nicht, er sagt nur: „Cette éspèce est extrêmement voisine de l'*holconota* Fisch., dont la description peut s'appliquer presque complèttement à elle." Weiter giebt er ein Paar Unterschiede zwischen diesen beiden Arten an, welche, meiner Ansicht nach, zu wenig characteristisch sind um nach diesen zu bestimmen. Von den Flügeldecken sagt er: „Les élytres sont unies et ne présentent pas de côtes, bien que les points dont elles sont couvertes forment parfois des séries longitudinales." Dieses ist nicht ganz richtig, denn die Flügeldecken sind immer punktstreifig und bei Exemplaren bei denen die Punkte starker eingestochen sind, zeigen sich die Zwischenräume der Reihen schwach rippenartig erhaben. Die Abbildungen, welche Allard von der *deplanata* giebt, sind ganz verfehlt. Von *Bl. muricata* giebt Allard keine von ihm verfasste Beschreibung, sondern wiederholt buchstablich die lateinische Beschreibung aus Faldermanns Werk. Nach Allard soll der Kafer auch bei Schachrud in Persien vorkommen. Das Exemplar welches mir Allard zur Ansicht mittheilte trägt einen Zettel mit dieser Angabe. Dies Exemplar, ein ♀, ist 32 mm (=14 lin.) lang und 14 mm. breit, also um ganze zwei Linien länger als Faldermann angiebt, sonst passt die Beschreibung Faldermanns ganz gut, nur bemerkt man, in gewisser Richtung betrachtet, auf den Flügeldecken sehr feine und sehr seichte Längsfurchen. Der Flügeldecken-Fortsatz ist auch etwas länger und mehr vorstehend als bei dem Weibchen von *deplanata*.

Aus allem obengesagten folgere ich das *muricata* Fisch. eine der *deplanata* Mén. überaus nahe stehende selbstständige Art und nicht das ♀ der letzteren ist.

XLVI. *Blaps vicina*. Diese Art wurde von Mannerheim benannt und von Ménétriés (Ins. rec. par Lehmann, □, pag. 19, № 443) beschrieben. Die Beschreibung ist ziemlich mangelhaft. So z. B. erwähnt Ménétriés der Fühlhörner gar nicht; über die Form des Prosternums und von den geschlechts-Unterschieden kein Wort; die Flügeldecken nennt er nur—parum caudatis. Er vergleicht den Käfer mit *Bl. seriata* Fisch., welcher er sehr nahe stehen soll, nur ist er viel kleiner und verhältnissmässig schmäler u. s. w. Die von Mannerheim gegebene Benennung—*vicina*, gefiel wahrscheinlich nicht H. Motschulsky und daher taufte er ohne weiteres den Kafer in *Agroblaps tenuepunctata* (Melanges biolog. □, p. 430) um. Solier hatte freilich fast zu gleicher Zeit (Studi ent. I, pag. 342, 1848) auch eine *Bl. vicina* beschrieben, welche aber wie Reiche in Ann. d. Fr. 1857, pag. 252 nachweiset, synonym von *Bl. nitens* Castln. ist. Die Beschreibung der *vicina* bei Ménétriés a. a. O. lasst Motschulsky ganz unberücksichtet und vergleicht seine Art nur mit seiner *putrida*. Motschulsky vergass nur den Umstand, dass um die *tenuepunctata* nach seiner vergleichenden Beschreibung richtig zu bestimmen, man durchaus ein richtig bestimmte Exemplar seiner *putrida* vor sich haben muss, was nicht Jedem möglich ist. Die *putrida*, wie viele andere russische Blaps-Arten, ist in den Sammlungen häufigh falsch bestimmt. Ich habe mehrere Male ganz verschiedene Arten als *putrida* bestimmt erhalten und dies ist ganz natürlich, wenn man bedenkt wie flüchtig Motschulsky seine Beschreibungen abgefasst hat. Bei Beschreibung der *tenuepunctata* sagt Motschulsky: „corselet très faiblement rétréci en arrière, ce qui lui donne une forme plus allongée que chez la *striatula*.“ Aber weder Motschulsky selbst, noch irgend ein anderer Entomologe, hat jemals eine *striatula* benannt oder beschrieben. Hier ist augenscheinlich ein schreibfehler und es soll heissen *striola*. Es bleibt also weiter nichts übrig als sich an Ménétriés zu halten. Herr A. Morawitz war so überaus freundlich mir auf meine Bitte ein Exemplar der *vicina* mit Ménétriés eigenhändiger Etiquette aus dem Museum der Kaiserl. Academie der Wissenschaften in St.-Petersburg zur Ansicht zu schicken. Dies Exemplar, ♀, passt nur theilweise zu der Beschreibung Ménétriés. Zwei ähnliche Weibchen theilte mir H. Faust als *vicina* mit. Diese sind aber matt und nicht glanzend wie das academische Exemplar. Zwei ganz gleiche Exemplare, ♂ ♀, erhielt ich vom See Baskan im Turkestanischen. In der Sammlung, welche mir H. Allard zur Ansicht schickte, befand sich ein Käfer als *vicina*, ♀, aus Baku. Dies Exemplar passt auch nicht zu der Beschreibung bei Ménétriés; es ist viel schmäler als das Exemplar der academischen Sammlung, das Brustschild anders geformt und der Flugeldecken-Fortsatz länger und feiner. Allard erhielt dies Exemplar von Faust mit untergestecktem Zettelchen von Faust's Hand: „M spec. ♂ Baku.“ Ich vermuthe dass Faust diesen Käfer nicht für die *vicina*, sondern für eigene Art hielt. Wie aber Allard denselben als *vicina* beschreiben konnte, weiss ich nicht.

XLVII. *Blaps tenuicollis* Sol. Wenn die Benennung eines Käfers charackteristich und passend gewahlt ist, so trägt sie bedeutend zur leichteren Erkennung und Bestimmung bei. Ist die Benennung aber der Art, dass sie gerade zu der Wirklichkeit widerspricht, so führt sie nur zu ärgerlichen qui pro quo. So ist es mit *Bl. tenuicollis*. Dem Sinne der Benennung nach muss das Brustschild dunn, schmächtig sein, was aber in Wirklichkeit nicht der Fall ist. Diese Art wurde von Solier in Studi entom. pag. 301 und später von Allard in Ann. d. Fr. 1881, pag. 509 beschrieben. Diese beiden Beschreibungen stimmen nicht ganz überein, denn obgleich Allard einige Phrasen dem Solier nachschreibt, so giebt er auch viel abweichendes. Von Brustchilde sagt Solier: „notablement plus étroit que les élytres, plan en dessus avec la partie antérieure un peu courbée vers le bas, un peu rétreci antérieurement, ensuite droit et parallel.“ Das wenig bezeichnende—notablement—wiederholt auch Allard, beschreibt aber die Form des Brustschides anders, er sagt nämlich: „arrondi lateralement en devant et un peu sinueux en descendant vers la base.“ Von der Grösse, d. h. Breite und Länge des Brustschildes sagt Solier nichts; in der Diagnose bemerkt er nur: „prothoroce leviter transverso.“—Allard sagt: „Prothorax d'un tiers environ plus large que long.“ Die Flugeldecken beschreibt Solier folgender Maassen: „Elytres à ponctuation très fine, à peine visible à la loupe et couvertes de petits rides transversales rendant les stries peu apparentes, surtout au milieu du dos.“ Folglich sind die Flügeldecken gestreift, obgleich wenig deutlich. Von diesen Streifen spricht Allard gar nicht, er sagt von den Flügeldecken nur: „Elles sont déprimées sur le dos et ponctuées de points trés fins, écartés, entremêlés de petites rides transversales.“ Solier vergleicht seine Art mit *Blaps Chevrolatii* (=*mucronata* Latr) und setzt nur hinzu—mais elle est un peu plus large. Allard vergleicht aber *tenuicollis* mit *Bl. abbreviata* Mén. und sagt: „Les élytres sont moins convexes, plus deprimées, et sont autrement ponctuées,“ aber wie anders punktirt, darüber kein Wort. In der Beschreibung der *abbreviata* sagt Allard aber: „sa ponctuation est très variable.“—Aus dem Vergleiche der Beschreibungen der *tenuicollis* bei Solier und Allard könnte man fast vermuthen, dass beide Autoren entweder verschiedene Arten vor sich gehabt oder dass beide ein und dieselbe Art gleich nachlassig beschrieben haben. Ob Solier ein Mannchen oder Weibchen beschreibt ist nicht zu ersehen, da er überhaupt über die Geschlechts-Verschiedenheiten schweigt. Allard scheint nur ein Exemplar vor sich gehabt zu haben, denn am Ende der Beschreibung frägt er: „Est-ce un mâle?“

Herr Allard war so gefällig mir die Typen der Arten, welche er in seiner Monographie der Blaptiden der alten Welt beschrieben, mir zur Ansicht zu schicken. Die *Bl. tenuicollis* seiner Sammlung ist Männchen und 23 Millemeter lang und 11 MM. breit und passt wenig zu der von ihm gegebenen Beschreibung. Ebenso wenig passt der mir vorliegende Käfer zu der Abbildung (Fig. 68) bei Allard. Von der Farbe sagt Allard „d'un noir terne“; das gesandte Exemplar ist hingegen ziemlich glänzend. Solier sagt nichts ob der Käfer matt oder glänzend sei. Die Beschreibung des Brustschildes passt auch wenig auf das gesandte Exemplar, welches an den Seiten in der vordern Hälfte flach gerundet und bedeutend nach vorn verengt ist, in der hintern Hälfte aber nur sehr wenig nach hinten verengt und kaum sichtbar ausgeschweift ist; seine grösste Breite ist fast in der Mitte und verhält sich zur Länge wie 8 zu $5\frac{1}{2}$ Millemeter. Die Oberfläche ist auch nicht—plan en dessus, wie Allard sagt, sondern gewölbt, obgleich etwas flach, und von den quatre impressions, von welchen Solier und Allard sprechen, ist auch keine Spur vorhanden. Die Flügeldecken sind von der Basis bis zur Spitze sehr regelmässig punkt-streifig; die Punkte in den 16 Reihen sind gross und tief, und meistens etwas länglich; alle Zwischenräume der Reihen sind flach mit einigen eingestreuten sehr feinen Pünktchen und kaum sichtbaren feinen Querrunzeln. Dieses alles passt nicht im geringsten zu der Beschreibung bei Allard; auch sind die Flügeldecken nicht—deprimées sur le dos, sondern geichmässig und ziemlich hoch gewölbt. Dass Solier die Flügeldecken anders beschreibt, habe ich schon oben bemerkt. Ich bin daher überzeugt, dass das von Allard mir gesandte Exemplar gar nicht die Solier'sche *Bl. tenuicollis* sei, sondern eine andere selbstständige Art, welche ich einstweilen *Bl. suspecta* nenne. Solier giebt den Libanon als Fundort seiner *tenuicollis* an, Allard sagt einfach—Syrien.

Herr Edmund Reitter schickte mir zur Ansicht 5 Exemplare (3 ♂, 2 ♀) mit der Etiquette: „*Caucas, Leder,—Bl. tenuicollis, Sol. Allard vid.*"—Diese 5 Stücke haben aber gar keine Aehnlichkeit mit der *tenuicollis* des H. Allard; sie sind viel kleiner, höchstens 20 Millemeter lang und etwas schlanker, das Brustschild ist viel gewölbter, starker und gleichmässig dicht punktirt, die Flügeldecken sind viel feiner punktirt-gestreift und der Fortsatz an der Spitze beim Männchen viel weniger ausgezogen, beim Weibchen aber nur als sehr kurzer dreieckiger Zipfel. Obgleich H. Allard diese Exemplare soll gesehen haben und als *Bl. tenuicollis* Sol. bestimmt, so bin ich doch geneigt dieselben für eine besondere Art zu halten, denn die Grösse, Form, Sculptur und Fundort sind zu sehr verschieden von dem Exemplare der *tenuicollis* aus der Sammlung des H. Allard. Ich nenne diese neue Art vorläufig *Bl. pudica.*

Novorossiisk.
December 1888.

LIVRES OFFERTS OU ECHANGÉS.

SÉANCE DU 14 JANVIER 1888.

1. Abhandlungen aus d. Gebiete der Naturwissenchaften. Hamburg. Bd. X (Festschrift).
2. Naturhistorisches Museum zu Hamburg. 1887.
3. Publicazioni del Reale Osservatorio di Brera in Milano. № XXVII и XXIX.
4. Abhandlungen d. Kön. Sächs. Gesellschaft. Bd. XIV, № 5 und 6.
5. Geological Survey of New South Wales. Department of Mines. 1887.
6. Annual Report of the Department of Mines. New South Wales. 1886.
7. Bericht über die Ergebnisse d. Beobachtungen an d. Regenstationen d, Livländishen Societät. Dorpat. 1887.
8. Jahrbuch des Norwegischen Meteorologischen Instituts. 1886.
9. Monatsbericht der Deutschen Seewarte. 1887, August.
10. Mittheilungen d. Gesells. Salzburger Ländes-Kunde. 1887, Bd. XXVII, H. 1 und 2.
11. Die Österreichisch-Ungarische Monarchie in Wort und Bild. Lief 47. 48, 49 und 50.
12. Nature. 1887. №№ 947, 948 and 949.
13. Proceedings of the Birmingham Philosophical Society. Vol. V, pt. 2.
14. The Quarterly Journal. Vol. XLIII, № 172.
15. Landwirthschaftliche Jahrbücher. Bd. XVI, Supplement 3.
16. Лѣсной журналъ. 1887 г., вып. 6.
17. Горный журналъ. 1887 г. Ноябрь.
18. Verhandlungen Zool.-Botanisch. Gesellschaft in Wien. 1887. Bd. 37. Quar. 4.
19. Boletim da Sociedade de Geographia de Lisboa. 7 Ser. № 2.
20. Commentari dell'Ateneo di Brescia. 1887.
21. Bulletin de la Société de Bordeaux-Dax. 1887. Quatrième trimestre.

22. Журналъ Минист. Нар. Просв. 1887. Декабрь.
23. Entomologica Americana. 1887. Vol. 3, № 9.
24. Gartenflora. 1888. H. 1, 2.
25. Zoologischer Anzeiger. № 268, 269.
26. Протоколы засѣд. Общ. Одесскихъ врачей. №№ 6, 7, 10, 11, 12, 14.
27. Вѣстникъ опытной физики. 1887. №№ 33, 34.
28. Вѣстникъ Садоводства. №№ 50, 51 и 52.
29. Botanisches Centralblatt. 1888, № 1—4.
30. Zeitschrift für Ornithologie. 1887, № 12 и 1888, № 1.
31. L'Académie Royale de Copenhague. 1887, № 2.
32. Mémoires de l'Académie de Copenhague. Vol. 4, № 4 et 5.
33. Bulletin de l'Académie de Médécine. 1887, № 51' 52; 1888, № 1.
34. Bolletino della Soc. Geografica Italiana. Vol. 12, fasc. 12.
35. Geological Magazine. Vol. V, № 1. 1888.
36. Memorias de la Sociedad Cientifica, tomo 1, № 5.
37. Труды Имп. Москов. Общ. Сельск. Хоз. Вып. 21.
38. Journal de micrographie. 1887, № 17; 1888, № 1.
39. Naturforscher. 1887, № 51.
40. Садъ и огородъ. 1887, № 24; 1888, № 1.
41. Entomologische Nachrichten. 1888, № 1 и 2.
42. Bulletin d'Acclimatation. 1888, № 1.
43. Journal and Proceedings Royal Society of New South Wales. Vol. 20.
44. Proceedings of the Royal Society. Vol. XLIII, № 260.
45. Proceedings of the Agricultural Society of India. for November 1887.
46. Naturalista Siciliano. 1886, № 4.
47. Feuille des jeunes naturalistes. 1888, № 207.
48. Bulletin de la Société d'histoire naturelle de Savoie. 1887, № 4.
49. Comptes rendus de la Société de Biologie. Tome IV, № 42.
50. Bulletin de la Société philomatique de Paris. 1886/1887, № 4.
51. Bolletino del naturalista. 1887, № 11.
52. Revista Observatorio do Rio de Janeiro. 1887, № 11.
53. Atti della Accademia di Torino. Vol. 23, fasc. 1.
54. Bolletino di Paletnologia Italiana. Ser 2. Tomo 3, № 11 et 12.
55. Monatschrift des Gartenbauvereins zu Darmstadt. 1888, № 1.
56. Journal of the Elisha Mitchell Scientific Society. 1887.
57. Вѣстникъ Народнаго дома, годъ V, ч. 61.
58. Johns Hopkins University Circulars. Vol. VII, № 60, 61.

59. Viestnik arkeologickoga družtva. X, B. 1.
60. Протоколъ 9 собранія Кіевскаго Общества Естествоиспытателей.
61. Geologische Mittheilungen d. Ungarischen Geologisch. Gesellsch. 1887, № 9—11.
62. Societa meteorologica Italiana. Vol. 8, № 12.
63. Bollettino dei Musei di Zoologia ed Anatomia comparata. Vol. 2, №№ 27, 28, 30, 31 и 32.
64. K. Akademie der Wissenschaften in Wien. Sitzungsberichte, № 20—25.
65. Mittheilungen d. Ges. für Natur- und Völkerkunde Ostasiens in Tokio. Bd. IV, H. 37.
66. Двѣ брошюры Blanchard: 1) Trichïne et 2) Trichocéphale.
67. Société d'Histoire Naturelle de Toulouse. Séance 23 Nov. 1887.

Кромѣ того поступило 14 мелкихъ брошюръ.

SÉANCE DU 18 FEVRIER 1888.

1. Zeitschrift für Ornithologie u. praktische Geflügelzucht. 1888, № 2.
2. Jahrbuch der K. Preussich. Geologisch. Landesanstalt und Bergakademie zu Berlin. Fur Jahr. 1886. Berlin. 1887.
3. Fish and Fisheries U. S. Commission. Report for 1885. Washington.
4. Memorie di matematica e di fisica della Societa Italiana delle Scienze. Tomo VI. Napoli. 1887.
5. Memorie della R. Academia delle Scienze dell Istituto di Bologna. Ser. IV, Tomo VII. Bologna. 1886.
6. Journal (The American) of Science, № 202, 203. New Haven. 1887.
7. Transactions of the New York Academy of Sciences. Vol. IV. 1884/5. N. York. 1887.
8. Proceedings of the American Academy of Arts and Sciences. N. Series. Vol. XIV, part II. Boston. 1887.
9. Transactions of the Meriden Scientific Association. Vol. II. 1885/6. Meriden. 1887.
10. Papers read before the New Orleans Academy of Sciences. 1886/7. Vol. 1, № 1.
11. La Naturaleza. 2 Serie. Tomo 1, № 1. Mexico. 1887.
12. Petermann's Mittheilungen aus Justus Perthes' Geograph. Anstalt. Band 33, XII. Ergänzungsheft, № 88.
13. Verhandlungen d. naturforsch. Vereines in Brün. Band. VI u. XX. 1867 u. 1881. Brünn. 1888.

14. Mittheilungen des Naturwissensch. Vereines für Steiermark. 1886. Graz. 1887.
15. Jahresbericht d. naturforschenden Gesellschaft Graubündens. 1885/6. Jahr. 1887.
16. Sitzungsberichte der mathem. physik. Classe der K. B. Academie d. Wissenschaften zu München. 1887, Heft. II.
17. Bericht (10) der Naturwissensch. Gesellschaft zu Chemnitz. 1887/8.
18. Lotos. Jahrbuch für Naturwissenschaft. Wien. 1888.
19. Zeitschrift für Naturwissenschaft. Band. LX, Heft 3 и 4. Halle a. S. 1887.
20. Zeitschrift der Deutschen Geologischen Gesellschaft. Band 39, Heft 3. Berlin. 1887.
21. Jahresbericht der Naturhistor. Gesellschaft zu Nürnberg. 1886. VIII. Bog. 4 и 5.
22. Berichte des Naturwissensch.-medic. Vereines in Innsbruck. 1886/7. Inns. 1887/8.
23. Zeitschrift (Jenaische) für Naturwissenschaft. Band. XXI. Heft. 3 и 4. Jena. 1887.
24. Nature. 1888, № 950—956.
25. Anales de la Sociedad española de historia natural. Tomo XVI, 3.
26. Bolletino della Sezione Fiorentina della Societa Africana d'Italia. Vol. III, fasc. 8. Firenze. 1888.
27. Zoologischer Anzeiger. № 270—272.
28. Botanisches Centralblatt. № 5—9.
29. Mittheilungen des K. K. militär.-geogr. Institutes. 1887. Band. VII. Wien. 1887.
30. Proceedings of th Royal Society. № 261. 1887. № 262. 1888.
31. Mémoires de la Société royale des Sciences de Liège. 2 Série. Tome XIV. 1888.
32. Bulletin of the Museum of Comparative Zoology. Vol. XIII, № 6. 1887.
33. Proceedings of the Cambridge Philosophical Society. Vol. VI, Part. 3. 1888.
34. Müller Bor. Ferd. Iconography of Australian Species of Acacia. Decade 5—8, fasc. 4 et 5. 1887.
35. Ergebnisse der meteorolog. Beobachtungen im Jahr 1886. Berlin. 1888.
36. Gartenflora. 1888, Heft 3 и 4.
37. Anales de la Sociedad Cientifica Argentina. 1887. Agosto bis Deciembre.
38. Landwirthschaftliche Jahrbücher. Band XVII, Heft 1. Berlin. 1888.
39. American Chemical Journal. Vol. 10, № 1. 1888, January.

40. Bulletin de la Société d'anthropologie de Paris. Juin—Octobre 1887.
41. Bulletin de l'Académie de médecine. Paris. 1888, № 1—7.
42. Cotes and Swinhoe. A Catologue of the Moths of India. Pt. II. Bombyces. Calcutta. 1887.
43. Atti della R. Accademia delle Science di Torino. Vol. XXIII, disp. 2 et 3. Torino. 1887/8.
44. Bulletin trimestriel de la Société botanique de Lyon. 1887, № 3 и 4.
45. Report of the Jowa Weather Service. For the year 1886.
46. Atti della Reale accademia dei Lincei. Vol. III, fasc. 6—9. Roma. 1887.
47. Mittheilungen über die Bohrthermen zu Harkány. Von Zsigmondy. Pest. 1873.
48. Comptes rendus hebdomad. des séances de la Société de biologie. 1887, № 41; 1888, № 1—6.
49. Nachrichten (Entomologische). 1888, Heft 3 и 4.
50. Journal of the Cincinnati Society of Natural History. 1888, January.
51. Foldtani Közlöny. 1877. XVII 7—12. Budapest. 1887.
52. Il Naturalista Siciliano. 1888, № 5.
53. Revista de la Sociedad Economica Filipina. Año IV, Num. XII. Manila. 1887.
54. Atti del Congresso Nationali di botanica crittogamica in Parma. Fasc. II. Processi verbali. Varese. 1887.
55. Journal of the Royal Microscopical Society. 1887, Part 6 и 1888, Part 1.
56. Mittheilungen des Ornithologischen Vereines in Wien. 1888, № 1, 2.
57. The Canadian Entomologist. Jan. a. Febr. 1888.
58. Sitzungsberichte der Gesellsch. für Geschichte und Alterthumskunde der Osteeprovinzen Russlands. Aus d. Jahre 1887. Riga. 1888.
59. Publicazioni del Reale Osservatorio di Brera in Milano. № VI (1875), XXVIII (1886), XXX (1887). in 4°.
60. Proccedings of United States National Museum. 1887, 29—31.
61. Mittheilungen der K. K. Geographischen Gesellschaft in Wien. XXX, №№ 9—12. 1887.
62. Bulletin de la Société Belge de microscopie. 1887, № 2 и 3.
63. Naturforscher. 1887, № 52.
64. Entomologia Americana. Vol. III, № 10 и 11 (1888, Jan. a. Febr.)
65. Journal de Micrographie. 1888, № 2 и 3.
66. Bulletin de la Société des Medicins et Naturalistes de Jassy. 1887. № 5 и 6.

67. Bolletino delle publicazioni italiane. 1888, № 50 и 51.
68. Johns Hopkins University Circulars. VII, № 62. 1888. Baltimore.
69. Boletim de Sociedade da Geographia de Lisboa. 7 Serie, № 3 и 4. 1887;
70. Verhandlungen der Gesellschaft für Erdkunde zu Berlin. XIV, № 10. XV, № 1. Berlin. 1887—88.
71. The Canadian Record of Science. Vol. III. Numb. 1. Montreal. 1888.
72. Magazin (The geological). № 284. London. Febr. 1888.
73. Feuille des jeunes Naturalistes. № 208.
74. Boletin del Instituto geografico Argentino. T. VIII, Cuad. XII; T. IX, Cuad. I. Buenos-Aires. 1887.
75. Bulletin de la Société nationale d'Acclimatation de France. 1888. № 2—4.
76. Zeitschrift der Gesellschaft für Erdkunde zu Berlin. Band 23. Heft 1 и 2. Berlin. 1888.
77. Schriften des Vereins für Geschichte u. Naturgeschichte der Baar und der angrenzenden Landestheile in Donaueschingen. 1888. Heft. VI. Tübingen.
78. Records of the Geological Survey of India. Vol. XX, part 4. 1887.
79. Proceedings of the Agricultural Society of India. December. 1887. Calcutta. 1888.
80. Bollettino della Societa Geografica Italiana. Serie III, Vol. I, fasc. I. 1888. Roma in 8°.
81. Bulletin de la Société Khediviale de Géographie. II Série, numéro 12. Caire. 1887.
82. Macoun J. Catalogue of Canadian plants. Part III. Apetalœ. Montreal. 1886.
83. Bulletin de l'Académie d'archéologie de Belgique. VIII и IX. Anvers. 1886.
84. Journal of the New-York Microscopical Society. Vol. IV, № 1.
85. Bolletino della Societa entomologica Italiana. Trimestri III и IV. Firenze. 1887.
86. Bolletino della Societa Africana d'Italia. 1887, fasc. 11 и 12. Napoli.
87. Annales de l'Académie d'archéologie de Belgique. XLI. 4 Serie, Tome I. Anvers. 1885.
88. Mittheilungen der Antropologischen Gesellschaft in Wien. Band XV, Heft 4; Band XVII, Heft. 3 и 4. 1885 и 1887.
89. Nuovo Giornale botanico Italiano. Vol. XX, № 1. 1888.
90. Commissão dos trabalhos geologicos de Portugal. Tom. I, fosc. 2 (1885—87).

91. Report of the R. Geographical Society of Australia. Melbourne. Vol. V, part 2. 1887.

92. Sitzungsberichte der Gesellschaft naturforschender Freunde zu Berlin. 1887.

93. Bolletino R. Comitato Geologico d'Italia. 1887. № 9 и 10. Roma.

94. Bericht über die Verwaltung und Vermehrung d. K. Sammlungen für Kunst u. Wissenschaft zu Dresden. 1880/1, 1882/3, 1884/5.

95. Drechsler. Der Witterungsverlauf zu Dresden. 1879—1885. 1887 in 4°.

96. Osann A. Beitrag zur Kenntniss der Labradorporphyre der Vogesen. Strassburg. 1887.

97. Oechelhaeuser. Die Miniatüren der Universitäts-Bibliothek zu Heidelberg. 1-ter Theil. Heidelb. 1887.

98. Hovelacque M. Structure et valeur morphologique des cordons souterrains de l'Utricularia montana. 1887 in 4°.

99. — Sur la formation des coins libériens des Bignoniacées 1887 in 4°.

100. Verhandlungen des Vereins für Natur- und Heilkunde zu Presburg. N. Folge, Heft. 5 и 6. 1881—86. Presburg. 1884—87.

101. Orvos-termesze Hudomanyi Ertesito. I Szak, 3 füz; II S. 3 füz, III S. 2 szom. Kolozsvart. 1887—88.

102. Anzeiger d. K. Academie der Wissenschaften in Wien 1888. № 1—3; 1887. № 26—28.

103. Bronn's. Klassen und Ordnungen des Thierreichs. Neu bearb. v. Bütschli. Lief. 35—41. Lpzg. и Heidelb. 1887.

104. Favaro A. Per la edizione nazionale delle Opere di Galileo Galilei, sotto gli auspicii di S. M. il re d'Italia. Firenze. 1888.

105. Pini. Osservazioni meteorologiche eseguite nell'anno 1887. in 4°.

106. Wagner. Copulationsorgane des Männchens als Criterium für die Systematik der Spinnen. in 8°.

107. Вагнеръ. Организація сельско-хозяйственныхъ станцій. М. 1888. in 8.

108. Frederic Mc-Coy. Prodromus of the Zoology of Victoria. Melbourne. 1887. in 8°.

109. Struckmann. Notiz über das Vorkommen des Moschus-Ochsen (Ovibos moschatus) im diluvialen Flusskies von Hameln an der Weser. in 8°.

110. Kowalewsky N. Ueber das Verhälten der morpholog. Bestandtheile der Lymphe und des Blutes zu Methylenblau. 1888. in 8°.

111. Marié-Davy. Notice sur les travaux scientifiques. Paris. 1868.

112. — Assainissement de Paris. 1882.

113. Marié-Davy. Le deversement des eaux d'egouts dans la forêt de St. Germain. Paris. 1879.
114. — Epuration des eaux d'egouts par le sol de Gennevilliers. Paris. 1880. in 8°.
115. Struckmann. Die Portland-Bildungen der Umgegend von Hannover. 1887.
116. Horvath. Notes additionnelles sur les hemiptères-heteroptères des environs de Gorice.
117. — Tavola analitica delle Specie palearctiche del genere Stenocephalus. 1887.
118. Koenen. Beitrag zur Kenntniss der Placodermen des norddeutschen Oberdevon's. Göttingen. 1883. in 4°.
119. Schulze. Zur Stämmesgeschichte der Hexactinelliden. Berlin. 1887. in 4.
120. Dawson. On certain Borings in Manitoba and the Northwest Territory. Montreal. 1887. in 4°.
121. Thore. Une nouvelle force? Dax. 1887. in 8°.
122. Rouviere. Leyes cosmicas. Barcelone. 1887. in 8°.
123. Струве Г. Современное состоянiе филоксернаго вопроса. Тифлисъ. 1887. in 8°.
124. Алексенко. Очеркъ водорослей Chlorosporeæ окрестностей г. Харькова. Харьковъ. 1887.
125. Систематическое описанiе коллекцiй Даниловскаго Этнографическаго Музея. Вып. 1. М. 1887.
126. Садъ и огородъ. 1888, № 2—4.
127. Monatschrift des Gartenbauvereins zu Darmstadt. 1887, № 2.
128. Atti della Societa Toscana di scienze naturali in Pisa. Processi verbali. Vol. VI. Pisa. 1887—89.
129. Revista do Observatorio. 1887, № 12. Rio de Janeiro. 1887.
130. Lendenfeld. Descriptive Catalogue of the Medusæ of the Australian Seas. Sidney. 1887.
131. Отчетъ о состоянiи Императ. Московскаго Университета за 1887 годъ. М. 1888.
132. Вѣстникъ Россiйскаго Общества Покровительства Животнымъ. № 31—34.
133. Записки Имп. Общества Сельскаго Хозяйства Южной Россiи. 1887. № 10—12; 1888. № 1.
134. Варшавскiя Университ. Извѣстiя. 1887. № 8 и 9.
135. Труды Кавказскаго Общества Сельск. Хозяйства. 1877, 11—12.
136. Вѣстникъ опытной физики, № 35—38. Кiевъ. 1887/8.

137. Труды Имп. Моск. Общества Сельскаго Хозяйства. Вып. XXII. М. 1888.

138. Протоколы засѣданій Общества Кіевскихъ врачей и Приложеніе за 1885/6 годъ.

139. Университетскія Извѣстія. Кіевъ. 1887. № 11.

140. Журналъ Минист. Народн. Просвѣщенія. 1888. Январь.

141. Труды Русскаго Энтомологическаго Общества. Т. 21. 1887. Спб.

142. Горный Журналъ. 1887. Декабрь.

143. Труды Общества Естествоиспытателей при Импер. Казанскомъ Университетѣ. Томъ XVI, вып. 6; XVII, вып. 1—3 и Протоколы засѣданій 1886/7 г.

144. Извѣстія Геологическаго Комитета. 1887, № 11 и 12.

145. Извѣстія Петровской Земледѣльческой и Лѣсной Академіи. Годъ 10. Вып. 3. М. 1887.

146. Записки Московскаго Отдѣленія Имп. Рус. Техническаго Общества. 1887/8. Вып. 7 и 8.

147. Труды Имп. Вольнаго Экономическаго Общества. 1887. Декабрь.

148. Lenard Ph. Ueber die Schwingungen follender Topeen. Leipz. 1886.

149. Вѣстникъ народнаго дома. 1 Январь 1888.

SÉANCE DU 17 MARS 1888.

1. Annalen K. K. Naturhist. Hofmuseums. Band. II, № 2—4; Band III, № 1. 1888.

2. Transactions de la Société royale des arts et des sciences de Maurice. Vol. 19. Maurice. 1887.

3. Извѣстія Восточно-Сибирск. Отдѣла Импер. Русск. Географ. Общества. Т. XVIII. Иркутскъ. 1887.

4. Bulletino di Paletnologia italiana. Serie II. Tomo III. Parma. 1887.

5. Geological Magazine. № 285.

6. Schriften d. Naturwissensch. Vereins f. Schleswig-Holstein. Band VII. H. 1. Kiel. 1888.

7. Berichte über die Verhandlungen d. K. Sächs. Gesellsch. der Wissensch. zu Lpzg. 1887. I, II. Lpzg. 1888.

8. Протоколы засѣданій Кавказскаго Медицинскаго Общества. 1887/8. № 17.

9. Медицинскій Сборникъ. № 46. Тифлисъ. 1888.

10. Atti r. Accademia delle Scienze di Torino. Disp. 4 и 5. 1887/88.
11. Zoologischer Anzeiger. № 274.
12. Berliner Entomolog. Zeitschrift. Band. 31, Heft. 2. Berlin. 1887.
13. Zeitschrift der Gesellschaft fur Erdkunde zu Berlin. Band 22, Heft 6.
14. Verhandlungen der Gesellschaft für Erdkunde zu Berlin. Band XV, № 2.
15. Журналъ Министерства Народнаго Просвѣщенія. 1888. Февраль.
16. Annual Report of the New York State Museum of Natural History, by the Regents of the University. 1883—86.
17. Труды Русской Полярной станціи на устьѣ Лены. Ч. II. вып. 2. 1887 in 4°.
18. Annuario della regia Universita di Bologna. 1887.
19. Кіевскія Университетскія Извѣстія. 1887, № 12; 1888. № 1.
20. Труды Импер. Вольнаго Эконом. Общества. 1888, № 1.
21. Feuille des jeunes Naturalistes. № 209.
22. Горный Журналъ. 1888. Январь.
23 Горнозаводская производительность Россіи въ 1885 г. Часть II. Спб. 1888.
24. Botanisches Centralblatt. 1888, №№ 10—13.
25. Bulletin de la Société de Borda Dax. 1888. Trimestre 1-er.
26. Bollettino R. Comitato geologico d'Italia. 1887, № 11 et 12
27. Nature. 1888, № 957—959.
28. Atti della R. Accademia dei Lincei. Vol. III, fasc. 10. 11. Roma. 1887.
29. Atti dell'Accademia pontifica del'Nuovi Lincei. Anno 38. Sess. 19 Apr. — 21 Giogno 1885. Roma. 1886.
30. R. Accademia dei Lincei. Osservazioni astronomiche e fisiche. Anno 278 (1880/1). Roma. 1881.
31. Лѣтописи Главной Физической Обсерваторіи. 1886. Часть 1 и 2. Спб. 1887.
32. Отчетъ по Главной Физической Обсерваторіи за 1885 и 1886. № 2. Спб. 1887.
33. Bulletin de l'Academie de Médécine. Paris. 1888. № 8—11.
34. Il Naturalista Siciliano. 1888, № 6.
35. Verhandlungen d. Naturhist-Vereines des preus. Rheinlande. 44 Jahrg. H. 2. Bonn. 1887.
36. Comptes rendus de la Société de biologie. №№ 7—10.
37. Mc Coy Fr. Prodromus of the Zoology of Victoria. Decade I—XIV. Melbourn. 1878—1887.
38. Записки Новорос. Общества Естествоиспытатей. Томъ XII; вып. 2. Одесса. 1888.

39. Gartenflora. 1888, Heft. 5 и 6.
40. Entomologisk Tidskrift. 1887, Höft 1—4. Stockholm. 1887.
41. Лѣсной Журналъ. 1888, вып. 1.
42. Entomolog. Nachrichten. 1888, Heft 5 et 6.
43. The Canadian Entomologist. 1888, № 3.
44. Journal of the China Branch of the Royal Asiatic Society. 1887, № 1 et 2.
45. Записки Имп. Общ. Сельскаго Хозяйства Южной Россiи. 1888, № 2.
46. Вѣстникъ Россiйскаго Общества Покровительства Живот. №№ 32—36.
47. Вѣстникъ Народнаго Дома. № 63.
48. Müller Ferd. Iconography of Australian Species of Acacia. Decade 1—4. 1887.
49. Mohn et Hildebrand. Ler orages dans la Peninsule Scandinave. Upsal. 1888.
50. Dawson. Notes and observations on the Kwakiool people of Vancouver Island. Montreal. 1888.
51. Barrande. Système Silurien du centre de la Bohême. Vol. VII. Praga. 1887, in 4°.
52. Voyage of Challenger. Zoology. Vol. XX (Texte and Plates). Vol. XXI (Texte). Vol. XXII. 1887.
53. Bollettino delle publicazioni italiani. 1888, № 52 et 53.
54. Bolletino mensuole dell Osservatoria in Moncolieri. Vol. VIII, № 1.
55. Scudder. From biologia Lep. Rhopalocera. Vol. II. Lond. 1888.
56. John's Hopkins University Circulars, № 63.
57. Результаты опытовъ прививки Сибирской язвы домашнимъ животнымъ въ м. Бѣлозеркѣ Херсонскаго уѣзда. Херсонъ. 1888.
58. Bollettino della Societa Africana d'Italia. Anno VII, fasc 1 et 2. 1888.
59. Proceedings of the Royal Society. № 263.
60. Newton. Early Days of Darwinism. 1888.
61. Вѣстникъ Опытной Физики, № 39 и 40.
62. Monatschrift des Gartenbauvereins zu Darmstadt. № 3.
63. Mittheilungen des Ornithologischen Vereines in Wien. № 3.
64. Zeitschrift für Entomologie. 6 Jahrg. 1852. Breslau.
65. Bolletino di Paletnologia Italiana. Tome 4, № 1 et 2. Parma. 1888.
66. Zoologischer Anzeiger. № 273 et 274.
67. Zeitschrift für Ornithologie. 1888, № 3.
68. Sitzungsberichte der physik-medic. Gesellsch. zu Würzburg. Jahrg. 1887.
69. Bollettino della Societa Geografica Italiana. Vol. I. fasc. 2. 1888. Roma.

70. Bulletin de la Société d'Acclimatation. 1888, № 5 et 6.
71. Journal de Micrographie. 1888, № 4.
72. Entomologica Americana. Vol. III, № 12. 1888.
73. Anzeiger d. K. Akademie des Wissensch. 1888, № 4 et 5.
74. Bulletin de la Société des Médecins et Naturalistes de Jassy. 1887, № 7.
75. Foldtani Kozlony. XVIII, füzet 1—2. Budapest. 1888.
76. Bollettino del Musei di Zoologia ed Anatomia comparata. 1887, №№ 33—38.
77. Русское Садоводство, №№ 9, 10 и 11.
78. Садъ и Огородъ. № 5.
79. Протоколы засѣданій Имп. Кавказ. Медицинскаго Общества, №№ 11, 14, 16 (1887).
80. Протоколы Имп. Виленскаго Медицинскаго Общества. 1887, № 7.
81. Mohn. Tordenvejrenes Hyppighed i Norge 1867—1883. Christiania. 1887.
82. Resumen de las tareas de la Real Sociedad Economica Filipina de Amigos del Pais. Manila. 1886.
83. Bulletin de la Société des Médecins et Naturalistes de Jassy. 1887, № 8.
84. Stern-Ephemeriden auf das Jahr 1888. Stptrsb. 1887.
85. Allen. The Characeae of America. Part 1. New-Jork. 1888.
86. О прививкѣ Сибирской язвы. Изд. Харьковскаго Общества Сел. Хоз. Харьковъ. 1887.
87. Отчетъ Казанскаго Экономическаго Общества за 1887 годъ. Казань. 1888.
88. Forel. Instructions pour l'étude des lacs. 1887.
89 — Le Président Fr. Forel, de Morges.
90. — Le ravin sous-lacustre du Rhône dans le lac Lemane. Lausanne 1887.
91. — Les variations périodiques des glaciers. Paris. 1887.
92. — Les variations périodiques des glaciers des Alpes. Bern. 1887.
93. — Études glaciers. II et III. 1887.
94. — Mémoires et travaux scientifiques publiées par Forel. I et II. 1865—85. Lithogr.
95. — Tremblements de terre et grison. in 4°.
96. Hogenbach et Forel. La temperature interne des glaciers. in 4°.
97. Bulletin de la Société Belge de microsagie. 1888, № 4.
98. Freire. Statistique des vaccinations. Paris. 1887.
99. — Note sur un alcaloide extrait du fruit-de-loup. Paris. 1888.

100. Proceedings of the Agricultural and Horticultural Society. 1888, January.
101. Празднованіе пятидесятилѣтія службы въ офицерскихъ чинахъ Константина Николаевича Посьета. Спб. 1887.
102. Revista do Observatorio. 1888, № 1.
103. Annual Report Peabody Academy of Science. Solem. 1887.
104. Annual Report of the Board of Directors of the Zoological Society of Philadelphia. Philadelphia. 1887.
105. Отчетъ о дѣятельности Харьковскаго Общества Сельскаго Хозяйства за 1887 годъ. Харьковъ. 1887.
106. Petrik. Ueber Ungarische Porcellanerden, mit besonderer Berücksichtigung der Rhyolith-Kaoline. Budapest. 1887.
107. Böckh. Die Kön. Ungarische geologische Anstalt und deren Austellungs-Objecte. Budapest. 1885.
108. Janos B. A magyar kiralyi földtoni intezet es ennek kiallitási tárgyai. Budapest. 1885.

SÉANCE DU 14 AVRIL 1888.

1. Bulletin de la Société des sciences physiques de l'Algérie. 1886.
2. Journal de conchyliologie. 3 Série. T. 27, № 1—4. Paris. 1887.
3. Annales de la Société des sciences naturelles Académie de la Rachelle. 1886. Rachelle. 1887.
4. Regenwaarnemingen in Nederlandsch-Indie, 1886. Batavia. 1887.
5. Mémoires de la Société des sciences physiques et naturelles de Bordeaux. 3 Série. T. 2, 1 Cahier; T. 3, 1 Cahier. Paris. 1886.
6. Bulletin de la Société géologique de France. 1887, № 6—8.
7. Journal de l'école polytéchnique. Cahiers 57. Paris. 1887.
8. Bulletin de la Société des sciences historiques et naturelles de l'Yonne. Vol. 41. Anterre. 1887.
9. Bulletin de l'Academie d'Hippone. Bul. № 22, fasc 2—4; Bul 23, 24. Rouen. 1887.
10. Tijdschrift der Nederlandsche Dierkundige Verieniging. Del. 11, Aflev. 1 e 2. Leiden. 1888.
11. Bulletin de la Société archéologique de Beziers. Tome XIV, Livr. 1. 1887.
12. Bulletin de la Société d'histoire naturelle de Toulouse. Avril—Juin. 1887.

13. Bulletin de la Société des amis des sciences naturelles de Rouen. 1887, 3 Serie. 1 Semestre. Rouen. 1887.
14. Observations made at the Magnetical and Meteorological Observatory of Batavia. Vol. IX. 1886. Batavia. 1887.
15. Observations pluviométriques et thermométriques faites dans le département de la Gironde de Juin 1885 à Mai 1886. Bordeaux. 1886.
16. Reale Istituto Lombardo di Scienze e Lettere. Rendiconti. Serie II. Vol. 19. Pisa. 1886. in 8°.
17. Atti del reale Istituto Veneto di scienze, lettere ed arti. Tomo 5, Serie 6. Disp. 2—9. Venezia. 1886—87.
18 Künckel d'Herculais. Recherches sur l'organisation et le développement des Volucelles, insectes diptères de la famille des Syrphides. Partie 1, 2. 1875 et 1881.
19. Acta (nova) der K. Leopold. Carol. Deutscher Akademie der Naturfoscher. Band L, № 6. Halle. 1887.
20. Anuario de la real Academia de ciencias exactos, fisicos y naturales 1888. Madrid. 1888. in 16°.
21. Jahrbuch d. naturhistor. Landes-Museums von Kärnten. Heft 17. Klagenfurt. 1885. in 8°.
22. Bericht (Amtlicher) über die 56 Versammlung Deutscher Naturforscher und Aerzte, welche zu Freiburg in Bresgau vom 18 bis 22 Septemb. 1883 tagte. Freib. 1884. in 4°.
23. Bericht (14) des naturhis. Vereins zu Passau für die Jahre 1886 und 1887. Passau. 1888. in 8°.
24. 43—46 Jahresbericht der Pollichia. Durkheim. 1888.
25. Verhandlungen der Naturforsch. Gesellschaft in Basel. Th. 8. Heft 2. Basel. 1887.
26. Neues Laussische Magazin. Band 63, Heft 2. Görlitz. 1888.
27. Verhandlungen der Naturforsch. Vereines in Brünn. Band. 24, Heft. 1 et 2. Brünn. 1886.
28. IV Bericht der meteorolog. Commission des naturforsch. Vereines in Brünn im Jahre 1884. Brünn. 1886.
29. Mittheilungen aus der zoolog. Station zu Neapel. Band 7, Heft. 3 et 4. Berlin. 1887.
30. Flora oder allgemeine botanische Zeitung. Neue Reihe. 45 Jahr. Regensbug. 1887.
31. Annuaire géologique universel. Tome 3. Paris. 1887.
32. Jahresbericht der Gesellschaft Natur- und Heilkunde in Dresden. 1886—87. Dresden.
33. Sitzungsberichte der physik.-medicin. Societät zu Erlangen. Heft 18. 1886.

34. Beiträge zur Anthropologie und Urgeschichte Ba erns. Band 8, Heft. 1 et 2. München. 1888.
35. Gollb Osm. Recherches sur les entozoaires des insectes. Paris. 1879.
36. Verhandlungen des botan. Vereins der Provinz Brandenburg, 27 et 28 Jahrg. 1885 et 1886. Berlin. 1887.
37. Memorie del Reg. Istituto Veneto. Vol. 22, part 3. Venezia. 1887. in 4°.
38. Berthelot. Collection des anciens alchimistes Grecs. Livr 1. Paris. 1887.
39. Memorias de la real Academia de ciencias de Madrid. Tomo 12 et 13. Madrid. 1887, in 4°.
40. Boletin de la comision del mapa geologica de Espana. Tomo 13, Cuaderno 2. Madrid. 1886.
41. Journal of the Asiatic Society Bengal. Vol. 56, part 2, № 2 и 3. Calcutta. 1887.
42. Acta Universitatis Lundensis. Tomo XXIII. 1886/87. Lund. 1887/88.
43. Verhandlungen d. K. K. zoolog.-botan. Gesellsch. in Wien. Band. 38, 1 Quart. Wien. 1888.
44. Landwirtschaftl. Jahrbücher. Band 16, Supplem. 2. Berlin. 1887.
45. Analele Institutului meteorologie al Romanici. Tom 2. 1886. Bucuresti. 1888.
46. Журналъ Министерства Народнаго Просвѣщенія. 1888, Мартъ.
47. André. Species des hymenoptères. Fasc 27—29. 1888. in 8°.
48. Journal of the R. Microscopical Society. 1888, Part 2, London.
49. Nuovo Giornale botanico italiano. Vol 20, № 2. 1888.
50. Варшавскія Университетскія Извѣстія. 1888, № 1 и 2.
51. Записки Императорск. С.-Петербургскаго Минералогическаго Общества. 2 сер. Ч. 24. Спб. 1888.
52. Ученыя Записки Казанскаго Университета. По медиц. факульт. 1885. Казань. 1885.
53. Университетскія Извѣстія. Кіевъ. 1888, № 2.
54. Горный журналъ. 1888, № 2.
55. Лѣсной журналъ. 1888, № 2.
56. American Chemical Journal. Vol. 10, № 2. March. 1888.
57. Протоколы и приложенія къ нимъ Общества врачей Восточной Сибири въ г. Иркутскѣ за 1885/7 г. 1887.
58. Усовъ, С. А. Сочиненія. Т. 1. М. 1888.
59. Каблуковъ. Глицерины или трехъ-атомные спирты и ихъ производные. М. 1887.
60. Смирновъ А. Н. Къ вопросу о микроорганизмахъ сифилиса. Казань. 1888.

61. Atti della reale Academia dei Lincei. Serie 4. Rendicouti. Vol. III, fasc. 12 et 13. Roma. 1887.
62. Proceedings of the Agricultural and Horticultural Society of India. Febr. 1888.
63. Proceedings of the Asiatic Society of Bengal. 1887, № 9 et 10; 1888. № 1.
64. Вѣстникъ Опытной физики, № 41 и 42.
65. Künckel d'Herculuis. Des mouvements du coeur chez les insects pendant la methamorphose. in 4°.
66. — Sur le développement postembryonnaire des diptères.
67. — Signification morphologique des appendices servant à la suspension des chrysolides.
68. — Recherches morphologiques et zoologiques sur le système nerveux des insectes diptères.
69. — Lepidoptères à trompe perforante, destructeurs des oranges.
70. — Sur le développement des fibres musculaires striées chez les Insectes.
71. — Recherches sur l'organisation et le développement des diptères du genre Volucelle.
72. — La punaise de lit et ses appareils odoriférants.
73. — Les lepidoptères de la Nouvelle Guinée et de la Malaisie.
74. — Les mormolyces.
75. — Les insectes de la Nouvelle Guinée: les Cyphocranes et les Keraocranes.
76. — Coup d'oeil sur la faune de la N. Guinée: Les insectes.
77. — Les insectes, les Eurycanthes.
78. Künckel et Gazagnaire. Rapport du cylindre-axe et des cellules nerveuses peripheriques avec les organes des sens chez les Insectes.
79. — Du siège de la gustation chez les insectes diptères.
80. Petermann's Mittheilungen aus Justus Perthes'geohraph. Anstalt. Band 34, I. 1888.
81. Records of the Geological Survey of India. Vol XXI, part 1. 1888.
82. Труды Имп. Вольнаго Экономическаго Общества. 1888, Февраль.
83. Gartenflora. 1888, Heft 7, 8.
84. Ососковъ. О возрастѣ яруса пестрыхъ мергелей. Самара. 1888.
85. Dubois. Comptes rendus des observations ornithologiques. 1888.
86. — Description d'un rongeur nouveau du genre Anomalurus. 1888.
87. Künckel d'Herculais. Observations sur les moeurs et les metamorphoses du Gymnosoma rotundatum. 1879.

88. Künckel d'Herculais. Histoire de la Cochenille vivant sur les racines des Palmiers de la section des Seaforthia. 1877.
89. — Metamorphoses et moeurs de la Dejopeia gribraria. 1879.
90. — Recherches sur les organes de sécrétion chez les insectes.
91. Bolletino delle Publicazioni Italiane. 1888, № 54, 55.
92. Записки Импер. Общ. Сел. Хоз. Южной Россіи. 1888, № 3.
93. 26—28 Bericht über Thätigkeit des Offenbacher Vereins für Naturkunde. 1888.
94. Geological Magazine. № 286.
95. Boletin del Instituto Geografico Argentino. Tomo IX, Cuader. II et III. 1888.
96. Entomologische Nachrichten. 1888, Heft 7.
97. Feuille des jeunes naturalistes. № 210.
98. Bulletin de la Société d'Acclimatation. 1888, № 7.
99. Proceedings of the Royal Phisical Society. Session 1886/87.
100. Bulletin de la Société philomathique de Paris. 1887/88, № 1. Paris. 1888.
101. Bulletin of the Museum of Comparative Zoology. Vol XIII, № 7. 1888.
102. Bulletin de l'Académie de médecine. № 12—15.
103. Сообщенія и протоколы засѣданія Математич. Общества. II. 1887. Харьковъ.
104. Memorias de la sociedad cientifica Antonio Alzote. Tomo I, № 8. Metici. 1888.
105. Mittheilungen d. K. K. geograph. Gesellschaft in Wien. Band XXXI, № 1, 2. Wien. 1888.
106. Anales de la Sociedad cientifica Argentina. Tomo XXV, Entegro 1, 2. Buenos Aires. 1888.
107. Bulletino della sezione Fiorentina della Societa Africana d'Italia. Vol IV, fasc. 1 et 2. Firenze. 1888.
108. Bulletino della Societa malacologica italiana. Vol. XIII. fasc 1, 2. 1888. Pisa.
109. Comptes rendus de la Société de biologie. № 12 и 13. 1888.
110. Bolletino R. comitato geologico d'Italia. 1888, № 1 и 2.
111. Jahresbericht des Vereins für Erdkunde zu Stettin. 1887. Stettin. 1888.
112. Botanisches Centralblatt. № 15—18.
113. Revista do Observatorio. 1888. № 2 и 3.
114. Mittheilungen des Ornitholog. Vereines in Wien. № 4.
115. Nature. № 960, 962—964.

116. Zoologischer Anzeiger. № 276.
117. Bulletin de la Société d'histoire naturelle de Savoie. 1888, № 1.
118. Труды Кавказскаго Общества Сельскаго Хозяйства. 1888, № 1 и 2.
119. Струве. Елисуйскіе минеральные источники. Тифлисъ. 1888.
120. Monatsbericht der Deutschen Seewarte. October. 1887.
121. Verhandlungen der Gesellschaft für Erdkunde zu Berlin. Band. 15, № 3.
122. Memorie della Societa degli spettroscopisti italiani. Vol 17, Disp. 2.
123. Il Naturalista Siciliano. 1888. № 7.
124. Report of th State Entolomologist. 1886. Albany. 1887.
125. Lanzi. Le diatomie fossili del monte delle Piche e della via ostiense. Roma. 1888.
126. — Le diatomie fossili del terreno quaternario di Roma. Roma. 1887.
127. Bolletino mensuole dell Osservatorio in Moncalieri. Serie II. Vol. VIII, Num. 2 et 3.
128. Артари. Очеркъ семейства кактусовыхъ. М. 1887.
129. John Hopkins University Circulars, № 64.
130. Bulletin of the Museum of Compar. Zoology. Vol, XIII, № 8.
131. Zeitschrift für Ornithologie. 1888, № 4.
132. Монтрезоръ. Обозрѣніе растеній входящихъ въ составъ флоры губерній Кіевскаго учебнаго округа. III вып. Кіевъ. 1887.
133. Русское садоводство. № 12—14.
134. Садъ и Огородъ. № 6 и 7.
135. Entomolog. Nachrichten. 1888, Heft 8.
136. Матеріалы по изслѣдованію молочнаго скотоводства въ Россіи. Вып. 1. М. 1888.
137. Извѣстія Императорскаго Русскаго Географическаго Общества. 1887, вып. 6.
138. Bolletino della Societa geografica Italiana. 1888.
139. Viestnik hrvatskoga Arkeologickoga Druztva. Br. 2. 1888.
140. Zoologischer Anzeiger. № 275.
141. Künckel d'Herculais. Terminations nerveuses tactiles et gustatives.
142. — Recherches sur les glandes odorifiques des insectes hemiptères.
143. — De la valeur de l'appareil-trachéen pour la distinction de certaines familles de coleoptères.
144. — Les analogies de la vie vegetale et de la vie animale.
145. Rath. Vorträge und Mittheilungen. Bonn. 1888.

146. Braun. Faunistische Untersuchungen in der Bucht von Wismar. Gustrow. 1888.
147. Протоколы засѣданій Общества Костромскихъ врачей за 1879 и 1880 гг.
148. Извѣстія Геологическаго Комитета. 1888, № 1.
149. Вѣстникъ Россійскаго Общества покровительства животнымъ. № 36, 37 и 38.
150. Psyche. Vol. 5, № 143.
151. Report of the Central Station of the Jowa Weather Service. 1887.
152. Hinrichs. History of the Administration of State University of Jowa.
153. Weihrauch. Neue Untersuchungen über die Bessel'sche Formel und deren Verwendung in der Meteorologie. Dorpat. 1888.
154. Bulletin of th New York State Museum of Natural History. Vol. I, № 2. Albany. 1887.
155. Bulletin de la Société Belge de microscopie. № 5. Bruxelles. 1888.
156. В. П. Зыковъ. О методѣ и значеніи преподаванія естественныхъ наукъ. М. 1888.

SÉANCE DE 15 SEPTEMBRE.

1. Nova Acta Academiae C. Leopold. Carolinae Germanicae Naturae Curiosorum. Vol. 49—51. Halle. 1857.
2. Report of the Scientifie Results of the Exploring Voyage of Challenger. 1873/76. Zoology. Vol. 15, 16, 18; part 1. 2 and Plates, Vol. 19.
3. Leopoldina. Heft. 22 и 23. Halle. 1886/87.
4. Memoirs of the Museum of Comparative Zoology. Vol. XV. Cambr. 1887. in 4°.
5. Mittheilungen der K. K. Mährisch-Schlesichen Gesellschaft zur Beforderung des Ackerbaues. Brünn. Jahrg. 67. 1887. in 4°.
6. Abbandluuhen der K. Gesellschaft der Wissenschaften zu Göttingen. Band 34. Göttinhen. 1887. in 4°.
7. Abhandlungen der math. phys. Classe der K. Bayerischen Akademie d. Wissenschaften. Band 16, 2 Ath. München. 1887.
8. Proceedings of the Cambridge Philosophical Society. Vol. I (1843—65), part I—XVII (1866—76), Vol. III, p. 1—VIII, Vol. IV, p. 1. (1876—80).
9. Transactions of the Cambridge Philosophical Society. Vol. I, 1, 2 (1822); II, 1, 2; III, 1—3; IV, 1—3; V, 1—3; VI, 1—3; VII, 1—3; VIII, 1—5; IX, 1—4; X, 1—2; XI, 1—3 (1871); Vol. XII, p. 1—3; Vol. XIII, p. 1.

10. Annali del Museo civico di storia Naturale di Genova. Serie 2, Vol. III—V. (1886—88).
11. Nachrichten von der K. Gesellschaft der Wissenschaften zu Göttingen. 1888, №№ 1—21.
12. Труды Общества Испытателей Природы при Харьковскомъ Университетѣ. Т. XXI. 1887.
13. Sitzungsberichte der K. Preussischen Akademie der Wissenschaften zu Berlin. XL—LIV und Titel, Inhalt etc. 1887, I—XX. 1888.
14. Abhandlungen der K. K. Geologischen Reichsanstalt. XI Band, II Abth. Wien 1887.
15. Mémoires de la Société de physique et d'histoire naturelle de Genève. T. 29, 2 partie. Genève. 1886—87.
16. Jahrbuch der K. K. Geolog-Reichsanstalt. Band 37; Heft. 2. Wien. 1888.
17. Verhandlungen der K. K. Geolog. Reichsanstalt 1887, №№ 9—18; 1888, №№ 1, 4, 7, 9, 10, 11.
18. Die Österreich-Ungarische Monarchie. Lief. 50—60.
19. Quarterly Journal of the Geological Society. Vol. 44, part. 2. London. 1888.
20. Videnskobelige Meddelelser for Abret. 1887. Kjobenhavn. 1888.
21. Университетскія Извѣстія. Кіевъ. 1888, №№ 3, 5, 6.
22. Verhandlungen der Physik.-medic. Gesellschaft zu Würzburg. N. Folge. Band 21. 1888.
23. Труды С.-Петербург. Общества Естествоиспытателей. Томъ 18, 19. Спб. 1888.
24. Журналъ Минист. Народнаго Просвѣщенія. 1888. Апрѣль, Май, Іюнь, Іюль, Августъ.
25. Schriften der Naturforschenden Gesellschaft in Danzig. N. Folge. Band. 7, Heft. 1. 1888.
26. Recueil de zoologie Suisse. 1888. T. IV, № 4.
27. Указатель Русской Литературы по математикѣ, чистымъ и прикладнымъ наукамъ за 1886 г. Кіевъ. 1888.
28. Abhandlungen Naturwiss. Vereines zu Bremen. Band X, Heft 1. 1888.
29. Deutsch. Entomolog. Zeitschrift. Jahrg. 32, Heft 1. Berlin. 1888.
30. Bulletin de la Société Philomatique Vosgienne. Année 13. 1887—88.
31. Revue de botanique. Courrensan. Tome VI (№№ 61—72). 1887—88.
32. Annales de l'Academie d'Archéologie de Belgique. XLII. 4 série, tome II. Anvers. 1886.
33. Transactions of the Highland and Agricultural Society of Scotland. Vol. XX. Edinburg. 1888.

34. Садъ и Огородъ. 1888, №№ 9—13; 1888, №№ 8—17.
35. Русское Садоводство. 1887, №№ 17, 22—24; 1888, №№ 16, 17, 19—23, 32, 33.
36. Труды Общества Русскихъ врачей въ Москвѣ. 1886. 2-е полугодіе и протоколы №№ 7—12 (1887).
37. Entomologische Zeitung. Jahrg. 48. Stettin. 1887.
38. Verhandlungen des Naturforschenden Vereines in Brünn. Band XXV. 1886; Brünn, 1887.
39. Bericht (V) der meteorolog. Commission des Naturforsch. Vereines in Brünn. 1887.
40. Zeitschrift der Gesellschaft für Erdkunde zu Berlin. Band 43. Heft 3 u. 4. Berlin. 1888.
41. Bulletin of the New-York State Museum of Natural History. 1888. № 3. Albany.
42. Verhandlungen der Gelehrten Estnischen Gesellschaft zu Dorpat. Band XIII. Dorpat. 1888.
43. Горный Журналъ. 1888. Мартъ, Май, Іюнь, Іюль.
44. Записки Кіевскаго Общества Естествоиспытателей. Томъ IX, вып. 1 и 2. Кіевъ. 1888.
45. Archiv des Vereines für Siebenbürgische Landeskunde. Band 21, Heft 3. Hermannstadt. 1888.
46. Труды Московскаго Общества Сельскаго Хозяйства. Вып. 23 и 24. М. 1888.
47. Zeitschrift der Deutschen Geologischen Gesellschaft. Band 39, Heft 4. Berlin. 1888.
48. Jahrbuch des Ungarischen Karpathenvereines. Jahrg. XV. 1888. Igla. 1888.
49. Abhandlungen Senckenbergischen Naturforsch. Gesellschaft. Frankf.-a/M. Band 15, Heft 1, 2. 1888.
50. Annual Report of the Geological Survey of Pennsylvania for 1886. Part 1 and 2. Harrisburg. 1887.
51. United States Geological Survey Calendar Year 1886. Washington. 1887.
52. Proceedings of the Academy of Natural Sciences of Philadelphia. Part II. April—August. 1887. Philadelphia. 1887.
53. Annales de la Société géologique de Belgique. T. XIII. Liège. 1887.
54. Annuario publ. Imp. Observatorio do Rio de Janeiro. 1885, 1886, 1887.
55. Bulletin de la Société scientifique Flammarion de Marseille. 1887. Marseille. 1888.
56. Proceedings of the American Philosophical Soc. Vol. 24, № 126.
57. Anuarulu biuroului Geologicu. Anul. 1882—83, № 3. Bucuresci. 1888. Anul. V, № 1.

58. Aus dem Archiv der Deutschen Seewarte. Jahrhang VI. 1883. Hamburg. 1885.

59. Petermann's Mittheilungen aus Justus Perthes' Geograph. Anstalt. 1888. Band 34. H. II—IV, V—VII. Ergänzungsheft №№ 89, 90.

60. Ежегодникъ С.-Петербургскаго Лѣснаго Института. Годъ 2. Спб. 1888.

61. Каталогъ гравюрнаго отдѣленія Московскаго Публичнаго и Румянцовскаго Музея. I—IV. М. 1888.

62. Сборникъ матеріаловъ по Этнографіи. Вып. III. М. 1888.

63. Anales de la Sociedad española de historia natural. Tomo XVII. Cuaderno 1. Madrid. 1888.

64. Lissauer. Die prähistorischen Denkmäler der Provinz Westpreussen und der angrenzenden Gebiete. Leipzig. 1887.

65. Mittheilungen der Anthropolog. Gesellschaft in Wien. Band XVIII, Heft 1. Wien 1888.

66. Варшавскія Университетскія Извѣстія. 1888, №№ 3, 4.

67. Sitzungsberichte der Naturforscher-Gesellschaft bei der Universität Dorpat. Band 8, Heft 2. 1887. Dorpat. 1888.

68. Journal of the China Branch of the Royal Asiatic Society. Vol. XVII, №№ 3 u. 4. 1887.

69. Bulletin de la Société d'Anthropologie de Paris. 1887, 4 fasc. Paris. 1887.

70. Mémoires de la Société d'Anthropologie de Paris. 2 Série, tome 3, fasc. 3 et 4. Paris. 1888.

71. Mittheilungen aus der Zoologischen Station zu Neapel. Band 8, Heft 1, 2. Berlin. 1888.

72. Proceedings of the Yorkshire Geological and Polytechnic Society. Vol. IX, p. 3. 1888.

73. Lotos. Jahrbuch fur Naturwissenschaft. Neue Folge. Band VII. Prag. 1887.

74. Publications de l'Institut royal Grand-Ducal de Luxembourg. Tome XX. 1886.

75. Verhandlungen der Schweizerschen Gesellschaft in Frauenfeld. 70 Jahresversammlung. Frauenfeld. 1887.

76. Mittheilungen der Naturforsch. Gesellschaft in Bern. №№ 1169—1194. Bern. 1887.

77. Atti della reale Accademia dei Lincei. Rendiconti. Vol. IV, fasc. 1—10. Roma 1888.

78. Bollettino della Societa Geografica Italiana. Serie III, Vol. I, fasc. 4, 5, 8, 8. Roma. 1888.

79. Bulletin de la Société National d'Acclimatation de France, №№ 8—17.

80. Atti della Societa dei Naturalisti di Modena. Rendiconti. Serie III, Vol. III. Memorie. Serie III, Vol. VI, Anno 21. 1887.

81. American Journal of Science, №№ 204—206. New-Haven. 1887—88.

82. Bulletin of the Torrey Botanical Club. 1887, №№ 8—12. New-York.

83. Annales de la Société Belge de Microscopie. Tome XI.

84. Proceedings of the Royal Society №№ 264—270.

85. Hooker's Icones plantarum. Vol. I—VII. Vol. VIII, part. I, II, III, May. 1888.

86. Sitzungsberichte der mathem. physikal. Classe der K. B. Akademie der Wissenschaften zu München. 1887. Heft III. München. 1888.

87. Abhandlungen naturwiss. Verein zu Bremen. Band X, Heft 2. Bremen. 1888.

88. 44, 46 Bericht über das Museum Francisco-Carolinum. Linz. 1886, 1888.

89. Entomologische Nachrichten. Heft 9—18.

90. Bulletin de la Société des Médécins et Naturalistes de Jassy. 1887. №№ 9—11.

91. Вѣстникъ садоводства, плодоводства и огородничества. 1888. Январь—Мартъ.

92. Geological Magazine. №№ 287—291.

93. The Canadian Entomologist. №№ 4—6, 7, 8.

94. Gartenflora. Heft 9—16.

95. Comptes rendus hebdomad. des séances de la Société de biologie. №№ 14—28.

96. Mathematische und Naturwissenschaftliche Berichte aus Ungarn. Band 1. (1882—83). Berlin in 8°.

97. Journal of the Royal Microscopical Society. 1888, Part 3.

98. Revista trimensal do Instituto Historico, Geographico e Ethnographico do Brazil. Tomo 49, trimestre 1886, 1 et 2. Rio de Janeiro. 1886.

99. Bulletin de l'Académie d'Archéologie de Belgique. X—XV. Anvers. 1887—88.

100. Bulletin de l'Académie de Médécine. №№ 16—35.

101. Вѣстникъ Опытной Физики. №№ 43—47. 1888.

102. Zoologischer Anzeiger. №№ 277—287.

103. Botanisches Centralblatt. №№ 19—36.

104. Nature. №№ 965—967; 969—984.

105. Journal of the Agricultural and Horticultural Society of India. Vol. VIII. Calcutta. 1888.

106. Записки Ново-Александрійскаго Института Сельскаго Хозяйства и Лѣсоводства. Томъ 8. Варшава. 1888.

107. Colonial Museum and Geological Survey of New Zealand. Annual Report 1884/5, 1885/6, 1886/7. Reports № 17 (1886), 18 (1887). Index to Reports from 1866 to 1885. Studies in biology. № 3 (1887). New Zealand in 8°.

108. Entomologica Americana. Vol. IV, №№ 1—5 (1888). New-York.

109. Journal de Micrographie. №№ 6—10.

110. Proceedings of the Canadian Institute, Toronto. Vol. V, fasc. 2. Toronto. 1888.

111. Annual Report of the Canadian Institute. 1886/7. Toronto. 1888.

112. Bolletino di Paletnologia Italiana. Tomo IV, №№ 3—6. Parma.

113. Commission des travaux géologiques du Portugal. *Choffat.* Description de la faune jurassique du Portugal. 2 ordre. Lisb. 1888. *Delgado.* Estudo sotre os bitolites. Supplemento. Lisboa. 1888.

114. Anuario de la prensa Chilena publicado por la biblioteca nacional. 1886. Santiago de Chile. 1887.

115. Mittheilungen aus der livländischen Geschichte. Band 14, Heft 2. Riga. 1888.

116. Boletin da Sociedade de Geographia de Lisboa. Serie 7. №№ 5—8.

117. Atti della R. Accademia delle Scienze di Torino. Vol. XXIII. Disp. 6—12.

118. Sitzungsberichte der Gesellschaft zur Beförderung der gesammten Naturwissenschaft zu Marburg. Jahrg. 1886, 1887. Marburg.

119. Sitzungsberichte der Gelehrten estnischen Gesellschaft zu Dorpat. 1887. Dorpat. 1888.

120. Verhandlungen des deutschen wissenschaftlichen Vereins zu Santiago. Heft 6. 1888.

121. Zeitschrift für Naturwissenschaften. 4 Folge, Band 6, Heft 6, 6. Halle a S. 1887.

122. Schriften d. Naturforscher-Gesellschaft bei der Universität Dorpat. II—IV. 1887 88.

123. Württembergische Vierteljahrshefte für Landesgeschichte. Jahrg. X. 1887. Heft 4. Stuttgart. 1888.

124. Bulletino della reale Accademia di scienze, lettere e belle arti di Palermo. Anno III, № 6, 1889; №№ 1—6, 1887. Palermo. 1888.

125. Monatsbericht der Deutschen Seewarte.—December 1887. Für jeden Monat d. 1888. Beiheft I u. II. Hamburg. 1888.

126. Bolletino delle Publicazioni Italiane. 1888. №№ 56—61, 63, 64. Firenze.

127. Bollettino delle opere moderne straniere. Vol. II, №№ 4—6. 1887. Index.

128. Memoirs of the Denison Scientific Association. Granville, Ohio. Vol. I, № 1. 1888.

129. Memoirs of the American Academy of Arts and Sciences. Vol. XI, p. V, № 6. Cambridge. 1887.

130. Mittheilungen der K. K. Geographischen Gesellschaft in Wien. Band 31, №№ 3—6. Wien. 1888.

131. Abhandlungen d. mathem.-physisch. Classe der K. Sachsischen Gesellschaft der Wissenschaften. Band XIV, №№ Leipzig. 1888.

132. Informe de la direccion general de Estadistica. 1887. Guatemala.

133. Bulletin de la Société Khediviale de Géographie. III Série, № 1. Le Caire. 1888.

134. Philippi. Catalogo de los coleopteros de Chile (Wissensch. Verein-Santiago). Santiago de Chile. 1887.

135. Journal of the College of Sciences Imp. University Japan. Vol. II, p. 1. Tokyo, Japan. 1888.

136. Sitzungsberichte der Physik.-Medicinsche Societät in Erlangen. 1887. München. 1888. Heft 19. Erlangen. 1887.

137. Transactions and Proceedings of the Royal Geographical Society of Australia. Vol V, Part I. Melbourne. 1888.

138. Bulletin mensuel de l'Observatoire météorologique de l'Université d'Upsal. 1887/8. in 4°.

139. Cercle Hutois des sciences et beaux-arts. Annales. Tome VIII, livr. 1. Huy. 1888.

140. Bulletin du musée royal d'histoire naturelle de Belgique. Tome V, № 1. Bruxelles.

141. Table générale des Annales de la Société entomologique de Belgique. I—XXX. Bruxelles. 1887.

142. Berichte des Freien Deutschen Hochstiftes zu Frankfurt am Main. Band 4, Heft 2. 1888.

143. Australian Museum. *Wall.* History and description of the Skeleton of a new Sperm Whale. Sydney. 1887.

144. Katalog der Bibliothek der K. Leopold. Carol. deutschen Akademie der Naturforscher. Lief. 1. Halle. 1887.

145. Atlas de la Republica Argentina publicado par el Instituto Geografico Argentino. Tercera entrega. Buenos Aires. 1888.

146. Beobachtungen der meteorolog. Stationen im Königreich Bayern. Jahrg. IX, Heft 4. 1887. München.

147. Oversigt over det Kongelige Danske Videnskabernes Selkabs. 1887, № 3; 1888, № 1. Kjobenhavn.

148. Mémoires de l'Académie Royale de Copenhague. Vol. IV, № 6, 7. 1888 Kjobenhavn.

149. Journal of the Cincinnati Society of Natural History. Vol. XI, № 1. 1888. Cincinnati.

150. Monthly Results of Observations made at the Stations of the Royal Meteorological Society. Vol. VII, № 27. 1887. London.

151. Memorias de la Sociedad Cientifica Antonio Alzate. Tomo I, Cuaderno num. 10, 12. 1888. Mexico.

152. Matériaux pour l'histoire primitive et naturelle de l'homme. 3 Serie. Tome V. 1888. Avril. Paris.

153. Il Naturalista Sicilianno. Anno VII, № 8 et 9. 1888. Maggio. Palermo.

154. Feuille des jeunes naturalistes. 1888. Paris. № 211—215.

155. Boletin del Instituto Geografico Argentino. Tomo IX. Cuaderno IV—VI. Buenos Aires. 1888.

156. Boletin de la Academia nacional de ciencias en Cordoba. Tomo X, Entegro I. Buenos Aires. 1887.

157. Bulletin de la Société philomathique de Paris. Tome XII, № 2. 1888. Paris.

158. Anales de la Sociedad cientifica Argentina. Tomo XXV. Entegro III et IV. Buenos Aires. 1888.

159. Revista do Observatorio Rio de Janeiro. Anno III, № 4—7. 1888.

160. Mittheilungen der deutschen Gesellschaft für Natur- und Völkerkunde Ostasiens in Tokio. Heft 39 et 40. April. 1888. Yokohama.

161. Sitzungsberichte und Abhandlungen der Naturwiss. Gesellschaft Isis. Jahrg. 1887. V. Juli bis Decemb. Dresden.

162. Orvos-termeszettudományi értesitö. II Termeszettudományi szak. Fuzet 1 et 2. Kolozvárt. 1888. I Orvosi szak. Fuz 1.

163. Mittheilungen aus dem Jahrbuche des K. Ung. Geologischen Anstalt. Band VIII, Heft 6. Budapest. 1888.

164. Földtani Közlöny. XVIII, kötet 3—4, füzet 5—7. Budapest. 1888.

165. Jahresbericht der K. Ungar. Geologischen Anstalt für 1886. Budapest. 1888.

166. Publicationen d. K. Ung. Geolog. Anstalt. *Petrik*. Ueber die Verwendbarkeit der Rhyolithe für die Zwecke der keramischen Industrie. Budapest. 1888.

167. Schriften der Gesellschaft zur Beförderung der gesammten Naturwissenschaften zu Marburg. Band 12. 2 Abhandl. Marburg. 1887.

168. Journal of the New York Microscopical Society. Vol. IV, № 2—3. 1888. New York.

169. Bulletino della sezione Fiorentina della Societa Africana d'Italia. Vol. IV, fasc. 3 et 4. 1888. Firenze.

170. The Canadian Record of Science. Vol. III, № 2, 1888. Montreal.

171. Compte rendu des travaux de la Société Helvétique des Sciences naturelles. 8—10, Août 1887. Genève. 1887.

172. Mittheilungen der Schweizerischen entomolog. Gesellschaft. Vol. VII, № 10. Schaffhausen. 1887.

173. Bollettino R. Comitato geologico d'Italia. 1888. № 3—6. Roma.

174. Bollettino della Societa Africana d'Italia. Anno VII, fasc 3—6. Napoli. 1888.

175. Вѣстникъ Россійск. Общества покровительства животнымъ. № 39—40, 43, 44.

176. Извѣстія Импер. Русскаго Географ. Общества. Томъ XXIV, Вып. 1. Спб. 1888.

177. Протоколы засѣданій Общества Кіевскихъ врачей, съ приложеніями, за 1886/87. Кіевъ. 1888.

178. Сообщенія Харьковскаго Математическаго Общества. 2 серія, томъ 1, № 1. Харьковъ. 1888.

179. Математическій Сборникъ. Томъ 13. Вып. 4. М. 1888.

180. Труды Импер. Вольнаго Экономическаго Общества. 1888, № 3—6.

181. Записки Импер. общества сельскаго хозяйства Южной Россіи. 1888, № 4.

182. Извѣстія Восточно-Сибирскаго Отдѣла Импер. Русскаго Географич. Общества. Томъ XIX, № 1—2. Иркутскъ. 1888.

183. Труды Кавказскаго Общества Сельскаго хозяйства. 1888, № 3—5. Тифлисъ.

184. Медицинскій Сборникъ. 1888. № 47. Тифлисъ.

185. Извѣстія Геологическаго Комитета. 1888. VII, № 2. Спб.

186. Труды Геологическаго Комитета. Томъ V, № 4; томъ VII, № 1 и 2. 1888. Спб.

187. Mittheilungen der prähistorischen Commission der K. Akademie der Wissenschaften № 1, 1887. Wien. 1888.

188. Bollettino mensuale delle Osservatorio in Moncalieri. Serie II, Vol. VIII, №№ 4, 5, 6, 7. Torino.

189. Campagnes scientifiques du yacht Monegasque l'Hirondelle. 3 année. 1887. Excursions zoologiques dans les îles de Fayal et de San Miguel. Par J. Guerne. Paris. 1888.

190. Bolletino dei Musei di Zoologia ed Anatomia comparata. Vol. III, №№ 39—48. 1888. Torino.
191. Atti della Societa Toscana di Scienze Naturali. Processi verbali. Vol. VI. 1888.
192. Boletin mensual del Observatorio Meteorologico del Colegio Pio de Villa Colan. Ano 1. Montevideo. 1888.
193. Psyche. Vol. 5, №№ 144—148. Cambridge.
194. Verhandlungen der K. K. Geologischen Reichsanstalt. 1888, №№ 5, 6, 8.
195. Anzeiger der K. Akademie der Wissenschaften in Wien 1888, №№ 6—13, 14—19.
196. Abich. H. Geologische Forschungen in den Kaukasischen Ländern. III Theil. II Osthälfte. Wien. 1887 in 4°. Atlas zu den Geologischen Forschungen. III Theil. in fol.
197. Abich H. Geologische Fragmente aus dem Nachlasse. Wien. 1887, in 4°. Atlas zu den Geologischen Fragmenten. in fol.
198. Smithsonian miscellaneous Collections. Vol. XXXI. Washington. 1888, in 8°.
199. Anales del Museo Nacional de Mexico. Tomo IV. Entegro 2. Mexico. 1888.
200. Bruce A. T. Observations on the Embryology of Insects and Arachnids. (By the Board of University Studies of the Johns Hopkins University). Baltimore. 1887. in 4°.
201. The American Journal of Science. 1888. March—May. New-Haven.
202. Annals of the New-York Academy of Sciences. Vol. IV, №№ 3 и 4, 1888. New-York.
203. Transactions of the New-York Academy of Sciences. Vol. VI, VII, №№ 1 et 2, 1886/8. New-York.
204. Proceedings of the Academy of Natural Sciences of Philadelphia. Part III. 1887. Philadelphia.
205. Proceedings of the California Academy of Sciences. Vol. VII, 1876. Index. 1877. San Francisco.
206. Bulletin of the California Academy of Sciences. Vol. 2, № 8. Novemb. 1887. San Francisco.
207. Memoirs of the California Academy of Sciences. Vol. II, № 1. January. 1888. San Francisco.
208. Memoirs of the Boston Society of Natural History. Vol. IV, №№ 1—4. Boston. 1886—88 in 4°.
209. La Naturaleza. Tomo I. Cuaderno numero 2. Mexico. 1888.
210. Tijdschrift voor Entomologie. 1888. Aflevering 1 et 2. Sgravenhage in 8°.
211. Naturkundig Tijdschrift voor Nederlandsch-Indie. 8 Serie. Deel. VIII. Batavia. 1887.

212. Journal of the Elisha Mitchell Scientific Society. 1887. Part 2. 1888. Vol. V, p. 1.

213. Öfversigt af Finsca Vetenskaps-Societetens Forhandlingar. XXIII. 1880—81. XXVIII, XXIX (1885—87). Helsingf. 1881.

214. Bollettino della Societa Geografica Italiana. Serie III, Vol. I, fasc. 6. Roma. 1888.

215. Bulletin de la Société de Borda Dax. 1888, 2 trimestre. Dat. 1888.

216. Verhandlungen der Gesellschaft für Erdkunde zu Berlin. Band XV, № 6. 1888.

217. Mittheilungen aus dem Naturwissensch. Verein für Neu-Vorpommern und Rügen in Greifswald. 19 Jahrg. Berlin. 1888.

218. Monatsbericht der Deutschen Seewarte. 1888. Januar, Februar. Altona.

219. Bulletin de la Société Vaudoise des Sciences Naturelles. Vol. XXIII, № 97. Lausanne. 1888.

220. Вѣстникъ Народнаго Дома. Львовъ. Годъ VII, г, 65, 68, 69.

221. Proceedings of the Agricultural and Horticultural Society. 1888. April, May, June. Calcutta.

222. Monatschrift des Gartenbauvereins zu Darmstadt. 1888, №№ 4, 5, 7.

223. Journal and Proceedings of the Royal Society of New South Wales for 1887. Vol. XXI. Sydney. 1888.

224. Zeitschrift für Ornithologie und practische Geflügenzucht. 1888, №№ 6—8.

225. Cronica cientifica. Ano XI, № 252. Barcelona.

226. Johns Hopkins University Circulars. Vol. VII, № 65.

227. Протоколы Имп. Виленскаго Медицинскаго Общества. 1887, №№ 9—11; 1888 №№ 1 и 2.

228. Протоколы Кавказскаго Медицинскаго Общества. 1887/8, №№ 18—23; 1888/9, № 1.

229. Протоколы Кіевскаго Общества Естествоиспытателей. 1887, № 11, 1888, №№ 1 и 2.

230. Записки Московскаго отдѣленія Имп. Русскаго Техническаго Общества. 1887/8, вып. 9 и 10. М. 1888; 1888/9, вып. 1 и 2.

231 Actes de la Société Linnéenne de Bordeaux. I Série, Tome X, livr. 2 et 3 (1838), 2 Série, Tom. XIII, livr. 1—3 (1843).

232. Bulletin des publications nouvelles de la libraire Gauthier-Villars. 1887. III—IV trim. Paris. 1888.

233. Лѣсной Журналъ. 1888, вып. 3.

234. Verhandlungen der K. K. Zoolog.-Botan. Gesellschaft in Wien. XXXVIII. II Quart. Wien. 1888.

235. Mittheilungen des Vereines der Aerzte in Steiermark. XXIV Vereins-Jahr (1887). Graz. 1888.
236. Chronik des Vereines der Aerzte in Steiermark. 1863—1888. Graz. 1888.
237. Mittheilungen aus der medic. Facultät der K. Japanischen Universität. Band I, № 2. Tokio. 1888.
238. American Chemical Journal. Vol. 10, № 3. Baltimore. 1888.
239. Johns Hopkins University Studies biological Laboratory. Vol. IV, № 3. Baltimore. 1888.
240. Boletim do Sociedade Broteriana. Vol. V, feuil. 12 et 13; VI, feuil. 1—4. 1888.
241. Proceedings of the Royal Irish Academy. Science. Vol. IV, № 6. (Jan. 1888); Politics, Literature and Antiquities. Vol. VI, № 8 (Jan. 1888). Dublin. 1888.
242. Transactions of the Royal Irish Academy. Vol. 29, part 1, 2. Dublin. 1887 in 4°.
243. Memoirs (Cunningham) Royal Irish Academy. № IV. Dublin. 1887.
244. List of the Papers published in the Transactions, Cunningham Memoirs and Irish Manuscript-series of the R. Irish Academy between the years 1786 and 1886. Dublin. 1887.
245. Hooker's Icones plantarum. Third Series. Vol. I—VII. Vol. VIII, part 1 et 2. London. 1862—87.
246. Mémoires de l'Académie Impér. de Sciences des St. Pétersbourg. VII Série. Tome XXXV, №№ 3—10.
247. Beiträge zur Kenntniss des russischen Reiches. Band III. Sptrsb. 1887.
248. Записки Импер. Общ. Сельскаго Хозяйства Южной Росссіи. 1888, №№ 5—7.
249. Nuovo Giornale Botanico Italiano. Vol. XX, № 3. 1888.
250. Извѣстія Петровской Земледѣльческой и Лѣсной Академіи. Годъ XI, вып. 1. М. 1888.
251. Landwirthschaftliche Jahrbücher. Band XVII, Heft 2 u. 3. Berlin. 1888. Ergänzugsband I.
252. Jahresbericht und Abhandlungen des Naturwissensch. Vereins in Magdeburg. 1887.
253. Viestnik Hrvatskoga arkeologičkaga Druztva. Godina X, Br. 3. U Zagreba. 1888.
254. Laspeyres, H. Gerhard vom Rath. Eine Lebenskizze. Bonn. 1888.
255. Boletin mensual del Observatorio Meteorologico dell Collegio Pio de Villa Colon. Año I, № 3. Montevideo. 1888.
256. Cotes, E. G. Notes on Economic Entomology. №№ 1 et 2. Calcutta. 1888.

257. Rostrup, E. Fungi Groenlandiae. Kjobenhavn. 1888.
258. Bulletin of the Museum of Comparative Zoology. Vol. XIII, №№ 9, 10. Cambridge. 1888.
259. Bulletin de la Société d'Histoire Naturelle de Savoie. 1888, № 2. Chambery.
260. Acta Societatis scientiarum Fennicae. Tomus XV. Helsingforsiae. 1888.
261. Mittheilungen des Vereins für Erdkunde zu Leipzig. 1887. Lpzg. 1888.
262. Bidrag till Kännedom of Finlands Natur och Folk. H. 45—47. Helsingf. 1887—88.
263. Archives Neerlandaises des Sciences exactes et naturelles. Tom. XXII, livr. 4 et 5. Haarlem. 1888.
264. Finska Vetenskaps-Societeten. 1838—1888. Af Arppe. Helsingf. 1888.
265. Journal of the Asiatic Society of Bengal. Vol. 57, part 2, № 1. Calcutta. 1888.
266. Proceedings of the Asiatic Society of Bengal. 1888, №№ 2 et 3. Calcutta.
267. Record of the Geological Survey of India. Vol. XXI, part 2. 1888.
268. Publicazioni del reale Osservatorio di Brera in Milano, № 33. Milano. 1888.
269. Meteorologische Beobachtungen in Deutschland. 1886. Jahrg. IX. Hamburg 1888.
270. Bericht des Naturhistor. Vereins von Wisconsin. Furdas. Jahr 1871, 1872, 1873, 1874, Jahresbericht für Jahr 1876, 1877—78, 1879—80, 1880—81.
271. Proceedings of the Natural History Society of Wisconsin. Pag. 3—140 (1885—87).
272. Вѣстникъ Садоводства, Плодоводства и Огородничества. Апрѣль—Іюнь. 1888. Спб.
273. Il Naturalisto Siciliano. 1888. №№ 10—11. Palermo.
274. Beobachtungen der Meteorologischen Stationen in Königreich Bayern. 1888, Heft 1. München in 4°.
275. Bulletin de la Société des Médecins et des Naturalistes de Jassy. 1888, №№ 1—4. Jassy.
276. Mittheilungen des Ornitholog. Vereins in Wien. XII Jahg. №№ 6—8.
277. Bullettino della Sezione Fiorentina della Societa Africana d'Italia. Vol. IV, fasc 5. Firenze. 1888.
278. Метеорологическія наблюденія Тифлисской Физической Обсерваторіи за 1886 г. Тифлисъ. 1888.
279. Метеорологическій Сборникъ издав. Импер. Академіей Наукъ. Т. XI. Спб. 1888.

280. Вильдъ. Объ осадкахъ въ Россійской Имперіи. Спб. 1888 in 4°. Съ атласомъ in fol.

281 Отчетъ и Труды Одесскаго отдѣла Имп. Россійскаго Общества Садоводства за 1885, 1886 и 1887 гг. Одесса. 1886—88.

282. Zeitschrift der Deutschen Geologischen Gesellschaft. Band XL, Heft 1. Berlin. 1888.

283. Verhandlungen d. Naturhistor. Vereines der Preussisch-Rheinlande. Jahrg. 45, 1 Heft. Bonn. 1888.

284. Berliner Entomolog. Zeitschrift. Band 32, Heft 1. Berlin. 1888.

285. Havelacque, Maurice. Recherches sur l'appareil végétatif des bignoniacées, rhinanthacées, orobanchées et utriculariées. Paris. 1888.

286. Naturhistorisches Museum zu Hamburg für 1887. Hamburg. 1888.

287. Report of the Progress and Condition of the Botanic Garden during the year 1887. Adelaide. 1888.

288. Записки Новороссійскаго Общества Естествоиспытателей. Томъ 13, вып. 1. Одесса. 1888.

289. Journal of the Royal Microscopical Society. August. 1884, Part. 4.

290. Proceedings of United States National Museum. P. 32—37. 1887.

291. Proceedings of the Liverpool Geological Society. Vol. V, Part IV. Liverpool. 1888.

292. Bulletin of the Museum of Comparative Zoology. Vol. XVII, № 1, Cambridge. 1888.

293. Boletin mensual. 1888. Tomo I. Num 1—6. Observatorio Meteorologico-magnetico Central Mexico.

294. Annual Report of the Entomological Society of Ontario. 1887. Toronto.

295. Festschrift zur Begrüssung XVIII Kongresses der deutschen Antropologischen Gesellschaft in Nürnberg. Nürnberg. 1887. in 4°.

296. Jahresbericht der Naturhistor. Gesellschaft zu Nürnberg. 1887.

297. Abhandlungen der philosoph.-philolog. Classe der K. Bayerischen Academie der Wissenschaften. Band 18, 1 Abth. München. 1888.

298. Memorie della reale Academia delle Scienze di Torino. Serie 2, Tomo 38. Torino. 1888. in 4°.

299. Bulletin of the Museum of Comparative Zoology at Harvard College in Cambridge. Vol. 14, 15. Cambridge, 1888.

300. Proceedings of the Manchester Literary and Philosophical Society. Vol. 25, 26. Manchester. 1886/87.

301. Memoirs of the Manchester Literary and Philosophical Society. Vol. X. London. 1887.

302. Jenaische Zeitschrift für Naturwissenschaft. Band 22. Neue Folge. Band 15, Heft 1 et 2. Jena. 1888.

303. Bulletin de la Société d'histoire naturelle de Colmar. 27—29 années (1886—1888). Colmar. 1888.

304. Jahreshefte des Vereins für vaterländische Naturkunde in Würtemberg. Jahrg. 44. Stuttgart. 1888.

305. Jahresbericht der Naturforschenden Gesellschaft Graubündens. Vereins-Jahr 1886/87. Chur. 1888.

306. Notizblatt des Vereins für Erdkunde zu Darmstadt. IV Folge, Heft 8. Darmstadt. 1887.

307. Archiv des Vereins der Freunde der Naturgeschichte in Mecklenburg. Jahrg. 41. Güstrow. 1888.

308. Jahrbuch des Naturhistorischen Landes-Museums von Kärnten. Heft 16. Klagenfurt. 1884.

309. Proceedings of the Scientific Meetings of the Zoological Society of London. 1888. Part 1. London. in 8⁰.

310. 34—37 Jahresbericht der Naturhistorischen Gesellschaft zu Hannover. 1883/87. Hannover. 1888.

311. Seeland, Ferd. Diagramme der magnetischen und meteorolog. Beobachtungen zu Klagenfurt. 1882/3, 1883/4, in 4⁰.

312. Magnetical and Meteorological Observations made at the Governement Observatory, Bombay, 1886. in 4⁰.

313. Die Fortschritte der Physik in Jahre 1882. Abth 1—3. Berlin. 1887/88.

314. Joly. Note sur le parc de la Liberté a Lisbonne. Paris. 1888.

315. Clerici, Enrico. Sopra alcune formazioni quaternarie del dintorni di Roma. Roma. 1886.

316. — I fossili quaternari del suolo di Roma. 1886.

317. — Sulla corbicula fluminalis dei dintorni di Roma. 1888.

318. — Escursioni ed adunanze della sezione paletnologica al Congresso geologico di Savona. 1888.

319. — Il travertino difiano romano. 1887.

320. — Sopra alcuni fossili recentemente trovati nel tufo grizio di Peperino presso Roma. 1887.

321. — Sulla nature geologica dei terreni incontrati nelle fondazioni del palazzo della Banca Nationale in Roma. 1886.

322. — La vitis vinifera fossili nei dintorni di Roma. 1887.

323. — Sopra i resti di castoro finora rinvenuti nei dintorni di Roma. 1887.

324. — Sopra alcune specie di Felini della caverna al Monte delle Gioie presso Roma. 1888.

325. — Sopra una sezione geologica presso Roma. 1888.

326. Ormay, Alex. Supplemento faunae coleopterorum in Transsilvania. 1888.

327. Imhof, Em. Die Vertheilung der pelagischen Fauna in den Süsswasserbecken (Höttingen-Zürich. 1888).

328. — Fauna der Süsswasserbecken. Zürich. 1888.

329. Millardet, A. Notes sur les vignes americaines. Serie III. Paris. 1888.

330. Палладинъ В. Образованіе органическихъ кислотъ въ растущихъ частяхъ растеній. Новая Александрія. 1888.

331. Nizet, F. Projet d'un catalogue idéologique (realcatalog) des periodiques Revues et Publications des Societés Savantes. Bruxelles. 1886.

332. Rein, J. Gerhard vom Rath. Ein kurzes Lebensbild. Bonn. 1888.

333. Nehring A. Die Altersbestimmung des Schwarzwildes nach dem Gebitz und nach dem Gewicht. Berl. 1888.

334. — Wolf und Hund. 1888. in 4°.

335. — Ueber die Form der unteren Eckzähne bei den Wildschweinen, sowie über das sog. Torfschwein (Sus palustris, Rutimeyer). Berl. 1888. in 8°.

336. М. Цвѣтаева. Головоногія верхняго яруса среднерусскаго каменноугольнаго известняка. Спб. 1888. in 4°.

337. Rapport annuel Commission géologique et d'histoire naturelle du Canada. Vol. II. 1886.

338. Verslagen en mededeelingen der nederlandsche botanische Vereeniging. 2 Serie, V, 2. Nijmegen. 1888.

339. Memorias de la Comision del mapa geologica de Espana. Tomo I, p. 1, 2. Madrid. 1886/87.

340. Memorie dell'Accademia d'agricultura, arti e commercio di Verona. Fasc. 1. Verona. 1886.

341. The Journal of the College of Science. Imper. University Japan. Vol. II, p. 2 et 3. Tokyo. Japan. 1888.

342. The Scientific Proceedings of the Royal Dublin Society. Vol. V, p. 7 et 8. Vol. VI. p. 1 et 2. Dublin. 1887/88.

343. The Scientific Transactions of the R. Dublin Society. Decemb. 1887, April 1888. Dublin. 1887/88.

344. Annalen des K. K. naturhistor. Hofmuseums. Wien. 1888. Band IV, Heft 2. Wien. 1888.

345. Сообщенія Харьковскаго Математическаго Общества. 2 серія. Т. 2, № 2. 1888.

346. Anales del Museo nacional republice de Costa Rica. Tomo I. Año 1887. San José. 1888.

347. Протоколы засѣданія Общества Кіевскихъ врачей. За 1887/88 гг. Вып. 1.
348. Proceedings of the Colorado Scientific Society. Vol. II, Part III. 1887.
349. Mittheilungen der Antropologischen Gesellschaft in Wien. Band XVIII. Heft II et III. Wien. 1888.

SÉANCE DU 20 OCTOBRE 1888.

1. Русская Геологич. Библіотека за 1887 г. Сост. подъ ред. С. Н. Никтина. 1888.
2. Извѣстія Геологическаго Комитета. 1888. Т. VII, № 3—7. Спб. 1888.
3. Труды Геологическаго Комитета. Томъ V, вып. 2 и 3; т. VI, вып. 1 и 2. Спб. 1888.
4. Report on the Scientific Results of the Voyage of Challenger. Vol. 23, 24 (Text and Plates), 25—27, Zoology; Vol. 2. Botany. in 4°.
5. Entomologica Americana. 1888, Septemb.—October.
6. Mittheilungen des Ornitholog. Vereines in Wien. Jahrg XII. №№ 5, 9 et 10.
7. Nature. № 985—991.
8. Botanisches Centralblatt. №№ 37—42.
9. Anales de la Sociedad cientifica Argentino. 1888. Mayo, Junio.
10. Zoologischer Anzeiger. №№ 288—291.
11. Gartenflora. Heft 17, 18, 19, 20.
12. Bulletin de l'Académie de medecine. 1888, № 36—42.
13. Bulletin de la Société de Borda Dax. 1888. 3 trimèstre.
14. Boletin del Instituto Geografico Argentino. Tomo IX, Cuad. 7—9.
15. Verhandlungen des Naturwiss. Vereins in Karlsruhe. Band X. 1888.
16. Revista trimensal do instituto historico. Tomo 49, 3 et 4 trimèstre. Rio de Janeiro 1886. Tomo I. Folcheto. 1, 2, 3 et 4. 1887.
17. The Canadian Entomologist. № 9, 10.
18. Report of the British Association for the Advancement of Science. Lond. 1888.
19. Bollettino del R. Comitato geologico d'Italia. 1887, fasc. di Supplemento. Roma. 1888.
20. Mittheilungen der K. K. geographischen Gesellschaft in Wien. Band XXXI, № 7 et 8.
21. Geological Magazin, № 292.

22. Journal of the Royal Microscopical Society. 1888. October.
23. Mathematische und naturwissensch. Berichte aus Ungarn. Band 5. Budapest. 1888.
24. Journal de micrographie. 1888, № 11, 12.
25. The Quarterly Journal of the Geological Society. № 175.
26 Bulletin della sezione Fiorentina della Societa Africana d'Italia. Vol. IV, fasc. 6.
27. Transactions of the Connecticut Academy of Arts and Sciences. Vol. VII, part 2. New Haven. 1888.
28. Bulletins de la Société d'antropologie. T. II, fasc. 1 et 2. 1888.
29. Berichts des Freien Deutschen Hochstiftes zu Frankfurt am Main. Band 4, Heft 3 et 4. 1888.
30. Bulletin de la Société philomathique de Paris. T. 12, № 3.
31. Journal of the China Branch of the Royal Asiatic Society. Vol. XXII, № 5.
32. Comptes rendus hebdomad. de la Société de biologie. 1888. № 29 et 30.
33. Bolletino della Societa Africana d'Italia. Anno VII, fasc. 7 et 8. 1888.
34. Bulletin de la Société Belge de microscopie. Vol. 8 et 9. Bruxelles. 1888.
35. Bulletino di Paletnologia italiana, № 7 et 8. 1888.
36. Mittheilungen d. thurganischen naturforsch. Gesellschaft. Heft 8. Frauenfeld. 1888.
37. Bulletin de la Société des medecins et des naturalistes de Jassy. 1888. № 5.
38. Bollettino della publicazioni italiani, № 65—67. 1888.
39. Извѣстія Кавказскаго отдѣла Имп. Рус. Геогр. Общества. 1885. Т. 9, № 1.
40. Verhandlungen d. K. K. zoolog.-botan. Gesellschaft in Wien. Band 38, 3 Quartel. Wien. 1888.
41. Bulletin de l'Académie Imp. des Sciences de St.Pétersbourg. T. 32, № 2—4. 1888.
42. Brock. Bericht über die im Indischen Archipel gesammelten Decapoden und Stomatopoden von Dr Man. Berlin, 1888.
43. Dybowski. Die Gasteropoden-Fauna des Kaspischen Meeres. in 8°.
44. Man. Sur quelques Nématodes libres de la mer du Nord (Extr. d. Mém. de la Soc. zoolog. de France. T. 1. 1888).
45. Cotes and Swinhoe. A Catalogue of the Moths of India. Pt. III. Calcutta. 1888.
46. Müller. Iconography of Australian Species of Acacia. Dec. 9—11. 1888.

47. Travaux et Mémoires du bureau international des poids et mésures. Tome VI. Paris. 1888.

48. Primer censo general de la provincia de Santa Fe (Republica Argentina). Libro I. Buenos Aires. 1888. in 4°.

49. Варшавскія Университ. Извѣстія. 1888, № 5 и 6.

50. Горный журналъ. Августъ, 1888.

51. Журналъ Минист. Народнаго Просвѣщенія. Сентябрь, 1888.

52. Труды Общества Русскихъ врачей въ С.-Петербургѣ. Годъ 53. Спб. 1888.

53. Records of the Geological Survey of India. Vol. 21, part 3.

54. Il Naturalista Siciliano. Anno VII, № 12; anno VIII, № 1. 1888.

55. Записки Москов. отдѣленія Импер. Русскаго Техн. Общества. 1888/9, вып. 3—5.

56. Отчетъ Импер. Русскаго Географ. Общества за 1887 г.

57. Протоколы Петровскаго Общества изслѣдователей Астраханскаго края. Съ 4 Окт. 1874 по 31 Дек. 1887 г. и за Январь—Апрѣль 1888.

58. Die Oesterreichisch - ungarische Monarchie in Wort und Bild. Lief. 61—70.

59. Записки Западно-Сибирскаго отдѣла Импер. Географич. Общества. Кн. VIII, вып. 2.

60. Лѣсной журналъ. Вып. 4. 1888.

61. Извѣстія Восточно-Сибирскаго отдѣла Импер. Русск. Географ. Общества. Томъ 19, № 3.

62. Труды Кавказскаго Общества Сельскаго хозяйства. № 6. 1888.

63. Труды Импер. Вольнаго Экономическаго Общества. 1888, № 7 и 8.

64. The Meteorological Record. Vol. VII, № 28.

65. Вѣстникъ опытной физики. № 49 и 50.

66. Proceedings of the Agricultural and Horticultural Society of India. For August. 1888.

67. Man. On the Podophthalmous Crustacea of the Mergui Archipelago. Feuil. 12—20 (fasc 2).

68. Bronn's Klassen und Ordnungen des Thier-Reichs. Bearb. v. Bütschli. Liet 47—49. Lpzg. 1888.

69. Записки Импер. Общества Сельскаго Хозяйства Южной Россіи. № 10. 1888.

70. Verhandlungen der K. K. geolog. Reichanstalt. № 12. 1888.

71. Beskrifning till Kartbladet. № 10 et 11. Af. Moberg. Helsingfors. 1887.

72. Scudder. The Butterflies of the Eastern United States and Canada, with Special Reference to New England. Cambridge. 1888/9.
73. Bollettino mensuale dell'Osservatorio centrale in Moncalieri. Vol. VIII, № 8 et 9.
74. Report on the Progress and Condition of the Botanic Garden. 1887. Adelaide. 1888.
75. Atti della R. Academia delle Scienze di Torino. Vol. XXIII. Disp. 13—15. 1887/88.
76. Bollettino della Societa Geografica Italiana. Ser. III, Vol. I, fasc. 9. Roma. 1888.
77. Bulletin des publications nouvelles de la libraire Gauthier-Villars et fils. Année 1888, trimèstre 1 et 2. Paris.
78. Bulletin de la Société d'histoire naturelle de Savoie. № 3. 1888.
79. Bulletin de la Soc. national d'acclimatation de France. № 18. 1888.
80. Entomologische Nachrichten. Heft 19, 20. 1888.
81. Feuille des jeunes naturalistes, № 216.
82. Revista do Observatorio. № 8. 1888.
83. Русское Садоводство. № 41. 1888.
84. Садъ и огородъ. № 18—20. 1888.
85. Вѣстникъ Народнаго Дома. Ч. 70. Годъ VII.
86. Verhandlungen der Gesellschaft für Erdkunde zu Berlin. Band XV, № 7.
87. Monatschrift des Gartenbauvereins zu Darmstadt. № 9, 10. 1888.
88. Boletin mensual. Tomo I. Supplem al num. 5, № 6 et 7, in 4°.
89. Joly. Note sur trois arbres gigantesques.
90. — Note sur l'Exposition d'horticulture et sur le Jardin des Plantes de Rouen (Extr. du Journ. de la Soc. nation. d'horticulture de France. 1888).
91. Braun. M. Ueber die Entwicklung des Harnleiters bei Helix pomatia L. (Abdruck aus Nachrichtsblatt d. deutsch. Malakozool. Gesellsch. 1888).
92. — Zur Frage der Selbstbefruchtung bei Zwitterschnecken.
93. — Ueber die Harnleiter bei Helix.
94. Bergman, Ern. Culture et description des diverses orchidées de serre froide. Paris. 1887.
95. — Plantes et fleurs au Concours agricole de 1888 à Paris.
96. — Nancy, son exposition horticole de 1887. in 8°.
97. — Le Jardinier en Italie. in 4°.
98. Hartig R. Die pflanzlichen Wurzelparasiten (Abdr. Centralbl. für Bakteriologie).
99. — Zusatz zu dem vorstehenden Artikel. 1888.

100. Bergman, Frn. Zum Verbreitung des Lärchenkrebspilzes Helotium Willkommii. in 8°. 1888.

101. — Trichosphaeria parasitica und Herpotridia nigra. 1888.

102. — Zur Verbreitung des Lärchenkrebspilzes Peziza Willkommii. 1888.

103. — Ueber den Einfluss der Verdunstungsgrösse auf den anatomischen Bau des Holzes. 1888.

104. — Die Fichten- und Tannenholz des Bayerischen Waldes. 1888.

105. — Ueber die Wasserleitung im Splintholze der Bäume. 1888.

106. — Ueber Krankleitsanlagen bei den Pflanzen. 1881.

107. — Productionsfähigheit verschiedener Holzarten auf gleichem Standorte 1888.

108. — Rothstreisigkeit des Bau- und Blochholzes und die Trockenfäule. 1887.

109. — Herpotrichia nigra n. sp. 1888.

110. — Ueber den Lichtstandszuwachs der Kiefer. 1888.

111. — Forstliche und jagdliche Mittheilungen aus Transkaukasien. 1888.

112 — Ueber das Holz der Nordmannskanne. 1888.

113. Zeitschrift für Ornithologie und practische Geflügelzucht. №№ 9 et 10.

114. Oversigt aver Luftens Temperatas og Nedbor i Norge i Aaret 1887. Kristiania. 1888. in 8°.

115. Mangold G. Ueber die Altersfolge der vulkanischen Gesteine. Kiel. 1888. Diss.

116. Träger. Die Volksdichtigkeit Niederschlesiens. Weimar. 1888. Diss.

117. Wolfring, W. Statistik der Masern, des Scharlachs und der Varicellen nach den Daten der Kiel. med. Poliklinik von 1865 bis 1886. Kiel. 1887. Diss.

118. David, A. Beitrag zur Kenntnniss der Wirkung des chlorsauren Natriums. Kiel. 1888. Diss.

119. Schultze, A. Ueber die Bewegung der Wärme in einem homogenen richtwinkligen Parallelepipedon. Kiel. 1887. Diss.

120. Freese, W. Anatom.-histol. Untersuchung von Membranipora pilosa L. nebst einer Beschreibung der in der Ostsee gefundenen Bryozoen. Berlin. 1888. Diss.

121. Schaugk, Max. Ueber synthetische Pyridinbasen aus Acet- und Propionaldehydammoniak. Kiel. 1888. Diss.

122. Abel, Jul. Ueber Aethylenimin (Spermin?). Kiel. 1888. Diss.

123. Rhein. Beiträge zur Anatomie der Caesalpiniaceen. Kiel. 1888. Diss.

124. Schröder, G. Anatom.- histolog. Untersuchung von Nereis diversicolor, O. Fr. Müll. Rathenow. 1886. Diss.

125. Haseloff, B. Ueber den Krystallstiel der Muscheln, nach Untersuchungen verschiedener Arten der Kieler Bucht. Osterode A. H. 1888.

126. Schultz, Moritz. Ueber α-Methyl-, ά-Aethyl-, und α′-Methyl- γ-Aethyl-pyridin und ihre zugehörigen Hexahydrobasen. Kiel. 1888. Diss.

127. Kirchhoff. Die Localisation psychischer Störungen. Kiel. 1888. Diss.

128. Zwink, Max. Die Pendel-Uhren im luftdicht verschlossenen Raume. Halle a. S. 1888. Diss.

129. Report (Annual) of the Board of Regents of the Smithsonian Institution 1885. Part II. Washington. 1886.

130. Perrier, Ed. La philosophie zoologique avant Darwin. 2 éd. Paris. 1886. in 8°.

131. — Mémoire sur les étoiles de mer recueillies dans la mer des Antilles et le Golfe du Mexique (Extr. Nouv. Archives du Museum d'hist. natur. 1884). in 4°.

132. — Etude sur la repartition géographique des astérides (Extr. N. Arch. du Museum d'hist. natur. 1878). in 4°.

133. — Mémoire sur l'organisation et le développement de la Comatula de la méditerranée (Antedon rosacea, Linck). Paris. 1886. in 4°.

134. — Recherches pour servir a l'histoire des lombriciens terrestres (Nouv. Arch. du Museum d'hist. natur. T. 8. 1872). in 4°.

135. — Thèses presentées à la faculté des Sciences de Paris. Paris. 1869. in 4°.

136. — Notice sur les travaux scientifiques. Paris. 1886. in 4°.

137. — Première note préliminaire sur les échinodermes. in 8°.

138. — Les stellérides de l'île Saint-Paul. in 8°.

139. — Histoire naturelle du Dero obtusa. in 8°.

140. — Les vers de terre du Brésil (1877). in 8°.

141. — Recherches sur l'anatomie et la régénération des bras de la Comatula rosacea (Antedon rosaceus, Linck.). in 8°.

142. — Les coralliaires et les îles madreporiques. 1864. in 8°.

143. — Les campagnes du Travailleur (1873).

144. — Sur un appareil moteur des valves buccales des cucullans. in 8°.

145. — Sur la collection d'étoiles de mer recueillie par la Commission scientifique du cap Horn. 1888. in 4°.

146. — Anatomie et physiologie animales. 2 éd. Paris. in 8.

147. Perrier, Ed. Mission scientifique du cap Horn 1882—1883. Tome I. Paris. 1888. in 4°.

148. — Les explorations sous-marines. Paris. 1886. in 8°.

149. — Les colonies animales et la formation des organismes. Paris. 1881. in 8°.

150. — Etudes sur l'organisation des lombriciens terrestres (fasc 2).

151. — Révision de la collection de stellérides Museum d'histoire naturelle de Paris. Paris. 1875 (fasc. 2).

152. Nouv. Archives du museum d'histoire naturelle. 2 Série. T. 9, fasc 2; T. 10, fasc 1. Paris. 1887 in 4°.

153. Berthelot. Collection des anciens alchimistes Grecs. 2 Livr. Paris. 1888.

154. Bulletin de la Société Géologique de France. 3 Série. T. XVI (1888). № 1—5.

155. Bulletin de la Société des sciences, lettres et arts de Pau. II Série, Tome 15 et 16. Pau. 1886 et 1887.

156. Bulletin de la Société des sciences physiques, naturelles et climatologiques de l'Algérie. 1887.

157. Bulletin de l'Académie du Var. T. XIV. 1887. Toulon. in 8°.

158. Annales de la Société entomologiques de France. 1887. Trim. 1—4. Paris.

159. Actes de la Société Linnéenne de Bordeaux. 4 Série, T. X, 5 Série, T. I. 1886/7.

160. Mémoires de la Société national des sciences naturelles de Cherbourg. T. XXV. Paris. 1887.

161. Mémoires de la Société des lettres, sciences et arts de Bar-le-Duc. Tome VII. 1888.

162. Annales de la Société académique de Nantes. 6 Série, Vol. 8. 1887. in 8°.

163. Bulletin de la Société des amis des sciences naturelles de Rouen. 3 serie. 23 année. 2 semestr. 1887.

164. Bulletin de la Société d'Histoire Naturelle de Toulouse. Juil.—Sept. 1887.

165. Bulletin de la Société Zoologique de France. Tome XII, 5 et 6 partie; XIII, №№ 1—6. Paris. 1888.

166. Mémoires de la Société Zoologique de France. Vol. I, parties 1—3. Paris. 1888.

167. Bulletin de la Société des Sciences historiques et naturelles de l'Yonne. Année 1887. vol. 41. Auxerr. 1887.

168. Société agricole, scientifique et litteraire. Vol. 29. Perpignan. 1888.

169. Bulletin de la Société des sciences de Nancy. Serie II, Tome IX, fasc. 21. Paris. 1888.
170. Bulletin de la Société Linnéenne de Normandie. 4 Série, Vol. 1. 1886/7. Oxen. 1888.
171. Bulletin de la Société Linnéenne du Nord de la France. 1887, №№ 175—186.
172. Bulletin de la Société Académique Franco-hispano-portugaise. T. 8, № 1. Toulouse. 1888.
173. Mémoires de la Société académique d'agriculture. 3 Série, T. 24. Troyes. 1887.
174. Natuurkundig Tijdschrift voor Nederlandsch-Indie. Deel 46. 1887.
175. Tijdschrift voor Entomologie. 1886/7, Aflevering 2—4. S'Gravenhage.
176. Mémoires de la Société national d'agriculture, sciences et arts d'Angers. 4 Série, T. 1 (1887). 1888.
177. Bulletin de la Société Géologique de Normandie. Tome XI, Année 1885. Havre. 1886. in 8°.
178. Journal of the Trenton Natural History Society. Vol. I, № 3 (January 1888). Trenton. 1888. in 8°.
179. Proceedings of the American Association for the Advancement of Science. August. 1887. Solen. 1888.
180. Bulletin of the Scientific Laboratories of Denisor University. Vol. III. 1888.
181. Proceedings of the Academy of Natural Sciences of Philodelphia. Part I. 1888.
182. Proceedings of the American Philosophical Society. Vol. 25, № 127.
183. Bulletin Geological and Natural History Survey of Minnesoto. №№ 2—4. St. Paul. 1887.
184. Report (Annual) of the Geolog. and Natural History Survey of Minnesoto for the year 1886. St. Paul. 1887.
185. The American Journal of Science. № 210 (June 1888).
186. Memoirs of the Boston Society of Natural History. Vol. IV, №№ 5 et 6. Boston. 1888.
187. Annual Report Geological Survey of Pennsylvania for the year 1886. Text and Atlas in 8° и два атласа къ Geological Survey AA и C7 in 8°.
188. Сергѣенко. Матеріалы къ изученію вліянія адонидина на организмъ животныхъ и человѣка. Казань. 1888.
189. Ученыя записки Имп. Казанскаго Университета по истор.-филологич. факультету. 1887 и 1888.
190. M. de Folin. Aperçus sur le sarcode des rhizipodes réticulaires. Considerations physiologiques sur ces animaux. in 8°.

191. Stossich. Il genere Heterakis di Jardin. Zagreb. 1888.
192. Клеръ, О. Е. 1884-й метеорологическій годъ въ Пермской губерніи (1887) in fol.
193. Australian Museum of New Sauth Wales. 1888. in fol.
194. Müller, Bar. Ferd. Remarks on the Victorian Flora. in 4°.
195. Struckmann. Urgeschichtliche Notizen aus Hannover. in 4°.
196. Catalogue of the Fishes in the Collection of the Australian Museum. Part I. Sydney, 1888.
197. Скадовскій. Отвѣтъ на отзывъ г. Мечникова. Одесса. 1888.
198. Протоколы засѣданій Импер. Кавказскаго Медиц. Общества. Годъ 25, №№ 2, 3 и 4. 1888/9.
199. Труды Общества Военныхъ Врачей въ Москвѣ. 1887/8, № 3.
200. Харьковскаго Общества Сельскаго Хозяйства журналы засѣданій за 1888 годъ. Вып. 1.
201. Протоколы засѣданій общаго собранія того же Общества съ 19 Марта по 9 Декабря 1887 г. Харьковъ. 1888.
202. Славучинскій. Отчетъ о работахъ, произведенныхъ на опытныхъ поляхъ. Харьковъ. 1888.
203. Клингенъ. Матеріалы для рѣшенія нѣкоторыхъ вопросовъ по культурѣ сахарной свеклы. Харьковъ. 1888. in 8.
204. Sternberg, P. Sur la durée de la rotation de la tache rouge de Jupiter.

SÉANCE DU 24 NOVEMBRE 1888.

1. Anales de la Sociedad española de Hist. Naturel. Tom. XVII, cuald. 2. Madrid. 1888.
2. Atti dell'Academia Gioenia di Sc. Natur. in Catania. Ser. 3. Tom. XX. 1888.
3. Annales de la Soc. Entomolog. d. Belgique. Tom. XXXI. Brux. 1887.
4. Smithsonian Collections. Vol. XXXII a. XXXIII. Wash. 1888.
5. American Journal of Science. Vol. XXXVI, Juli, August. 1888.
6. Bulletin of the Torrey Botanisch Club. Vol. XV, №№ 1—6. New-York. 1888.
7. Journal of the Acad. of Nat. Sc. Philadelphia, 2 ser. Vol. IX, part 2. Phil. 1888.
8. Banquet to Commemorata the Traminy and Signing of the Constitution of U. S. Phil. 1888.

9. Americ. Mus. of Nat. Hist. Central Park, N.-York City. Ann. Rep. of the Trustees etc. for the year 1887—88. N.-York. 1888.
10. La Naturaleza. Ser. 2. Tom. 1. Cued. № 3. Mexico. 1888.
11. Archives du Mus. Teyler. Ser. II, Vol. III, part. 1. Haarl. 1887.
12. Fondation Teyler. Catal. de la bibliothèque. Livr. 5 et 6. Haarl. 1886.
13. Журналъ Мин. Нар. Просвѣщ. Октябрь и Ноябрь 1888. Спб. 1888.
14. Вѣстникъ Садоводства. 1888, Іюль—Ноябрь. Спб. 1888.
15. Prim. Censo General de la Prov. de Sante Fé. Libro 1. Buenos-Ayres. 1888.
16. Bericht üb. d. Senkenbergische Naturf. Gesellschaft. 1888. Frankf. a. M. 1888.
17. Труды Русск. Энтомол. Общ. Т. XXII. 1888. Спб. 1888.
18. Acta Soc. pro fauna et flora Fennica. Vol. 3 et 4. Helsingf. 1886—88.
19. Mémoires de la Soc. Roy. des Sc. de Liège. 2 Ser. Tom. XV. Brux. 1888.
20. Stefanesen. Hartu Geologica Generale a Romanici. Fol. XV—XIX.
21. Zeitschrift d. Deutsch. Geolog. Gesellsch. Bd. XL, Heft 2. (Apr., Mai, Juni 1888). Berlin. 1888.
22. Arthur, Tizediz Evfolyam 1887-iki. Evkönyv. Trenczen. 1888.
23. Transactions of the 18 and 19 ann. Meetings of the Kansas Academy of Science (1885—86). Vol. X. Topeka, Kansas. 1887.
24. III Jahresbericht d. Geograph. Gesellsch. zu Greifswald. 1 Theil. Greifsw. 1888.
25. Anales del Mus. Nationel Rep. de Costa Rica. Tom. 1. 1887. San José. 1888.
26. Festschrift zur Feier d. 25-jährig. Bestehens d. Vereins f. Erdkunde zu Dresden. Dr. 1888.
27. Proceed. and Transactions of the Nov. Scot. Inst. of Nat. Science. Vol. VII, part II. 1887—88. Halifax. 1888.
28. Commission Géolog. et d'Histoire nat. du Canada. Mappes. №№ 1, 3, 4, 5, 6, 6a et 7 accomp. par le Rapp. annuel (nouv. sér.). Vol. II. 1886.
29. Meddelanden af Societes pro fauna and flora Fennica. Heft 14. Helsingfors. 1888.
30. Atti della Reale Acad. dei Lincei. Rendiconti. Vol. IV, 1 Sem. fasc 11—13, 2 Sem. fasc 2; Vol. VI, Sem. 2, fasc. 3—5. Roma. 1888.
31. Труды Бакинскаго Отд. Имп. Р. Техническаго Общества. 1886 годъ, вып. 2. Баку. 1888.
32. Bulletin de la Soc. Vaudoise de Sc. Natur. 3 Sér. Vol. 24, № 98. Lausanne. 1888.
33. Schriften d. Physik.-Oekon. Gesellsch. zu Königsb. Jahrb. XXVIII—1887. Königsb. 1888.

34. Annales de l'Observat. de Moscou. Ser. 2. Vol. 1. Livrais. 2. Moscou. 1888.

35. Journ. of the Anthropolog. Instit. of Gr. Brit. and Irland. Nov. 1888. Lond. 1888.

36. Berichte d. freien deutsch. Hochstifts zu Frankfurt/a. M. Neue Folge, Bd. V. 1888. Heft 1. Frankf. 1888.

37. Report and Proceedings of the Belfast Nat. Hist. and Phisoloph. Soc. for the Sess. 1887—1888. Belf. 1888.

38. Öhlert. Note nécrolog. sur M. de Koninck. Par. 1888.

39. — Brachiopodes du Dévonien de l'Ouest de la France. (1887).

40. — Descript. de quelques esp. dévoniennes du départ. Mayenne. (1887).

41. Zeitschr. der Ges. für Erdkunde zu Berlin. Bd. XXIII, Heft 5, Berlin. 1888.

42. Journal of the Cincinnati Soc. of Nat. Hist. Vol. XI, №№ 2 and 3. July, Octob. 1888. Cinc. 1888.

43. Proceed. and Transactions of the Nat. Hist. Soc. of Glasgow. New Ser. Vol. II, part 1. 1886—87. Glasgow. 1888.

44. Proceedings of the Roy. Society. Vol. XLIV, № 271. Lond. 1888.

44. Deutsche Entomol. Zeitschrift. Jahrg. 1888. Heft 2. Berl. 1888.

46. Landwirthschaftliche Jahrbücher. Bd. XVII, Heft 4 u. 5. Berl. 1888.

47. Горный Журналъ. Т. 3. Сент. 1888. Спб. 1888.

48. The Geolog. Magazine. Dec. III, Vol. V, №№ 11, 293. Lond. 1888.

49. Archives Néerlandaises d. Sc. Exactes et Natur. Tom. XXIII, Livr. 1. Haarl. 1888.

50. Proceed. of U. St. National Mus. 1887. fol. 44—49. 1888. fol. 1—8.

51. Hooker's Icones Plantarum. Ser. 3. Vol. VIII, p. 4. Lond. 1888.

52. Geolog. and Nat. Hist. Survey of Canada. Catal. of Canadian Plants, Part IV. Endogens. By J. Maconn. Montreal. 1888.

53. Nuovo Giornale Botanico Italiano. Vol. XX, № 4. Firenze. 1888.

54. Atti della Societa Toscana d. Sc. Natur. Memorie. Vol. IX. Pisa. 1888.

55. Boletim da Sociedade Broteriana. 1887. fol. 14—15. 1888. fol. 5—8. Coimbra. 1887—88.

56. Bull. de la Soc. des Médecins et Naturalistes de Jassy. Juin 1888, № 5. Jassy. 1888.

57. Boletim da Sociedade de Geographia de Lisboa. Ser. 7. №№ 9—10. Lisboa. 1887.

58. The Canadian Record of Science. Vol. III, № 4. Montreal. 1888.

59. Journal of the New-York Microscopical Soc. Vol. IV, № 3—4. New-York. 1888.
60. Viestnik Horvatskoga Arkeol. Druž. God. X, Br. 4. Zagreb. 1888.
61. Лѣсной Журналъ. Т. XVIII, вып. 5. Спб. 1888.
62. Bulletin of the Mus. of Compar. Zoology of Harward College. Vol. XVII, № 2. Cambr. 1888.
63. Entomologica Americana. Vol. IV, № 8. Nov. 1888. Brookl. 1888.
64. Записки Имп. Общ. Сельскаго Хозяйства въ Юж. Росссіи. Годъ 58. № 11. Одесса. 1888.
65. Nature. Vol. 39, №№ 992—995. Lond. 1888.
66. Journal de Micrographie 1888, №№ 13 et 14. Paris 1888.
67. Bolletino della Soc. de Naturalisti in Napoli. Ser. 1, Vol. II, fasc. 2. Napoli. 1888.
68. Entomologische Nachrichten. Jahrg. XIV, Hft 21—22. Berl. 1888.
69. Comptes rendus hebdom. de la Soc. du Biologie. Sér. 8, tom. V, 1888, №№ 31—34. Paris. 1888.
70. Botanisches Centralblat. Bd. XXXVI, №№ 4—9. 1888. Cassel. 1888.
71. Zoologischer Anzeiger. Tom. XI, №№ 292—293.
72. Bolletino R. Comitato Geologico d'Italia 1888, №№ 7—8. Roma. 1888.
73. Bulletin de l'Académ. d. Médecine. Ser. 3, T. XX, №№ 43—47. Paris. 1888.
74. Transactions of the Geological Society of Australasia. Vol. I, part 3. Mell. 1888.
75. Feuille des Jeunes Naturalistes. № 217. 1888. Paris. 1888.
76. Boletin de la Academie Nacional de Cordoba. Tom. XI, Ent. 1. Buenos-Ayres. 1887.
77. Boletin del Instituto Geographico Argentino. Tom. IX, Cuad. 10—11. Buenos-Ayres. 1888.
78. Monatsbericht d. deutschen Seewarte. März 1888. Altona. 1888. Id. April 1888. Id. Mai 1888.
79. Transactions and Proceedings of the Roy. Geograph. Society of Australasia. Vol. VI, p. 1. Melb. 1888.
80. Университетскія Извѣстія. Годъ XXVIII, 1888, № 7. Кіевъ. 1888.
81. Труды Общ. Естествоисп. при Каз. Унив. Т. XVIII, вып. 4—6. Томъ XIX, вып. 1—2. Казань. 1888.
82. Протоколы засѣд. Общ. Естествоисп. при Казанскомъ Унив. 1887—88. Годъ 19-й. Казань. 1888.
83. Bolletino delle Opere Moderna Straniere. Vol. III, №№ 1—3. Roma. 1888.

84. Bolletino della Publicazioni Ital. 1888. №№ 68, 69. Firenze. 1888.
85. Verhandlungen des Ges. für Erdkunde zu Berlin. Bd. XV, № 8. Berl. 1888.
86. Извѣстія Имп. Р. Географ. Общества. Т. XXIV, вып. 2. Спб. 1888.
87. Труды Имп. Вольнаго Экон. Общества, 1888, № 9. Спб. 1888.
88. Foldtani Köslöni Köt. XVIII, Füs. 8—10. Budapest. 1888.
89. Mittheilungen aus dem Osterlande, Neue Folge. Bd. IV, Altenb. 1888.
90. Verhandlungen der K. K. Geol. Reichsanstalt. 1888. № 13.
91. Mittheilungen d. ornitholog. Vereins in Wien. Jahrg. XII, № 11.
92. Monatsschrift d. Gartenbauvereins z. Darmstadt. Jahrg. VII, № 11.
93. Jahrbücher der K. ung. Central-Anstalt für Meteorologie. Bd. XVI, Jahrg. 1886. Buda-Pest. 1888.
94. Zeitschrift f. Ornithologie u. Pract. Geflügelzucht. Jahrg. XII, 1888, № 11. Stettin. 1888.
95. La Gaceta Cientifica. Tom. IV, № 12. Lima. 1888.
96. Bolletino della Societa Africana d'Italia. Ann. VII, fasc. 9, 10. Napoli. 1888.
97. Gartenflora. Jarhg. 37. Hft. 21—22. Berl. 1888.
98. Deutsches Meteorol. Jahrb. 1888. Bayern. Jahrg. X, Heft 2. München. 1888.
99. Вѣстникъ опытной физики. 1888, №№ 51—52. Кіевъ. 1888.
100. Psyche. Vol. 5, №№ 149—150. Cambr. 1888.
101. Садъ и огородъ. Годъ 4-й, №№ 20, 22. Москва. 1888.
102. Русское Садоводства. Годъ 6-й, № 47. Москва. 1888.
103. Вѣстникъ «Народнаго Дома». Годъ VII. Ч. 71. Львовъ. 1888.
104. Вѣстникъ Р. Общ. Покровит. Животнымъ. 1888.
105. Proceedings of the Agricult. and Horticult. Soc. of India. Sept. 1888. Calcutta. 1888.
106. The Canadian Entomologist. Vol. XX, № 11. Lond. 1888.
107. Bolletino Mensuale publ. percura dell'Osservat. Centrale in Moncalieri. Ser. 2, Vol. VIII, № 10. Torino. 1888.
108. Revista do Observatorio. 1888. №№ 9—11. Rio de Janeiro. 1888.
109. Saussure. Additamenta ad prodromum Oedipodiorum. Genève. 1888.
110. Kolombatovic. Catalogus Vertebratorum Dalmaticorum. Spalati. 1888.
111. Rey-Pailhade. Existe-t-il dans la règne animal une fonction oxydante spéciale? Toulouse. 1888.
112. Hovelaque. Structure et organogénie des feuilles souterraines écailleuses d. Lathraea. Paris. 1888.
113. — Caract. anatomiques généraux de la Tige des Bignoniacées. Paris. 1888.

114. Dawson. Recent Observations on the Glaciation of Brit. Columbia and Adjacent Regions (Geol. Magar. 1888).

115. Gaudry. Sur les dimensions gigantesques de quelques Mammifères fossiles. (Paris. 1888).

116. The Open Court. № 63, Vol. 11. Chicago. 1888.

117. Протоколъ пятаго очередн. собранія Кіевскаго Общ. Естествоиспытателей 16 Апр. 1888. Кіевъ. 1888.

SÉANCE DU 22 DÉCEMBRE 1888.

1. Bijdragen tot de Dierkunde, nitgegev. d. het. Kon. Zool. Genootschap. Natura Artis Magistra. Aflevering 14. Amsterdam, fol. 1887.

2. Idem. Aflevering 15, 1, 2 Gedulte (M. Fürbringer, Untersuchungen zur Morphologie und Systematik der Vögel). Amsterd., fol. 1888.

3. Idem. Feest-Nummer, nitgegev. biy Gelegenheid va het 50-jarig bestaan van het Genotschap. Amsterdam, fol. 1888.

4. Idem, Aflev. 16. Amsterd., fol. 1888.

5. Proceedings and Transactions of the Royal Society of Canada, for the year 1887. Vol. V, in 4°. Montreal. 1888. in 4°.

6. The Medical and Surgical History of the War of the Rebellion. Part III, Vol. 1. Medical History. in 4°. Waschington. 1888.

7. Пластовая карта Сураханской площади Апшеронскаго полуострова, изд. Управл. Горною Частью Кавказскаго края. 1887. Составили Сорокинъ и Симоновичъ.

8. Abhandlungen, herausgegeb. v. der Senkenbergischen Naturwissenschaftl. Gesellschaft. Bd. XV, Hft 3. in 4°. Frankf./a/M. 1888.

9. Memoirs of the Musem of Comparat. Zoology at Harvard College. Vol. X, № 4. Cambridge. 1885. in 4°.

10. Neue Denkschriften d. allgem. Schweizerischen Gesellsch. f. d. gesammten Naturwissenschaften. Bd. XXX, Abth. 1. Basel. Genf. 1888. in 4°.

11. Jahrbuch d. Kayr. Kön. Geologischen Reichsanstalt. Jahrg. 1888, XXXVIII. Bd., Heft 1 et 2. Wien. 1888. in 8.

12. Verhandlungen d. botanischen Vereins d. Provinz Brandenburg, 29 Jahrg. 1887. Berlin. 1888. in 8°.

13. Berichte d. Naturforschenden Gesellschaft zu Freiburg i. B. Bd. II, 1887. Freiburg i. B. 1887. in 8°.

14. Petermann's Mittheilungen aus J. Perthes Geogr. Anstalt, 34 Bd. 1888. Heft VIII, IX, X und Ergänzungsheft № 91. Gotha. 1888. in 4°.

15. Sitzungsberichte der Kön. Preussischen Akademie d. Wissenschaften zu Berlin, XXI—XXXVIII. 1888. Berlin. 1888. in 8°.
16. Rendiconti della R. Accademia dei Lincei. Vol. IV, fasc. 11, 2° Semestre. Roma. 1888. in 8°.
17. Memoirs of the Geological Survey of India. Ser. X, Vol. IV, part III. Calcutta. 1887. Fol.
18. Memoirs of the Museum of Comparative Zoology at Harward College. Vol. XIV, № 1, Part. 1. Cambridge. 1885. in 4°.
19. Abhandlungen der Kön. Academie d. Wissenschaften zu Berlin, 1887. Berlin. 1888. in 4°.
20. 56-ter Jahresbericht d. Schlesischen Gesellschaft für vaterländ. Cultur. Breslau. 1888. in 8°.
21. Bericht über die Thätigkeit der St. Gallischen Gesellschaft während d. J. 1885/86. St. Gallen. 1888. in 8°.
22. Katalog der Bibliothek der Kays. Leopold-Karol. Deutsch. Acad. d. Naturforscher. Lief. 1. Halle. 1887. in 8°.
23. Mittheilungen d. historischen Vereins für Steiermark. Heft XXXVI. Graz. 1888. in 8°.
24. Garten-Flora, 37 Jahrgang. Hft. 23, 24. Berlin. 1888. in 8°.
25. Университетскія Извѣстія, годъ 28-й, №№ 8 и 9. Кіевъ. 1888. in 8°.
26. Proceedings of the Asiatic Society of Bengal for 1888. №№ IV—VIII. Calcutta. 1888. in 8°.
27. Journal of the Asiatic Society of Bengal. Vol. LVII, Part II, №№ 2 and 3. 1888. Calcutta. 1888. in 8°.
28. Journal of the Royal Microscopical Society for 1888, part 6. December. London. 1888. in 8°.
29. Verhandlungen u. Mittheilungen des Siebenbürgisch. Vereins für Naturwissenschaften, Jahrg. 38. Hermannstadt. 1888. in 8°.
30. Fondation Teyler. Catalogue de la bibliothèque. Livrais. 7-me et 8-me. Harlem. 1887—1888.
31. Ricerche e lavori eseguiti nel'instituto botanico della R. Universita di Pisa, Fasc. 11. Pisa. 1888. in 8°.
32. Archives du Musée Teyler. Sér. II, Vol. III. part. 2. Harlem. 1888.
33. Kooperberg. Geneeskundige Plaatbeschrijving van Leeuwarden. S'Gravenhage. 1888. in 8°.
34. Jenaische Zeitschrift für Naturwissenschaft. Bd. XXII, Heft 3 et 4. Jena. 1888. in 8°.
35. Tijdschrift der Nederlandsche Dierkundige Vereeniging. Supplementdeel II. Leyden. 1888. in 8°.

36. Магнитныя наблюденія Тифлисской Физической Обсерваторіи за 1886—1887 годъ. Тифлисъ. 1888. in 8°.
37. Mallet. Manual of the Geology of India, Part. IV. Calcutta. 1887. in 8°.
38. R. Hartig und R. Weter. Das Holz der Rothbuche. Berlin. 1888. in 8°.
39. Annalen des K. K. Naturhistorischen Hofmuseums. Bd. IH, № 3. Wien. 1888. in 8°.
40. Bulletin de la Société de Borda. Année 13-me 1888. Trim. 4-me. Dax. 1888.
41. Entomologica Americana. Vol. IV, № 9. Decemb. 1888. Brooklyn. 1888. in 8°.
42. Levensberichten van Zeeuven, uitgeg. d. F. Nagtglas Aflevering 1. Middelburg. 1888. in 8°.
43. Verhandlungen d. Gesellschaft für Erdkunde zu Berlin. Bd. XV, № 9. Berlin. 1888. in 8°.
44. Jahresbericht der Gesellschaft für Natur- und Heilkunde in Dresden. Sitzungsperiode 1887—88. (Sept. 1887 bis Mai 1888). Dresden. 1888. in 8°.
45. Proceedings of the Canadian Institute, Octob. 1888. Ser. III, Vol. VI, fasc. № 1. Toronto. 1888. in 8°.
46. Bulletins de la Société d'Anthropologie de Paris. Tom. 11-me, fasc. 3. Paris. 1888. in 8°.
47. 16 ter Jahresbericht d. Westphälischen Provincialvereins f. Wissenschaft und Kunst für 1887. Münster. 1888. in 8°.
48. Zelandia illustrata. beschreven d. F. Nagtglas. Middelburg. 1885. in 8°.
49. Sitzungsberichte d. mathematisch-physical. Classe d. k. b. Academie d. Wissenschaften zu München. 1888. Heft II. München. 1888. in 8°.
50. Berichte des naturwiss. Vereins zu Regensburg. Heft 1. (1886—1887). Regensburg. 1888. in 8.
51. Arbeiten aus dem Zoolog. Institute zu Graz. Bd. II, № 4. Leipzig. 1888. in 8°.
52. Bolletino della Soc. Geographica Italiana. Ser. III. Vol. 1, fasc. X, XI. Roma. 1888. in 8°.
53. Fourth Report on the Injourious and other Insects of the State of New-York. Albany. 1888. in 8°.
54. Boletin de la Academia National de Sciencias en Cordoba, 1888. Tomo XI, Entrega 2. Buenos-Aires. 1888.
55. Mohn. Studier over Nedborens Varighed og Taethed in Norge. Christiania. 1888. in 8°.
56. Mittheilungen des Vereins für Erdkunde zu Halle a. S. 1888. Halle. 1888. in 8°.

57. Zeitschrift für Entomologie, herausgeg. v. Verein für schles. Insectenkunde, Neue Folge. Heft 13. Breslau. 1888. in 8°.
58. Nehring. Über d. Character der Quaternärfauna von Thiede bei Braunschweig. Stuttgart. 1888. in 8°.
59. v. Müller. Considerations of Phytographic Expressions and Arrangements. Sydney. 1888. in 8.
60. The Geological Magazine, № 294. Dec. III, Vol. V, № XII. London. 1888. in 8°.
61. Deuxième Congrès International d'Anthropologie criminelle. Paris. 1888. in 8°.
62. Feuille des jeunes Naturalistes, № 218. Ann. 19. Paris. 1888. in 8°.
63. Arcangeli. Sulla Fioritura dell'Eurgale fevor. Pisa. 1887. in 8°.
64. Journal de Micrographie, № 15. 25 Nov. 1888. Paris. 1888. in 8°. Id. № 16. Dec. 1888. Paris. 1888. in 8.
65. Monatsbericht der deutschen Seewarte. Juli 1888. Altona. 1888. in 8°.
66. Journal and Proceedings of the Royal Society of New South Wales. Vol. XXII, part 1. Sydney. 1888. in 8°.
67. Матеріалы для Геологіи Кавказа. Сер. 2, книга II, вып. 2-й. Тифлисъ. 1888. in 8°.
68. Bronn's Klassen u. Ordnungen d. Thier-Reichs. Bd. I. Protozoa, v. Bütschli. Lief. 50, 51 u. 52. Leipzig u. Heidelberg. 1888. in 8°.
69. Bulletino di Paletnologia Italiana. Ser. II, tom. IV, Anno XIV, №№ 9 e 10. Parma. 1888. in 8°.
70. Feuille des jeunes Naturalistes. Catalogue de la bibliothèque, fasc. № 4. Paris. 1888. in 8°.
71. Классовскій. Осадки юго-запада Россіи. Одесса. 1888. in 8°.
72. Горный Журналъ. Томъ 4-й, Октябрь 1888. Спб. 1888. in 8°.
73. Журналъ Русскаго Физико-Химическаго Общества. Т. XX, вып. 2, 3, 4, 5, 6, 7, 8. Спб. 1888.
74. Отчетъ г-ну Министру Гос. Им. о дѣятельности Управленія Горною частью Кавказскаго края въ 1887 г. Тифлисъ. 1888. in 8°.
75. Журналъ Мин. Народнаго Просвѣщенія. 6-ое десят. Часть CCLX. 1888. Декабрь. Спб. 1888. in 8°.
76. Труды Импер. Вольнаго Экономическаго Общества. № 10. Октябрь 1888. Спб. 1888. in 8°.
77. Извѣстія Имп. Русск. Географич. Общества. Томъ XXIV. 1888. вып. 3-й. Спб. 1888. in 8°.
78. Memoirs of the Geol. Survey of India. Vol. XXIV, part. 1. Calcutta. 1887. in 8°.

79. A. Blytt. On Variations of Climate in the Course of Time. Christiania. 1886. in 8°.

80. Id. The Probable Cause of the Displacement of Beach-lines. Christiania. 1889. in 8°.

81. Arcangeli. Ulteriore osservationi sull'Euryale ferox.

82. Proceedings of the Royal Society. Vol. OLIV, № 274.

83. Bulletin of the Musem of Comp. Zool. at Harward College. Vol. XVI, № 2. Cambr. 1888. in 8°.

84. Bulletino mensuale del Osservatorio Centrale. Ter. II, Vol. VIH, Num. XI. Torino. 1888. in 4°.

85. Il Naturalista Siciliano. Ann. VIII, 1888, № 2. Palermo. 1888. in 8°.

86. Vluchtbergen in Walcheren, d. De Man. Middelburg. 1888. in 8°.

87. De Stadsrekeningen van Middelburg. IH, 1500—1549. d. Kesteloo. Middelb. 1888. in 8°.

88. The Canadian Entomologist. Vol. XX, № 12. London. 1888. in 8°.

89. Mittheilungen der Schweizerisch. Entomolog. Gesellschaft. Vol. VIII, Hft. 1. Schaffh. 1888. in 8°.

90. Tromsö Museums Aarsberetning for 1887. Tromsö. 1888. in 8°.

91. Tromsö Museums Aarstefter. XI. Tromsö. 1888. in 8°.

92. Bulletin of the New-York State Museum of Nat. History, №№ 5 and 6. Albany. 1888. in 8.

93. Варшавскія Университетскія Извѣстія. 1888, №№ 7 и 8. Варшава. 1888. in 8°.

94. Записки Одесскаго отдѣленія Импер. Русск. Техническаго Общества. 1887. Мартъ—Декабрь, 1888, Январь—Май. Одесса. 1888. in 8°.

95. Bulletin de la Société Khediviale de Géographie. II Sér. Supplement. Le Caire. 1888. in 8°.

96. Transactions and Proceedings of the Royal Society of Victoria. Vol. XXIV, part 1 and 2. Melbourne. 1888. in 8°.

97. Revue biologique. 1-re Année. №№ 1, 2, 3. Lille. 1888. in 8°.

98. Entomologische Nachrichten. XIV Jahrg. Heft 23, 27. Berlin. 1888. Berlin. 1888. in 8°.

99. Biblioteca Nazionale Centrale di Firenze. Bolletino delle Publicazioni Italiane. №№ 70, 71. Firenze. 1888. in 8°.

100. Bolletino delle Opere Moderne Straniere. Vol. III, № 4. Roma. 1888. in 8°.

101. Bulletin de l'Académie de Medecine, 3-me écr. Tom. XX, №№ 48, 49, 50, 51. Paris. 1888. in 8°.

102. Zoologischer Anzeiger 1888, №№ 294, 295. Leipzig. 1888. in 8°.

103. Botanisches Centralblatt. Bd. 36, Jahrg. IX, №№ 10, 11, 12, 13. 1888. in 8°.

104. Zeitschrift für Ornithologie u. practische Geflügelzucht. Jahrg. XII, № 11. Stettin. 1888. in 8°.

105. Comptes rendus hebdomadaires des séances de la Société, 8-me ser. Vol. V, №№ 35, 36, 37, 39.

106. Nature. №№ 996, 997, 998. 1888. in 4°.

107. Revista do Observatorio do Rio de Janeiro. Novembro de 1888. Anno III, № 11. R. d. Jan. 1888. in 8°.

108. Вѣстникъ опытной физики и элемент. математики, №№ 53—55. 1888. in 8°.

109. The Quarterly Journal of the Geologic. Society. Vol. XLIV, part 4. № 176. London. 1888. in 8°.

110. Русское Садоводство. №№ 49, 51. Москва. 1888. in 4°.

111. Туркестанскія Вѣдомости 1888. № 47.

112. Monatschrift d. Gartenbauvereins zu Darmstadt. Decemb. 1888. № 12.

113. Verhandlungen d. K. K. Geologischen Reichsanstalt. 1888, № 14.

114. Psyche. Vol. 6, №№ 151—152. Cambridge. 1888.

115. Извѣстія Херсонской Земской Управы. Докладъ Складовскаго о предохранит. прививкахъ Сибирской язвы.

116. Sitzungsbericht der Gesellschaft Naturwissensch. Freunde zu Berlin. 1888. № 9.

117. Sitzung d. mathem. naturwiss. Classe d. Kays. Acad. d. Wissenschaften zu Wien, vom 11 Oct. 1888. Jahrg 1888, № XX. (Kais. Acad. d. Wissenschaften in Wien). in 8°.

118. List of the Geological Society of London. Nov. 1, 1888.

119. Bulletin de la Société Belge de Microscopie. Année 14, № X. Brux. 1888. in 8°.

120. Aanteeceningen van het verhandelte in de Sectie-Vergaderingen van het Provincial Utrechts Genootschap von Kunsten en Wetenschappen. Utrecht. 1887. in 8°.

121. Verslag van het verhandelte in de allgemeene Vergadering van het Prov. Utrechts Genvotschap. Utrecht. 1887. in 8°.

122. Протоколы засѣданій Общества Одесскихъ врачей, №№ 5, 6, 8, 9, 16, 18, 19, 20. 1888.

123. Протоколы засѣданій Кавказскаго Медицинскаго Общества. 1888. №№ 5, 6, 7.

124. Протоколы засѣданій Виленскаго Медицинскаго Общества. 1888. №№ 3, 4, 5.

125. Извѣстія Восточно-Сибирскаго отдѣла Русскаго Географическаго Общества. Томъ XIX, № 4. Иркутскъ. 1888. in 8°.

126. Русская Геологическая Библіотека, изд. подъ редакціею С. Никитина, вып. 2-й (1886) и 3-й (1887). Петербургъ. 1887, 1888. in 8°.

ПРОТОКОЛЫ ЗАСѢДАНІЙ

ИМПЕРАТОРСКАГО МОСКОВСКАГО ОБЩЕСТВА

ИСПЫТАТЕЛЕЙ ПРИРОДЫ.

29 Октября 1887 года, въ засѣданіи Императорскаго Московскаго Общества Испытателей Природы подъ предсѣдательствомъ президента Ѳ. А. Бредихина, въ присутствіи секретаря А. Н. Сабанѣева, гг. членовъ: В. Н. Бензенгра, Я. И. Вейнберга, А. Ф. Головачова, Н. Н. Горожанкина, А. А. Гудендорфа, Н. А. Иванцова, Е. Д. Кислаковскаго, А. Е. Кудрявцева, В. Н. Львова, Н. Е. Лясковскаго, М. А. Мензбира, В. Д. Мѣшаева, М. В. Павловой, А. П. Павлова, В. Д. Соколова, А. К. Феррейна и 16 стороннихъ лицъ происходило слѣдующее:

1. Читаны и подписаны журналы засѣданія Общества 17-го Сентября и годичнаго засѣданія 3-го Октября сего года.

2. Для напечатанія въ *Запискахъ* Общества представили статьи:

а) *Д. И. Литвиновъ*: Списокъ растеній дикорастущихъ въ Тамбовской губерніи (продолженіе).

б) *Э. Э. Балліонъ:* Замѣтка о русскихъ видахъ Blaps.

в) Dr. *А. Вальтеръ*: Новые Brachiopoda изъ Закаспійской области.

3. Коммиссія по международному обмѣну изданій прислала четыре пакета доставленные Италіянскою коммиссіею, четыре пакета—Американскою, и 31 пакетъ—Французскою коммиссіями.

4. *Д. И. Литвиновъ* сообщаетъ нѣкоторыя свѣдѣнія о результатахъ его ботанической поѣздки лѣтомъ нынѣшняго года въ Тамбовскую губернію и Донскую область.

5. *Г. Романовъ* въ Кіевѣ, проситъ выслать ему экземпляръ оттиска статьи Я. И. Вейнберга о молніяхъ.

6. Трансильванскій Музей въ Колошварѣ и Общество „Фламмаріонъ“ въ Марсели предлагаютъ вступить во взаимный обмѣнъ изданіями.

7. Университетъ въ Утрехтѣ предполагаетъ отпраздновать 16 (5) Ноября сего года юбилей сорокалѣтней ученой дѣятельности *Бюйсъ-Баллота* и предлагаетъ Обществу принять участіе въ этомъ празд-

нованіи. Совѣтъ постановилъ предложить Обществу избрать Бюйсъ-Валлота въ число почетныхъ членовъ Общества. Согласно постановленію Совѣта единогласно избрали Бюйсъ-Баллота въ почетные члены.

8. Общество Естествоиспытателей въ Гамбургѣ извѣщаетъ, что 18 (6) Ноября оно будетъ праздновать 50-лѣтній юбилей свой и приглашаетъ Общество принять участіе въ этомъ празднествѣ.

9. Зоологическій Институтъ Университета въ Грацѣ благодаритъ за присланные ему томы Бюллетеня и присылаетъ въ обмѣнъ за нихъ пять пакетовъ различныхъ сочиненій.

10. Зоологическая станція въ Неаполѣ, Академія Наукъ въ Копенгагенѣ, Венгерскій Геологическій Институтъ, редакторъ журнала *L'Abeille*, Публичная Библіотека въ Штутгартѣ, Австралійскій Музей въ Сиднеѣ просятъ выслать имъ недостающіе въ ихъ библіотекахъ томы изданій Общества.

11. *Н. М. Сарандинаки* въ Ростовѣ-на-Дону прислалъ въ Общество раковину Pinna значительныхъ размѣровъ и морскихъ ежей изъ Сѣвернаго Архипелага. Постановлено: благодарить жертвователя, а раковину и морскихъ ежей передать въ Зоологическій Музей Университета.

12. Заявлено о кончинѣ членовъ Общества: почетнаго члена *Л. С. Ценковскаго*,, дѣйств. членовъ проф. *Гревинкъ* въ Дерптѣ, проф. *К. Р. И. Каспари* въ Кенигсбергѣ, проф. *Г. Кирхговъ* въ Берлинѣ.

13. *К. Э. Линдеманъ* представилъ первую тетрадь Метеорологическихъ таблицъ за 1887 годъ.

14. Казначей Общества *А. Е. Кудрявцевъ* представилъ вѣдомость о состояніи кассы Общества къ 29 Октября 1887 года, изъ которой видно, что въ приходѣ было 5.431 р. 67 к., въ расходѣ было 5,058 рублей 70 к. и затѣмъ въ наличности состоитъ 372 руб. 97 к. и въ капиталѣ на премію имени К. И. Ренара 607 рублей.

15. Въ библіотеку Общества поступили 120 названій.

16. Изъявленіе благодарности за доставленіе изданій Общества получены отъ 56 лицъ и учрежденій.

17. Проф. *М. А. Мензбиръ* сдѣлалъ сообщеніе о Кавказскихъ турахъ (горныхъ козлахъ).

1887 года 19-го Ноября, въ засѣданіи Императорскаго Московскаго Общества Испытателей Природы, подъ предсѣдательствомъ президента Ѳ. А. Бредихина, въ присутствіи секретарей: К. Э, Линдемана, А. П. Сабанѣева, гг. членовъ: В. Н. Бензенгра, А. Ф. Головачова, И. Н. Горожанкина, Н. А. Иванцова, Е. Д. Кислаковскаго, В. Н. Львова, М. А. Мензбира, В. Д. Мѣшаева, В. Д. Соколова, М. В.

Павловой, А. Н. Павлова, В. А. Тихомірова, О. А. Ѳедченко и 27 стороннихъ посѣтятелей, происходило слѣдующее:

1. Читанъ и подписанъ журналъ засѣданія Общества 29 Октября сего года.

2. Для напечатанія въ Запискахъ Общества представили статьи:

а) *М. А. Мензбиръ:* Продолженіе работы Н. А. Сѣверцова: Объ орлахъ палеарктической фауны.

б) *В. А. Вагнеръ:* О слуховыхъ волоскахъ пауковъ. Съ 1 табл.

в) *Г-жи Переяславцева* и *Россійская*: Объ исторіи развитія Gammarus, Orchestia и Caprella. Съ 10 таблицами рисунковъ.

3. Вслѣдствіе ходатайства Совѣта Общества г. начальникъ Закаспійской области, генералъ-лейтенантъ Комаровъ разрѣшилъ выдать открытый листъ на имя члена Общества Н. А. Заруднаго, предпринимающаго раннею весною будущаго года поѣздку въ Закаспійскую область для составленія зоологическихъ коллекцій.

4. Начальникъ Оренбургской губерніи прислалъ экземпляры червей повреждающихъ хлѣбныя зерна въ амбарахъ въ Челябинскомъ уѣздѣ и просилъ дать заключеніе о томъ, можетъ ли пораженный ими хлѣбъ быть употребленъ на обсѣмененіе полей. По изслѣдованіи червей профессоромъ *Линдеманомъ*, они оказались гусеницами Hadena basilinea и Tinea granella. Требуемыя свѣдѣнія были отправлены г. губернатору.

5) Астраханскій губернаторъ прислалъ нѣсколько слитковъ и кости найденныя близь берега рѣки Волги и просилъ, опредѣливъ ихъ, возвратить въ Астраханскій статистическій комитетъ. Постановили просить профессора А. П. Павлова дать заключеніе о присланныхъ предметахъ.

6. Геологическій комитетъ въ Петербургѣ увѣдомляетъ, что въ настоящемъ году истекаетъ 50-лѣтній срокъ со времени опубликованія первой научной работы графа *А. А. Кейзерлинга* и что 27-го будущаго Декабря будетъ праздноваться это событіе въ имѣніи графа Кейзерлинга, с. Райкюль, близь Ревеля. Профессоръ *Линдеманъ* обратилъ вниманіе на то, что графъ Кейзерлингъ состоитъ членомъ Общества съ 1847 года и отъ имени многихъ членовъ Общества предложилъ избрать его въ число почетныхъ членовъ. Согласно предложенію, Общество единогласно, per acclamationem, избрало графа Кейзерлинга въ число своихъ почетныхъ членовъ.

7. Благодарятъ за избраніе въ члены Общества: проф. В. В. Докучаевъ, проф. Шнейдеръ въ Бреславлѣ, проф. Геншель въ Вѣнѣ, проф. Циркель въ Лейпцигѣ, проф. Р. Гартигъ въ Мюнхенѣ, проф. Розенбушъ, въ Гейдельбергѣ, проф. Видерсгеймъ во Фрейбургѣ, Dr. Кинкель д'Эркюле въ Парижѣ, Dr. Маскаръ въ Парижѣ, Э. Бертранъ въ Парижѣ.

Изъ числа ихъ прислали свои фотографическія карточки для альбома Общества: гг. Шнейдеръ, Циркель, Гартигъ, Видерсгеймъ, Маскаръ и Геншель.

8. Проф. *В. В. Докучаевъ* прислалъ въ даръ Обществу 17 томовъ сочиненія: „Матеріалы для оцѣнки земель Нижегородской губерніи".

9. Проф. *Видерсгеймъ* во Фрейбургѣ, прислалъ въ даръ Обществу пять новѣйшихъ брошюръ.

10. Академія Наукъ въ Туринѣ, Италіянское Географическое Общество въ Римѣ и Африканское Общество въ Неаполѣ просятъ выслать имъ нѣкоторые прежніе выпуски изданій Общества.

11. Членъ Академіи Наукъ *К. И. Максимовичъ* предлагаетъ Обществу выслать нѣкоторые изъ прежнихъ выпусковъ его Бюллетеня библіотекѣ ботаническаго сада въ Кью.

12. Смитсоновъ институтъ въ Вашингтонѣ извѣщаетъ о кончинѣ его секретаря Спенсера Байрдъ.

13. Книгъ и журналовъ поступило 88 названій.

14. Казначей Общества *А. Е. Кудрявцевъ* представилъ вѣдомость о состояніи кассы Общества къ 19 Ноября.

15. Членскій взносъ 4 рубля поступилъ отъ А. К. Феррейна.

16. *В. Д. Соколовъ* представилъ коллекцію аммонитовъ окрестностей Θеодосіи, принесенную въ даръ Обществу отъ дѣйствительнаго члена его *О. Ф. Ретовскаго*; постановили выразить дарителю благодарность Общества.

17. *Dr. В. Н. Бензенгръ* принесъ въ даръ Обществу составленный библіотекаремъ графа Разумовскаго *г. Ладрагъ* рукописный указатель статей помѣщенныхъ въ Мемуарахъ Общества Испытателей Природы съ 1806 по 1823 годъ. Постановили выразить В. Н. Бензенгру благодарность Общества за этотъ даръ.

18. Изъявленіе благодарности за доставленіе изданій Общества поступило отъ 11 лицъ и учрежденій.

19. Президентъ *Θ. А. Бредихинъ* напомнилъ о кончинѣ почетнаго члена Общества *Л. С. Ценковскаго* и заявивъ, что засѣданіе будетъ посвящено памяти покойнаго, предложилъ присутствующимъ почтить эту память вставаніемъ съ мѣстъ.

20. Когда члены вновь заняли свои мѣста были сдѣланы слѣдующія сообщенія:

а) *И. Н. Горожанкинъ* говорилъ о первыхъ работахъ Л. С. Ценковскаго по исторіи развитія хвойныхъ растеній.

б) *В. Д. Мѣшаевъ*—о работахъ и заслугахъ Л. С. Ценковскаго по изученію водорослей.

в) *В. А. Тихоміровъ*—личныя воспоминанія о Л. С. Ценковскомъ и его микологическія работы.

г) *М. А. Мензбиръ*—о значенiи работъ Л. С. Ценковскаго для зоологовъ.

д) *К. Э. Линдеманъ*—объ изслѣдованiяхъ Л. С. Ценковскаго по прививкѣ Сибирской язвы.

21. Секретарь Общества *Линдеманъ*, указалъ на то, что въ Декабрѣ истекаетъ трехлѣтiе, на которое былъ избранъ онъ въ должность секретаря, а В. А. Кипрiяновъ въ должность члена Совѣта. При этомъ К. Э. Линдеманъ высказалъ, что если Обществу угодно будетъ вновь поручить ему исполненiе обязанностей секретаря на новое трехлѣтiе, онъ будетъ считать это для себя особою честью, но проситъ, согласно стт. 27 и 38 устава, подвергнуть его въ такомъ случаѣ баллотировкѣ въ ближайшемъ засѣданiи.

Постановили: баллотировать К. Э. Линдемана и В. А. Кипрiянова въ ближайшемъ засѣданiи.

22. Къ избранiю въ члены Общества предложено одно лицо.

Декабря 17-го дня 1887 года, въ закрытомъ засѣданiи Императорскаго Московскаго Общества Испытателей Природы, происходившемъ (въ помѣщенiи президента профессора Ѳ. А. Бредихина, въ Астрономической Обсерваторiи Университета), подъ предсѣдательствомъ президента Ѳ. А. Бредихина, въ присутствiи секретарей: К. Э. Линдемана и А. П. Сабанѣева и гг. членовъ: А. П. Артари, В. Н. Бензенгра, Ѳ. В. Вешнякова, Н. Н. Горожанкина, Н. А. Иванцова, Е. Д. Кислаковскаго, А. Е. Кудрявцева, В. Н. Львова, А. Н. Маклакова, М. А. Мензбира, Н. Н. Миклашевскаго, А. П. Павлова, В. Д. Соколова, Э. В. Циккендрата, Р. Н. Шредера, А. К. Феррейна происходило слѣдующее:

1. Читанъ и подписанъ журналъ засѣданiя Общества 19-го Ноября 1887 года.

2. Для напечатанiя въ Запискахъ Общества представлена статья:

Г. А. Траутшольда: О послѣдствiяхъ землетрясенiя въ Ривьерѣ въ 1887 году.

3. Ректоръ Императорскаго Московскаго Университета предлагаетъ доставить ему отчетъ о дѣятельности Общества въ истекшемъ году.

4. Коммиссiя по международному обмѣну изданiями прислала два пакета съ книгами, доставленными Бельгiйскою коммиссiею и восемь пакетовъ доставленныхъ Американскою коммиссiею.

5. Согласно уставу избрали коммиссiю изъ *В. Н. Львова* и *Е. Д. Кислаковскаго* для ревизованiя кассовыхъ книгъ Общества.

6. Императорское С.-Петербургское Минералогическое Общество прислало бронзовый экземпляръ медали, поднесенной имъ *Н. И. Кокшарову* въ день празднованiя его 50-лѣтняго юбилея.

7. Императорское Московское Археологическое Общество, приглашаетъ принять участіе въ занятіяхъ предварительнаго комитета для выработки программы VIII-го археологическаго съѣзда въ г. Москвѣ и выбрать депутатовъ, которыхъ проситъ пожаловать въ засѣданіе предварительнаго комитета 4-го Января 1888 года. Постановлено: просить *В. Н. Бензенгра* и *В. Д. Соколова* принять участіе въ занятіяхъ Комитета Археологическаго съѣзда въ качествѣ депутатовъ Общества.

8. Карамзинская библіотека въ Симбирскѣ прислала отчетъ о дѣятельности ея въ 1886—87 году.

9. Проф. *Бюйсъ-Баллотъ* въ Утрехтѣ, благодаритъ за избраніе его въ почетные члены Общества.

10. Д-ръ *Скюддеръ* въ Кембриджѣ (въ Соединенныхъ Штатахъ) прислалъ въ даръ Обществу 59 изъ числа своихъ сочиненій.

11. Музей въ Тромзе въ Норвегіи, Академія въ Санъ-Франциско, Философическое Общество въ Бирмингамѣ, Академія Наукъ въ Амстердамѣ, просятъ выслать имъ нѣкоторые изъ прежнихъ выпусковъ изданій Общества, отсутствующіе въ ихъ библіотекахъ.

12. Изъявленія благодарности за доставленіе изданій Общества поступили отъ Императорскаго Русскаго Географическаго Общества, Петровскаго Общества изслѣдователей Астраханскаго края, Музея въ Тромзе, Лондонскаго Астрономическаго Общества, Королевскаго Общества въ Упсалѣ, Философическаго Общества въ Бермингамѣ, Общества Лотосъ въ Прагѣ, Академіи Наукъ въ Амстердамѣ, всего отъ восьми учрежденій.

13. Проф. *К. Э. Линдеманъ* представилъ № 4 Бюллетеня за 1887 годъ, вышедшій подъ его редакціей.

14. Казначей Общества *А. Е. Кудрявцевъ* представилъ вѣдомость о состояніи кассы Общества къ 19 Декабря 1887 года, изъ которой видно, что въ приходѣ было 5.486 руб. 92 к., а въ расходѣ 5.154 рубля 95 коп.

15. Членскій взносъ 4 рубля полученъ отъ В. Н. Бензенгра.

16. Книгъ и журналовъ въ библіотеку Общества съ 19 Ноября по 17 Декабря поступило 195 названій.

17. *К. Э. Линдеманъ* внесъ въ Общество предложеніе относительно смѣты на будущій 1888 годъ и измѣненій нѣкоторыхъ статей расхода. Постановлено: передать разсмотрѣніе этого предложенія въ коммиссію состоящую изъ гг. членовъ: Ѳ. В. Вешнякова, Н. Н. Горожанкина, К. Э. Линдемана, М. А. Мензбира, А. Н. Павлова, К. Н. Перепелкина и А. Н. Собанѣева.

18. По представленію К. Э. Линдемана постановили: съ начала 1888 г. печатать Бюллетень Общества въ числѣ 850 экземляровъ и съ увеличеннымъ числомъ строкъ въ страницѣ (безъ шпонъ).

19. Президентъ проф. *Ѳ. А. Бредихинъ*, привѣтствуя присутствующихъ лицъ, указалъ на то, что Общество собралось, такъ сказать, на старомъ пепелищѣ своемъ, потому что мѣсто и нѣкоторыя зданія Астрономической Обсерваторіи принадлежали прежде Обществу Испытателей Природы, которому были подарены извѣстнымъ грекомъ Зосимою, покровителемъ наукъ въ началѣ нашего вѣка. Общество въ началѣ собиралось въ принадлежащемъ ему домѣ (флигелѣ Обсерваторіи), но вскорѣ уступило все свое владѣніе Университету, получивъ въ замѣнъ право вѣчно пользоваться помѣщеніемъ въ зданіи Университета для своихъ засѣданій, коллекцій и библіотеки.

20. *Ѳ. А. Бредихинъ* сдѣлалъ сообщеніе о послѣднемъ солнечномъ затмѣніи.

21. *П. П. Мельгуновъ* говорилъ о результатахъ своихъ работъ и наблюденій по флорѣ Задонскаго уѣзда.

22. По баллотировкѣ единогласно избраны на новое трехлѣтіе:

а) *К. Э Линдеманъ* въ должность секретаря.

б) *В. А. Кипріяновъ* въ должность члена Совѣта.

23. Избранъ въ дѣйствительные члены Общества: проф. *Александръ Евгеніевичъ Лагоріо* (по предложенію В. Д. Соколова и А. Н. Павлова).

24. Предложено къ избранію одно лицо.

ПРОТОКОЛЫ ЗАСѢДАНІЙ

ИМПЕРАТОРСКАГО МОСКОВСКАГО ОБЩЕСТВА

ИСПЫТАТЕЛЕЙ ПРИРОДЫ.

Января 14-го дня 1888 года, въ засѣданіи Императорскаго Московскаго Общества Испытателей Природы, подъ предсѣдательствомъ президента Ѳ. А. Бредихина, въ присутствіи секретарей: К. Э. Линдемана, А. Н. Сабанѣева и гг. членовъ: А. Н. Артари, Я. Н. Вейнберга, Ѳ. В. Вешнякова, Н. Н. Горожанкина, А. А. Гудендорфа, В. Н. Зыкова, Н. А. Иванцова, Е. Д. Кислаковскаго, В. Н. Львова, А. Н. Маклакова, М. А. Мензбира, Н. Н. Миклашевскаго, В. Д. Мѣшаева, К. Н. Перепелкина, В. Д. Соколова, Ѳ. А. Слудскаго, Э. В. Цикендрата происходило слѣдующее:

1. Читанъ и подписанъ журналъ засѣданія Общества 17-го Декабря 1887 года.

2. Для напечатанія въ Запискахъ Общества представили статьи:
а) *В. Н. Бензенгръ:* О графѣ А. Разумовскомъ, первомъ президентѣ Общества Испытателей Природы.

б) *К. Э. Линдеманъ*: О насѣкомыхъ вредящихъ табаку въ Бессарабіи.

в) *М. В. Павлова*: О палеонтологической исторіи копытныхъ млекопитающихъ. Съ 2 таблицами.

г) *П. Н. Кулешовъ*: Особенности черепа краснаго Калмыцкаго скота. Съ рисунками.

д) *Д. И. Литвиновъ*: Списокъ растеній, дикорастущихъ въ Тамбовской губерніи (продолженіе).

3. Графъ *А. А. Кейзерлингъ* благодаритъ за избраніе его въ почетные члены Общества и присылаетъ свою фотографическую карточку.

4. Проф. *Бюйсъ-Баллотъ* въ Утрехтѣ и *В. П. Зыковъ* въ Москвѣ прислали свои фотографическія карточки.

5. Кіевское Общество Естествоиспытателей, сообщая о затрудненіяхъ, встрѣчаемыхъ имъ при изданіи „Указателя Русской Литературы". проситъ Общество оказать ему матеріальную поддержку.

6. Д-ръ *Г. И. Радде* сообщаетъ о томъ, что заканчивая обработку зоологическихъ результатовъ экспедиціи въ Закаспійскую область, онъ не можетъ найти издателя для этого сочиненія на русскомъ языкѣ и предлагаетъ его Обществу.

7. Общество Естествоиспытателей въ Гамбургѣ благодаритъ за участіе въ празднованіи его 50-лѣтняго юбилея.

8. Естественно-историческій Музей въ Тулузѣ проситъ выслать ему экземпляръ Myogale moschata.

9. Смитсоновъ Институтъ въ Вашингтонѣ извѣщаетъ, что секретаремъ его избранъ профессоръ Самуилъ Ленгли.

10. *Г. А. Траутшольдъ* и *Н. П. Вишняковъ* просятъ выслать имъ нѣкоторые недоставленные выпуски Бюллетеня Общества.

11. Заявлено о кончинѣ члена Общества Ф. Гайденъ въ Вашингтонѣ.

12. Изъявленія благодарности за доставленіе изданій Общества поступили отъ 6 лицъ и 36 учрежденій.

13. Казначей Общества *А. Е. Кудрявцевъ* представилъ вѣдомость о состояніи кассы Общества къ 14 Января 1888 года, изъ которой видно, что остатка отъ прошедшаго года было 119 руб. 25 коп., съ 1-го Января поступило 39 руб., итого на лицо 158 р. 25 к.

14. Членскій взносъ и плата за дипломъ 19 руб. поступили отъ *В. П. Зыкова*; членскіе взносы по 4 руб. поступили отъ *А. П. Павлова*. *М. В. Павловой*, *П. И. Ледера*, *П. Е. Назарова*, *А. П. Сабанѣева*, *Е. Д. Кислаковскаго*, *К. П. Перепелкина*.

15. Въ библіотеку Общества книгъ и журналовъ поступило 67 названій и кромѣ того 14 брошюръ.

16. Секретарь *К. Э. Линдеманъ* представилъ докладъ коммиссіи, избранной для разсмотрѣнія нѣкоторыхъ измѣненій въ бюджетѣ Общества. Послѣ подробнаго обсужденія, въ которомъ принимали участіе многіе изъ присутствовавшихъ членовъ, постановлено: раздѣлить соединенныя въ одномъ лицѣ должности помощника библіотекаря и письмоводителя и назначить жалованья первому въ количествѣ 600 рублей, а второму въ количествѣ 150 рублей въ годъ.

17. Разсмотрѣна и утверждена смѣта прихода и расхода на сей 1888 годъ.

18. *М. А. Мензбиръ* внесъ подробное мотивированное предложеніе объ учрежденіи согласно уставу особаго редакціоннаго комитета. Постановлено: передать это предложеніе для обсужденія въ коммиссію изъ гг. членовъ: Ѳ. В. Вешнякова, Н. Н. Горожанкина, К. Э. Линдемана, А. Н. Маклакова, М. А. Мензбира, А. Н. Павлова, А. Н. Сабанѣева.

19. *Ѳ. В. Вешняковъ* проситъ напечатать въ достаточномъ количествѣ Уставъ Общества, причемъ изъявляетъ готовность принять расходы по напечатанію его на свой счетъ. Постановлено: благодарить жертвователя и отпечатать немедленно Уставъ Общества и разослать его при первой книжкѣ Бюллетеня за этотъ годъ.

20. *Ѳ. А. Бредихинъ* сдѣлалъ сообщеніе о полномъ затменіи луны, имѣющемъ быть 16 Января сего года.

21. *В. Н. Львовъ* и *Е. Д. Кислаковскій*, избранные въ декабрьскомъ засѣданіи для обревизованія кассовой книги и документовъ за 1887 годъ, доносятъ, что запись прихода и расхода ведена правильно и согласно документамъ, что и засвидѣтельствовали своею подписью на кассовой книгѣ.

1888 года, Февраля 18-го дня, въ засѣданіи Императорскаго Московскаго Общества Испытателей Природы, подъ предсѣдательствомъ президента Ѳ. А. Бредихина, въ присутствіи секретаря А. Н. Сабанѣева и гг. членовъ: кн. Г. Д. Волконскаго, И. Н. Горожанкина, Н. А. Иванцова, В. А. Кипріянова, Е. Д. Кислаковскаго, А. Н. Кронеберга, А. Е. Кудрявцева, В. Н. Львова, Н. Е. Лясковскаго, А. Н. Маклакова, М. А. Мензбира, В. Д. Мѣшаева, М. В. Павловой, А. Н. Навлова, К. Н. Перепелкина, В. Д. Соколова, Э. К. Цикендрата, Ѳ. Н. Шереметевскаго и 13 постороннихъ посѣтителей происходило слѣдующее:

1. Читаны и подписаны журналы засѣданій Общества 14-го Января и экстреннаго засѣданія 11-го Февраля сего года.

2. Для напечатанія въ Запискахъ Общества доставленъ *Д. М. Литвиновымъ* Списокъ растеній, дикорастущихъ въ Тамбовской губерніи (окончаніе).

3. Г. министръ Путей Сообщенія *К. Н. Посьетъ* благодаритъ Общество письмомъ на имя г. президента за участіе въ празднованіи его юбилея.

4. Пермскій губернаторъ увѣдомляетъ Совѣтъ Общества, что найденная крестьяниномъ Тропининымъ голова неизвѣстнаго животнаго отправлена въ Москву чрезъ посредство Россійскаго Общества Страхованія 24 Декабря.

5. Директоръ Варшавскаго Ботаническаго Сада *А. А. Фишеръ-фонъ-Вальдгеймъ* препровождаетъ въ Общество каталогъ сѣмянъ за 1887 годъ.

6. Ректоръ Болонскаго университета увѣдомляетъ о праздновании въ будущемъ Іюлѣ 800-лѣтія существованія Болонскаго университета и приглашаетъ отъ имени Университетскаго Совѣта принять уча-

стіе въ празднествѣ присылкой одного или нѣсколькихъ депутатовъ, о чемъ проситъ извѣстить заранѣе Совѣтъ Болонскаго Университета.

Президентъ Общества Ѳ. А. Бредихинъ заявилъ, что онъ предполагаетъ принять личное участіе въ празднествѣ Болонскаго Университета.

Обществомъ избранъ въ почетные члены ректоръ Болонскаго Университета *Капеллини* per acclamationem.

7. Попечители фондовъ Елисаветы Томсонъ въ Страмсфордѣ, Штатъ Коннектикутъ, извѣщаютъ, что въ настоящее время имѣется сумма въ 500 долларовъ=2000 марокъ=2500 франковъ, которая можетъ быть выдана какъ пособіе для научнаго изслѣдованія. Работѣ, имѣющей цѣлью прогрессъ человѣческаго знанія или пользу человѣческаго рода вообще, будетъ отдано предпочтеніе передъ работой, имѣющей цѣлью разрѣшеніе вопросовъ представляющихъ мѣстный интересъ. Просьба о назначеніи суммы должна сопровождаться слѣдующими указаніями: 1) точнымъ обозначеніемъ необходимой суммы; 2) точнымъ указаніемъ характера предполагаемаго изслѣдованія; 3) указаніемъ условій, при которыхъ изслѣдованіе будетъ производиться, и 4) указаніемъ способа расходованія просимой суммы.

8. Бюро французской научной ассоціаціи извѣщаетъ, что засѣданія 17-й сессіи будутъ происходить въ Оранѣ съ четверга 29-го Марта по вторникъ 3-го Апрѣля (н. ст.) 1888 г и приглашаетъ принять участіе въ засѣданіяхъ ассоціаціи.

9. Организованный Комитетъ 4-го международнаго Геологическаго Конгресса приглашаетъ членовъ Общества принять участіе въ работахъ Конгресса, который откроется въ Лондонѣ въ 1888 г. 17 (5) Сентября. Засѣданія Конгреса продолжатся одну недѣлю; по окончаніи засѣданій будутъ организованы экскурсіи въ мѣстности наиболѣе интересныя въ геологическомъ отношеніи. Вмѣстѣ съ приглашеніемъ принять участіе въ работахъ 4-го Геологическаго Конгресса получено извѣщеніе о томъ, что въ концѣ Августа (24—31) будутъ происходить въ Батѣ засѣданія Британской научной ассоціаціи, за которыми также послѣдуютъ геологическія экскурсіи.

10. Докторъ *Кемпбель* (Campbell), въ Мельбурнѣ, извѣщая о томъ, что онъ занятъ въ настоящее время приготовленіемъ къ печати работы „Oology of Australian Birds“, проситъ указать ему лицо или учрежденіе, при посредствѣ котораго онъ могъ бы получить въ обмѣнъ на яйца австралійскихъ птицъ яйца нѣкоторыхъ птицъ, встрѣчающихся въ Австраліи, но кладущихъ яйца только въ Сибири. Постановлено: сообщить объ этомъ дирекціи Московскаго Зоологическаго Музея.

11. Academia Petrarca въ Ареццо присылаетъ экземпляръ своего устава и предлагаетъ вступить въ обмѣнъ изданіями.

12. Нью-іоркское Микроскопическое Общество присылаетъ свой адресъ, по которому слѣдуетъ посылать ему изданія во взаимный обмѣнъ.

13. Вѣнское Антропологическое Общество проситъ прислать многіе недостающіе у него томы Записокъ Общества.

14. Россійское Общество Покровительства Животнымъ въ С.-Петербургѣ увѣдомляетъ о посылкѣ №№ 31—34 Вѣстника этого Общества.

15. Управленіе Публичной Библіотеки, Музеума и Національной Галлереи Викторіи (въ Мельбурнѣ) увѣдомляетъ о посылкѣ въ Общество изданія: Muellers Iconography of Australian Species of Acacia. Decad. 5—8.

16. Докторъ *Дрехслеръ*, директоръ Королевскаго Математическаго учрежденія въ Дрезденѣ, увѣдомляетъ о высылкѣ имъ пяти своихъ сочиненій.

17. Благодарность за присылку изданія получена отъ 26 учрежденій и 3 лицъ.

18. Казначей *А. Е. Кудрявцевъ* представилъ вѣдомость о состояніи кассы Общества къ 18-му Февраля, изъ которой видно, что въ приходѣ было 1.788 руб. 20 к., въ расходѣ было 1.253 руб. 62 к., затѣмъ состояло на лицо 534 руб. 58 коп.

19. Членскій взносъ по 4 руб. поступилъ отъ *В. И. Палладина* и *Эд. Эд. Линдемана.*

20. Въ библіотеку Общества поступило книгъ и журналовъ 148 названій.

21. Проф. *А. П. Павловъ* сдѣлалъ сообщеніе о ледниковыхъ и послѣледниковыхъ образованіяхъ Приалатырскаго края. Между новѣйшими образованіями Приалатырскаго края наиболѣе интересны моренные суглинки съ валунами сѣверныхъ кристаллическихъ породъ, кварцевыми и кремневыми. Эти морскіе суглинки лежатъ на вершинахъ возвышенностей сложенныхъ изъ юрскихъ и мѣловыхъ породъ и обыкновенно не прорѣзываются оврагами, вслѣдствіе чего они весьма рѣдко видны въ естественныхъ обнаженіяхъ. Склоны возвышенностей покрыты смытыми съ вершинъ продуктами разрушенія моренныхъ суглинковъ и коренныхъ породъ (дилювій). Глубокія рѣчныя долины сопровождаются древними аллювіальными образованіями, между которыми обращаютъ на себя вниманіе боровые пески долины Алатыря. Присутствіе моренныхъ образованій только отдѣльными островками по вершинамъ водораздѣловъ, значительная глубина долинъ и мощное развитіе древняго аллювія и дилювія свидѣтельствуютъ о томъ, что ледниковый покровъ существовалъ здѣсь недолго и что послѣ его отступленія началось энергичное размываніе оставленной имъ морены и образованіе современныхъ долинъ, раздѣляющихъ уцѣлѣвшіе клочки этой морены.

22. *М. И. Голенкинъ* сообщилъ о флорѣ Калужской губерніи.

23. По заявленію *В. А. Кипріянова*, выразившаго желаніе, чтобы въ томъ случаѣ, если онъ будетъ избранъ въ библіотекари, ему было выдано сто рублей на плату тѣмъ лицамъ, которыхъ пригласилъ бы онъ въ помощь себѣ при пріемѣ и повѣркѣ библіотеки, постановлено: разрѣшить выдать сто рублей на этотъ предметъ.

24. Избраны: на должность редактора изданій Общества проф. *М. А. Мензбиръ*, на должность секретаря приватъ-доцентъ *В. Н. Львовъ*.

25. *А. П. Сабанѣевъ* заявилъ, что вслѣдствіе недостатка времени онъ къ сожалѣнію долженъ отказаться отъ должности секретаря Общества.

26. *К. П. Перепелкинъ*, также по недостатку времени не имѣя возможности исполнять обязанности библіотекаря Общества, просилъ освободить его отъ этой должности.

Постановлено: въ ближайшемъ засѣданіи баллотировать на должность секретаря *А. П. Павлова*, на должность библіотекаря— *В. А. Кипріянова*, въ званіе хранителя геологическихъ коллекцій *Е. Д. Кислаковскаго* и въ званіе члена Совѣта *К. П. Перепелкина*.

27. Къ избранію въ члены Общества предложено одно лицо.

1888 года, Марта 17-го дня, въ засѣданіи Императорскаго Московскаго Общества Испытателей Природы, подъ предсѣдательствомъ президента Ѳ. А. Бредихина, въ присутствіи секретаря: В. Н. Львова, гг. членовъ: А. Н. Артари, Н. Н. Горожанкина, А. А. Гудендорфа, Н. А. Иванцова, Е. Д. Кислаковскаго, А. Е. Кудрявцева, Н. Е. Лясковскаго, М. А. Мензбира, М. В. Павловой, А. Н. Павлова, К. П. Перепелкина, А. Н. Сабанѣева, В. Д. Соколова и 34 стороннихъ посѣтителей, происходило слѣдующее:

1. Читанъ и подписанъ журналъ засѣданія Общества 18-го Февраля сего года.

2. Для напечатанія въ Запискахъ Общества представлены статьи:

а) *Д. В. Рябининъ*: Зеленыя водоросли окрестностей Харькова.

б) *А. К. Беккеръ*: Пауки и насѣкомыя окрестностей Сарепты.

в) *О. Ф. Ретовскій*: Прибавленіе къ фаунѣ моллюсковъ Кавказа.

г) *Э. Э. Балліонъ*: Замѣтки о нѣкоторыхъ видахъ Blaps.

д) *Н. А. Зарудный*: Зоологическіе результаты третьей поѣздки въ Закаспійскій край.

е) *И. Н. Горожанкинъ*: Списокъ растеній, найденныхъ въ Московской губерніи послѣ изданія Флоры Кауфмана.

ж) *А. П. Сабанѣевъ*: Химическое изслѣдованіе Дарьинской желѣзистой воды.

3. Главное управленіе по дѣламъ печати отношеніемъ на имя президента извѣщаетъ объ утвержденіи *М. А. Мензбира* въ должности редактора изданій Общества.

4. Пермскій губернаторъ прислалъ въ Общество кости ископаемаго быка (Bos priscus).

Постановлено: передать эти кости въ Кабинетъ Сравнительной Анатоміи.

5. Организаціонный Комитетъ международнаго Конгресса Американцевъ извѣщаетъ, что засѣданія Конгресса назначены въ Берлинѣ въ первыхъ числахъ Октября сего года.

6. Общество Наукъ въ Финляндіи (въ Гельсингфорсѣ) извѣщаетъ, что 29-го Апрѣля сего года оно будетъ праздновать 50-тилѣтіе своего существованія. Постановлено: послать поздравительную телеграмму отъ имени Общества.

7. Королевское Общество Искусствъ и Наукъ на островахъ Св. Маврикія проситъ прислать недостающіе нумера Записокъ Общества и въ свою очередь предлагаетъ прислать Обществу недостающіе нумера своихъ изданій.

8. Публичная Библіотека, Музей и Національная Галлерея Викторіи въ Мельбурнѣ извѣщаетъ о посылкѣ въ Общество своихъ изданій: „Iconography of Australian Species of Acacia", Decades 1—4, и „Prodromus of the Zoology of Victoria", Decad. 1—14.

9. Харьковское Общество Сельскаго Хозяйства извѣщаетъ о посылкѣ своего отчета за 1887 г. и брошюры „О прививкѣ Сибирской язвы".

10. Императорское Московское Археологическое Общество прислало 10 экземпляровъ правилъ юбилейной преміи имени гр. А. С. Уварова.

11. Директоръ Музея Сравнительной Зоологіи *Агассицъ* извѣщаетъ о посылкѣ въ Общество XV-го тома Мемуаровъ Музея.

12. Г. *Аллэнъ* въ Нью-іоркѣ извѣщаетъ о посылкѣ Обществу своего сочиненія „Characea of America".

13. Королевскій Ботаническій Садъ въ Берлинѣ, Нѣмецкое Общество Естествознанія и Этнографіи Восточной Азіи, Ботаническій Садъ въ Палермо, Ботаническій Садъ во Флоренціи просятъ выслать имъ нѣкоторые изъ прежнихъ выпусковъ изданій Общества, недостающіе въ ихъ библіотекахъ.

14. Книгопродавецъ Фридлендеръ въ Берлинѣ проситъ выслать ему 4 экземпляра Записокъ Общества за 1887 г. и подписывается на 4 экземпляра 1888 г.

15. *Гр. Монтрезоръ*, въ Кіевѣ, извѣщаетъ, что въ скоромъ времени пришлетъ въ библіотеку Общества III-й выпускъ „Обозрѣнія растеній губерній Кіевской, Подольской, Волынской, Черниговской и Полтавской".

16. Профессоръ Университета Св. Владиміра *А. А. Коротневъ*, завѣдующій зоологическою лабораторіей въ Вилла-Франкѣ, проситъ Общество въ видахъ поддержки начинающагося учрежденія, которое можетъ сослужить службу русскимъ зоологамъ, ходатайствовать у г. министра Народнаго Просвѣщенія о назначеніи субсидіи на содержаніе штатнаго препаратора при лабораторіи. Постановлено: ходатайствовать передъ г. министромъ Народнаго Просвѣщенія.

17. *П. Ф. Маевскій* письмомъ на имя секретаря проситъ Общество оказать ему содѣйствіе при второмъ изданіи Московской Флоры Кауфмана указаніемъ тѣхъ измѣненій и дополненій, въ которыхъ нуждается первое изданіе.

18. *Ф. К. Лоренцъ* проситъ Общество испросить ему открытый листъ въ Кубанскую область на весеннее и лѣтнее время текущаго года. Постановлено: просить г. начальника Кубанской области о выдачѣ Ф. К. Лоренцу открытаго листа.

19. *М. А. Мензбиръ* возвратился къ возбужденному имъ ранѣе вопросу объ учрежденіи редакціоннаго комитета. Поставляя на видъ указанные уже ранѣе мотивы, именно разнообразіе научныхъ статей, печатаемыхъ въ изданіяхъ Общества, вслѣдствіе чего послѣднія недоступны компетентности одного лица, возможность личныхъ недоразумѣній для редактора съ авторами и полное устраненіе таковаго при существованіи редакціоннаго комитета и, наконецъ, необходимость подчиненія изданія Совѣту Общества, какъ учрежденію завѣдующему денежными дѣлами, М. А. Мензбиръ пришелъ къ заключенію, что Совѣтъ Общества въ сущности представляетъ собою практическое осуществленіе редакціоннаго комитета, такъ какъ состоитъ изъ ученыхъ разныхъ спеціальностей, и потому предложилъ облечь правами редакціоннаго комитета Совѣтъ Общества. Предложеніе это было принято.

20. Казначей Общества *А. Е. Кудрявцевъ* представилъ вѣдомость о состояніи кассы Общества къ 17 Марта, изъ которой видно, что въ приходѣ сего года было 1.800 руб. 20 к., въ расходѣ—1.324 р. 87 к., затѣмъ состояло въ наличности 475 р. 33 к.

21. Членскій взносъ по 4 руб. поступилъ отъ *С. Н. Никитина*, *Ф. О. Христофъ* и *Гр. Монтрезора*.

22. Въ библіотеку Общества поступило книгъ и брошюръ 108 названій.

23. Изъявленія благодарности за доставленіе изданій Общества поступили отъ 12 лицъ и учрежденій.

24. Проф. *М. А. Мензбиръ* сдѣлалъ сообщеніе объ ученыхъ заслугахъ покойнаго профессора зоологіи М. Н. Богданова.

По окончаніи сего сообщенія президентъ Общества Ѳ. А. Бредихинъ предложилъ Обществу почтить память покойнаго ученаго вставаніемъ.

25. Президентъ *Ѳ. А. Бредихинъ* сдѣлалъ сообщеніе: О большой южной кометѣ 1887 г.

26. *А. П. Сабанѣевъ* сдѣлалъ сообщеніе объ одной минеральной водѣ окрестностей Москвы. Эта минеральная, желѣзистая вода находится въ 30 верстахъ отъ Москвы, въ Звенигородскомъ уѣздѣ, на землѣ села Дарьина-Никольскаго гг. Столповскихъ, въ красивой, богатой оврагами мѣстности, на берегу рѣчки Чернявы. Температура воды довольно низкая, именно 6,6° R. Она содержитъ 0,02946 частей двууглекислой закиси на 1000 частей воды и 0,31171 твердаго остатка. Изъ всѣхъ эксплуатируемыхъ русскихъ желѣзистыхъ водъ она содержитъ наибольшее количество желѣза, и это обстоятельство вмѣстѣ съ близостью источника отъ такаго большаго города, какъ Москва, позволяетъ надѣяться, что ему предстоитъ блестящая будущность.

27. *М. К. Цвѣтаева* сдѣлала сообщеніе: О результатахъ изученія головоногихъ верхняго каменноугольнаго известняка Средней Россіи.

28. *Ѳ. А. Гриневскій* сдѣлалъ сообщеніе „Матеріалы къ изученію флоры Московской губерніи“.

29. По окончаніи сообщеній были избраны баллотировкою:

а) *А. П. Павловъ* въ должность секретаря.

б) *Е. Д. Кислаковскій*—хранителя палеонтологическихъ коллекцій.

30. Въ дѣйствительные члены Общества избранъ *Михаилъ Ильичъ Голенкинъ*.

(По предлож. И. Н. Горожанкина и В. Н. Львова).

31. Къ избранію въ члены Общества предложено 5 лицъ.

ПРОТОКОЛЫ ЗАСѢДАНІЙ

ИМПЕРАТОРСКАГО МОСКОВСКАГО ОБЩЕСТВА

ИСПЫТАТЕЛЕЙ ПРИРОДЫ.

1888 года, 14 Апрѣля, въ засѣданіи Императорскаго Московскаго Общества Испытателей Природы, подъ предсѣдательствомъ президента Ѳ. А. Бредихина, въ присутствіи секретарей: В. Н. Львова, А. П. Павлова, гг. членовъ: А. П. Артари, А. Ф. Головачова, М. И. Голѣнкина, В. П. Зыкова, Н. А. Иванцова, Е. Д. Кислаковскаго М. А. Мензбира, В. Д. Соколова, А. Е. Кудрявцева и 12 стороннихъ посѣтителей, происходило слѣдующее:

1. По открытіи засѣданія президентъ Общества Ѳ. А. Бредихинъ сообщилъ о смерти отважнаго и выдающагося русскаго путешественника Н. Н. Миклухо-Маклая и предложилъ Обществу почтить память покойнаго вставаніемъ.

2. Читанъ и подписанъ журналъ засѣданія 17 Марта 1888 года.

3. Товарищъ министра Народнаго Просвѣщенія *князь М. С. Волконскій* письмомъ на имя президента Общества Ѳ. А. Бредихина благодаритъ Общество за доставленіе изданій Общества.

4. Королевская Академія въ Сербіи (Бѣлградѣ) извѣщаетъ о смерти своего президента Іосифа *Панчика.*

5. *Аткинсонъ* въ Калькуттѣ, предпринимая работу о Rhynchota, предлагаетъ вступить въ обмѣнъ индѣйскихъ видовъ на европейскіе.

6. Проф. *Линтнеръ* извѣщаетъ о посылкѣ въ Общество своего Отчета Албанскому Университету за 1886 г.

7. Коммиссія по международному обмѣну изданій извѣщаетъ о посылкѣ Обществу 12 пакетовъ, доставленныхъ Французскою Коммиссіею по международному обмѣну изданій, и трехъ пакетовъ, присланныхъ Голландскою Коммиссіей.

8. Совѣтъ состоящаго подъ Августѣйшимъ покровительствомъ Его Императорскаго Высочества Великаго Князя Павла Александровича

Русскаго Общества Охраненія Народнаго Здравія, извѣщая о томъ, что 7 Мая текущаго года будетъ чествованіе пятидесятилѣтія научно-служебной дѣятельности предсѣдателя сего Общества дѣйствительнаго тайнаго совѣтника Николая Ѳедоровича Здекауера, приглашаетъ Общество Испытателей Природы принять участіе въ этомъ чествованіи. Постановлено: послать привѣтственный адресъ ко дню празднованія юбилея. Кромѣ того Общество избрало Н. Ѳ. Здекауера въ почетные члены per acclamationem.

Проф. *И. Н. Горожанкинъ* проситъ исходатайствовать открытые листы на лѣтнее время для ботаническихъ экскурсій слѣдующимъ лицамъ:

а) Ассистенту Ботанической Лабораторіи Сергѣю Николаевичу Милютину въ Московской, Калужской, Тульской и Рязанской губ.

б) Студенту Ест. Отд. Физ.-Мат. факультета Константину Космовскому въ Тамбовской и Пензенской губерніи.

в) Члену Общества Михаилу Ильичу Голѣнкину въ Тамбовской и Пензенской губерніи.

г) Кандидату Естественныхъ Наукъ Семену Ивановичу Ростовцеву въ Орловской губ.

10. *Д. И. Литвиновъ*, извѣщая о томъ, что будущимъ лѣтомъ онъ предполагаетъ продолжать свои изслѣдованія флоры Области Донскихъ казаковъ, а также сдѣлать нѣсколько экскурсій въ Тамбовской и Воронежской губерніи, проситъ Общество исходатайствовать ему слѣдующіе необходимые для этой поѣздки документы: 1) открытый листъ отъ г. войсковаго наказнаго атамана Войска Донскаго въ Новочеркаскѣ; 2) открытый листъ отъ Областнаго Земскаго Распорядительнаго Комитета въ Новочеркаскѣ на предметъ полученія лошадей за прогоны изъ земскихъ ставокъ отъ 1-го Іюня по 1-е Сентября; 3) билетъ отъ Тамбовской Губернской Земской Управы на тотъ же предметъ; 4) Такой же билетъ отъ Воронежской Земской Управы.

11. Метеорологическій Институтъ въ Букарештѣ извѣщаетъ о посылкѣ въ Общество II тома своихъ Анналовъ за 1886 г.

12. Королевское Венгерское Естественно-Историческое Общество въ Будапештѣ, Королевская Академія и Итальянское Общество Наукъ въ Римѣ, Французское Геологическое Общество просятъ выслать имъ нѣкоторые недостающіе въ ихъ библіотекахъ нумера Записокъ Общества.

13. Благодарности за доставленіе изданій Общества поступили отъ 47 лицъ и учрежденій.

14. Въ библіотеку поступило новыхъ книгъ 157 названій.

15. *В. Д. Соколовъ* сдѣлалъ сообщеніе: „О характерѣ залеганія кристаллическихъ породъ Крыма.

16. *А. П. Артари* сдѣлалъ сообщеніе: „Къ флорѣ Орловской губерніи".

17. Избраны въ дѣйствительные члены:

а) Профессоръ Ramsay *Wright*, въ Канадѣ.
б) Софія Михаиловна *Переяславцева*, въ Севастополѣ
(По предложенію М. А. Мензбира и В. Н. Львова).
в) Марія Кузьминишна *Цвѣтаева*, въ Москвѣ
(По предложенію И. Н. Горожанкина и А. П. Павлова).
г) Ѳедоръ Александровичъ *Гриневскій*, въ Москвѣ,
д) Петръ Павловичъ *Мельгуновъ*, въ Москвѣ
(По предложенію И. Н. Горожанкина и К. П. Перепелкина).

18. Къ избранію въ члены Общества предложено 9 лицъ.

1888 года 15 го Сентября, въ засѣданіи Императорскаго Московскаго Общества Испытателей Природы, подъ предсѣдательствомъ президента Ѳ. А. Бредихина, въ присутствіи вице-президента М. А. Толстопятова, и. д. секретаря Е. Д. Кислаковскаго и гг. членовъ: А. Ф. Головачова, М. И. Голѣнкина, И. Н. Горожанкина, Ѳ. А. Гриневскаго, Н. А. Иванцова, А. И. Кронеберга, А. А. Крылова, А. Н. Маклакова, М. А. Мензбира, В. Д. Мѣшаева, А. П. Сабанѣева, В. Д. Соколова, Д. Н. Соколова, М. К. Цвѣтаевой, А. Е. Кудрявцева и 17 постороннихъ посѣтителей, происходило слѣдующее:

1. По открытіи засѣданія президентъ Общества Ѳ. А. Бредихинъ сообщилъ что а) 26 Сентября предполагается празднованіе 50-ти-лѣтняго юбилея врачебно-научной дѣятельности члена Общества *В. Н. Бензенгра*,

б) 15-го Октября — празднованіе 25-ти-лѣтней дѣятельности *Общества Любителей Естествознанія*,

в) и въ ближайшемъ будущемъ — 30-ти лѣтней научной дѣятельности *проф. И. М. Сѣченова*,

и предложилъ Обществу принять участіе въ этихъ торжествахъ.

Постановлено: поручить Совѣту послать вышеозначеннымъ лицамъ и Обществу Любителей Естествознанія привѣтственные адресы.

2. Читанъ и подписанъ журналъ предыдущаго засѣданія.

3. Для напечатанія въ Запискахъ Общества доставлены статьи:

а) *О. Ф. Ретовскаго*. Orthoptera Крыма.

б) *О. И. Родошковскаго*. О придаткахъ половыхъ органовъ самцовъ семейства Pompilidæ.

4. Управляющій Министерствомъ Народнаго Просвѣщенія отношеніемъ на имя президента Общества извѣщаетъ, что имъ сдѣлано распоряженіе о предоставленіи секретарю Общества В. Н. Львову

одного рабочаго стола на Зоологической станціи въ Неаполѣ отъ 1-го Ноября 1888 года по 1-е Марта 1889 года.

5. Попечитель Западно-Сибирскаго Учебнаго Округа извѣщаетъ Общество, что 22-го Іюля текущаго года послѣдуетъ открытіе Университета въ Томскѣ. Въ этотъ день со стороны Общества отправлена на имя г. попечителя поздравительная телеграмма.

6. Начальникъ Кубанской Области, генералъ-лейтенантъ Леоновъ, прислалъ въ Общество открытый листъ на имя Ф. К. Лоренца для зоологическихъ его изслѣдованій въ Кубанской области.

7. Гг. Тамбовскій и Пензенскій губернаторы прислали открытые листы на имя г. Космовскаго для геологическихъ и ботаническихъ экскурсій въ Тамбовской и Пензенской губерніяхъ.

8. Тамбовская Губернская Земская Управа прислала открытые листы на имя гг. Литвинова, Космовскаго и Голѣнкина.

9. Пензенская Губернская Земская Управа прислала открытые листы г. Голѣнкину и г. Космовскому.

10. Воронежская Губернская Земская Управа прислала открытый листъ г. Литвинову.

11. Областной Распорядительный Комитетъ по земскимъ дѣламъ въ Новочеркаскѣ прислалъ открытый листъ для г. Литвинова.

12. Московская, Рязанская, Калужская и Тульская Губернскія Земскія Управы прислали открытые листы для г. Милютина.

13. Елецкая Уѣздная Земская Управа прислала открытый листъ на имя г. Ростовцева.

14. Ректоръ Болонскаго Университета *Жіованни Капеллини* письмомъ на имя президента благодаритъ Общество за избраніе его въ почетные члены и присылаетъ свою фотографическую карточку.

15. Предсѣдатель Русскаго Общества Охраненія Народнаго Здравія *Н. Ѳ. Здекауеръ* благодаритъ за избраніе его почетнымъ членомъ Общества.

16. Проф. *Э. Перье*, въ Парижѣ, и проф. *Р. Врайтъ*, въ Канадѣ, благодарятъ Общество за избраніе ихъ въ члены Общества и присылаютъ свои фотографическія карточки.

17. Товарищъ Министра Народнаго Просвѣщенія, князь *М. С. Волконскій*, и г. Товарищъ Министра Государственныхъ Имуществъ *В. И. Вешняковъ*, благодарятъ за доставленіе изданій Общества.

18. Министръ Иностранныхъ Дѣлъ, дѣйств. тайный совѣтникъ *Н. К. Гирсъ*, письмомъ на имя Общества благодаритъ за доставленіе изданій Общества.

19. Извѣщенія о полученіи изданій Общества получены отъ 68 лицъ и учрежденій.

20. Г. Оренбургскій губернаторъ, препровождая образцы червей, поѣдающихъ рожь и пшеницу въ Челябинскомъ и Троицкомъ уѣздѣ Оренбургской губерніи, проситъ Общество разсмотрѣть ихъ и увѣдомить о тѣхъ мѣрахъ, посредствомъ которыхъ можно прекратить ихъ распространеніе. Полученные образцы червей были отправлены для разсмотрѣнія члену Общества К. Э. Линдеману, который любезно и далъ отвѣтъ на означенные вопросы г. Оренбургскому губернатору.

21. Астраханскій Губернскій Статистическій Комитетъ, препровождая въ Общество нѣсколько экземпляровъ жучка, поѣдающаго листья на вишневыхъ деревьяхъ, проситъ Общество сообщить ему о степени вреда приносимаго этими насѣкомыми. По заключенію проф. К. Э. Линдемана, жукъ этотъ есть золотая бухарка (Rhynchites aurata) и мѣра, предпринимаемая противъ него, именно: отряхиваніе деревьевъ и сколачиваніе жуковъ, вполнѣ цѣлесообразна.

22. Пр. А. Кнайпъ въ Вѣнѣ проситъ за поручительствомъ Дирекціи Вѣнскаго Ботаническаго Сада, выслать ему изъ библіотеки Общества нѣсколько русскихъ сочиненій, необходимыхъ ему для окончанія его работы о флорѣ Югозападной Россіи. По постановленію Совѣта Общества книги эти отправлены.

23. А. Сюшетэ изъ Антивиля во Франціи проситъ Общество оказать ему содѣйствіе въ предпринимаемой имъ работѣ о скрещиваніи у млекопитающихъ и птицъ.

Членъ Общества М. А. Мензбиръ отправилъ г. Сюшетэ нѣсколько сочиненій, касающихся его изслѣдованія, за что отъ г. Сюшетэ получена уже благодарность.

24. Организаціонный Комитетъ Международнаго Конгресса Американцевъ посылаетъ въ Общество программу 7-й своей сессіи, имѣющей быть 2—5 Октября текущаго года въ Берлинѣ.

25. Департаментъ Внутреннихъ Сношеній Министерства Иностранныхъ Дѣлъ препровождаетъ въ Общество квитанцію на отправленные изъ Департамента три ящика съ книгами, полученные изъ Лондона на имя Общества Испытателей Природы.

26. Коммиссія по Международному обмѣну изданій прислала три пакета, доставленные Американскою Коммиссіей, три пакета, присланные Итальянскою Коммиссіей, пять пакетовъ Бельгійскою и два пакета — Нидерландской Коммиссіей.

27. Директоръ Императорскаго С.-Петербургскаго Ботаническаго Сада доставилъ въ Общество тюкъ съ книгами, присланными изъ Ботаническаго Сада въ Кью, въ видѣ благодарности за доставленные Обществомъ въ библіотеку Сада въ Кью недостававшіе тамъ экземпляры Бюллетеня Общества.

28. Горный Департаментъ прислалъ въ Общество по одному экземпляру изданныхъ въ Вѣнѣ сочиненій академика Абиха „О геологиче-

скихъ изслѣдованіяхъ на Кавказѣ" (III тома съ Атласомъ) и „Геологическіе отрывки", тоже съ Атласомъ.

29. Директоръ Московскаго Публичнаго и Румянцовскаго Музеевъ В. А. Дашковъ посылаетъ въ Общество четыре выпуска Каталога гравюрнаго отдѣленія и три выпуска Сборника матеріаловъ по этнографіи.

30. Директоръ Института Сельскаго Хозяйства и Лѣсоводства въ Новой Александріи посылаетъ изданный имъ VIII томъ Записокъ Института.

31. Директоръ Лѣснаго Института посылаетъ экземпляръ издаваемаго „Ежегодника".

32. Директоръ Музея Сравнительной Зоологіи въ Кэмбриджѣ *А. Агассицъ* извѣщаетъ о посылкѣ XIV и XV томовъ своихъ изданій.

33. *Гр. Монтрезоръ* извѣщаетъ о посылкѣ въ Общество III выпуска „Обозрѣнія растеній Кіевскаго Учебнаго Округа".

34 Извѣщенія о посылкѣ своихъ изданій получены Обществомъ отъ слѣдующихъ учрежденій:

1) Общества Наукъ и Искусствъ въ По.
2) Естеств.-историческаго Музея въ Клаузенбургѣ.
3) Естеств.-историч. Общества въ Данцигѣ.
4) Геологическаго Института въ Будапештѣ.
5) Королевской Голланд Академіи въ Дублинѣ.
6) Естеств.-историч. Общества въ Будапештѣ.
7) Энтомологическаго Общества въ Парижѣ.
8) Физическаго Общества въ Берлинѣ.
9) Публичной Библіотеки въ Мензбургѣ.

35. Директоръ Медицинской Коллегіи Японскаго Университета въ Токіо, высылая первые номера журнала названной Коллегіи, предлагаетъ Обществу вступить въ обмѣнъ изданіями.

36. Одесское отдѣленіе Императорскаго Россійскаго Общества Садоводства, препровождая Труды и Отчетъ Отдѣла за 1885—1886 г. проситъ Общество въ обмѣнъ выслать ему изданія Общества.

37. Археологическое Общество въ Бордо предлагаетъ Обществу вступить въ обмѣнъ изданіями.

38. Просятъ выслать недостающіе №№ Бюллетеня:

1) Центральный Метеорологическій Институтъ въ Римѣ, 2) Общество Наукъ въ Римѣ, 3) Африканское Общество въ Неаполѣ, 4) Ботаническое Общество въ Болоньи, 5) Метеорологическая станція въ Мюнхенѣ, 6) Геологическій Институтъ въ Будапештѣ, 7) Естеств.-историч Общество Брауншвейга. 8) Зоологическій Институтъ въ Грацѣ, 9) Естеств.-историч. Академія въ Филадельфіи, 10) Центральное Метеорологическое Бюро въ Парижѣ, 11) Членъ Общества А. Se-

нонер въ Вѣнѣ проситъ выслать ему недоставленные III и IV томы изданій Общества за 1887 г. и продолжать присылку въ будущемъ.

Постановлено: удовлетворить просьбы означенныхъ учрежденій и г. Сенонера.

39. Африканское Общество въ Неаполѣ извѣщаетъ о кончинѣ своего президента Salvadora *Кипmasi*.

40. Скончались члены Общества: проф. г. *Рашъ* въ Боннѣ и Адольфъ *Дрехслеръ* въ Дрезденѣ.

41. Въ библіотеку Общества вновь поступило книгъ и журналовъ 354 названія.

42. Казначей А. Е. Кудрявцевъ представилъ вѣдомость о состояніи кассы Общества къ 15-му Сентября, изъ которой видно, что въ приходѣ было 5,195 руб. 31 коп., въ расходѣ 3,864 руб. 10 к., зотѣмъ въ наличности 1,331 руб. 21 к.

43. Членскій взносъ по 4 руб. отъ *Э. В. Цикендратъ*, *А. П. Артари* и *Ѳ. Н. Чернышова*; членскій взносъ и плата за дипломъ—19 руб. отъ *М. К. Цвѣтаевой*.

44. Совѣтъ Общества отъ 5-го Сентября сего года доводитъ до свѣдѣнія Общества, что въ виду заграничной командировки секретаря В. Н. Львова исправленіе должности секретаря возложено на члена Общества *Е. Д. Кислаковскаго*.

45. Совѣтъ предлагаетъ Обществу:

а) Избрать проф. Траутшольда въ почетные члены.

Общество избрало проф. Траутшольда въ почетные члены per acclamationem.

б) Просить члена Общества *А. И. Кронеберга* принять на себя должность библіотекаря, на что А. Н. Кронебергъ изъявилъ свое согласіе.

в) Избрать коммиссію для составленія списка недостающихъ номеровъ періодическихъ изданій и ревизіи библіотеки.

Общество приняло предложеніе Совѣта и просило В. Д. Соколова, М. Н. Голѣнкина и Н. А. Иванцова принять на себя означенный трудъ. Означенныя лица выразили свою готовность, за что Общество приноситъ имъ свою благодарность.

46. Президентъ *Ѳ. А. Бредихинъ* сдѣлалъ два сообщенія:

1) Наблюденія надъ качаніемъ маятника, произведенныя имъ (при помощи ассистента *г. Штернберга*) минувшимъ лѣтомъ съ цѣлію опредѣленія его длины въ зависимости отъ силы притяженія. Данныя наблюденія для двухъ мѣстъ: Аткарска Саратовской губ. и между г. Скопинымъ и Ряжскомъ Рязанской губ. дали результаты вполнѣ согласные съ подобной же работой проф. Слудскаго, напеч. въ Бюллетенѣ Общества.

2) Нѣкоторыя дополненія къ изслѣдованію большой кометы 1887 года. Относя ее къ кометамъ 3-го типа, т.-е. состоящимъ изъ тяже-

лыхъ элементовъ, проф. Бредихинъ сдѣлалъ точныя вычисленія отталкивательной силы молекулъ очень тонкой, разрѣженной матеріи, составляющей вещество кометы. Сравнивая эту отталкивательную силу съ отталкивательной силой молекулъ элементовъ, проф. Бредихинъ выводитъ заключеніе, что вещество кометъ можетъ состоять только изъ элементовъ съ очень высокимъ атомнымъ вѣсомъ, т.-е. золота, ртути и свинца.

47. *А. П. Сабанѣевъ* сдѣлалъ сообщеніе о гексабромтетраметиленѣ и новыхъ способахъ опредѣленія молекулярнаго вѣса. Кристаллическое вещество, которое получается какъ побочный продуктъ при пропусканіи ацетилена въ нагрѣтый бромъ и имѣетъ эмперическій составъ трибромэтилена, какъ показало изслѣдованіе нѣкоторыхъ его реакцій и опредѣленіе температуры замерзанія его бензольныхъ растворовъ по способу Рауля, имѣетъ молекулярный вѣсъ вдвое большій чѣмъ брометиленъ и должно разсматриваться какъ симметрическій гексабромтетраметиленъ.

48. *С. Н. Милютинъ* сообщилъ о нѣкоторыхъ дополненіяхъ къ флорѣ Московской губерніи.

49. Сообщеніе А. И. Кронеберга „О строеніи лжескорпіоновъ", за позднимъ временемъ было отложено до слѣдующаго засѣданія.

50. Въ дѣйствительные члены избраны:

1) W. Kitchen-Parker, проф. въ Королевской Коллегіи хирурговъ въ Лондонѣ.

2) T. Jeffery Parker, проф. біологіи въ Университетѣ Отаго.

3) W. H. Caldwell, въ Кэмбриджѣ.

4) D-r. Paul Sarasin, въ Висбаденѣ.

5) D-r. Fritz Sarasin, въ Висбаденѣ.

6) J. Gürney, въ Норвичѣ.

7) Gustav Fritch, въ Берлинѣ.

(По предложенію М. А. Мензбира и В. Н. Львова).

8) Atkinson въ Калькуттѣ (по предложенію А. П. Павлова и В. Н. Львова).

9) А. Н. Рябининъ въ Харьковѣ (по предложенію М. А. Мензбира и В. Н. Львова).

51. Къ избранію въ члены Общества предложены 4 лица.

ПРОТОКОЛЫ ЗАСѢДАНІЙ

ИМПЕРАТОРСКАГО МОСКОВСКАГО ОБЩЕСТВА

ИСПЫТАТЕЛЕЙ ПРИРОДЫ.

1888 года, Октября 3-го, въ годичномъ засѣданіи Императорскаго Московскаго Общества Испытателей Природы, подъ предсѣдательствомъ вице-президента М. А. Толстопятова, въ присутствіи секретаря А. П. Павлова и и. д. секретаря Е. Д. Кислаковскаго, редактора изданій Общества М. А. Мензбира и гг. членовъ А. П. Артари, А. И. Богуславскаго, Ф. В. Вешнякова, А. Ф. Головачева, М. Н. Голенкина, И. Н. Горожанкина, Ѳ. А. Гриневскаго, Н. А. Иванцова, А. Е. Кудрявцева, В. Д. Мѣшаева, М. В. Павловой, А. П. Сабанѣева, В. Д. Соколова, Д. Н. Соколова, М. К. Цвѣтаевой, Ѳ. П. Шереметевскаго, О. А. Федченко, г. помощника попечителя Московскаго учебнаго округа К. Н. Садокова и громаднаго числа стороннихъ посѣтителей, происходило слѣдующее:

1. Секретарь Общества прочиталъ отчетъ о дѣятельности Общества за 1887—88 годъ.

2. Вице-президентъ *М. А. Толстопятовъ* сдѣлалъ рефератъ—„Иллюзіи, скептицизмъ и чаянія естествоиспытателя. Колебанія научныхъ идей и міровыя идеи".

3. *Д. Н. Соколовъ* прочиталъ о ходѣ рыбы по рѣкамъ Волгѣ и Курѣ для нерестованія и о законныхъ мѣрахъ охраны ея отъ истребленія.

4. *А. П. Павловъ* доложилъ Обществу о Лондонскомъ международномъ геологическомъ конгрессѣ.

Печатные экземпляры Отчета о дѣятельности Общества за 1887—88 годъ были розданы гг. присутствующимъ.

1888 года, Октября 20-го дня, въ засѣданіи Императорскаго Московскаго Общества Испытателей Природы, подъ предсѣдательствомъ президента Ѳ. А. Бредихина, въ присутствіи вице-президента М. А. Толстопятова, секретаря А. П. Павлова, и. д. секретаря Е. Д. Кислаковскаго и гг. членовъ: А. П. Артари, В. Н. Бензенгра, А. Ф. Головачова, М. Н. Голенкина, Н. Н. Горожанкина, Н. А. Иванцова, А. П. Кронеберга, А. Е. Кудрявцева, Н. П. Мельгунова, М. А. Мензбира, А. П. Сабанѣева, О. А. Федченко и 10 стороннихъ посѣтителей, происходило слѣдующее:

1. Читанъ журналъ засѣданія Общества 15-го Сентября 1888 года.

2. Коммиссія по международному обмѣну изданій увѣдомляетъ о присылкѣ въ Общество пяти пакетовъ, доставленныхъ Американской Коммиссіей, 25 пакетовъ, присланныхъ Французской Коммиссіей и 2 пакетовъ, присланныхъ Испанской Коммиссіей.

3. Департаментъ Внутреннихъ Сношеній Министерства Иностранныхъ Дѣлъ увѣдомляетъ о присылкѣ изъ Лондона пакета съ книгою.

4. Департаментъ личнаго состава Министерства Иностранныхъ Дѣлъ увѣдомляетъ объ отправкѣ въ Общество трехъ ящиковъ съ книгами доставленными на имя Общества изъ-за границы.

5. Ректоръ Казанскаго Университета увѣдомляетъ о присылкѣ въ Общество „Ученыхъ Записокъ" Казанскаго Университета по Историко-Филологическому факультету за 1887—1888 годъ и докторской диссертаціи г. Сергѣенко „Матеріалы къ изученію вліянія адонидина на организмъ животныхъ и человѣка".

6. Финляндская промышленная администрація извѣщаетъ о посылкѣ въ Общество двухъ листовъ геологической карты Финляндіи съ объяснительными замѣчаніями.

7. Директоръ Геологическаго Учрежденія Соединенныхъ Штатовъ увѣдомляетъ о посылкѣ въ Общество черезъ посредство Смитсонова Института сочиненія Эммонса Geology and Mining Industry of Scadville, съ атласомъ.

8. Дирекція народной переписи въ Розаріо въ Аргентинской Республикѣ присылаетъ экземпляръ переписи и проситъ прислать экземпляръ статьи, если таковая будетъ напечатана въ Москвѣ по поводу означенной переписи.

9. Естественно-Историческое Общество въ Карлсру извѣщаетъ о высылкѣ 10-го тома своихъ изданій.

10. Заслуженный профессоръ *Н. Ѳ. Здекауеръ* присылаетъ свою фотографическую карточку и еще разъ благодаритъ Общество за участіе въ празднованіи его 70-лѣтняго юбилея.

11. *В. Н. Бензенгръ* лично приноситъ Обществу свою благодарность за участіе Общества въ празднованіи его 50-лѣтняго юбилея.

12. Директоръ Главной Физической Обсерваторіи извѣщаетъ объ изданіи въ Парижѣ международныхъ метеорологическихъ таблицъ и предлагаетъ желающимъ подписаться на нихъ, присылая объ этомъ заявленіе въ Главную Физическую Обсерваторію. Общество постановило просить высылать вышеозначенныя таблицы въ обмѣнъ на изданія Общества.

13. Комитетъ Рыболовства въ Соединенныхъ Штатахъ проситъ продолжать обмѣнъ съ нимъ изданіями

14. Попечительный Комитетъ Воронежской Публичной Библіотеки присылаетъ свой отчетъ за 1887 годъ и проситъ о безплатной высылкѣ въ библіотеку изданій Общества.

15. Просьбы о присылкѣ недостающихъ №№ изданій Общества поступили отъ: а) Управленія Императорской Публичной Библіотеки.

б) Берлинскаго сельско-хозяйственнаго бюро и Горной Академіи;

в) Геологическаго и естественно-историческаго учрежденія Канады.

16. Изъявленія благодарности Обществу за присылку изданій поступили отъ 11 лицъ и учрежденій.

17. Библіотека Неаполитанской Зоологической станціи проситъ высылать ей изданія Общества по почтѣ.

18. Въ библіотеку Общества книгъ и журналовъ поступило 204 названія.

19. Членъ-корреспондентъ Общества *Э. В. Лео* сообщаетъ свой новый адресъ и обѣщаетъ выслать въ непродолжительномъ времени коллекцію отпечатковъ каменноугольныхъ растеній.

20. Г. *George Martin* въ Парижѣ проситъ прислать экземпляръ Устава Общества и одинъ № Бюллетеня.

21. Совѣтъ Общества доводитъ до свѣдѣнія Общества, что а) согласно постановленію отъ 15-го Сентября, имъ составлены адресы — В. Н. Бензенгру и Обществу Любителей Естествознанія и b) вице-президентъ *М. А. Толстопятовъ* былъ настолько любезенъ, что взялъ на себя представительство отъ Общества для поднесенія юбилейныхъ адресовъ, за что Совѣтъ принесъ ему свою благодарность.

б) По справкѣ произведенной А. П. Сабанѣевымъ у г. Львова въ С.-Петербургѣ юбилей проф. *Сѣченова* не состоится.

22. Коммиссія по ревизіи библіотеки проситъ Общество разрѣшить ей предложить войти въ ея составъ еще двумъ членамъ Общества. Общество постановило: предоставить Коммиссіи по ревизіи библіотеки право приглашать къ участію въ ея занятіяхъ членовъ Общества по ея усмотрѣнію.

23. Казначей Общества *А. Е. Кудрявцевъ* представилъ вѣдомость о состояніи кассы Общества къ 20 Октября 1888 г., въ коей значится: въ приходѣ было 5.213 руб. 31 коп , въ расходѣ 4.873 руб.

97 коп., состоитъ на лицо 339 руб. 34 коп. Въ капиталѣ на премію *К. И. Ренара* состоитъ 703 руб. 55 коп.

24. Членскій взносъ по 4 руб. поступилъ отъ *А. Н. Маклакова, Н. А. Заруднаго* и *В. А. Тихомірова.*

25. *А. И. Кронебергъ* сообщилъ о строеніи лжескорпіоновъ.

26. *С. И. Ростовцевъ*. сдѣлалъ сообщеніе, озаглавленное „Исторія развитія цвѣтка у нѣкоторыхъ представителей группы Ambrosiaceae и мѣсто этой группы въ системѣ".

27. *П. К. Штернбергъ* доложилъ Обществу о красномъ пятнѣ Юпитера.

28. Сообщеніе *И. П. Соболева*, за позднимъ временемъ, отложено до слѣдующаго засѣданія.

29. Въ дѣйствительные члены Общества избраны:

а) *Иванъ Васильевичъ Мушкетовъ* (по предложенію А. Н. Павлова, М. А. Мензбира, В. Д. Соколова и М. К. Цвѣтаевой).

б) *Николай Николаевичъ Любавинъ* (по предложенію М. А. Мензбира, Н. Е. Лясковскаго, М. А. Толстопятова и Е. Д. Кислаковскаго).

в) *Сергѣй Николаевичъ Милютинъ* (по предлож. М. А. Мензбира и Н. Н. Горожанкина).

г) *William Henry Flower* (по предложенію М. А. Мензбира и А. Н. Павлова).

30. На должность библіотекаря Общества избранъ дѣйствит. членъ Общества *Алксандръ Ивановичъ Кронебергъ.*

31. Къ избранію въ члены Общества предложено 5 лицъ.

1888 года 24-го Ноября въ засѣданіи Императорскаго Московскаго Общества Испытателей Природы подъ предсѣдательствомъ президента Ѳ. А. Бредихина, въ присутствіи вице-президента М. А. Толстопятова, секретаря А. Н. Павлова, и. д. секретаря Е. Д. Кислаковскаго и гг. членовъ: А. Н. Артари, Т. Ѳ. Вобстъ, М. Н. Голенкина, А. Ф. Головачева, Ѳ. В. Вешнякова, Н. А. Иванцова, А. П. Кронеберга, Н. Н. Любавина, Н. Н. Мельгунова, М. А. Мензбира, С. Н. Милютина, М. В. Павловой, С. И. Ростовцева, Ѳ. Н. Шереметевскаго, О. А. Федченко и 55 стороннихъ посѣтителей происходило слѣдующее:

1. По открытіи засѣданія *М. А. Мензбиръ* извѣщаетъ, что 25-го Ноября предполагается празднованіе юбилея *А. О. Ковалевскаго* въ Одессѣ и предлагаетъ Обществу принять участіе въ этомъ праздновааніи. Общество постановило послать *А. О. Ковалевскому* поздравительную телеграмму.

2. Г. редакторъ *М. А. Мензбиръ* заявляетъ Обществу, что вышелъ № 3 Записокъ Общества.

3. Читанъ и подписанъ журналъ предыдущаго засѣданія.

4. Для напечатанія въ Запискахъ Общества доставлены статьи:

а) Г. *Станислава Менье*: О естественныхъ способахъ проникновенія поверхностныхъ водъ въ горячія области земныхъ глубинъ.

б) Вице-президента *М. А. Толстопятова*: „Иллюзіи, скептицизмъ и чаянія естествоиспытателя. Колебанія научныхъ идей и міровыя идеи".

5. Г. *Литвиновъ* благодаритъ Общество за открытые листы и сообщаетъ о результатахъ своихъ ботаническихъ экскурсій въ Области Донскихъ Казаковъ и губерніяхъ Тамбовской и Калужской.

6. Г. ректоръ Императорскаго Московскаго Университета проситъ доставить отчетъ о дѣятельности Общества за 1888 годъ для помѣщенія въ Отчетѣ Университета за истекшій годъ.

7. Императорское Общество Любителей Естествознанія, Антропологіи и Этнографіи благодаритъ Общество за участіе въ праздновавніи двадцати-пятилѣтней его дѣятельности.

8. Благодарности за избраніе въ члены Общества поступили отъ: *W. Flower*, *W. Caldwell*, *H. Gurnei*, *W. Kitchen Parker* и *И. В. Мушкетова*.

9. Коммиссія по международному обмѣну изданій препровождаетъ въ Общество 2 пакета, присланныхъ Американской Коммиссіей, 2 пакета, присланныхъ Бельгійской Коммиссіей, и 1 пакетъ отъ Голландской Коммиссіи.

11. Геологическій Комитетъ извѣщаетъ о посылкѣ въ Общество пакета съ изданіемъ Физико-Экономическаго Общества въ Кенигсбергѣ.

12. Извѣщаютъ о посылкѣ своихъ изданій: Совѣтъ Петровскаго Общества изслѣдованія Астраханскаго края, Бакинское отдѣленіе Императорскаго Русскаго Техническаго Общества и Общество Естествоиспытателей при Императорскомъ Казанскомъ Университетѣ.

13. Просьбы о присылкѣ недостающихъ нумеровъ Бюллетеня поступили отъ: Петровскаго Общества изслѣдованія Астраханскаго края и центральной метеорологической станціи въ Мюнхенѣ.

14. Благодарности за доставленіе изданій Общества поступили отъ 13 учрежденій.

15. Редакція Revue Biologique de Nord de la France, Біологическое Общество въ Ливерпулѣ, Секція Физико-Математическихъ Наукъ Общества Естествоиспытателей при Императорскомъ Казанскомъ Университетѣ и Кавказское Медицинское Общество предлагаютъ Обществу вступить съ ними въ обмѣнъ изданіями, на что Общество изъявило свое согласіе.

16. Книжная торговая фирма Baillèr въ Парижѣ, желая разослать членамъ Общества издаваемый ею каталогъ ботаническихъ сочиненій, проситъ прислать списокъ членовъ Общества.

17. *Koehler's* Antiquarium въ Лейпцигѣ письмомъ на имя *К. Э. Линдемана* извѣщаетъ о своемъ желаніи вступить въ члены Общества.

18. Казначей Общества *А. Е. Кудрявцевъ* представилъ вѣдомость о состояніи кассы Общества къ 24 Ноября, въ которой значится въ приходѣ 5.217 р. 31 к.; въ расходѣ 4.957 р. 72 к., затѣмъ состоитъ на лицо 259 р. 59 к. Членскій взносъ поступилъ отъ *Н. А. Зарудняго* 4 руб.

19. Въ библіотеку Общества поступило книгъ и журналовъ 117 названій.

20. *М. А. Мензбиръ* сдѣлалъ сообщеніе, посвященное памяти Н. М. Пржевальскаго.

21. Президентъ *Ѳ. А. Бредихинъ* сообщилъ: Нѣкоторыя теоретическія соображенія о падающихъ звѣздахъ.

22. *И. П. Соболевъ* доложилъ Обществу: О климатѣ и флорѣ Липецкой бальнеологической станціи.

23. Секретарь Общества *А. П. Павловъ* доводитъ до свѣдѣнія Общества, что къ 22 Декабря 1888 г. истекаетъ трехгодичный срокъ службы хранителей естественныхъ предметовъ: *И. Н. Горожанкина*, *А. Ф. Головачева* и казначея Общества *А. Е. Кудрявцева*.

Общество постановило передать заявленіе секретаря *А. П. Павлова* для обсужденія въ Совѣтъ Общества.

24. Коммиссія по ревизіи библіотеки представила Обществу свой предварительный отчетъ, въ коемъ доводитъ до свѣдѣнія Общества о замѣченныхъ ею безпорядкахъ въ веденіи библіотечнаго дѣла, вслѣдствіе чего коммиссія предлагаетъ Обществу сдѣлать слѣдующія постановленія:

1) Существующіе инвентари библіотеки прошнуровать и скрѣпить, а для періодическихъ изданій завести новые.

2) Ассигновать сумму на переплетъ, по крайней мѣрѣ крупныхъ, періодическихъ изданій.

3) Предложить г. библіотекарю просить гг. членовъ Общества возвратить всѣ взятые книги и журналы не позднѣе какъ черезъ мѣсяцъ.

4) Просить г. библіотекаря на будущее время строже слѣдить за соблюденіемъ библіотечныхъ правилъ.

5) Обратиться къ лицамъ не состоящимъ членами Общества съ просьбой возвратить взятыя ими книги.

6) Постановить, чтобы журналы выдавались не иначе какъ цѣлыми томами, а не отдѣльными нумерами или выпусками.

7) Поручить коммиссіи принять отъ помощника библіотекаря вновь поступившія журналы и книги.

25. Президентъ *Ѳ. А. Бредихинъ* заявилъ, что на основаніи § 39 Устава Общества, управленіе дѣлами Общества возлагается на Совѣтъ Общества, почему и предлагаетъ передать предложеніе коммиссіи въ Совѣтъ для разсмотрѣнія и исполненія.

26. Въ виду замѣченныхъ безпорядковъ въ веденіи библіотечнаго дѣла члены Общества, входящіе въ составъ ревизіонной коммиссіи, приходятъ къ заключенію, что завѣдываніе періодическими изданіями Общества не подъ силу одному лицу и потому считаютъ своимъ долгомъ предложить Обществу назначить постоянную коммиссію для завѣдыванія періодическими изданіями библіотеки Общества.

27. Общество, найдя въ высшей степени желательнымъ существованіе вышеозначенной коммиссіи, постановило: предложеніе членовъ Общества, входящихъ въ составъ ревизіонной коммиссіи принять и передать представленный ими проэктъ порядка завѣдыванія библіотекой въ Совѣтъ Общества для детальнаго обсужденія и приведенія въ исполненіе.

28. *А. П. Павловъ* обратилъ вниманіе Общества на § III обсуждаемаго проэкта, согласно которому обязанности помощника библіотекаря сводятся къ весьма немногому, и предложилъ на обсужденіе Общества вопросъ о томъ желательно ли въ виду принятія Обществомъ предложенія объ учрежденіи постоянной библіотечной коммиссіи сохранить въ прежнихъ условіяхъ должность платнаго помощника библіотекаря или Общество признаетъ возможнымъ упразднить эту должность на то время, пока Библіотечная Коммиссія будетъ работать въ столь полномъ составѣ, что въ помощи особаго лица не будетъ необходимости.

29. *М. А Мензбиръ*, указывая на возможность сохраненія нѣсколькихъ сотъ рублей съ упраздненіемъ должности платнаго помощника библіотекаря, предлагаетъ Обществу устроить въ помѣщеніи Общества особую читальную залу, такъ какъ посѣщеніе залы засѣданій Общества лицами не состоящими членами Общества, но пользующимися его библіотекой, представляетъ много неудобствъ для правильнаго веденія библіотечнаго дѣла.

30. Общество, соглашаясь съ вышесказанными предложеніями, постановило передать вопросъ о порядкѣ завѣдыванія библіотекою для окончательнаго обсужденія и приведенія въ исполненіе въ Совѣтъ Общества.

31. Въ дѣйствительные члены Общества избраны:

a) Prof. *E. Beyrich* въ Берлинѣ.
(По предложенію М. А. Толстопятова и А. Н. Павлова).

b) *Іосифъ Ивановичъ Лагузенъ* въ С.-Петербургѣ.
(По предложенію М. А. Толстопятова и А. Н. Павлова).

c) *Павелъ Карловичъ Штернбергъ* въ Москвѣ.
(По предложенію М. А. Мензбира и А. Н. Павлова).

d) *Семенъ Ивановичъ Ростовцевъ* въ Москвѣ.
(По предложенію М. А. Мензбира и Н. Н. Горожанкина).

f) *Иванъ Петровичъ Соболевъ* въ Москвѣ.
(По предложенію А. Н. Сабанѣева и Е. Д. Кислаковскаго).

1888 года, 22-го Декабря, въ засѣданіи Императорскаго Московскаго Общества Испытателей Природы подъ председательствомъ президента Ѳ. А. Бредихина, въ присутствіи секретаря А. Н. Павлова, п. д. секретаря Е. Д. Кислаковскаго и гг. членовъ: А. Н. Артари, Ѳ. В. Вешнякова, А. Ф. Головачева, Н. Н. Горожанкина, А. Н. Кронеберга, Н. Н. Любавина, М. А. Мензбира, С. Н. Милютина, В. Д. Мѣшаева, М. В. Павловой, С. Н. Ростовцева, А. Н. Сабанѣева, Ѳ. А. Слудскаго, В. Д. Соколова, Ѳ. Н. Шереметевскаго, Н. К. Штернберга и 28 стороннихъ посѣтителей происходило слѣдующее:

1. По открытіи засѣданія *М. А. Мензбиръ* заявилъ о кончинѣ члена Общества г. *Гудендорфа*.

2. Читанъ и подписанъ протоколъ засѣданія 24-го Ноября 1888 года.

3. Министръ Финансовъ г. *Вышнеградскій* и товарищъ министра Народнаго Просвѣщенія князь *Волхонскій* письмомъ на имя президента благодарятъ Общество за доставку Записокъ Общества.

4. Проф. *А. О. Ковалевскій* приноситъ Обществу свою благодарность за привѣтствіе по поводу празднованія его юбилея.

5. Благодарности за избраніе въ члены Общества поступили отъ: *І. И. Лагузена* въ С.-Петербургѣ, *Friz Sarasin* и *Paul Sarasin* въ Берлинѣ.

6. *Д. В. Рябининъ* благодаритъ Общество за избраніе его въ дѣйствительные члены Общества и присылаетъ свою фотографическую карточку.

7. *Гер. Ад. Траутшольдъ* приноситъ Обществу свою благодарность за избраніе его въ почетные члены Общества.

8. *H. Flower* присылаетъ свою фотографическую карточку.

9. Предлагаютъ вступить въ обмѣнъ изданіями въ 1889 году: a) Московское отдѣленіе Императорскаго Русскаго Техническаго Общества; b) Редакція Кіевскихъ Университетскихъ Извѣстій и c) Кавказское Общество Сельскаго Хозяйства.

10. Книжная торговая фирма Willar въ Парижѣ извѣщаетъ Общество, что Парижская Академія Наукъ жертвуетъ Обществу свои За-

писки въ 1889 году и проситъ Общество выслать 14 франковъ на доставку оныхъ.

11. Контора Маврикія Люксембургъ въ Варшавѣ посылаетъ Обществу пакетъ съ наложеннымъ платежемъ, содержащій книги, присланныя Обществу изъ Берлина.

12. Alphons Callier и Oswald Weigel въ Лейпцигѣ изъявляютъ желаніе пріобрѣсти покупкой нѣкоторыя изданія Общества.

13. Просьбы о присылкѣ недостающихъ №№ изданій Общества поступили отъ шести учрежденій.

14. Благодарности и извѣщенія о полученіи Записокъ Общества поступили отъ 37 учрежденій.

15. Въ библіотеку Общества поступило 126 новыхъ книгъ и журналовъ.

16. Казначей Общества г. *Кудрявцевъ* представилъ вѣдомость о состояніи кассы Общества по 22 Декабря 1888 года, въ коей значится въ приходѣ 5,285 руб. 81 коп., въ расходѣ 5,209 руб. 77 к. и въ наличности 76 руб. 34 коп.

17. Совѣтъ Общества имѣетъ честь довести до свѣдѣнія Общества, что согласно постановленію Общества отъ 24-го Ноября 1888 года, имъ разсмотрѣны всѣ параграфы доклада Ревизіонной Коммиссіи и проэктъ порядка завѣдыванія библіотекой Общества Постоянною Библіотечною Коммиссіею. Находя предложеніе гг. членовъ Общества, входящихъ въ составъ Ревизіонной Коммиссіи, вполнѣ согласующимся съ интересами Общества, Совѣтъ Общества постановилъ: просить гг. членовъ Ревизіонной Коммиссіи принять на себя совмѣстно съ г. библіотекаремъ завѣдываніе періодическими изданіями библіотеки Общества и, точно разграничивъ между собою обязанности по завѣдыванію отдѣлами библіотеки, донести объ этомъ Совѣту Общества.

18. Такъ какъ съ веденіемъ библіотечнаго дѣла, согласно предложенію Коммиссіи и Общества, обязанности помощника библіотекаря низводятся до крайне ничтожныхъ размѣровъ, то Совѣтъ пришелъ къ заключенію, что упраздненіе должности помощника библіотекаря впредь до окончательнаго приведенія библіотеки въ порядокъ является совершенно естественнымъ и даетъ возможность, сохраняя такимъ образомъ средства, употребить ихъ на другія насущныя нужды Общества, и постановилъ, поручая дѣло завѣдыванія библіотекой гг. членамъ Ревизіонной Коммиссіи подъ предсѣдательствомъ г. библіотекаря, платную должность помощника библіотекаря временно упразднить.

19. Въ виду сохраненія вышеуказаннымъ способомъ нѣсколькихъ сотъ рублей противъ смѣты расходовъ прошлаго года и предложенія *М. А. Мензбира* устроить читальную залу, Совѣтъ Общества,

признавъ желательнымъ и необходимымъ осуществить предложеніе *М. А. Мензбира*, постановилъ устройство читальной залы отнести на средства, предназначенныя на нужды библіотеки Общества.

20. Такъ какъ съ уничтоженіемъ платной должности помощника библіотекаря является невозможнымъ имѣть отдѣльное лицо въ должности штатнаго письмоводителя за плату 150 руб. въ годъ, то Совѣтъ Общества постановилъ отнести эту сумму, т.-е. 150 руб., въ статью канцелярскихъ расходовъ смѣты 1889 года и предоставить редактору и секретарямъ право нанимать временно, по мѣрѣ надобности, лицъ для исполненія канцелярскихъ работъ изъ суммы, предназначенной на канцелярскіе расходы въ 1889 году.

21. Въ виду уничтоженія платной должности помощника библіотекаря и письмоводителя, Совѣтъ Общества постановилъ: просить Общество выразить *А. Е. Кудрявцеву* благодарность за его многолѣтнюю службу Обществу и выдать ему денежную награду въ размѣрѣ 250 руб. изъ суммъ остатковъ отъ 1888 года и библіотечной суммы 1889 года.

22. Совѣтъ въ засѣданіи своемъ 5-го Декабря составилъ смѣту прихода и расхода суммъ на 1889 годъ и росписаніе дней засѣданій Общества въ 1889 году, причемъ сдѣлалъ постановленіе: напечатать на объявленіяхъ о засѣданіяхъ Общества параграфъ № 20 Устава Общества.

23. Вслѣдствіе заявленія *И. Н. Горожанкина* о неудобствѣ назначеннаго срока 1-го Августа 1889 года для подачи сочиненій на премію имени Фишера фонъ-Вальдгейма, Совѣтъ Общества находитъ возможнымъ отложить подачу сочиненій до 1-го Декабря 1889 года, о чемъ своевременно будетъ публикація, и впредь на все будущее время срокъ измѣнить, перенеся его на 1-е Декабря.

24. Совѣтъ Общества послалъ поздравительную телеграмму Юліану Симашко ко дню празднованія юбилея его 50-лѣтней научно-педагогической дѣятельности.

25. Такъ какъ къ 22 Декабря сего года истекаетъ срокъ службы хранителей естественныхъ предметовъ *И. Н. Горожанкина*, *А. Ф. Головачева* и *А. Е. Кудрявцевъ* и *Е. Д. Кислаковскій* просятъ Совѣтъ Общества сложить съ нихъ обязанности, первый - казначея Общества, второй хранителя минералогическихъ коллекцій, то Совѣтъ Общества въ засѣданіи своемъ 18-го Декабря постановилъ: предложить Обществу избрать на должность хранителя ботаническихъ коллекцій *И. Н. Горожанкина*, зоологическихъ—*А. Ф. Головачева*, минералогическихъ—*А. П. Сабанѣева* и на должность казначея Общества *Е. Д. Кислаковскаго*.

26. Секретарь Общества *А. П. Павловъ* заявляетъ, что на основаніи Устава Общества въ декабрьскомъ засѣданіи должна быть изби-

раема коммиссія для ревизіи кассовыхъ книгъ Общества. Въ вышеозначенную коммиссію изъявили свое желаніе войти *Ѳ. П. Шереметевскій* и *Н. Н. Любавинъ*, за что Общество приноситъ имъ свою благодарность.

27. Проф. *Ѳ. А. Бредихинъ* продолжаетъ сообщеніе прошлаго засѣданія: 1) О радіантахъ Андромедидъ и 2) Объ образованіи періодическихъ кометъ изъ параболическихъ.

28. Проф. *А. П. Сабанѣевъ* сообщаетъ о нѣкоторыхъ коллоидахъ и ихъ молекулярныхъ вѣсахъ.

29. Въ закрытомъ засѣданіи Общества производились выборы должностныхъ лицъ, причемъ избраны:

1) *И. Н. Горожанкинъ* на должность хранителя ботаническихъ коллекцій (по предложенію Совѣта).

2) *А. Ф. Головачевъ* на должность хранителя зоологическихъ коллекцій (по предложенію Совѣта).

3) *А. П. Сабанѣевъ* на должность хранителя минералогическихъ коллекцій (по предложенію Совѣта).

4) *Е. Д. Кислаковскій* на должность казначея Общества (по предложенію Совѣта).

LISTE DES MEMBRES

DE LA

SOCIÉTÉ IMPÉRIALE

DES NATURALISTES

DE

MOSCOU.

(Le 1 Juin 1888.)

MOSKOU.
Imprimerie de l'Univérsité Impériale.
Strastnoï Boulevard.
1888.

BUREAU DE LA SOCIÉTÉ.

Président:

Bredichin, Théodore. Professeur. Conseiller d'État actuel.

Vice-Président:

Tolstopiatow, Michel. Professeur Conseiller d'État actuel.

Secrétaires:

Lvow, Basile. Aide-naturaliste à l'Université.
Pavlow, Aléxis. Professeur.

Membres du Conseil:

Kiprijanow, Valérien. Conseiller. privé.
Liaskovsky. Nicolas. Professeur. Conseiller d'État actuel

Rédacteur des Mémoires et du Bulletin:

Menzbier. Michel. Professeur.

Bibliothécaire:

Pérépelkine. Constantin.

Conservateurs des Collections:

Golovatschow, Adrien. Conservateur des collections zoologiques.
Goroschankine. Jean. Professeur. Conseiller d'État. Conservateur des collections botaniques.
Kislakovsky, Eugène. Conservateur des collections paléontologiques.

Trésorier et Aide-bibliothécaire:

Koudriavzew. Alexis.

I. Liste alphabétique des Membres honoraires.

Sa Majesté Don **Pedro II,** Empereur du Brésil (1876).

Sa Majesté le Roi **Charles** de Wurtemberg (1859).

Son Altesse Impériale **Nicolas Maximilianovitsch,** Duc de Leuchtenberg (1865).

Son Altesse Impériale le Grand Duc **Nicolas Michailovitsch** (1884).

Son Altesse Impériale le Prince héritier d'Autriche Archiduc **Rodolphe** (1886).

Abaza. Alexandre Agéiévitsch, Cons. priv. act. St. Pétersbourg. (1881).

Berthelot, Marcellin. Professeur. Membre de l'Institut. Chemie (1872, 1887). Paris.

Bitschkow, Athanas Théodorovitsch. Cons. pr. St. Pétersbourg (1884).

Bradke, Manuel Egorovitsch. Cons. pr. St. Pétersbourg (1881).

Bredichin, Théodore Alexandrovitsch. Profess. Astronome. Moscou (1862, 1886).

Bunge, Alexandre Andréiévitsch. Profess. émérite. Dorpat (1824, 1875).

Capellini, Giovanni. Professeur. Géologie. Bologna (1888).

Dachkow, Basile Andréiévitsch. Cons. priv. act. Moscou (1865).

Délianow, Jean Davidovitsch. Cons. priv. act. St. Pétersbourg (1863).

Des Cloiseaux. Prof. Membre de l'Instit. Minéralogie. Paris (1887).

Dolgoroukow, Prince Vladimir Andréiévitsch. Aide de Camp. Gén. Moscou (1875).

Douglas-Ceydesdale, Marquis. Londres.

Freycinet, Charles-Louis de Sanles de. Paris (1882).

Golitzine, Prince Vladimir Dmitriévitsch. Aide de Camp. Gén. St. Pétersbourg.

Grévy, Jules de. Paris (1882).

Hambourger, André Théodorovitsch. Cons. pr. act. Bern (1874).

Huxley, Thomas-Henry. Professeur. Londres (1886).
Issakōw, Nicolas Vasiliévitsch. Aide de Camp. Gén. St. Pétersbourg (1863).
Kapnist, Comte Paul Alexéiévitsch. Cons. d'État act. Moscou (1886).
/ **Keyserling,** Comte Alexandre Andréiévitsch. Raicul prés Reval (1840, 1887).
Kinderen, Timon, Henri. Dr. Batavia (1878).
Kokscharow, Nicolas Ivanovitsch. Cons. privé. St. Pétersbourg (1852, 1887).
Kowalevsky, Alexandre Onoufrievitsch. Professeur. Odessa (1885).
Küster, Baron Charles Karlovitsch. Cons. pr. act. St. Pétersbourg (1831).
Lapparent, M. Président de la Société Géologique. Paris (1880).
Le Jolis, Dr. Auguste. Cherbourg (1876).
✓ **Maximovitsch,** Charles Ivanovitsch. Botan. St. Petersbourg (1877, 1885).
Méndéléiéw, Dimitri Ivanovitsch. Prof. St. Pétersbourg (1885).
Mestchersky, Prince Nicolas Petrovitsch. Cons. priv. Moscou (1869).
Mestchersky, Princesse Marie Alexandrovna. Moscou (1869).
Metschnikow, Elias Iliitsch. Cons. d'État act. Odessa (1885).
Middendorf, Alexandre Thèodorovitsch. Cons. priv. Ellenorm en Livonie (1887).
Mollard, Ioseph Gabriel. Paris (1882).
Ostrowsky, Michel Nicolaiévitsch. Cons. privé act. St. Pétersbourg (1886).
Ovsiannikow, Philippe Basiliévitsch. Académicien. Professeur. St. Pétersbourg (1869).
Owen, Sir Richard. Prof. Londres (1837, 1886).
Possiet, Constantin Nicolaiévitsch. Aide de Camp. Gén. St. Pétersbourg (1871).
Quatrefages, de Breau. Jean-Louis-Armand. Prof. Paris. (1857, 1882).
/ **Regel,** Edouard Loudowigovitsch. Cons. pr. St. Pétersbourg (1857; 1885).
Renard, Jean Karlovitsch. Cons. d'Ét. act. St. Pétersbourg (1881).
Reutern, Michel Christophorovitsch, Cons. pr. act. St. Pétersbourg (1864).
Sabourow, André Alexandrovitsch, Cons. priv. St. Pétersbourg (1881).
Sétschénow, Jean Michailovitsch. Professeur. St. Pétersbourg (1885).
Stroganow, Comte Alexandre Grig. Général en Chef. Odessa (1826).
Struve, Otto Vassiliéxitsch. Cons. priv. act. Astronome. St. Pétersbourg (1886).
Théophilaktow, Constantin Matvéiévitsch. Professeur. Kiew (1867, 1885).

Tichonravow, Nicolai Savitsch. Professeur. Moscou (1883).
Tolstoi, Comte Dmitry Andréiévitsch. Cons. priv. act. St. Pétersbourg (1867).
Valouiew, Comte Pierre Alexandrovitsch. Cons. priv. act. St. Pétersbourg (1864).
Wéchniakoff, Théodore Vladimirovitsch. Cons. d'état aet. Moscou (1871; 1885).
Wéchniakow, Vladimir Ivanovitsch. Cons. d'état act. St. Pétersbourg (1886).
Wolkonsky, Prince Michel Sergéiévitsch. Cons. priv. act. St. Pétersbourg (1886).
Zdekauer, Nicolas Théodorovitsch. Cons. pr. act. St. Pétersbourg (1888).

II. Membres actifs.

Achiardi, Antonio. Professeur. Pise. (1873).
Agassiz, Dr. Alexandre. Prof. Zoologue. Cambridge (Amér) (1874).
Albers, Jean-Christophe. D. Med. Heidelberg.
Albrecht, Prof. Dr. Paul. Anatome. Hambourg (1886).
Alglave, Dr. Émile. Paris (1873).
Altum, Bernard. Prof. Dr. Zoologue. Neustadt-Eberswalde (1886).
Ammon, Frédéric. Professeur. Dresde (1833).
Annenkow, Nicolas Ivanovitsch. Cons. d'Ét. act. Botaniste. St. Pétersbourg.
Anoutschin, Dmitry Nicolaévitsch. Professeur. Antropologue. Moscou (1872, 1882).
Arcangeli, Jean. Prof. Botaniste. Pise (1885).
Ardissone, Dr. François. Professeur. Botaniste. Milan (1880).
Artari, Alexandre Petrovitsch. Botaniste. Moscou (1885).
Acherson, Paul Fréd. Prof. Botaniste. Berlin (1879).
Babouchin, Alexandre Ivanovitsch. Professeur. Anatomie. Moscou (1868).
Bach, Dr. M. Boppard.
Bache, Frankline. Prof. Philadelphie (1856).
Bachmétiew, Basile Egorovitsch. Météorologue. Borissow (Minsk) (1883).
Balbiani. Prof. Zoologue. Paris (1886).
Ballion, Ernest Ernestovitsch. Cons. d'Et. act. Entomologue. Novorossiisk (1860).
Barboza-de-Bocage, J. V. Professeur. Zoologue. Lisbonne (1868).
Barrois, Dr. Zoologue. Villefranche s. Mer (1886).
Bastian, Adolphe, Professeur. Ethnologue. Berlin (1870).
Becker, Alexandre Casparovitsch. Entomologue. Sarepta (1852).
Becker, Maurice. Dr. Bibliothécaire de s. Majesté à Vienne (1869).
Bedriaga, Dr. Jacques Vladimirovitsch. Zoologue. Nice (1879).
Behn, Georges. Lubeck (1830).

Behrens, T. Kiel (1875).
Békétow, André Nicolaévitsch. Professeur. Botaniste. St. Pétersbourg (1858).
Bélaiew, Vladimir Ivanovitsch. Prof. Botaniste. Varsovie (1835).
Bellucci, Joseph. Professeur. Chemie. Pérugia (1873).
Beneke, F. W. Professeur, Marbourg (1875).
Bennet, Edouard, Esqu. Londres (1833).
Bensengr, Basile Nicolaévitsch. Dr. Anthropologue. Moscou (1879).
Berendt, Henri-Guillaume D. M. Berlin (1854).
Berg, Charles. Professeur. Zoologue. Buenos-Ayres (1873).
Bertillon, Dr. Anthropologue. Paris (1872).
Bertin, Émile. Dr. Cherbourg (1876).
Bertrand, Émile. Ingenieur. Mineralogue. Paris (1887).
Bickmore, Albert. Professeur. Zoologue. New-York (1869).
Blanchard, Émile. Professeur. Zoologue. Paris (1857).
Bogdannow, Anatole Pétrovitsch. Professeur. Zoologue. Moscou (1855).
Bogouslavsky, Anatole Ivanovitsch. Mathémat. Moscou (1882).
Bolle, Iovanne. Dr. Professeur. Gorizia (1886).
Bonvouloir, Henri, Vicomte. Paris (1872).
Bougaiew, Nicolas Basiliévitsch. Professeur. Mathémat. Moscou (1867)
Brandt, Alexandre Theodorovitsch. Professeur. Zoologue. Kharkow (1867).
Brandt, Edouard Karlovitsch. Professeur. Zoologue. St. Pétersbourg (1869).
Braun, M. Prof. Zoologue. Rostock (1886).
Brusina, Spiridon. Dr. Professeur. Zagreb. (1870).
Buhse, Théodore Alexandrovitsch. Dr. Riga.
Bulmering, Michel Bogdanovitsch. Génér.-Maj. Varsovie.
Bunsen, Robert. Professeur. Chimiste. Heidelberg (1862).
Bütschli, O. Prof. Zoologue. Heidelberg (1886).
Caligny, Anatol. Franc. Huë Marquis. Paris (1866).
Carnoy, Prof. Botaniste. Louvain (1884).
Cech, Dragoutine Théodorovitsch. Dr. Technologue. Vienne (1879).
Chantre, Erneste. M. D. Paléontologue. Lyon (1875).
Chatilow, Joseph Nicolaévitsch. Moscou (1857).
Chérémétiewsky, Théodore Pétrovitsch. Professeur. Physiologue. Moscou (1863).
Chevandier, Eugène. Professeur. Paris (1847).
Chevreul, Michel. Professeur. Paris.
Christoph, Fréderic Théodorovitsch. Entomologue. St. Pétersbourg (1861).
Chroustschow, Paul Dmitriévitsch. Chimiste. Moscou (1877).
Clerc, Onèsime Egorovitsch. Botaniste. Ekatérinbourg (1868).

Cohn, Ferdinand. Professeur. Botaniste. Breslau (1859).
Coinde, Jean Pavlovitsch. Paris (1879).
Colley, Alexandre Andréiévitsch. Professeur. Chimiste. Moscou (1873).
Colley, Robert Andréiévitsch. Prof. Physicien. Moscou (1886).
Cope, Edward. Prof. Paléontologue. Philadelphie (1886).
Credner, Hermann. Prof. Dr. Géologie. Leipzig (1886).
Crepin, François. Botaniste. Bruxelles (1884).
Czapski, Comte Eméric Karlovitsch. St.-Pétersbourg.
Czullik, Auguste. Botaniste. Vienne (1885).
Dalton, Edward. Calcutta (1874).
Damon, Robert. Weimouth (1863).
Dana, John, Professeur de Géologie. New-Haven (1847).
Danielssen, D. C. Prof. Dr. Zoologue. Bergen (1887).
Danilow, Nicolas Pétrovitsch. Mescou (1861).
Daubrée, A. Professeur. Minéralogue. Paris (1861).
Danson, George. Géologue. Ottava (Canada) (1887).
Decandolle, Alphonse, Professeur. Genève (1876).
Delage, Ives. Prof. Zoologue. Paris (1886).
Denza, François. Météorologue. Moncalièrè, prés de Turin (1881).
Deslongchamps, Eugène. Caen (1861).
Desmarest, Anselme. Paris (1832).
Dewalque Gustave. Professeur. Liége (1876).
Doellingshausen, Baron, Nicolas Ivanovitsch. Wesenberg (1881).
Dohrn, Charles. Dr. Président d. l. Soc. Entomologique. Stettin (1846).
Dohrn, Antoine. Dr. Naples (1875).
Dohrn, Henri. Dr. Stettin (1868).
Dokoutschaew, Basile Wassiliévitsch. Prof. Géologue. St. Pétersbourg (1887).
Domiando. Professeur. Athènes (1838).
Drechsler, Adolphe. Dresde (1855).
Dresser, Hénri. Ornithologue. Londres (1870).
Dybowsky, Bénois Ivanovitsch. Prof. Zoologue. Lemberg (1885).
Ehlers. Prof. Ernst. Zoologue. Gottingen (1886).
Emery, Prof. Zoologue. Bologna (1886).
Erdmann, Jean. Professeur. Stuttgart.
Ettinghausen, Constantin, Ritter von. Prof. Botaniste. Graz (1855).
Fasbender, François. Technologue. Vienne (1884).
Favre, Alphonse, Professeur, Géologue. Genève (1884).
Ferrein, André Karlovitsch. Moscou (1867).
Ficher de Waldheim, Alexandre Alexandrovitsch. Professeur. Botaniste. Varsovie (1864).
Flemming, Walther. Prof. Histologue. Kiel (1887).
Flückiger, F. V. Professeur. Strasbourg (1876).

Frésénius, C. Remigius. Chimiste. Prof. Wiesbade (1864).
Fol, Professeur, Hermann. Genève (1886).
Folin, Marquis Leon de. Bayonne (1879)
Fröhlich, F. D. M. Erlangen.
Gacogne, Alphonse. Lyon (1856).
Gandoger, J. M. Botaniste. Arnas (1880).
Gaudry, A. Professeur. Géologue. Paris (1883).
Geikie, Archibald. Prof. Géologue. Londres (1886).
Geinitz, Jean. Professeur. Dresde.
Gemmellaro, Gaetan. Professeur. Géologue. Pälerme (1872).
Gernet, Charles, de. Cons. privé. St.-Pétersbourg (1859).
Gesellius, François Théodorovitsch. Dr. Med. St. Pétersbourg (1885).
Göbel, Adolf Friedemann. Chimiste. St.-Pétersbourg (1857).
Goette, Alexandre. Prof. Zoologue. Strassburg (1886).
Goldenberg, Alexandre Ivanovitsch. Mathém. Moscou (1880)
Golenkine, Michel Iliitsch. Moscou (1888).
Golovatschow, Adrien Philippovitsch. Zoologue. Moscou (1852).
Gorochankine, Jean Nicolaévitsch. Prof. Botaniste. Moscou (1875).
Goronovitsch, Nicolas Wassiliévitsch, Dr. Anatome. Moscou (1885).
Gould, Professeur, New-York (1852).
Graff, Ludvig von Dr. Prof. Zoologue. Graz (1887).
Gregorio, Marquis A. de. Géologue. Palerme (1883).
Grigoriew, Wladimir Basiliévitsch. Botaniste. Moscou (1861).
Grimm, Oskar Andréevitsch. Zoologue. St.-Pétersbourg (1886).
Grinevsky, Théodore Alexandrovitsch. Moscou (1888).
Groenefeldt, Guillaume, Dr. Batavia (1878).
Guarmani, Charles. Genua (1868).
Guillemin, Edmond. Paris (1858).
Guillemin, Jules. Paris (1858).
Gümbel, Prof. Dr. Géologue. München (1887).
Gustavson, Gavriil Gavriilovitsch. Prof. Chimie. Moscou (1886).
Haeckel, Ernst. Professeur. Jéna (1871).
Hall, James. Professeur. Albany (1859).
Hansen, Charles. Botaniste. Prof. Kopenhague (1885).
Hartig, Prof. Robert. Botanique. Munich (1887).
Hudendorf, Alexandre Andréiévitsch. Dr. Moscou (1883)
Hauer, Ritter Franz v. Directeur du Musée d'histoire naturelle. Vienne (1852).
Heldreich, Théodore. Botaniste. Athènes (1878)
Henschel, Gustav. Prof. Entomologie. Vienne (1887).
Herder, Ferdinand Emelianovitsch v. Botaniste. St. Pétersbourg (1864).
Horvath, Geza. Dr. Entomologue. Budapest (1884).
Huguet Latour, L. A. Montréal (1882).

Ianettaz, Edouard. Mineralogue. Paris (1885).
Issel, Arthur. Professeur. Gènes (1874).
Jeckel, Henri. Paris (1866).
Jordan, Alexis. Lyon (1856).
Jouan, Henri. Cherbourg (1876).
Judeich, I. F. Prof. Dr. Entomologue. Tharand (1886).
Ivanzow, Nicolas Alexandrovitsch. Zoologue. Moscou (1886).
Kalinovsky, Jacques Nicolaiévitsch. Cons. d'Et. act. Agronome. Ouman (1854).
Kanitz, Auguste. Botaniste. Klausenbourg (1868).
Karpinsky, Alexandre Pétrovitsch. Géologue. St.-Pétersbourg. (1886).
Karsch, Dr. Friedrich. Entomologie. Berlin (1886).
Karsten, Hermann. Botaniste, Schaffhouse (1860).
Kern, Edouard Edouardovitsch. Botaniste. Moscou (1882).
Khandrikow, Mitrophane Théodorovitsch. Professeur. Astronome. Kiew (1863).
Khlopow, Vladimir Vladimirovitsch. Kiev (1855).
Kiprianow, Valérien Alexandrovitsch. Cons. priv. Géologue. Moscou (1852).
Kiréiévsky, Elie Alexandrovitsch. Tourkestan (1856).
Kislakovsky, Eugène Diodorovitsch. Chimie. Moscou (1886).
Kleinenberg, N. Prof. Zoologue. Messina (1886).
Knoblauch, Dr. Hermann. Présid. d. l'Acad. Léopoldino-Caroline. à Halle (1883).
Knorr, Ernest Augustovitsch. Dresde (1833).
Koenen, Prof. Dr. A. von. Géologue. Goettingen (1887).
Kölliker, Albert. Prof. Anatome. Wurzbourg (1852).
Kornilow, Jean Pétroritsch. Cons. priv. St.-Pétersbourg (1859).
Korotnew, Alexis Alexievitsch. Prof. Zoologue. Kiew (1877).
Kotschoubey, Pierre Arkadiévitsch. St.-Pétersbourg (1864)
Kowalevsky, Oskar Joulianovitsch. Dr. M. St.-Pétersbourg (1859).
Kraatz, Dr. Gustav. Entomologue. Berlin (1876).
Kraus, Ferdinand. Prof. Zoologue. Stuttgart.
Kreyenberg, F. Simpang (Java).
Krilow, Alexandre Alexéiévitsch. Géologue. Moscou (1871).
Kroneberg, Alexandre Ivanovitsch. Zoologue. Moscou (1879).
Kunckel d'Herculais, Dr. Entomologie. Paris (1887).
Lacaze-Duthiers, H. Professeur. Zoologue. Paris (1873).
Lagorio, Alexandre Evgéniévitsch. Prof. Geologie. Varsovie (1887).
Lambert, Dr. Ernst. Paléontologue. Bruxelles (1877).
Lanzi, Dr. Matthias. Botaniste. Rome (1881).
Lapchine, Basile Ivanovitsch, Cons. d'Et. act. Odessa (1854).
Lataste, Dr. Ferdinand. Zoologue. Paris (1881).

Lefevre, Théodere. Paléontologue. Bruxelles (1877).
Leidy, Joseph. Dr. Philadelphie (1852).
Lesley, I. Peter. Geologie. Philadelphie (1887).
Leuckart, Rodolphe. Professeur. Zoologue. Leipzig (1855).
Lévakovsky, Jean Féodorovitsch. Professeur. Kharkov (1861).
Liaskovsky, Nicolas Eustaphiévitsch. Professeur. Agronome. Moscou (1865).
Litvinow, Demétrius Ivanovitsch. Botaniste. Kalouga (1886).
Lindemann, Charles Edouardovitsch. Professeur, Zoologue. Moscou (1864).
Lindemann, Edouard Bogdanovitsch. Dr. Botaniste. Elisabethgrad (1856).
Lindemann, Edonard Edouardovitsch. Astronome. Poulkova (1879).
Lintner, J. A. Prof. Entomologie. Albany N. J., (1886).
Lortet, Dr. L. Antropologue. Lyon (1883).
Loubimow, Nikolas Alexéiévitsch. Cons. d'état act. St.-Pétersbourg (1855).
Louguinine, Wladimir Féedorovitsch. Chimiste. St.-Pétersbourg (1867).
Loven, Svèn. Professeur. Zoologue. Stockholm (1878).
Lüdeking, Eberhard Adrien. Java (1868).
Ludwig, Hubert. Prof. Dr. Zoologue. Bonn (1886).
Lvow, Basile Nicolaévitsch. Zoologue. Moscou (1883).
Maklakow, Alexis Nicolaévitsch. Dr. Med. Moscou (1885).
Mallard, Ernest. Prof. Mineralogue. Paris (1887).
Man, Dr. de. Zoologue. Middelburg (1885).
Marsh, **O. C.** Prof. Paléontologue. New Haven (1886).
Marion, **A. F.** Prof. Zoologue. Marseille (1886).
Mascart, E. Dr. Météorologie. Paris (1887).
Marié Davy, **M.** Météorologue. Paris (Montsouris) (1887).
Maslovsky, Alexis Franzovitsch. Professeur. Zoologue. Kharkov (1857).
Mac-Qoi, Géologue. Melbourne (1878).
Magnus, Paul. Dr. Botaniste. Berlin (1876).
Maievsky, Pierre Félixovitsch. Botaniste. Moscou (1872).
Marignac, Charles. Professeur. Genève (1868).
Macedo, José da. Costa. Lisbonne (1883).
Marcou, Jules. Géologue. Cambridge (Massachusets) (1858).
Meissner, Paul Traugott· Professeur. Vienne (1831).
Meneghini, Giuseppe. Professeur. Pisa (1837).
Menzbier, Michel Alexandrovitsch. Professeur. Zoologue. Moscou (1880).
Merklin, Charles. Prof. Botaniste. St.-Pétersbourg.
Melgounow, Pierre Pavlovitsch. Moscou (1888).
Méschaiew, Victor Dmitriévitsch. Botaniste. Moscou (1872).
Meunier, Stanislas. Géologue. Paris (1875).

Meyer. Dr. B. A. Zoologue. Dresde (1883).
Meynert. Théodore. Professeur. Anatome. Vienne (1876).
Mikhailow, Dmitri Sergéevitsch. Cons. d'Et. act. St-Pétersbourg (1865).
Miklachevski. Jean Nicolaévitsch. Géologue. Moscou (1883).
Milachévitsch, Constantin Ossipovitsch. Paléont. Melitopol (1872).
Millardet, Prof. Botaniste. Bordeaux (1886).
Milne-Edwards. Alphonse. Zoologue. Paris (1886).
Mohn. H. Prof. Météorologue. Christiania (1887).
Möller. Valérien Ivanovitsch. Ingénieur. St.-Petersbourg (1867).
Monicke, Dr. Dezima (Japon) (1853).
Montresor, Ladislaus Ladislavovitsch. Comte. Botaniste. Kozin (Kiew) (1886).
Moravitz. Auguste Féodorovitsch. St.-Petersbourg (1862).
Moravitz, Fréderic Théodorovitsch. Dr. M. St.-Petersbourg (1861).
Mortillet. Gabriel de. Paléontologue. Paris (1880).
Müller. Baron Ferdinand. Dr. Botaniste. Melbourne (1866).
Müller, Fréderic. Professeur. Ethnographe. Vienne (1873).
Müller, Jean. Professeur de Botanique. Genève (1876).
Nazarow, Paul Stepanovitsch. Zoologue. Orsk (1886).
Negri, Christophore. Rome (1870).
Nehring, Alfred. Professeur. Paléontologue. Berlin (1877).
Neugebauer, Dr. Louis. Varsovie (1882).
Neumayr, M. Prof. Géologue. Vienne (1885).
Nikitine, Serge Nicolaiévitsch. Paléontologue. St.-Pétersbourg (1876).
Ninni, Comte Dr. Alexandre. Venise (1886).
Nordenskiold, Adolf Erik. Professeur. Stockholm (1884).
Ochanine, Basile Théodorovitsch. Entomologue. Tourkestan (1869).
Ognew. Jean Florovitsch. Anatome. Moscou (1886).
Oldham, Thomas. Dr. Calcutta (1874).
Omboni, Jean. Professeur. Géologue. Padua (1867).
Osten-Sacken, Baron Fréderic Romanovitsch. Cons. privé. St.-Pétersbourg (1867).
Oulianine, Basile Nicolaiévitsch. Prof. Zoologue. Varsovie (1869).
Oussow, Michel Michailovitsch. Professeur de Zoologie. Kasan (1878).
Pagenstecher. Dr. H. A. Zoologue. Hambourg (1884).
Palimpsestow, Jean Oustinovitsch. Cons. d'Et. act. Agronome. Moscou (1882).
Palmén. J. A. Professeur de Zoologie. Helsingfors (1883).
' **Palladin.** Voldemar Ivanovitsch. Botaniste. Nova-Alexandria (1886).
Panceri. Paul. Professeur. Zoologue. Naples (1865).
Passerini, Charles. Prof. Parma (1837).
Pasteur. Louis. Membre de l'Institut. Paris (1886).
Patterson, Robert. M. D. Edinbourg.

Pavlow, Alexis Pétrovitsch. Professeur. Géologue. Moscou (1883).
Pavlow, Madame Marie Vassiliévna. Geologie. Moscou (1886)
Péligot, Eugène. Professeur de Chimie. Paris.
Pelletan. I. Dr. Paris (1886).
Pelzeln, Dr. August von. Zoologue. Vienne (1886).
Pereiaslavzewa, Sophie Michailovna. Sebastopol (1888).
Perrier, Edmond. Professeur. Zoologue. Paris (1887).
Pérépelkine, Constantin Pavlovitsch. Zoologue. Moscou (1872, 1877).
Perrey, Alexis. Professeur. Lorient (1872).
Pétounnikow, Alexis Nicolaévitsch. Botaniste. Moscou (1865).
Petzhold, Alexandre Samouilovitsch. Dorpat (1856).
Pfeffer, W. Professeur. Bonn (1874).
Planchon, G. Professeur. Montpellier (1876).
du Plessis-Gouret, L. Prof. Genève (1886).
Powell, I. W. Géologue. Washington (1886).
Polounine, Alexis Ivanovitsch. Cons. privé. Moscou (1851).
Pouchet, Georges. Zoologue. Paris (1876).
Pringsheim, Nathan. Professeur. Berlin (1876).
Quenstedt, Auguste. Professenr. Tübingen (1859).
Radakow, Basile Nicolaiévitsch. Dr. Ornithologue, Kichineff (1876).
Radde, Gustav Ivanovitsch. Dr. Cons. d'Et. act. Ornithologue. Tiflis (1859).
Rath, Gerhard von. Professeur. Bonn (1874).
Ratschinsky, Serge Alexandrovitsch. Smolensk (1855).
Regel, Albert Edouardovitsch. Dr. St.-Pétersbourg (1875).
Reinsch, Paul. Erlangen (1862).
Reinhardt, Louis Basiliévitsch. Prof. Botaniste. Kharkow (1870, 1883).
Remsen, Ira. Prof. Chimiste. Baltimore (1886).
Retovsky, Otto Ferdinandovitsch. Théodosie (1886).
Retzius, Gustav. Professeur. Anatome. Stokholm (1882).
Riesenkampf, Alexandre Egorovitsch. Dr. Botaniste. Piatigorsk (1881).
Richet, Charles. Prof. Physiologiste. Paris (1886).
Richthofen, Ferdinand von. Dr. Professeur. Berlin (1887).
Riley, Prof. Ch. V. Entomologiste. Washington (1886).
Rodochkovsky, Octave Ivanovitsch. Général-Major. Entomologue. Varsovie (1859).
Röder, C. W. Hanau (1858).
Roeffiaen, Franç. Joh. Xaver. Malacologue. Bruxelles (1882).
Romanovsky, Hénnadius Danilovitsch. St.-Pétersbourg.
Romanovsky, Alexandre Danilovitsch. St.-Petersbourg (1864).
Römer, Ferdinand. Professeur. Breslau (1859).
Rosenbusch, H. Prof. Minéralogie. Heidelberg (1887).
Ross, Alexandre. Dr. Toronto (Canada) (1873)
Roth, Justus. Professeur. Géologue. Berlin (1862).

Rütymeïer, L. Professeur. Bâle. (1886).
Sabanéïéw, Léonide Pavlovitsch. Zoologue. Moscou (1868).
Sabanéiéw, Alexandre Pavlovitsch. Prof. Chimie. Moscou (1872).
Sabatier, Lucien. Belgique (1862).
Sahlberg, Reginald. Ferdinand. Professeur. Helsingfors.
Salomanow, Nicolai Pétrovitsch. Agronome. St.-Pétersbourg (1879).
Salvadori, Dr. Tommaso. Prof. Zoologue. Turin (1886).
Sars, G. O. Prof. Zoologue Christiania (1886).
Sclater, Philippe Lutley. Zoologue. Londres (1884).
Schaaffhausen, Hermann. Professeur. Bonn (1874).
Scheffler, Hermann. Dr. Braunschweig (1877).
Scherer, Théodore. Professeur. Christiania.
Schenzl, Cr. Guido Météorologue. Budapest (1871).
Scherzer, Dr. Charles. Genua (1862).
Schiaparelli, G. K. Professeur. Astronome. Florence (1873).
Schichkow, Léon Nicolaiévitsch. Cons. d'Ét. Chimiste. Moscou (1879).
Schulze, Franz Eilhard. Professeur. Zoologue. Berlin (1886).
Schneider, Anton. Prof. Zoologue. Breslau (1887).
Schneider, Alexandre Théodorovitsch. Dr. Anatomie. Moscou (1879).
Schoene. Emile Bogdanovitsch. Prof. Chimie. Moscou (1863).
Schombourk, Richard. Botaniste. Adelaïde (1879).
Selenka, E. Prof. Zoologue. Erlangen (1886).
Semper, Charl. Prof. Zoologue. Würzburg (1886).
Sorauer, Prof. Botanique. Breslau (1887).
Schrauff, Albert. Professeur. Minéralogue. Vienne (1871).
/ **Schroeder,** Richard Ivanovitsch. Botaniste. Moscou (1871).
Scudder, Samuel Dr. Paléontologie. Cambridge (Mas) (1887).
Sedlaczek, Ernest. Géographe. Vienne (1857).
Seebom, Henri. Zoologue. Londres (1884).
Séménow, Pierre Pétrovitsch. Cons. priv. St.-Pétersbourg (1867).
Séménow, Pierre Nicolaiévitsch. St.-Pétersbourg (1886).
Senft, Ferdinand. Dr. Eisenach (1858).
Senoner, Adolphe. Vienne (1852).
Sharp, Richard Bowdler. Zoologue. Londres (1884).
Simachko, Julien Ivanovitsch. Zoologue. St.-Pétersbourg (1845).
Sloudsky, Théodore Alexéiévitsch. Professeur. Mathémat. Moscou (1874).
Smirnow, Siméon Alexéiévitsch. Dr. Piatigorsk (1867).
Smirnow, Michel Nicolaièvitsch. Botaniste. Tiflis (1886).
Smitt, F. A. Professeur. Stockholm (1880).
/ **Sorokine,** Nicolas Basiliévitsch. Prof. Botaniste. Kazan (1872).
Sokolow, Wladimir Dmitriévitsch. Géologue. Moscou (1884).
Sokolow, Alexis Pétrovitsch. Géodesie. St.-Pétersbourg (1884).
Sommier, Stephan. Ethnographe. Florence (1885).

Sredinski, Nicolas Kirillovitsch. Botaniste. Kharkow (1881).
Steenstrup, Jean. Professeur. Zoologue. Copenhague (1862).
Stépanow, Paul Tichonovitsch. Professeur. Zoologue. Kharkow (1873).
Stevenson, Jacques. Professeur Paléontologue. New-York (1885).
Stieda, L. Prof. Anatome. Koenigsberg (1886).
Stépanow, Eugène Michailovitsch. Dr. Med. Moscou (1886).
Stierlin, Gustave. Dr. Entomologue. Schaffhouse (1862).
Stoppani, Antonio. Milan (1862).
Strauch, Alexandre Alexandrovitsch. Académicien. Zoologue. St.-Pétersbourg (1876).
Strobel, P. Dr. Paléntologie. Parma (1887).
Struckmann, Dr. K. Géologue. Hannovre (1882).
Stur, Dionyse. Géologue. Vienne (1872). Directeur de la k. k. Géologische Reichsanstalt.
Stutz, Joachime. Hambourg (1855).
Suess, Edouard. Professeur. Paléontologue. Vienne (1872).
Suringar, W. F. R. Professeur. Leyde (1874).
Tacchini, Pietro. Professeur. Astronome. Rome (1873).
Taschenberg, Ernst. Prof. Dr. Entomologiste. Halle (1886).
Thümen, Baron. Félix Charles. Botaniste. Vienne (1877).
Tschermak, Gustave. Professeur. Vienne (1872).
Tscherniavsky, Wladimir Ivanovitsch. Zoologue. Souchoum (1882).
Tschernichew, Théodosius Nicolaiévitsch. Geologue. St.-Pétersbourg (1886).
Tchersky, Jean Dmitriévitsch. Irkoutzk (1873).
Téploukhow, Théodore Alexandrovitsch. Botaniste. Perm (1869).
Teisserenc de Bort, Léon. Météorologue. Paris (1886).
Thichatchew, Pierre Alexandrovitsch. Cons. d'ét. act. Florence.
Tichomirow, Vladimir Andréiévitsch. Dr. Botaniste. Moscou (1868).
Tioutschew Jean Artamonovitsch. Cons. d'Ét. act. St.-Pétersbourg (1867).
Todaro, Augustin. Professeur. Botaniste. Palerme (1876).
Tolstopiatow, Michel Alexandrovitsch. Professeur. Minéralogue. Moscou (1864).
Tournier, Henri de. Entomologue. Genève (1874).
Trautschold, Hermann Adolphovitsch. Prof. Géologue. Moscou (1858).
Trautvetter, Rodolphe Ernst. Cons. priv. Botaniste. St.-Pétersbourg (1830).
Trémaux, Pierre. Paris (1878).
Twelvetrees, W. H. Paléontologue. Dr. Londres (1880).
Vandelli, Alexandre. Rio-Janeiro.
Valles, Francois. Ingénienr. Paris (1874).
Vélain, Charles. Professeur. Géologue. Paris (1887).

Vesselovsky, Constantin Stépanovitsch. Cons. privé, Secrétaire perpétuel de l'Académie des Sciences. St.-Pétersbourg (1856).
Vetter. B. Professeur. Dresden (1887).
Vichniakow, Nicolas Pétrovitsch. Paléontologue. Moscou (1875).
Virchov, Rodolphe. Professeur. Berlin (1874).
Volger, Dr. Otto. Francfort s. M. (1882).
Vukotinowicz, Dr. Louis. Zagreb (1882).
Waāgen, Prof. Dr. W. Géologue. Prag (1887).
Wachsmuth, Charles. Géologue. Burlington (Joma) (1886).
Wagner, Nicolas Pétrovitsch. Prof. Zoologue. St.-Pétersbourg (1866).
Walque, Gustave de. Professeur. Liége.
Warneck, Nicolas Alexandrovitsch. Cons. d'État. Zoologue. Lomowis (Gouv. Tambow) (1849).
Washington-Campbell, Georges. Washington.
Webster, John. Dr. Boston.
Weinberg, Jacques Ignatiévitsch. Cons. d'État actuel. Physique. Moscou (1860).
Weihrauch, Charles Philippovitsch. Prof. Météorologue. Dorpat (1883).
Weiss, Adolphe. Professeur. Botaniste. Prague (1872).
Weissmann, Aug. Prof. Zoologue. Freiburg in Breisgau (1886).
Westwood, John Obapiah. Entomologue. Londres (1833).
Wiedemann, Chrétien Rodolphe. Professeur. Leipzig (1837).
Wiedersheim, Robert. Prof. Anatome. Freiburg in Breisgau (1887).
Wild, Henri Ivanovitsch. Dr. Cons. d'État. act. Météorologue. St.-Pétersbourg (1884).
Willkomm, Maurice. Botaniste. Prague (1872).
Wittmann, Joseph. Dr. Mayence (1876).
Woéikow, Alexandre Ivanovitsch. Météorologue. Prof. St.-Pétersbourg (1881).
Wolkenstein, Pierre Ermolaiévitsch. Cons. privé. St.-Pétersbourg (1863).
Wolkonsky, Gregoire Dmitriévitsch. Prince. Chèmie. Moscou (1887).
Wood, Georges. Philadelphie (1854).
Woodward, Henri. Géologue. Londres (1880).
Wright, Ramsay. Prof. Canada (Toronto) (1888).
Wyroubow, Grégoire Nicolaiévitsch. Paris (1866).
Yakovlew, Basile Eugraphovitsch. Entomologue. Irkutsk (1872).
Yerchow, Nicolas Egorovitsch. Entomologue. St.-Pétersbourg (1871).
Yéreméiéw, Paul Wladimirovitsch. Géologue. St.-Pétersbourg (1865).
Zabel, Nicolas Egorovitsch. Botaniste. Moscou (1880).
Zaroudnoï (Зарудный), Nicolas Alexéiévitsch. Ornithologue. Orenbourg (1885).
Zépharovitsch, Victor de. Prof. Minéralogue. Prague (1858).

Zernow, Dmitri Nicolaiévitsch. Professeur. Anatome. Moscou (1869).
Zeuner, Gustave. Dr. Dresden (1862).
Zickendrath, Ernst Vasiliévitsch. Minéralogue. Moscou (1878).
Zigno, Baron Achilles. Padoue (1859).
Zirkel, Prof. Minéralogue. Leipzig (1887).
Zittel, Charles. Académicien. Paléontologue. Munic (1876).
Zlatarsky, Georges N. Géologue. Sofia (1886).
Zykow, Wladimir Pavlovitsch. Zoologue. Moscou (1887).
Zwétaiew, Madame Marie Kousminitschna. Moscou (1888).

III. Membres correspondants.

Bachmann, Basile Karlovitsch, Moscou (1880).
Bramson, Constantin Loudovigovitsch. Entomologue. Ekatérinoslaw (1879).
Dumouchel, Jean Félixovitsch. Cons. d'État. actuel. Moscou (1883).
Dybowsky, Wladislav Ivanovitsch. Dr. à Niankow (1885).
Falz-Fein, Alexandre Ivanovitsch. Moscou (1880).
Fedtschenko, M-me Olga Alexandrovna. Moscou (1874).
Felitzin, Eugène Dmitriévitsch. Ekatérinodar (1884).
Gortschakow, Jean Pétrovitsch. Zaraisk (1862).
Gortschakow, Eugène Pétrovitsch. Zaraisk (1866).
Hamburger, Albert Ivanovitsch. Moscou (1878).
Hellwald, Baron. Fréderic. Canstadt (1873).
Iwanitzky, Nicolas Alexandroxitsch. Botaniste. Wologda (1880).
Ivanovsky, Arsène Alex: Byisk (1861).
Knoch, Jules Christianovitsch. Dr. Riga (1871).
Kokouew, Nikita Raphailovitsch. Entomologue. Jaroslaw (1879).
Kouchine, Jules Jouliévitsch. Bender (1870).
Koudriavtzew, Alexis Egorovitsch. Moscou (1877).
Leder, Jean. Entomologue. Elisabethpol (1879).
Leo, Emile Basiliévitsch. Riga (1859).
Mamontow, Nicolas Ivanovitsch. Moscou (1873).
Nédzélsky, Antoine Grigoriévitsch. Yalta (1870).
Nestérovsky, Jacques Kononovitsch. Youzovsk (1864).
Pinart, Alphonse Marquis (Pas de Calais). (1873).
Protopopow, Alexis Féodorovitsch. Barnaoul (1858).
Reviczky, Ivan Matvéiévitsch. Revisnye (Hongrie) (1877).
Sarandinaki, Nacolas Marguaritovitsch. Rostow (1880).
Scharrer, Henri Ivanovitsch. Tiflis (1868).
Sitovsky, Nicolas Procopiévitsch. Tiflis (1864).
Sokolow, Dmitri Nicolaiévitsch. Tiflis (1872).
Vakoulovsky, Nicolas Nicolaiévitsch. St.-Pétersbourg (1875).
Wobst, Auguste Théodorovitsch. Moscou (1873).

Institutions et Sociétés avec lesquelles la Société I. des Naturalistes est en rapport d'échange.

УЧРЕЖДЕНІЯ

коимъ Общество Испытателей Природы посылаетъ издаваемыя имъ Записки и отъ которыхъ получаетъ ихъ изданія.

I. УЧРЕЖДЕНІЯ РУССКІЯ.

Institutions et Sociétés russes.

Москва.

Императорскій Московскій Университетъ.
Астрономическая Обсерваторія Московскаго Университета.
Ботаническій садъ Московскаго Университета.
Петровская Земледѣльческая Академія.
Московскій Публичный и Румянцевскій Музей.
Императорское Общество Сельскаго Хозяйства.
Императорское Общество Любителей Естествознанія, Антропологіи и Этнографіи.
Россійское Общество Любителей Садоводства.
Московскій отдѣлъ Императорскаго Русскаго Техническаго Общества.
Физико-Медицинское Общество.
Редакція журнала Русское Садоводство (Ред. Гемиліанъ).
Московское Медицинское Общество (1886).
Общество Акклиматизаціи животныхъ и растеній.
Математическое Общество.

Петербургъ.

Императорская Академія Наукъ.
Императорскій Петербургскій Университетъ.
Императорская Военно-Медицинская Академія
Императорская Публичная Библіотека.
Императорскій Александровскій Лицей.
Императорскій Ботаническій Садъ.
Главная Физическая Обсерваторія.
Горный Институтъ.
Горный Ученый Комитетъ.
Геологическій Комитетъ.
Лѣсной Институтъ.
Императорское Общество Естествоиспытателей.
Императорское Русское Географическое Общество.
Императорское Вольноэкономическое Общество.
Императорское Минералогическое Общество.
Императорское Общество Садоводства.
Физико-Химическое Общество.
Петербургское Общество Русскихъ Врачей.
Русское Энтомологическое Общество.
Лѣсное Общество.
Россійское Общество покровительства животнымъ.
Редакція Журнала Министерства Народнаго Просвѣщенія.
Редакція журнала Russische Revue (Ред. Hammerschmidt).
Военно-Топографическій отдѣлъ Главнаго Штаба (Записки)—1885 XII.
Практическій Технологическій Институтъ.

Астраханъ.

Петровское Общество Изслѣдователей Астраханскаго края.

Варшава.

Императорскій Варшавскій Университетъ.
Ботаническій Садъ И. Варшавскаго Университета.

Вильно.

Императорское Виленское Медицинское Общество.

Вятка.

Публичная библіотека.

Гельсингфорсъ.

Императорскій Университетъ.
Societas scientiarum fennica.
Общество pro fauna et flora fennica.

Дерптъ.

Императорскій Университетъ.
Метеорологическая Обсерваторія И. Д. Университета.
Общество Испытателей Природы.
Эстонское Ученое Общество.

Екатеринбургъ.

Уральское Общество Любителей Естествознанія.

Екатеринодаръ.

Кубанскій Областной Статистическій Комитетъ.

Екатеринославъ.

Реальное Училище.

Житоміръ.

Городская Публичная Библіотека.

Иркутскъ.

Восточно-Сибирскій отдѣлъ Императорскаго Географическаго Общества.

Казань.

Императорскій Казанскій Университетъ.
Общество Испытателей Природы.
Экономическое Общество.

Кіевъ.

Императорскій Кіевскій Университетъ.
Общество Испытателей Природы.
Общество Кіевскихъ Врачей.

Митава.

Общество Наукъ и Искусствъ.
Курляндское Общество Сельскаго Хозяйства.

Новая-Александрія.

Институтъ Сельскаго Хозяйства и Лѣсоводства.

Нижній-Новгородъ.

Общество Нижегородскихъ Врачей.

Одесса.

Императорскій Университетъ.
Императорское Общество Сельскаго Хозяйства Южной Россіи.
Новороссійское Общество Испытателей Природы.
Общество Одесскихъ Врачей.
Городская Публичная Библіотека.
Одесское отдѣленіе Императорскаго Русскаго Техническаго Общества (1885).

Омскъ.

Западно-Сибирскій отдѣлъ Императорскаго Русскаго Географическаго Общества (1885 XII) (Метеорологич. станція).

Пятигорскъ.

Управленіе Кавказскихъ минеральныхъ водъ.

Рига.

Общество Испытателей Природы
Общество Исторіи и Древностей Прибалтійскаго Края.
Латышское Литературное Общество.

Самара.

Александровская Публичная Библіотека.

Симбирскъ.

Карамзинская Публичная Библіотека.

Симферополь.

Крымскій отдѣлъ при библіотекѣ Мужской Гимназіи.

Ташкентъ.

Публичная Библіотека.
Туркестанскій отдѣлъ Общества Любителей Естествознанія.

Тифлисъ.

Кавказскій Музей.
Тифлисская Публичная Библіотека.
Кавказское Общество Сельскаго Хозяйства.
Кавказское Общество Испытателей Природы.
Императорское Кавказское Медицинское Общество.
Кавказскій отдѣлъ И. Русскаго Географическаго Общества.
Физическая Обсерваторія.

Умань.

Училище Земледѣлія и Садоводства.

Харьковъ.

Императорскій Университетъ.
Общество Испытателей Природы.
Общестко Сельскаго Хозяйства.
Математическое Общество.
Харьковское отдѣленіе Императорскаго Русскаго Техническаго Общества.
Харьковская Общественная библіотека.

Ярославль.

Общество для изслѣдованія Ярославской губ. въ естественно-историческомъ отношеніи.

II. УЧРЕЖДЕНІЯ ИНОСТРАННЫЯ.

Institutions et Sociétés étrangères.

EUROPE.

Allemagne. Германія.

Altenburg, Pomologische Gesellschaft.
" Naturforschende Gesellschaft des Osterlandes.
Annaberg (Саксонія), Annaberger-Buchholzer Verein fur Naturkunde.
Augsburg (Баварія), Naturhistorischer Verein.
Bamberg (Баварія), Naturforschende Gesellschaft.
Berlin. Deutsche Geologische Gesellschaft.
" Königliche Preussische Akademie der Wissenschaften.
" Physikalische Gesellschaft.
" Geographische Gesellschaft.
" Verein zur Beforderung des Gartenbaues.
" Botanischer Verein für die Provinz Brandenburg.
" Direction des Kgl. Botanischen Gartens.
" K. K. Ministerium f. Landwirtschaft.
" Gesellschaft der Freunde der Naturwissenschaften.
" Deutsche Entomologische Gesellschaft.
" Redaction der Entomologischen Nachrichten.
" K. Preuss. Meteorologisches Institut.
" Königl. Geologische Landesanstalt und Bergakademie.
" Redaction der Gartenzeituug.
Blankenburg. Naturwissenschaftlicher Verein des Harzes.
Braunschweig. Verein fur Naturwissenschaften.
Bremen. Naturwissenschaftlicher Verein.

Breslau. Schlesische Gesellschaft für vaterländische Cultur.
„ Universitat.
„ Verein für Schlesische Insectenkunde.
Bonn. Naturforschende Gesellschaft.
Carlsruhe. Naturwissenschaftlicher Verein.
Cassel. Verein für Naturkunde.
„ Redaction des Botanischen Centralblattes.
Chemnitz. Naturwissenschaftliche Gesellschaft.
Clausthal. Naturforschende Gesellschaft „Maja“.
Coblenz. Naturhistorischer Verein.
Colmar (Elsass). Société d'Histoire Naturelle.
Danzig. Naturforschende Gesellschaft.
Darmstadt. Bibliothek des Grossherzogs.
„ Verein für Erdkunde.
„ Mittelrheinischer Geologischer Verein.
„ Naturhistorischer Verein für Hessen.
„ Gartenbau-Verein.
Dessau. Naturhistorischer Verein für Anhalt.
Donau-Echingen. Verein für Geschichte und Naturgeschichte.
Dresden. Gesellschaft für specielle Naturkunde „Isis“.
„ Gesellschaft für Natur und Heilkunde.
„ Verein fur Erdkunde.
„ Kgl. Sächsische Bibliothek.
„ Zoologisches Museum.
„ Russischer literalisch-wissenschaftlicher Verein am Polytechnicum.
Dürkheim. Naturwissenschaftlicher Verein der bayerischen Rheinpfalz „Pollichia“.
Elberfeld. Naturwissenschaftlicher Verein.
Emden. Naturforschende Gesellschaft.
Erfurt. Akademie Gemeinnütziger Wissenschaften.
Erlangen. Physikalisch-medicinische Gesellschaft.
Frankfurt a. M. Senckenbergische Naturforschende Gesellschaft.
„ Physikalischer Verein.
Zoologischer Verein.
„ Hochstift.
„ Redaction des „Zoologischen Gartens“.
Frankfurt a. d. O. Naturforschende Gesellschaft.
Freiburg i. Br. Naturforschende Gesellschaft.
Fulda. Verein für Naturkunde.
Gera. Gesellschaft der Freunde der Naturwissenschaften.
Giessen. Oberheissische Gesellschaft fur Natur und Heilkunde.
„ Universität.

Görlitz. Naturforschende Gesellschaft.
„ Oberlausitzische Gesellschaft der Wissenschaften.
Göttingen. Kgl. Gesellschaft der Wissenschaften.
Gotha. Dr. Perthes Geographische Mittheilungen.
Greifswald. Geographische Gesellschaft.
„ Naturwissenschaftlicher Verein von Neu-Vorpommern und Rügen.
Güstrow. Verein der Freunde der Naturgeschichte.
Halle. Naturwissenschaftlicher Verein für die Provinzen Thüringen u. Sachsen.
„ Naturforschende Gesellschaft.
„ Verein f. Freunde der Erdkunde.
„ Kaiserliche Leopoldinisch-Karolinische Akademie.
Hamburg. Naturwissenschaftlicher Verein.
„ Verein fur Naturwissenschaftliche Unterhaltung.
„ Literarisch-philosophische Gesellschaft.
„ Zoologisches Museum.
„ Seewarte.
„ Meteorologische Gesellschaft.
Hanau. Wetterausische Gesellschaft f. d. gesammte Naturkunde.
Hannover. Naturhistorische Gesellschaft.
Heidelberg. Naturhistorisch-Medizinischer Verein.
„ Universitäts Bibliothek.
„ Russische Lesehalle.
Jena. Medizinisch-Naturwissenschaftliche Gesellschaft.
Kiel. Verein zur Verbreitung Naturwissenschaftlicher Kenntnisse.
„ Universitäts Bibliothek.
„ Anthropologische Gesellschaft.
Königsberg. Physikalisch-œkonomische Gesellschaft.
Landshut. Botanische Gesellschaft.
Leipzig. Verein für Freunde der Erdkunde.
„ K. Sächsische Gesellschaft der Wissenschaften.
„ Fürstliche Jablonoffskysche Gesellschaft.
„ Museum fur Volkerkunde.
„ Naturforschende Gesellschaft.
„ Redaction des Zoologischen Anzeiger.
Lüneburg. Naturwissenschaftlicher Verein.
Mannheim. Verein fur Naturkunde.
Mainz. Rheinische Naturforschende Gesellschaft.
„ Stadt-bibliothek.
Magdeburg. Naturwissenschaftlicher Verein.
Marburg. Gesellschaft f. d. gesammten Naturwissenschaften.
Metz. Société d'Histoire Naturelle.

München. Kgl. Bayerische Akademie der Wissenschaften.
„ K. Hofbibliothek.
„ Gesellschaft f. Anthropologie, Ethnographie und Urgeschichte Bayerns.
„ K. B. Meteorologische Centralstation.
Münster. Westphalischer Provincial-Verein für Wissenschaften.
Offenbach. Verein. f. Naturkunde.
Osnabrück. Naturwissenschaftlicher Verein.
Nürnberg. Naturhistorische Gesellschaft.
Passau. Naturhistorischer Verein.
Regensburg. Kgl. Botanische Gesellschaft.
„ Zoologisch-Mineralogischer Verein.
Stettin. Entomologischer Verein.
„ Ornithologischer Verein für Pommern und Mecklenburg.
Strassburg. Universität.
„ Commission zur geologischen Untersuchung von Elsass-Lothringen.
Stuttgart. Kgl. Bibliothek.
„ Verein fur Vaterländische Naturkunde in Würtemberg.
„ Redaction der „Garten-Flora".
Tilsit. Naturhistorischer Verein.
Tübingen. Redaction des „Naturforscher".
Wiesbaden. Nassauischer Verein fur Naturkunde.
Würzburg. Physikalisch-Medizinische Gesellschaft.
„ Polytechnischer Verein.
Zwickau. Verein fur Naturkunde.
Zweibrücken. Naturhistorischer Verein.

Autriche-Hongrie. Австро-Венгрія.

Aussig. a. Elbe (Богемія). Naturwissenschaftlicher Verein.
Bistritz. Gewerbeschule.
Brünn. Mahrische Gesellschaft für Beförderung des Ackerbaues, der Natur und Landes Kunde.
„ Naturforschender Verein.
Czernowitz. Université.
„ Verein fur Landeskultur in Bukowina.
Gratz. Naturforschende Gesellschaft.
„ Verein der Aerzte in Steiermark.
„ Historische Gesellschaft.
„ Zoologisch-Zootomisches Institut des K. Franzens-Universität.

Hermannstadt. Siebenbürgischer Verein f. Naturwissenschaften.
„ Verein fur Siebenbürgische Landeskunde.
Innsbruck. Naturwissenschaftlich-Medizinischer Verein.
Klagenfurt. Naturhistorisches Landes-Museum.
Budapest. Kgl. Gesellschaft der Naturforscher.
„ Ungarische Geologische Gesellschaft.
„ Meteorologisches Institut.
„ Kgl. Ungarische Akademie der Wissenschaften.
„ Königliche Geologische Anstalt.
„ Redaction du journal „Rovartani Lapore".
Kolosvar. Société du Musée de Transylvanie.
Krakau. K. K. Akademie der Wissenschaften.
Laibach. Laibacher Museum.
Leutschau. Ungarischer Karpathen-Verein.
Linz. Museum Francisco-Carolinum.
Lwow (Lemberg). Société des Naturalistes „Kopernik".
„ Русскій народный домъ.
Prag. Kgl. Bohmische Gesellschaft der Wissenschaften.
„ Naturforschende Gesellschaft „Lotos".
„ K. K. Sternwarte.
Pressburg. Verein fur Natur- und Heilkunde.
Reichenberg. Verein der Naturfreunde.
Salzburg. Gesellschaft für Salzburger Lanbeskunde.
„ Deutscher und Oesterreichischer Alpenverein.
Triest. Société Adriatique des Sciences Naturelles.
Trentschin. Naturwissenschaftlicher Verein des Trentschiner-Comitäts.
Wien. K. K. Akademie der Wissenschaften.
„ Anthropologische Gesellschaft.
„ K. K. Geographische Gesellschaft.
„ K. K. Zoologisch-Botanische Gesellschaft.
„ K. K. Militär-Geographisches Institut
„ Zoologisches Museum.
„ K. K. Geologische Reichs-Anstalt.
„ Verein zur Verbreitung naturwissenschaftlicher Kenntnisse.
„ Ornithologische Gesellschaft.
„ Oesterreichischer Alpen-Verein.
„ Meteorologische Gesellschaft.
„ K. K. Centralanstalt fur Meteorologie und Erdmagnetismus.
„ K. K. Hofmuseum.
Zagreb, Académie des sciences.
„ Société Archéologique.

Angleterre, Ècosse et Irlande. Англія, Шотландія и Ирландія.

Bath, Bath and West of England Agricultural Society.
Belfast, Natural History and Philosophical Society.
Birmingham, Philosophical Society.
Brigthon, Natural History Society.
Cambridge, Philosophical Society.
„ Université.
Dublin, Académie Royale Irlandaise.
„ Association Géologique.
„ Philosophical Society.
„ Royal Dublin Society.
„ Royal Zoological Society of Ireland.
„ Royal Irish Akademy.
Edinburgh, Royal Physical Society.
„ Botanical Society.
Geological Society.
Highland and Agricultural Society of Scotland.
„ Meteorological Society of Scotland.
„ Wernerian Natural History Society.
Falmouth, Royal Cornwall Polytechnic Society.
Glasgow, Société Géologique.
„ Société d'Histoire Naturelle.
Kew, Direction du Jardin Botanique.
Leeds, Geological and Polytechnic Society of the West. Riding of Jorkshire
Liverpool, R. Geological Society.
London, Direction Générale de la levée Géologique.
„ Société Anthropologique.
„ Société Entomologique.
„ Royal Astronomical Society.
„ Société Géologique.
„ Société Linnéenne.
„ Société Zoologique.
„ Société Royale de Sciences.
„ Société Royale de Microscopie.
„ Redaction du Journal „Nature".
„ Chemical Society.
„ Meteorological Society.
„ Royal Agricultural Society of England.
„ Royal Botanical Society.
„ Redaction du „Geological Magazine".

„ British Museum.
„ Natural History Museum.
Manchester, Société littéraire et philosophique.
Norwich, Société des Naturalistes.

Belgique. Бельгія.

Anvers, Société Paléontologique de la Belgique.
„ Académie d'Archéologie de Belgique.
Bruxelles, Académie Royale des Sciences.
„ Musée Royale d'Histoire Naturelle de Belgique.
„ Societé Malacologique de la Belgique.
„ Société Entomologique belge.
„ Société Royale de Botanique de Belgique.
„ Société belge de Microscopie.
„ Observatoire Royal.
Liége, Société Royale des Sciences.
„ Société Géologique de Belgique.

Danemark. Данія.

Copenhague, Société Royale des Sciences.
„ Société des Naturalistes.
Institut Météorologique Danois.

Espagne. Испанія.

Barcelona, Rédaction del Ateneo Barcelonés.
„ Real Academia de Ciencias.
Madrid, Société Espagnole d'Histoire Naturelle.
„ Académie Royale des Sciences.
„ Comision del Mapa géologica.
„ Observatoire Météorologique.

France. Франція.

Amiens, Société Linnéenne du Nord de la France.
Angers, Société d'Histoire Naturelle.
„ Société Nationale d'Agriculture, Sciences et Arts.
Annecy, Académie Salésienne.
Apt, Société Littéraire, Scientifique et Artistique.
Aix-en-Provence, Académie des Sciences, Agriculture, Arts et Belles-Lettres.

Auxerre, Société des Sciences Historiques et Naturelles de l'Jonne.
Bār-le-Duc, Société des Lettres, Sciences et Arts.
Beziers, Société d'Etudes des Sciences Naturelles.
„ Société Archéologique, Scientifique et Littéraire.
Bordeaux, Société des Sciences Physiques.
„ Société Linnéenne.
„ Académie des Sciences, Belles Lettres et Arts.
Caen, Société Linnéenne de Normandie.
Chambéry, Société d'Histoire Naturelle de Savoie.
Cherbourg, Société Nationale des Sciences Naturelles.
Clermont-Ferrand, Académie des Sciences, Belles Lettres et Arts.
Courrensan, (Gers). Société Francaise de Botanique.
Dax, Société de Borda.
Dijon, Académie des Sciences.
Grenoble, Société de Statistique, des Sciences Naturelles et des Arts industrielles du Département de l'Isère.
„ Académie Delphinale.
Guéret, Société des Sciences Naturelles et Archéologiques de la Creuse.
Havre, Société Géologique de Normandie.
Huy, Cercle Hutois des Sciences et Beaux Arts.
La Rochelle, Académie des Sciences.
Le Puy, Société Agricole et Scientifique de la Haute-Loire.
Lille, Société des Sciences, de l'Agriculture et des Arts.
Lons-le-Saunier, Société d'Emulation du Jura.
Lyon, Académie des Sciences.
„ Société d'Agriculture.
„ Société Linnéenne.
„ Société Botanique.
Mâcon, Société des Arts, Sciences, Belles Lettres et d'Agriculture.
Marseille, Museum d'Histoire Naturelle.
„ Société Scientifique Flammarion.
Meaux, Société d'Agriculture, Sciences et Arts.
Montbéliard, Société d'Emulation do Montbelin.
Montpellier, Académie des Sciences et Lettres.
Nancy, Académie de Stanislas.
„ Société des Sciences de Nancy.
Nantes, Société Académique de Nantes et du Département de la Loire-Inférieure.
Nimes, Société des Sciences Naturelles.
Paris, Société d'Anthropologie.
„ Société Géologique.
„ Société Zoologique d'Acclimatation.
„ Société Zoologique de France.

Paris, École Polytechnique.
„ Académie de Médicine.
„ Académie des Sciences de l'Institut National de France.
„ Direction du Musée d'Histoire Naturelle.
„ Rédaction des Annales des Sciences Naturelles.
„ Rédaction du Journal de Conchyliologie.
„ Rédaction de la Revue Scientifique.
„ Redaction des Archives Slaves de Biologie.
„ Société de Biologie.
„ Société d'Acclimatation.
„ Société de Botanique.
„ Société Entomologique de France.
„ Société Minéralogique de France.
„ Société Indo-Chinoise.
„ Journal de Micrographie.
„ Association Francaise pour l'avancement des Sciences.
„ Société philomatique.
„ Société Météorologique.
„ Rédaction des Feuilles des jeunes Naturalistes.
„ Rédaction de l'Annuaire. Géologique universel.
„ Rédaction de la Revue internationale des Sciences.
„ Rédaction du Journal l'Abeille.
„ Bureau Central Météorologique de France.
„ École supérieure de Pharmacie.
Perpignan, Société Agricole, Scientifique et Littéraire des Pyrénées-Orientales.
Pau, Société des Sciences, Lettres et Arts.
Privas, Société d'Agriculture, Industrie, Sciences, Arts et Lettres du Département de l'Ardèche.
Rheims, Société d'Histoire Naturelle.
Rouen, Société des Amis des Sciences Naturelles.
Saint-Dié, Société Philomatique Vosgienne.
Toulon, Académie du Var.
Toulouse, Société d'Histoire Naturelle.
„ Musée d'Histoire Naturelle.
„ Société Académique hispano-portugaise.
„ Académie des Sciences de Toulouse.
Troyes. Société Académique d'Agriculture, des Sciences, Arts et Belles Lettres de l'Aube..
Vannes. Société Polymathique du Moriban.
Vesoul. Société d'Agriculture, Sciences et Arts du Département de la Haute Saône.

Grèce. Грецiя.

Athenes, Musée d'Histoire Naturelle de l'Université.
„ Société des Naturalistes.

Hollande. Голландiя.

Amsterdam, Académie Royale des Sciences.
„ Bibliothèque et Athénée de la ville.
„ Commission Scientifique du Jardin Zoologique.
„ Société Royale de Zoologie „Natura Artis Magistra."
Haarlem, Société Hollandaise des Sciences.
„ Musée Teyler.
Leiden, Société Néerlandaise de Zoologie.
„ Académie Royale des Sciences.
„ Société Entomologique.
„ Kongl. Institut voor de Toal, Landend Volkenkunde von Nederland.
Middelbourg, Societé Zélandaise des Sciences.
Utrecht, Institut Royal Metéorologique.
„ Société des Arts et des Sciences.

Italie. Италiя.

Bologna, Académie des Sciences.
Brescia, Athenée des Sciences.
Catania, Académie Gioenia des Sciences Naturelles.
Florence, Société Entomologique Italienne.
„ Societa Africana d'Italia.
„ Jardin et Musée Botanique. (Institut R. des études superieures).
Gènes, Direction du Musée d'Histoire Naturelle.
Milan, Société Italienne des Sciences Naturelles.
„ Société Cryptogamologique Italienne.
„ Société Géologique.
„ Institut Royal des Sciences.
Modène, Académie Royale des Sciences.
„ Société des Naturalistes.
Moncalieri, Observatoire Météorologique du Collège Royal Charles Albert.
Naples, Académie Royale des Sciences.
„ Station Zoologique de M. Dohrn.
„ Societa Africana d'Italia.
Padoue, Académie Royale des Sciences et Lettres.
„ Societa Veneto-Trentina.
Palerme, Académie Royale des Sciences.

Palerme, Société d'Acclimatation.
„ Institut Technique.
„ Societa de Scienze naturali et economiche.
„ Rédaction du Journal „Naturalista Siciliano".
Parma, Bolletino di Paletnologia Italiana.
Pavia, Institut Météorologique Central.
Pise, Sosiété Toscane des Sciences Naturelles.
„ Société Malacologique.
Rome, Académie Royale de Lincei.
„ Comité Royale Géologique.
„ Société Géographique Italienne.
„ Societa Italiana de Scienze.
„ Société Spectroscopique Italienne.
„ Académie Pontifique de Nuovi Lincei.
Turin, Académie Royale des Sciences.
„ Musée de Zoologie et de l'Anatomie comparée de l'Université Royale de Turin.
Venise, Institut Royal des Sciences, Lettres et Arts.
Verone, Académie d'Agriculture.

Grand Duché de Luxembourg. Герцогство Люксембургское.

Luxembourg, Institut Royal Grand-Ducal (Section des Sciences naturelles et mathématiques).
Société de Botanique du Grand Duché.

Portugal. Португалія.

Lisbonne, Académie Royale des Sciences.
„ Société de Géographie.
„ Commission des travaux Géologiques.
Coimbra, Sociedade Broteriana.
Porto, Academia Polytechnica.

Suède et Norwège Швеція и Норвегія.

Bergen, Muséum de Bergen.
Christiania, Université Royale.
„ Physiographiske Forening.
„ Météorologisches Institut des Königreich Norwegen.
Drontheim. Kongelige Norske Vidensralers Selskobs.
Gothenburg, Kon. Vetenskabs Selskapet.

Lund, Universite Royale.
Stockholm, Académie Royale des Sciences.
„ Société Entomologique.
„ Meteorologisches Institut.
Upsala, Société des Sciences.
„ Observatoire Météorologique.
„ Vetenskaps Societät.

Suisse. Швейцарія.

Bâle, Naturforschende Gesellschaft.
Berne, Société Helvétique des Sciences Naturelles.
„ Société Entomologique.
„ Institut Géographique international.
Chur, Naturforschende Gesellschaft Graubundens.
Frauenfeld, Thurgausche Naturforschende Gesellschaft.
Genève, Société de Physique.
„ Société Ornithologique Suisse.
„ Institut National Génevois.
Lausanne, Société Vaudoise des Sciences Naturelles.
Neufchâtel, Société des Sciences Naturelles.
Sion, Société Murithienne botanique en Valais.
St. Gallen, Société des Naturalistes.
Schaffhouse, Schweizerische Entomologische Gesellschaft.
Zürich, Naturforschende Gesellschaft.
„ Schweizerische Météorologische Centralanstalt.

Servie. Сербія.

Belgrad, Société littéraire serbe.

Turquie. Турція·

Constantinople, Société orientale.

Roumanie. Румынія.

Bucarest, Bureau Géologique.
„ Institut Météorologique de Roumanie.
Iassy, Société des Médicins et Naturalistes.

AMÉRIQUE.

Mexico.

Mexico, Observatoire Météorologique Centrale.
„ Museo Nacional.
„ Rédaction du journal „La Naturaleza“.
„ Société Mexicaine d'histoire Naturelle.
„ Ministerio del Fomente.

Chili.

Santjago, Université.
„ Deutscher wissenschaftlicher Verein.

Venezuela.

Caracas, Rédaction de la gazette scientifique de Venezuela.
„ Sociedade Economica de Amigas del Pais.

Honduras.

Guatemala, Sociedad Economica de Amigas del Pais.

Brit. Honduras.

Port Louis, Académie Royale des Arts et des Sciences.

Cuba.

Habana, Real Sociedad Economica.

Iamaica.

Kingston, Société Royale des Arts et des Sciences.

Perou.

Lima, Université.

Canada.

London, (Ontario) Rédaction du journal „Canadian Entomologist“.
Montréal, Société Géologique du Canada.
„ Société d'Histoire Naturelle.

Ottawa, Institut Canadien-français.
„ Geological a. Natural History Survey.
Toronto, Entomological Society of Ontario·
„ Canadian Institut.

Brésil.

Rio de Janeiro, Société d'Histoire Naturelle.
„ Institut Historico-Géografique et Ethnographique.
Musée National.

République Argentine.

Buenos Ayres, Musée Public.
„ Institut Géographique Argentin.
Société Paléontologique.
„ Académie Nationale des Sciences.
„ Société Scientifique Argentine.
Cordoba, Académie Nationale des Sciences de la République Argentine·

États-Unis d'Amérique.

Albany, Société d'Agriculture.
„ New-Iork State Cabinet of Natural History.
Baltimore, Université John Hopkins.
„ Rédaction du „American Chemical Journal".
Boston, Académie Américaine des Arts et des Sciences.
„ Société d'Histoire Naturelle.
Brooklyn, Entomological Society.
Brookville, (Indiana) Society of Natural History.
Buffalo, Société des Sciences Naturelles.
Cambridge, Museum of comparative Zoology.
„ Association Américaine pour l'avancement des sciences.
„ Entomological Club.
Castelton, Vermont. Orleans County Society of Natural Sciences.
Chapel Hill, (North Carolina). Elisha-Mitchell Society.
Chicago, Académie des Sciences.
„ Association médicale Américaine.
Cincinnati, Society of Natural History.
Colorado, Scientific Society.
Davenport, Académie des Sciences Naturelles.
Granville, (Ohio). Denison University.
Jova, Jova Weather Service.

Jova, Université de Jova.
Madison, Wisconsin Academy of Sciences, Arts and Letters.
Milwaukee, Naturhistorischer Verein von Wisconsin.
Minneapolis, Minnesota Académie des Sciences Naturelles.
" Géological and Natural History Survey of Minnesota
New Haven, Académie des Arts et des Sciences du Connecticut.
" Rédaction du Journal Americain des Sciences.
New Orleans, Académie des Sciences.
Newport, Orleans County Society of Natural Sciences.
New York, Académie des Sciences.
" Société Pokeepsie des Sciences Naturelles (Vassur Brothers Institut).
" Musée d'Histoire Naturelle.
" Société de Microscopie.
" Torrey Botanical Club.
Portland, Société d'Histotre Naturelle (Man).
Philadelphia, Académie des Sciences naturelles.
" Philosophical Society.
Géological Survey of Pensylvania.
" Zoological Society.
" Entomological Society.
San Francisco, Académie Califōrnienne des Sciences.
Salem, Académie Péabody des Sciences (Oregon).
San Louis, Académie des Sciences.
" Missouri Historical Society.
Sedalia, (Missouri) Sedalia Natural History Society.
Washington. Commission des patentes.
" Institut Smithsonian.
Académie des Sciences.
United States Surgeons Général Office.
Departement de l'Agriculture des États Unis.
Association Américaine Médicale.
United States Géological Survey.
United States National Museum.
Signal Office of War Departement.
Commission of Fish and Fisheries.

AFRIQUE.

Alger.

Alger. Ecole supérieure des Sciences.
" Société des Sciences physiques.
Bône. Académie d'Hippone.

Egypte.

Cairo, Société Khédivienne de Géographie.

Mozambique.

Mozambique, Société de Géographie.

Ile Maurice.

Société d'Histoire Naturelle de l'Ile Maurice (Mauritius).

St. Helena.

Magnetical and Meteorological Observatory.

Cape-Town.

South African Philosophical Society.

ASIE ORIENTALE.

Indes orientales. Остъ-Индія.

Bombay, Royal Asiatic Society.
" Geographical Society.
" Magnetical and Meteorological Observatory.
Calcutta, Société et Musée Géologique des Indes.
" Asiatic Society of Bengal.
" Agricultural and Horticultural Society of India.
Ceylon, Asiatic Society.
Madras, Observatory.

Ile de Iava.

Batavia, Société des Sciences des Indes Néerlandaises.
" Société des Arts et des Sciences.
" Observatoire magnétique et météorologique.
" Jardin botanique de Buitenzorg.

Japon. Японія.

Tokyo, Deutsche Gesellschaft für Natur- und Völkerkunde Ostasiens.
" Université Impériale.

Chine. Китай.

Changhai, North China Branch of the Royal (Asiatique) Society.
Hong-Kong, Asiatique Society of China.

Iles Philippines. Филиппинскіе Острова.

Manilla, Société Royale Economique des Iles Philippines.

AUSTRALIE.

Melbourne, Institut Victoria.
„ Société Géographique de l'Australie.
„ Musée d'Histoire Naturelle.
Sydney, Musée Australien d'Histoire Naturelle.
„ Royal Society of New South Walles.
„ Société Linnéenne de la Nouvelle Galles du Sud.

Tasmania.

Hobarton, Royal Society of Tasmania.
„ Magnetic and Meteorological Observatory.

Nouvelle Zéland.

Wellington, New Zealand Institut.

Haïti

Port-au-Prince, Société des Scienses et de Géographie.

Hawaii (Iles Sandwich).

Honolulu, Royal Hawaiian Agricultural Society.

ЧЛЕНЫ ЖИВУЩІЕ ВЪ Г. МОСКВѢ.

Анучинъ, Дмитрій Николаевичъ (1872—1882), д. ч.
Артари, Александръ Петровичъ (1885) д. ч.
Бахманъ, Василій Карловичъ, 1880, ч. кор.
Бензенгръ, Василій Николаевичъ, 1879, д. ч.
Богдановъ, Анатолій Петровичъ, 1855, д. ч.
Богуславскій, Анатолій Ивановичъ, 1882, д. ч.
Бредихинъ, Ѳедоръ Александровичъ (1862—1886), поч. ч
Бугаевъ, Николай Васильевичъ, 1867, д. ч.
Вейнбергъ, Яковъ Игнатьевичъ, 1860, д. ч.
Вешняковъ, Ѳедоръ Владиміровичъ (1871), поч. ч. 1885.
Вишняковъ, Николай Петровичъ, 1875, д. ч.
Вобстъ, Августъ Ѳедоровичъ, 1873, ч. кор.
Волконскій, князь Григорій Дмитріевичъ, 1887, д. ч.
Гамбургеръ, Альбертъ Ивановичъ, 1878, ч. кор.
Голенкинъ, Михаилъ Ильичъ, 1888, д. ч.
Головачовъ, Адріанъ Филипповичъ, 1852, д. ч.
Горожанкинъ, Иванъ Николаевичъ, 1875, д. ч.
Гороновичъ, Николай Васильевичъ, 1885, д. ч.
Гудендорфъ, Александръ Андреевичъ, 1883, д. ч.
Густавсонъ, Гавріилъ Гавріиловичъ, 1846, д. ч.
Гриневскій, Ѳедоръ Александровичъ, 1888, д. ч.
Дашковъ, Василій Андреевичъ, 1865, поч. ч.
Дюмушель, Иванъ Феликсовичъ, 1883, ч. кор.
Долгоруковъ, князь Владиміръ Андреевичъ, 1875, поч. чл.
Даниловъ, Николай Петровичъ, 1861, д. ч.
Зерновъ, Дмитрій Николаевичъ, 1869, д. ч.
Зыковъ, Владиміръ Павловичъ, 1887, д. ч.
Иванцовъ, Николай Александровичъ, 1886, д. ч.
Кернъ, Эдуардъ Эдуардовичъ, 1882, д. ч.
Кипріяновъ, Валеріанъ Александровичъ, 1852, д. ч.
Кислаковскій, Евгеній Діодоровичъ, 1886, д. ч.
Колли, Александръ Андреевичъ, 1873, д. ч.
Колли, Робертъ Андреевичъ, 1886, д. ч.

Кронебергъ, Александръ Ивановичъ, 1879, д. ч.
Крыловъ, Александръ Алексѣевичъ, 1871, д. ч.
Кудрявцевъ, Алексѣй Егоровичъ, 1877, ч. кор.
Линдеманъ, Карлъ Эдуардовичъ, 1864, д. ч.
Львовъ, Василій Николаевичъ, 1883, д. ч.
Лясковскій, Николай Ефстафьевичъ, 1863, д. ч.
Маклаковъ, Алексѣй Николаевичъ, 1885, д. ч.
Мельгуновъ, Петръ Павловичъ, 1888, д. ч.
Мещерскій, князь Николай Петровичъ, 1869, поч. ч.
Мещерская, княг. Марія Александровна, 1869, поч. ч.
Маевскій, Петръ Феликсовичъ, 1872, д. ч.
Миклашевскій, Иванъ Николаевичъ, 1883, д. ч.
Мѣшаевъ, Викторъ Дмитріевичъ, 1872, д. ч.
Мензбиръ, Михаилъ Александровичъ, 1880, д. ч.
Огневъ, Иванъ Флоровичъ, 1886, д. ч.
Павловъ, Алексѣй Петровичъ, 1883, д. ч.
Павлова, Марія Васильевна, 1886, д. ч.
Палимпсестовъ, Иванъ Устиновичъ, 1882, д. ч.
Перепелкинъ, Констаптинъ Павловичъ. 1872. д. ч.
Петунниковъ, Алексѣй Николаевичъ, 1865, д. ч.
Сабанѣевъ, Леонидъ Павловичъ, 1868, д. ч.
Сабанѣевъ, Александръ Павловичъ, 1872, д. ч.
Слудскій, Ѳедоръ Алексѣевичъ, 1874, д. ч.
Соколовъ, Владиміръ Дмитріевичъ, 1884, д. ч.
Степановъ, Евгеній Михайловичъ, 1886, д. ч.
Тихоміровъ, Владиміръ Андреевичъ, 1868, д. ч.
Тихонравовъ, Николай Савичъ, 1883, поч. чл.
Толстопятовъ, Михаилъ Александровичъ, 1864, д. ч.
Траутшольдъ, Германъ Адольфовичъ, 1858, д. ч.
Цабель, Николай Егоровичъ, 1880, д. ч.
Цвѣтаева, Марья Козьминишна, 1888, д. ч.
Цинкендратъ, Эрнестъ Васильевичъ, 1878, д. ч.
Шатиловъ, Іосифъ Николаевичъ, 1857, д. ч.
Шёне, Эмилій Богдановичъ, 1863, д. ч.
Шереметевскій, Ѳедоръ Петровичъ, 1863, д. ч.
Шнейдеръ, Александръ Ѳедоровичъ, 1879, д. ч.
Шрёдеръ, Рихардъ Ивановичъ, 1871, д. ч.
Феррейнъ, Андрей Карловичъ, 1867, д. ч.
Фальцъ-Фейнъ, Александръ Ивановичъ, 1880, ч. кор.
Хрущовъ, Павелъ Дмитріевичъ, 1877, д. ч.
Ѳедченко, Ольга Александровна, 1874, ч. кор.

(Beilage zum Bulletin de la Société Impériale des Naturalistes de Moscou. Deuxième série, Tome II).

METEOROLOGISCHE BEOBACHTUNGEN

ausgeführt am

METEOROLOGISCHEN OBSERVATORIUM

DER

LANDWIRTHSCHAFTLICHEN AKADEMIE

BEI MOSKAU (PETROWSKO-RAZOUMOWSKOJE).

(Das Jahr 1888 — Zweite Hälfte)

Erklärung der in den Tabellen gebrauchten Zeichen.

⩍ Thau.	△ Graupeln.	⸗ Starker Wind.
⊔ Reif.	▲ Hagel.	∞ Höhenrauch.
∨ Duft, Rauhfrost.	⊕ Sonnenringe.	✢ Schneegestöber.
∽ Glatteis.	⦶ Sonnenhof.	|-| Säulen neben der Sonne.
☰ Nebel.	ϖ Mondring.	⌒ Regenbogen
● Regen.	⩊ Mondhof.	⩸ Nordlicht.
✳ Schnee.	← Eisnadeln.	≺ Wetterleuchten.
	⩗ Gewitter.	

Die, diesen Zeichen als Koëficient beigegebenen Zahlen 0 und 2 qualificiren die Stärke der angezeigten Erscheinung. Die rechts hinter den Zeichen stehenden grösseren Zahlen zeigen die Beobachtungstunde an, während welcher die gewisse Erscheinung beobachtet wurde. (So bedeutet die Zahl 1 — 7 Uhr Morgens; die Zahl 2 - 1 Uhr Nachmittags, die Zahl 3—9 Uhr Abends).

Geographische Lage des Beobachtungsortes:

Breite=55° 49′ 58″.
Länge=37° 33′ 7″ östlich von Greenwich,=2^h 30^m 12^s.
Höhe des Barometers über dem Meere=170 m.

JULI 1888.

Datum. Alter Styl.	Datum. Neuer Styl.	Barometer bei 0°, in Millimeter. 7 h.	1 h.	9 h.	Mittel.	Lufttemperatur, Celsius. 7 h.	1 h.	9 h.	Mittel.	Thermograph Celsius. Maximum.	Minimum.	Absolute Feuchtigkeit. Millimeter. 7 h.	1 h.	9 h.	Mittel.	Relative Feuchtigkeit in Procenten. 7 h.	1 h.	9 h.	Mittel.	Richtung und Stärke des Windes Meter pro Secunde 7 h.	1 h.	9 h.	Bewölkung. 7 h.	1 h.	9 h.	Niederschlag. 7 h.	Radiations Thermometer. h. 1.	Verdunstungsmenge in Millimeter in 24 Stun.	Bemerkungen.
		700+	700+	700+	700+																								
—	1	35,0	35,4	36,5	35,63	16,0	22,7	16,8	18,50	23,9	13,5	12,7	9,3	11,2	11,07	93	45	78	72,00	SSW$_2$	SSW$_2$	0	8	4	4	6,0	51,0	2,6	—
—	2	34,6	34,3	34,1	34,33	12,7	24,4	16,3	17,80	25,0	10,4	10,4	15,7	13,2	13,10	96	69	96	87,00	E$_1$	S$_3$	SE$_1$	10	8	10	23,4	52,1	1,0	●n,1a,p;K ●²p.
—	3	34,6	37,9	39,5	37,33	17,4	15,8	15,0	16,07	20,8	14,7	13,4	10,5	11,2	11,70	91	79	88	86,00	SSW$_3$	0	0	10	10	8	—	24,8	0,8	●⋖n
—	4	41,2	41,4	38,7	40,43	13,8	18,5	15,2	15,83	18,9	9,7	10,2	11,3	11,2	10,90	87	71	87	81,67	NNE$_2$	NE$_3$	NNE$_1$	3	10	10	0,6	32,0	1,6	●°p
—	5	36,0	35,6	33,7	35,10	17,4	24,8	20,8	21,00	25,4	14,4	12,8	17,4	16,7	15,63	85	75	92	84,00	NNE$_2$	NNW$_3$	N$_4$	10	10	10	—	38,2	1,9	⋖n
—	6	32,4	32,8	37,6	34,27	22,8	20,7	15,0	19,50	27,4	14,4	16,7	14,4	12,1	14,40	81	79	96	85,33	SE$_3$	NE$_2$	SW$_2$	1	10	3	6,1	31,0	0,8	⊓1;●²●a;●°2,p.
—	7	40,7	41,6	41,4	41,23	19,0	28,0	18,9	20,30	25,6	11,5	12,7	15,2	14,3	14,07	78	73	88	79,67	SSW$_3$	S^2	0	3	9	7	—	36,0	1,4	⊓1,⊓°3.
—	8	39,7	38,3	38,5	38,83	20,3	23,1	16,9	20,10	24,8	14,5	14,1	11,8	11,7	12,53	80	56	82	72,67	0	W$_7$	WSW$_4$	8	4	2	—	50,5	2,0	⊓1,⋖n⊓°3.
—	9	39,2	38,8	36,5	38,17	15,8	21,6	14,6	17,33	21,8	10,9	10,8	11,6	11,3	11,23	81	61	91	77,67	0	0	NNW$_6$	4	10	10	29,6	34,2	1,2	⊓1;●°p,●p,3,n.
—	10	30,4	31,2	33,8	31,80	10,6	11,9	12,6	11,70	15,7	10,4	9,2	9,5	9,1	9,27	97	93	85	91,67	NNW$_{11}$	WNW$_{17}$	WNW$_{12}$	10	10	10	7,0	17,8	0,2	↯●²n,●1,a,2,p.
—	11	34,2	36,1	37,9	36,07	13,1	16,7	11,8	13,87	18,9	10,9	9,3	10,3	10,1	9,90	83	72	98	84,33	W$_{13}$	W$_{12}$	SSW$_3$	10	8	10	2,9	40,2	1,8	●p.
—	12	39,7	41,1	41,3	40,70	14,7	20,3	15,2	16,73	21,9	10,3	9,9	9,8	11,3	10,33	80	55	88	74,33	WSW$_2$	WSW$_1$	0	2	7	1	—	42,8	2,0	⊓1,3.
1	13	39,2	38,2	38,0	38,47	18,8	17,3	15,0	17,03	24,6	11,8	11,8	12,9	11,0	11,90	73	88	87	82,67	SSE$_3$	SSW$_3$	WSW$_2$	8	10	9	4,9	21,0	1,1	⊓1,K a,p;●p.
2	14	38,9	39,5	39,7	39,43	13,5	16,5	12,6	14,20	18,4	8,9	8,8	8,9	9,6	9,10	76	64	89	76,33	WSW$_3$	WSW$_6$	0	1	10	3	—	29,1	1,3	—
3	15	39,5	38,1	38,0	38,53	13,0	19,9	14,3	15,73	21,5	7,2	9,6	11,5	10,6	10,57	87	66	88	80,33	0	SE$_3$	0	10	9	10	—	41,0	0,9	⊓°3.
4	16	36,9	36,1	36,3	36,43	14,7	20,4	14,8	16,63	21,5	9,3	10,5	10,1	10,6	10,40	85	56	85	75,33	ENE$_3$	NNE$_6$	WNW$_4$	7	6	7	0,1	46,8	2,5	⊓²1,●°K a;●p,⊓°3.
5	17	36,4	36,3	36,9	36,53	15,9	21,7	15,4	17,67	21,9	9,3	9,5	9,5	10,5	9,83	71	49	81	67,00	NNW$_7$	N$_{12}$	NNW$_5$	3	8	3	—	54,0	3,2	↯a,2,p.
6	18	35,9	35,3	35,8	35,67	16,0	16,4	14,5	15,30	18,2	11,5	11,0	11,0	11,6	11,20	87	79	95	87,00	WNW$_4$	NNW$_5$	NNW$_3$	10	10	7	0,3	21,1	0,8	●°a,p.
7	19	35,1	34,7	34,3	34,70	14,7	19,6	16,8	17,03	21,2	13,0	11,3	10,0	12,3	11,20	91	59	87	79,00	NNW$_3$	WNW$_3$	0	10	10	9	—	42,2	1,2	
8	20	31,2	30,4	30,7	30,77	15,8	20,5	15,8	17,37	21,8	8,8	10,8	7,9	10,3	9,67	81	45	77	67,67	0	N$_4$	WNW$_3$	1	6	7	—	49,8	2,8	⊓1.
9	21	31,5	33,0	35,5	33,33	12,9	16,2	10,7	13,27	17,8	9,5	9,7	9,0	8,5	9,07	88	65	90	81,00	NNW$_4$	NW$_5$	NE$_3$	3	10	5	—	29,2	1,8	⊓1
10	22	36,8	38,5	40,4	38,57	12,8	15,7	12,4	13,63	17,2	6,2	8,0	7,7	9,5	8,40	73	58	89	73,33	WNW$_2$	NW$_5$	N$_1$	2	10	7	—	28,0	1,6	⊓1⊓°3.
11	23	42,3	42,7	43,9	42,97	12,9	19,1	15,0	15,67	22,0	11,0	9,4	7,7	10,4	9,17	86	47	82	71,67	NW$_2$	N$_2$	0	10	5	2	—	48,8	1,7	⊓°3.
12	24	46,0	46,5	46,9	46,47	15,8	22,8	16,4	18,17	24,9	7,6	9,8	9,2	11,7	10,23	76	45	84	68,33	WNW$_3$	0	0	0	5	0	—	51,8	1,9	⊓3
13	25	48,5	48,5	47,7	48,23	17,8	24,4	17,0	19,73	26,0	9,5	10,6	10,2	11,8	10,87	69	46	82	65,67	0	WSW$_2$	SSW$_2$	2	4	1	—	48,0	2,2	⊓²1,3.
14	26	46,3	48,3	48,2	48,27	18,5	22,2	17,8	19,50	24,8	9,4	11,4	10,2	13,5	11,70	72	51	89	76,67	S$_3$	WSW$_2$	0	9	10	10	—	34,0	1,5	⊓1⌒p
15	27	48,1	47,1	45,7	46,97	18,6	24,1	18,5	20,40	25,3	12,8	13,0	13,1	14,6	13,57	82	52	92	75,33	0	0	0	2	7	3	—	38,5	1,6	⊓²1,⊓3.
16	28	43,5	42,3	41,1	42,30	19,1	27,5	20,0	22,20	28,9	12,5	13,6	16,4	14,9	14,97	83	61	86	76,67	0	S$_2$	SE$_2$	3	7	4	—	52,5	2,3	⊓²1.
17	29	39,7	40,3	41,9	40,63	21,0	25,5	18,0	21,50	26,2	16,1	14,1	14,3	13,5	13,97	74	60	88	74,00	S$_3$	S$_3$	WSW$_2$	2	7	1	—	53,2	1,7	⊓°1,3.
18	30	42,5	42,5	45,0	43,33	19,0	28,1	19,6	22,23	29,4	12,9	13,7	14,6	13,0	13,77	84	52	77	71,00	SE$_2$	S$_1$	0	8	2	4	2,3	53,5	1,9	⊓1,●K p
19	31	48,0	48,7	50,0	48,90	19,1	25,5	18,1	20,90	26,8	13,5	13,3	12,9	13,9	13,37	81	53	90	74,67	0	W$_4$	0	2	7	0	—	54,1	2,1	⊓1,3.
Mittel.		38,90	39,09	39,53	39,17	16,19	20,87	15,87	17,64	22,85	11,17	11,36	11,42	11,78	11,52	82,29	62,06	87,32	77,23	3,0	5,2	2,1	5,4	7,8	5,7	83,2 / 2,68	40,22	51,4 / 1,66	

Winde.	0.	N.	NNE.	NE.	ENE.	E.	ESE.	SE.	SSE.	S.	SSW.	SW.	WSW.	W.	WNW.	NW.	NNW.
Häufigkeit.	25	5	4	3	1	1	—	5	1	7	7	1	9	4	8	3	9
Mittlere Stärke in Metern pro Secunde.	—	5,6	5,0	5,7	3,0	3,0	—	2,6	3,0	4,9	3,7	2,0	3,1	8,8	5,4	4,3	5,6

Temperatur. Maximum.	Dat.	Minimum.	Dat.	Barometer. Maximum.	Dat.	Minimum.	Dat.	Rel. Feucht. Minimum.	Dat.	Niederschlag. Maxim. in 24 Stund.	Dat.	Zahl der Tage mit: Niederschlag.	*	▲	△	≡	K	↯	Heit. Himmel.	Trüb. Himmel.	Temp. Max. ≤ 0°.	Temp. Min. ≤ 0°.
28,1	30	10,6	10	750,0	31	730,4	10/20	45	1, 20, 24	29,6	9	11	—	—	—	—	4	2	1	10	—	—

Dat.	Temperatur an der Oberfläche der Erde.				TEMPERATUR DES ERDBODENS IN DER TIEFE VON																
					25 Centimeter.				50 Centimeter.				75 Centimeter.				100 Ctm.	125 Ctm.	150 Ctm.	175 Cm.	200 Ctm.
	7 h.	1 h.	9 h.	Mittel	7 h.	1 h.	9 h.	Mittel.	7 h.	1 h.	9 h.	Mittel.	7 h.	1 h.	9 h.	Mittel.	1 h.	1 h.	1 h.	1 h.	1 h.
1	15,8	19,0	14,5	16,43	15,1	15,2	16,2	15,5	13,1	13,2	13,3	13,2	11,5	11,6	11,7	11,6	10,5	9,8	9,1	8,5	8,4
2	13,3	20,1	16,4	16,60	15,0	15,0	15,8	15,3	13,6	13,6	13,6	13,6	11,9	12,0	12,1	12,0	10,9	10,1	9,3	8,6	8,4
3	16,9	16,0	14,3	15,73	15,0	15,5	15,2	15,2	13,6	13,8	13,7	13,7	12,1	12,4	12,2	12,2	11,2	10,3	9,5	8,8	8,6
4	13,9	17,8	14,4	15,37	15,1	15,0	15,3	15,1	14,0	13,9	13,9	13,9	12,4	12,6	12,6	12,5	11,4	10,5	9,7	8,9	8,7
5	16,8	23,4	19,8	20,00	15,0	15,6	16,8	15,8	13,9	13,9	14,2	14,0	12,6	12,7	12,7	12,7	11,6	10,7	9,9	9,0	8,8
6	20,4	19,3	15,8	18,50	16,5	17,0	17,0	16,8	14,3	14,7	14,9	14,6	12,7	13,0	13,1	12,9	11,8	10,8	10,0	9,2	8,9
7	17,0	21,0	17,5	18,50	16,1	16,4	17,4	16,6	15,0	14,9	14,9	14,9	13,3	13,3	13,3	13,3	12,0	11,0	10,1	9,3	9,0
8	19,0	20,6	16,4	18,67	16,9	17,4	18,1	17,5	15,2	15,3	15,4	15,3	13,5	13,5	13,6	13,5	12,3	11,2	10,3	9,4	9,2
9	15,7	19,4	14,2	16,43	17,0	16,9	17,0	17,0	15,7	15,5	15,4	15,5	13,8	13,8	13,8	13,8	12,5	11,4	10,5	9,5	9,4
10	10,6	12,0	12,0	11,53	15,9	15,3	14,8	15,3	15,4	15,1	14,9	15,1	13,9	13,7	13,6	13,7	12,5	11,4	10,5	9,5	9,4
11	12,6	14,5	15,3	14,13	14,1	14,5	15,0	14,5	14,4	14,3	14,2	14,3	13,7	13,6	13,4	13,6	12,7	11,7	10,8	9,8	9,6
12	13,6	16,4	14,4	14,80	14,6	14,9	16,1	15,2	14,3	14,2	14,3	14,3	13,4	13,4	13,4	13,4	12,6	11,8	10,9	10,0	9,7
13	16,1	17,0	15,0	16,03	15,5	15,6	16,0	15,7	14,6	14,5	14,6	14,6	13,5	13,5	13,5	13,5	12,5	11,7	10,9	10,1	9,8
14	12,9	16,0	12,8	13,90	15,3	15,2	15,7	15,4	14,9	14,6	14,5	14,7	13,6	13,6	13,5	13,6	12,7	11,8	11,0	10,2	10,0
15	13,0	15,9	13,6	14,17	15,5	15,7	15,5	15,6	14,4	14,4	14,8	14,4	13,5	13,6	13,5	13,5	12,7	11,9	11,1	10,3	10,0
16	14,8	17,8	12,7	15,10	14,8	15,0	15,8	15,2	14,4	14,3	14,4	14,4	13,5	13,5	13,5	13,5	12,7	11,9	11,1	10,3	10,1
17	15,1	20,4	13,7	16,40	15,3	15,4	16,0	15,6	14,5	14,5	14,5	14,5	13,5	13,5	13,5	13,5	12,7	11,9	11,1	10,4	10,2
18	14,9	15,5	13,6	14,67	15,4	15,2	15,4	15,3	14,6	14,5	14,5	14,5	13,6	13,6	13,6	13,6	12,7	12,0	11,2	10,4	10,2
19	14,6	19,4	15,6	16,53	15,1	15,3	15,9	15,4	14,5	14,5	14,5	14,5	13,6	13,6	13,6	13,6	12,8	12,0	11,3	10,5	10,4
20	15,1	20,4	14,4	16,63	15,5	15,5	16,4	15,8	14,5	14,6	14,7	14,6	13,6	13,7	13,7	13,7	12,8	12,0	11,3	10,6	10,4
21	13,6	16,0	10,6	13,20	15,6	15,5	15,8	15,6	14,6	14,7	14,7	14,7	13,8	13,8	13,7	13,8	12,9	12,1	11,4	10,6	10,4
22	12,6	15,3	11,2	13,03	14,7	14,7	15,1	14,8	14,7	14,5	14,3	14,5	13,7	13,7	13,7	13,7	12,9	12,2	11,4	10,7	10,5
23	13,0	17,2	11,6	13,93	15,0	14,7	15,6	15,1	14,4	14,3	14,3	14,3	13,6	13,6	13,8	13,7	12,9	12,2	11,5	10,7	10,5
24	14,0	18,6	13,3	15,30	14,5	14,7	15,7	15,0	14,3	14,2	14,3	14,3	13,6	13,6	13,5	13,6	12,9	12,2	11,5	10,8	10,6
25	14,3	19,0	14,1	15,80	14,8	15,0	16,1	15,0	14,4	14,3	14,4	14,4	13,6	13,6	13,5	13,6	12,9	12,2	11,5	10,8	10,6
26	16,2	18,9	17,0	17,37	15,2	15,3	16,0	15,5	14,6	14,5	14,5	14,5	13,6	13,6	13,6	13,6	12,9	12,2	11,6	10,8	10,6
27	16,8	21,0	16,3	18,03	15,7	16,0	16,8	16,2	14,7	14,7	14,8	14,7	13,7	13,7	13,7	13,7	12,9	12,3	11,6	10,9	10.7
28	17,3	21,7	16,8	18,60	15,2	16,3	17,2	16,2	15,1	15,0	15,1	15,1	13,9	13,9	13,9	13,9	13,0	12,4	11,7	11,1	10,8
29	18,5	22,3	15,4	18,73	16,8	16,9	17,6	17,1	15,4	16,1	16,5	16,0	14,1	14,1	14,2	14,1	13,2	12,4	11,7	11,0	10,8
30	18,0	22,6	17,4	19,33	16,6	16,9	17,8	17,1	15,6	15,5	15,6	15,6	14,3	14,3	14,3	14,3	13,3	12,5	11,8	11,0	10,8
31	17,2	22,1	15,8	18,37	17,0	17,1	17,9	17,3	15,8	15,7	16,0	15,8	14,5	14,5	14,5	14,5	13,5	12,6	11,9	11,1	10,9

AUGUST 1888.

Datum. Alter Styl.	Datum. Neuer Styl.	Barometer bei 0° in Millimeter. 7 h.	1 h.	9 h.	Mittel.	Lufttemperatur Celsius. 7 h.	1 h.	9 h.	Mittel.	Thermographo Celsius. Maximum.	Minimum.	Absolute Feuchtigkeit. Millimeter. 7 h.	1 h.	9 h.	Mittel.	Relative Feuchtigkeit in Procenten. 7 h.	1 h.	9 h.	Mittel.	Richtung und Stärke des Windes: Meter pro Secunde. 7 h.	1 h.	9 h.	Bewölkung. 7 h.	1 h.	9 h.	Niederschlag. Millim.	Radiations-Thermometer. h. 1.	Verdunstungsmenge in Millimetern in 24 Stunden	Bemerkungen.
		700	700	700	700																								
	1	51,0	50,4	49,8	50,40	20,2	25,3	20,0	21,83	28,4	11,6	13,5	12,8	14,5	13,60	77	54	83	71,33	O	O	SSW$_4$	0	6	0	—	32,9	2,3	⌂1,⌂^{2}3
	2	49,8	48,0	45,7	47,83	21,7	28,2	22,2	24,03	29,9	13,4	13,2	13,2	14,9	13,77	69	46	75	63,33	O	WSW$_3$	S$_3$	0	1	3	—	52,2	2,9	⌂^{2}1⌂3
	3	46,0	45,5	44,0	45,17	22,9	29,7	21,2	24,60	30,7	16,9	15,4	15,6	16,5	15,83	74	51	88	71,00	O	SSE$_2$	S$_1$	1	5	1	—	51,5	2,3	⌂1,3
	4	43,0	42,8	42,2	42,67	22,8	30,4	23,1	25,43	32,5	15,4	16,4	15,8	13,7	15,30	79	49	65	64,33	SE$_1$	SSW$_4$	SSW$_2$	0	6	7	—	52,0	3,2	⌂^{2}1<3
	5	42,5	42,6	43,8	42,97	21,2	22,0	15,4	19,53	24,3	13,7	13,6	15,2	12,2	13,67	73	77	93	81,00	SSW$_2$	WSW$_3$	WNW$_5$	8	10	10	4,0	36,0	1,0	⌂1 ●^{0}p
	6	41,7	40,9	42,4	41,67	13,2	15,5	14,0	14,23	17,1	12,3	10,8	10,7	10,8	10,77	96	82	92	90,00	NW$_4$	NNW$_{10}$	W$_5$	10	10	10	28,3	35,1	0,9	●n,1,a,p.
	7	43,2	43,1	43,2	43,17	13,8	20,2	14,8	16,27	21,1	9,4	9,1	8,6	9,8	9,17	78	48	78	68,00	W$_6$	WNW$_9$	W$_4$	6	5	0	—	48,0	2,5	—
	8	42,8	42,1	42,2	42,37	13,9	16,9	15,1	15,30	21,6	9,4	10,1	10,0	10,4	10,17	86	70	82	79,33	W$_6$	W$_6$	WNW$_{10}$	8	10	10	1,0	30,5	1,9	●^{0}p.
	9	44,1	46,5	46,6	45,73	14,8	19,0	15,5	16,43	21,9	13,4	11,0	12,3	12,1	11,80	88	75	92	85,00	NW$_5$	O	WSW$_1$	10	10	1	—	31,5	0,9	⌂^{2}3.
	10	47,5	46,8	44,9	46,40	15,8	24,0	16,8	18,87	25,3	8,0	10,9	11,2	12,2	11,43	82	51	85	72,67	O	WSW$_2$	SSW$_2$	1	8	4	—	40,8	1,8	⌂^{2}1.
	11	40,8	37,0	33,7	37,17	13,9	23,2	13,5	16,87	23,9	11,4	11,1	10,7	10,5	10,77	95	51	91	79,00	O	SSW$_1$	W$_5$	5	9	10	3,1	41,0	1,3	⌂1 ●●^{0}p.
	12	33,1	32,6	33,4	33,03	10,4	12,3	11,9	11,53	15,9	9,3	8,2	8,8	8,5	8,50	86	83	83	84,67	WNW$_{12}$	WNW$_{14}$	WNW$_9$	10	10	10	0,8	13,9	1,6	●^{0}● Ωp.
1	13	33,1	34,1	36,1	34,43	10,5	12,1	12,3	11,63	13,2	8,4	7,7	8,9	9,9	8,83	81	85	94	86,67	WNW$_9$	WNW$_{12}$	WNW$_{12}$	8	10	10	3,8	17,2	1,0	●^{0}a,2,p,3; ↯p.
2	14	39,1	40,1	40,5	39,90	12,9	14,8	13,7	13,80	17,3	11,4	10,2	10,9	9,9	10,33	93	87	86	88,67	WNW$_7$	WNW$_7$	W$_4$	10	10	10	2,3	26,0	0,7	●^{0}a,2,p.
3	15	39,9	39,3	39,3	39,50	13,9	19,1	10,5	14,50	20,4	9,7	8,7	10,3	8,5	9,17	73	63	91	75,67	W$_4$	WSW$_3$	WSW$_3$	8	9	2	0,5	33,9	1,6	● Ωp.
4	16	38,1	37,4	37,1	37,53	10,2	14,8	11,1	12,03	15,4	7,7	8,4	9,3	9,5	9,07	91	74	96	87,00	WSW$_3$	WSW$_5$	SW$_3$	3	10	6	15,0	33,8	0,3	●n,a,p; ●^{0}●^{2}p.
5	17	36,3	36,0	37,4	36,57	12,2	15,8	9,8	12,60	16,4	9,0	9,7	9,5	8,4	9,20	93	71	94	86,00	O	WNW$_3$	WNW$_4$	10	9	2	0,9	33,8	0,7	●n,1,a; ●^{0}a,2,p; ⌂^{2}3.
6	18	39,0	39,5	41,5	40,00	9,5	16,0	11,6	12,37	17,4	7,4	8,7	9,1	9,4	9,07	99	66	94	86,33	W$_4$	NW$_5$	O	0	9	10	0,4	33,5	0,8	≡n,1; ●^{0}p.
7	19	41,8	40,6	34,4	38,93	9,9	13,5	13,3	12,23	14,4	4,5	8,3	9,2	11,0	9,50	91	80	97	89,33	ESE$_2$	ESE$_5$	ESE$_9$	7	10	10	13,1	20,6	0,7	⌂^{2}1 ●^{0}●p,3,n
8	20	33,6	38,9	41,0	37,83	11,7	12,8	9,3	11,27	15,6	8,4	9,8	8,0	8,4	8,73	96	73	96	88,33	WSW$_9$	W$_9$	O	10	10	1	—	22,7	0,8	●≡n; ●^{0}1.
9	21	41,0	39,3	37,2	39,17	6,6	11,9	9,5	9,33	12,4	3,8	7,1	7,7	8,3	7,70	98	74	94	88,67	O	N$_8$	NNW$_3$	10	10	10	20,7	20,2	0,7	●p,3,n; Ωp.
10	22	32,8	32,8	36,2	33,93	9,1	8,5	9,3	8,97	9,9	7,2	8,0	7,5	7,6	7,70	95	91	89	91,67	WNW$_9$	NNW$_9$	WNW$_7$	10	10	10	17,3	14,6	0,8	●n,1,2,p; ●^{0}p,3,n.
11	23	40,6	43,0	46,8	43,47	9,8	16,8	10,2	12,27	17,9	6,8	6,5	6,5	8,3	7,10	71	46	90	69,00	W$_{14}$	WNW$_{12}$	O	1	0	0	—	43,3	2,5	↯a⌂3.
12	24	49,8	50,0	49,7	49,83	11,3	20,7	14,8	15,60	21,8	3,4	8,6	9,2	10,5	9,43	87	51	84	74,00	O	SSE$_2$	S$_4$	4	1	2	0,4	46,4	1,6	⌂1,3.
13	25	50,7	50,8	51,6	51,03	15,5	21,7	14,1	17,10	22,4	12,6	11,1	9,9	11,4	10,80	85	51	96	77,33	S$_3$	WSW$_4$	O	7	9	1	0,0	46,0	1,1	●n, ●^{0}p.
14	26	53,7	54,2	55,5	54,47	11,5	18,1	11,7	13,77	18,9	7,8	9,5	10,9	10,0	10,13	95	71	98	88,00	O	ENE$_6$	NE$_3$	2	7	1	—	44,3	1,4	⌂^{2}1,3.
15	27	56,6	56,4	56,0	56,33	11,3	19,2	11,1	13,87	19,7	9,2	8,7	9,3	8,9	8,97	88	56	90	78,00	E$_2$	O	ESE$_2$	3	5	0	—	43,7	1,7	⌂^{2}1,3.
16	28	56,7	56,4	55,3	56,13	7,1	18,3	11,7	12,37	20,0	2,9	6,9	9,4	9,8	8,70	91	60	96	82,33	O	SE$_1$	O	0	1	0	—	42,0	1,2	⌂^{2}1,3.
17	29	55,8	55,4	54,9	55,37	10,6	21,6	13,2	15,13	21,9	4,6	8,2	9,9	9,9	9,33	87	52	88	75,67	O	SSW$_5$	O	6	6	1	—	47,9	1,5	⌂^{2}1,3.
18	30	55,3	54,7	54,5	54,83	9,5	21,5	13,8	14,93	23,4	6,3	8,3	10,8	10,9	10,00	94	57	94	81.67	O	SSE$_1$	SE$_3$	8	8	5	—	36,1	1,2	⌂^{2}1,∞ a,⌂3.
19	31	55,1	54,5	53,7	54,43	11,6	23,3	14,7	16,53	24,3	7,1	9,1	13,1	10,8	11,00	89	62	87	79,33	O	SE$_1$	SSE$_2$	2	1	0	—	47,1	1,9	⌂^{2}1,⌂3.
Mittel.		44,34	44,25	44,21	44,27	13,20	18,94	13,85	15,33	20,49	9,11	9,90	10,46	10,56	10,31	86,52	64,74	89,06	80,11	3,2	5,2	3,7	4,9	7,3	4,7	111,6 / 3,6	36,24	44,7 / 1,44	

Winde.	O.	N.	NNE.	NE.	ENE.	E.	ESE.	SE.	SSE.	S.	SSW.	SW.	WSW.	W.	WNW	NW.	NNW.
Häufigkeit.	22	1	—	1	1	1	4	4	5	4	6	1	10	11	16	3	3
Mittlere Stärke in Metern pro Secunde.	—	8,0	—	3,0	6,0	2,0	4,5	2,0	3,6	2,8	3,3	3,0	3,6	6,2	8,7	4,7	7,3

Temperatur. Maximum.	Dat.	Minimum.	Dat.	Barometer. Maximum.	Dat.	Minimum.	Dat.	Rel. Feucht. Minimum.	Dat.	Niederschlag. Maxim. in 24 Stund.	Dat.	Zahl der Tage mit: Niederschlag.	✱	▲	△	≡	K	↯	Heit. Himmel.	Trüb. Himmel.	Temp. Max. ≦ 0°.	Temp. Min. ≦ 0°.
30,4	4	6,6	21	756,7	28	732,6	12	46	2/23	28,3	6	15	—	—	—	2	—	2	5	8	—	—

Dat.	Temperatur an der Oberfläche der Erde.				TEMPERATUR DES ERDBODENS IN DER TIEFE VON: 25 Centimeter.				50 Centimeter.				75 Centimeter.				100 Ctm.	125 Ctm.	150 Ctm.	175 Ctm.	200 Ctm.
	7 h.	1 h.	9 h.	Mittel.	7 h.	1 h.	9 h.	Mittel.	7 h.	1 h	9 h.	Mittel.	7 h.	1 h.	9 h.	Mittel.	1 h.	1 h.	1 h.	1 h.	1 h.
1	17,2	21,0	16,0	18,27	16,8	16,9	17,8	17,2	15,9	15,8	16,0	15,9	14,6	14,6	14,9	14,7	13,6	12,7	12,0	11,2	10,9
2	17,8	24,2	19,2	20,40	16,3	17,0	17,9	17,1	15,9	15,8	15,8	15,8	15,0	14,7	14,9	14,9	13,7	12,8	12,1	11,2	11,0
3	19,4	24,5	18,2	20,70	17,6	17,8	18,8	18,1	16,1	16,0	16,1	16,1	14,8	14,7	14,6	14,7	13,7	12,9	12,1	11,4	11,1
4	19,3	24,9	19,4	21,87	17,9	18,0	18,9	18,3	16,5	16,5	16,5	16,5	14,9	15,0	15,0	15,0	13,9	13,0	12,2	11,4	11,2
5	18,4	21,3	14,0	17,90	18,0	18,0	18,0	18,0	16,7	16,6	16,5	16,6	15,1	15,1	15,1	15,1	14,0	13,1	12,3	11,5	11,2
6	13,0	15,8	13,0	13,93	17,2	16,7	16,6	16,8	16,5	16,3	16,0	16,3	15,2	15,2	15,1	15,2	14,0	13,3	12,4	11,5	11,4
7	13,0	19,3	13,2	15,17	16,0	16,0	16,8	16,3	15,9	15,7	15,6	15,7	15,0	15,0	14,8	14,9	14,2	13,4	12,6	11,7	11,4
8	13,2	16,0	13,6	14,27	15,9	15,8	16,1	15,9	15,7	15,4	15,4	15,5	14,9	14,8	14,7	14,8	14,0	13,3	12,5	11,7	11,5
9	14,4	17,8	12,8	15,00	15,8	15,6	16,3	15,9	15,4	15,2	15,3	15,3	14,6	14,6	14,6	14,6	13,9	13,2	12,5	11,7	11,5
10	14,0	19,8	13,8	15,87	15,3	15,5	16,3	15,7	15,3	15,2	15,1	15,2	14,6	14,6	14,7	14,6	13,9	13,2	12,6	11,8	11,6
11	13,6	19,5	13,8	15,63	15,6	15,8	15,8	15,7	15,3	15,3	15,1	15,2	14,5	14,5	14,4	14,5	13,8	13,2	12,5	11,8	11,6
12	11,1	12,4	11,1	11,53	15,3	14,9	14,5	14,9	15,2	15,3	14,9	15,1	14,4	14,4	14,4	14,4	13,8	13,1	12,5	11,8	11,6
13	10,4	11,7	11,8	11, 30	14,0	13,7	13,6	13,8	14,6	14,4	14,2	14,4	14,3	14,2	14,1	14,2	13,7	13,1	12,5	11,8	11,6
14	12,4	14,8	13,0	13,40	13,5	13,6	14,0	13,7	14,0	14,0	13,9	14,0	13,9	13,9	13,8	13,9	13,5	13,1	12,5	11,8	11,7
15	12,6	16,7	11,3	13,53	14,0	14,4	14,8	14,4	14,0	14,0	14,1	14,0	13,8	13,7	13,7	13,7	13,4	12,9	12,4	11,8	11,7
16	10,8	16,4	10,6	12,80	14,0	13,9	14,0	14,0	14,1	14,1	13,9	14,0	13,7	13,7	13,7	13,7	13,3	12,8	12,3	11,8	11,7
17	12,1	15,4	8,6	12,03	13,7	13,8	14,3	13,9	13,9	13,8	13,8	13,8	13,6	13,6	13,5	13,6	13,2	12,7	12,3	11,7	11,6
18	10,0	17,5	11,2	12,90	13,6	13,6	14,3	13,8	13,9	13,8	13,7	13,8	13,5	13,5	13,4	13,5	13,0	12,7	12,2	11,7	11,6
19	10,6	14,8	13,0	12,80	13,5	13,3	13,3	13,4	13,9	13,7	13,5	13,7	13,5	13,5	13,4	13,5	13,0	12,6	12,2	11,7	11,6
20	12,0	13,9	6,8	10,30	13,4	13,4	13,7	13,5	13,5	13,5	13,4	13,5	13,3	13,3	13,2	13,3	12,9	12,6	12,1	11,6	11,6
21	7,0	12,9	9,0	9,63	12,6	12,4	12,5	12,5	13,4	13,2	13,0	13,2	13,2	13,2	13,1	13,2	12,9	12,5	12,1	11,6	11,6
22	9,0	8,4	8,4	8,60	12,2	12,0	11,6	11,9	12,9	12,8	12,6	12,8	13,0	12,9	12,8	12,9	12,7	12,4	12,0	11,6	11,5
23	8,5	16,7	6,5	10,57	11,3	11,5	12,1	11,6	12,4	12,3	12,2	12,3	12,7	12,6	12,4	12,6	12,6	12,3	11,9	11,5	11,5
24	9,8	18,4	12,4	13,37	11,4	11,6	12,7	11,9	12,4	12,2	12,2	12,3	12,3	12,3	12,3	12,3	12,3	12,1	11,8	11,5	11,4
25	13,7	22,4	10,8	15,63	12,7	13,1	13,6	13,1	12,5	12,5	12,7	12,6	12,3	12,4	12,4	12,4	12,2	12,0	11,7	11,4	11,4
26	10,8	18,8	9,9	13,17	12,9	13,1	13,9	13,3	12,9	12,9	12,9	12,9	12,5	12,5	12,6	12,5	12,2	11,9	11,6	11,3	11,3
27	11,0	19,7	8,3	13,00	13,3	13,6	14,1	13,7	13,1	13,1	13,1	13,1	12,7	12,7	12,7	12,7	12,3	11,9	11,6	11,3	11,3
28	7,6	17,9	8,4	11,30	12,7	12,7	13,4	12 9	13,3	13,0	12,9	13,1	12,8	12,7	12,7	12,7	12,3	11,9	11,6	11,2	11,2
29	10,2	20,3	9,9	13,47	12,4	12,6	13,4	12,8	13,0	12,8	12,8	12,9	12,7	12,7	12,6	12,7	12,4	12,0	11,6	11,2	11,2
30	8,8	20,4	10,6	13,27	12,6	12,8	13,5	13,0	12,9	12,9	12,8	12,9	12,6	12,6	12,5	12,5	12,3	12,0	11,6	11,2	11,2
31	11,2	21,3	10,6	14,37	12,9	13,0	13,8	13,2	13,0	12,9	12,9	12,9	12,6	12,5	12,5	12,5	12,2	11,9	11,6	11,2	11,2

Datum		Barometer bei 0°, in Millimeter.				Lufttemperatur Celsius.				Thermograph Celsius.		Absolute Feuchtigkeit. Millimeter.				Relative Feuchtigkeit in Procenten.				Richtung und Stärke des Windes Meter. pro Secunde.			Bewölkung.			Niederschlag.	Radiations Thermometer. 1 h.	Verdunstungsmenge in Millimetern in 24 Stund	Bemerkungen.
Alter Styl.	Neuer Styl.	7 h.	1 h.	9 h.	Mittel.	7 h.	1 h.	9 h.	Mittel.	Maximum.	Minimum.	7 h.	1 h.	9 h.	Mittel.	7 h.	1 h.	9 h.	Mittel.	7 h.	1 h.	9 h.	7 h.	1 h.	9 h.	7 h.			
		700	700	700	700																								
	1	53,6	52,9	51,8	52,77	12,6	22,1	12,7	15,80	22,8	7,6	9,6	10,1	10,2	9,97	89	51	94	78,00	SSE,	SE,	O	3	1	0	—	45,4	1,8	⌂²1⌂3.
	2	51,5	51,1	51,5	51,37	11,3	24,8	13,8	16,63	25,8	6,1	9,0	11,2	11,2	10,47	91	48	96	78,33	SE,	S,	S$_2$	0	1	1	—	48,8	1,6	⌂²1,3.
	3	51,9	52,9	53,1	52,63	11,6	23,2	13,6	16,13	24,6	6,9	9,2	10,2	10,7	10,03	91	48	93	77,83	S,	S,	O	1	7	1	—	36,7	1,8	⌂²1,3.
	4	54,3	54,2	53,3	53,93	10,8	25,7	15,8	17,43	26,3	7,4	8,8	10,6	11,1	10,17	92	44	83	73,00	O	S,	SE,	0	0	0	—	49,4	2,1	⌂²1.
	5	53,1	52,2	51,0	52,10	12,8	25,1	14,6	17,50	26,3	8,3	8,9	11,5	10,9	10,43	82	49	88	73,00	SE,	S,	SSE,	0	0	1	0,0	48,7	2,2	⌂²1,∞1,⌂°3⌒p.
	6	50,1	50,2	51,9	50,73	12,9	19,8	12,6	15,10	21,8	10,5	10,0	9,9	10,3	10,07	91	57	96	81,83	O	W,	O	5	5	0	—	33,2	1,6	●°n⌂²1,3.
	7	53,2	53,1	52,0	52,77	8,6	22,0	12,9	14,50	23,2	5,5	8,1	9,0	10,6	9,23	98	46	96	80,00	O	O	O	9	7	0	—	45,2	1,0	≡²n,≡°1⌂²3.
	8	50,8	50,3	49,8	50,30	11,2	23,4	17,5	17,87	24,8	7,3	9,4	11,3	12,0	10,90	95	53	81	76,33	O	WSW,	SSW,	2	3	0	—	47,0	2,3	⌂²1.
	9	49,4	50,1	57,1	52,20	15,0	20,9	5,3	13,73	20,9	4,5	8,8	11,7	5,0	8,50	69	65	74	69,33	SW,	W,	NNW,	3	4	0	—	45,0	2,1	⌂°1.
	10	61,1	61,1	59,9	60,70	8,0	12,3	6,5	7,27	14,0	—0,7	4,7	5,8	6,3	5,43	83	50	87	73,33	NW,	NNW,	W.	0	0	0	—	37,9	1,5	⊔n,1.
	11	60,2	58,9	56,5	58,53	4,3	16,8	10,9	10,67	18,9	0,3	5,2	5,8	7,4	6,13	84	41	76	67,00	O	WSW,	SSW	0	0	2	—	40,8	2,0	⊔n.
	12	55,0	54,0	52,1	53,70	11,9	23,5	16,0	17,13	24,8	8,9	7,8	11,8	10,8	10,13	75	55	80	70,00	SW,	SW,	SW,	1	3	0	—	47,0	2,0	⌂°3.
1	13	48,7	46,0	43,5	46,07	12,1	22,0	12,4	15,50	22,4	10,0	7,7	8,6	8,6	8,30	73	44	80	65,67	SSW,	SSW,	WSW,	1	9	6	—	37,6	2,0	⌂°1,3.
2	14	41,1	39,8	37,3	39,40	10,8	13,3	10,1	11,40	14,9	8,4	8,4	7,8	8,5	8,23	89	66	92	83,00	WSW,	W$_{10}$	WSW,	10	9	10	1,1	25,0	1,0	●a
3	15	35,2	35,7	37,4	36,10	7,0	6,5	5,1	6,20	10,4	4,3	6,7	6,6	5,2	6,17	89	91	80	86,67	WNW,	NW$_{10}$	NW,	10	10	9	0,5	12,6	1,0	●n,●°a,p.
4	16	35,6	35,8	36,7	36,03	3,4	4,0	6,3	4,57	7,0	2,1	5,1	5,4	6,6	5,70	87	88	94	89,67	NW,	WNW,	NNW$_{14}$	10	10	10	2,8	8,1	0,6	●n,●°a,2,p;3n.
5	17	36,7	37,4	40,0	38,03	3,1	6,2	3,1	4,13	6,5	2,7	5,1	6,0	5,5	5,53	90	85	96	90,33	WNW,	NNW$_{10}$	NW,	10	10	10	0,4	12,8	0,3	↯n,●°n,1,a,p,3n.
6	18	41,8	43,5	45,7	43,67	4,8	7,6	5,2	5,70	10,0	2,5	6,0	7,0	6,4	6,47	97	90	97	94,67	NNW,	NNW,	N,	10	10	9	2,4	13,2	0,7	●°n,a,●2,p.
7	19	46,2	46,6	47,7	46,63	3,4	6,4	6,5	5,43	8,3	2,5	5,1	5,7	6,5	5,77	87	79	90	85,33	NNW$_{10}$	NNW$_{12}$	WNW,	10	10	9	—	13,8	0,4	—
8	20	47,8	48,8	50,6	49,07	6,4	11,2	4,8	7,47	13,0	2,8	6,9	7,0	6,0	6,63	96	71	94	87,00	WNW,	NNW,	W,	10	9	8	—	32,0	0,8	⌂3.
9	21	50,5	50,8	49,6	50,30	7,3	13,9	9,1	10,10	15,6	2,8	6,9	7,5	7,5	7,30	90	64	88	80,67	W,	NW,	W,	9	2	1	—	37,2	1,3	⌂°3.
10	22	48,3	47,0	46,8	47,37	5,7	16,0	9,7	10,47	16,5	3,8	6,5	7,8	6,8	7,03	96	57	75	76,00	WSW,	W$_{12}$	WSW,	1	3	10	—	38,5	1,6	⌂²1.
11	23	46,6	47,7	47,1	47,13	9,7	12,4	7,5	9,87	13,2	2,2	8,4	6,1	7,4	7,30	94	57	96	82,33	W,	WNW,	WSW,	10	9	9	—	28,9	1,0	—
12	24	45,6	42,8	41,1	43,17	4,5	13,8	12,9	10,40	17,7	2,6	5,6	7,7	8,8	7,37	89	66	80	78,33	SW,	SW,	WSW,	7	5	7	—	36,7	1,4	⊔n,⌂3.
13	25	43,1	42,8	38,7	41,53	9,7	16,3	11,9	12,63	17,0	7,9	8,4	9,3	8,5	8,73	94	67	83	81,33	WSW,	SSW,	SSW,	10	8	7	1,5	30,0	0,8	⌂°1.
14	26	36,7	42,0	46,9	41,87	9,9	6,3	1,0	5,73	12,0	0,4	8,7	5,1	4,0	5,93	96	72	79	82,33	WSW,	NW	W,	10	9	0	0,2	20,9	0,8	●n,1,a.
15	27	47,9	47,5	46,4	47,27	2,7	10,1	6,5	6,43	10,2	—0,7	4,9	6,2	6,8	5,80	87	67	87	80,33	WSW	WSW,	SSW,	10	10	10	0,4	23,5	1,2	●p.
16	28	41,8	40,9	41,6	41,43	6,1	8,5	5,0	6,53	10,7	4,6	5,0	5,7	5,7	5,47	72	69	87	76,00	SW,	WSW	W,	10	10	10	0,5	15,6	1,1	●p.
17	29	47,3	49,5	50,3	49,03	—2,0	4,8	—2,4	0,13	7,0	—3,7	3,6	3,2	3,7	3,50	92	50	96	79,83	O	WNW	SSE,	0	7	0	—	17,5	0,7	⊔n,1,3.
18	30	49,5	47,3	44,9	47,28	—0,8	9,7	3,2	4,03	10 1	—5,7	3,7	4,1	4,0	3,93	85	46	70	67,00	SSE,	S,	SE,	10	5	0	—	33,0	1,2	⊔1.
Mittel.		47,82	47,76	47,74	47,77	7,64	14,95	9,00	10,53	16,52	4,07	7,07	7,84	7,75	7,55	88,10	61,27	86,93	78,77	3,3	6,1	3,6	5,8	5,9	4,3	9,8 / 0,33	31,90	39,9 / 1,33	

			E.	E.	E.	E.	E.	W.	W.	SW.	W.	NW.	W.	NW.	Temperatur.	Barometer.	Rel. Feucht	Nieder-schlag.	Zahl der Tage mit:

Dat.	Temperatur an der Oberflächeder Erde.				TEMPERATUR DES ERDBODENS IN DER TIEFE VON:																	
					25 Centimeter.				50 Centimeter.				75 Centimeter.				100. Cm.	125. Cm.	150. Cm.	175. Cm.	200- Cm.
	7 h.	1 h.	9 h.	Mittel.	7 h.	1 h.	9 h.	Mittel.	7 h.	1 h.	9 h.	Mittel.	7 h.	1 h.	9 h.	Mittel.	1 h.	1 h.	1 h.	1 h.	1 h.
1	10,8	20,2	9,6	13,53	13,1	13,3	14,0	13,5	13,1	13,0	13,0	13,0	12,6	12,6	12,6	12,6	12,2	11,9	11,5	11,2	11,2
2	10,8	21,3	10,8	14,30	12,9	13,1	13,9	13,3	13,2	13,0	13,0	13,1	12,7	12,7	12,6	12,7	12,2	11,9	11,5	11,2	11,2
3	10,4	21,0	10,8	14,07	13,0	13,2	13,8	13,3	13,2	13,1	13,0	13,1	12,7	12,7	12,6	12,7	12,3	11,9	11,6	11,2	11,2
4	9,8	21,1	13,6	14,83	13,0	13,1	13,9	13,3	13,2	13,0	13,0	13,1	12,7	12,7	12,6	12,7	12,3	11,9	11,6	11,2	11,2
5	10,6	21,6	11,8	14,67	13,3	13,4	14,2	13,6	13,2	13,1	13,2	13,2	12,8	12,7	12,7	12,7	12,3	11,9	11,6	11,2	11,2
6	12,0	19,0	10,1	13,70	13,6	13,8	14,3	13,9	13,4	13,8	13,4	13,4	12,8	12,8	12,8	12,8	12,3	11,9	11,6	11,2	11,2
7	9,0	20,5	11,6	13,70	13,2	13,3	13,8	13,4	13,4	13,3	13,2	13,3	12,9	12,9	12,8	12,9	12,4	12,0	11,6	11,2	11,2
8	10,5	21,2	13,8	15,17	13,0	13,3	14,1	13,5	13,3	13,2	13,2	13,2	12,9	12,9	12,8	12,9	12,4	12,0	11,6	11,2	11,2
9	12,1	21,1	3,4	12,20	13,6	13,7	13,7	13,7	13,4	13,3	13,3	13,5	12,9	12,9	12,8	12,9	12,4	12,0	11,6	11,2	11,2
10	2,4	12,3	4,6	6,43	12,0	11,7	11,9	11,9	13,2	12,9	12,6	12,9	12,9	12,8	12,7	12,8	12,4	12,0	11,7	11,3	11,2
11	3,4	14,6	7,4	8,47	10,9	10,9	11,5	11,1	12,4	12,1	12,0	12,2	12,6	12,4	12,3	12,4	12,3	12,0	11,7	11,3	11,3
12	10,2	20,2	12,2	14,20	11,2	11,6	12,6	11,8	12,0	11,9	12,0	12,0	12,2	12,2	12,1	12,2	12,1	11,9	11,6	11,3	11,3
13	10,3	20,8	10,8	13,97	12,4	12,6	12,8	12,6	12,3	12,3	12,4	12,3	12,1	12,2	12,2	12,2	12,0	11,8	11,6	11,3	11,3
14	10,7	12,1	9,4	10,73	12,4	12,3	12,3	12,3	12,5	12,5	12,4	12,5	12,2	12,3	12,2	12,2	12,0	11,8	11,5	11,3	11,3
15	6,6	6,6	4,2	5,80	11,8	11,4	11,1	11,4	12,4	12,2	12,0	12,2	12,2	12,2	12,2	12,2	12,0	11,7	11,5	11,2	11,2
16	3,2	4,0	5,9	4,37	11,2	9,8	9,5	10,2	11,8	11,5	11,2	11,5	12,1	12,0	11,8	12,0	11,9	11,7	11,5	11,2	11,2
17	2,8	6,6	3,1	4,17	9,2	9,0	8,9	9,0	10,9	10,8	10,6	10,8	11,6	11,5	11,4	11,5	11,7	11,6	11,4	11,1	11,2
18	4,4	8,0	4,2	5,53	8,6	8,7	8,6	8,6	10,4	10,3	10,3	10,3	11,3	11,1	11,2	11,2	11,4	11,5	11,3	11,1	11,1
19	3,4	7,0	6,0	5,47	8,8	8,6	8,7	8,7	10,8	10,2	10,1	10,2	10,9	10,9	10,8	10,9	11,2	11,3	11,2	11,0	11,1
20	6,4	13,3	3,6	7,77	8,4	8,6	9,1	8,7	10,0	9,9	9,9	9,9	10,7	10,7	10,5	10,6	11,1	11,1	11,1	11,0	11,0
21	6,8	13,2	8,0	9,33	8,9	9,2	9,8	9,3	10,0	10,0	10,1	10,0	10,5	10,5	10,5	10,5	10,8	10,9	10,9	10,8	10,9
22	6,4	13,8	9,0	9,73	9,0	9,6	10,1	9,6	10,0	10,2	10,2	10,1	10,5	10,5	10,5	10,5	10,7	10,8	10,8	10,7	10,8
23	9,5	11,4	7,2	9,37	10,0	10,2	10,1	10,1	10,4	10,4	10,4	10,4	10,5	10,6	10,6	10,6	10,7	10,7	10,7	10,7	10,8
24	3,4	11,6	10,2	8,40	9,4	9,4	10,0	9,6	10,2	10,3	10,2	10,2	10,6	10,6	10,5	10,6	10,6	10,6	10,6	10,5	10,6
25	9,6	13,4	9,3	10,77	10,0	10,2	10,6	10,3	10,3	10,4	10,5	10,4	10,5	10,5	10,5	10,5	10,6	10,6	10,5	10,5	10,6
26	9,4	7,1	0,0	5,50	10,3	10,1	9,4	9,9	10,6	10,6	10,4	10,5	10,6	10,6	10,6	10,6	10,6	10,5	10,5	10,4	10,5
27	3,6	10,8	5,9	6,77	8,4	8,4	8,6	8,5	10,1	9,9	9,8	9,9	10,5	10,5	10,3	10,4	10,5	10,5	10,5	10,4	10,5
28	5,6	9,1	4,6	6,43	8,5	8,4	8,6	8,5	9,7	9,7	9,6	9,7	10,2	10,2	10,1	10,2	10,4	10,4	10,4	10,3	10,4
29	—1,8	5,7	—2,4	0,50	8,2	7,6	7,4	7,7	9,4	9,4	9,1	9,3	10,0	10,0	9,8	9,9	10,3	10,3	10,3	10,3	10,4
30	—0,6	+6,9	2,3	2,87	6,0	6,1	6,3	6,1	8,8	8,5	8,7	8,7	9,7	9,6	9,7	9,7	10,0	10,2	10,2	10,2	10,3

OCTOBER 1888.

Datum. Alter Styl.	Datum. Neuer Styl.	Barometer bei 0°, in Millimeter. 7 h.	1 h.	9 h.	Mittel.	Lufttemperatur Celsius. 7 h.	1 h.	9 h.	Mittel.	Thermograph Celsius. Maximum.	Minimum.	Absolute Feuchtigkeit. Millimeter. 7 h.	1 h.	9 h.	Mittel.
		700	700	700	700										
—	1	41,1	39,1	38,1	39,43	—0,6	5,8	7,1	4,10	7,8	—2,5	3,6	6,1	7,5	5,73
—	2	35,7	38,7	43,5	39,30	9,9	9,0	4,0	7,63	11,5	3,5	9,1	6,5	5,3	6,97
—	3	44,5	41,1	36,4	40,67	3,8	6,0	7,4	5,73	7,5	1,8	5,2	6,6	7,7	6,50
—	4	37,2	34,1	39,4	36,90	9,3	13,8	9,3	10,80	17,0	6,7	8,6	11,8	7,2	9,03
—	5	45,3	45,9	41,7	44,30	3,9	14,0	8,1	8,67	14,0	2,5	5,8	8,7	8,0	7,50
—	6	35,7	36,7	44,7	39,03	9,7	18,2	8,3	12,07	18,4	7,6	8,9	12,3	7,8	9,67
—	7	46,2	46,1	46,9	46,40	7,9	12,1	6,5	8,83	12,5	5,4	7,9	8,0	7,1	7,67
—	8	48,3	50,6	52,1	50,33	4,9	11,2	6,7	7,60	13,0	0,5	6,3	8,4	6,8	7,17
—	9	52,3	52,0	50,1	51,47	0,2	8,5	5,8	4,83	10,0	—0,7	4,6	7,5	6,9	6,33
—	10	49,2	47,0	45,2	47,13	5,9	16,8	13,7	12,13	17,9	1,8	7,0	9,5	10,2	8,90
—	11	48,7	42,8	41,2	42,57	10,8	14,8	10,6	12,07	15,4	10,0	9,6	11,0	9,5	10,03
—	12	37,0	39,5	41,7	39,40	11,4	11,0	7,3	9,90	11,7	6,2	10,1	8,0	6,1	8,07
1	13	42,3	42,0	42,6	42,30	2,7	10,1	7,3	6,70	10,2	1,6	5,4	5,8	6,5	5,90
2	14	43,8	45,1	45,0	44,63	4,6	13,6	7,4	8,53	14,0	3,9	5,9	6,5	6,7	6,37
3	15	42,9	42,1	41,0	42,00	7,1	11,4	9,5	9,33	12,0	6,4	7,1	8,3	8,9	8,10
4	16	39,8	40,0	41,2	40,33	6,5	6,1	8,8	5,47	9,9	2,8	7,0	5,8	5,0	5.93
5	17	43,8	45,0	45,8	44,87	0,0	2,9	1,0	1,30	4,0	—0,7	4,3	4,5	4,1	4,30
6	18	45,4	46,4	47,4	46,40	0,5	3,8	—1,4	0,97	4,4	—2,0	4,4	3,8	3,6	3,93
7	19	48,4	48,5	48,9	48,60	—4,9	2,9	—1,3	—1,10	3,0	—4,9	3,0	3,1	2,8	2,97
8	20	50,9	51,9	52,7	51,83	—3,4	—0,1	—1,4	—1,63	1,3	—5,1	3,1	2,6	3,2	2,97
9	21	49,7	46,9	40,9	45,83	—1,8	1,8	—0,8	—0,27	2,2	—4,1	2,7	2,5	2,6	2,60
10	22	35,2	35,6	35,9	35,57	—1,4	1,6	0,6	0,27	1,9	—2,7	3,8	3,7	3,4	3,63
11	23	34,6	34,7	36,3	35,20	—0,8	0,5	—0,4	—0,23	2,4	—1,9	3,5	4,2	3,5	3,73
12	24	37,3	39,6	45,0	40,63	—1,4	—0,3	—1,8	—1,17	0,0	—2,2	3,7	3,8	3,4	3,63
13	25	49,1	46,2	42,5	45,93	—2,2	0,3	5,9	1,33	6,0	—2,7	2,8	3,3	6,0	4,03
14	26	43,4	48,6	52,6	48,20	6,3	4,5	—0,4	3,47	7,4	—0,9	6,3	4,6	3,1	4,67
15	27	49,2	45,1	39,8	44,70	—0,3	7,8	8,0	5,17	10,5	—1,8	4,1	7,0	7,6	6,23
16	28	48,9	52,6	54,3	51,93	—5,1	—7,2	—8,7	—7,00	8,2	—9,7	2,2	2,0	1,5	1,90
17	29	50,1	44,7	31,5	42,10	—8,6	—4,5	0,0	—4,37	0,3	—9,5	1,6	2,2	4,6	2,80
18	30	25,4	25,5	27,7	26,20	5,8	6,7	2,6	5,03	7,3	—0,2	5,2	5,6	5,1	5,30
19	31	33,4	35,8	37,6	35,60	—2,8	—2,8	—4,0	—3,20	2,8	—4,7	2,9	2,0	2,3	2,40
Mittel.		42,90	42,90	42,89	42,89	2,51	6,46	3,90	4,29	8,52	0,13	5,35	5,97	5,61	5,64

Datum. Alter Styl.	Datum. Neuer Styl.	Relative Feuchtigkeit in Procenten. 7 h.	1 h.	9 h.	Mittel.	Richtung und Stärke des Windes. Meter pro Secunde. 7 h.	1 h.	9 h.	Bewölkung. 7 h.	1 h.	9 h.	Niederschlag. 7 h.	Radiations-Thermometer. h. 1.	Verdunstungsmenge in Millimetern in 24 Stund.	Bemerkungen.
—	1	81	88	100	89,67	ESE$_4$	SE$_4$	ESE$_2$	3	10	10	4,3	10,0	0,4	⊔^{0}1, ●^{0}p,3,n.
—	2	1,00	76	87	87,67	S$_2$	W$_9$	SW$_3$	10	10	0	2,0	15,6	0,6	●^{0}n,1,a,p.
—	3	87	94	100	93,67	SSW$_3$	SE$_4$	O	10	10	10	20,6	8,6	0,2	●a,2,p.
—	4	99	97	83	93,00	SSE$_3$	SSE$_4$	W$_{12}$	0	10	10	7,0	15,8	0,5	≡1, ●a,p; ●^{0}2.
—	5	95	74	99	89,33	SW$_4$	S$_3$	ESE$_5$	7	5	10	15,1	38,8	0,4	●p,3,n.
—	6	99	79	96	91,33	ESE$_5$	WSW$_4$	WSW$_3$	10	8	3	5,4	39,6	0,8	●n,1,a, K n, ∩3.
—	7	99	76	99	91,33	O	O	O	10	10	10	0,0	18,9	0,4	●n,1,a ∩3.
—	8	98	85	93	92,00	O	WSW$_3$	W$_2$	0	7	3	—	29,5	0,3	≡n,1a.
—	9	98	91	100	96,33	O	SSE$_2$	SSE$_2$	4	0	0	—	12,9	0,0	⊔n,1 ≡^{1}a,2,p,3.
—	10	1,00	67	88	85,00	SSE$_3$	SSE$_6$	S$_5$	8	2	10	0,0	36,9	1,0	∩1, ●^{0}p,3.
—	11	1,00	88	100	96,00	SSE$_2$	SSE$_3$	ESE$_4$	10	9	9	25,0	21,2	0,0	∩1, K ●^{1}a, ●^{0} K ●^{1} ▲^{1}p, ●3, ≡p.
—	12	1,00	81	80	87,00	WSW$_2$	WSW$_7$	SW$_3$	0	10	10	—	16,5	0,7	<n, ≡^{1}n,1,a.
1	13	96	63	86	81,67	SSW$_3$	SSW$_6$	S$_3$	4	6	10	—	32,3	0,7	∩^{1}1.
2	14	94	56	88	79,33	SSW$_3$	SSE$_6$	SE$_3$	1	3	10	0,0	33,0	1,2	∩1
3	15	94	83	100	92,33	SSE$_4$	SSE$_4$	O	10	10	0	13,8	18,6	0,2	●n,p, ●^{0}3.
4	16	98	83	83	88,00	NW$_8$	W$_6$	WSW$_6$	10	9	10	5,3	11,0	0,7	●n,1,a.
5	17	94	79	80	84,33	W$_6$	W$_9$	SW$_3$	10	10	3	—	7,3	0,6	⊔n1, △^{0}p.
6	18	92	64	86	80,67	W$_4$	S$_3$	SSW$_3$	6	8	6	—	20,3	0,7	⊔3.
7	19	95	54	69	72,67	W$_1$	WSW$_1$	WSW$_2$	2	7	8	—	24,0	0,5	⊔n,1,3,⊔/3.
8	20	87	58	78	74,33	W$_4$	WNW$_8$	WNW$_4$	9	10	10	—	2,0	0,8	⊔1
9	21	68	49	60	59,00	SSW$_3$	SW$_5$	S$_1$	10	8	10	0,8	29,1	0,9	—
10	22	92	71	71	78,00	SSW$_3$	SSW$_4$	SW$_1$	10	10	10	—	3,9	0.5	✳n, △^{0}3.
11	23	81	89	79	83,00	SW$_3$	W$_3$	WSW$_4$	10	10	10	0,0	4,0	0,4	✳✳^{0}a,p, △^{0}p.
12	24	90	85	86	87,00	WSW$_3$	NW$_8$	W$_6$	10	10	10	0,4	4,8	0.2	△^{0}n,1, ✳^{0}a,2,p,3,n.
13	25	71	71	87	76,33	SW$_2$	SSW$_8$	SW$_9$	10	10	10	2,5	3,7	0,2	+△●^{0}q.
14	26	88	73	70	77,00	W$_{10}$	NW$_7$	O	10	9	7	0,0	12,6	0,9	*^{0}n
15	27	90	89	94	91,00	SE$_3$	WSW$_8$	WSW$_8$	10	10	10	3,6	10,5	0,8	✳^{0}n,1, ●^{0}a,p,3,n.
16	28	71	75	64	70,00	NE$_{11}$	N$_8$	ENE$_5$	10	10	10	—	—0,9	0,4	✳●n, ↗n,1; ✳^{0}a,2,p.
17	29	70	68	100	79,33	SSE$_3$	S$_6$	SSW$_7$	10	10	10	10,4	—1,2	0,1	✳^{0}a,p, ✳p ●^{0}3,n.
18	30	76	77	93	82,00	WSW$_{17}$	WW$_{11}$	WNW$_6$	8	10	10	5,3	7,3	0,8	●n; ↗n,1,a,2.p; ●^{0}a,2,p,3,n.
19	31	79	53	68	66,67	WNW$_5$	W$_8$	W$_9$	10	10	1	—	2,9	0,7	✳^{0}n,1,a.
Mittel.		89,74	75,36	86,03	83,71	4,1	5,4	3,9	7,3	8,4	7,7	121,5 / 3,92	15,79	16,6 / 0,54	

Winde.	O.	N.	NNE.	NE.	ENE.	E.	ESE.	SE.	SSE.	S.	SSW.	SW.	WSW.	W.	WNW.	NW.	NNW.
Häufigkeit.	8	1	—	1	1	—	5	4	12	7	10	9	13	14	5	3	—
Mittlere Stärke in Meter pro Sekunde.	—	8,0	—	17,0	2,0	—	4,0	4,0	3,5	4,7	4,3	3,3	4,8	6,3	8,0	5,7	—

Temperatur. Maximum.	Dat.	Minimum.	Dat.	Barometer. Maximum.	Dat.	Minimum.	Dat.	Relat. Feucht. Minimum.	Dat.	Niederschlag. Maxim. in 24 Stund.	Dat.	Zahl der Tage mit Niederschlag.	✳	▲	△	≡	K	↗	Heit. Himmel.	Trüb. Himmel.	Temp. Max. ≦0°	Temp. Min. ≦0°
18,2	6	—8,7	28	754,3	28	725,4	30	49	21	25,0	11	15	8	1	5	5	2	2	1	14	14	5

Dat.	Temperatur an der Oberfläche der Erde.				TEMPERATUR DES ERDBODENS IN DER TIEFE VON:																
					25 Centimeter.				50 Centimeter.				75 Centimeter.				100 Cm.	125 Cm.	Cm. 150	175 Cm.	200 Cm.
	7 h.	1 h.	9 h.	Mittel	7 h.	1 h.	9 h.	Mittel.	7 h.	1 h.	9 h.	Mittel.	7 h.	1 h.	9 h.	Mittel.	1 h.	1 h.	1 h.	1 h.	1 h.
1	—0,6	6,6	6,6	4,20	6,1	6,1	6,5	6,2	8,2	8,1	8,0	8,1	9,2	9,1	9,0	9,1	9,7	10,0	10,1	10,1	10,2
2	9,1	9,1	2,8	7,00	7,1	7,5	7,7	7,4	8,0	8,2	8,4	8,2	8,9	8,9	8,9	8,9	9,5	9,8	9,9	10,0	10,2
3	3,8	6,0	7,2	5,67	7,3	7,1	7,2	7,2	8,4	8,4	8,3	8,4	8,9	8,9	8,9	8,9	9,4	9,6	9,8	9,9	10,1
4	8,9	13,2	8,2	10,10	7,5	7,9	8,8	8,1	8,4	8,4	8,6	8,5	8,9	8,9	8,9	8,9	9,3	9,5	9,7	9,8	10,0
5	3,4	11,2	8,0	7,53	8,6	8,5	8,7	8,6	8,9	8,9	8,9	8,9	9,0	9,1	9,1	9,1	9,3	9,4	9,6	9,7	9,9
6	9,2	16,4	7,2	10,93	8,7	9,1	9,7	9,2	9,0	9,1	9,3	9,1	9,0	9,2	9,2	9,1	9,3	9,4	9,5	9,6	9,8
7	7,2	11,8	6,8	8,60	9,4	9,4	9,6	9,5	9,3	9,5	9,6	9,5	9,3	9,4	9,5	9,4	9,3	9,4	9,5	9,5	9,7
8	5,5	10,8	5,0	7,10	8,7	8,7	8,8	8,7	9,5	9,4	9,3	9,4	9,5	9,5	9,5	9,5	9,4	9,4	9,5	9,5	9,6
9	0,8	8,9	6,4	5,37	8,1	7,8	8,2	8,0	9,3	9,1	8,9	9,1	9,4	9,4	9,3	9,4	9,4	9,4	9,5	9,5	9,6
10	6,2	13,3	11,4	10,30	7,7	8,0	8,8	8,2	8,8	8,8	8,8	8,8	9,2	9,2	9,1	9,2	9,3	9,4	9,4	9,4	9,6
11	8,8	13,0	10,8	11,20	9,2	9,4	9,8	9,5	9,1	9,2	9,4	9,2	9,2	9,2	9,3	9,2	9,2	9,3	9,4	9,4	9,5
12	11,2	10,8	6,8	9,60	9,6	9,7	9,6	9,6	9,6	9,6	9,7	9,6	9,4	9,4	9,4	9,4	9,3	9,3	9,3	9,4	9,5
13	2,6	8,4	6,7	5,93	8,8	8,6	8,6	8,7	9,4	9,5	9,3	9,4	9,5	9,5	9,4	9,5	9,4	9,4	9,3	9,3	9,5
14	3,6	10,2	6,6	6,80	8,0	8,4	8,6	8,3	9,2	9,2	9,1	9,2	9,3	9,4	9,3	9,3	9,4	9,4	9,4	9,4	9,5
15	6,9	11,4	9,2	9,17	8,4	8,4	8,7	8,5	9,1	9,1	9,1	9,1	9,3	9,3	9,2	9,3	9,3	9,3	9,3	9,3	9,4
16	6,4	6,2	3,4	5,33	8,8	8,6	8,2	8,5	9,2	9,2	9,1	9,2	9,2	9,2	9,2	9,2	9,3	9,3	9,3	9,3	9,4
17	0,6	3,3	0,2	1,37	7,4	7,0	6,7	7,0	8,9	8,7	8,5	8,7	9,2	9,1	9,0	9,1	9,2	9,3	9,3	9,3	9,4
18	0,0	4,6	—1,6	1,00	6,2	6,0	5,8	6,0	8,2	8,0	7,8	8,0	8,8	8,7	8,6	8,7	9,1	9,2	9,3	9,3	9,4
19	—4,2	1,2	—2,0	—1,67	5,0	4,8	4,6	4,8	7,5	7,2	6,9	7,2	8,4	8,8	8,1	8,3	8,8	9,0	9,1	9,2	9,4
20	—2,4	—0,2	—1,6	—1,40	4,0	3,8	3,6	3,8	6,6	6,4	6,2	6,4	7,9	7,7	7,5	7,7	8,5	8,8	9,0	9,1	9,3
21	—1,7	2,4	—0,8	—0,03	3,4	3,5	3,5	3,5	6,0	5,8	5,7	5,8	7,4	7,2	7,0	7,2	8,1	8,6	8,9	9,0	9,2
22	—0,7	1,2	0,0	0,17	3,2	3,3	3,4	3,3	5,6	5,5	5,4	5,5	6,9	6,8	6,7	6,8	7,7	8,3	8,7	8,9	9,1
23	—1,0	0,2	—0,9	—0,57	3,4	3,4	3,4	3,4	5,4	5,3	5,3	5,3	6,6	6,6	6,5	6,6	7,4	8,0	8,4	8,7	9,0
24	—1,4	—0,1	—1,8	—1,10	3,3	3,2	3,1	3,2	5,3	5,2	5,1	5,2	6,4	6,4	6,3	6,4	7,2	7,8	8,2	8,6	8,8
25	—2,4	0,0	4,2	0,60	3,0	2,8	2,9	2,9	5,0	4,9	4,8	4,9	6,2	6,1	6,0	6,1	7,0	7,6	8,0	8,4	8,7
26	4,6	4,6	—1,0	2,73	3,8	4,2	4,2	4,1	4,9	5,0	5,2	5,0	6,0	5,9	6,0	6,0	6,8	7,4	7,9	8,3	8,6
27	—0,1	6,6	7,0	4,50	3,8	3,7	4,4	4,0	5,2	5,2	5,2	5,2	6,0	6,0	6,0	6,0	6,7	7,2	7,7	8,1	8,4
28	—4,7	—6,0	—6,6	—5,77	4,4	3,7	3,0	3,7	5,4	5,4	5,2	5,3	6,0	6,1	6,0	6,0	6,7	7,1	7,6	8,0	8,3
29	—6,4	—2,2	0,0	—2,87	2,4	2,3	2,1	2,3	4,8	4,6	4,4	4,6	5,9	5,8	5,7	5,8	6,6	7,1	7,5	7,9	8,2
30	2,6	4,4	1,8	2,93	2,0	2,0	2,4	2,1	4,2	4,1	4,0	4,1	5,5	5,4	5,3	5,4	6,3	6,9	7,3	7,8	8,0
31	—3,0	—2,0	—4,4	—3,13	2,5	2,3	2,0	2,3	4,1	4,1	4,0	4,1	5,2	5,2	5,1	5,2	6,0	6,7	7,2	7,7	7,9

NOVEMBER 1888.

Datum: Alter Styl.	Datum: Neuer Styl.	Barometer bei 0°, in Millimeter: 7 h.	1 h.	9 h.	Mittel.	Lufttemperatur Celsius: 7 h.	1 h.	9 h.	Mittel.	Thermograph Celsius: Maximum.	Minimum.	Absolute Feuchtigkeit. Millimeter: 7 h.	1 h.	9 h.	Mittel.
		700	700	700	700										
	1	40,5	41,0	40,4	40,63	—4,8	—3,1	—4,4	—4,10	—2,6	—5,4	2,0	2,0	2,9	2,30
	2	42,9	44,4	43,7	43,67	—10,1	—6,0	—9,5	—8,53	—4,1	—10,8	1,7	1,7	1,8	1,73
	3	43,1	43,2	45,5	43,93	—8,6	—3,0	—9,0	—6,87	—2,1	—9,8	2,0	2,5	1,8	2,10
	4	49,0	50,4	51,8	50,40	—9,7	—7,4	—8,2	—8,43	—7,8	—13,3	1,9	1,9	1,8	1,87
	5	52,2	52,8	53,9	52,97	—12,5	—8,3	—14,3	—11,70	—7,9	—14,6	1,4	1,5	1,3	1,40
	6	54,9	54,7	53,9	54,50	—14,3	—9,5	—14,3	—12,70	—8,8	—15,9	1,3	1,3	1,2	1,27
	7	49,5	45,6	42,2	45,77	—16,0	—9,9	—14,7	—13,53	—8,6	—17,1	1,1	1,2	1,2	1,17
	8	40,9	41,1	44,3	42,10	—18,0	—8,3	—8,6	—11,63	—7,4	—18,3	0,9	1,4	1,6	1,30
	9	47,5	49,0	50,2	48,90	—7,9	—5,3	—6,7	—6,63	—4,5	—9,6	2,2	1,5	1,8	1,83
	10	49,4	48,7	48,5	48,87	—8,9	—5,2	—5,3	—6,47	—5,1	—10,3	2,0	2,2	2,7	2,30
	11	48,3	48,3	49,6	48,73	—4,7	—4,9	—9,4	—6,33	—4,1	—9,5	3,1	2,5	1,7	2,43
	12	50,3	50,7	52,6	51,20	—6,7	—1,2	—1,4	—3,10	—0,9	—11,3	2,5	3,9	3,6	3,33
1	13	55,4	56,4	56,8	56,20	—2,1	—0,6	—2,2	—1,63	—0,2	—2,7	3,7	4,1	3,6	3,80
2	14	55,1	55,0	55,2	55,10	—4,0	—4,6	—4,2	—4,27	—2,0	—4,8	2,6	2,5	2,7	2,60
3	15	56,1	57,2	59,2	57,50	—4,8	—3,7	—3,4	—3,97	—2,6	—5,1	2,7	3,1	2,9	2,90
4	16	58,2	56,2	49,2	54,53	—5,1	—5,1	—5,2	—5,13	—1,9	—6,7	2,4	2,5	2,4	2,43
5	17	43,7	37,2	36,2	39,03	—3,2	—1,0	1,6	—0,87	1,7	—5,3	3,1	4,1	4,6	3,93
6	18	34,4	32,6	30,0	32,33	2,0	1,6	2,4	2,00	2,6	0,3	4,4	4,4	4,5	4,43
7	19	31,8	32,5	33,4	32,57	2,0	2,0	1,2	1,73	2,9	0,6	4,5	4,8	4,7	4,67
8	20	33,0	27,9	21,9	27,60	0,8	1,8	4,5	2,37	4,7	0,0	4,3	4,4	5,8	4,83
9	21	24,1	26,5	31,4	27,33	1,8	2,8	2,0	2,20	5,0	0,6	4,8	4,0	3,5	4,10
10	22	36,9	38,8	43,7	39,80	1,6	2,8	1,8	2,07	2,9	0,3	4,3	4,3	4,3	4,30
11	23	44,6	39,7	33,5	39,27	1,2	2,0	0,3	1,17	2,5	—0,5	3,6	3,5	4,2	3,77
12	24	30,3	28,7	27,8	28,93	1,3	2,9	0,4	1,53	3,4	0,1	4,8	4,4	4,4	4,53
13	25	09,8	08,4	22,6	13,60	0,1	1,1	—1,2	0,00	3,4	—2,2	4,4	4,6	3,0	4,00
14	26	33,4	37,3	32,3	34,33	—1,3	—1,6	—1,0	—1,30	—0,8	—3,5	3,3	2,8	3,9	3,33
15	27	26,7	27,2	28,8	27,57	2,9	3,5	2,7	3,03	3,9	—1,4	5,2	4,6	3,9	4,57
16	28	38,4	42,6	37,3	39,43	0,1	—1,3	1,2	0,00	3,4	—1,9	2,9	2,2	4,2	3,10
17	29	41,0	41,3	41,0	41,10	2,0	2,2	1,8	2,00	2,8	0,4	4,9	5,0	4,7	4,87
18	30	44,1	46,2	49,3	46,53	1,0	1,7	1,0	1,23	2,0	0,3	4,7	4,9	4,7	4,77
Mittel.		42,18	42,05	42,21	42,15	—4,20	—2,19	—3,40	—3,26	—0,99	—5,90	3,09	3,13	3,18	3,13

Datum (Neuer Styl)	Relative Feuchtigkeit in Procenten: 7 h.	1 h.	9 h.	Mittel.	Richtung und Stärke des Windes Meter pro Secunde: 7 h.	1 h.	9 h.	Bewölkung: 7 h.	1 h.	9 h.	Niederschlag: 7 h.	Radiations Thermometer. 1 h.	Verdunstungsmenge in Millimetern in 24 Stund	Bemerkungen.
1	64	55	89	69,33	WNW$_{12}$	W$_{2}$	WSW$_{3}$	7	10	7	—	3,7	0,7	—
2	80	59	81	73,33	WNW$_{4}$	WNW$_{5}$	WSW$_{4}$	2	10	0	—	1,1	0,3	⊔1 ✳°a,p.
3	88	68	78	78,00	WSW$_{3}$	WNW$_{3}$	O	9	9	0	—	2,8	0,3	⊔²3.
4	91	75	73	79,67	ESE$_{2}$	ESE$_{8}$	E$_{4}$	10	10	10	0,0	0,8	0,3	⊔n1, ✳°1
5	85	61	87	77,67	ENE$_{6}$	E$_{4}$	ENE$_{3}$	9	6	0	—	5,9	0,1	⊔1, ⊔²3.
6	87	62	79	76,00	ENE$_{8}$	ENE$_{7}$	ENE$_{5}$	10	3	9	—	12,9	0,2	⊔²1.
7	85	55	82	74,00	NE$_{4}$	O	O	6	0	0	—	11,3	0,1	⊔3
8	84	58	67	69,67	O	O	O	1	1	10	0,0	14,0	0,1	⊔1
9	89	52	68	69,67	NNE$_{3}$	NE$_{2}$	WNW$_{3}$	10	10	10	—	4,8	0,5	✳°n1
10	88	71	90	83,00	O	N$_{3}$	O	10	10	10	0,2	—3,0	0,1	—
11	98	79	78	85,00	NNW$_{2}$	NNW$_{5}$	N$_{7}$	10	10	10	0,0	—2,6	0,3	✳°n,1,p,3.
12	92	92	88	90,67	WSW$_{3}$	NW$_{4}$	NW$_{6}$	10	10	10	0,0	1,9	0,3	✳°n,a,2,p.
13	94	94	92	93,33	NNE$_{2}$	NW$_{4}$	W$_{5}$	10	10	10	0,1	6,0	0,2	●°a,p.
14	77	79	81	79,00	W$_{7}$	W$_{7}$	NW$_{5}$	10	10	10	—	—3,1	0,4	—
15	86	89	82	85,67	WNW$_{6}$	NW$_{3}$	NW$_{4}$	10	10	10	—	—3,1	0,3	—
16	78	80	78	78,67	W$_{5}$	WSW$_{7}$	WSW$_{8}$	10	10	10	—	—2,5	0,3	—
17	87	96	89	90,67	SW$_{5}$	WSW$_{5}$	WSW$_{4}$	10	10	10	0,9	—0,2	0,1	●°△a, ●°p.
18	84	85	80	83,00	WSW$_{7}$	SSW$_{4}$	SSW$_{7}$	10	10	10	0,2	2,5	0,3	✳°p.
19	85	91	94	90,00	WSW$_{7}$	SW$_{3}$	WSW$_{3}$	10	10	10	1,0	4,0	0,4	✳°a, ✳° ●°p,3,n.
20	89	84	92	88,33	SSW$_{6}$	S$_{9}$	SSW$_{12}$	5	10	10	5,6	1,8	0,8	●° ✳°n, ✳°2,p, ✳°p, ●°3,n.
21	91	70	66	75,67	SSW$_{4}$	WSW$_{7}$	SSW$_{7}$	10	10	10	—	10,2	0,8	✳° ●°n.
22	84	75	82	80,33	SSW$_{4}$	SW$_{5}$	SW$_{2}$	10	10	10	—	7,0	0,6	—
23	72	66	90	76,00	SW$_{4}$	S$_{14}$	SSW$_{8}$	10	9	10	1,0	7,2	0,6	✳°p,3,n.
24	94	78	92	88,00	S$_{8}$	WSW$_{6}$	WSW$_{4}$	10	10	7	4,0	6,0	0,4	●°n,1; ✳°a
25	96	92	73	87,00	SSE$_{4}$	NW$_{5}$	NW$_{12}$	10	10	7	2,2	3,9	0,1	✳n,1,a, ✳ ✝p, ⸙p.
26	80	68	92	80,00	WNW$_{12}$	WNW$_{9}$	SSW$_{3}$	10	10	10	2,6	6,9	0,2	✳p,3,n
27	91	78	70	79,67	SSW$_{2}$	WSW$_{12}$	SW$_{8}$	10	10	3	1,5	8,5	1,0	✳° ●°n, ●1,a
28	62	58	83	66,00	W$_{14}$	W$_{5}$	SSW$_{6}$	10	9	10	0,9	4,2	0,8	✳p
29	98	93	90	92,00	S$_{2}$	S$_{4}$	SSW$_{5}$	10	10	10	—	3,6	0,1	—
30	94	94	96	94,67	WSW$_{3}$	SW$_{1}$	E$_{2}$	10	10	0	—	3,6	0,1	≡°a ≡²3,n.
Mittel.	85,60	75,07	82,73	81,13	5,1	5,8	4,4	9,0	8,9	7,8	20,2 / 6,7	4,00	10,3 / 0,34	

Winde.	O.	N.	NNE.	NE.	ENE.	E.	ESE.	SE.	SSE.	S.	SSW.	SW.	WSW.	W.	WNW.	NW.	NNW.
Häufigkeit.	8	2	2	2	5	3	2	—	1	5	12	7	16	7	8	8	2
Mittlere Stärke in Metern pro Secunde.	—	5,0	2,5	5,5	5,4	3,3	6,0	—	4,0	7,0	6,3	4,1	5,1	7,3	7,3	6,0	3,5

Temperatur: Maximum.	Dat.	Minimum.	Dat.	Barometer: Maximum.	Dat.	Minimum.	Dat.	Rel. Feucht.: Minimum.	Dat.	Niederschlag: Maxim. in 24 Stund.	Dat.
4,5	20	—18,0	8	759,2	15	708,4	25	52	9	5,6	20

Zahl der Tage mit:

Niederschlag	✳	▲	△	≡	[illegible]	[illegible]	Heit. Himmel.	Trüb. Himmel.	Temp. Max. ≦ 0°.	Temp. Min. ≦ 0°.
16	15	—	1	1	—	1	1	22	20	17

Dat.	Temperatur an der Oberfläche der Erde.				TEMPERATUR DES ERDBODENS IN DER TIEFE VON:																
					25 Centimeter.				50 Centimeter.				75 Centimeter.				100. Cm.	125. Cm.	150. Cm.	175. Cm.	200 Cm.
	7 h.	1 h.	9 h.	Mittel.	7 h.	1 h.	9 h.	Mittel.	7 h.	1 h.	9 h.	Mittel.	7 h.	1 h.	9 h.	Mittel.	1 h.	1 h.	1 h.	1 h.	1 h.
1	—5,0	—2,7	—4,5	—4,07	1,8	1,8	1,6	1,7	3,9	3,8	3,7	3,8	5,0	5,0	4,9	5,0	5,9	6,5	7,0	7,5	7,8
2	—9,8	—4,2	—9,0	—7,67	1,4	1,5	1,3	1,4	3,6	3,5	3,4	3,5	4,8	4,8	4,7	4,8	5,7	6,3	6,9	7,4	7,7
3	—7,4	—2,2	—10,6	—6,73	1,1	1,2	1,0	1,1	3,3	3,3	3 1	3,2	4,6	4,5	4,5	4,5	5,5	6,1	6,7	7,3	7,6
4	—7,2	—4,4	—7,2	—6,27	0,9	1,0	0,8	0,9	3,0	3,0	2,9	3,0	4,4	4,3	4,2	4,3	5,3	5,9	6,5	7,1	7,4
5	—11,4	—7,6	—14,4	—11,13	0,8	0,8	0,5	0,7	2,8	2,8	2,7	2,8	4,2	4,1	4,0	4,1	5,1	5,8	6,4	7,0	7,3
6	—13,6	—8,8	—13,2	—11,70	0,4	0,5	0,2	0,4	2,6	2,6	2,4	2,5	4,0	3,9	3,8	3,9	4,9	5,6	6,3	6,8	7,2
7	—15,0	—9,0	—15,7	—13,23	0,0	0,1	—0,2	0,0	2,4	2,3	2,2	2,3	3,8	3,7	3,6	3,7	4,7	5,4	6,1	6,7	7,1
8	—15,6	—8,4	—7,4	—10,47	—0,4	—0,3	—0,4	—0,4	2,1	2,0	1,9	2,0	3,6	3,5	3,4	3,5	4,5	5,2	5,9	6,6	6,9
9	—7,8	—4,8	—6,9	—6,50	—0,4	—0,3	—0,4	—0,4	1,9	1,8	1,7	1,8	3,4	3,3	3,2	3,3	4,3	5,0	5,7	6,4	6,8
10	—7,4	4,4	—4,8	—5,53	—0,5	—0,4	—0,4	—0,4	1,7	1,6	1,6	1,6	3,1	3,1	3,0	3,1	4,1	4,8	5,6	6,3	6,6
11	—4,6	—4,8	—9,4	—6,27	—0,3	—0,3	—0,4	—0,3	1,5	1,5	1,5	1,5	3,0	3,0	2,9	3,0	3,9	4,7	5,4	6,1	6,5
12	—6,4	—0,8	—1,7	—2,97	—0,5	—0,4	—0,3	—0,4	1,5	1,5	1,4	1,5	2,9	2,9	2,8	2,9	3,8	4,5	5,3	6,0	6,4
13	—2,4	—0,1	—2,6	—1,70	—0,2	—0,2	—0,2	—0,2	1,4	1,4	1,4	1,4	2,8	2,8	2,7	2,8	3,6	4,4	5,1	5,9	6,3
14	—4,6	—4,1	—4,2	—4,30	—0,2	—0,2	—0,3	—0,2	1,4	1,4	1,4	1,4	2,7	2,7	2,6	2,7	3,5	4,2	5,0	5,7	6,1
15	—4,8	—3,6	—3,4	—3,93	—0,3	—0,3	—0,3	—0,3	1,4	1,3	1,3	1,3	2,6	2,6	2,6	2,6	3,5	4,1	4,9	5,6	6,0
16	—5,4	—4,4	—5,2	—5,00	—0,3	—0,3	—0,4	—0,3	1,3	1,3	1,3	1,3	2,6	2,5	2,5	2,5	3,4	4,0	4,8	5,5	5,9
17	—3,0	—1,2	0,8	—1,13	—0,4	—0,3	—0,2	—0,3	1,3	1,3	1,2	1,3	2,5	2,5	2,5	2,5	3,3	3,9	4,7	5,4	5,8
18	1,4	1,4	1,2	1,33	—0,1	—0,1	—0,1	—0,1	1,1	1,2	1,2	1,2	2,4	2,4	2,4	2,4	3,2	3,8	4,6	5,3	5,7
19	1,6	1,8	0,2	1,20	—0,1	0,0	—0,1	—0,1	1,3	1,3	1,2	1,3	2,4	2,4	2,3	2,4	3,1	3,8	4,5	5,2	5,6
20	—0,6	0,8	3,4	1,20	—0,1	0,0	0,0	0,0	1,2	1,2	1,2	1,2	2,3	2,3	2,3	2,3	3,1	3,7	4,5	5,1	5,5
21	0,7	1,6	0,3	0,87	0,0	0,0	0,0	0,0	1,2	1,2	1,2	1,2	2,3	2,3	2,3	2,3	3,0	3,6	4,5	5,0	5,4
22	0,4	2,2	0,6	1,07	0,0	0,0	0,0	0,0	1,2	1,2	1,2	1,2	2,3	2,2	2,2	2,2	3,0	3,6	4,5	4,9	5,3
23	—0,2	0,6	—0,2	0,07	0,0	0,0	0,0	0,0	1,2	1,2	1,2	1,2	2,2	2,2	2,2	2,2	2,9	3,5	4,4	4,8	5,2
24	0,4	1,8	—0,9	0,43	0,0	0,0	0,0	0,0	1,2	1,2	1,3	1,2	2,2	2,2	2,2	2,2	2,9	3,4	4,3	4,8	5,1
25	—0,2	0,3	—2,2	—0,70	0,0	0,0	0,0	0,0	1,3	1,3	1,3	1,3	2,2	2,2	2,2	2,2	2,8	3,4	4,3	4,7	5,0
26	—2,2	—1,8	—1,5	—1,83	0,0	0,0	0,0	0,0	1,3	1,3	1,3	1,3	2,1	2,2	2,1	2,1	2,8	3,4	4,2	4,7	5,0
27	0,2	+1,6	0,4	0,73	0,0	0,1	0,1	0,1	1,3	1,3	1,3	1,3	2,1	2,2	2,1	2,1	2,7	3,3	4,1	4,5	4,9
28	—0,9	—2,2	—0,2	—1,10	0,0	0,1	0,1	0,1	1,3	1,3	1,3	1,3	2,1	2,1	2,1	2,1	2,7	3,2	4,0	4,5	4,8
29	0,7	1,6	0,7	1,00	0,1	0,1	0,1	0,1	1,3	1,3	1,3	1,3	2,1	2,1	2,1	2,1	2,7	3,2	3,9	4,4	4,8
30	0,3	1,6	0,4	0,77	0,1	0,1	0,1	0,1	1,3	1,3	1,3	1,3	2,2	2,1	2,1	2,1	2,7	3,1	3,9	4,3	4,7

DECEMBER 1888.

Datum. Alter Styl.	Datum. Neuer Styl.	Barometer bei 0°, in Millimeter. 7 h.	1 h.	9 h.	Mittel.	Lufttemperatur, Celsius. 7 h.	1 h.	9 h.	Mittel.	Thermograph Celsius. Maximum.	Minimum.	Absolute Feuchtigkeit. Millimeter. 7 h.	1 h.	9 h.	Mittel.	Relative Feuchtigkeit in Procenten. 7 h.	1 h.	9 h.	Mittel.	Richtung und Stärke des Windes Meter pro Secunde 7 h.	1 h.	9 h.	Bewölkung. 7 h.	1 h.	9 h.	Niederschlag. 7 h.	Radiations Thermometer. h. 1.	Verdunstungsmenge in Millimeter in 24 Stun.	Bemerkungen.
		700+	700+	700+	700+																								
	1	50,9	50,8	50,3	50,67	0,1	0,8	0,4	0,43	1,7	— 0,5	4,4	4,3	4,5	4,40	97	87	93	92,33	E_1	ENE_5	ESE_4	10	10	10	0,1	2,7	0,2	✳°p,3n.
	2	49,1	48,6	48,4	48,70	— 1,0	— 0,5	— 1,4	— 0,97	0,6	— 1,9	4,1	4,2	4,0	4,10	93	94	93	93,33	E_4	E_4	ENE	10	10	10	3,2	1,5	0,0	✳°n,1a,2p,3n.
	3	48,6	49,0	51,0	49,53	— 6,5	— 5,3	— 8,1	— 6,63	— 1,3	— 8,3	2,5	2,5	2,1	2,37	92	82	84	86,00	NNE_3	NNE_4	NE_6	9	10	10	—	— 1,2	0,2	✳°n.
	4	54,6	56,4	59,7	56,90	—16,7	—11,3	—18,5	—15,50	— 8,1	—18,6	0,9	1,4	0,8	1,03	75	74	76	75,00	NNE	ENE_5	NE_5	0	0	0	—	3,1	0,1	⊔°1,3.
	5	61,0	61,1	59,2	60,43	—22,9	—16,1	—16,5	—18,50	—15,9	—23,8	0,5	0,9	1,0	0,80	78	77	80	78,33	0	S_5	0	2	10	0	—	— 7,9	0,0	⊔°1═°2.
	6	55,7	54,2	51,8	53,73	— 8,1	— 3,8	— 2,2	— 4,70	— 2,1	—16,8	1,9	2,7	3,4	2,67	79	80	86	81,67	SW_4	WSW_3	WSW_6	10	10	10	0'4	— 1,0	0,0	✳°a,2,p.
	7	47,9	43,8	41,2	44,30	— 3,1	— 1,3	0,9	— 1,17	1,0	— 3,7	3,2	3,8	4,6	3,87	88	91	94	91,00	WSW_4	SW_1	WNW_7	10	10	10	2,5	1,5	0,1	●°▲°a,✳°a,2,p,●°3.n.
	8	42,6	44,2	46,6	44,47	0,8	1,1	— 0,5	0,47	1,3	— 0,9	4,5	4,0	4,1	4,20	90	77	88	85,00	WNW_6	WNW_{12}	WNW_3	10	10	10	0,0	5,2	0,1	✳°p.
	9	42,5	41,3	38,7	40,83	0,8	0,7	0,6	0,70	1,1	— 1,8	4,7	4,4	4,4	4,50	95	88	90	91,00	SSW_5	W_{12}	WSW	10	10	10	0,3	4,2	0,1	—
	10	33,5	30,4	28,9	30,98	— 0,2	0,4	0,0	0,07	1,0	— 1,5	4,2	4,5	4,1	4,27	91	94	85	90,00	SSW_4	S_5	SSW_4	10	10	10	3,3	3,2	0,2	✳°n,1,a,2,p.
	11	30,8	32,5	33,9	32,40	— 1,2	— 1,7	— 2,7	— 1,87	0,8	— 3,2	3,6	3,1	3,3	3,33	83	79	90	84,00	WSW_3	WNW_5	NW.	10	10	10	—	0,5	0,3	—
	12	41,8	46,2	51,5	46,50	—20,9	—25,5	—27,1	—24,50	— 2,7	—27,2	0,6	—	—	—	71	61	67	66,33	NNW_1	NW_{10}	N_8	10	6	0	—	—12,5	0,1	✝°n,1.
1	13	56,0	56,0	50,4	54,13	—29,2	—22,2	—14,2	—21,87	—14,1	—30,2	—	0,6	1,1	—	70	74	76	73.33	WNW_5	W_5	WSW_6	0	10	10	0,6	—12,3	0,0	⊔°1,✳°p,3,n.
2	14	45,6	42,9	40,2	42,90	—10,5	— 5,9	— 0,3	— 5,57	— 0,1	—14,3	1,7	2,5	3,6	2,60	84	88	81	84,33	WSW_7	WSW_5	WNW_{14}	10	10	10	0,0	— 2,8	0,1	✳°n,p.
3	15	36,1	34,3	34,7	35,03	— 3,6	— 5,0	— 2,2	— 3,60	— 0,1	— 5,8	2,8	1,8	3,2	2,60	80	60	81	73,67	WSW_8	WSW	WSW_{12}	5	2	10	0,1	4,8	0,3	✳°p.
4	16	39,5	39,3	33,7	37,50	— 4,5	— 5,5	— 5,5	— 5,17	— 1,3	— 6,7	2,2	2,3	2,7	2,40	67	77	90	78,00	W_7	SSW_4	SSE_6	10	5	10	1,7	5,0	0,2	✳°p.
5	17	25,5	26,1	27,0	26,20	— 4,0	— 8,2	—12,1	— 8,10	— 3,4	—12,3	3,0	1,7	1,5	2,07	89	70	84	81,00	W_7	WSW_7	S_3	10	7	7	0,1	— 1,8	0,0	✳n,1,a,✳°p,ω3.
6	18	34,3	34,6	34,0	34,30	—12,9	— 9,5	— 9,5	—10,63	— 8,9	—18,1	1,3	1,8	1,9	1,67	85	80	85	83,33	W_2	WNW_4	WSW_2	10	10	10	0,6	— 4,5	0,0	✳°1,a,2,p,3,n.
7	19	37,0	36,8	37,4	37,07	—20,8	— 6,8	— 2,8	—10,13	— 2,6	—20,8	0,7	2,4	3,5	2,20	84	90	93	89,00	0	0	W_3	3	10	10	—	— 1,3	0,0	—
8	20	42,2	43,7	44,9	43,60	— 8,7	—12,0	—12,3	—11,00	— 2,4	—12,3	2,0	1,4	1,3	1,57	87	79	78	81,33	NNW_6	NW_3	NNE_3	10	9	9	0,6	— 5,2	0,2	ω3.
9	21	44,8	47,9	50,3	47,67	—13,9	—19,9	—23,3	—19,03	—12,1	—24,1	1,2	0,7	0,6	0,83	80	75	79	78,00	N_9	NW	NNW_5	10	0	0	—	— 8,0	0,0	✳n,1⊔3.
10	22	53,9	55,0	56,8	55,23	—21,1	—20,3	—24,7	—22,03	—20,1	—25,6	0,6	0,7	0,5	0,60	78	78	78	78,00	N_3	NNE	[illegible]	10	0	0	—	— 7,2	0,0	⊔°1,ϖ°3.
11	23	59,7	61,7	64,1	61,83	—28,9	—25,7	—30,3	—28,30	—24,6	—30,8	—	—	—	—	76	76	75	75,67	0	NNE_3	0	0	0	0	—	— 9,7	0,0	—
12	24	65,4	64,6	63,3	64,43	—31,3	—24,4	—26,7	—27,47	—24,1	—32,2	—	0,4	—	—	74	76	76	75,33	WSW_3	WNW_4	NW_2	0	0	0	—	— 7,7	0,0	—
13	25	63,5	63,8	65,8	64,37	—29,2	—26,5	—31,4	—29,03	—25,6	—31,8	—	—	—	—	75	75	74	74,67	0	N_1	0	1	0	0	—	— 8,8	0,0	—
14	26	67,4	67,4	67,3	67,37	—35,7	—29,5	—32,2	—32,47	—26,8	—36,7	—	—	—	—	75	74	75	74,67	0	0	0	1	1	0	—	—10,5	0,0	—
15	27	65,7	64,4	62,7	64,27	- 33,4	—26,3	—30,9	—30,20	—24,9	—34,3	—	—	—	—	74	75	75	74,67	0	0	0	0	0	0	—	— 8,2	0,0	—
16	28	61,8	61,3	62,4	61,83	—29,6	—18,4	—19,4	22,47	—17,9	—33,0	—	0,9	0,8	—	74	80	81	78,33	0	SSE_4	SSE_5	1	10	0	—	—12,5	0,0	ϖ1,∽°2,p.
17	29	64,0	67,0	66,3	65,10	—20,5	—20,6	—23,9	—21,67	—17'7	—24,3	0,7	0,6	0,5	0,60	75	69	73	72,33	SE_4	SE_6	SE_3	10	6	0	—	— 5,5	0,0	-
18	30	67,8	68,7	70,0	68,83	—28,5	—23,2	—28,1	—26,60	—23,1	—30,0	—	0,5	—	—	74	67	73	71,33	SSE_2	SSE_4	SE_1	0	0	0	—	—10,3	0,0	∽°2,p.
19	31	69,9	69,8	68,8	69,50	—31,4	—23,2	—26,9	—27,20	—22,6	—32,4	+	0,4	—	—	78	68	76	72,33	0	SE_2	0	0	0	0	—	—4,9	0,0	—
Mittel.		50,29	50,88	50,35	50,34	—15,37	12,77	—13,33	—14,02	—9,52	—18,19	—	—	—	—	80,84	77,90	81,58	80,11	3,7	4,6	4,0	6,2	6,0	5,4	13,5 / 0,44	—3,62	2,2 / 0,07	

Winde.	0.	N.	NNE.	NE	ENE.	E.	ESE.	SE.	SSE.	S.	SSW.	SW.	WSW.	W.	WNW.	NW.	NNW.
Häufigkeit.	17	4	6	2	3	3	1	5	5	3	4	2	14	6	10	3	5
Mittlere Stärke in Metern pro Secunde.	—	5,0	3,2	6,5	5,0	3,7	6,0	3,2	4,2	3,7	4,2	4,0	5,9	6,0	6,0	3,0	7,6

Temperatur. Maximum.	Dat.	Minimum.	Dat.	Barometer. Maximum.	Dat.	Minimum.	Dat.	Rel. Feucht. Minimum.	Dat.	Niederschlag. Maxim. in 24 Stund.	Dat.	Zahl der Tage mit: Niederschlag.	✳	▲	△	≡	⊼	↙	Heit. Himmel.	Trüb. Himmel.	Temp. Max. ≦ 0°.	Temp. Min. ≦ 0°.
1,1	8	—35,7	26	770,0	30	725,5	17	59	15	3,3	10	12	14	—	1	1	—	—	8	14	26	31

Dat.	Temperatur an der Oberfläche der Erde.				TEMPERATUR DES ERDBODENS IN DER TIEFE VON: 25 Centimeter.				50 Centimeter.				75 Centimeter.				100 Ctm.	125 Ctm.	150 Ctm.	175 Ctm.	200 Ctm.
	7 h.	1 h.	9 h.	Mittel	7 h.	1 h.	9 h.	Mittel	7 h.	1 h	9 h.	Mittel.	7 h.	1 h.	9 h.	Mittel.	1 h.	1 h.	1 h.	1 h.	1 h.
1	0,0	0,6	0,0	0,20	0,1	0,2	0,1	0,1	1,3	1,3	1,3	1,3	2,1	2,1	2,1	2,1	2,6	3,1	3,9	4,3	4,6
2	— 0,3	0,0	— 1,2	— 0,50	0,1	0,2	0,2	0,2	1,3	1,3	1,3	1,3	2,1	2,1	2,1	2,1	2,6	3,1	3,8	4,2	4,6
3	— 6,7	— 4,2	— 7,2	— 6,03	0,2	0,2	0,2	0,2	1,3	1,3	1,3	1,3	2,1	2,1	2,0	2,1	2,6	3,0	3,8	4,2	4,5
4	—15,2	— 9,8	—16,4	—13,80	0,2	0,2	0,1	0,1	1,3	1,3	1,3	1,3	2,0	2,0	2,0	2,0	2,6	3,0	3,8	4,1	4,5
5	—17,2	—11,4	—13,6	—14,07	0,1	0,1	0,0	0,1	1,3	1,3	1,3	1,3	2,0	2,0	2,0	2,0	2,6	3,0	3,7	4,1	4,4
6	— 7,0	— 3,4	— 2,3	— 4,23	—0,1	0,0	0,0	0,0	1,3	1,3	1,2	1,3	2,0	2,0	2,0	2,0	2,5	3,0	3,7	4,1	4,4
7	— 3,0	— 1,0	0,0	— 1,33	0,0	0,0	0,0	0,0	1,2	1,2	1,2	1,2	2,0	2,0	2,0	2,0	2,5	2,9	3,5	4,0	4,4
8	0,2	0,7	— 0,6	0,10	0,0	0,0	0,1	0,0	1,2	1,2	1,2	1,2	2,0	2,0	1,9	2,0	2,5	2,9	3,4	4,0	4,3
9	0,4	0,6	0,2	0,40	0,1	0,1	0,1	0,1	1,2	1,2	1,2	1,2	1,9	1,9	1,9	1,9	2,5	2,9	3,4	4,0	4,3
10	— 0,4	0,1	— 0,6	— 0,30	0,1	0,1	0,1	0,1	1,2	1,2	1,2	1,2	1,9	1,9	1,9	1,9	2,5	2,9	3,4	3,9	4,2
11	— 2,2	— 2,1	— 3,2	— 2,50	0,1	0,1	0,1	0,1	1,2	1,2	1,2	1,2	1,9	1,9	1,9	1,9	2,4	2,8	3,3	3,9	4,2
12	—20,8	—25,8	—27,9	—24,83	0,0	0,0	—0,1	0,0	1,2	1,2	1,2	1,2	1,9	1,9	1,9	1,9	2,4	2,8	3,3	3,9	4,2
13	—28,6	—19,7	—13,4	—20,57	—0,3	—0,3	—0,4	—0,3	1,1	1,1	1,1	1,1	1,9	1,9	1,9	1,9	2,4	2,8	3,3	3,9	4,2
14	—10,2	— 5,8	— 1,2	— 5,73	—0,4	—0,3	—0,2	—0,3	1,1	1,1	1,1	1,1	1,9	1,8	1,8	1,8	2,3	2,8	3,3	3,8	4,1
15	— 5,0	— 5,3	— 3,0	— 4,43	—0,2	—0,2	—0,2	—0,2	1,0	1,0	1,0	1,0	1,8	1,8	1,8	1,8	2,3	2,8	3,2	3,7	4,0
16	— 5,8	— 7,9	— 6,0	— 6,57	—0,1	—0,1	—0,1	—0,1	1,0	1,0	1,0	1,0	1,8	1,8	1,8	1,8	2,3	2,7	3,2	3,7	4,0
17	— 4,2	— 8,8	—13,3	— 8,77	—0,1	—0,1	—0,1	—0,1	1,0	1,0	1,0	1,0	1,8	1,8	1,8	1,8	2,3	2,7	3,2	3,7	4,0
18	—13,2	— 8,6	— 9,6	—10,47	—0,1	—0,1	—0,1	—0,1	1,0	1,0	1,0	1,0	1,8	1,7	1,7	1,7	2,3	2,7	3,1	3,7	3,9
19	—24,2	— 5,6	—5,2	—11,67	—0,1	—0,1	—0,2	—0,1	1,0	1,0	1,0	1,0	1,7	1,7	1,7	1,7	2,2	2,6	3,1	3,6	3,9
20	— 8,8	—11,7	—13,0	—11,17	—0,2	—0,1	—0,1	—0,1	1,0	1,0	1,0	1,0	1,7	1,7	1,7	1,7	2,2	2,6	3,1	3,6	3,9
21	—14,4	—22,5	—26,0	—20,97	—0,2	—0,2	—0,2	—0,2	1,0	1,0	1,0	1,0	1,7	1,7	1,7	1,7	2,2	2,6	3,1	3,6	3,8
22	—20,7	—23,2	—28,9	—24,27	—0,3	—0,3	—0,4	— 0,3	0,9	1,0	0,9	0,9	1,7	1,7	1,7	1,7	2,2	2,6	3,0	3,5	3,8
23	—31,4	—26,2	—33,0	—30,20	—0,5	—0,5	—0,6	—0,5	0,9	0,9	0,8	0,9	1,7	1,7	1,6	1,7	2,2	2,6	3,0	3,5	3,8
24	—31,5	—25,3	—29,5	—28,77	—0,7	—0,8	—0,9	—0,8	0,8	0,8	0,8	0,8	1,5	1,6	1,6	1,6	2,1	2,5	3,0	3,5	3,8
25	—31,8	—27,3	—33,0	—30,70	—1,2	—1,1	—1,3	—1,2	0,7	0,7	0,7	0,7	1,6	1,6	1,6	1,6	2,1	2,5	3,0	3,4	3,7
26	—35,6	—30,2	—33,8	—33,07	—1,5	—1,8	—1,8	—1,7	0,6	0,6	0,5	0,6	1,5	1,5	1,5	1,5	2,1	2,5	3,0	3,4	3,7
27	—33,4	—27,4	—32,6	—31,14	—2,0	—2,1	—2,2	—2,1	0,5	0,5	0,4	0,5	1,5	1,5	1,4	1,5	2,0	2,4	2,9	3,4	3,7
28	—28,2	—17,2	—18,8	—21,40	—2,3	—2,4	—2,3	—2,3	0,4	0,4	0,3	0,4	1,4	1,4	1,3	1,4	2,0	2,4	2,9	3,4	3,6
29	—19,2	—20,5	—24,6	—21,43	—2,2	—2,2	—2,3	—2,2	0,3	0,3	0,2	0,3	1,3	1,3	1,2	1,3	1,9	2,4	2,8	3,3	3,6
30	—30,2	—24,1	—29,6	—27,97	—2,5	—2,6	—2,8	—2,6	0,2	0,2	0,2	0,2	1,2	1,2	1,2	1,2	1,9	2,3	2,8	3,3	3,6
31	—32,1	—24,1	—28,0	—28,07	—3,0	—3,1	—3,2	—3,1	0,1	0,1	0,1	0,1	1,1	1,1	1,1	1,1	1,8	2,3	2,8	3,3	3,5

BULLETIN

de la

SOCIÉTÉ IMPÉRIALE

DES NATURALISTES

DE MOSCOU.

Publié

sous la Rédaction du Prof. Dr. Ch. Lindeman.

ANNÉE 1888.

№ 1.

(Avec 2 planches).

MOSCOU.

1888.

EXTRAIT DU RÉGLEMENT

DE LA

SOCIÉTÉ IMPÉRIALE DES NATURALISTES

DE MOSCOU.

Année 1888, — 83-ème de sa fondation.

Les Membres qui auront payé la cotisation de 4 Rbls annuellement ou la somme de 40 Rbls une fois payée, recevront, sans aucune redevance nouvelle, les Mémoires et le Bulletin de la Société.

L'auteur de tout Mémoire inséré dans les publications de la Société, recevra *gratuitement* 50 exemplaires de son Mémoire, tirés à part.

Les travaux présentés à la Société peuvent être rédigés dans toutes les langues généralement en usage.

La Société doit à la munificence de Sa Majesté l'Empereur une somme annuelle de 4.857 r. 14 c.

Séances pendant l'année 1888.

14 Janvier.	15 Septembre.
18 Février.	3 et 20 Octobre.
17 Mars.	24 Novembre.
14 Avril.	22 Décembre.

Les séances ont lieu dans le local de la Société, hôtel de l'Université.

MEMBRES DU BUREAU

POUR L'ANNÉE 1887.

PRÉSIDENT: Mr. Théodore Bredichin, Professeur. Conseiller d'État actuel, *à la Presnia, m. de l'Observatoire d'Astronomie de l'Université.*

VICE-PRÉSIDENT: Mr. Michel Tolstopiatoff, Professeur; Conseiller d'État actuel, *Petite Dmitrofka, m. Vassilief-Schilovski.*

SECRÉTAIRE: Mr. Alexandre Sabanéeff, Conseiller d'État, Professeur, *m. de l'Université.*

MEMBRES DU CONSEIL:

Mr. Valérien Kiprijanoff, Conseiller privé. *Chérémetiévsky Péréoulok, m. Chérémetiéff,* № 60.

Mr. Nicolas Liaskovsky, Professeur. Conseiller d'État actuel. *Petite Loubianka, m. Rogal-Ivanovsky.*

BIBLIOTHÉCAIRE: Mr. Constantin Pérépelkine. *Grande Kislovka, maison Konchine.*

CONSERVATEURS DES COLLECTIONS:

Mr. Adrien Golovatschov, Conservateur des collections zoologiques. *Grande Nikitskaïa, m. Kousnezoff.*

Mr. J. N. Goroschankine, Conseiller d'État, Professeur. *Conservateur des collections botaniques, au Jardin botanique de l'Université.*

Mr. Aléxis Pavlow, Professeur, *Chérémetiévsky Pér. m. Chérémetiéff,* № *65.*

MEMBRE ADJOINT pour la Rédaction des Mémoires et du Bulletin. Mr. Jean Dumouchel, Conseiller d'État actuel. *Gontcharnaïa, maison Stépanow.*

TRÉSORIER et AIDE-BIBLIOTHÉCAIRE:

Mr. Alexis Koudriavzev. *Smolenski Boulevard m. de l'Ecole d'agriculture.*

TABLE DES MATIÈRES

CONTENUES DANS CE NUMÉRO.

BULLETIN

de la

SOCIÉTÉ IMPÉRIALE

DES NATURALISTES

DE MOSCOU.

Publié

sous la Rédaction du Prof. Dr. M. Menzbier.

ANNÉE 1888.

№ 2.

(Avec 6 planches).

MOSCOU.

1888.

EXTRAIT DU RÉGLEMENT

DE LA

SOCIÉTÉ IMPERIALE DES NATURALISTES

DE MOSCOU.

Année 1888, — 83-ème de sa fondation.

Les Membres qui auront payé la cotisation de 4 Rbls annuellement ou la somme de 40 Rbls une fois payée, recevront, sans aucune redevance nouvelle, les Mémoires et le Bulletin de la Société.

L'auteur de tout Mémoire inséré dans les publications de la Société, recevra *gratuitement* 50 exemplaires de son Mémoire, tirés à part.

Les travaux présentés à la Société peuvent être rédigés dans toutes les langues généralement en usage.

La Société doit à la munificence de Sa Majesté l'Empereur une somme annuelle de 4.857 r. 14 c.

Séances pendant l'année 1888.

14 Janvier.	15 Septembre.
18 Février.	3 et 20 Octobre.
17 Mars.	24 Novembre.
14 Avril.	22 Décembre.

Les séances ont lieu dans le local de la Société. hôtel de l'Université.

BUREAU DE LA SOCIÉTÉ.

PRÉSIDENT: Mr. Théodor Bredichin, Professeur. Conseiller d'État actuel, à *Présnia, m. de l'Observatoire d'Astronomie de l'Université.*

VICE-PRÉSIDENT: Mr. Michel Tolstopiatow, Professeur. Conseiller d'État actuel. *Petite Dmitrovka, m. Vassiliew-Schilovski.*

SECRÉTAIRES: Mr. Basile Lvow, Aide-naturaliste à l'Université. *M. de l'Université.*

Mr. Aléxis Pavlow, Professeur. *Chérémetievsky Péréoulok, m. Chérémetiéw, № 65.*

MEMBRES DU CONSEIL:

Mr. Valérien Kiprijanow, Conseiller privé. *Chérémetiévsky Péréoulok, m. Chérémetiéw, № 60.*

Mr. Nicolas Liaskovsky, Professeur. Conseiller d'État actuel. *Petite Loubianka, m. Rogal-Ivanovsky.*

RÉDACTEUR des Mémoires et du Bulletin:

Mr. Michel Menzbier, Professeur. *Chérémetiévsky Péréoulok, m. Chérémetiew, № 69.*

BIBLIOTHÉCAIRE: Mr. Constantin Pérépelkine. *Grande Kislovka, maison Konchine.*

CONSERVATEURS DES COLLECTIONS:

Mr. Adrien Golovatschow, Conservateur des collections zoologiques. *Grande Nikitskaïa, m. Kousnezow.*

Mr. Jean Goroschankine, Professeur; Conseiller d'État. Conservateur des collections botaniques. *Au jardin botanique de l'Université.*

Mr. Eugène Kislakovsky, Conservateur des collections paléontologiques. *Mochovaia, m. Skvorzow.*

TRÉSORIER et AIDE-BIBLIOTHÉCAIRE:

Mr. Alexis Koudriavzew. *Smolenski Boulevard, m. de l'Ecole d'agriculture.*

TABLE DES MATIÈRES

CONTENUES DANS CE NUMÉRO.

IETE IMPERIAL

DES NATURALISTES

DE MOSCOU.

Publié

s la Rédaction du Prof. Dr. M. Menzbier.

ANNÉE 1888.

№ 3.

(Avec 8 planches).

MOSCOU.
Imprimerie de l'Université Impériale.
1888.

EXTRAIT DU RÉGLEMENT

DE LA

SOCIÉTÉ IMPÉRIALE DES NATURALISTES

DE MOSCOU.

Année 1888, — 83-ème de sa fondation.

Les Membres qui auront payé la cotisation de 4 Rbls annuellement ou la somme de 40 Rbls une fois payée, recevront, sans aucune redevance nouvelle, les Mémoires et le Bulletin de la Société.

L'auteur de tout Mémoire inséré dans les publications de la Société, recevra *gratuitement* 50 exemplaires de son Mémoire, tirés à part.

Les travaux présentés à la Société peuvent être rédigés dans toutes les langues généralement en usage.

La Société doit à la munificence de Sa Majesté l'Empereur une somme annuelle de 4.857 r. 14 c.

Séances pendant l'année 1888.

14 Janvier.	15 Septembre.
18 Février.	3 et 20 Octobre.
17 Mars.	24 Novembre.
14 Avril.	22 Décembre.

Les séances ont lieu dans le local de la Société, hôtel de l'Université.

BUREAU DE LA SOCIÉTÉ.

PRÉSIDENT: Mr. Théodore Bredichin, Professeur. Conseiller d'État actuel, *à la Présnia, m. de l'Observatoire d'Astronomie de l'Université.*

VICE-PRÉSIDENT: Mr. Michel Tolstopiatow, Professeur. Conseiller d'État actuel. *Petite Dmitrovka, m. Vassiliew-Schilovski.*

SECRÉTAIRES: Mr. Basile Lvow, Aide-naturaliste à l'Université. *M. de l'Université.*

Mr. Aléxis Pavlow, Professeur. *Chérémetievsky Péréoulok, m. Chérémetiéw, № 65.*

MEMBRES DU CONSEIL:

Mr. Valérien Kiprijanow, Conseiller privé. *Chérémetiévsky Péréoulok, m. Chérémetiéw, № 60.*

Mr. Nicolas Liaskovsky, Professeur. Conseiller d'État actuel. *Petite Loubianka, m. Rogal-Ivanovsky.*

RÉDACTEUR des Mémoires et du Bulletin:

Mr. Michel Menzbier, Professeur. *Chérémetiévsky Péréoulok, m. Chérémetiew, № 69.*

BIBLIOTHÉCAIRE: Mr. Alexandre Croneberg. *Pokrovsky Boulevard, maison de l'église protestante, № 11.*

CONSERVATEURS DES COLLECTIONS:

Mr. Adrien Golovatschow, Conservateur des collections zoologiques. *Grande Nikitskaïa, m. Kousnezow.*

Mr. Jean Goroschankine, Professeur. Conseiller d'État. Conservateur des collections botaniques. *Au jardin botanique de l'Université.*

Mr. Eugène Kislakovsky, Conservateur des collections paléontologiques. *Mochovaia, m. Skvorzow.*

TRÉSORIER et AIDE-BIBLIOTHÉCAIRE:

TABLE DES MATIÈRES

CONTENUES DANS CE NUMÉRO.

BULLETIN

de la

OCIÉTÉ IMPÉRIAL

DES NATURALISTES

DE MOSCOU.

Publié

sous la Rédaction du Prof. Dr. M. Menzbier.

ANNÉE 1888.

№ 4.

(Avec 4 planches).

MOSCOU.

Imprimerie de l'Université Impériale.

EXTRAIT DU RÉGLEMENT

DE LA

SOCIETÉ IMPERIALE DES NATURALISTES

DE MOSCOU.

Année 1888. — 83-ème de sa fondation.

Les Membres qui auront payé la cotisation de 4 Rbls annuellement ou la somme de 40 Rbls une fois payée, recevront, sans aucune redevance nouvelle, les Mémoires et le Bulletin de la Société.

L'auteur de tout Mémoire inséré dans les publications de la Société, recevra *gratuitement* 50 exemplaires de son Mémoire, tirés à part.

Les travaux présentés à la Société peuvent être rédigés dans toutes les langues généralement en usage.

La Société doit à la munificence de Sa Majesté l'Empereur une somme annuelle de 4.857 r. 14 c.

Séances pendant l'annee 1888.

14 Janvier.	15 Septembre.
18 Février.	3 et 20 Octobre.
17 Mars.	24 Novembre.
14 Avril.	22 Décembre.

Les séances ont lieu dans le local de la Société, hôtel de l'Université.

TABLE DES MATIÈRES

CONTENUES DANS CE NUMÉRO.

BUREAU DE LA SOCIÉTÉ.

PRÉSIDENT: Mr. Théodore Bredichin, Professeur. Conseiller d'État actuel, *à la Presnia, m. de l'Observatoire d'Astronomie de l'Université.*

VICE-PRÉSIDENT: Mr. Michel Tolstopiatow, Professeur. Conseiller d'État actuel. *Petite Dmitrovka, m. Vassiliew-Schilovski.*

SECRÉTAIRES: Mr. Basile Lwow, Aide-naturaliste à l'Université. *M. de l'Université.*

Mr. Aléxis Pavlow, Professeur. *Chérémetievsky Péréoulok, m. Chérémetiéw, № 65.*

MEMBRES DU CONSEIL:

Mr. Valérien Kiprijanow, Conseiller privé. *Chérémetiévsky Péréoulok, m. Chérémetiéw, № 60.*

Mr. Nicolas Liaskovsky, Professeur. Conseiller d'État actuel. *Petite Loubianka, m. Rogal-Ivanovsky.*

RÉDACTEUR des Mémoires et du Bulletin:

Mr. Michel Menzbier, Professeur. *Chérémetiévsky Péréoulok, m. Chérémetiew, № 69.*

BIBLIOTHÉCAIRE: Mr. Alexandre Croneberg. *Pokrovsky Boulevard, maison de l'église protestante, № 11.*

CONSERVATEURS DES COLLECTIONS:

Mr. Adrien Golovatschow, Conservateur des collections zoologiques. *Grande Nikitskaïa, m. Kousnezow.*

Mr. Jean Goroschankine, Professeur. Conseiller d'État. Conservateur des collections botaniques. *Au jardin botanique de l'Université.*

Mr. Eugène Kislakovsky, Conservateur des collections paléontologiques. *Mochovaia, m. Skvorzow.*

TRÉSORIER et AIDE-BIBLIOTHÉCAIRE:

Mr. Alexis Koudriavzew. *Smolénsky Boulevard, m. de l'Ecole d'agriculture.*

Lightning Source UK Ltd.
Milton Keynes UK
UKHW020100140219
337249UK00009B/476/P